ZAMEK Z PIASKU, KTÓRY RUNĄŁ

STIEG LARSSON

ZAMEK Z PIASKU, KTÓRY RUNĄŁ

Przełożyła Alicja Roseneau

Wydawnictwo Czarna Owca
Warszawa 2009

Polish

Tytuł oryginału
LUFTSLOTTET SOM SPRÄNGDES

Redakcja
Grażyna Mastalerz

Skład i łamanie
Marcin Labus

Korekta
Małgorzata Denys

Wydanie I poprawione

Wydawnictwo Czarna Owca Sp. z o.o.
(dawniej Jacek Santorski & Co Agencja Wydawnicza)
ul. Alzacka 15a, 03-972 Warszawa
e-mail: wydawnictwo@czarnaowca.pl
Dział handlowy: tel. (022) 616 29 36
faks (022) 433 51 51

Zapraszamy do naszego sklepu internetowego:
www.czarnaowca.pl

Druk i oprawa
Opolgraf S.A.

ISBN 978-83-7554-127-4

Część 1

Intermezzo
na korytarzu

8 – 12 kwietnia

Podczas amerykańskiej wojny domowej w wojsku służyło około sześciuset kobiet. Zaciągnęły się przebrane za mężczyzn. Czyżby Hollywood przegapiło kawałek historii kultury? A może temat ten mógłby sprawiać kłopoty natury ideologicznej? Książki historyczne zawsze miały problem z kobietami, które nie akceptowały wyznaczonych przez płeć granic. A granica ta nigdzie nie jest tak wyraźna jak w przypadku wojny i posługiwania się bronią.

Od starożytności do czasów współczesnych historia dostarcza licznych przykładów opowieści o kobiecych wojownikach – Amazonkach. Najpopularniejsze bohaterki znalazły miejsce w książkach historycznych, dlatego że były królowymi, czyli przedstawicielkami klasy panującej. Polityczne następstwo tronu, czy to się komu podoba, czy nie, co jakiś czas umieszcza na tronie kobietę. A że wojna nie łagodnieje z powodu płci i wybucha także wtedy, kiedy krajem włada kobieta, dzieła historyczne zmuszone są odnotować pewną liczbę walecznych królowych, które nie mają innego wyjścia, jak odegrać rolę jakiegoś Churchilla, Stalina czy Roosevelta. Semiramida z Niniwy, twórczyni królestwa asyryjskiego, i Boudika, która przewodziła jednemu z najkrwawszych powstań brytyjskich przeciw cesarstwu rzymskiemu, to niektóre z przykładów. Tej drugiej zresztą postawiono pomnik przy moście nad Tamizą, naprzeciwko Big Bena. Zajrzyjcie do niej, jeśli będziecie w pobliżu.

Historyczne księgi niewiele natomiast mówią o kobiecych wojownikach w roli zwykłych żołnierzy, ćwiczących posługiwanie się bronią, tworzących regimenty i biorących udział w bitwach z wrogimi armiami na takich samych zasadach jak mężczyźni. Choć istniały od zawsze. Niemal żadna wojna nie rozegrała się bez udziału kobiet.

Rozdział 1
Piątek 8 kwietnia

DOKTOR ANDERS JONASSON został zbudzony przez siostrę Hannę Nicander. Było tuż przed wpół do drugiej w nocy.

– Co się dzieje? – zapytał oszołomiony.

– Ląduje helikopter. Dwoje pacjentów. Starszy mężczyzna i młoda kobieta. Ona z raną postrzałową.

– Aha – powiedział Anders Jonasson zmęczonym głosem.

Nagle oprzytomniał, choć drzemał tylko jakieś pół godziny. Miał nocny dyżur w izbie przyjęć w szpitalu Sahlgrenska w Göteborgu. To był potwornie wyczerpujący wieczór. Odkąd o osiemnastej zaczął dyżur, do szpitala przyjęto cztery osoby z czołowego zderzenia samochodów pod Lindome. Jedna była w stanie krytycznym, a jedna została uznana za zmarłą zaraz po przybyciu. Zajmował się także kelnerką, która oblała sobie nogi wrzątkiem w kuchni restauracji na Avenyn, oraz uratował życie czteroletniemu chłopcu, przywiezionemu do szpitala z bezdechem, po tym jak połknął kółko od samochodziku. Opatrzył też rany nastolatki, która wjechała rowerem do wykopu. Wydział drogowy uznał za słuszne wykopać dół akurat przy zjeździe ze ścieżki rowerowej, a potem ktoś do tego wykopu wrzucił koziołki ostrzegawcze. Dziewczyna miała czternaście szwów na twarzy. Poza tym będzie potrzebowała nowych siekaczy. Jonasson przyszył także kawałek kciuka, który pewien zapalony majsterkowicz odciął sobie heblem.

Około jedenastej liczba nagłych przypadków się zmniejszyła. Zrobił obchód i sprawdził stan przyjętych pacjentów, a potem wycofał się do pokoju wypoczynkowego, żeby się chwilę odprężyć. Jego dyżur kończył się o szóstej rano. Rzadko sypiał, nawet jeśli nie było żadnych nagłych przypadków, ale akurat tej nocy niemal natychmiast zapadł w drzemkę. Siostra Hanna Nicander podała mu kubek herbaty. Jeszcze nie wiedziała nic bliższego o nowych pacjentach.

Anders Jonasson wyjrzał przez okno i zobaczył, że od strony morza mocno się błyska. Helikopter zdążył naprawdę w ostatniej chwili. Właśnie zaczynał się ulewny deszcz. Nad Göteborg nadciągała burza.

Stojąc przy oknie, usłyszał odgłos silników i zobaczył, jak helikopter, kołysany podmuchami wiatru, zniża się nad lądowiskiem. Wstrzymał na chwilę oddech. Pilot z trudem utrzymywał kontrolę nad maszyną. Potem helikopter zniknął mu z pola widzenia i usłyszał, jak silnik zwalnia obroty. Upił łyk herbaty i odstawił kubek.

ANDERS JONASSON czekał na nosze przy wejściu na oddział ratunkowy. Dyżurująca wraz z nim Katarina Holm zajęła się pacjentem, który wjechał pierwszy – starszym mężczyzną z poważnymi obrażeniami twarzy. Doktorowi Jonassonowi przypadła więc w udziale druga osoba, kobieta z raną postrzałową. Obejrzał ją szybko i stwierdził, że wygląda jak nastolatka, bardzo brudna, zakrwawiona i poważnie ranna. Uniósł koc, którym ratownicy otulili jej ciało, i zauważył, że ktoś zakleił rany postrzałowe na biodrze i ramieniu srebrzystą taśmą izolacyjną, co wydało mu się niesłychanie mądrym posunięciem. Taśma nie dopuszczała bakterii i hamowała upływ krwi. Jedna z kul trafiła ją z boku w biodro i przeszła na wylot przez tkankę mięśniową. Potem uniósł jej ramię i zlokalizował dziurę po kuli na plecach. Nie było otworu wylotowego, co oznaczało, że pocisk nadal znajdował się w okolicy ramienia. Miał nadzieję, że nie przebił płuca, a że w kąciku ust dziewczyny nie stwierdził krwi, pomyślał, że najwidoczniej płuco jest całe.

– Rentgen! – zawołał do asystującej pielęgniarki. Więcej nie musiał mówić.

Wreszcie rozciął opatrunek, którym ratownicy owinęli głowę dziewczyny. Przeszedł go lodowaty dreszcz, kiedy pod palcami wyczuł dziurę po kuli i zrozumiał, że musiała zostać postrzelona w głowę. Tutaj też nie było otworu wylotowego.

Anders Jonasson zatrzymał się na kilka sekund i przyjrzał się dziewczynie. Nagle poczuł przygnębienie. Często mówił, że jest jak bramkarz. Codziennie przychodzili do niego ludzie w różnym stanie z jednym tylko pragnieniem – otrzymać pomoc. Siedemdziesięcioczteroletnie staruszki, które mdlały w Nordstans Galleria, bo serce odmówiło im posłuszeństwa, czternastoletni chłopcy ze śrubokrętem wbitym w lewe płuco i szesnastoletnie dziewczyny, które najadły się tabletek ecstasy, potem tańczyły osiemnaście godzin, a na koniec padały, sine na twarzy. Ofiary pobić oraz wypadków w miejscu pracy. Małe dzieci pogryzione przez psy bojowe na Vasaplatsen i panowie złote rączki, którzy chcieli tylko przyciąć kilka desek swoimi piłami Black & Decker, a kończyli z nadgarstkiem rozharatanym aż do szpiku kości.

Anders Jonasson był bramkarzem stojącym między pacjentami a przedsiębiorstwem pogrzebowym. Był osobą, która decydowała, co robić. Jeśli podjął niewłaściwą decyzję, pacjent mógł umrzeć lub obudzić się kaleką na całe życie. Przeważnie jego decyzje były słuszne, co wynikało głównie z tego, że większość poszkodowanych miała oczywisty, ściśle określony problem. Rana kłuta płuca lub złamanie po wypadku samochodowym były łatwe do ogarnięcia i zrozumiałe. Życie pacjenta zależało od rodzaju obrażeń i zręczności lekarza.

Ale dwóch rodzajów obrażeń Anders Jonasson nienawidził. Jednym z nich były ciężkie oparzenia, które właściwie niezależnie od zastosowanych środków zwykle kończyły się cierpieniem na całe życie. Drugim były urazy głowy.

11

Dziewczyna leżąca przed nim na noszach mogła żyć z kulą w biodrze i z kulą w ramieniu. Ale kula znajdująca się gdzieś w jej mózgu stanowiła problem zupełnie innej kategorii. Nagle usłyszał, że siostra Hanna coś mówi.

– Słucham?

– To ona.

– Kto taki?

– Lisbeth Salander. Dziewczyna, którą ścigają od kilku tygodni za potrójne morderstwo w Sztokholmie.

Anders Jonasson spojrzał na twarz pacjentki. Siostra miała rację. To jej zdjęcie paszportowe wraz ze wszystkimi mieszkańcami Szwecji od Wielkanocy oglądał na afiszach reklamowych przy każdym kiosku. Teraz morderczyni sama została postrzelona, co było chyba czymś w rodzaju romantycznie pojmowanej sprawiedliwości.

Ale to go nie interesowało. Jego zadaniem było uratowanie życia pacjentowi, obojętnie, czy był potrójnym mordercą, czy laureatem Nobla. Czy nawet jednym i drugim.

POTEM ROZPĘTAŁ SIĘ kontrolowany chaos, jaki zwykle panuje na pogotowiu. Personel ze zmiany Jonassona rutynowo zabrał się do dzieła. Ubrania, które Lisbeth Salander jeszcze miała na sobie, zostały porozcinane. Pielęgniarka zmierzyła ciśnienie krwi – sto na siedemdziesiąt – podczas gdy lekarz przykładał stetoskop do piersi dziewczyny i wsłuchiwał się w uderzenia serca, które były dosyć miarowe, i oddech, który już tak miarowy nie był.

Doktor Jonasson bez namysłu uznał stan Lisbeth Salander za krytyczny. Rany w ramieniu i biodrze mogły na razie poczekać, opatrzone kompresami lub nawet kawałkami taśmy, którymi ktoś pomysłowy je zakleił. Ważna była głowa. Doktor Jonasson zlecił tomografię komputerową. Tomograf szpital nabył za pieniądze podatników.

Anders Jonasson miał blond włosy i niebieskie oczy. Pochodził z Umeå. Od dwudziestu lat pracował w szpitalach

Sahlgrenska i Östra Sjukhuset, kolejno jako pracownik naukowy, patolog i lekarz pogotowia. Odznaczał się czymś, co zadziwiało jego kolegów i sprawiało, że personel był dumny, że może z nim pracować: doktor miał cel, żeby żaden pacjent nie umarł na jego dyżurze i w jakiś niepojęty sposób udawało mu się utrzymać wynik zerowy. Kilkoro jego pacjentów wprawdzie zmarło, ale nastąpiło to podczas dalszej kuracji lub z przyczyn zupełnie niezależnych od jego działań.

Ponadto Jonasson miał niezbyt ortodoksyjne poglądy na rzemiosło lekarskie. Uważał, że lekarze mają czasem skłonność do wyciągania wniosków bez pokrycia i dlatego o wiele za szybko się poddają albo za dużo czasu poświęcają na zbadanie, co pacjentowi dolega, żeby później zastosować odpowiednie leczenie. Oczywiście wszystko zgadza się z tym, czego uczą podręczniki, ale problemem jest to, że pacjent może umrzeć, a lekarze nadal dyskutują. W najgorszym razie lekarz może dojść do wniosku, że ma do czynienia z przypadkiem beznadziejnym, i przerwać leczenie.

Lecz Anders Jonasson nigdy przedtem nie miał pacjenta z kulą w głowie. Przypuszczalnie potrzebny był neurochirurg. Czuł, że nie będzie w stanie temu podołać, lecz nagle uświadomił sobie, że ma więcej szczęścia, niż na to zasługuje. Zanim się przebrał i przystąpił do szorowania dłoni, zawołał do Hanny Nicander:

– W Karolinska w Sztokholmie pracuje amerykański profesor, nazywa się Frank Ellis, a teraz przebywa w Göteborgu. Jest znanym specjalistą od mózgu, do tego moim dobrym kolegą. Mieszka w hotelu Radisson na Avenyn. Czy może pani zdobyć numer jego telefonu?

Anders Jonasson czekał jeszcze na zdjęcia rentgenowskie, gdy Hanna Nicander wróciła z telefonem do Radissona. Lekarz rzucił okiem na zegarek – pierwsza czterdzieści dwie – i podniósł słuchawkę. Nocny portier wyjątkowo niechętnie łączył rozmowy o tej porze, więc zanim doktor

Jonasson został połączony, musiał powiedzieć kilka ostrych słów o sytuacji przymusowej.

– Dzień dobry, Frank – powiedział. – Mówi Anders. Słyszałem, że jesteś w Göteborgu. Czy masz ochotę wpaść do Sahlgrenska i poasystować mi przy operacji neurochirurgicznej?

– *Are you bullshitting me?* – odezwał się Frank Ellis sceptycznym tonem. Wprawdzie mieszkał w Szwecji od wielu lat i bez problemu porozumiewał się po szwedzku – choć nadal miał amerykański akcent – ale jego podstawowym językiem pozostał angielski. Anders Jonasson mówił po szwedzku, a on odpowiadał po angielsku.

– Frank, przykro mi, że przegapiłem twój wykład, ale pomyślałem, że mógłbyś mi udzielić prywatnych lekcji. Mam tu młodą kobietę, która została postrzelona w głowę. Kula weszła tuż nad lewym uchem. Nie dzwoniłbym do ciebie, gdybym nie potrzebował *second opinion*. I nie przychodzi mi do głowy nikt bardziej odpowiedni niż ty.

– Mówisz poważnie?

– To dziewczyna w wieku około dwudziestu pięciu lat.

– I została postrzelona w głowę?

– Jest wlot kuli, nie ma wylotu.

– Ale ona żyje?

– Słaby, lecz miarowy puls, mniej regularny oddech, ciśnienie sto na siedemdziesiąt. Poza tym ma kulę w ramieniu i postrzał w biodro. Tymi dwiema sprawami potrafię się zająć.

– To dobrze rokuje – stwierdził profesor Ellis.

– Dobrze rokuje?

– Kiedy człowiek ma kulę w głowie i nadal żyje, jest duża nadzieja.

– Czy mógłbyś mi asystować?

– Muszę się przyznać, że wieczór spędziłem w towarzystwie przyjaciół. Położyłem się o pierwszej i przypuszczalnie mam jeszcze we krwi imponująco dużo promili...

– Ja będę podejmował decyzje i wykonywał cięcia. Ale potrzebuję kogoś, kto będzie mi asystował i mówił, czy nie robię czegoś niemądrego. I, szczerze powiedziawszy, pijany w sztok profesor Ellis jest przypuszczalnie o kilka klas lepszy niż ja, jeśli chodzi o ocenę uszkodzeń mózgu.

– Okej. Przyjadę. Ale jesteś mi winien przysługę.

– Taksówka czeka przed hotelem.

PROFESOR FRANK ELLIS przesunął okulary na czoło i podrapał się w kark. Spojrzenie utkwił w monitorze komputera, który pokazywał każdy zakamarek i zakątek mózgu Lisbeth Salander. Ellis miał pięćdziesiąt trzy lata, kruczoczarne włosy z pasemkami siwizny, ciemny zarost, i wyglądał jak drugoplanowa postać z *Ostrego dyżuru*. Jego wygląd świadczył o tym, że regularnie spędza sporo czasu na siłowni.

Dobrze się czuł w Szwecji. Przyjechał na wymianę jako młody naukowiec pod koniec lat siedemdziesiątych i został dwa lata. Potem wracał przy różnych okazjach, aż otrzymał profesurę w Karolinska Institutet. Był już wtedy specjalistą o międzynarodowej sławie.

Anders Jonasson znał Franka Ellisa od czternastu lat. Najpierw spotkali się na jakimś seminarium w Sztokholmie i odkryli, że obaj pasjonują się wędkarstwem muchowym. Anders zabrał kolegę na ryby do Norwegii. Przez lata utrzymywali kontakt, odbyli jeszcze kilka wypraw wędkarskich. Ale nigdy razem nie pracowali.

– Ludzki mózg to tajemnicza sprawa – powiedział profesor Ellis. – Od dwudziestu lat się nim zajmuję. A nawet dłużej.

– Wiem. Przepraszam, że tak cię wyrwałem...

– Ech – Frank Ellis machnął lekceważąco dłonią. – To cię będzie kosztowało butelkę cragganmore, kiedy znów się wybierzemy na ryby.

– Okej, to niedrogo.

– Kilka lat temu, kiedy pracowałem w Bostonie, miałem podobny przypadek. Napisałem o nim w „New England Journal of Medicine". To była dziewczyna w tym samym wieku co twoja pacjentka. Właśnie szła na uniwersytet, kiedy ktoś strzelił jej w głowę z kuszy. Strzała wbiła się w zewnętrzny koniec lewego łuku brwiowego i przeszyła głowę, wychodząc prawie na środku karku.

– I przeżyła? – zapytał Jonasson z niedowierzaniem.

– Strasznie to wyglądało, kiedy przywieziono ją na pogotowie. Ucięliśmy strzałę i włożyliśmy jej głowę do tomografu. Strzała przeszła na wylot przez mózg. Wedle wszelkiego prawdopodobieństwa powinna nie żyć albo w najlepszym przypadku mieć tak poważne obrażenia, żeby zapaść w śpiączkę.

– A tymczasem?

– Przez cały czas zachowywała świadomość. Ale to jeszcze nic. Oczywiście była przerażona, ale równocześnie miała całkowicie jasny umysł. Jedyny problem stanowiło to, że przez jej głowę przechodziła strzała.

– I co zrobiłeś?

– No cóż, wziąłem szczypce, wyciągnąłem strzałę i zakleiłem ranę plastrem. Mniej więcej tak.

– Przeżyła?

– Jej stan był oczywiście krytyczny przez dłuższy czas, choć, szczerze mówiąc, moglibyśmy wysłać ją do domu jeszcze tego samego dnia. Nigdy nie miałem zdrowszego pacjenta.

Anders Jonasson zastanawiał się, czy profesor Ellis sobie z niego nie żartuje.

– A z drugiej strony – mówił dalej Ellis – kilka lat temu miałem w Sztokholmie czterdziestodwuletniego pacjenta, który uderzył głową w ramę okna i doznał lekkiego stłuczenia. Miał mdłości i jego samopoczucie pogarszało się tak szybko, że karetka zabrała go do szpitala. Kiedy go zobaczyłem, był nieprzytomny. Miał guza i bardzo niewielkie krwawienie. Ale nigdy nie odzyskał przytomności i po dziewięciu dniach zmarł na intensywnej terapii. Do dzisiaj nie wiem dlaczego. W protokole z obdukcji podaliśmy wylew jako następstwo nieszczęśliwego wypadku, lecz nikt z nas nie był zadowolony z tej diagnozy. Krwawienie było tak niesłychanie małe i zlokalizowane tak, że nie powinno mieć żadnych następstw. A mimo to wątroba, nerki, płuca i serce po kolei odmawiały posłuszeństwa. Im jestem starszy, tym wyraźniej widzę, że to coś w rodzaju ruletki. Osobiście nie jestem przekonany, czy kiedykolwiek uda się nam zbadać, jak dokładnie działa mózg. Co zamierzasz zrobić?

Postukał pisakiem w monitor.

– Miałem nadzieję, że ty mi to powiesz.

– Najpierw powiedz, jak ty to oceniasz.

– Hm... po pierwsze, wygląda na to, że to pocisk niewielkiego kalibru. Kula weszła przy skroni i dostała się mniej więcej cztery centymetry w głąb mózgu. Dotyka komory bocznej, tam też wystąpiło krwawienie.

– I co należy zrobić?

– Używając twojej terminologii: wziąć szczypce i wyciągnąć kulę tą samą drogą, którą weszła.

– Znakomita propozycja. Ale ja użyłbym najcieńszej pincety, jaką masz.

– Tak po prostu?

– Co innego możemy w tym przypadku zrobić? Możemy zostawić kulę tam, gdzie jest, i może dziewczyna dożyje stu lat, ale to też oznacza duże ryzyko. Może nabawić się epilepsji, migreny czy podobnego draństwa. A nie chcemy chyba otwierać czaszki za rok, kiedy rana już się zagoi. Kula znajduje się w pewnej odległości od ważnych żył. Radziłbym ją usunąć, ale...

– Ale co?

– Tak naprawdę to nie kula mnie martwi. To właśnie jest w uszkodzeniach mózgu najbardziej fascynujące: jeśli przeżyła postrzelenie kulą w głowę, przeżyje także jej wyjęcie. Problem stanowi raczej to. – Wskazał monitor. – Wokół otworu wlotowego jest mnóstwo odłamków kości. Widzę co najmniej tuzin kawałków o długości kilku milimetrów. Niektóre wbiły się w tkankę mózgową. To one mogą ją zabić, jeśli nie zachowasz ostrożności.

– Ta część mózgu odpowiada za liczenie i zdolności matematyczne.

Ellis wzruszył ramionami.

– Naukowe bla-bla. Nie mam pojęcia, do czego służą akurat te szare komórki. Możesz tylko próbować zrobić wszystko jak najlepiej. To ty operujesz. Ja będę ci zaglądał przez ramię. Mogę pożyczyć fartuch i gdzieś się wyszorować?

MIKAEL BLOMKVIST zerknął na zegarek i stwierdził, że jest krótko po trzeciej nad ranem. Miał na rękach kajdanki. Na sekundę zamknął oczy. Był śmiertelnie zmęczony, ale napędzała go adrenalina. Otworzył oczy i ze złością spojrzał na komisarza Thomasa Paulssona, który z wyrazem zaskoczenia na twarzy odwzajemnił spojrzenie. Siedzieli przy stole kuchennym w białym wiejskim domu niedaleko Nossebro, zwanym Gosseberga, o którym Mikael usłyszał po raz pierwszy niecałe dwanaście godzin wcześniej.

Katastrofa stała się faktem.

– Idiota – rzucił Mikael.

– Słuchaj pan...

– Idiota – powtórzył Mikael. – Mówiłem, do kurwy nędzy, że jest wyjątkowo niebezpieczny. Powiedziałem, że musicie się z nim obchodzić jak z odbezpieczonym granatem. Zamordował co najmniej trzy osoby, jest wielki jak czołg i potrafi zabijać gołymi rękami. A pan wysyła po niego dwóch wiejskich gliniarzy, jakby był jakimś niedzielnym pijaczkiem.

Mikael znów przymknął oczy. Zastanawiał się, co jeszcze tej nocy mogło pójść nie tak.

Znalazł Lisbeth Salander tuż przed północą, ciężko ranną. Zaalarmował policję. Udało mu się też namówić ratowników, żeby przysłali helikopter i ewakuowali Lisbeth do szpitala Sahlgrenska. Dokładnie opisał jej obrażenia i dziurę po kuli w głowie, aż jakaś mądra i rozumna osoba pojęła, że dziewczyna potrzebuje natychmiastowej pomocy.

Mimo to helikopter pojawił się dopiero pół godziny później. Ze stodoły, służącej także jako garaż, Mikael wyprowadził dwa samochody i włączył ich reflektory, by oświetlić miejsce do lądowania na polu przed domem.

Załoga helikoptera wraz z dwoma pielęgniarzami działała profesjonalnie, rutynowo. Jeden z pielęgniarzy udzielał pierwszej pomocy Lisbeth, podczas gdy drugi zajmował się Aleksandrem Zalachenką, znanym także jako Karl Axel Bodin. Zalachenko był ojcem Lisbeth Salander i jej największym wrogiem. Próbował ją zabić, ale mu się nie udało. Mikael znalazł go ciężko rannego w drewutni na uboczu obejścia, z fatalnie wyglądającą raną od siekiery na twarzy i zmiażdżoną nogą.

W OCZEKIWANIU NA HELIKOPTER Mikael zrobił dla Lisbeth, co mógł. Przyniósł z szafki na bieliznę czyste prześcieradło, pociął je w pasy i założył pierwszy opatrunek. Zauważył, że w otworze wlotowym kuli zaschnięta krew działa jak korek i nie był pewien, czy ma założyć opatrunek, czy nie. W końcu bardzo luźno obwiązał prześcieradłem głowę, głównie po to, żeby rana nie była wystawiona na bakterie i brud. Krwawienie z postrzałów w biodrze i w ramieniu zatamował w najprostszy z możliwych sposobów. W jakiejś szafce znalazł rolkę szerokiej srebrnej taśmy izolacyjnej i po prostu zakleił rany. Obmył jej twarz wilgotnym ręcznikiem i spróbował usunąć brud.

Nie poszedł do drewutni, żeby udzielić pomocy Zalachence. W cichości ducha przyznał się sam przed sobą, że ani trochę go nie obchodzi.

Czekając na ratowników, zadzwonił także do Eriki Berger i opowiedział, co się dzieje.

– A tobie nic się nie stało? – zapytała.

– Ze mną wszystko w porządku – odparł Mikael. – To Lisbeth jest ranna.

– Biedna dziewczyna – powiedziała Erika Berger. – Wieczorem przeczytałam raport Björcka dla Säpo. Co masz zamiar z tym zrobić?

– Nawet nie mam siły o tym myśleć – stwierdził Mikael.

Podczas rozmowy z Eriką siedział na podłodze przy sofie i obserwował Lisbeth Salander. Wcześniej zdjął jej buty i spodnie, żeby założyć opatrunek na biodro, i teraz nieoczekiwanie położył rękę na spodniach, które rzucił na podłogę przy sofie. W kieszeni wyczuł jakiś twardy przedmiot. Po chwili wyciągnął palmtopa Palm Tungsten T3.

Zmarszczył brwi i w zamyśleniu przyglądał się komputerowi. Kiedy usłyszał odgłos helikoptera, wsunął go do wewnętrznej kieszeni kurtki. Potem – jeszcze ciągle był sam – pochylił się nad dziewczyną i przeszukał wszystkie jej kieszenie. Znalazł kolejny komplet kluczy do mieszkania na Mosebacke i paszport wystawiony na nazwisko Irene Nesser. Szybko włożył wszystko do przegródki swojej torby komputerowej.

PIERWSZY WÓZ POLICYJNY z Fredrikiem Torstenssonem i Gunnarem Anderssonem z policji z Trollhättan zjawił się kilka minut po wylądowaniu helikoptera. Po nich przyjechał komisarz Thomas Paulsson i natychmiast objął dowodzenie. Mikael podszedł do niego i zaczął tłumaczyć, co się stało. Paulsson zrobił na nim wrażenie przemądrzałego i sztywnego trepa służbisty. To po jego przybyciu wszystko zaczęło iść nie tak.

Paulsson w żaden sposób nie okazywał, że rozumie, o czym Mikael mówi. Sprawiał wrażenie dziwnie otumanionego i jedyną rzeczą, jaka do niego docierała, był fakt, że ta zmasakrowana dziewczyna na podłodze obok kuchennej sofy to poszukiwana listem gończym potrójna morderczyni

Lisbeth Salander. Najwyraźniej traktował ją jako cenny łup. Trzy razy pytał zajętego udzielaniem pomocy pielęgniarza ze służby ratowniczej, czy dziewczynę można aresztować na miejscu. W końcu pielęgniarz wstał i ryknął, żeby trzymał się na odległość ramienia.

Potem Paulsson skoncentrował się na rannym Aleksandrze Zalachence leżącym w drewutni i Mikael usłyszał, jak komisarz zgłasza przez radio, że Salander najwyraźniej próbowała zabić kolejną osobę.

W tym momencie Mikael był już tak zirytowany zachowaniem Paulssona, który ewidentnie nie słyszał ani słowa z tego, co próbował mu powiedzieć, że podniesionym głosem zaapelował do niego, żeby natychmiast zadzwonił do inspektora Jana Bublanskiego ze Sztokholmu. Wyciągnął komórkę i zaproponował, że wybierze numer. Ale Paulsson nie był zainteresowany.

Potem Mikael popełnił dwa błędy.

Zdecydowanie oświadczył, że prawdziwym potrójnym mordercą jest mężczyzna, który nazywa się Ronald Niedermann i jest zbudowany jak pancerny robot, cierpi na analgezję wrodzoną i obecnie siedzi związany w rowie przy drodze do Nossebro. Opisał miejsce, gdzie można znaleźć Niedermanna, i poradził, żeby policja wysłała po niego specjalnie uzbrojony oddział pieszych funkcjonariuszy. Paulsson zapytał, jak Niedermann znalazł się w rowie, na co Mikael szczerze przyznał, że to on doprowadził go do tego, grożąc mu bronią.

– Grożąc bronią? – zdziwił się komisarz Paulsson.

W tym momencie Mikael powinien zrozumieć, że Paulsson jest kompletnym kretynem. Powinien wziąć komórkę i sam zadzwonić do Jana Bublanskiego, i poprosić go o interwencję, żeby rozpędzić tę mgłę, która zdawała się otaczać Paulssona. A tymczasem popełnił błąd numer dwa i spróbował oddać broń, którą miał w kieszeni kurtki – pistolet typu colt 1911 government, znaleziony tego dnia w mieszkaniu

Lisbeth Salander w Sztokholmie. Za jego pomocą udało mu się obezwładnić Ronalda Niedermanna.

Paulsson postanowił natychmiast aresztować Mikaela Blomkvista pod zarzutem nielegalnego posiadania broni. Polecił także dwójce policjantów, Torstenssonowi i Anderssonowi, udać się we wspomniane miejsce przy drodze do Nossebro i sprawdzić, czy w opowieści o związanym człowieku siedzącym w rowie przy znaku ostrzegającym przed łosiami jest choć odrobina prawdy. Gdyby się okazało, że to prawda, mieli go skuć kajdankami i przywieźć do Gossebergi.

Mikael natychmiast zaprotestował, tłumacząc, że Ronald Niedermann nie jest osobą, którą można tak po prostu pojmać i skuć kajdankami – jest niezwykle groźnym mordercą. Kiedy Paulsson zignorował jego protest, zmęczenie wzięło górę. Mikael nazwał Paulssona niekompetentnym dupkiem i krzyknął do Torstenssona i Anderssona, żeby nie próbowali uwalniać Ronalda Niedermanna przed przybyciem posiłków.

Jego wybuch przyniósł tylko tyle, że został zakuty w kajdanki i posadzony na tylnym siedzeniu służbowego wozu Paulssona, skąd, klnąc pod nosem, mógł widzieć, jak Torstensson i Andersson odjeżdżają radiowozem. Jedynym jasnym punktem w tej beznadziejnej sytuacji był fakt, że Lisbeth Salander została załadowana do helikoptera i odlatywała nad czubkami drzew w kierunku szpitala. Mikael czuł się całkowicie bezradny i wyłączony z obiegu informacji. Teraz mógł tylko mieć nadzieję, że ktoś kompetentny zajmie się Lisbeth.

DOKTOR ANDERS JONASSON wykonał dwa głębokie cięcia aż do kości czaszki i odsunął skórę wokół wlotu kuli. Zabezpieczył otwór klamrami. Instrumentariuszka ostrożnie wsunęła ssak, żeby usunąć krew. Potem nastąpił nieprzyjemny moment: doktor Jonasson musiał użyć wiertarki, żeby poszerzyć otwór w kości. Wszystko trwało irytująco długo.

W końcu otwór był wystarczająco duży, żeby mógł dosięgnąć mózgu Lisbeth Salander. Ostrożnie wprowadził sondę i poszerzył kanał o kilka milimetrów. Potem za pomocą cieńszej sondy zlokalizował kulę. Zdjęcie rentgenowskie pokazywało, że kula przekręciła się i tkwiła pod kątem czterdziestu pięciu stopni w stosunku do kanału. Próbował ostrożnie poruszyć pocisk i po kilku nieudanych podejściach udało mu się przemieścić go odrobinę i ustawić w odpowiedniej pozycji.

Na końcu wprowadził do rany cienką pincetę o żłobkowanych końcówkach. Ujął nią mocno podstawę kuli i zacisnął. Potem pociągnął pincetę prosto do góry. Kula wyszła niemal bez oporu. Obejrzał ją szybko pod światło, stwierdził, że wygląda na nienaruszoną, i upuścił do metalowego naczynia.

– Wytrzeć – powiedział. Jego żądanie zostało natychmiast spełnione.

Spojrzał na EKG. Pokazywało, że akcja serca pacjentki nadal jest miarowa.

– Pinceta.

Opuścił silnie powiększającą lupę na podwieszanym statywie i nastawił ją na odsłonięte miejsce.

– Ostrożnie – powiedział profesor Frank Ellis.

W ciągu następnych czterdziestu pięciu minut Anders Jonasson usunął z okolic wlotu kuli trzydzieści dwa drobne odłamki kości. Najmniejszego z nich prawie nie można było dostrzec gołym okiem.

PODCZAS GDY ZAŁAMANY Mikael próbował ostrożnie wydostać z kieszeni marynarki komórkę – co ze skutymi dłońmi okazało się niemożliwe – na miejsce przybyło kilka samochodów z policjantami i ekipą techniczną. Komisarz Paulsson skierował ich do drewutni, żeby zabezpieczyli dowody. Nakazał też gruntowne przeszukanie domu, w którym znaleziono kilka sztuk broni. Mikael z rezygnacją obserwował te ćwiczenia z tylnego siedzenia wozu Paulssona.

Dopiero po upływie ponad godziny Paulsson najwyraźniej przypomniał sobie, że Torstensson i Andersson jeszcze nie wrócili z aresztowanym Ronaldem Niedermannem. Nagle zasępił się i zabrał Mikaela Blomkvista do kuchni, żeby jeszcze raz usłyszeć, jak po niego jechać.

Mikael zamknął oczy.

Kiedy człowiek, który miał pomóc Torstenssonowi i Anderssonowi, wrócił z meldunkiem, nadal siedział z Paulssonem w kuchni. Policjant Gunnar Andersson został znaleziony martwy, miał złamany kark. Jego kolega Frank Torstensson jeszcze żył, ale miał poważne obrażenia. Obu znaleziono w rowie przy znaku ostrzegającym przed łosiami. Brakowało służbowej broni i radiowozu.

Jeszcze do niedawna sytuacja była stosunkowo przejrzysta, a teraz nagle komisarz Thomas Paulsson miał dodatkowo na głowie morderstwo policjanta i zbiegłego uzbrojonego desperata.

– Idiota – powtórzył Mikael Blomkvist.

– Obrażanie policjantów nic tu nie pomoże.

– W tym jednym punkcie się zgadzamy. Ale ja panu dam popalić za niedopełnienie obowiązków służbowych. Jeszcze mnie pan popamięta. Zanim z panem skończę, zostanie pan okrzyknięty najgłupszym policjantem w Szwecji. Będzie o tym na każdym kiosku.

Groźba publicznego ośmieszenia była najwyraźniej jedyną rzeczą działającą na Thomasa Paulssona. Wyglądał na zaniepokojonego.

– Co pan proponuje?

– Żądam, żeby pan natychmiast zadzwonił do inspektora Jana Bublanskiego ze Sztokholmu. Teraz.

INSPEKTOR SONJA MODIG obudziła się nagle, kiedy jej podłączona do kontaktu komórka zaczęła dzwonić w drugim końcu sypialni. Spojrzała na zegarek stojący na nocnej szafce i z rozpaczą stwierdziła, że jest krótko po czwartej nad ranem. Potem spojrzała na męża, który spokojnie pochrapywał dalej. Mógłby przespać nawet atak artyleryjski. Wygrzebała się z łóżka i znalazła odpowiedni guzik.

Jan Bublanski, pomyślała, któż by inny.

– W okolicy Trollhättan rozpętało się piekło – powitał ją szef, nie tracąc czasu na grzecznościowe formułki. – Pociąg X2000 do Göteborga odchodzi dziesięć po piątej.

– Co się stało?

– Blomkvist znalazł Salander i Niedermanna z Zalachenką. Jest aresztowany za obrazę policjanta, stawianie oporu i nielegalne posiadanie broni. Salander została przewieziona do Sahlgrenska z kulką w głowie. Zalachenko jest w Sahlgrenska z siekierą w głowie. Niedermann jest na wolności. W nocy zamordował policjanta.

Sonja Modig zamrugała dwa razy i poczuła się zmęczona. Najbardziej ze wszystkiego pragnęła wśliznąć się z powrotem do łóżka i wziąć miesiąc urlopu.

– X2000 dziesięć po piątej. Okej. Co mam zrobić?

– Weź taksówkę na Centralny. Do towarzystwa będziesz miała Jerkera Holmberga. Macie nawiązać kontakt z komisarzem Thomasem Paulssonem z policji w Trollhättan, który najwyraźniej odpowiada za dużą część tego nocnego zamieszania i według Blomkvista jest, cytuję, rzadkim okazem kretyna, koniec cytatu.

– Rozmawiałeś z Blomkvistem?

– Najwidoczniej jest aresztowany i skuty. Udało mi się namówić Paulssona, żeby na chwilę podstawił mu telefon. Jadę właśnie na Kungsholmen i będę usiłował zorientować się w sytuacji. Będziemy w kontakcie. Weź komórkę.

Sonja Modig jeszcze raz spojrzała na zegarek. Potem zadzwoniła po taksówkę i na minutę weszła pod prysznic. Umyła zęby, przeciągnęła grzebieniem po włosach, ubrała się w czarne spodnie, czarny podkoszulek i szary żakiet.

25

Wrzuciła do torebki służbową broń, a jako okrycie wybrała czerwoną skórzaną kurtkę. Wreszcie potrząsnęła mężem, żeby przywrócić go do życia. Wyjaśniła, dokąd jedzie, wytłumaczyła, że to on musi zająć się dziećmi. Wyszła z bramy w momencie, kiedy podjechała taksówka.

Nie musiała szukać kolegi, inspektora Jerkera Holmberga. Spodziewała się, że będzie siedział w wagonie restauracyjnym i, jak się okazało, nie pomyliła się. Zdążył kupić dla niej kanapkę i kawę. Przez pięć minut siedzieli w milczeniu i jedli śniadanie. Wreszcie Holmberg odsunął na bok filiżankę.

– Może należałoby zmienić zawód – powiedział.

O CZWARTEJ RANO do Gossebergi przyjechał wreszcie inspektor Marcus Erlander z wydziału zabójstw w Göteborgu i przejął dowództwo od obciążonego ponad siły Thomasa Paulssona. Erlander był tęgawym siwowłosym mężczyzną w wieku około pięćdziesięciu lat. Jedną z jego pierwszych decyzji było zdjęcie kajdanek Mikaelowi Blomkvistowi. Potem poczęstował go drożdżówkami i kawą z termosu. Poszli porozmawiać w cztery oczy.

– Rozmawiałem z Bublanskim – powiedział Erlander. – Znamy się od wielu lat. Zarówno jemu, jak i mnie jest wstyd za Paulssona.

– Przez niego dziś w nocy zginął policjant – stwierdził Mikael.

Erlander skinął głową.

– Znałem Gunnara Anderssona osobiście. Służył w Göteborgu, zanim przeniósł się do Trollhättan. Miał trzyletnią córeczkę.

– Współczuję. Próbowałem ostrzec...

Erlander skinął głową.

– Tak, rozumiem. Używał pan wielkich liter i za to został pan skuty. To pan załatwił Wennerströma. Bublanski mówi, że z pana jest stuknięty detektyw amator i bezczelny

26

dziennikarz, ale najwyraźniej wie pan, o czym mówi. Czy może pan wtajemniczyć mnie w przystępny sposób w całą tę sprawę?

– Chodzi o morderstwo moich przyjaciół Daga Svenssona i Mii Bergman w Enskede i o zabójstwo człowieka, który nie był moim przyjacielem... adwokata Nilsa Bjurmana, opiekuna prawnego Lisbeth Salander.

Erlander skinął.

– Jak pan wie, policja ściga Lisbeth Salander od Wielkanocy. Była podejrzewana o potrójne morderstwo. Na początek musi pan sobie uświadomić, że ona nie jest winna tych morderstw. Jeśli gra tu jakąś rolę, to raczej ofiary.

– Nie miałem do czynienia ze sprawą Salander, ale biorąc pod uwagę wszystko, co pisały media, trochę trudno przełknąć pomysł, że miałaby być całkowicie niewinna.

– Niemniej jednak tak właśnie sprawy wyglądają. Jest niewinna. I kropka. Prawdziwym mordercą jest Ronald Niedermann, który dziś w nocy zamordował pańskiego kolegę Gunnara Anderssona. Pracuje dla Karla Axela Bodina.

– Tego samego Bodina, który leży w Sahlgrenska z siekierą w głowie.

– Jeśli spojrzeć na to od strony czysto technicznej, siekiera już nie tkwi w jego głowie. Zakładam, że to Lisbeth Salander go załatwiła. Jest jej ojcem, byłym płatnym mordercą na usługach rosyjskich tajnych służb. Zbiegł w latach siedemdziesiątych i od tego czasu pracował dla Säpo, aż do upadku Związku Radzieckiego. Potem działał na własną rękę, był gangsterem.

Erlander przyglądał się w zamyśleniu postaci siedzącej przed nim na sofie. Mikael Blomkvist był spocony, wyglądał na zmarzniętego i śmiertelnie zmęczonego. Dotychczas mówił racjonalnie i z sensem, ale komisarz Thomas Paulsson – którego słowom Erlander nieszczególnie dawał wiarę – ostrzegał go, że Blomkvist bredzi o radzieckich szpiegach i niemieckich skrytobójcach, którymi raczej nieczęsto zajmowała się szwedzka kryminalistyka. Blomkvist najwyraźniej dotarł do tego momentu opowieści, w którym Paulsson przestał go słuchać. Ale w rowie przy drodze do Nossebro leżeli policjanci – jeden martwy i jeden ciężko ranny – więc Erlander chciał wysłuchać wszystkiego. Choć nie udało mu się ukryć pewnej nieufności. Dała się słyszeć w jego głosie.

– Okej. Radziecki agent.

Blomkvist uśmiechnął się blado. Najwidoczniej miał świadomość, jak niedorzecznie brzmi jego opowieść.

– Były radziecki agent. Mogę udokumentować wszystko, co mówię.

– Proszę mówić dalej.

– Zalachenko był asem szpiegowskim w latach siedemdziesiątych. Porzucił służbę i dostał schronienie w Säpo. Zdarzało się to, o ile się orientuję, wcale nie tak rzadko po upadku Związku Radzieckiego.

– Okej.

– Jak już mówiłem, nie wiem dokładnie, co się wydarzyło dzisiejszej nocy, ale Lisbeth wyśledziła swojego ojca, którego nie widziała od piętnastu lat. Pobił kiedyś jej matkę na śmierć. Próbował zamordować Lisbeth. Pośrednio jest odpowiedzialny za zamordowanie Daga Svenssona i Mii Bergman. Poza tym odpowiada za porwanie przyjaciółki Lisbeth, Miriam Wu – słynna walka Paola Roberta w Nykvarn.

– Jeśli Lisbeth Salander uderzyła ojca siekierą w głowę, raczej trudno powiedzieć, żeby była niewinna.

– Sama ma trzy rany postrzałowe. Myślę, że z dużym prawdopodobieństwem można stwierdzić, że działała w obronie koniecznej. Zastanawiam się...

– Tak?

– Lisbeth była bardzo ubrudzona ziemią i gliną, jej włosy były jednym wielkim plackiem błota. Pod ubraniem miała pełno piasku. Wygląda na to, że została pogrzebana. A Niedermann najwidoczniej ma zwyczaj zakopywać ludzi.

Policja w Södertälje znalazła dwa groby w magazynie pod Nykvarn, należącym do Svavelsjö MC.

– Właściwie trzy. Znaleźli jeszcze jeden grób, wczoraj, późnym wieczorem. Ale jeśli Lisbeth Salander została postrzelona i zakopana, to co w takim razie robi wśród żywych z siekierą w dłoni?

– Nie wiem, co tu się działo, ale Lisbeth jest niesamowicie wytrzymała. Próbowałem namówić Paulssona, żeby ściągnął tu patrol z psami...

– Jest już w drodze.

– Dobrze.

– Paulsson aresztował pana za obrazę policji.

– Zaprzeczam. Nazwałem go idiotą, niekompetentnym dupkiem i kretynem. Żaden z tych epitetów nie był w tym kontekście obraźliwy.

– Ale jest pan też oskarżony o nielegalne posiadanie broni.

– Popełniłem błąd, próbując przekazać mu broń. Poza tym nie chcę się wypowiadać na ten temat, zanim nie porozumiem się z adwokatem.

– Okej. Zostawmy to na razie. Mamy do omówienia poważniejsze sprawy. Co pan wie o tym Niedermannie?

– Jest mordercą. Coś z nim jest nie tak. Ma ponad dwa metry wzrostu i budowę pancernego robota. Niech pan zapyta Paola Roberta, który się z nim boksował. Cierpi na analgezję wrodzoną. Neuroprzekaźniki na synapsach nie działają normalnie i w rezultacie nie jest w stanie odczuwać bólu. Jest Niemcem urodzonym w Hamburgu, jako nastolatek był skinheadem. Na wolności stanowi śmiertelne zagrożenie.

– Czy ma pan jakiś pomysł, dokąd mógł uciec?

– Nie. Wiem tylko, że przygotowałem go do zgarnięcia, a potem dowodzenie przejął ten kretyn z Trollhättan.

TUŻ PRZED PIĄTĄ RANO doktor Anders Jonasson zdjął brudne lateksowe rękawiczki i wrzucił je do kosza. Instrumentariuszka nakładała opatrunek na ranę na biodrze. Operacja trwała trzy godziny. Spojrzał na ogoloną, zmaltretowaną głowę Lisbeth Salander, już owiniętą bandażem. Poczuł nagły przypływ czułości. Często jej doświadczał wobec pacjentów, których operował. Według gazet Lisbeth Salander była psychopatką i seryjną morderczynią, ale w jego oczach wyglądała raczej jak postrzelony wróbel. Potrząsnął głową. Potem spojrzał na doktora Franka Ellisa, który przyglądał mu się z uśmiechem.

– Jesteś znakomitym chirurgiem – oświadczył Ellis.

– Dasz się zaprosić na śniadanie?

– A można tu gdzieś dostać naleśniki z dżemem?

– Gofry – odparł Anders Jonasson. – U mnie w domu. Tylko najpierw zadzwonię i uprzedzę żonę. Potem weźmiemy taksówkę. – Zatrzymał się i spojrzał na zegar. – Po głębszym zastanowieniu stwierdzam, że może lepiej nie dzwonić.

MECENAS ANNIKA GIANNINI nagle przebudziła się ze snu. Odwróciła głowę w prawo i stwierdziła, że jest za dwie minuty szósta. Pierwsze spotkanie z klientem miała już o ósmej. Spojrzała w lewo na swojego męża Enrica Gianniniego. Spał spokojnie i w najlepszym razie miał się obudzić o ósmej. Zamrugała szybko kilka razy, wstała i zanim poszła pod prysznic, włączyła ekspres do kawy. W łazience spędziła sporo czasu, potem ubrała się w czarne spodnie, białą koszulkę polo i czerwony żakiet. Zrobiła dwa tosty, położyła na nich ser, dżem pomarańczowy i pokrojone awokado. Zaniosła śniadanie do salonu, akurat kiedy zaczynały się telewizyjne wiadomości o wpół do siódmej. Napiła się kawy i właśnie otwierała usta, żeby ugryźć kanapkę, kiedy usłyszała zapowiedź.

Jeden policjant zamordowany, drugi ciężko ranny. Dramatyczne wydarzenia. W nocy schwytano ściganą listem gończym potrójną morderczynię Lisbeth Salander.

Początkowo nie była w stanie zrozumieć, o co chodziło, bo pierwsze wrażenie sugerowało, że to Lisbeth Salander zabiła policjanta. Wiadomość była sformułowana bardzo zwięźle, ale po chwili dotarło do niej, że policja poszukuje mężczyzny podejrzewanego o zabójstwo policjanta. Informacja pochodziła od anonimowego trzydziestosiedmioletniego mężczyzny. Wszystko wskazywało na to, że Lisbeth Salander, ciężko ranna, jest w szpitalu Sahlgrenska w Göteborgu.

Annika zmieniła kanał, ale nie dowiedziała się wiele więcej o tamtych wydarzeniach. Sięgnęła po komórkę i wybrała numer brata, Mikaela Blomkvista. Usłyszała komunikat, że abonent jest niedostępny. Poczuła ukłucie strachu. Mikael dzwonił do niej poprzedniego wieczoru w drodze do Göteborga. Był na tropie Lisbeth Salander. A także mordercy nazwiskiem Ronald Niedermann.

KIEDY ZROBIŁO SIĘ JASNO, spostrzegawczy policjant znalazł ślady krwi na ziemi za drewutnią. Pies policyjny poszedł ich tropem do wykopu na polance oddalonej od gospodarstwa Gosseberga o mniej więcej czterysta metrów na północny wschód.

Mikael poszedł tam razem z inspektorem Erlanderem. Przyglądali się w zamyśleniu. Od razu zauważyli dużo krwi w wykopie i wokół niego.

Znaleźli nawet zniszczoną papierośnicę, która najwidoczniej służyła jako łopatka. Erlander włożył znalezisko do plastikowego woreczka i oznakował go. Pozbierał także próbki zabarwionych krwią grudek ziemi. Policjant w mundurze zwrócił jego uwagę na niedopałek papierosa marki Pall Mall bez filtra, leżący około metra od wykopu. Także i on został zapakowany do woreczka i opatrzony etykietą. Mikael przypomniał sobie, że widział paczkę pall malli na blacie kuchennym w domu Zalachenki.

Erlander spojrzał na niebo. Zbierały się ciężkie deszczowe chmury. Burza, która zeszłej nocy rozpętała się nad

31

Göteborgiem, przechodziła najwidoczniej na południe od okolic Nossebro, ale było tylko kwestią czasu, kiedy i tu zacznie padać. Inspektor poprosił umundurowanego policjanta, żeby przyniósł plandekę i przykrył wykop.

– Wydaje mi się, że ma pan rację – powiedział wreszcie do Mikaela. – Analiza krwi na pewno potwierdzi, że tu leżała Lisbeth Salander. Domyślam się też, że na papierośnicy znajdziemy jej odciski palców. Została postrzelona i pogrzebana, ale jakimś cudem udało jej się przeżyć i wydostać...

– I wrócić do domu, żeby przyłożyć siekierą Zalachence – dokończył Mikael. – Zawzięta z niej sztuka.

– Ale jak, do diabła, poradziła sobie z Niedermannem?

Mikael wzruszył ramionami. Był tak samo zaskoczony jak Erlander.

Rozdział 2
Piątek 8 kwietnia

SONJA MODIG i Jerker Holmberg byli na Dworcu Centralnym w Göteborgu krótko po ósmej rano. Bublanski dzwonił z nowymi instrukcjami: mieli już nie jechać do Gossebergi, tylko wziąć taksówkę do komendy regionalnej policji Vastra Götalands przy placu Ernsta Fontella koło stadionu Nya Ullevi. Ponad godzinę czekali na powrót inspektora Erlandera z Mikaelem Blomkvistem z Gossebergi. Mikael przywitał się z Sonją Modig, którą spotkał już wcześniej, i przedstawił się Jerkerowi Holmbergowi. Potem dołączył do nich kolega Erlandera z aktualnymi wieściami z pogoni za Ronaldem Niedermannem. Raport był krótki.

– Utworzyliśmy grupę śledczą pod kierunkiem regionalnego wydziału kryminalnego. Oczywiście zaalarmowaliśmy cały kraj. Radiowóz znaleźliśmy o szóstej rano w Alingsås. Na razie tam ślad się urywa. Podejrzewamy, że zmienił pojazd, ale nie dostaliśmy jeszcze żadnego zgłoszenia o kradzieży samochodu.

– A media? – zapytała Sonja Modig i zerknęła przepraszająco na Mikaela Blomkvista.

– To zabójstwo policjanta, więc jest przez to maksymalna mobilizacja. Planujemy konferencję prasową na dziesiątą.

– Czy ktoś może wie, w jakim stanie jest Lisbeth Salander? – zapytał Mikael. Był dziwnie mało zainteresowany wszystkim, co wiązało się z poszukiwaniami Niedermanna.

– Przeszła w nocy operację. Wyjęli jej kulę z głowy. Jeszcze się nie wybudziła z narkozy.

– Czy wiadomo, jakie są rokowania?

– O ile zrozumiałem, nic nie będzie wiadomo, póki się nie obudzi. Ale lekarz, który ją operował, mówi, że jest dobrej myśli. Powinna przeżyć, jeśli nie pojawią się komplikacje.

– A Zalachenko? – zapytał Mikael.

– Kto? – zapytał kolega Erlandera, jeszcze niewtajemniczony w zawiłości tej sprawy.

– Karl Axel Bodin.

– Aha, on też był operowany tej nocy. Ma dość paskudną ranę od siekiery w twarzy i jeszcze jedną pod kolanem. Jest mocno sponiewierany, ale jego życiu nie zagraża niebezpieczeństwo.

Mikael skinął głową.

– Wygląda pan na zmęczonego – powiedziała Sonja Modig.

– No pewnie. To moja trzecia doba prawie bez snu.

– Spał trochę w samochodzie w drodze z Nossebro – dodał Erlander.

– Czy da pan radę opowiedzieć wszystko od początku? – zapytał Holmberg. – Wszystko wskazuje na to, że prywatni detektywi wygrywają z policją trzy do zera.

Mikael uśmiechnął się blado.

– Chciałbym to usłyszeć od Bublanskiego – powiedział.

Poszli na śniadanie do policyjnej kafeterii w komendzie. Mikael przez pół godziny tłumaczył, jak z kawałków puzzli ułożył historię Zalachenki. Kiedy skończył, policjanci nadal milczeli, pogrążeni w myślach.

– W pańskiej historii jest kilka dziur – odezwał się wreszcie Holmberg.

– Pewnie tak – potwierdził Mikael.

– Nie wyjaśnił pan, jak wszedł w posiadanie ściśle tajnego raportu Säpo o Zalachence.

Mikael skinął głową.

– Znalazłem go w mieszkaniu Lisbeth Salander, kiedy wreszcie odkryłem, gdzie się ukrywa. Ona z kolei znalazła go, jak się domyślam, w domku letniskowym mecenasa Bjurmana.

34

– A więc znalazł pan kryjówkę Salander?

Mikael skinął.

– I co?

– Sami musicie znaleźć ten adres. Lisbeth bardzo się starała mieć tajny adres i ja nie zamierzam być źródłem przecieku. Modig i Holmberg lekko się zachmurzyli.

– Panie Blomkvist... to przecież śledztwo w sprawie morderstwa – powiedziała Sonja Modig.

– A pani jeszcze nie do końca zrozumiała, że Lisbeth jest niewinna, a policja w sposób niespotykany naruszyła jej prywatność. Gang lesbijek satanistek? Skąd wy bierzecie takie rzeczy? Jeśli będzie chciała wam powiedzieć, gdzie mieszka, to jestem przekonany, że to zrobi.

– Jest jeszcze jedna rzecz, którą nie do końca rozumiem – drążył dalej Holmberg. – Skąd w tej sprawie w ogóle bierze się Bjurman? Mówi pan, że to on to wszystko uruchomił, kiedy skontaktował się z Zalachenką i zlecił mu zamordowanie Salander... ale dlaczego miałby to robić?

Mikael zwlekał z odpowiedzią dłuższą chwilę.

– Domyślam się, że zwrócił się do Zalachenki, żeby pomógł mu pozbyć się Lisbeth Salander. Miała się znaleźć w tamtym magazynie w Nykvarn.

– Był jej kuratorem. Jaki miałby powód, żeby ją zlikwidować?

– To skomplikowane.

– Więc niech pan nam wytłumaczy.

– Miał diabelnie dobry powód. Zrobił coś, a Lisbeth się o tym dowiedziała. Stanowiła zagrożenie dla jego przyszłości i dobrobytu.

– Co takiego zrobił?

– Myślę, że najlepiej będzie, jak Lisbeth sama wyjaśni wam powody.

Spojrzał Holmbergowi prosto w oczy.

– Spróbuję zgadnąć – odezwała się Sonja Modig. – Bjurman zrobił swojej podopiecznej jakąś krzywdę.

Mikael skinął głową.

– Czy mam przypuszczać, że zmuszał ją do czynności seksualnych?

Mikael wzruszył ramionami, lecz nie skomentował.

– Czy wie pan o tatuażu na brzuchu Bjurmana?

– Tatuażu?

– Wykonany ręką amatora napis na cały brzuch... *Jestem sadystyczną świnią, dupkiem i gwałcicielem*. Dyskutowaliśmy, o co tu mogło chodzić.

Mikael znienacka wybuchnął głośnym śmiechem.

– O co chodzi?

– Zastanawiałem się, co Lisbeth zrobiła, żeby się zemścić. Ale słuchajcie... nie chcę z wami rozmawiać o tej sprawie, z tych samych powodów co przedtem. Tu chodzi o jej prywatność. To wobec Lisbeth popełniono przestępstwo. To ona jest ofiarą. To ona zdecyduje, czy chce wam o tym opowiedzieć. Sorry.

Sprawiał wrażenie, jakby rzeczywiście było mu przykro.

– Gwałt trzeba zgłosić na policję – powiedziała Sonja Modig.

– Zgadzam się. Ale do tego gwałtu doszło dwa lata temu, a Lisbeth jeszcze nie rozmawiała o tym z policją. Co wskazuje na to, że raczej nie zamierza tego robić. Mogę się z nią nie zgadzać w tej sprawie ze wszystkich sił, ale i tak to ona decyduje. Poza tym...

– Tak?

– Lisbeth nie ma szczególnych powodów, żeby zwierzać się policji. Ostatnio, kiedy próbowała wyjaśnić, jakim bydlakiem jest Zalachenko, została zamknięta w psychiatryku.

PROKURATOR NADZORUJĄCY postępowanie przygotowawcze Richard Ekström czuł łaskotanie niepokoju w brzuchu, kiedy krótko przed dziewiątą rano w piątkowy poranek poprosił kierującego śledztwem Jana Bublanskiego, żeby zajął miejsce po drugiej stronie biurka. Poprawił okulary i pogładził się po starannie przystrzyżonej bródce. Czuł, że robi się niebezpiecznie, że pogrąża się w chaosie. Przez miesiąc ścigał Lisbeth Salander. Gdzie się tylko dało, przedstawiał ją jako chorą psychicznie groźną psychopatkę. Dopuścił do wycieku informacji, które miały mu pomóc w przyszłym procesie. Wszystko wyglądało tak dobrze.

Nie miał nawet cienia wątpliwości, że Lisbeth Salander jest winna potrójnego morderstwa. Wierzył, że jej proces będzie spacerkiem po zwycięstwo, propagandowym przedstawieniem z nim samym w głównej roli. A potem wszystko przestało się układać i nagle okazało się, że oto ma przed sobą zupełnie innego mordercę i chaos, który zdawał się nie mieć końca. *Pieprzona Salander*.

– A więc mamy tu niezły pasztet – powiedział. – Czego się dowiedziałeś dziś rano?

– Poszedł komunikat na cały kraj w sprawie Ronalda Niedermanna, ale nadal nie został złapany. Na razie jest poszukiwany tylko za zamordowanie policjanta Gunnara Anderssona, ale sądzę, że powinniśmy ogłosić, że jest winny trzech morderstw w Sztokholmie. Może mógłbyś zwołać konferencję prasową.

Bublanski specjalnie zaproponował konferencję, żeby rozdrażnić rozmówcę. Ekström nienawidził spotkań z dziennikarzami.

– Wydaje mi się, że na razie powinniśmy zaczekać z konferencjami – powiedział szybko.

Bublanski z trudem stłumił uśmiech.

– To przede wszystkim sprawa dla policji z Göteborga – wyjaśnił Ekström.

– No tak, ale mamy tam na miejscu Sonję Modig i Jerkera Holmberga, nawiązaliśmy współpracę...

– Zaczekamy z konferencją prasową, póki nie dowiemy się więcej – zadecydował Ekström ostrym tonem. – Chciałbym wiedzieć, jak bardzo jesteś pewny, że Niedermann rzeczywiście jest zamieszany w morderstwa tu, w Sztokholmie.

– Jako policjant jestem o tym przekonany. Tylko sprawa dowodów wygląda nie najlepiej. Nie mamy żadnych świadków morderstw, nie ma też żadnych dobrych dowodów rzeczowych. Magge Lundin i Sonny Nieminen ze Svavelsjö MC nie chcą gadać i udają, że nigdy nie słyszeli o Niedermannie. Ale i tak pójdzie siedzieć za zabójstwo policjanta.

– Właśnie – zgodził się Ekström. – To zabójstwo policjanta jest w tej chwili ważne. Ale powiedz mi... czy jest coś, co wskazywałoby, że Salander jest przynajmniej jakoś zamieszana w te morderstwa? Czy można sobie wyobrazić, że to ona razem z Niedermannem dokonała tych zbrodni?

– Wątpię. I raczej nie wygłaszałbym takiej teorii publicznie.

– To w takim razie jak jest z tym powiązana?

– To niezwykle skomplikowana historia. Dokładnie tak jak Mikael Blomkvist twierdził od początku, tu chodzi o tego typa Zala... Aleksandra Zalachenkę.

Na dźwięk nazwiska Blomkvista prokurator Ekström wyraźnie się najeżył.

– Zala to były radziecki szpieg, bezwzględny skrytobójca z okresu zimnej wojny – mówił dalej Bublanski. – Przyjechał do Szwecji w latach siedemdziesiątych i został ojcem Lisbeth Salander. Opiekowała się nim komórka Säpo. Zacierała ślady jego zbrodni. Jeden z funkcjonariuszy Säpo dopilnował też, żeby Lisbeth Salander została zamknięta w klinice psychiatrycznej dla młodzieży, kiedy miała trzynaście lat i groziła, że zdradzi tajemnicę Zalachenki.

– Rozumiesz chyba, że trochę trudno to przełknąć. To nie jest historia, z którą moglibyśmy iść do mediów. O ile dobrze zrozumiałem, wszystko, co dotyczy Zalachenki, to informacje ściśle tajne.

– Ale prawdziwe. Mam dokumenty.

– Czy mogę je przejrzeć?

Bublanski podsunął mu teczkę z raportem z 1991 roku. Ekström w zamyśleniu przyglądał się pieczątce informującej, że dokument zawiera ściśle tajne informacje, i numerowi dziennika podawczego, który od razu zidentyfikował jako należący do Säpo. Przewertował szybko liczący niemal sto stron plik papierów i przeczytał kilka fragmentów, wybranych na chybił trafił. Wreszcie odłożył raport na bok.

– Musimy spróbować trochę to załagodzić, żeby sprawa nie wymknęła się nam całkowicie spod kontroli. A więc Lisbeth Salander została zamknięta w domu wariatów, bo próbowała zabić swojego ojca... tego Zalachenkę. A teraz jeszcze zadała mu cios siekierą w głowę. W każdym razie należy to uznać za próbę morderstwa. Trzeba ją też aresztować za postrzelenie Maggego Lundina w Stallarholmen.

– Możesz aresztować, kogo chcesz, ale na twoim miejscu byłbym ostrożniejszy.

– To będzie skandal niebywałych rozmiarów, jeśli cała ta historia z Säpo wyjdzie na światło dzienne.

Bublanski wzruszył ramionami. Jego obowiązki służbowe polegały na wyjaśnianiu zbrodni, a nie na wyciszaniu skandali.

– Ten palant z Säpo, Gunnar Björck. Co wiemy o jego roli?

– Jest jedną z głównych postaci. W tej chwili przebywa na zwolnieniu lekarskim z powodu dyskopatii, obecnie mieszka w Smådalarö.

– Okej... na razie zachowamy milczenie w sprawie Säpo. Teraz liczy się zabójstwo policjanta i nic innego. Powinniśmy unikać zamieszania.

– Raczej trudno będzie wyciszyć tę sprawę.

– Co masz na myśli?

– Wysłałem Curta Svenssona, żeby przywiózł Björcka na przesłuchanie. – Bublanski spojrzał na zegarek. – Powinni tu być mniej więcej teraz.

– Co?

– Właściwie planowałem sam wybrać się na wycieczkę do Smådalarö, ale morderstwo policjanta mi przeszkodziło.

– Nie wydałem pozwolenia na zatrzymanie Björcka.

– To prawda. Ale to nie jest aresztowanie. Ściągam go tylko na przesłuchanie.

– Nie podoba mi się to.

Bublanski nachylił się do przodu, przez co wyglądał, jakby mówił niemal po przyjacielsku.

– Richardzie... sprawa wygląda tak: Lisbeth Salander jest ofiarą wielu aktów przemocy dokonanych w świetle prawa. Zaczęło się, kiedy była jeszcze dzieckiem. Nie zamierzam pozwolić, żeby to trwało nadal. Możesz odebrać mi nadzór nad śledztwem, ale w takim razie będę zmuszony napisać o tej sprawie ostrą notatkę służbową.

Richard Ekström wyglądał, jakby właśnie połknął coś kwaśnego.

GUNNAR BJÖRCK, przebywający na zwolnieniu lekarskim zastępca szefa wydziału do spraw obcokrajowców w tajnej policji, otworzył drzwi swojego letniego domku w Smådalarö i podniósł wzrok na wysokiego, krótko ostrzyżonego blondyna w czarnej skórzanej kurtce.

– Szukam Gunnara Björcka.

– To ja.

– Curt Svensson, policja kryminalna.

Mężczyzna pokazał legitymację służbową.

– Słucham pana?

– Jest pan proszony o udanie się ze mną na Kungsholmen, aby złożyć wyjaśnienia w śledztwie w sprawie Lisbeth Salander.

– Ehm... to musi być jakaś pomyłka.

– To nie jest pomyłka – stwierdził Curt Svensson.

– Pan mnie nie rozumie. Ja też jestem policjantem. Sądzę, że powinien pan skonsultować się w tej sprawie ze swoim szefem.

– To właśnie mój szef pana wzywa.

– Muszę zadzwonić i...

– Może pan zadzwonić z Kungsholmen.

Gunnar Björck poczuł nagle, że ogarnia go rezygnacja. *Stało się. Zostałem w to wciągnięty. Pieprzony gnojek Blomkvist. Pieprzona Salander.*

– Czy jestem zatrzymany? – zapytał.

– W tej chwili nie. Ale możemy to załatwić, jeśli pan sobie życzy.

– Nie... nie, oczywiście pojadę z panem. To jasne, że chcę pomagać kolegom ze służby zewnętrznej.

– To dobrze – stwierdził Curt Svensson i wszedł za gospodarzem do środka. Czujnie obserwował Gunnara Björcka, kiedy ten brał okrycie i wyłączał ekspres do kawy.

O JEDENASTEJ PRZED POŁUDNIEM Mikael Blomkvist przypomniał sobie, że jego wynajęty samochód nadal stoi zaparkowany za stodołą przy wjeździe do Gossebergi, ale był tak wyczerpany, że nie mógł po niego jechać, a jeszcze mniej nadawał się do prowadzenia auta taki kawał drogi. Poprosił o radę inspektora Marcusa Erlandera, a ten wspaniałomyślnie załatwił sprawę tak, że jeden z techników kryminalnych z Göteborga wróci samochodem Mikaela do domu.

– Niech pan potraktuje to jako zadośćuczynienie za to, jak został pan potraktowany dzisiejszej nocy.

Mikael skinął głową. Potem pojechał taksówką do City Hotellet przy Lorensbergsgatan, niedaleko Avenyn. Wynajął jednoosobowy pokój, w cenie ośmiuset koron za noc. Od razu poszedł do pokoju i zrzucił ubranie. Nagi usiadł na pościelonym łóżku i z wewnętrznej kieszeni kurtki wyjął palma tungstena T3 należącego do Lisbeth Salander i zważył go w dłoni. Nadal nie mógł uwierzyć, że mały komputer nie został zarekwirowany, kiedy komisarz Paulsson go przeszukiwał, ale Paulsson pewnie zakładał, że to komputer Mikaela. Poza tym nie trafił do aresztu, gdzie przeprowadzono by rewizję osobistą. Zastanawiał się chwilę. Wreszcie umieścił komputer w przegródce swojej torby komputerowej,

w której przechowywał już płytę CD podpisaną „Bjurman".
Ją też Paulsson przeoczył. Zdawał sobie sprawę, że z prawnego punktu widzenia ukrywa dowody w śledztwie, lecz były to przedmioty, których Lisbeth najprawdopodobniej nie chciałaby widzieć w niepowołanych rękach.

Włączył komórkę i zauważył, że bateria prawie wysiadła, więc podłączył ładowarkę. Zadzwonił do siostry, mecenas Anniki Giannini.

– Cześć, siostra.

– Co masz wspólnego z zabójstwem policjanta dziś w nocy? – zapytała od razu.

Wyjaśnił pokrótce, co się wydarzyło.

– Okej. To znaczy, że Salander jest na oddziale intensywnej terapii.

– Tak jest. Póki się nie wybudzi, nie wiemy, jak poważne ma obrażenia, ale na pewno będzie potrzebowała adwokata.

Annika Giannini zastanawiała się chwilę.

– Czy myślisz, że zechciałaby mnie?

– Pewnie w ogóle nie będzie chciała adwokata. Nie jest osobą, która chętnie prosi o pomoc.

– Ze sprawy wynika, że potrzebowałaby adwokata specjalizującego się w sprawach karnych. Czy mogłabym spojrzeć na twoje materiały?

– Porozmawiaj z Eriką Berger i poproś o kopie.

Potem Mikael zadzwonił do Eriki Berger. Nie odbierała komórki, więc wystukał jej numer w redakcji „Millennium". Odebrał Henry Cortez.

– Erika gdzieś wyszła – powiedział.

Mikael krótko streścił ostatnie wydarzenia i poprosił Henry'ego Corteza, żeby przekazał wiadomość redaktor naczelnej „Millennium".

– Okej. A co mamy robić? – zapytał Henry.

– Dzisiaj nic – odparł Mikael. – Muszę się wyspać. Przyjadę do Sztokholmu jutro, o ile nie zdarzy się nic nieprzewidzianego. „Millennium" opublikuje swoją wersję wydarzeń w następnym numerze, ale mamy na to jeszcze prawie miesiąc.

Zakończył rozmowę i wśliznął się do łóżka. Zasnął przed upływem trzydziestu sekund.

ZASTĘPCA KOMENDANTA REGIONALNEGO policji Monika Spångberg zastukała długopisem o brzeg szklanki z wodą mineralną i poprosiła o ciszę. Wokół stołu konferencyjnego w jej gabinecie zebrało się dziesięć osób. Trzy kobiety i siedmiu mężczyzn. Grupa składała się z szefa wydziału kryminalnego, zastępcy szefa wydziału kryminalnego, trzech inspektorów kryminalnych – jednym z nich był Marcus Erlander – oraz rzecznika prasowego policji w Göteborgu. Na naradę wezwano także prokurator nadzorującą postępowanie przygotowawcze Agnetę Jervas z prokuratury oraz inspektorów Sonję Modig i Jerkera Holmberga ze sztokholmskiej policji. Dwoje ostatnich włączono do grupy, żeby okazać wolę współpracy z kolegami ze stolicy, a po części także po to, żeby pokazać, jak wygląda prawdziwe policyjne śledztwo.

Spångberg, która często była jedyną kobietą w męskim gronie, słynęła z tego, że nie traciła czasu na formalności i gładkie słówka. Wyjaśniła, że komendant policji wyjechał służbowo na konferencję EuroPolu w Madrycie i kiedy dowiedział się o morderstwie policjanta, postanowił wrócić, ale jego powrotu spodziewano się dopiero późnym wieczorem. Potem zwróciła się bezpośrednio do szefa wydziału kryminalnego Andersa Pehrzona i poprosiła, by pokrótce przedstawił sytuację.

– Minęło nieco ponad dziesięć godzin od zamordowania naszego kolegi Gunnara Anderssona przy drodze do Nossebro. Znamy nazwisko mordercy, to Ronald Niedermann, ale nie mamy jeszcze jego zdjęcia.

– W Sztokholmie mamy jego fotografię sprzed ponad dwudziestu lat. Dostaliśmy ją od Paola Roberta, ale prawie nie nadaje się do użytku – powiedział Jerker Holmberg.

– Okej. Radiowóz, który uprowadził, został znaleziony, jak wiadomo, w Alingsås, dzisiaj rano. Stał zaparkowany w bocznej uliczce, mniej więcej trzysta pięćdziesiąt metrów od stacji kolejowej. Nie otrzymaliśmy rano zgłoszenia o kradzieży samochodu w okolicy.

– Jak idą poszukiwania?

– Obserwujemy pociągi przyjeżdżające do Sztokholmu i Malmö. Postawiliśmy na nogi cały kraj. Poinformowaliśmy policję norweską i duńską. W tej chwili około trzydziestu policjantów zajmuje się bezpośrednio śledztwem i oczywiście wszyscy mają oczy szeroko otwarte.

– Żadnych śladów?

– Żadnych. Na razie. Ale osoba o tak charakterystycznym wyglądzie jak Niedermann raczej nie powinna długo pozostać niezauważona.

– Czy ktoś wie, jak się czuje Fredrik Torstensson? – zapytał jeden z inspektorów.

– Leży w Sahlgrenska. Jest ciężko ranny, mniej więcej jak po wypadku samochodowym. Trudno uwierzyć, że człowiek może tak poturbować drugiego gołymi rękami. Oprócz połamanych nóg i zmiażdżonych żeber ma też uszkodzony kręg szyjny. Istnieje niebezpieczeństwo, że będzie częściowo sparaliżowany.

Zebrani przez kilka sekund rozmyślali nad położeniem kolegi. Po chwili znów głos zabrała Monika Spångberg. Zwróciła się do Erlandera:

– Co się właściwie wydarzyło w Gosseberdze?

– Thomas Paulsson wydarzył się w Gosseberdze.

Kilku uczestników zgodnie westchnęło.

– Czy nikt nie może go wysłać na emeryturę? Przecież to jest cholerna chodząca katastrofa.

– Znam Paulssona bardzo dobrze – powiedziała Monika Spångberg surowo. – Ale nie słyszałam żadnych skarg na niego przez ostatnie... chyba przez dwa lata.

– Tamtejszy komendant policji jest starym kumplem Paulssona i próbował mu pomóc, trzymając nad nim parasol ochronny. W dobrej wierze, że tak powiem, nie chcę go tu krytykować. Ale dziś w nocy Paulsson zachowywał się dziwnie do tego stopnia, że wielu kolegów zgłaszało tę sprawę.

– To znaczy jak?

Marcus Erlander zerknął na Sonję Modig i Jerkera Holmberga. Był wyraźnie zażenowany, że przed kolegami ze Sztokholmu musi ujawnić słabość swoich szeregów.

– Najdziwniejsze jest to, że wysłał człowieka z ekipy technicznej, żeby zrobił inwentaryzację drewutni, w której znaleźliśmy Zalachenkę.

– Inwentaryzację drewutni? – powtórzyła zaskoczona Spångberg.

– Tak... to znaczy... chciał wiedzieć, ile dokładnie polan się tam znajduje. Żeby raport był kompletny.

Przy stole zapadło znaczące milczenie. Erlander pośpiesznie dorzucił:

– Rano okazało się, że Paulsson bierze co najmniej dwa leki psychotropowe, xanor i efexor. Właściwie powinien być na zwolnieniu, ale ukrywał swój stan przed kolegami.

– Jaki stan? – zapytała surowo Spångberg.

– Nie wiem oczywiście, co mu dokładnie dolega, lekarzy obowiązuje tajemnica, ale te środki, które bierze, mają częściowo silne działanie przeciwlękowe, częściowo stymulujące. Był po prostu na niezłym haju.

– Mój Boże – powiedziała Spångberg z przejęciem. Wyglądała jak chmura burzowa, która przeszła nad Göteborgiem rano. – Muszę natychmiast porozmawiać z Paulssonem.

– To będzie raczej trudne. Dziś rano przeszedł załamanie, jest w szpitalu z powodu przemęczenia. Mieliśmy po prostu maksymalnego pecha, że to właśnie on miał wtedy służbę.

– Czy mogę o coś zapytać? – powiedział szef wydziału kryminalnego. – A więc Paulsson aresztował Mikaela Blomkvista w nocy?

– Napisał raport i złożył doniesienie o znieważeniu funkcjonariusza, stawianiu oporu władzy i nielegalnym posiadaniu broni.

– Co mówi Blomkvist?

– Przyznaje się do obrazy, ale twierdzi, że to była obrona konieczna. Mówi, że opór polegał na tym, że w ostrych słowach usiłował zapobiec temu, żeby Torstensson i Andersson jechali zapuszkować Niedermanna sami, bez posiłków.

– Świadkowie?

– Policjanci Torstensson i Andersson. Chciałbym jeszcze dodać, że nie wierzę ani trochę w doniesienie Paulssona o stawianiu oporu. To typowe doniesienie zapobiegawcze, żeby mógł odrzucać późniejsze skargi Blomkvista.

– Ale to znaczy, że Blomkvist sam obezwładnił Niedermanna? – zapytała prokurator Agneta Jervas.

– Sterroryzował go bronią.

– A więc Blomkvist miał broń. W takim razie aresztowanie Blomkvista miałoby przynajmniej jakieś podstawy. Skąd miał broń?

– O tym nie chce mówić bez porozumienia z adwokatem. Ale Paulsson aresztował Blomkvista, kiedy ten próbował przekazać broń policji.

– Czy mogłabym złożyć nieformalną propozycję? – zapytała ostrożnie Sonja Modig.

Wszyscy spojrzeli w jej stronę.

– Spotkałam Mikaela Blomkvista kilka razy w czasie śledztwa i w mojej ocenie jest osobą, na której można polegać, choć jest dziennikarzem. Zakładam, że to pani podejmie decyzję w sprawie oskarżenia... – Spojrzała na Agnetę Jervas, a ta kiwnęła głową. – W takim razie ta historia z obrazą i oporem to tylko bzdury, które pani, jak sądzę, od razu odrzuci.

– Pewnie tak. Ale nielegalne posiadanie broni to coś poważniejszego.

– Proponowałabym, żeby pani trzymała rękę na pulsie. Blomkvist sam poskładał tę całą historię z kawałków

46

i wyprzedził policję. Więcej skorzystamy na dobrych kontaktach i współpracy z nim niż na sprowokowaniu go, żeby rozprawił się z policją w mediach.

Umilkła. Po kilku sekundach Marcus Erlander odchrząknął. Jeżeli Sonja Modig odważyła się na takie wystąpienie, nie chciał być gorszy.

– Popieram. Ja także uważam Blomkvista za człowieka rozsądnego. Przeprosiłem go nawet za takie traktowanie. Wydaje mi się, że mógłby puścić to w niepamięć. Poza tym jest lojalny. Wyśledził, gdzie mieszka Lisbeth Salander, ale nie chce nam podać jej adresu. Nie boi się podjąć otwartej dyskusji z policją... a ma taką pozycję, że jego głos w mediach będzie się liczył tak samo jak wszystkie doniesienia Paulssona.

– Ale nie chce nam przekazać informacji o Salander?

– Mówi, że sami musimy ją o to zapytać.

– Co to była za broń? – zapytała Jervas.

– Colt 1911 government. Numer serii nieznany. Wysłałem go do laboratorium, ale jeszcze nie wiadomo, czy został użyty w Szwecji w związku z jakimś przestępstwem. Jeśli okaże się, że tak, to sprawa będzie wyglądała nieco inaczej.

Monika Spångberg uniosła długopis.

– Agneto, sama zdecydujesz, czy wszcząć postępowanie przygotowawcze przeciwko Blomkvistowi. Proponuję, żebyś poczekała na raport z laboratorium. Idźmy dalej. Ten Zalachenko... co możecie o nim powiedzieć, inspektorzy ze Sztokholmu?

– Problem polega na tym, że do wczorajszego popołudnia nigdy nie słyszeliśmy ani o Zalachence, ani o Niedermannie – odpowiedziała Sonja Modig.

– Wydawało mi się, że ścigacie bandę lesbijek satanistek – odezwał się z jeden z göteborskich policjantów. Na twarzach kilku innych pokazały się uśmiechy. Jerker Holmberg przyglądał się swoim paznokciom. Pytanie było skierowane do Sonji Modig.

– Tak między nami, to mogę powiedzieć, że też mamy swojego Thomasa Paulssona w naszym wydziale i ta historia z lesbijkami to taki odprysk, który pochodzi właśnie od niego.

Następnie Sonja Modig i Jerker Holmberg przez ponad pół godziny opowiadali, do czego udało im się dojść.

Kiedy skończyli, przy stole na dłuższą chwilę zapadła cisza.

– Jeśli ta sprawa z Gunnarem Björckiem się potwierdzi, ludziom z Säpo zacznie się palić grunt pod stopami – stwierdziła zastępczyni komendanta Spångberg.

Wszyscy skinęli głowami. Agneta Jervas podniosła rękę.

– O ile dobrze rozumiem, wasze podejrzenia opierają się w dużym stopniu na przypuszczeniach i poszlakach. Jako prokurator jestem trochę zaniepokojona stroną dowodową.

– Zdajemy sobie z tego sprawę – uspokoił ją Jerker Holmberg. – Wydaje nam się, że wiemy z grubsza, co się stało, ale jest jeszcze masa znaków zapytania, które trzeba zbadać.

– Rozumiem, że zajmujecie się znaleziskami wykopanymi w Nykvarn pod Södertälje – powiedziała Spångberg.

– Ilu morderstw dotyczy ta sprawa?

Jerker Holmberg zamrugał ze zmęczenia.

– Zaczęło się od trzech morderstw w Sztokholmie – to zabójstwa, za które ścigano Lisbeth Salander, czyli mecenas Bjurman, dziennikarz Dag Svensson i doktorantka Mia Bergman. W pobliżu magazynu w Nykvarn odkryliśmy dotychczas trzy groby. Zidentyfikowaliśmy znanego handlarza narkotyków i złodziejaszka, który został poćwiartowany i zakopany. W drugim grobie znaleźliśmy niezidentyfikowaną jeszcze kobietę. Trzeciego grobu nie zdążyliśmy jeszcze odkopać. Wygląda na to, że jest trochę starszy. Poza tym Mikael Blomkvist zasugerował, że to ma związek z morderstwem prostytutki w Södertälje kilka miesięcy temu.

– A więc jeśli doliczyć policjanta Gunnara Anderssona z Gosseberegi, mamy co najmniej osiem morderstw... to strasznie dużo. Czy podejrzewamy, że to Niedermann popełnił wszystkie te zbrodnie? W takim razie musi być kompletnym szaleńcem, seryjnym mordercą.

Sonja Modig i Jerker Holmberg wymienili spojrzenia. Teraz liczyło się, jak wiążąco potraktują swoje wypowiedzi. W końcu odezwała się Sonja Modig:

– Chociaż rzeczywiście brakuje dowodów, to ja, a także mój szef, inspektor Jan Bublanski, jesteśmy skłonni przyznać Blomkvistowi rację, kiedy twierdzi, że trzy pierwsze morderstwa popełnił Niedermann. Oznaczałoby to, że Salander jest niewinna. Jeśli chodzi o groby w Nykvarn, to Niedermann jest powiązany z tamtym miejscem poprzez porwanie przyjaciółki Salander, Miriam Wu. Nie ma wątpliwości, że to dla niej był przeznaczony czwarty grób. Ale te magazyny są własnością krewnego szefa gangu Svavelsjö MC i zanim zidentyfikujemy wszystkie szczątki, powinniśmy zaczekać z wyciąganiem wniosków.

– A ten złodziejaszek, którego zidentyfikowaliście...

– Kenneth Gustafsson, czterdzieści cztery lata, znany handlarz narkotyków i trudny przypadek od wczesnej młodości. Na oko powiedziałabym, że tu chodzi o jakieś wewnętrzne porachunki. Svavelsjö MC jest zamieszane w rozmaite drobne przestępstwa, w tym dystrybucję amfetaminy. Mógłby to więc być leśny cmentarz dla tych, co narazili się Svavelsjö MC. Ale...

– Tak?

– Ta prostytutka, która została zamordowana w Södertälje... nazywa się Irina Pietrowa, miała dwadzieścia dwa lata.

– No i?

– Sekcja zwłok wykazała, że została potraktowana z niesłychaną brutalnością, a jej obrażenia przypominają te, jakie mają osoby zatłuczone kijem bejsbolowym albo czymś podobnym. Ale nie dało się ich jednoznacznie określić. Lekarz sądowy nie był w stanie podać, jakiego narzędzia użyto.

Blomkvist miał tu dobre skojarzenie. Irina Pietrowa miała obrażenia, które równie dobrze mogłyby zostać zadane gołymi rękami...

– Niedermann?

– To uzasadnione przypuszczenie. Dowodów na razie brak.

– Co robimy dalej? – zapytała Spångberg.

– Muszę naradzić się z Bublanskim, ale jako następne posunięcie nasuwa się oczywiście przesłuchanie Zalachenki. Z naszej strony chcemy się dowiedzieć, co on wie o morderstwach w Sztokholmie, wy zaś chcecie dopaść Niedermanna.

Jeden z inspektorów z Göteborga podniósł do góry palec.

– Czy mogę jeszcze zapytać... co znaleźliśmy w tamtym domu w Gosseberdze?

– Bardzo niewiele. Cztery sztuki broni ręcznej. Sig sauer, rozłożony na części do nasmarowania na stole kuchennym. Polski P-38 wanad na podłodze koło sofy kuchennej. Colt 1911 government – to ten pistolet, który Blomkvist próbował oddać Paulssonowi. I wreszcie browning kaliber 22, który w tej kolekcji wygląda prawie na zabawkę. Podejrzewamy, że to z niego postrzelono Salander, skoro udało jej się przeżyć z kulą w głowie.

– Coś jeszcze?

– Zarekwirowaliśmy torbę zawierającą ponad dwieście tysięcy koron. Znajdowała się w pokoju na piętrze, w którym mieszkał Niedermann.

– Jesteście pewni, że to jego pokój?

– Raczej tak, nosi ubrania w rozmiarze XXL. Zalachenko co najwyżej M.

– Czy jest coś, co łączy Zalachenkę z działalnością przestępczą? – zapytał Jerker Holmberg.

Erlander potrząsnął głową.

– To zależy od tego, jak potraktujemy znalezioną broń. Ale pomijając to oraz fakt, że Zalachenko miał niezwykle skomplikowany system kamer wokół domu, nie znaleźliśmy niczego, co odróżniałoby gospodarstwo Gosseberga od innych wiejskich gospodarstw. Dom jest umeblowany dość spartańsko.

Tuż przed dwunastą do drzwi zastukał umundurowany policjant. Podał Monice Spångberg jakiś dokument. Zastępczyni komendanta podniosła do góry palec.

– Dostaliśmy zgłoszenie zaginięcia w Alingsås. Dwudziestosiedmioletnia pomoc dentystyczna Anita Kaspersson wyszła z domu około wpół do ósmej rano. Odwiozła dziecko do przedszkola, potem o ósmej miała być w pracy. Ale się nie pojawiła. Pracuje w prywatnym gabinecie dentystycznym, który mieści się mniej więcej sto pięćdziesiąt metrów od miejsca, gdzie znaleziono skradziony radiowóz.

Erlander i Sonja Modig równocześnie spojrzeli na zegarki.

– A więc ma cztery godziny przewagi. Co to za samochód?

– Granatowy renault, rocznik 1991. Tu są jego numery.

– Natychmiast ogłosić poszukiwania samochodu. W tej chwili może być gdziekolwiek między Oslo, Malmö i Sztokholmem.

Po kolejnej godzinie konferencja się zakończyła. Zdecydowano, że Sonja Modig i Marcus Erlander wspólnie przesłuchają Zalachenkę.

HENRY CORTEZ ze zmarszczonymi brwiami wodził wzrokiem za Eriką Berger. Wyszła ze swojego pokoju i zniknęła w kuchni. Po kilku sekundach wyszła z kubkiem kawy i wróciła do swojego pokoju. Zamknęła za sobą drzwi.

Henry Cortez nie potrafił określić, co go niepokoi. „Millennium" było małą redakcją, miejscem, w jakim zwykle między pracownikami zawiązują się bliskie relacje. Pracował tu na pół etatu od czterech lat i przeżył już kilka zawirowań, jak choćby okres, kiedy Mikael Blomkvist odsiadywał trzy miesiące więzienia za pomówienie, a pismo prawie upadło. Przeżył morderstwo współpracownika Daga Svenssona i jego dziewczyny Mii Bergman.

Podczas tych wszystkich burz Erika Berger była jak skała, której nic nie jest w stanie wyprowadzić z równowagi. Nie zdziwił się, kiedy zadzwoniła i obudziła go dziś rano, żeby zlecić jemu i Lottie Karim pracę. Afera z Salander osiągnęła punkt kulminacyjny, a Mikael Blomkvist był zamieszany w zabójstwo policjanta w Göteborgu. Tyle było wiadomo. Lottie Karim zakotwiczyła się w komendzie policji i usiłowała zdobyć jakieś sensowne informacje. Henry poświęcił ranek na telefonowanie, usiłując poskładać puzzle z wydarzeń ostatniej nocy. Blomkvist nie odbierał telefonów, ale dzięki kilku dobrym kontaktom Henry uzyskał całkiem niezły obraz sytuacji.

Tymczasem Erika Berger przez całe popołudnie była nieobecna duchem. Bardzo rzadko zamykała drzwi do swojego pokoju. Prawie wyłącznie wtedy, kiedy miała gości albo intensywnie pracowała nad jakąś sprawą. Tego ranka nie miała gości i nie pracowała. Kiedy Henry kilka razy pukał do niej, żeby przekazać wiadomości, zastawał ją na krześle przy oknie. Pogrążona w myślach, jakby apatyczna, patrzyła na rzekę ludzi w dole na Götgatan. Słuchała jego raportów w roztargnieniu.

Coś było nie tak.

Dzwonek do drzwi przerwał mu rozmyślania. Otworzył i wpuścił Annikę Giannini. Spotkał siostrę Mikaela Blomkvista już kilka razy, ale nie znał jej bliżej.

– Cześć, Anniko – powiedział. – Mikaela dzisiaj nie ma.

– Wiem. Przyszłam porozmawiać z Eriką.

Erika Berger spojrzała ze swojego miejsca przy oknie, ale kiedy Henry wprowadził Annikę, wzięła się w garść.

– Cześć – powiedziała. – Mikaela dzisiaj nie ma.

Annika uśmiechnęła się.

– Wiem. Przyszłam po raport Björcka o Säpo. Micke prosił mnie, żebym rzuciła na niego okiem, na wypadek gdybym miała ewentualnie reprezentować Salander w sądzie.

Erika skinęła głową. Wstała i przyniosła z biurka teczkę z dokumentami.

Annika zawahała się chwilę. Już była niemal na progu, ale zmieniła zdanie i usiadła naprzeciwko Eriki.

– No dobra, powiedz, jaki masz problem.

– Odchodzę z „Millennium". I nie potrafiłam powiedzieć o tym Mikaelowi. Był tak zaangażowany w sprawę Salander, że jakoś nigdy nie było okazji, a nie mogę powiedzieć innym, póki nie poinformuję jego, więc teraz fatalnie się z tym czuję.

Annika Giannini przygryzła dolną wargę.

– I mówisz o tym mnie. Co będziesz robić?

– Będę redaktorem naczelnym w „Svenska Morgon--Posten".

– Nieźle. W takim razie na miejscu są raczej gratulacje niż płacz i zgrzytanie zębów.

– Ale ja nie chciałam odchodzić z „Millennium" w taki sposób. W samym środku takiej cholernej zawieruchy. To spadło jak grom z jasnego nieba i nie mogłam odmówić. To jest po prostu taka szansa, która się nie powtórzy. Ale dostałam tę ofertę, na krótko zanim Dag i Mia zostali zastrzeleni, a potem było tu takie zamieszanie, że wolałam to ukryć. A teraz wyrzuty sumienia chyba mnie zagryzą.

– Rozumiem. I boisz się powiedzieć o tym Mikaelowi?

– Jeszcze nikomu nie mówiłam. Myślałam, że w SMP zacznę dopiero w lecie, że jeszcze mam dużo czasu, żeby wszystkich przygotować. Ale oni chcą, żebym przeszła do nich jak najszybciej.

Umilkła, wpatrzona w Annikę, a wyglądała przy tym, jakby zaraz miała się rozpłakać.

– Tak naprawdę to mój ostatni tydzień w „Millennium". W przyszłym tygodniu wyjeżdżam, potem... muszę mieć co najmniej tydzień urlopu, żeby się zregenerować. A od pierwszego maja zaczynam w SMP.

– A co by się stało, gdybyś nagle wpadła pod samochód? Wtedy też zostaliby bez naczelnej, zupełnie bez uprzedzenia.

Erika podniosła wzrok.

– Ale nie wpadłam pod samochód. Świadomie ukrywałam prawdę przez kilka tygodni.

– Rozumiem, że ta sytuacja jest trudna, ale mam wrażenie, że Micke, Christer i cała reszta jakoś sobie z tym poradzą. I uważam, że powinnaś im o tym jak najszybciej powiedzieć.

– No tak, ale twój pieprzony braciszek jest dziś w Göteborgu. Śpi i nie odbiera telefonów.

– Wiem. Niewielu ludzi potrafi się migać przed odbieraniem telefonów tak jak Mikael. Ale tu nie chodzi o ciebie i Mickego. Wiem, że pracowaliście razem dwadzieścia lat albo coś koło tego, że byliście parą, ale musisz myśleć o Christerze i całej redakcji.

– Ale Mikael będzie... że...

– Mikael będzie chodził po ścianach. Oczywiście. Ale jeśli nie umie zaakceptować tego, że po dwudziestu latach do czegoś doszłaś, to znaczy, że nie był wart tego czasu, który mu poświęciłaś.

Erika westchnęła.

– Głowa do góry. Zawołaj Christera i resztę redakcji. Teraz.

KIEDY ERIKA BERGER zwołała pracowników „Millennium" do małej salki konferencyjnej, Christer Malm był przez kilka sekund całkowicie oszołomiony. Zebranie redakcji zostało zapowiedziane kilka minut wcześniej, akurat kiedy zbierał się do wyjścia. Chciał wyjść wcześniej, jak zwykle w piątki. Zerknął na Henry'ego Corteza i Lottie Karim. Byli tak samo zaskoczeni jak on. Sekretarz redakcji Malin Eriksson też o niczym nie wiedziała, tak samo reporterka Monika Nilsson i szef marketingu Sonny Magnusson. W tym składzie brakowało jedynie Mikaela Blomkvista, który był w Göteborgu.

A niech to szlag. Mikael o niczym nie wie, myślał Christer Malm. *Ciekaw jestem, jak zareaguje.*

Potem uświadomił sobie, że Erika Berger skończyła mówić i zapadła przejmująca cisza. Otrząsnął się szybko, wstał, objął Erikę i pocałował w policzek.

– Gratulacje, Ricky – powiedział. – Redaktor naczelna SMP. To niezły skok z tej naszej małej łajby.

Henry Cortez też oprzytomniał i zaczął klaskać. Erika podniosła ręce.

– Stop – powiedziała. – Nie zasłużyłam dzisiaj na oklaski.

Urwała na chwilę, żeby spojrzeć na pracowników małej redakcji „Millennium".

– Posłuchajcie... jest mi bardzo przykro, że to tak wypadło. Chciałam o tym powiedzieć już kilka tygodni temu, ale nie umiałem tego zrobić w zamieszaniu po tych morderstwach. Mikacl i Malin pracowali jak opętani i po prostu nie było warunków. Dlatego się tu znaleźliśmy.

Malin Eriksson uświadomiła sobie z przerażającą jasnością, jak brakuje w redakcji ludzi i jak strasznie pusto będzie bez Eriki. Wszystko jedno, co się działo, największy chaos czy inna zawierucha, ona zawsze była jak skała, była oparciem, na które Malin zawsze mogła liczyć, zawsze niezachwiana pośród burz. Cóż... nic dziwnego, że „Svenska Morgon-Posten" ją zwerbowała. Ale co się teraz z nimi stanie? Erika zawsze była w „Millennium" postacią najważniejszą.

– Jest kilka spraw, które musimy rozwiązać. Rozumiem, że w redakcji może zrobić się niespokojnie. Naprawdę tego nie chciałam, ale stało się, jak się stało. Po pierwsze: nie porzucę całkiem „Millennium". Nadal będę udziałowcem, będę uczestniczyć w zebraniach zarządu. Nie będę miała natomiast, co oczywiste, żadnego wpływu na pracę redakcyjną – to prowadziłoby tylko do konfliktu interesów.

Christer Malm kiwnął głową w zamyśleniu.

– Po drugie: formalnie odchodzę z ostatnim dniem kwietnia. Ale w praktyce dziś jest mój ostatni dzień. W przyszłym tygodniu wyjeżdżam, podróż była zaplanowana już wcześniej. Postanowiłam, że nie będę już wracać, żeby rządzić przez te kilka dni, które zostaną.

Zamilkła na chwilę.

– Następny numer jest już gotowy w komputerze. Brakuje jeszcze tylko paru drobiazgów. To będzie mój ostatni. Potem ster musi przejąć inny redaktor naczelny. Dziś wieczorem opróżnię swoje biurko.

Cisza była przytłaczająca.

– O tym, kto przejmie funkcję redaktora naczelnego, musi zadecydować zarząd. Ale wy w redakcji też powinniście o tym podyskutować.

– Mikael – rzucił Christer Malm.

– Nie. W żadnym wypadku nie Mikael. Byłby najgorszym redaktorem naczelnym, jakiego moglibyście wybrać. Jest wspaniały jako wydawca i świetny w szukaniu mielizn w tekstach i łączeniu materiałów do publikacji. Jest hamulcowym. Redaktor naczelny musi być ofensywny. Poza tym Mikael ma skłonność do zakopywania się we własnych historiach i jest potem nieobecny całymi tygodniami. Jest niezrównany, kiedy robi się gorąco, ale kompletnie nie nadaje się do zadań rutynowych. Wszyscy to wiecie.

Christer skinął.

– „Millennium" działało dlatego, że ty i Mikael równoważyliście się nawzajem.

– Ale nie tylko dlatego. Pamiętacie chyba, jak Mikael siedział sobie w Hedestad i dąsał się prawie cały cholerny rok. Wtedy „Millennium" funkcjonowało bez niego, tak samo jak teraz musi sobie poradzić beze mnie.

– Okej. Jaki masz plan?

– Proponowałabym, żebyś to ty, Christerze, przejął obowiązki naczelnego...

– Nigdy w życiu. – Christer Malm opędzał się przed propozycją obiema rękami.

– ...ale ponieważ wiedziałam, że odmówisz, mam inne rozwiązanie. Malin. Od dzisiaj ty będziesz pełnić obowiązki redaktora naczelnego.

– Ja?! – wykrzyknęła Malin.

– Właśnie tak. Jako sekretarz redakcji byłaś wspaniała.

– Ale ja...

– Spróbuj. Dziś wieczorem sprzątnę swoje biurko. Możesz się przenieść w poniedziałek rano. Numer majowy jest właściwie skończony. Trochę się z nim namęczyliśmy. W czerwcu będzie numer podwójny, a potem mamy wolne przez miesiąc. Jeśli nie wyjdzie, w sierpniu zarząd będzie musiał znaleźć kogoś nowego. Henry, ty przejdziesz na cały etat i zastąpisz Malin na stanowisku sekretarza redakcji. Potem musicie zatrudnić nowego pracownika. Ale to już wasza decyzja, i zarządu.

Zamilkła i przez chwilę spoglądała w zamyśleniu na zebranych.

– Jeszcze jedno. Zaczynam pracę w innej gazecie. Wprawdzie SMP i „Millennium" praktycznie nie konkurują ze sobą, ale to znaczy, że nie chcę nic wiedzieć o zawartości następnego numeru. Wszystkie te sprawy od tej chwili omawiacie z Malin.

– A co zrobimy z historią Salander? – zapytał Henry Cortez.

– Zwróć się z tym do Mikaela. Wiem co nieco o sprawie Salander, ale zamykam to na klucz. Nie przejdzie do SMP.

Nagle Erika poczuła ogromną ulgę.

– To wszystko – powiedziała, kończąc zebranie. Wstała i bez dalszych komentarzy poszła do swojego pokoju.

Pracownicy „Millennium" siedzieli pogrążeni w ciszy. Dopiero godzinę później Malin Eriksson zapukała do Eriki.

– Cześć.

– Tak? – powiedziała Erika.

– Chcielibyśmy coś powiedzieć.

– Co?

– Wyjdź z pokoju.

Erika podeszła do drzwi. Zobaczyła nakryty stół, kawę i ciastka.

– Chcemy jeszcze urządzić prawdziwą imprezę na twoją cześć – powiedział Christer Malm. – Ale na razie musi wystarczyć kawa i ciastka.

Erika Berger uśmiechnęła się, po raz pierwszy tego dnia.

Rozdział 3
Piątek 8 kwietnia – sobota 9 kwietnia

ALEKSANDER ZALACHENKO był przytomny od ośmiu godzin, kiedy Sonja Modig i Marcus Erlander przyszli do niego około siódmej wieczorem. Przeszedł dość skomplikowaną operację. Zrekonstruowano mu dużą część kości policzkowej i spojono tytanowymi śrubami. Jego głowa była niemal całkowicie zabandażowana, widać było tylko lewe oko. Jeden z lekarzy wytłumaczył mu, że uderzenie siekierą zmiażdżyło kość policzkową, uszkodziło kość czołową, a także pozbawiło znacznej części mięśni po prawej stronie twarzy oraz naruszyło oczodół. Obrażenia powodowały nieznośny ból. Zalachenko otrzymywał duże dawki środków przeciwbólowych, lecz mimo to zachowywał świadomość i mógł rozmawiać. Policjantom nie pozwolono tylko za bardzo go zmęczyć.

– Dobry wieczór, panie Zalachenko – przywitała się Sonja Modig. Potem przedstawiła siebie i Erlandera.

– Nazywam się Karl Axel Bodin – wycedził z trudem Zalachenko przez zaciśnięte zęby. Mówił spokojnie.

– Wiem bardzo dobrze, kim pan jest. Czytałam listę pańskich zasług w Säpo.

Nie do końca była to prawda, gdyż Säpo nie wydało jeszcze ani jednego dokumentu o Zalachence.

– To było dawno temu – odparł Zalachenko. – Teraz nazywam się Karl Axel Bodin.

– Jak się pan czuje? – mówiła dalej Sonja Modig. – Czy jest pan w stanie rozmawiać?

– Chciałem zgłosić przestępstwo. Padłem ofiarą próby morderstwa ze strony mojej córki.

– Wiemy o tym. Ta sprawa zostanie wyjaśniona w swoim czasie – powiedział Erlander. – Teraz mamy do omówienia ważniejsze sprawy.

– Co może być ważniejszego od próby zabójstwa?

– Chcielibyśmy usłyszeć, co pan wie o trzech morderstwach popełnionych w Sztokholmie, co najmniej trzech w Nykvarn oraz porwaniu.

– Nic mi o tym nie wiadomo. Kto został zamordowany?

– Panie Bodin, mamy mocne podstawy do przypuszczeń, że winnym tych przestępstw jest pański kompan, Ronald Niedermann – powiedział Erlander. – Ponadto minionej nocy Niedermann zamordował policjanta z Trollhättan.

Sonja Modig była nieco zaskoczona, że Erlander bierze pod uwagę życzenie Zalachenki i zwraca się do niego nazwiskiem Bodin. Zalachenko przekręcił lekko głowę, żeby lepiej widzieć Erlandera. Jego głos trochę złagodniał.

– To przykra... wiadomość. Nie wiem, co robi Niedermann. Nie zamordowałem policjanta. Ja sam omal nie zostałem dziś w nocy zamordowany.

– Ronald Niedermann jest poszukiwany. Czy ma pan pojęcie, gdzie mógłby się ewentualnie ukrywać?

– Nie wiem, w jakich kręgach się obraca. Ja... – Zalachenko wahał się kilka sekund. Potem dodał konfidencjonalnym szeptem: – Muszę przyznać... między nami... że czasami niepokoiłem się o Niedermanna.

Erlander nachylił się ku niemu.

– Co pan ma na myśli?

– Zauważyłem, że potrafi być bardzo brutalny. Właściwie to się go nawet boję.

– Chce pan powiedzieć, że czuł się zagrożony przez Niedermanna?

– Zgadza się. Jestem starym człowiekiem. Nie mogę się bronić.

– Czy może nam pan objaśnić swoje powiązania z Niedermannem? – spytał Erlander.

– Jestem niepełnosprawny. – Zalachenko wskazał swoją stopę. – To już drugi raz moja córka próbowała mnie zabić. Zaangażowałem Niedermanna do pomocy przed wielu laty. Miałem nadzieję, że będzie mnie chronił... ale tak naprawdę to on przejął kontrolę nad moim życiem. Robi, co chce, a ja nie mam nic do powiedzenia.

– A w czym panu pomaga? – wtrąciła Sonja Modig. – W sprawach, z którymi pan sam nie daje sobie rady?

Zalachenko jedynym widocznym okiem posłał Sonji Modig długie spojrzenie.

– Jak zrozumiałam, córka ponad dziesięć lat temu wrzuciła do pańskiego samochodu koktajl Mołotowa. Czy może pan powiedzieć, co ją popchnęło do tego czynu?

– Proszę o to zapytać moją córkę. Jest chora psychicznie.

W jego głosie znów pojawiła się wrogość.

– Czyli twierdzi pan, że nie zna powodu, dla którego Lisbeth Salander zaatakowała pana w 1991 roku.

– Moja córka jest chora psychicznie. Istnieje dokumentacja w tej sprawie.

Sonja Modig przekrzywiła głowę. Zauważyła, że Zalachenko odpowiadał bardziej wrogo i agresywnie, kiedy to ona zadawała pytania. Poczuła, że Erlander też to zauważył. *Okej... Good cop, bad cop.* Potem odezwała się nieco głośniej.

– Nie sądzi pan, że jej postępek miał coś wspólnego z tym, że pobił pan jej matkę tak poważnie, że doznała trwałego uszkodzenia mózgu?

Zalachenko spoglądał na Sonję Modig ze spokojnym wyrazem twarzy.

– To jakieś cholerne bzdury. Jej matka była kurwą. Pewnie jakiś klient ją stłukł. Ja znalazłem się tam przypadkiem.

Sonja Modig uniosła brwi.

– A więc jest pan całkowicie niewinny?

– Oczywiście.

– Zalachenko... nie wiem, czy dobrze zrozumiałam. A więc zaprzecza pan, że pobił swoją ówczesną konkubinę Agnetę Salander, matkę Lisbeth Salander, mimo że ta sprawa była przedmiotem obszernego tajnego dochodzenia, prowadzonego przez pańskiego ówczesnego opiekuna w Säpo Gunnara Björcka.

– Nigdy nie zostałem za nic skazany. Nie byłem nawet oskarżony. Nie odpowiadam za to, co jakiś czubek z tajnej policji zmyśla w swoich raportach. Gdybym był podejrzany, powinni mnie chyba przynajmniej przesłuchać.

Sonja Modig zaniemówiła. Zalachenko wyglądał tak, jakby uśmiechnął się pod bandażami.

– A więc chciałem złożyć doniesienie na moją córkę. Usiłowała mnie zabić.

Sonja Modig westchnęła.

– Zaczynam rozumieć, dlaczego Lisbeth Salander mogła czuć potrzebę rąbnięcia pana siekierą w głowę.

Erlander chrząknął.

– Przepraszam, panie Bodin... może powinniśmy powrócić do pytania, co pan wie o zamiarach Ronalda Niedermanna.

SONJA MODIG zadzwoniła do inspektora Bublanskiego z korytarza przed pokojem Zalachenki.

– Nic – powiedziała.

– Nic? – powtórzył inspektor.

– Złożył doniesienie przeciwko Lisbeth Salander: brutalne uszkodzenie ciała i próba zabójstwa. Twierdzi, że nie ma nic wspólnego z morderstwami w Sztokholmie.

– A jak tłumaczy fakt, że Lisbeth Salander została zakopana na jego posesji w Gosseberdze?

– Mówi, że był przeziębiony i spał przez cały dzień. Jeśli Salander została postrzelona w Gosseberdze, to musi to być jakaś akcja Ronalda Niedermanna.

– Okej. Co mamy?

– Została postrzelona z browninga kaliber 22. Dlatego jeszcze żyje. Znaleźliśmy broń. Zalachenko przyznaje, że należy do niego.

– Ach tak. Czyli, innymi słowy, zdaje sobie sprawę, że na pistolecie znajdziemy jego odciski palców.

– Właśnie. Ale mówi, że kiedy ostatni raz widział tego browninga, leżał w jego szufladzie.

– A więc przypuszczalnie to ów niezrównany Ronald Niedermann wziął rewolwer, gdy Zalachenko spał, i strzelał do Salander. Czy możemy udowodnić, że było inaczej?

Sonja Modig namyślała się kilka sekund. Potem powiedziała:

– Jest dobrze obeznany ze szwedzkim prawem i metodami policji. Nie przyznaje się do niczego, a Niedermann będzie robił za ofiarę. Nie mam pojęcia, co możemy mu udowodnić. Prosiłam Erlandera, żeby wysłał jego ciuchy do laboratorium i zbadał je pod kątem obecności prochu, ale pewnie będzie twierdził, że tylko ćwiczył strzelanie z tej broni dwa dni wcześniej.

LISBETH SALANDER czuła zapach migdałów i etanolu. Miała wrażenie, że ma w ustach spirytus i próbowała go przełknąć, ale język miała ścierpnięty i sparaliżowany. Usiłowała otworzyć oczy, ale nie była w stanie. Słyszała daleki głos, który zdawał się przemawiać do niej, ale nie rozumiała słów. Potem usłyszała jasno i wyraźnie:

– Wydaje mi się, że właśnie się budzi.

Poczuła, że ktoś dotyka jej czoła. Próbowała odsunąć natarczywą dłoń. W tym samym momencie w lewym ramieniu poczuła przejmujący ból. Poddała się.

– Czy pani mnie słyszy?

Odejdź.

– Czy pani może otworzyć oczy?

Co za cholerny idiota się tak przyczepił.

W końcu otworzyła oczy. Najpierw widziała tylko niezwykłe świetliste punkty, potem ukazała się jej jakaś sylwetka. Starała się nadać spojrzeniu ostrość, ale postać przez cały czas się wymykała. Czuła się tak, jakby miała potężnego kaca, a łóżko ciągle przechylało się do tyłu.

– Strstlln – powiedziała.

– Co pani mówiła?

– Diota – powiedziała.

– To brzmi dobrze. Czy może pani jeszcze raz otworzyć oczy?

Rozchyliła powieki w dwie wąskie szparki. Widziała obcą twarz i zapisała w pamięci każdy jej szczegół. Jasnowłosy mężczyzna o niezwykle niebieskich oczach, krzywej, kanciastej twarzy, oddalonej o jakieś dziesięć centymetrów od jej twarzy.

– Witam. Nazywam się Anders Jonasson. Jestem lekarzem. Jest pani w szpitalu. Jest pani ranna i po operacji. Czy pani wie, jak się nazywa?

– Pszalandr – powiedziała Lisbeth Salander.

– Dobrze. Czy może pani coś dla mnie zrobić? Może pani policzyć do dziesięciu?

– Jeden dwa cztery... nie... trzy cztery pięć sześć...

Potem znowu zapadła w sen.

Ale doktor Anders Jonasson był zadowolony. Powiedziała, jak się nazywa, i zaczęła liczyć. To świadczyło o tym, że jej zdolność myślenia była względnie nienaruszona, czyli nie obudzi się jako warzywo. Zanotował godzinę wybudzenia: dwudziesta pierwsza sześć, ponad sześć godzin po operacji. Sam przespał większą część dnia i wrócił do szpitala około siódmej wieczorem. Właściwie miał wolne, ale zostało mu trochę papierkowej roboty.

I po prostu nie mógł nie zajrzeć na OIOM, do pacjentki, w której mózgu grzebał nad ranem.

– Niech jeszcze trochę pośpi, pilnujcie jej EEG. Boję się, że może dojść do obrzęków lub krwawienia w mózgu. Miała chyba ostry ból w ramieniu, kiedy próbowała poruszyć ręką. Kiedy się obudzi, proszę jej podawać dwa miligramy morfiny co godzinę.

Kiedy wychodził głównym wejściem szpitala Sahlgrenska, odczuwał dziwną radość.

KRÓTKO PRZED DRUGĄ nad ranem Lisbeth Salander obudziła się po raz drugi. Powoli otworzyła oczy i zobaczyła snop światła na suficie. Po kilku minutach odwróciła głowę i uświadomiła sobie, że na szyi ma kołnierz ortopedyczny. Czuła tępy ból głowy, ostry ból ramienia, kiedy próbowała przesunąć ciężar ciała. Zamknęła oczy.

Szpital, pomyślała natychmiast. *Co ja tu robię?*

Czuła się skrajnie wyczerpana. Najpierw z trudem zbierała myśli. Potem pojawiło się kilka oderwanych obrazów.

Na kilka sekund ogarnęła ją panika. Zalały ją wspomnienia o tym, jak wydostawała się z grobu. Potem zagryzła mocno zęby i skoncentrowała się na oddychaniu.

Stwierdziła, że żyje. Tylko nie była jeszcze pewna, czy to dobrze, czy źle.

Nie pamiętała dokładnie, co się wydarzyło, ale przypomniała sobie rozmytą mozaikę obrazów z drewutni, jak w szale zamierzyła się siekierą i trafiła ojca w twarz. Zalachenko. Nie wiedziała, czy umarł, czy żyje.

Nie mogła sobie przypomnieć, co się stało z Niedermannem. Miała wspomnienie zaskoczenia, kiedy zaczął uciekać, śmiertelnie przerażony, a ona nie rozumiała dlaczego.

Nagle przypomniała sobie, że widziała Pieprzonego Kallego Blomkvista. Nie była pewna, czy jej się to wszystko nie śniło, ale pamiętała kuchnię – to musiała być kuchnia w Gosseberdze – i że wydawało jej się, że on do niej podchodzi. *Chyba miałam halucynacje.*

Wydarzenia z Gossebergi zdawały się już bardzo odległe albo sprawiały wrażenie niedorzecznego snu. Skoncentrowała się na chwili obecnej.

Była ranna. Nikt nie musiał jej o tym informować. Podniosła prawą rękę i pomacała się po głowie. Była grubo obandażowana. Potem nagle sobie przypomniała. Niedermann. Zalachenko. Pieprzony dziad też miał pistolet. Browning, kaliber 22. Który w porównaniu z innymi pistoletami sprawiał wrażenie dość nieszkodliwego. To dlatego przeżyła.

Zostałam postrzelona w głowę. Mogłabym wsadzić palec do dziury po kuli i dotknąć własnego mózgu.

Dziwiła się, że żyje. Zauważyła, że czuje się dziwnie zobojętniała, właściwie wcale jej to nie obchodziło. Jeśli śmierć była taką czarną pustką, z której właśnie się obudziła, to nie trzeba było się jej tak bać. Nie zauważyłaby różnicy.

Pogrążona w takich rozmyślaniach, zamknęła oczy i znów zasnęła.

DRZEMAŁA TYLKO KILKA MINUT, kiedy usłyszała jakieś odgłosy. Otworzyła oczy i spojrzała przez wąskie szparki. Zobaczyła pielęgniarkę w białym fartuchu, która pochylała się nad nią. Zamknęła oczy i udawała, że śpi.

– Wydaje mi się, że pani już nie śpi – powiedziała pielęgniarka.

– Mhm – powiedziała Lisbeth Salander.

– Mam na imię Marianne. Czy rozumie pani, co mówię?

Lisbeth spróbowała kiwnąć głową, ale przypomniała sobie, że jej głowa jest unieruchomiona w kołnierzu.

– Nie, proszę nie próbować się ruszać. Nie musi pani się bać. Jest pani po operacji.

– Mogę dostać wody?

Marianne podała jej wodę przez słomkę. Pijąc, zauważyła, że po jej lewej stronie pojawiła się jeszcze jedna osoba.

– Dzień dobry, Lisbeth. Czy pani mnie słyszy?

– Mhm – odparła Lisbeth.

– Jestem doktor Helena Endrin. Czy wie pani, gdzie pani jest?

– Szpital.

– Jest pani w szpitalu Sahlgrenska w Göteborgu. Była pani operowana i teraz znajduje się na oddziale intensywnej opieki medycznej.

– Mhm.

– Nie musi się pani niczego obawiać.

– Zostałam postrzelona w głowę.

Doktor Endrin wahała się przez moment.

– To prawda. Czy pamięta pani, co się stało?

– Ten pieprzony dziad miał pistolet.

– Ech... tak, no właśnie.

– Kaliber 22.

– Ach tak? Tego nie wiedziałam.

– Jak poważne mam obrażenia?

– Rokowania są dobre. Było z panią źle, ale sądzimy, że ma pani duże szanse, żeby całkowicie odzyskać zdrowie.

Lisbeth rozważała to, co usłyszała. Potem skupiła wzrok na doktor Endrin. Zauważyła, że widzi ją trochę niewyraźnie.

– Co się stało z Zalachenką?

– Z kim?

– Pieprzonym dziadem. Żyje?

– Chodzi pani o Karla Axela Bodina?

– Nie, chodzi mi o Aleksandra Zalachenkę. To jego prawdziwe nazwisko.

– Nic o tym nie wiem. A ten starszy mężczyzna, którego przywieziono razem z panią, miał ciężkie obrażenia, ale jego życiu nie zagraża niebezpieczeństwo.

Serce Lisbeth stanęło na chwilę. Rozmyślała nad słowami lekarki.

– Gdzie on jest?

– W pokoju obok. Ale nie powinna się pani nim przejmować. Niech pani myśli o tym, żeby wrócić do zdrowia.

Lisbeth zamknęła oczy. Zastanawiała się przez chwilę, czy da radę podnieść się z łóżka, znaleźć jakąś nadającą się do użytku broń i dokończyć to, co zaczęła. Potem odsunęła te myśli. Nie była w stanie nawet utrzymać otwartych oczu.

Czyli, innymi słowy, jej plan zabicia Zalachenki się nie powiódł. *Znowu mu się uda umknąć.*

– Muszę panią zbadać. A potem może pani jeszcze pospać – powiedziała doktor Endrin.

MIKAEL BLOMKVIST obudził się nagle i bez przyczyny. Przez kilka sekund nie mógł sobie przypomnieć, gdzie się znajduje, a po chwili uświadomił sobie, że jest w City Hotel. W pokoju było ciemno. Zapalił lampkę przy łóżku i spojrzał na zegarek. Wpół do trzeciej nad ranem. Spał piętnaście godzin bez przerwy.

Wstał z łóżka i poszedł do ubikacji. Potem zastanawiał się chwilę. Wiedział, że nie uda mu się znowu zasnąć, więc zdecydował, że weźmie prysznic. Potem włożył dżinsy i bordową bluzę, której przydałby się kontakt z pralką. Był potwornie głodny. Zadzwonił do recepcji, żeby zapytać, czy o tej porze mógłby dostać kawę i kanapkę. Nie było z tym problemu.

Założył mokasyny, na plecy zarzucił kurtkę i poszedł do recepcji, gdzie kupił kawę i zapakowaną w folię kanapkę z żytniego chleba z serem i pasztetem. Zabrał wszystko na górę, do pokoju. Jedząc, włączył iBooka i podłączył do gniazdka internetowego. Wszedł na stronę popołudniówki „Aftonbladet". Zgodnie z przewidywaniami najważniejszą wiadomością było ujęcie Lisbeth Salander. Doniesienia nadal były pełne niejasności, ale przynajmniej szły we właściwym kierunku. Poszukiwano trzydziestosiedmioletniego Ronalda Niedermanna, podejrzanego o zamordowanie policjanta. Policja chciała przesłuchać go także w związku z morderstwami w Sztokholmie. Nie podała jeszcze żadnych informacji o tym, co dzieje się z Lisbeth Salander, nie wymieniono także nazwiska Zalachenki. Pojawił się tylko jako sześćdziesięciosześcioletni właściciel gospodarstwa Gosseberga. Widać było wyraźnie, że media nadal sądzą, że musiał być ofiarą.

Kiedy skończył czytać wiadomości, otworzył komórkę i stwierdził, że ma dwadzieścia nieprzeczytanych SMS-ów.

Trzy były prośbami o telefon do Eriki Berger. Dwa od Anniki Giannini. Czternaście od dziennikarzy różnych gazet. Jeden od Christera Malma, który napisał mu tylko: „Najlepiej wsiądź w najbliższy pociąg do domu".

Mikael zmarszczył brwi. Jak na Christera była to wiadomość dość niezwykła. SMS został wysłany poprzedniego wieczoru o siódmej. Zdławił chęć, żeby zadzwonić i obudzić go o trzeciej nad ranem. Zajrzał tylko do rozkładu jazdy na stronach kolei szwedzkich i stwierdził, że najbliższy pociąg do Sztokholmu odjeżdża o piątej dwadzieścia.

Założył nowy dokument w Wordzie. Potem zapalił papierosa i siedział w bezruchu trzy minuty, wpatrując się w pusty monitor. Wreszcie podniósł dłonie i zaczął pisać.

[Nazywa się Lisbeth Salander, a Szwecja poznała ją dzięki konferencjom prasowym policji i tytułom tabloidów. Ma 27 lat i 150 centymetrów wzrostu. Przedstawiano ją jako psychopatkę, morderczynię i lesbijkę satanistkę. Zmyślone sensacje, które sprzedawano na jej temat, nie miały żadnych granic. W niniejszym numerze „Millennium" opiszemy, jak urzędnicy państwowi zawiązali spisek przeciwko Lisbeth Salander, żeby chronić patologicznego, zwyrodniałego mordercę.]

Pisał powoli, robiąc niewiele poprawek. Pracował w skupieniu przez pięćdziesiąt minut i przez ten czas udało mu się napisać nieco ponad dwie strony A4. Była to głównie relacja z owej nocy, kiedy znalazł Daga Svenssona i Mię Bergman. Wyjaśniał też, dlaczego policja skupiła się na Lisbeth Salander jako potencjalnej morderczyni. Cytował tytuły popołudniówek o lesbijkach satanistkach i nadziejach, że morderstwa wiązały się z ekscytującym seksem BDSM.

Wreszcie spojrzał na zegarek, po czym szybko zamknął iBooka. Spakował torbę podróżną, zszedł do recepcji i wymeldował się. Zapłacił kartą kredytową i taksówką pojechał na Dworzec Centralny.

MIKAEL BLOMKVIST od razu poszedł do wagonu restauracyjnego, gdzie zamówił kawę i kanapkę. Potem znów otworzył iBooka i przeczytał tekst, który napisał tego ranka. Był tak pochłonięty historią Zalachenki, że nie zauważył inspektor Sonji Modig, póki ta nie chrząknęła grzecznościowo, pytając, czy może się przysiąść. Podniósł na nią wzrok i zamknął komputer.

– Wraca pan do domu? – zapytała Modig.

Skinął w odpowiedzi.

– Pani też, jak rozumiem.

Teraz ona skinęła.

– Mój kolega zostanie jeszcze jeden dzień.

– Czy słyszała pani coś o stanie Lisbeth Salander? Od naszego rozstania cały czas spałem.

– Wybudziła się dopiero wczoraj wieczorem. Ale lekarze sądzą, że wyjdzie z tego i odzyska sprawność. Miała niesamowite szczęście.

Mikael pokiwał głową. Nagle uświadomił sobie, że się o nią nie martwił. Wychodził z założenia, że przeżyje. Wszystko inne było nie do pomyślenia.

– Czy stało się jeszcze coś godnego uwagi? – zapytał.

Sonja Modig patrzyła na niego z wahaniem. Zastanawiała się, ile może zdradzić reporterowi, który i tak wie o całej historii więcej niż ona. Z drugiej strony sama usiadła przy jego stoliku, a ponadto już co najmniej stu reporterów wiedziało, co wydarzyło się w siedzibie policji.

– Nie chcę być cytowana – uprzedziła.

– Pytam tylko z osobistych powodów.

Skinęła głową i powiedziała, że policja zorganizowała poszukiwania Ronalda Niedermanna na wielką skalę w całym kraju, a zwłaszcza w okolicach Malmö.

– A Zalachenko? Czy przesłuchiwaliście go?

– Tak, przesłuchaliśmy go.

– I co?

– Nie mogę powiedzieć.

– Ależ proszę. I tak będę wiedział dokładnie, o czym mówiliście za mniej więcej godzinę, kiedy znajdę się w redakcji w Sztokholmie. I nie napiszę ani słowa o tym, co mi pani teraz powie.

Zastanawiała się dłuższą chwilę. Wreszcie spojrzała mu w oczy.

– Złożył doniesienie przeciwko Lisbeth Salander, zarzuca jej usiłowanie zabójstwa. Być może zostanie aresztowana za brutalne uszkodzenie ciała lub próbę zabójstwa.

– I z dużym prawdopodobieństwem powoła się na prawo do obrony koniecznej.

– Mam nadzieję – przyznała Sonja Modig.

Mikael rzucił jej szybkie spojrzenie.

– To nie brzmiało zbyt policyjnie – powiedział ostrożnie.

– Bodin... Zalachenko jest śliski jak piskorz, ma gotowe odpowiedzi na wszystkie pytania. Jestem przekonana, że sprawy wyglądają mniej więcej tak, jak nam pan wczoraj opowiadał. To znaczy, że Salander była ofiarą nieustającego bezprawia, odkąd skończyła dwanaście lat.

Mikael skinął głową.

– Właśnie o tym będzie mój artykuł – powiedział.

– Ten artykuł nie wszędzie wzbudzi zachwyt.

Namyślała się jeszcze chwilę. Mikael czekał cierpliwie.

– Rozmawiałam z Bublanskim pół godziny temu. Nie mówił dużo, ale wygląda na to, że postępowanie przygotowawcze przeciwko Salander w sprawie morderstwa pańskich przyjaciół zostało umorzone. Teraz całą uwagę skupiamy na Niedermannie.

– A to znaczy, że...

Pytanie zawisło między nimi. Sonja Modig wzruszyła ramionami.

– Kto zajmie się wyjaśnieniem sprawy Salander?

– Nie wiem. Za wydarzenia w Gosseberdze przede wszystkim odpowiada Göteborg. Ale domyślam się, że ktoś ze sztokholmskiej policji otrzyma polecenie zebrania całego materiału przed wniesieniem oskarżenia.

– Rozumiem. Jestem gotów się założyć, że śledztwo zostanie przeniesione do Säpo.

Potrząsnęła głową.

Zbliżali się do Alingsås, kiedy Mikael nachylił się do niej.

– Sonju... wydaje mi się, że pani rozumie, co się kroi. Jeśli sprawa Zalachenki nabierze rozgłosu, to będzie skandal o wielkim zasięgu. Funkcjonariusze Säpo współdziałali z psychiatrami, żeby zamknąć Lisbeth w domu wariatów. Jedyne, co mogą zrobić, to nieustępliwie twierdzić dalej, że Lisbeth Salander jest psychicznie chora i przymusowe środki z 1991 roku były rzeczywiście uzasadnione.

Sonja Modig skinęła głową.

– Zrobię wszystko, żeby pokrzyżować im te plany. Chcę przez to powiedzieć, że Lisbeth Salander jest tak samo normalna jak pani i ja. Dziwna, to prawda, ale nie można kwestionować sprawności jej umysłu.

Znów kiwnęła głową. Mikael zrobił przerwę, pozwalając, żeby to, co powiedział, dotarło jak najgłębiej.

– Potrzebowałbym kogoś, kto jest w środku, komu mógłbym zaufać – powiedział.

Spojrzała mu prosto w oczy.

– Nie mam kompetencji, żeby ocenić, czy Lisbeth Salander jest chora psychicznie – odparła.

– Ale ma pani dość kompetencji, żeby stwierdzić, czy została poddana bezprawnym działaniom, czy nie.

– Co pan proponuje?

– Nie mówię, że ma pani kablować na kolegów, ale chciałbym, żeby mnie pani zawiadomiła, jeśli zauważy pani, że Lisbeth znów grożą bezprawne naciski.

Sonja Modig milczała.

– Nie chodzi o to, żeby pani przynosiła plotki o technicznych szczegółach śledztwa albo coś w tym rodzaju. Musi pani sama ocenić sytuację. Ale chciałbym na bieżąco wiedzieć, co się dzieje z oskarżeniami przeciwko Lisbeth Salander.

– To mi wygląda na świetny sposób, żeby zarobić kopa z pracy.

– Jest pani źródłem. Nigdy nie podam pani nazwiska ani w żaden sposób nie wpakuję w tarapaty.

Wyjął notatnik i napisał adres mailowy.

– To jest anonimowy adres na hotmailu. Jeśli będzie pani miała coś do powiedzenia, proszę z niego skorzystać. Nie powinna pani używać swojego oficjalnego konta. Najlepiej założyć tymczasowy adres na hotmailu.

Wzięła karteczkę i włożyła do wewnętrznej kieszeni żakietu. Niczego nie obiecała.

INSPEKTOR MARCUS ERLANDER obudził się o siódmej w sobotni ranek na dzwonek telefonu. Z kuchni, gdzie żona zaczęła już poranną krzątaninę, dochodziły głosy z telewizora i dolatywał zapach kawy. Wrócił do domu w Mölndal o pierwszej w nocy i spał nieco ponad pięć godzin. Przedtem był na nogach niemal dwadzieścia dwie godziny bez przerwy. Dlatego kiedy wyciągnął rękę po słuchawkę, nie mógł powiedzieć, że jest wyspany.

– Mårtensson, śledczy z nocnego dyżuru. Czy pan się wyspał?

– Nie – odparł Erlander. – Ledwie co zdążyłem zasnąć. Co się stało?

– Nowiny. Znaleziono Anitę Kaspersson.

– Gdzie?

– Niedaleko Seglory, na południe od Borås.

Erlander zwizualizował w głowie mapę.

– A więc jedzie na południe – powiedział. – Wybiera boczne drogi. Musiał jechać drogą krajową 180 przez Borås i skręcić na południe. Czy zawiadomiliśmy Malmö?

– Tak, Helsingborg, Landskronę i Trelleborg też. I Karlskronę. Myślałem o promach płynących na wschód.

Erlander wstał i zaczął rozcierać sobie kark.

– W tej chwili ma prawie dobę przewagi. Mógł już opuścić kraj. Jak znaleziono Kaspersson?

– Łomotała do drzwi willi przy wjeździe do Seglory.

– Co?

– Łomotała...

– Słyszałem. To znaczy, że ona żyje?

– Przepraszam. Jestem zmęczony i wyrażam się niezbyt jasno. Anita Kaspersson pojawiła się w Seglorze o trzeciej dziesięć nad ranem. Kopała do drzwi willi, obudziła śpiącą rodzinę z dziećmi i napędziła wszystkim stracha. Była na bosaka, bardzo wyziębiona, miała ręce związane na plecach. Teraz jest w szpitalu w Borås, gdzie czekał na nią mąż.

– A niech to. Chyba wszyscy zakładaliśmy, że ona już nie żyje.

– Czasami zdarzają się niespodzianki.

– Miłe niespodzianki.

– Więc teraz kolej na przykre wiadomości. Zastępczyni komendanta Spångberg jest tu od piątej rano. Ma pan jak najszybciej wstawać i jechać do Borås, żeby przesłuchać Kaspersson.

BYŁA SOBOTA RANO, więc Mikael zakładał, że w redakcji „Millennium" nie będzie nikogo. Zadzwonił do Christera Malma, kiedy X2000 przejeżdżał przez wiadukt Årstabron, żeby zapytać, o co chodziło w jego SMS-ie.

– Jadłeś śniadanie? – zapytał Christer Malm.

– W pociągu.

– Okej. To przyjdź do mnie do domu, zrobię coś porządnego.

– A o co chodzi?

– Opowiem ci, jak przyjdziesz.

Mikael dojechał metrem do Medborgarplatsen i dalej poszedł pieszo do Allhelgonagatan. Otworzył przyjaciel Christera Arnold Magnusson. Mikael nigdy nie mógł się przy nim pozbyć wrażenia, że patrzy na plakat reklamowy. Arnold Magnusson pracował w teatrze Dramaten i był jednym z najbardziej znanych aktorów w Szwecji. Każde spotkanie z nim na żywo było lekko krępujące. Celebryci nigdy nie robili na Mikaelu szczególnego wrażenia, ale akurat Arnold Magnusson miał tak charakterystyczny wygląd i tak bardzo kojarzył się z kilkoma swoimi rolami filmowymi i telewizyjnymi, zwłaszcza z rolą porywczego, acz prawego komisarza Gunnara Friska w niezwykle popularnym serialu, że Mikael ciągle spodziewał się, że przyjaciel Christera będzie się zachowywał jak Gunnar Frisk.

– Cześć, Micke – powiedział Arnold.

– Cześć.

– W kuchni – rzucił Arnold, wpuszczając go do mieszkania.

Christer Malm podał ciepłe jeszcze gofry z dżemem ze złotych malin i świeżo zaparzoną kawę. Ślinka napłynęła Mikaelowi do ust. Nie zdążył nawet usiąść, tylko od razu rzucił się na jedzenie. Christer Malm zapytał, co się stało w Gosseberdze. Mikael streścił przebieg wydarzeń. Jadł właśnie trzeciego gofra, kiedy przypomniał sobie, że ma zapytać, o co chodziło.

– Kiedy byłeś w Göteborgu, w „Millennium" pojawił się mały problem – powiedział Christer.

Mikael uniósł brwi.

– Co takiego?

– Nic poważnego. Ale Erika Berger została redaktor naczelną w „Svenska Morgon-Posten". Wczoraj był jej ostatni dzień w „Millennium".

MIKAEL ZASTYGŁ Z GOFREM w połowie drogi do ust. Kilka sekund potrwało, zanim waga tej informacji dotarła do niego w całej rozciągłości.

– Dlaczego nie mówiła o tym wcześniej? – zapytał w końcu.

– Dlatego że najpierw chciała powiedzieć tobie, a ty ciągle gdzieś biegałeś i przez ostatnie kilka tygodni byłeś nieosiągalny. Przypuszczalnie uznała, że masz dość problemów ze sprawą Salander. A ponieważ tobie pierwszemu chciała powiedzieć, nie powiedziała nikomu z nas, i tak mijał dzień za dniem... Cóż. Nagle znalazła się w głupiej sytuacji. Miała gigantyczne poczucie winy i cholernie źle się z tym czuła. A my niczego nie zauważyliśmy.

Mikael przymknął oczy.

– Kurwa mać – powiedział.

– Wiem. A teraz wyszło tak, że to ty jesteś ostatnią osobą w redakcji, która się o tym dowiaduje. Chciałem ci o tym powiedzieć, żebyś zrozumiał, co się stało i nie myślał, że ktoś tu knuje za twoimi plecami.

– Wcale tak nie myślę. To rewelacyjnie, że dostała tę pracę, jeśli rzeczywiście chce pracować w SMP... tylko co my, do cholery, zrobimy?

– Mianujemy Malin pełniącą obowiązki redaktora od następnego numeru.

– Malin?

– Jeśli ty nie chcesz być naczelnym...

– Nie, Boże uchowaj.

– Tak właśnie myślałem. A więc Malin zostanie naczelną.

– A kto będzie sekretarzem redakcji?

– Henry Cortez. Jest z nami już od czterech lat i dawno przestał być nieopierzonym praktykantem.

Mikael rozważał te propozycje.

– Czy ja mam coś do powiedzenia? – zapytał.

– Nie – odparł Christer Malm.

Mikael zaśmiał się sucho.

– Okej. To niech będzie tak, jak zdecydowaliście. Malin jest dobra, ale brakuje jej pewności siebie. Henry czasem trochę szybciej strzela, niż myśli. Będziemy musieli mieć na nich oko.

– Tak, będziemy.

Mikael umilkł. Pomyślał, że bez Eriki zrobi się strasznie pusto i że nie jest pewien, jak to będzie z gazetą w przyszłości.

– Muszę zadzwonić do Eriki i...

– Myślę, że nie musisz dzwonić.

– Jak to?

– Nocuje w redakcji. Idź ją obudzić albo coś w tym rodzaju.

MIKAEL ZNALAZŁ ERIKĘ śpiącą głębokim snem na rozkładanej sofie w jej pokoju w redakcji. W nocy opróżniła regały i biurko z rzeczy osobistych i papierów, które chciała zachować. Napełniła pięć dużych kartonów. Mikael patrzył na nią dłuższą chwilę, stojąc w drzwiach. Potem podszedł, usiadł na sofie i obudził ją.

– Dlaczego, na litość boską, nie poszłaś spać do mnie, jeśli już masz nocować w pracy? – powiedział.

– Cześć, Mikael.

– Christer mi powiedział.

Zaczęła coś mówić, ale on pochylił się i pocałował ją w policzek.

– Jesteś zły?

– Wściekle – odparł sucho.

– Tak mi przykro. Po prostu nie mogłam odrzucić takiej oferty. Ale czuję się z tym źle, jakbym zostawiała was w „Millennium" po szyję w gównie, w poważnych tarapatach.

– Nie jestem chyba odpowiednią osobą, żeby cię krytykować za porzucanie łajby. Dwa lata temu ja odszedłem i zostawiłem cię w gównie, w sytuacji o wiele trudniejszej niż obecna.

– Tamto nie ma nic wspólnego z moją sytuacją. Ty zrobiłeś sobie przerwę. Ja kończę na dobre, poza tym ukrywałam prawdę. Jest mi bardzo przykro.

Mikael milczał przez chwilę. Potem na jego twarzy pojawił się blady uśmiech.

– Kiedy przychodzi pora, to przychodzi pora. *A woman's gotta do what a woman's gotta do and all that crap.*

Erika uśmiechnęła się. To samo mu powiedziała, kiedy przenosił się do Hedeby. Wyciągnął rękę i po przyjacielsku zmierzwił jej włosy.

– To, że chcesz odejść z tego domu wariatów, to rozumiem, ale że chcesz być szefem najnudniejszej w Szwecji gazety starych tetryków, jakoś ciągle nie może pomieścić mi się w głowie.

– Pracuje tam całkiem sporo kobiet.

– Ech. Popatrz tylko na pierwszą stronę. Przecież to sami starcy. Musisz chyba być nieuleczalną masochistką. Napijemy się kawy?

Erika usiadła.

– Muszę wiedzieć, co się działo w Göteborgu dzisiaj w nocy.

– Zacząłem już pisać tekst – powiedział Mikael. – Kiedy go opublikujemy, wywołamy najprawdziwszą wojnę.

– Nie my. Wy.

– Wiem. Opublikujemy go, jak zacznie się proces. Ale zakładam, że nie chcesz zabierać tego tematu ze sobą do SMP. Faktem jest, że chciałbym, żebyś napisała coś o sprawie Zalachenki, zanim odjedziesz z „Millennium”.

– Micke, ja...

– Twój ostatni wstępniak. Możesz go napisać, kiedy będziesz miała ochotę. Przypuszczalnie nie zostanie opublikowany przed procesem, kiedykolwiek by się rozpoczął.

– To chyba nie jest najlepszy pomysł. O czym to miałoby być?

– O moralności – odpowiedział Mikael Blomkvist. – O tym, że jeden z naszych współpracowników został zamordowany, bo piętnaście lat temu państwo nie wypełniło swoich obowiązków.

Nie musiał mówić nic więcej. Erika Berger wiedziała dokładnie, o jaki artykuł mu chodzi. Zastanawiała się przez krótką chwilę. Rzeczywiście była kapitanem tego statku, kiedy zamordowano Daga Svenssona. Nagle poczuła się o wiele silniejsza.

– Okej – zgodziła się. – Ostatni wstępniak.

Rozdział 4
Sobota 9 kwietnia – niedziela 10 kwietnia

W SOBOTĘ O PIERWSZEJ po południu prokurator Martina Fransson z Södertälje zaczęła wyciągać wnioski. Leśny cmentarz w Nykvarn zapowiadał się na niezły pasztet, a wydział kryminalny nagromadził już masę nadgodzin, odkąd Paolo Roberto odbył walkę bokserską z Ronaldem Niedermannem w pobliskim magazynie. Chodziło o morderstwa co najmniej trzech osób, których zwłoki następnie zakopano w ziemi, brutalne porwanie i ciężkie pobicie przyjaciółki Lisbeth Salander Miriam Wu, a także o podpalenie. Z Nykvarn powiązano wypadki ze Stallarholmen, które rozegrały się wprawdzie na terenie podlegającym policji Södermanlandu, ale główną rolę odgrywał w nich Carl-Magnus Lundin ze Svavelsjö MC. Lundin nadal był w szpitalu w Södertälje ze stopą w gipsie i stalową szyną w szczęce. Zresztą i tak wszystkie przestępstwa podlegały policji regionalnej, co oznaczało, że to Sztokholm będzie miał w tej sprawie ostatnie słowo.

W piątek podjęto decyzję o aresztowaniu. Z całą pewnością Lundin był powiązany z Nykvarn. Stopniowo doszukano się informacji, że magazyny stanowiły własność firmy Medimport, która z kolei należała do niejakiej Anneli Karlsson, lat pięćdziesiąt dwa, zamieszkałej w Puerto Banus w Hiszpanii. Była kuzynką Maggego Lundina, dotychczas nienotowaną. Wszystko wskazywało na to, że jest tylko figurantką.

Martina Fransson zamknęła teczkę z wynikami wstępnego dochodzenia. Nadal było w fazie początkowej i teczka miała zostać uzupełniona o kilkaset stron, zanim przyjdzie pora na proces sądowy. Ale Martina Fransson już teraz musiała podjąć decyzje w kilku sprawach. Spojrzała na kolegów.

– Mamy dość dowodów, żeby oskarżyć Lundina o udział w porwaniu Miriam Wu. Paolo Roberto zidentyfikował go jako kierowcę furgonetki. Aresztuję go także za prawdopodobny współudział w podpaleniu. Zaczekamy jeszcze z zarzutem udziału w zamordowaniu trzech osób, których zwłoki zakopane były na posesji. Przynajmniej dopóki nie zostaną zidentyfikowane.

Policjanci pokiwali głowami. Właśnie takich decyzji się spodziewali.

– A co zrobimy z Sonnym Nieminenem?

Martina Fransson wertowała chwilę akta Nieminena.

– Ten pan ma imponującą listę dokonań. Rabunek, nielegalne posiadanie broni, pobicie, ciężkie pobicie, zabójstwo i przestępstwa narkotykowe. Został aresztowany razem z Lundinem w Stallarholmen. Jestem absolutnie przekonana, że on też jest w to zamieszany. Raczej nieprawdopodobne jest, żeby nie był. Ale problem polega na tym, że nie możemy mu zarzucić niczego konkretnego.

– Mówi, że nigdy nie był w magazynie w Nykvarn i że tylko wybrał się z Lundinem na przejażdżkę motocyklową – odezwał się inspektor, który zajmował się sprawą Stallarholmen z ramienia Södertälje. – Twierdzi, że nie ma pojęcia, co Lundin miał do załatwienia w Stallarholmen.

Martina Fransson rozważała, czy jest jakiś sposób, żeby podrzucić tę sprawę prokuratorowi Richardowi Ekströmowi ze Sztokholmu.

– Nieminen nie chce mówić o tym, co się tam stało, ale zdecydowanie zaprzecza, żeby miał w tym jakiś udział – mówił dalej inspektor.

– Nie, wszystko wskazuje raczej na to, że to on i Lundin byli ofiarami przestępstwa w Stallarholmen – powiedziała Martina Fransson i z irytacją zabębniła palcami na stole.

– Lisbeth Salander – dodała z wyraźnym powątpiewaniem. – A więc mówimy o dziewczynie, która wygląda, jakby ledwie co weszła w okres dojrzewania, ma sto pięćdziesiąt centymetrów wzrostu i raczej nie może mieć siły potrzebnej do obezwładnienia Nieminena i Lundina.

– O ile nie była uzbrojona. Pistoletem można zrekompensować dużo fizycznych braków.

– Ale to nie zgadzałoby się z rekonstrukcją.

– Nie. Użyła gazu łzawiącego i kopnęła Lundina w krocze i twarz z taką siłą, że zmiażdżyła mu jedno jądro, a potem złamała szczękę. Do postrzału w stopę musiało dojść po pobiciu. Ale trudno mi uwierzyć, żeby była uzbrojona.

– W centralnym laboratorium techniki kryminalnej zidentyfikowano broń, z której strzelano do Lundina. To polski P-83 wanad z amunicją Makarowa. Znaleziono go w Gosseberdze pod Göteborgiem, są na nim odciski palców Salander. Możemy założyć, że zabrała go ze sobą do Gossebergi.

– Tak. Ale numer serii pokazuje, że pistolet został skradziony cztery lata temu podczas włamania do sklepu z bronią w Örebro. Złodziei po pewnym czasie schwytano, ale zdążyli pozbyć się broni. To był lokalny talent z problemami narkotykowymi, miał kontakty ze Svavelsjö MC. Wolałbym przypisać tę broń albo Lundinowi, albo Nieminenowi.

– A może po prostu było tak, że to Lundin miał ze sobą broń. Salander rozbroiła go, wtedy padł strzał, który trafił go w stopę. Chodzi mi o to, że w każdym razie nie miała zamiaru go zabić, bo przecież on żyje.

– Albo postrzeliła go w stopę z sadyzmu. Skąd możemy wiedzieć. Ale jak potraktowała Nieminena? On nie ma widocznych obrażeń.

– Ma. Na jego klatce piersiowej znaleźliśmy dwa oparzenia.

– I co?

– Stawiamy na paralizator.

– A więc to znaczy, że Salander była uzbrojona w paralizator, gaz łzawiący i pistolet. Ile to wszystko razem waży...

81

Nie, jestem raczej pewna, że to Lundin albo Nieminen mieli broń, a ona im ją odebrała. Jak dokładnie doszło do postrzelenia Lundina, nie będziemy mieć jasności, dopóki ktoś nie zacznie mówić.

– Okej.

– Ale w tej chwili sytuacja wygląda tak, że Lundin jest aresztowany na podstawie zarzutów, które wcześniej wymieniłam. Nie mamy za to niczego na Nieminena. A więc zamierzam wypuścić go dzisiaj po południu.

KIEDY SONNY NIEMINEN opuszczał areszt w budynku policji w Södertälje, był w fatalnym humorze. Do tego miał tak sucho w ustach, że jego pierwszym przystankiem był sklepik tytoniowy. Kupił pepsi i wypił ją na stojąco, prosto z butelki. Nabył także paczkę lucky strike'ów i puszkę tytoniu Göteborgs Rapé. Włączył komórkę, sprawdził baterię i wybrał numer do Hansa-Åkego Waltariego, lat trzydzieści trzy, który w Svavelsjö MC pełnił funkcję *sergeant at arms*, czyli w wewnętrznej hierarchii był numerem trzy. Waltari odebrał po czterech sygnałach.

– Nieminen. Wyszedłem.

– Gratuluję.

– Gdzie jesteś?

– W Nyköping.

– A co ty, kurwa, robisz w Nyköping?

– Kiedy złapali ciebie i Lundina, zdecydowaliśmy, żeby się trochę wycofać, póki się nie dowiemy, na czym stoimy.

– No to już wiesz, na czym stoimy. Gdzie są wszyscy?

Hans-Åke Waltari wyjaśnił, gdzie jest pozostałych pięciu członków Svavelsjö MC. Wyjaśnienia te nie uspokoiły ani nie zadowoliły Sonny'ego Nieminena.

– A kto, do jasnej cholery, pilnuje interesu, kiedy wy chowacie się jak baby?

– To niesprawiedliwe. Ty i Magge jedziecie sobie gdzieś na jakąś śmierdzącą robotę, o której nikt z nas nie ma pojęcia, a potem nagle jesteście zamieszani w strzelaninę z tą cholerną poszukiwaną przez policję pindą. Magge jest postrzelony, ty w areszcie. Potem gliny odkopują trupy w naszym magazynie w Nykvarn.

– I co?

– No i zaczęliśmy się zastanawiać, czy Magge i ty czegoś przed nami nie ukrywacie.

– A co, do kurwy nędzy, miałoby to być? Przecież to my nakręcamy robotę dla firmy.

– Ale nie słyszałem nigdy ani słowa o tym, że nasz magazyn jest leśnym cmentarzem. Co to za truposze?

Sonny Nieminen miał już na końcu języka ostrą odpowiedź, ale się powstrzymał. Hans-Åke Waltari był trochę tępawy, ale to nie była odpowiednia chwila, żeby wdawać się w sprzeczki. Teraz trzeba było szybko zebrać siły. Poza tym właśnie udało mu się przetrwać policyjne przesłuchania dzięki ciągłemu zaprzeczaniu. Nie byłoby teraz mądrze dwieście metrów od siedziby policji wykrzykiwać do komórki, że jednak coś o tych sprawach wie.

– Olej truposzy – powiedział. – Nie mam o tym pojęcia. Ale Magge siedzi w gównie. Potrzymają go trochę dłużej, a w tym czasie to ja będę rządził.

– Okej. To co teraz zrobimy? – zapytał Waltari.

– Kto pilnuje majątku, kiedy wy wszyscy zeszliście pod ziemię?

– Benny Karlsson został i trzyma wartę w klubie. Policja zrobiła rewizję tego dnia, kiedy was aresztowali. Niczego nie znaleźli.

– Benny K! – wykrzyknął Nieminen. – Kurwa, Benny K to dzieciak, ma jeszcze mleko pod nosem.

– Spokojnie. Towarzyszy mu ten wielki blondyn, z którym Magge i ty się spotykaliście.

Sonny Nieminen poczuł lodowaty dreszcz. Rozejrzał się pośpiesznie na boki i odszedł kilka metrów od drzwi sklepiku.

– Co mówiłeś? – zapytał ściszonym głosem.

– Ten blond osiłek, co się kumplował z tobą i Lundinem. Zjawił się u nas i chciał, żeby mu pomóc się ukrywać.

– Do kurwy nędzy, Waltari, on jest poszukiwany w całej Szwecji za zamordowanie policjanta.

– No... właśnie dlatego chciał się ukryć. Co mieliśmy zrobić? Przecież to wasz kumpel.

Sonny Nieminen na dziesięć sekund zamknął oczy. Ronald Niedermann przez kilka lat zapewniał Svavelsjö MC zlecenia i dobre zarobki. Ale w żadnym razie nie był kumplem. Był groźnym bydlakiem, psychopatą, i to psychopatą poszukiwanym przez policję. Sonny Nieminen ani przez sekundę nie ufał Ronaldowi Niedermannowi. Najlepiej by było, gdyby odnalazł się z kulką w głowie. Wtedy policja trochę by przystopowała.

– To co z nim zrobiliście?

– Benny K się nim zajął. Zabrał go do Viktora.

Viktor Göransson był skarbnikiem i ekspertem finansowym klubu. Mieszkał na przedmieściach Järny. Göransson miał maturę z ekonomii i karierę zaczynał jako doradca finansowy jugosłowiańskiego właściciela sieci knajp, póki mafia nie trafiła za kratki za przekręty ekonomiczne na dużą skalę. Poznał Maggego Lundina w więzieniu w Kumli, na początku lat dziewięćdziesiątych. Był jedynym członkiem Svavelsjö MC, który chodził w garniturze i krawacie.

– Waltari, wsiądź do samochodu i przyjedź po mnie do Södertälje. Odbierz mnie sprzed stacji kolejki podmiejskiej za czterdzieści pięć minut.

– Dobra. A dlaczego tak ci się śpieszy?

– Bo musimy zorientować się w sytuacji tak szybko, jak się tylko da.

JECHALI DO SVAVELSJÖ. Sonny Nieminen milczał. Hans-Åke Waltari przyglądał mu się ukradkiem. W odróżnieniu od Maggego Lundina Nieminen nigdy nie był łatwy w kontaktach. Był piękny jak młody bóg i wyglądał na mięczaka, ale miał porywczy i groźny charakter, zwłaszcza po pijanemu. W tej chwili był trzeźwy, ale Waltari odczuwał niepokój na myśl o przyszłości pod rządami Nieminena. Magge zawsze umiał w jakiś sposób sprawić, żeby Nieminen się podporządkował. Waltari zastanawiał się, jak sprawy się potoczą z Nieminenem pełniącym obowiązki prezesa klubu.

Pojechali do domu Nieminena, oddalonego od siedziby klubu nieco ponad kilometr. Policja przeprowadziła rewizję, ale nie znalazła niczego, co miałoby jakieś znaczenie dla śledztwa w sprawie Nykvarn. Niczego, co potwierdzałoby zarzuty kryminalne, dlatego Nieminen został zwolniony.

Nieminen wziął prysznic i przebrał się, podczas gdy Waltari czekał cierpliwie w kuchni. Potem poszli ponad sto pięćdziesiąt metrów w las za domem i odgarnęli warstwę ziemi przykrywającą płytko zakopaną skrzynię. Zawierała sześć sztuk broni ręcznej, w tym karabin AK5, znaczną ilość amunicji i ponad dwa kilo materiałów wybuchowych. Mały arsenał Nieminena. W skrzyni były też dwa polskie wanady P-83 pochodzące z tej samej partii co broń, którą Lisbeth Salander odebrała Nieminenowi w Stallarholmen.

Nieminen odsunął od siebie myśl o Lisbeth Salander. To był nieprzyjemny temat. W celi aresztu w Södertälje raz po raz przeżywał w myślach tamtą scenę: razem z Maggem Lundinem przyjechali do domku letniskowego Nilsa Bjurmana i w ogrodzie natknęli się na Salander.

Wypadki potoczyły się w sposób niemożliwy do przewidzenia. Pojechali razem z Lundinem, żeby spalić ten cholerny domek adwokata Bjurmana. Pojechali na polecenie blond bestii. I wpadli na pieprzoną Salander – samą, mającą sto pięćdziesiąt centymetrów wzrostu i chudą jak patyk. Nieminen zastanawiał się, ile właściwie może ważyć. Potem wszystko poszło źle i skończyło się eksplozją przemocy, na którą żaden z nich nie był przygotowany.

Czysto technicznie był w stanie wytłumaczyć przebieg wydarzeń. Salander miała pojemnik z gazem łzawiącym, który opróżniła Lundinowi prosto w twarz. Magge powinien być na to przygotowany, ale nie był. Kopnęła go dwa razy, a do kopa w szczękę nie trzeba dużej siły. Zaskoczyła go. To można było zrozumieć.

Ale potem rzuciła się też na niego, Sonny'ego Nieminena, człowieka, któremu woleli schodzić z drogi nawet wyrośnięci, wytrenowani mężczyźni. Działała szybko. On usiłował wyciągnąć broń. Pokonała go z tak poniżającą łatwością, jakby opędzała się od komara. Miała paralizator. Miała...

Kiedy oprzytomniał, nie pamiętał prawie nic. Magge Lundin miał przestrzeloną stopę. Przyjechała policja. Po pewnych niejasnościach między Strängnäs i Södertälje wylądował w pudle w Södertälje. A ona ukradła harleya davidsona Maggego Lundina. Wycięła logo Svavelsjö MC z jego skórzanej kurtki – najświętszy symbol, który sprawiał, że ludzie ustępowali mu miejsca w kolejce do baru, który zapewniał mu status, jakiego normalny Svensson nigdy nie pojmie. Poniżyła go.

Sonny Nieminen zagotował się. Podczas całego policyjnego przesłuchania zachowywał milczenie. Nigdy nie byłby w stanie powiedzieć, co się stało w Stallarholmen. Do tamtej chwili Lisbeth Salander nie znaczyła dla niego zupełnie nic. Była małą uboczną fuchą, którą zajmował się Magge Lundin – znów na polecenie tego pieprzonego Niedermanna. Ale teraz nienawidził jej tak bardzo, że sam był zaskoczony. Zwykle pochodził do wszystkiego chłodno i analitycznie, ale wiedział, że kiedyś się jej zrewanżuje i wymaże tę hańbę. Ale najpierw musiał opanować chaos, który Salander do spółki z Niedermannem wywołali w Svavelsjö MC.

Nieminen wyjął oba polskie pistolety, załadował je i dał jeden Waltariemu.

– Mamy jakiś plan?

– Pojedziemy pogadać z Niedermannem. Nie jest jednym z nas i nigdy wcześniej nie był w rękach policji. Nie wiem, jak zareaguje, jeśli go złapią, ale jeśli zacznie gadać, wkopie nas wszystkich. Pójdziemy do pierdla jak nic.

– Chcesz powiedzieć, że powinniśmy...

Nieminen już zdecydował, że Niedermann musi zniknąć, ale pomyślał, że lepiej nie straszyć Waltariego, zanim nie znajdą się na miejscu.

– Nie wiem. Ale musimy go wypytać. Jeśli ma jakiś plan i może zaraz dać nogę za granicę, to mu jakoś pomożemy. Ale dopóki jest ryzyko, że policja go schwyta, stanowi dla nas zagrożenie.

KIEDY NIEMINEN I WALTARI o zmierzchu zajeżdżali pod dom Viktora Göranssona pod Järną, w oknach było ciemno. Już samo to źle wróżyło. Siedzieli jeszcze chwilę w samochodzie i czekali.

– Może wyszli – rzucił Waltari.

– Pewnie. Poszli z Niedermannem na piwo – powiedział Nieminen i otworzył drzwi samochodu.

Drzwi nie były zamknięte. Nieminen zapalił górne światło. Szli z pokoju do pokoju. Mieszkanie było ładnie urządzone i wysprzątane. To na pewno była jej zasługa, jak tam jej było, kobiecie, z którą mieszkał Göransson.

Znaleźli Göranssona i jego konkubinę w piwnicy, upchniętych w pralni.

Nieminen nachylił się i obejrzał zwłoki. Wyciągnął palec i dotknął kobiety, której imienia nie pamiętał. Była zimna jak lód i całkowicie sztywna. To znaczyło, że nie żyli od około dwudziestu czterech godzin...

Nieminen nie potrzebował diagnozy lekarza sądowego, żeby stwierdzić przyczynę śmierci. Skręcono jej kark, głowę miała obróconą o sto osiemdziesiąt stopni. Była całkowicie ubrana, miała na sobie dżinsy i T-shirt. Nie zauważył na jej ciele innych obrażeń.

Za to Viktor Göransson miał na sobie tylko spodenki. Był potwornie pobity, miał zasinienia i wybroczyny na całym ciele. Ręce miał połamane i powykręcane na wszystkie strony jak gałęzie choinki. Długo go maltretowano, wyglądało to wręcz jak tortury. W końcu, o ile Nieminen był w stanie rozpoznać, został zabity silnym uderzeniem w krtań. Grdykę miał wciśniętą w głąb szyi.

Sonny Nieminen wstał, wyszedł po schodach z piwnicy, potem przed dom. Waltari szedł za nim. Nieminen przeciął podwórze, kierując się do oddalonej o pięćdziesiąt metrów stodoły. Odsunął haczyk i otworzył drzwi.

W środku stało granatowe renault, rocznik 1991.

– Jakim samochodem jeździ Göransson? – zapytał Nieminen.

– Saabem.

Nieminen pokiwał głową. Wyłowił z kieszeni kurtki klucze i otworzył drzwi na samym końcu stodoły. Wystarczył mu szybki rzut oka, żeby stwierdzić, że się spóźnił. Ciężka kasa pancerna była otwarta na oścież.

Nieminen wykrzywił twarz.

– Ponad osiemset tysięcy koron – powiedział.

– Co? – zdziwił się Waltari.

– Ponad osiemset tysięcy koron należących do Svavelsjö MC było w tym sejfie. Nasze pieniądze.

Trzy osoby wiedziały, gdzie Svavelsjö MC przechowuje swój drobny kapitał w oczekiwaniu na inwestycje lub na pranie. Viktor Göransson, Magge Lundin i Sonny Nieminen. Niedermann musiał się ukrywać. Potrzebował gotówki. Wiedział, że to Göransson zajmuje się pieniędzmi.

Nieminen zamknął drzwi i wolnym krokiem wyszedł ze stodoły. Myślał intensywnie, próbując ogarnąć rozmiary katastrofy. Część majątku Svavelsjö MC była ulokowana w papierach wartościowych, do których on sam miał dostęp, a kolejną część można było odtworzyć z pomocą Maggego Lundina. Ale niektóre inwestycje były zapisane tylko w głowie Göranssona, o ile nie dał jasnych instrukcji Maggemu Lundinowi. Nieminen wątpił – Magge nigdy nie miał smykałki do interesów. Nieminen oszacował na oko, że wraz ze śmiercią Göranssona Svavelsjö MC straciło około sześćdziesięciu procent środków. To zabójczy cios. Przede wszystkim potrzebowali gotówki na bieżące wydatki.

– Co teraz zrobimy? – zapytał Waltari.

– Pójdziemy i zawiadomimy policję o tym, co się tu stało.

– Zawiadomić policję?

– Tak, do kurwy nędzy. Moje odciski palców są w całym domu. Chcę żeby Göransson i jego cipa zostali znalezieni tak szybko, jak to możliwe, żeby policyjny lekarz mógł stwierdzić, że zginęli, kiedy ja siedziałem w areszcie.

– Rozumiem.

– To dobrze. Poszukaj Benny'ego K. Chcę z nim porozmawiać. O ile jeszcze żyje, oczywiście. A potem znajdziemy Ronalda Niedermanna. Każdy nasz kontakt we wszystkich klubach na północy ma mieć oczy otwarte. Chcę mieć głowę tego skurwiela na tacy. Pewnie jeździ teraz saabem Göranssona. Zdobądź mi jego numery.

KIEDY LISBETH SALANDER się obudziła, była sobota, druga po południu. Dotykał jej jakiś lekarz.

– Dzień dobry – powiedział. – Nazywam się Benny Svantesson i jestem lekarzem. Czy coś panią boli?

– Tak – powiedziała Lisbeth Salander.

– Zaraz podamy pani środki przeciwbólowe. Ale najpierw chciałbym panią zbadać.

Dotykał, ugniatał i obmacywał jej pokaleczone ciało. Zanim skończył, Lisbeth zdążyła się mocno zirytować, ale uznała, że jest za bardzo wyczerpana, więc lepiej siedzieć cicho, niż zaczynać pobyt w Sahlgrenska od awantury.

– Co mi jest? – zapytała.

– Wszystko będzie dobrze – odparł lekarz. Zanotował coś i wstał.

Niewiele się dowiedziała.

Kiedy wyszedł, zjawiła się pielęgniarka i podała Lisbeth basen. Potem mogła dalej spać.

ALEKSANDER ZALACHENKO alias Karl Axel Bodin zjadł płynny lunch. Nawet niewielkie poruszenia mięśni twarzy sprawiały mu ogromny ból. Bolały go kości policzkowe i żuchwa, więc nie było mowy o żuciu czegokolwiek. Podczas nocnej operacji w jego szczęce umieszczono dwie tytanowe śruby.

Ale ból nie był tak straszny, żeby nie mógł go wytrzymać. Był przyzwyczajony do bólu. Nic nie mogło się równać z cierpieniami, które znosił tygodniami i miesiącami piętnaście lat temu, po tym jak płonął niczym pochodnia w samochodzie na ulicy Luntmakargatan. Długotrwała kuracja była jedną wielką niekończącą się męczarnią.

Lekarze stwierdzili, że jego życiu raczej nie zagraża niebezpieczeństwo, ale miał poważne obrażenia i ze względu na wiek powinien zostać na oddziale intensywnej opieki jeszcze kilka dni.

W sobotę odwiedziły go cztery osoby.

Około dziesiątej wrócił inspektor Erlander. Tym razem zostawił w domu tę żmiję Sonję Modig. Zamiast niej towarzyszył mu zdecydowanie sympatyczniejszy inspektor Jerker Holmberg. Zadali mniej więcej takie same pytania o Ronalda Niedermanna jak poprzedniego wieczoru. Wszystko sobie przemyślał i nie plątał się. Kiedy zaczęli przyszpilać go pytaniami o handel żywym towarem i jego ewentualny w nim udział oraz o inną działalność przestępczą, znów się wypierał, że cokolwiek o tym wie. Jest rencistą i nie ma pojęcia, o czym mówią. O wszystko obwiniał Ronalda Niedermanna i zaofiarował się, że pomoże zlokalizować ukrywającego się mordercę policjanta.

Niestety w praktyce niewiele był w stanie zrobić. Nie wiedział, w jakich kręgach obraca się Niedermann i u kogo mógłby szukać schronienia.

Około jedenastej na chwilę odwiedził go przedstawiciel prokuratury i oficjalnie go poinformował, że jest podejrzany o współudział w ciężkim pobiciu względnie próbie zabójstwa Lisbeth Salander. Odpowiedzią Zalachenki było cierpliwe tłumaczenie, że to on był ofiarą przestępstwa i w rzeczywistości to Lisbeth Salander próbowała zamordować jego. Prokuratura zaproponowała mu pomoc w postaci obrońcy z urzędu. Zalachenko powiedział, że się nad tym zastanowi.

Wcale zresztą nie zamierzał tego robić. Miał już adwokata i pierwszą rzeczą, jaką zrobił tego ranka, był telefon do niego z prośbą o jak najszybsze spotkanie. W związku z tym Martin Thomasson był trzecim tego dnia gościem przy szpitalnym łóżku Zalachenki. Wkroczył do sali z beztroską miną, przeciągnął dłonią po obfitej blond czuprynie, poprawił okulary i uścisnął klientowi rękę. Był nieco pulchny i miał dużo uroku osobistego. Podejrzewano go wprawdzie, że działa na zlecenie jugosłowiańskiej mafii, co nadal było przedmiotem dochodzenia, ale cieszył się sławą adwokata wygrywającego swoje sprawy.

Zalachence polecił go jakiś znajomy ze świata biznesu, kiedy przed pięciu laty musiał zrestrukturyzować pewne fundusze powiązane z małą firmą finansową w Liechtensteinie, stanowiącą jego własność. Nie były to żadne ogromne sumy, ale Thomasson rozegrał to tak umiejętnie, że Zalachenko zaoszczędził na podatku. Potem jeszcze kilkakrotnie zlecał Thomassonowi różne sprawy. Thomasson domyślał się, że pieniądze pochodzą z działalności przestępczej, ale raczej nie stanowiło to dla niego problemu. Wreszcie Zalachenko zdecydował, że powinien zrestrukturyzować całą działalność i założyć nową firmę, której właścicielem byłby on sam do spółki z Niedermannem. Zwrócił się do Thomassona z propozycją, żeby został trzecim cichym wspólnikiem i zajmował się stroną finansową przedsięwzięcia. Thomasson bez wahania przyjął propozycję.

– No tak, panie Bodin, nie wygląda to za dobrze.

– Jestem ofiarą brutalnego pobicia i usiłowania zabójstwa – powiedział Zalachenko.

– Właśnie widzę. Niejaka Lisbeth Salander, o ile dobrze zrozumiałem.

Zalachenko ściszył głos.

– Nasz partner Niedermann, jak pewnie rozumiesz, wpakował się w tarapaty.

– Tak, wiem o tym.

– Policja podejrzewa, że jestem w tę sprawę zamieszany...

– Co oczywiście nie jest prawdą. Jest pan ofiarą i najważniejsze, żebyśmy się postarali raz na zawsze, by ten obraz utrwalił się w mediach. Panna Salander już cieszy się wątpliwą sławą. Zajmę się tą sprawą.

– Dziękuję.

– Ale chciałbym od razu uprzedzić, że nie jestem adwokatem od spraw kryminalnych. Będzie pan potrzebował pomocy specjalisty. Znajdę adwokata, któremu będzie pan mógł zaufać.

CZWARTY GOŚĆ ZJAWIŁ SIĘ o jedenastej wieczorem. Został wpuszczony, ponieważ pokazał pielęgniarkom legitymację służbową i powiedział, że ma bardzo pilną sprawę. Wskazano mu drogę do pokoju Zalachenki. Pacjent był przytomny, leżał w łóżku i rozmyślał.

– Nazywam się Jonas Sandberg – przedstawił się przybysz i wyciągnął rękę. Zalachenko to zignorował.

Mężczyzna miał około trzydziestu pięciu lat. Jego włosy miały barwę piasku. Ubrany był swobodnie, w dżinsy, kraciastą koszulę i skórzaną kurtkę. Zalachenko patrzył na niego w milczeniu przez piętnaście sekund.

– Właśnie się zastanawiałem, kiedy ktoś od was się pojawi.

– Pracuję dla RPS/Säk – powiedział Jonas Sandberg, wyciągając legitymację.

– Wątpię – odparł Zalachenko.

– Słucham?

– Może jesteś zatrudniony w RPS/Säk, ale wątpię, żebyś dla nich pracował.

Jonas Sandberg zamilkł na chwilę i rozglądał się po sali. Przysunął sobie krzesło.

– Przychodzę tak późno, żeby nie zwracać uwagi. Rozmawialiśmy o tym, jak możemy panu pomóc, i musimy przede wszystkim mieć jasny obraz tego, co ma się wydarzyć. Przyjechałem głównie po to, żeby usłyszeć pańską wersję wydarzeń i zrozumieć pańskie intencje, żebyśmy mogli wypracować wspólną strategię.

– A jak sobie tę strategię wyobrażasz?

Jonas Sandberg przyglądał mu się w skupieniu. W końcu rozłożył ręce.

– Panie Zalachenko... obawiam się, że został uruchomiony pewien proces, którego negatywne skutki są trudne do przewidzenia. Przedyskutowaliśmy sytuację. Grób w Gosseberdze oraz fakt, że do Salander strzelano trzy razy, to sprawy, których nie da się zbagatelizować. Ale nie wszystko stracone. Konflikt między panem i pańską córką może wytłumaczyć strach przed nią, który podyktował tak drastyczne kroki. Obawiam się jednak, że nie obejdzie się bez więzienia.

Zalachenko nagle poczuł się ubawiony i wybuchnąłby głośnym śmiechem, gdyby tylko był w stanie. Wydał tylko lekko wargi. Wszystko inne wywoływało zbyt silny ból.

– A więc to nasza wspólna strategia?

– Panie Zalachenko. Zna pan pojęcie minimalizowanie szkód. Konieczne jest, żebyśmy uzgodnili wspólną linię. Uczynimy wszystko co w naszej mocy, żeby pana wspierać, zapewnimy adwokata i inną pomoc, ale potrzebujemy pańskiej współpracy i pewnych gwarancji.

– Dostaniesz ode mnie gwarancje. Musicie dopilnować, żeby nie pozostał żaden ślad. – Machnął ręką. – Niedermann jest kozłem ofiarnym, a ja gwarantuję, że go nie znajdą.

– Są dowody, które...

– W dupie mam dowody. Chodzi o to, jak będzie prowadzone śledztwo i jak przedstawi się fakty. Moja gwarancja wygląda następująco: jeśli tego nie zlikwidujecie, zaproszę media na konferencję. Znam nazwiska, daty, wiem, co się działo. Chyba nie muszę ci przypominać, kim jestem.

– Pan nie rozumie...

– Rozumiem bardzo dobrze. Jesteś tylko chłopcem na posyłki. Przekaż swojemu szefowi, co powiedziałem. Zrozumie. Powiedz mu, że mam kopie... wszystkiego. Mogę was pogrążyć.

– Musimy spróbować się porozumieć.

– Rozmowa zakończona. Spadaj stąd. I powiedz im, że następnym razem mają wysłać dorosłego mężczyznę, z którym mógłbym podyskutować.

Zalachenko odwrócił głowę tak, żeby nie widzieć gościa. Jonas Sandberg przyglądał mu się krótką chwilę. Potem wzruszył ramionami i wstał. Był już przy drzwiach, gdy znów dobiegł go głos Zalachenki.

– I jeszcze jedno.

Sandberg odwrócił się.

– Salander.

– Co z nią?

– Musi zniknąć.

– Co pan ma na myśli?

Sandberg przez chwilę wyglądał na tak zaniepokojonego, że Zalachenko musiał się uśmiechnąć, mimo bólu przeszywającego szczękę.

– Rozumiem, że takie mięczaki jak wy są zbyt wrażliwe, żeby ją zabić, i że nie macie środków, by to przeprowadzić. Kto miałby to zrobić... ty? Ale ona musi zniknąć. Jej zeznania muszą zostać unieważnione. Do końca życia musi siedzieć u czubków.

LISBETH SALANDER słyszała kroki na korytarzu pod swoimi drzwiami. Nie dotarło do niej nazwisko Jonasa Sandberga i nigdy przedtem nie słyszała jego kroków. Ale za to jej drzwi stały otworem przez cały wieczór. Pielęgniarki zaglądały do niej średnio co dziesięć minut. Słyszała, jak przyszedł i tłumaczył pielęgniarce, tuż przed jej drzwiami, że musi koniecznie widzieć się z panem Karlem Axelem Bodinem w pilnej sprawie. Słyszała, jak legitymuje się przed pielęgniarką, ale nie dowiedziała się, jak się nazywa ani co to za legitymacja.

Pielęgniarka poprosiła, żeby zaczekał, a sama poszła sprawdzić, czy Karl Axel Bodin nie śpi. Z czego Lisbeth Salander wyciągnęła wniosek, że legitymacja musiała być przekonująca.

Stwierdziła, że pielęgniarka poszła korytarzem w lewo i potrzebowała siedemnastu kroków, żeby dotrzeć do celu, potem zaś obcy mężczyzna ten sam odcinek pokonał w czternastu krokach. Co dawało średnią piętnaście i pół kroku. Jako przeciętną długość kroku przyjęła sześćdziesiąt centymetrów, co pomnożone przez piętnaście i pół oznaczało, że Zalachenko leżał w sali oddalonej o dziewięćset trzydzieści centymetrów w lewo. Dobrze, niech będzie niecałe dziesięć metrów. Oceniła, że jej pokój ma szerokość około pięciu metrów, czyli Zalachenko leżał dwoje drzwi dalej.

Zgodnie ze wskazaniami zielonych cyferek elektronicznego zegara stojącego na nocnej szafce wizyta trwała dokładnie dziewięć minut.

PO WYJŚCIU JONASA SANDBERGA Zalachenko nie mógł zasnąć. Zakładał, że gość nie podał prawdziwego nazwiska. Doświadczenie podpowiadało mu, że szwedzcy szpiedzy w swoim amatorstwie mają szczególne upodobanie do posługiwania się pseudonimami, nawet jeśli to nie jest konieczne. W każdym razie wizyta Jonasa (czy jak on się tam nazywał) była pierwszym sygnałem, że Sekcja wie o jego położeniu. Biorąc pod uwagę zainteresowanie mediów, raczej nikomu nie mogło to umknąć. Wizyta była jednak również potwierdzeniem, że sytuacja może budzić niepokój. Zresztą słusznie.

Rozważał wady i zalety, przeglądał możliwości i odrzucał alternatywy. Miał pełną świadomość, że wszystkie sprawy całkowicie wymknęły się spod kontroli. Gdyby wszystko poszło zgodnie z planem, siedziałby w tej chwili w swoim domu w Gosseberdze, Ronald Niedermann byłby bezpieczny za granicą, a Lisbeth Salander leżałaby zakopana w ziemi. Chociaż pojmował, co się stało, za nic w świecie nie był w stanie zrozumieć, jak jej się udało wydostać z grobu, dotrzeć do domu i dwoma ciosami siekiery zniszczyć mu życie. Była niesłychanie silna.

Rozumiał za to bardzo dobrze, co się stało z Ronaldem Niedermannem i dlaczego uciekł w przerażeniu, zamiast szybko skończyć z Salander. Wiedział, że ma coś nie tak z głową, że ma omamy, widzi duchy. Kilka razy musiał interweniować, kiedy Niedermann zachowywał się irracjonalnie i leżał skulony ze strachu.

To go niepokoiło. Był przekonany, że skoro Niedermann jeszcze nie został złapany, musiał zachowywać się racjonalnie przez ten czas, który minął od ucieczki z Gosebergi. Przypuszczalnie zamierzał przedostać się do Tallina, gdzie mógłby się ukryć wśród współpracowników przestępczego imperium Zalachenki. Najbardziej niepokoiło go to, że nigdy nie dało się przewidzieć, kiedy Niedermanna ogarnie paraliż. Jeśli zdarzy się to podczas ucieczki, popełni błąd i wpadnie w łapy policji. Nie podda się dobrowolnie, więc najpewniej zginą policjanci, prawdopodobnie zginie także sam Niedermann.

Myśl ta poruszała Zalachenkę. Nie chciał, żeby Niedermann zginął. Był jego synem. Z drugiej strony był to godny ubolewania fakt, ale Niedermann nie mógł zostać ujęty żywcem. Niedermann nigdy przedtem nie był aresztowany i Zalachenko nie mógł przewidzieć, jak zachowałby się podczas przesłuchania. Podejrzewał wręcz, że nie potrafiłby utrzymać języka za zębami. Dlatego dobrze byłoby, gdyby został zabity przez policjantów. Cierpiałby po stracie syna, ale alternatywa byłaby jeszcze gorsza. Oznaczałaby, że on sam spędzi resztę życia za kratkami.

Ale od ucieczki Niedermanna minęło już czterdzieści osiem godzin i jeszcze nie został złapany. To dobrze. To znak, że Niedermann działa, a działający Niedermann jest nie do pokonania.

W dłuższej perspektywie niepokoiło go coś jeszcze. Zastanawiał się, jak Niedermann będzie sobie radził w życiu na własną rękę, kiedy ojciec nie będzie mógł nim kierować. W ostatnich latach zauważył, że jeśli nie daje instrukcji lub za bardzo popuszcza Niedermannowi cugli, żeby sam podejmował decyzje, ten popada w bezczynność i niezdecydowanie.

Zalachenko pomyślał – nie wiedział już który raz z rzędu – że to wielka szkoda i wstyd, że jego syn jest taki. Ronald Niedermann był bez wątpienia bardzo zdolnym człowiekiem, mającym cechy fizyczne, które czyniły go wyjątkowym i budzącym lęk. Był poza tym doskonałym, chłodnym organizatorem. Jego problemem był natomiast całkowity brak instynktu przywódczego. Stale potrzebował kogoś, kto by mu mówił, co właściwie ma organizować.

Ale to wszystko było w tej chwili poza jego kontrolą. Teraz liczył się tylko on. Jego sytuacja była trudna, być może trudniejsza niż kiedykolwiek przedtem.

Wizyta adwokata Thomassona zbytnio go nie uspokoiła. Thomasson był i pozostanie prawnikiem biznesowym i choćby okazał się nie wiadomo jak skuteczny, nie można było oprzeć się na nim w obecnej sytuacji.

Drugą sprawą były odwiedziny Jonasa Sandberga. Sandberg stanowił o wiele mocniejszą linę ratunkową. Ale ta lina mogła okazać się pętlą. Musiał dobrze rozegrać karty, musiał przejąć kontrolę nad sytuacją. Kontrola jest najważniejsza.

Wreszcie miał też własne siły, na których mógł polegać. W tej chwili potrzebował jeszcze opieki lekarskiej. Ale za kilka dni, może za tydzień, jego stan się poprawi. Jeśli sprawy staną na ostrzu noża, być może będzie zmuszony polegać tylko na sobie. Oznaczałoby to, że będzie musiał zniknąć wprost sprzed nosa policjantom, którzy się koło niego kręcą. Będzie potrzebował kryjówki, paszportu i pieniędzy. We wszystko to mógł zaopatrzyć go Thomasson. Ale najpierw musiał być na tyle zdrowy, żeby mieć siłę uciekać.

O pierwszej zajrzała do niego pielęgniarka. Udawał, że śpi. Kiedy zamknęła drzwi, z trudem usiadł na łóżku i przełożył nogi przez krawędź. Siedział nieruchomo dłuższą chwilę, sprawdzając poczucie równowagi. Potem ostrożnie postawił na podłodze lewą stopę. Siekiera szczęśliwie trafiła w już przedtem niesprawną prawą nogę. Wyciągnął rękę po protezę stojącą w szafce przy łóżku i przymocował ją do kikuta. Potem wstał. Przeniósł ciężar ciała na lewą, sprawną nogę i próbował podeprzeć się prawą stopą. Kiedy ją obciążył, intensywny ból przeszył mu ciało.

Zacisnął zęby i zrobił krok. Przydałyby mu się kule, ale był przekonany, że szpital wkrótce mu je zaproponuje. Opierając się o ścianę, dokuśtykał do drzwi. Zajęło mu to kilka minut. Po każdym kroku musiał odpoczywać w bezruchu, żeby opanować ból.

Oparł się na jednej nodze, uchylił lekko drzwi i wyjrzał na korytarz. Nie widział nikogo, więc wysunął głowę jeszcze bardziej. Usłyszał niewyraźne głosy po lewej stronie i odwrócił głowę. Dyżurka pielęgniarek znajdowała się mniej więcej dwadzieścia metrów dalej, po przeciwnej stronie korytarza.

Odwrócił głowę w drugą stronę i na końcu korytarza zobaczył wyjście.

Przedtem pytał o stan Lisbeth Salander. Mimo wszystko był jej ojcem. Pielęgniarki najwyraźniej dostały polecenie, żeby nie rozmawiać o innych pacjentach. Jedna powiedziała oględnie, że jej stan jest stabilny. Ale odruchowo spojrzała przy tym w lewo.

W którymś z pokoi między jego pokojem a pomieszczeniem pielęgniarek leżała Lisbeth Salander.

Ostrożnie zamknął drzwi, pokuśtykał z powrotem do łóżka i zdjął protezę. Kiedy wreszcie wsunął się pod kołdrę, był zlany potem.

INSPEKTOR JERKER HOLMBERG wrócił do Sztokholmu w niedzielę w porze lunchu. Był zmęczony, głodny i wyczerpany. Pojechał metrem do Rådhuset, stamtąd piechotą poszedł do komendy policji na Bergsgatan, prosto do pokoju inspektora Jana Bublanskiego. Sonja Modig i Curt Svensson już tam byli. Bublanski zwołał zebranie na niedzielę, gdyż wiedział, że prokurator Richard Ekström jest zajęty w tym czasie czym innym.

– Dziękuję, że przyszliście – zaczął. – Myślę, że nadeszła pora, żebyśmy porozmawiali spokojnie i spróbowali trochę uporządkować całą tę sprawę. Jerker, czy masz jakieś nowe informacje?

– Nic, czego bym już nie mówił przez telefon. Zalachenko nie ustępuje ani o milimetr. Nie jest niczemu winny i nic nie ma do powiedzenia. Tylko fakt, że...

– Tak?

– Miałaś rację, Sonju. Jest jednym z najbardziej obrzydliwych ludzi, jakich w życiu spotkałem. To brzmi idiotycznie. Policjanci nie powinni mówić takich rzeczy, ale pod jego chłodnym wyrachowaniem kryje się coś przerażającego.

– Okej – Bublanski odchrząknął. – Co wiemy, Sonju?

Inspektor Modig uśmiechnęła się blado.

– Tę rundę wygrali detektywi amatorzy. Nie jestem w stanie odnaleźć Zalachenki w żadnym publicznym rejestrze.

Za to Karl Axel Bodin urodził się w 1942 roku w Uddevalli. Jego rodzice to Marianne i Georg Bodin. Istnieli rzeczywiście, ale zginęli w wypadku samochodowym w 1946 roku. Karl Axel Bodin dorastał u wujka mieszkającego w Norwegii. Nie ma więc o nim żadnych weryfikowalnych danych sprzed lat siedemdziesiątych, kiedy wrócił do Szwecji. Opowieść Mikaela Blomkvista, że jest rzekomo zbiegłym radzieckim szpiegiem z GRU, wydaje się niemożliwa do zweryfikowania, ale jestem skłonna wierzyć, że ma rację.

– I co to oznacza?

– Oczywiste jest, że dostał fałszywą tożsamość. Musiało to nastąpić za wiedzą i zgodą władz.

– Czyli Säpo?

– Tak twierdzi Blomkvist. Ale jak to dokładnie wyglądało, nie umiem powiedzieć. Oznaczałoby to, że akt urodzenia i kilka innych dokumentów sfałszowano i umieszczono w różnych szwedzkich rejestrach. Nie chciałabym wyrokować o legalności takich działań. Przypuszczalnie zależy to od tego, kto podejmował decyzje. Ale żeby można to było zrobić legalnie, decyzje musiałyby zapaść na poziomie wręcz rządowym.

Szczególna cisza zapanowała w gabinecie Bublanskiego, gdy czworo inspektorów rozważało to, co usłyszeli.

– Okej – odezwał się wreszcie Bublanski. – Jesteśmy czwórką stukniętych gliniarzy. Jeśli rząd jest w to zamieszany, to nie zamierzam wzywać nikogo z nich na przesłuchanie.

– Hmm – mruknął Curt Svensson. – To mogłoby doprowadzić do kryzysu konstytucyjnego. W Stanach Zjednoczonych można przesłuchiwać członków rządu przed zwykłym sądem. W Szwecji to musi przejść przez komisję konstytucyjną.

– Moglibyśmy zrobić jedną rzecz, a mianowicie zapytać szefa – powiedział Jerker Holmberg.

– Zapytać szefa? – zdziwił się Bublanski.

– Thorbjörna Fälldina. Był wtedy premierem.

– Dobrze, skoczymy do niego, gdziekolwiek teraz mieszka, i zapytamy premiera, czy sfałszował dokumenty tożsamości byłego ruskiego agenta. Nie sądzę, żeby to przeszło.

– Fälldin mieszka w Ås w gminie Härnösand. Urodziłem się kilka kilometrów stamtąd. Mój ojciec należy do partii Centrum i dobrze go zna. Spotkałem go kilka razy, jako dziecko i kiedy już byłem dorosły. To normalny, otwarty człowiek.

Trójka inspektorów popatrzyła zaskoczona na Jerkera Holmberga.

– A więc znasz Fälldina – powiedział Bublanski z powątpiewaniem.

Holmberg skinął głową. Bublanski wydął wargi.

– Szczerze powiedziawszy... – zaczął Holmberg. – To by nam rozwiązało kilka innych problemów, gdybyśmy od dawnego premiera usłyszeli wyjaśnienia w tej sprawie. Wiedzielibyśmy, na czym stoimy. Mógłbym pojechać i z nim porozmawiać. Jeśli nic nie powie, to trudno. A jeśli powie, to zaoszczędzimy sporo czasu.

Bublanski rozważał propozycję. Ale potem pokręcił głową. Kącikiem oka zauważył, że zarówno Sonja Modig, jak i Curt Svensson pokiwali głowami w zamyśleniu.

– Holmberg... to dobrze, że składasz taką propozycję, ale myślę, że na razie odłożymy ten pomysł na bok. Wracajmy do śledztwa, Sonju.

– Jak twierdzi Blomkvist, Zalachenko przyjechał do Szwecji w 1976 roku. O ile dobrze zrozumiałam, jest tylko jedna osoba, od której mógłby mieć te informacje.

– Gunnar Björck – podsunął Curt Svensson.

– Co Björck nam powiedział? – zapytał Jerker Holmberg.

– Niedużo. Powołuje się na klauzulę tajności i mówi, że nie może o niczym rozmawiać bez pozwolenia przełożonych.

– A kim są jego przełożeni?

– Tego nie chce zdradzić.

– Co w takim razie z nim będzie?

– Aresztowaliśmy go za kupowanie usług seksualnych. Dzięki Dagowi Svenssonowi mamy wspaniałą dokumentację. Ekström był wyraźnie oburzony, ale ponieważ złożyłem doniesienie, może mieć problemy, jeśli zawiesi postępowanie przygotowawcze – powiedział Curt Svensson.

– Aha. Kupowanie usług seksualnych. Za to, jak sądzę, może dostać grzywnę.

– Przypuszczalnie tak. Ale mamy go w systemie i możemy wezwać na ponowne przesłuchanie.

– Ale teraz jesteśmy na terenie policji bezpieczeństwa i błądzimy po omacku. To może wywołać pewne zamieszanie.

– Problem polega na tym, że żadna z tych rzeczy, które się wydarzyły, nie wydarzyłaby się, gdyby Säpo nie była w to w taki czy inny sposób zamieszana. Możliwe, że Zalachenko był prawdziwym radzieckim szpiegiem, który zmienił front i dostał azyl polityczny. Możliwe też, że pracował dla Säpo jako wywiadowca, źródło informacji, czy też jak tam go inaczej nazwać, i że były powody, żeby zapewnić mu fałszywą tożsamość i anonimowość. Ale są trzy problemy. Po pierwsze, dochodzenie, które odbyło się w 1991 roku i doprowadziło do zamknięcia Lisbeth Salander, odbyło się z naruszeniem prawa. Po drugie, od tego czasu działalność Zalachenki nie ma nic wspólnego z bezpieczeństwem państwa. Jest po prostu zwyczajnym gangsterem i istnieje duże prawdopodobieństwo, że brał udział w kilku morderstwach i innych przestępstwach. Wreszcie po trzecie, nie ma żadnych wątpliwości, że Lisbeth Salander została postrzelona i pochowana na terenie jego posiadłości.

– À propos, bardzo chętnie przeczytałbym raport z tego słynnego dochodzenia – powiedział Jerker Holmberg.

Bublanski spochmurniał.

– Ekström zagarnął go w zeszły piątek, a kiedy prosiłem, żeby mi go oddał, powiedział, że chce jeszcze zrobić kopię.

Ale tego nie zrobił. Porozmawiał z prokuratorem generalnym i powstał problem. Według prokuratora generalnego klauzula tajności oznacza, że raportu nie można rozpowszechniać i kopiować. Zażądał zwrotu wszystkich kopii, do momentu zakończenia sprawy. To oznacza, że Sonja musiała oddać im swoją kopię.

– A więc nie mamy już żadnego egzemplarza?

– Nie.

– Jasna cholera – zaklął Holmberg. – To nie wygląda dobrze.

– Nie – zgodził się Bublanski. – Ale przede wszystkim oznacza, że ktoś działa przeciwko nam, i robi to bardzo szybko i skutecznie. To przecież ten raport naprowadził nas na właściwy trop.

– Czyli musimy się dowiedzieć, kto działa przeciwko nam – powiedział Holmberg.

– Chwileczkę – wtrąciła Sonja Modig. – Mamy jeszcze Petera Teleboriana. Pomógł w naszym śledztwie, określając profil Lisbeth Salander.

– No właśnie – przyznał Bublanski nieco ponurym tonem. – I co powiedział?

– Bardzo się niepokoi o jej bezpieczeństwo i chce jej dobra. Ale kiedy skończył oficjalną gadkę, powiedział, że ta dziewczyna stanowi ogromne zagrożenie i może potencjalnie stawiać opór. Duża część naszych hipotez była oparta na jego słowach.

– Nastraszył też nieźle Hansa Fastego – powiedział Holmberg. – No właśnie, co tam ostatnio u niego?

– Wziął urlop – odpowiedział krótko Bublanski. – Pytanie brzmi: co mamy robić dalej?

Przez następne dwie godziny omawiali różne możliwości. Zapadła jedyna sensowna decyzja: Sonja Modig najbliższym pociągiem wróci do Göteborga, żeby sprawdzić, czy Lisbeth Salander może coś powiedzieć. Po zakończeniu zebrania Sonja Modig i Curt Svensson poszli razem do garażu.

– Tak sobie pomyślałem... – zaczął Curt Svensson i urwał.

– Tak? – zapytała Modig.

– Pomyślałem tylko, że kiedy rozmawialiśmy z Teleborianem, byłaś jedyną osobą, która zadawała pytania i zgłaszała wątpliwości.

– Ach tak.

– Tak... to znaczy... masz instynkt – powiedział.

Curt Svensson raczej nie słynął z zasypywania wszystkich wkoło komplementami i z całą pewnością był to pierwszy raz, kiedy zwrócił się z pochwałą czy zachętą do Sonji Modig. Poszedł dalej, a ona została przy swoim samochodzie, całkowicie zaskoczona.

Rozdział 5
Niedziela 10 kwietnia

MIKAEL BLOMKVIST spędził sobotnią noc w łóżku z Eriką Berger. Nie uprawiali seksu, tylko po prostu leżeli i rozmawiali. Znaczna część rozmowy dotyczyła szczegółów sprawy Zalachenki. Mikael i Erika ufali sobie do tego stopnia, że Blomkvista ani przez chwilę nie powstrzymywała myśl, że Erika zamierza przejść do konkurencyjnej gazety. Sama Erika nie miała najmniejszego zamiaru kraść materiału. To był hit „Millennium" i mogła najwyżej odczuwać pewną frustrację, że nie może redagować tego numeru. Byłoby to bardzo przyjemne uwieńczenie lat spędzonych w „Millennium".

Rozmawiali także o przyszłości i o tym, co oznacza nowa sytuacja. Erika była zdecydowana zachować udziały w „Millennium" i nadal zasiadać w zarządzie. Ale oboje zdawali sobie sprawę, że nie będzie mogła mieć wglądu w bieżącą pracę redakcji.

– Daj mi kilka lat w tym molochu... kto wie. Może wrócę do „Millennium" jakoś przed emeryturą – powiedziała.

Dyskutowali także o ich skomplikowanym związku. Byli zgodni, że w praktyce nic nie powinno się zmienić, ale z oczywistych względów w przyszłości nie będą mogli się spotykać tak często jak dotychczas. Będzie tak jak w latach osiemdziesiątych, zanim założyli „Millennium", kiedy każde z nich pracowało gdzie indziej.

– Po prostu będziemy musieli sobie rezerwować czas – stwierdziła Erika z bladym uśmiechem.

W NIEDZIELNY PORANEK pożegnali się pośpiesznie. Erika wracała do męża, Gregera Backmana.

– Nie wiem, co mam powiedzieć – powiedziała. – Ale widzę wszelkie oznaki, że jesteś na tropie i że zaangażowałeś się w tę historię tak bardzo, że wszystko inne schodzi na drugi plan. Wiesz, kiedy pracujesz, zachowujesz się jak psychopata.

Mikael uśmiechnął się i objął ją ramieniem.

Po wyjściu Eriki zadzwonił do Sahlgrenska, żeby dowiedzieć się czegoś o stanie zdrowia Lisbeth Salander. Nikt nie chciał udzielić mu informacji, więc zadzwonił w końcu do inspektora Erlandera. Erlander zlitował się i powiedział mu, że biorąc pod uwagę okoliczności, stan Lisbeth jest dobry i lekarze wypowiadają się z ostrożnym optymizmem. Mikael zapytał, czy może ją odwiedzić. Erlander odparł, że Lisbeth Salander jest aresztowana na mocy postanowienia prokuratury i nic może przyjmować wizyt, ale pytanie i tak jest bezprzedmiotowe, bo jej stan nie pozwala jeszcze na żadne przesłuchania. Mikael wymusił na Erlanderze obietnicę, że w razie pogorszenia się stanu Lisbeth zadzwoni do niego.

Kiedy sprawdził spis rozmów w komórce, odkrył czterdzieści dwa nieodebrane telefony i SMS-y od różnych dziennikarzy, desperacko usiłujących się z nim skontaktować. Wiadomość, że to on znalazł Lisbeth Salander i zawiadomił służby ratownicze, czyli był głęboko zaangażowany w rozwój wydarzeń, stała się w ciągu ostatniej doby przedmiotem intensywnych spekulacji mediów.

Mikael wykasował wszystkie wiadomości od dziennikarzy. Potem zadzwonił do swojej siostry Anniki Giannini i umówił się z nią na niedzielny lunch.

Następnie zadzwonił do Dragana Armanskiego, dyrektora wykonawczego i szefa operacyjnego firmy ochroniarskiej Milton Security. Złapał go na komórkę w jego domu na Lidingö.

– Trzeba przyznać, że umie pan trafiać na pierwsze strony gazet – powiedział z sarkazmem Armanski.

– Przepraszam, że nie zadzwoniłem wcześniej. Dostałem wiadomość, że pan mnie szuka, ale jakoś nie miałem czasu...

– Uruchomiliśmy śledztwo w Miltonie. I z tego, co mówił Holger Palmgren, domyśliłem się, że ma pan jakieś informacje. Ale wygląda na to, że wyprzedził nas pan o kilka długości.

Mikael zwlekał chwilę, nie wiedząc, co powiedzieć.

– Czy mogę na panu polegać? – zapytał wreszcie.

Armanski był wyraźnie zaskoczony.

– W jakim sensie?

– Czy stoi pan po stronie Salander, czy nie? Czy mogę mieć pewność, że chce pan dla niej jak najlepiej?

– Jestem jej przyjacielem. Jak pan sam wie, to nie musi wcale oznaczać, że ona jest też moim przyjacielem.

– Wiem. Ale pytam o to, czy jest pan gotów stanąć w jej narożniku i rozegrać walkę w stylu wolnej amerykanki z jej wrogami. Zapowiada się dużo rund.

Armanski zastanawiał się nad propozycją.

– Jestem po jej stronie – odpowiedział.

– Czy mogę przekazywać panu informacje i dyskutować o różnych rzeczach bez obawy, że coś wycieknie do policji czy gdzie indziej?

– Nie mogę być wmieszany w żadne sprawy kryminalne – powiedział Armanski.

– Nie o to pytałem.

– Może pan na mnie całkowicie polegać, póki nie okaże się, że prowadzi pan działalność przestępczą albo coś w tym rodzaju.

– To mi wystarczy. Musimy się spotkać.

– Będę w mieście dziś wieczorem. Kolacja?

– Nie, nie mam czasu. Ale za to byłbym wdzięczny, gdybyśmy mogli się spotkać jutro wieczorem. Pan, ja i może jeszcze kilka innych osób. Powinniśmy usiąść i porozmawiać.

– Zapraszam do Milton Security. Może o osiemnastej?

– Jeszcze jedno... za dwie godziny spotykam się z moją siostrą Anniką Giannini. Zastanawia się, czy podjąć się obrony Lisbeth, ale oczywiście nie może pracować za darmo. Mogę zapłacić część jej honorarium z własnej kieszeni. Czy Milton Security mógłby się dołożyć?

– Lisbeth będzie potrzebowała najlepszego specjalisty od prawa karnego. Proszę wybaczyć, ale pańska siostra chyba nie jest dobrym wyborem. Już rozmawiałem z naczelnym prawnikiem w Miltonie i on znajdzie dla nas odpowiednią osobę. Myślałem o Peterze Althinie lub kimś podobnym.

– Błąd. Lisbeth potrzebuje zupełnie innego typu adwokata. Zrozumie pan, co mam na myśli, kiedy wszystko omówimy. Ale czy mógłby pan przeznaczyć pieniądze na jej obronę, gdyby to było potrzebne?

– Już myślałem, że Milton mógłby zaangażować adwokata...

– Czy to oznacza tak, czy nie? Wiem, co się przydarzyło Lisbeth. Wiem mniej więcej, kto za tym stoi. Wiem dlaczego. I mam plan ataku.

Armanski zaśmiał się.

– Okej. Wysłucham pańskiej propozycji. Jeśli mi się nie spodoba, wycofam się.

– CZY ZASTANOWIŁAŚ SIĘ nad moją propozycją, żeby reprezentować Lisbeth Salander? – zapytał Mikael, gdy tylko ucałował siostrę w policzek i usiedli przy kawie i kanapce.

– Tak. I muszę odmówić. Wiesz, że nie specjalizuję się w prawie karnym. Nawet jeśli zostanie zwolniona z zarzutu morderstwa, za które ją ścigano, zostaje jeszcze cała lista punktów oskarżenia. Będzie potrzebowała kogoś o zupełnie innym ciężarze gatunkowym i doświadczeniu niż ja.

– Mylisz się. Jesteś adwokatem i jesteś znana z tego, że znasz się na prawach kobiet. Uważam, że jesteś właśnie takim adwokatem, jakiego potrzebuje.

– Mikael... chyba nie do końca rozumiesz, o co tu chodzi. To skomplikowana sprawa karna, a nie jakiś zwykły przypadek maltretowania żony czy molestowania seksualnego. Jeśli podejmę się obrony Lisbeth, może się to skończyć katastrofą.

Mikael uśmiechnął się.

– Wydaje mi się, że nie pojmujesz sedna sprawy. Gdyby Lisbeth była oskarżona o zamordowanie Daga i Mii, zatrudniłbym adwokata w typie Sibersky'ego albo jakiegoś innego znanego specjalistę od spraw karnych. Ale ten proces będzie dotyczył zupełnie czegoś innego. A ty jesteś najdoskonalszym adwokatem, jakiego sobie mogę wyobrazić.

Annika Giannini westchnęła.

– Najlepiej będzie, jak mi wszystko wytłumaczysz.

Rozmawiali prawie dwie godziny. Gdy Mikael skończył, Annika była przekonana. Blomkvist sięgnął po komórkę i ponownie wybrał numer Marcusa Erlandera w Göteborgu.

– Halo, tu jeszcze raz Blomkvist.

– Nie mam nowych wiadomości o Salander – powiedział poirytowany Erlander.

– Zakładam, że w tej sytuacji to dobra wiadomość. Ale za to ja mam o niej wiadomość.

– Ach tak?

– Tak. Jej adwokat nazywa się Annika Giannini. Siedzi naprzeciwko mnie. Oddaję jej słuchawkę.

Mikael wyciągnął rękę ponad stołem.

– Dzień dobry. Nazywam się Annika Giannini i zostałam poproszona o reprezentowanie Lisbeth Salander. Muszę więc nawiązać kontakt z moją klientką, żeby mogła mnie zaakceptować jako swojego obrońcę. Potrzebuję też numeru telefonu do prokuratora.

– Rozumiem – powiedział Erlander. – O ile się orientuję, już wyznaczono obrońcę z urzędu.

– Okej. A czy ktoś pytał Lisbeth Salander o zdanie?

Erlander zawahał się.

– Szczerze powiedziawszy, nie mieliśmy jeszcze możliwości zamienić z nią słowa. Mamy nadzieję, że jutro rozmowa będzie możliwa, że jej stan na to pozwoli.

– Świetnie. A więc oświadczam, że dopóki pani Salander nie wyrazi sprzeciwu, możecie państwo traktować mnie jako jej adwokata. Nie możecie przesłuchiwać jej beze mnie. Proszę jej to przekazać i zapytać, czy akceptuje mnie jako swojego adwokata, czy nie. Rozumiemy się?

– Tak – westchnął Erlander. Nie był pewien, jak ta sprawa wygląda od strony czysto prawnej. Zastanawiał się chwilę. – Chcemy przede wszystkim zapytać Salander o to, czy ma jakieś informacje na temat miejsca pobytu zabójcy policjanta, Ronalda Niedermanna. Czy możemy postawić jej to pytanie, jeśli pani przy tym nie będzie?

Annika Giannini namyślała się chwilę.

– Okej... możecie ją zapytać, czy może pomóc policji znaleźć Ronalda Niedermanna. Ale nie możecie stawiać pytań dotyczących ewentualnego oskarżenia lub zarzutów przeciwko niej. Możemy się tak umówić?

– Myślę, że tak.

MARCUS ERLANDER wstał od biurka, poszedł piętro wyżej i zapukał do drzwi prokurator Agnety Jervas. Powtórzył rozmowę, którą przed chwilą odbył z Anniką Giannini.

– Nie wiedziałam, że Salander ma adwokata.

– Ja też nie. Ale Giannini zaangażował Mikael Blomkvist. Nie wiadomo, czy Salander o tym wie.

– Ale Giannini nie jest karnistką. Zajmuje się prawami kobiet. Słuchałam kiedyś jej wykładu. Jest bardzo bystra, ale absolutnie nie nadaje się do tej sprawy.

– O tym powinna zadecydować Salander.

– Możliwe w takim razie, że będę zmuszona unieważnić to sądownie. Dla własnego dobra Salander powinna mieć obrońcę z prawdziwego zdarzenia, a nie jakąś gwiazdę, która chce zdobyć popularność. Hmm. Poza tym Salander jest ubezwłasnowolniona. Nie wiem, co jest tutaj decydujące.

– To co zrobimy?

Agneta Jervas zastanawiała się przez chwilę.

– Niezły pasztet. Nie jestem pewna, kto się będzie zajmował sprawą, kiedy przyjdzie co do czego. Proces może zostać przeniesiony do Sztokholmu do Ekströma. Ale ona musi mieć adwokata. Dobrze... zapytaj ją, czy zgadza się na Giannini.

KIEDY OKOŁO PIĄTEJ po południu Mikael wrócił do domu, otworzył iBooka i wrócił do tekstu, który zaczął pisać w Göteborgu. Siedział nad nim siedem godzin, aż ustalił, jakie są największe luki w całej historii. Miał jeszcze przed sobą masę researchu. Jednym z pytań, na które na podstawie posiadanych dokumentów nie umiał odpowiedzieć, była kwestia, kto dokładnie w Säpo, oprócz Gunnara Björcka, brał udział w spisku, żeby zamknąć Lisbeth Salander w domu wariatów. Nie zdołał też rozwikłać powiązań między Björckiem i psychiatrą Peterem Teleborianem.

Około północy wyłączył komputer i poszedł spać. Po raz pierwszy od kilku tygodni miał poczucie, że może się odprężyć i spać spokojnie. Wszystko było pod kontrolą. Choćby pozostało jeszcze nie wiadomo ile znaków zapytania, miał już dość materiału, żeby wywołać lawinę nagłówków prasowych.

Poczuł impuls, żeby zadzwonić do Eriki Berger i poinformować ją o najnowszych wydarzeniach. Potem uświadomił sobie, że jej już nie ma w „Millennium". Nagle znów poczuł, że nie może zasnąć.

O DZIEWIĘTNASTEJ TRZYDZIEŚCI mężczyzna z brązową aktówką ostrożnie wysiadł z pociągu z Göteborga na Dworcu Centralnym w Sztokholmie i na krótką chwilę zatrzymał się w morzu ludzi, żeby się zorientować. Wyruszył z Laholm rano, przed ósmą. Najpierw pojechał do Göteborga. Tam zatrzymał się i zjadł lunch ze starym przyjacielem, a potem ruszył dalej do Sztokholmu. Nie odwiedzał stolicy od dwóch lat, właściwie nigdy nie zamierzał wracać do tego miasta. Mimo że mieszkał tu przez większą część swego życia zawodowego, zawsze czuł się tu obco, a kiedy przeszedł na emeryturę, uczucie to potęgowało się przy każdej wizycie.

Powoli przeszedł przez dworzec. Kupił w kiosku popołudniówki i dwa banany, w zamyśleniu obserwując mijające go muzułmańskie kobiety w chustach. Nie miał nic przeciwko kobietom w chustach. To nie był jego problem, że ludzie chcieli się przebierać. Ale przeszkadzało mu, że muszą się przebierać akurat w samym centrum Sztokholmu.

Przeszedł pieszo niecałe trzysta metrów do hotelu Freys przy dawnej Poczcie Boberga na Vasagatan. W tym hotelu zawsze nocował podczas rzadkich obecnie wizyt w Sztokholmie. Stał w centrum i był czysty. Poza tym dość tani, a to miało znaczenie, ponieważ sam opłacał swój wyjazd. Poprzedniego dnia zarezerwował pokój na nazwisko Evert Gullberg.

Gdy tylko znalazł się w pokoju, od razu poszedł do toalety. Był w takim wieku, że musiał co chwilę odwiedzać ubikację. Wiele lat minęło od czasu, kiedy mógł przespać noc, nie wstając, żeby oddać mocz.

Po wyjściu z łazienki zdjął kapelusz, ciemnozielony angielski filcowy kapelusz z małym rondem, i rozluźnił krawat. Miał sto osiemdziesiąt cztery centymetry wzrostu i ważył sześćdziesiąt osiem kilo, czyli był bardzo szczupły. Ubrany był w marynarkę w pepitkę i ciemnoszare spodnie. Otworzył brązową aktówkę i wyjął dwie koszule, zapasowy krawat i bieliznę, po czym umieścił wszystko w szufladzie. Potem zdjął płaszcz i marynarkę i powiesił je na wieszaku w szafie, tuż za drzwiami pokoju.

Było za wcześnie, żeby się kłaść spać. Za późno, żeby miał siłę iść na wieczorny spacer. Zresztą i tak tego nie lubił.

Usiadł na hotelowym krześle i rozejrzał się dokoła. Włączył telewizor, ale ściszył tak, żeby nic nie słyszeć. Zastanawiał się, czy nie zadzwonić do recepcji i nie zamówić kawy, ale stwierdził, że jest już za późno. Otworzył więc barek i nalał sobie miniaturkę johnniego walkera z kilkoma kroplami wody. Przejrzał gazety, dokładnie czytając wszystkie doniesienia o poszukiwaniach Ronalda Niedermanna i Lisbeth Salander. Potem wyjął notatnik w skórzanej okładce i zrobił kilka notatek.

BYŁY DYREKTOR BIURA służb specjalnych Evert Gullberg miał siedemdziesiąt osiem lat i oficjalnie od czternastu lat był na emeryturze. Ale jak to bywa z dawnymi szpiegami – nigdy nie umierają, tylko odchodzą pomiędzy cienie.

Kiedy miał dziewiętnaście lat, tuż po zakończeniu wojny, planował karierę w marynarce. Odbył służbę wojskową jako kadet, potem został przyjęty na szkolenie oficerskie. Ale zamiast tradycyjnie wysłać go na morze, jak się spodziewał, kierownictwo floty umieściło go w służbie informacyjnej marynarki w Karlskronie. Rozumiał wagę swojego zadania, które polegało na obserwowaniu tego, co działo się po drugiej stronie Bałtyku. Lecz i tak uważał tę pracę za nudną i nieciekawą. W wojskowej szkole tłumaczy nauczył się rosyjskiego i polskiego. Między innymi dzięki znajomości tych języków został w 1950 roku zwerbowany do służb specjalnych. Było to w czasie, kiedy trzeciemu wydziałowi policji państwowej szefował nieskazitelnie uczciwy Georg Thulin. Kiedy Gullberg zaczynał pracę, cały budżet służb specjalnych wynosił około dwóch milionów siedmiuset tysięcy koron, a personel liczył dokładnie dziewięćdziesiąt sześć osób.

Kiedy w 1992 roku oficjalnie odchodził na emeryturę, budżet Säpo wynosił nieco ponad trzysta pięćdziesiąt milionów koron. Nie wiedział nawet, ilu firma zatrudnia pracowników.

Całe życie pracował w tajnej służbie Jego Wysokości, czy raczej w tajnej służbie socjaldemokratycznego „domu ludu". Była w tym pewna ironia, gdyż w każdych wyborach wiernie głosował na partię Moderata, oprócz roku 1991, kiedy to świadomie oddał głos przeciwko moderatom. Uważał bowiem, że wybór Carla Bildta oznacza katastrofę dla Realpolitik. Wbrew sobie zagłosował na Ingvara Carlssona. Lata rządów najlepszego rządu Szwecji potwierdziły jego najgorsze obawy. Rząd moderatów objął władzę w chwili, gdy Związek Radziecki się rozpadał, a zdaniem Gullberga trudno było o rząd gorzej przygotowany do stawienia czoła tej sytuacji i wykorzystania nowych politycznych możliwości agentury, jakie pojawiły się na Wschodzie. Rząd Bildta tymczasem z powodów ekonomicznych ograniczył działalność biura do spraw sowieckich i postawił na międzynarodowe przepychanki w Bośni i Serbii – jakby Serbia kiedykolwiek zagrażała Szwecji. W rezultacie udaremnione zostały długofalowe plany umieszczenia w Moskwie informatorów, choć z chwilą kiedy klimat znów się będzie ochładzał – co zdaniem Gullberga było nieuniknione – znowu pojawią się nierealne żądania polityków wobec służb specjalnych i wojskowych służb informacyjnych, co najmniej jakby mogły one wyciągać agentów z kapelusza na każde żądanie.

GULLBERG ROZPOCZĄŁ KARIERĘ w biurze do spraw sowieckich w trzecim wydziale policji państwowej i po dwóch latach za biurkiem podjął pierwszą ostrożną próbę działania w terenie – jako attaché lotnictwa w randze kapitana w ambasadzie szwedzkiej w Moskwie w latach 1952–1953. Co ciekawe, szedł śladem innego znanego szpiega. Kilka lat wcześniej jego posadę zajmował cieszący się znaczną sławą oficer lotnictwa pułkownik Stig Wennerström.

Po powrocie do Szwecji pracował w kontrwywiadzie, a dziesięć lat później został jednym z młodszych funkcjonariuszy Säpo, którzy pod wodzą szefa operacji Ottona

Danielsona ujęli Wennerströma i wysłali go na dożywocie do więzienia Långholmen.

Podczas reorganizacji służb specjalnych za czasów Pera Gunnara Vingego, w 1964 roku, powstał wydział bezpieczeństwa Komendy Głównej Policji, RPS/Säk. Zwiększono także liczbę pracowników. Gullberg miał wtedy za sobą czternaście lat pracy w służbach i był jednym z bardziej zaufanych weteranów.

Nigdy nie używał nazwy Säpo. Mówił RPS/Säk w sytuacjach oficjalnych, w nieoficjalnych tylko Säk. Wśród kolegów zdarzało mu się określać miejsce pracy mianem Firma lub Przedsiębiorstwo lub po prostu Wydział – ale nigdy Säpo. Powód był prosty. Najważniejszym zadaniem Firmy przez wiele lat była tak zwana kontrola personalna, czyli sprawdzanie i rejestracja szwedzkich obywateli, którzy mogli żywić sympatię do komunistów lub nosić się z zamiarem zdrady stanu. W Firmie terminów „komunista" i „zdrajca" używano jak synonimów. Powszechnie przyjęty później termin Säpo był w rzeczywistości określeniem, którego komunistyczna gazeta potencjalnych zdrajców, „Clarté", użyła jako obelgi wobec policyjnych łowców komunistów. Dlatego ani Gullberg, ani żaden z weteranów go nie używali. Nie mogło mu się pomieścić w głowie, jak jego dawny szef Per Gunnar Vinge mógł zatytułować swoje wspomnienia *Szef Säpo 1962–1970*.

Reorganizacja z 1964 roku zdecydowała o przyszłej karierze Gullberga.

Powstanie RPS/Säk oznaczało, że tajna policja państwowa została przekształcona w coś, co w komunikatach ministerstwa sprawiedliwości określano jako nowoczesną organizację policyjną. Powstała potrzeba przyjęcia nowych pracowników. Ciągłe zapotrzebowanie na nowy personel oznaczało niekończące się problemy z wprowadzaniem nowych ludzi, co w rozrastającej się organizacji oznaczało, że Wróg nagle miał mnóstwo możliwości umieszczania w wydziale agentów. Wymagało to z kolei zaostrzenia wewnętrznej kontroli bezpieczeństwa – tajna policja nie mogła dłużej być zamkniętym klubem składającym się z dawnych oficerów, w którym każdy znał każdego, a najczęstszą przesłanką przy zatrudnianiu nowych osób był fakt, że ojciec też był oficerem.

W 1963 roku Gullberg został przeniesiony z kontrwywiadu do kontroli personalnej, której znaczenie bardzo wzrosło po zdekonspirowaniu Stiga Wennerströma. W tym czasie powstały fundamenty rejestru poglądów, który pod koniec lat sześćdziesiątych obejmował ponad trzysta tysięcy szwedzkich obywateli o niemile widzianych sympatiach politycznych. Ale kontrola mieszkańców Szwecji ogólnie to była jedna sprawa – inny problem stanowiła kwestia, jak zapewnić bezpieczeństwo w RPS/Säk.

Wennerström uruchomił w tajnej policji lawinę wewnętrznych problemów. Skoro pułkownik w Sztabie Obrony mógł pracować dla Rosjan – ponadto był także doradcą rządu do spraw energii jądrowej i polityki bezpieczeństwa – skąd można było mieć pewność, że Rosjanie nie mieli podobnie centralnie ulokowanego agenta w służbie bezpieczeństwa? Kto mógł zagwarantować, że szefowie najwyższych i pośrednich szczebli w Firmie nie pracowali dla Rosjan? Krótko mówiąc – kto miał szpiegować szpiegów?

W sierpniu 1964 roku Gullberg został wezwany na popołudniowe zebranie do zastępcy szefa służby bezpieczeństwa, dyrektora biura Hansa Wilhelma Franckego. W spotkaniu uczestniczyły ponadto dwie osoby z kierownictwa Firmy – zastępca szefa kancelarii i dyrektor finansowy. Zanim dzień dobiegł końca, życie Gullberga zyskało nowy sens. Stał się wybrańcem. Otrzymał funkcję szefa nowo powstałego wydziału o roboczej nazwie Sekcja Specjalna, w skrócie SS. Jego pierwszą decyzją była zmiana nazwy na Sekcję Analiz. Ta utrzymała się przez kilka minut, póki szef budżetu nie zauważył, że skrót SA nie jest wiele lepszy od SS.

Ostateczna nazwa organizacji brzmiała więc Specjalna Sekcja Analiz, SSA, czyli na co dzień Sekcja, w odróżnieniu od Wydziału lub Firmy, które to określenia odnosiły się do całej służby bezpieczeństwa.

SEKCJA BYŁA POMYSŁEM Franckego. Nazwał ją ostatnią linią obrony. Ściśle tajna grupa, która miała swoich ludzi w strategicznych miejscach w Firmie, lecz była niewidoczna i nie pojawiała się w okólnikach ani projektach budżetu. Dzięki temu nikt nie mógł do niej przeniknąć. Jej zadaniem było czuwanie na bezpieczeństwem narodu. Miała wszelkie możliwości jego realizacji. Potrzebował szefa kancelarii i dyrektora finansowego, żeby stworzyć ukrytą strukturę, a że wszyscy byli żołnierzami starej szkoły, ich przyjaźń umacniała się w licznych potyczkach z Wrogiem.

W pierwszym roku istnienia cała organizacja składała się z Gullberga i trzech doborowych pracowników. W ciągu następnych dziesięciu lat Sekcja rozrosła się do maksymalnej liczby jedenastu zatrudnionych, w tym dwóch sekretarzy administracji starej szkoły. Resztę zaś stanowili łowcy szpiegów. Organizacja miała strukturę poziomą. Gullberg był szefem. Wszyscy pozostali byli pracownikami, którzy w zasadzie codziennie widywali się z szefem. Efektywność była ceniona wyżej niż prestiż i biurokracja.

Formalnie Gullberg podlegał szeregowi osób stojących w hierarchii niżej od szefa kancelarii służby bezpieczeństwa, któremu miał składać comiesięczne raporty. W praktyce jednak miał wyjątkową pozycję i nadzwyczajne uprawnienia. Tylko on jeden mógł zarządzić, by wzięto pod lupę najwyższe kierownictwo Säpo. Mógł, gdyby miał ochotę, przenicować życie samego Pera Gunnara Vingego. (Co zresztą zrobił). Mógł prowadzić własne dochodzenia i podsłuchiwać telefony bez wyjaśniania celu czynionych kroków i składania raportu o nich na wyższym szczeblu. Jego wzorem stała się amerykańska legenda szpiegowska James Jesus

Angleton, który w CIA miał podobną pozycję. Zresztą Gullberg poznał go osobiście.

Organizacyjnie Sekcja pozostawała mikroorganizmem w ramach Wydziału, będąc poza pozostałymi służbami specjalnymi, ponad nimi i obok nich. Miało to także geograficzne konsekwencje. Sekcja miała biuro na Kungsholmen, ale ze względu na bezpieczeństwo praktycznie cała wyniosła się poza siedzibę policji, do prywatnego jedenastopokojowego mieszkania na Östermalmie. Mieszkanie zostało dyskretnie przebudowane na biuro twierdzę, które nigdy nie stało puste, gdyż w dwóch pokojach tuż przy wejściu została na stałe zakwaterowana wierna służka i sekretarka Eleanor Badenbrink. Badenbrink była nieocenionym pracownikiem. Gullberg miał do niej absolutne zaufanie.

Gullberg i jego pracownicy nie byli widoczni organizacyjnie – finansowano ich z „funduszu specjalnego", lecz nie występowali nigdzie w oficjalnych dokumentach służb specjalnych, w raportach dla Komendy Głównej Policji czy ministerstwa sprawiedliwości. Nawet szef RPS/Säk nie znał najtajniejszych z tajnych, którzy mieli zajmować się sprawami najdelikatniejszymi z delikatnych.

A więc w wieku czterdziestu lat Gullberg znalazł się w sytuacji, w której nie musiał tłumaczyć się przed nikim i mógł wszczynać dochodzenia w każdej sprawie.

Od samego początku miał jasność, że Specjalna Sekcja Analiz może być przedsięwzięciem politycznie ryzykownym i delikatnym. Zakres obowiązków był, oględnie mówiąc, dość ogólnikowy, a dokumentacja pisemna nader skromna. We wrześniu 1964 roku premier Tage Erlander podpisał dyrektywę przekazującą środki z budżetu na działalność Specjalnej Sekcji Analiz, której zadaniem było zajmowanie się szczególnie delikatnymi sprawami o dużym znaczeniu dla bezpieczeństwa państwa. Była to jedna z dwunastu podobnych spraw, które zastępca szefa RPS/Säk przedłożył podczas jednego popołudniowego posiedzenia. Dokument natychmiast opatrzono klauzulą tajności i włączono do również tajnego specjalnego dziennika RPS/Säk.

Podpis premiera oznaczał jednak, że Sekcja jest instytucją legalną z punktu widzenia prawa. Pierwszy budżet roczny Sekcji wynosił pięćdziesiąt dwa tysiące koron. Ustalenie tak niskiego budżetu Gullberg uważał za genialne posunięcie. Dzięki temu utworzenie Sekcji wyglądało na zwyczajną, tuzinkową sprawę.

W szerszym zakresie podpis premiera oznaczał, że uznał on fakt, iż istnieje zapotrzebowanie na grupę zajmującą się „wewnętrzną kontrolą personalną". Ten sam podpis można jednak było interpretować tak, że premier dał pozwolenie na utworzenie zespołu, który mógłby także kontrolować „szczególnie ważne osoby" poza strukturami Säk, na przykład samego premiera. To właśnie ten ostatni aspekt mógł sprawiać poważne problemy natury politycznej.

EVERT GULLBERG zauważył, że johnnie walker w szklance się skończył. Nie miał szczególnego pociągu do alkoholu, ale spędził długi dzień w podróży. Uznał więc, że jest w takim okresie życia, kiedy nie ma już znaczenia, czy wypije jedną whisky, czy dwie, i spokojnie może sobie nalać jeszcze raz, jeśli ma ochotę. Wyjął miniaturową buteleczkę glenfiddich.

Najbardziej drażliwą ze wszystkich była oczywiście sprawa Olofa Palmego.

Gullberg pamiętał każdy szczegół wyborów z 1976 roku. Po raz pierwszy w historii współczesnej Szwecja miała rząd prawicowy. Niestety premierem został Thorbjörn Fälldin, a nie Gösta Bohman, który był przedstawicielem starej gwardii i o wiele lepiej się nadawał do tej funkcji. Ale najważniejsze było, że pokonano Olofa Palmego i dzięki temu Evert Gullberg mógł odetchnąć z ulgą.

To, czy Palme jest odpowiednim człowiekiem na stanowisku premiera, było przedmiotem wielu dyskusji w przerwach na lunch w najtajniejszych korytarzach RPS/Säk. W 1969 roku Per Gunnar Vinge wyleciał z posady, kiedy wypowiedział głośno pogląd, który podzielało wielu w Wydziale – wyraził mianowicie przekonanie, że Palme może być agentem radzieckiej służby KGB. Co gorsza, podczas wizyty w Norrbotten otwarcie poruszył tę sprawę z tamtejszym wojewodą Ragnarem Lassinanttim. Lassinantti dwa razy uniósł brwi, po czym zawiadomił kancelarię rządu, która następnie wezwała Vingego na rozmowę w cztery oczy.

Ku irytacji Gullberga kwestia ewentualnych kontaktów Palmego z Rosjanami nigdy nie została wyjaśniona. Mimo uporczywych prób odkrycia prawdy i znalezienia decydujących dowodów – *the smoking gun* – Sekcji nigdy nie udało się znaleźć najmniejszego dowodu na poparcie tej tezy. W oczach Gullberga nie wskazywało to wcale na ewentualną niewinność Palmego, ale raczej na to, że był szpiegiem szczególnie cwanym i inteligentnym, niedającym się skusić i niepopełniającym błędów, jak inni radzieccy szpiedzy. Palme zwodził ich nieustannie rok za rokiem. W 1982 roku problem powrócił, kiedy ponownie został szefem rządu. Później padły strzały na Sveavägen i sprawa na zawsze pozostała nierozstrzygnięta.

DLA SEKCJI ROK 1976 był trudny. W RPS/Säk – wśród tej wąskiej grupy osób, która wiedziała o istnieniu Sekcji – pojawiły się głosy krytyki. W ciągu minionych dziesięciu lat ze służb specjalnych zwolniono w sumie sześćdziesiąt pięć osób, jako powód podając ryzyko polityczne. Lecz w większości przypadków dokumentacja wyglądała tak, że niczego nie można było udowodnić. Niektórzy szefowie wyższego szczebla zaczęli przebąkiwać, że pracownicy Sekcji to paranoidalni teoretycy konspiracji.

Gullberg nadal gotował się z wściekłości, kiedy przypominał sobie jedną ze spraw prowadzonych przez Sekcję. Dotyczyła osoby zatrudnionej w RPS/Säk od 1968 roku, którą

Gullberg osobiście oceniał jako zdecydowanie nienadającą się do służby. Chodziło o inspektora Stiga Berglinga, który był porucznikiem szwedzkiej armii, później zaś okazało się, że jest pułkownikiem radzieckiej wojskowej służby informacyjnej GRU. Cztery razy Gullberg usiłował doprowadzić do wyrzucenia Berglinga i za każdym razem jego wysiłki były ignorowane. Dopiero w 1977 roku, kiedy Bergling stał się obiektem podejrzeń także poza Sekcją, sytuacja się odwróciła. Rychło w czas. Sprawa Berglinga stała się największym skandalem w historii szwedzkich służb specjalnych.

Krytyka pod adresem Sekcji nasilała się w pierwszej połowie lat siedemdziesiątych. W połowie dekady Gullberg słyszał wiele propozycji zmniejszenia budżetu, a nawet sugestii, że cała działalność jest zbędna.

Krytyka doprowadziła do tego, że przyszłość Sekcji stanęła pod znakiem zapytania. W tym okresie priorytetem dla RPS/Säk było zagrożenie terrorystyczne, co z punktu widzenia agentury było raczej niezbyt ciekawą sprawą, dotyczącą głównie pogubionej młodzieży współpracującej z organizacjami arabskimi lub palestyńskimi. Ważną kwestią dla służb bezpieczeństwa stało się pytanie, czy kontrola personalna powinna otrzymać specjalne dotacje, żeby móc obserwować obywateli innych krajów mieszkających w Szwecji, czy także w przyszłości miało to pozostać wyłącznie w gestii wydziału do spraw obcokrajowców.

Z tej nieco bezprzedmiotowej dyskusji biurokratów zrodziła się w Sekcji potrzeba, by zwerbować zaufanego pracownika, który mógłby wzmocnić kontrolę, a właściwie szpiegować pracowników wydziału do spraw obcokrajowców.

Wybór padł na młodego człowieka, który był w RPS/ Säk od 1970 roku, a jego pochodzenie i polityczna wiarygodność były tego rodzaju, że mógłby się nadawać nawet na członka Sekcji. Po godzinach działał w organizacji o nazwie Alians Demokratyczny, którą zdominowane przez socjaldemokratów media określały jako prawicową ekstremę.

W Sekcji coś takiego nie stanowiło obciążenia. Troje innych pracowników także należało do tej organizacji. Zresztą Sekcja przyczyniła się wydatnie do powstania Aliansu. Po części wspierała go także finansowo. To dzięki Aliansowi zwrócono uwagę na tego człowieka i w końcu zwerbowano go do sekcji. Nazywał się Gunnar Björck.

W DNIU WYBORÓW PARLAMENTARNYCH w 1976 roku, kiedy Aleksander Zalachenko zjawił się w Szwecji i przyszedł na posterunek policji na Norrmalmstorg, by poprosić o azyl, przyjął go Gunnar Björck, młody pracownik wydziału do spraw obcokrajowców. Agent, który już był związany ze sprawami najtajniejszymi z tajnych. Dla Everta Gullberga był to nieprawdopodobnie szczęśliwy zbieg okoliczności.

Björck był przytomny i bystry. Od razu pojął, jakie znaczenie ma Zalachenko. Przerwał przesłuchanie i przeniósł agenta do hotelu Continental. Następnie, zamiast do swojego formalnego szefa w wydziale do spraw obcokrajowców, zadzwonił do Everta Gullberga. Telefon zadzwonił w chwili, kiedy zamykano lokale wyborcze i wszystkie prognozy zapowiadały przegraną Palmego. Gullberg wrócił do domu i włączył telewizor, żeby obejrzeć wieczór wyborczy. Początkowo nie wierzył w nowinę, którą oznajmił mu rozgorączkowany nowicjusz. Potem pojechał do Continentalu, niecałe dwieście pięćdziesiąt metrów od domu, żeby przejąć sprawę Zalachenki.

W JEDNEJ CHWILI ŻYCIE Everta Gullberga zmieniło się radykalnie. Słowa „ściśle tajne" otrzymały zupełnie nowe znaczenie i wagę. Uznał za konieczne stworzenie dla zbiegłego szpiega nowej struktury.

Od razu zdecydował się na włączenie Björcka do grupy skupionej wokół Zalachenki. Była to mądra i uzasadniona decyzja, gdyż Björck i tak już wiedział o jego istnieniu.

Lepiej było mieć go w środku, niż narażać się na ryzyko z zewnątrz. Oznaczało to przeniesienie Björcka z jego oficjalnego stanowiska w wydziale do spraw obcokrajowców za biurko w mieszkaniu na Östermalmie.

W tej napiętej sytuacji Gullberg podjął szybką decyzję, że poinformuje tylko jedną osobę z RPS/Säk, mianowicie szefa kancelarii, który miał wgląd w działalność Sekcji. Szef kancelarii rozważał tę wiadomość przez kilka dni. Potem oświadczył, że sprawa szpiega jest tak dużego kalibru, że muszą zawiadomić szefa całej RPS/Säk, a także przedstawicieli rządu.

Ówczesny szef RPS/Säk był na stanowisku nowy i wiedział już o istnieniu Specjalnej Sekcji Analiz, ale miał tylko ogólne pojęcie, czym komórka naprawdę się zajmuje. Został wyznaczony, żeby posprzątać po aferze IB, i był na najlepszej drodze do wyższych funkcji w policyjnej hierarchii. Podczas poufnej rozmowy został poinformowany przez szefa kancelarii, że Sekcja jest tajną grupą ustanowioną przez rząd, o którą nie należy zbyt dużo pytać. Ponieważ szef RPS/Säk był człowiekiem, który nigdy nie stawiał pytań wymagających niewygodnych odpowiedzi, kiwał zgodnie na wszystko głową i pogodził się z faktem, że istnieje coś, co nazywa się SSA i czym nie powinien się zajmować.

Gullberg nie był zachwycony perspektywą poinformowania szefa o Zalachence, lecz pogodził się z faktami. Podkreślił konieczność zachowania absolutnej tajemnicy i uzyskał poparcie. Potem napisał instrukcje, według których nawet szef RPS/Säk nie mógł rozmawiać o tej sprawie w swoim gabinecie bez zachowania szczególnych środków ostrożności. Postanowiono, że Zalachenką zajmie się Specjalna Sekcja Analiz.

Poinformowanie odchodzącego premiera nie wchodziło w grę. W związku z karuzelą zmian personalnych, jaka rozkręciła się po powołaniu nowego rządu, świeżo mianowany premier był pochłonięty wyborem ministrów i pertraktacjami z pozostałymi partiami konserwatywnymi. Dopiero miesiąc po utworzeniu nowego gabinetu szef RPS/Säk razem z Gullbergiem wybrali się do siedziby rządu w budynku Rosenbad i wtajemniczyli premiera. Gullberg do samego końca protestował przeciwko informowaniu rządu, ale szef RPS/Säk był niezłomny – niezawiadomienie premiera było naruszeniem konstytucji. Podczas spotkania użył całego swojego daru przekonywania, by w okrągłych słowach przekonać szefa rządu o tym, jak ważne jest, by informacje o Zalachence nie wyszły poza gabinet premiera – nie wolno było informować ani ministra spraw zagranicznych, ani obrony.

Fälldin był wstrząśnięty informacją, że rosyjski superagent stara się o azyl w Szwecji. Powiedział, że choćby ze względu na elementarną równość jest zmuszony omówić tę sprawę przynajmniej z szefami dwóch pozostałych partii z koalicji rządowej. Gullberg był przygotowany na coś takiego i rzucił na stół najcięższy argument, jaki miał do dyspozycji. Poinformował premiera półgłosem, że jeśli tak się stanie, to on będzie zmuszony natychmiast złożyć dymisję. Ta groźba zrobiła na Fälldinie wrażenie. W podtekście oznaczało to, że premier będzie ponosił osobistą odpowiedzialność, jeśli cała sprawa wyjdzie na jaw i Rosjanie wyślą komando śmierci, żeby zlikwidować Zalachenkę. Jeśli osoba, która odpowiadała za bezpieczeństwo Zalachenki, czuła się zmuszona do podania się w takiej sytuacji do dymisji, taka informacja stałaby się medialną i polityczną katastrofą dla szefa rządu.

Fälldin, nowy i jeszcze niepewny swojej roli premiera, ugiął się. Zaakceptował dyrektywę, którą natychmiast włączono do tajnego dziennika, mówiącą, że Sekcja odpowiada bezpośrednio za bezpieczeństwo Zalachenki i debriefing oraz że informacje o Zalachence nie mogą wydostać się poza gabinet premiera. W ten sposób stwierdził, że był o wszystkim poinformowany, i jednocześnie uznał, że nie ma w tej sprawie prawa głosu. Krótko mówiąc, powinien zapomnieć o Zalachence.

Fälldin jednak upierał się, żeby do tajemnicy została dopuszczona jeszcze jedna osoba z jego kancelarii, zaufany sekretarz stanu, który w przyszłości miał być osobą kontaktową w sprawach dotyczących szpiega. To zadowoliło Gullberga. Z sekretarzem stanu raczej nie powinien mieć problemów.

Szef RPS/Säk był zadowolony. Sprawa Zalachenki była zabezpieczona konstytucyjnie, co w tym przypadku oznaczało, że on sam nie ponosi odpowiedzialności. Gullberg też był zadowolony. Udało mu się zachować kontrolę nad przepływem informacji. Tylko on kontrolował Zalachenkę.

Kiedy wrócił do swojego gabinetu na Östermalmie, usiadł przy biurku i sporządził odręcznie listę osób, które wiedziały o Zalachence. Oprócz niego figurowali na niej Gunnar Björck, szef operacyjny Sekcji Hans von Rottinger, zastępca szefa Fredrik Clinton, sekretarka Sekcji Eleanor Badenbrink oraz dwóch pracowników, których zadaniem było gromadzenie i analizowanie na bieżąco informacji dostarczanych przez Zalachenkę. W sumie siedem osób, które przez następne lata miały tworzyć specjalną Sekcję w ramach Sekcji. W myślach nazywał ich Grupą Wewnętrzną.

Poza Sekcją wiedzę na ten temat posiadali szef RPS/Säk, zastępca szefa i szef kancelarii. Ponadto poinformowany był premier i jeden sekretarz stanu. Razem dwanaście osób. Nigdy przedtem tajemnica takiej wagi nie była znana tak małej grupce osób.

Potem Gullberg się zachmurzył. Tajemnicę znała trzynasta osoba. Z Björckiem pracował wtedy prawnik Nils Bjurman. Wciągnięcie Bjurmana do Sekcji było wykluczone. Bjurman nie był regularnym funkcjonariuszem służb specjalnych – właściwie był tylko praktykantem w RPS/Säk – nie dysponował wiedzą ani zdolnościami, jakich wymagała ta praca. Gullberg rozważał różne alternatywy. W końcu zdecydował się na ostrożne wycofanie Bjurmana z całej sprawy. Zagroził mu dożywociem za zdradę stanu, jeśli kiedykolwiek piśnie choć słówko o Zalachence. Przekupił obietnicami przyszłych zleceń, uciekając się do pochlebstw, dzięki czemu Bjurman poczuł się kimś bardzo ważnym. Gullberg załatwił mu pracę w renomowanej kancelarii adwokackiej, gdzie Bjurman miał całą masę zleceń, które zapewniały mu ciągłe zajęcie. Jedyny problem stanowiło to, że Bjurman był tak kiepskim prawnikiem, iż nie potrafił wykorzystać tych możliwości. Zwolnił się po dziesięciu latach i otworzył własne biuro przy Odenplan, które powoli przekształciło się w kancelarię adwokacką zatrudniającą jednego pracownika.

Przez kolejne lata Gullberg stale, acz dyskretnie, obserwował Bjurmana. Przestał dopiero pod koniec lat osiemdziesiątych, jako że Związek Radziecki zaczynał się rozpadać i Zalachenko przestał być sprawą priorytetową.

DLA SEKCJI ZALACHENKO stanowił obietnicę przełomu w sprawie zagadki Olofa Palmego, problemu, który nieustannie zaprzątał myśli Gullberga. Dlatego Palme był jednym z pierwszych tematów, jakie Gullberg poruszył podczas długiego debriefingu.

Lecz nadzieje wkrótce się rozwiały. Zalachenko nigdy nie działał na terenie Szwecji, nie miał więc konkretnej wiedzy o tym kraju. Słyszał za to pogłoski o czerwonym skoczku, wysoko postawionym szwedzkim lub skandynawskim polityku pracującym dla KGB.

Gullberg sporządził listę nazwisk. Otwierał ją Palme. Znaleźli się na niej również Carl Lidbom, Pierre Schori, Sten Andersson, Marita Ulvskog i jeszcze kilka osób. Przez resztę życia miał raz po raz do niej powracać i nigdy nie uzyskać odpowiedzi na nurtujące go pytanie.

Nagle stał się ważnym graczem pośród największych figur. Został z szacunkiem powitany w ekskluzywnym klubie doborowych wojowników, gdzie wszyscy znali się nawzajem i kontaktowali na gruncie przyjaźni i zaufania – a nie przez kanały oficjalne z zachowaniem reguł biurokracji. Mógł poznać samego Jamesa Jesusa Angletona i pić whisky w dyskretnym londyńskim klubie z szefem MI-6. Był jednym z największych.

ZŁĄ STRONĄ TEGO ZAWODU było to, że nigdy nie mógł pochwalić się swoimi sukcesami, nawet w pośmiertnych wspomnieniach. Ciągle towarzyszył mu też strach, że Wróg zauważy jego podróże, że zwróci na siebie uwagę – że sam mimowolnie doprowadzi Rosjan do Zalachenki.

Zresztą pod tym względem sam Zalachenko był swoim największym wrogiem.

Na rok został zakwaterowany w anonimowym mieszkaniu należącym do Sekcji. Nie występował w żadnej ewidencji ani publicznych dokumentach, a w grupie zajmującej się jego sprawą panowało przekonanie, że jest dużo czasu, żeby zaplanować mu przyszłość. Dopiero wiosną roku 1978 otrzymał paszport na nazwisko Karl Axel Bodin i mozolnie wypracowaną bajeczkę – fikcyjną, lecz weryfikowalną w szwedzkich rejestrach przeszłość.

Ale wtedy było już za późno. Zalachenko zaczął się szlajać i pieprzyć tę cholerną dziwkę Agnetę Sofię Salander, z domu Sjölander, i beztrosko przedstawił się jej prawdziwym nazwiskiem – Zalachenko. Gullberg podejrzewał, że z głową Zalachenki coś jest nie w porządku. Sądził, że zbiegły rosyjski szpieg jednak chce zostać zdemaskowany. Wyglądało to tak, jakby potrzebował dla siebie sceny. Inaczej trudno było wytłumaczyć, dlaczego popełnił taką cholerną głupotę.

Zdarzały się dziwki, okresy nadużywania alkoholu, przypadki użycia przemocy, szarpaniny z bramkarzami w knajpach i tym podobne. Trzy razy został aresztowany przez policję za pijaństwo i dwa razy w związku z bójką w barze. I za każdym razem Sekcja musiała interweniować, odbierać go, a następnie pilnować, żeby dokumenty zniknęły, a dziennik został zmieniony. Gullberg ustanowił Gunnara

127

Björcka opiekunem Zalachenki. Praca Björcka polegała w gruncie rzeczy na niańczeniu Rosjanina. Niełatwe zadanie, ale nie było alternatywy.

Przez jakiś czas mogło się wydawać, że wszystko pójdzie dobrze. Na początku lat osiemdziesiątych Zalachenko uspokoił się i zaczął się dostosowywać. Ale nigdy nie porzucił tej dziwki Salander – i, co gorsza, został ojcem Camilli i Lisbeth Salander.

Lisbeth Salander.

Gullberg wypowiadał to nazwisko z niechęcią.

Już kiedy dziewczynki miały po dziewięć, dziesięć lat, miał złe przeczucia na myśl o Lisbeth Salander. Nie potrzeba było psychiatry, żeby zauważyć, że nie jest normalna. Gunnar Björck pisał w raportach, że jest krnąbrna, porywcza i agresywna wobec Zalachenki, w dodatku sprawiała wrażenie, że wcale się go nie boi. Rzadko się odzywała, ale na sto różnych sposobów manifestowała niezadowolenie. Była problemem na przyszłość, ale w najdzikszych fantazjach Gullberg nie był w stanie nawet w przybliżeniu wyobrazić sobie, jak gigantyczny będzie to problem. Najbardziej obawiał się, że sytuacją w rodzinie Salanderów zainteresuje się opieka socjalna, że zwróci uwagę na Zalachenkę. Raz po raz apelował do Zalachenki, żeby zerwał z rodziną i wyniósł się jak najdalej. Zalachenko obiecywał, ale zawsze łamał obietnice. Miał inne dziwki. Miał dość dziwek. Ale zawsze po kilku miesiącach wracał do Agnety Sofii Salander.

Pieprzony Zalachenko. Szpieg, który pozwalał, żeby kutas sterował jego życiem uczuciowym, nie był oczywiście dobrym szpiegiem. Ale wyglądało na to, że Zalachenko jest ponad wszelkie normalne reguły albo przynajmniej uważał, że jest ponad nie. Gdyby przynajmniej potrafił tylko posuwać tę swoją dziwkę i nie musiał spuszczać jej manta przy każdym spotkaniu. Ale sprawy wyglądały tak, że Zalachenko regularnie maltretował matkę swoich dzieci. Wyglądało to, jakby traktował to jako rozrywkę, rodzaj prowokacji w stosunku do stróżów z Grupy Wewnętrznej – sprać ją, żeby ich rozdrażnić i zobaczyć, jak się męczą.

Gullberg nie miał żadnych wątpliwości, że Zalachenko jest chorym skurwielem, ale nie mógł przebierać do woli wśród zbiegłych agentów GRU. Miał do dyspozycji tylko jednego, w dodatku świadomego swojego znaczenia dla Gullberga.

Gullberg westchnął. Grupa Zalachenki została ekipą sprzątającą. To było ewidentne. Zalachenko wiedział, że może sobie pozwolić na wiele, a oni zaraz zajmą się wszystkimi jego problemami. A w stosunku do Agnety Salander wykorzystywał te możliwości aż do granic wytrzymałości.

Nie brakowało sygnałów ostrzegawczych. Kiedy Lisbeth Salander skończyła dwanaście lat, zaatakowała Zalachenkę nożem. Nie odniósł poważnych obrażeń, ale zawieziono go do szpitala S:t Görans i Klub Zalachenki miał mnóstwo sprzątania. Tym razem Gullberg odbył z Zalachenką Bardzo Poważną Rozmowę. Zapowiedział mu jasno, że nigdy więcej nie może kontaktować się z rodziną Salanderów, a Zalachenko obiecał, że się dostosuje. Trzymał się tej obietnicy przez ponad pół roku, a potem pojechał do domu Agnety Sofii Salander i pobił ją tak dotkliwie, że na resztę życia trafiła do domu opieki.

Tego, że Lisbeth Salander może okazać się krwiożerczą psychopatką, która potrafi zrobić koktajl Mołotowa, Gullberg też nie był w stanie przewidzieć. Cały ten dzień był jednym wielkim chaosem. Zanosiło się na cały szereg dochodzeń i los Klubu Zalachenki – a nawet całej Sekcji – wisiał na bardzo cienkim włosku. Gdyby Lisbeth Salander zaczęła gadać, Zalachenko zostałby ujawniony. Gdyby został ujawniony, katastrofą zakończyłoby się wiele operacji szpiegowskich prowadzonych w Europie przez ostatnie piętnaście lat, a Sekcja byłaby narażona na publiczną kontrolę. Co za wszelką cenę należało uniemożliwić.

Gullberg był zaniepokojony. Publiczna kontrola Sekcji spowodowałaby, że słynna afera IB wyglądałaby jak zwykła opera mydlana. Gdyby otwarto archiwum Sekcji, ujawniono by wiele okoliczności nie całkiem zgodnych z konstytucją, nie wspominając o wieloletniej obserwacji Olofa Palmego i innych znaczących polityków socjaldemokratycznych. Minęło dopiero parę lat od śmierci Palmego i ta sprawa wciąż byłaby odbierana jako bardzo delikatna. Skończyłoby się to śledztwami przeciwko Gullbergowi i innym pracownikom Sekcji. Albo gorzej – szaleni dziennikarze bez wahania zaczęliby lansować teorię, że to Sekcja stała za zabójstwem Olofa Palmego, i powstałby kolejny labirynt zeznań i oskarżeń. Najgorsze było to, że kierownictwo służb specjalnych zmieniło się w tak dużym stopniu, że nawet najwyższy szef RPS/Säk nie wiedział o istnieniu Sekcji. Wszystkie kontakty z RPS/Säk urywały się w tym roku na biurku nowego zastępcy szefa kancelarii, a ten od dziesięciu lat był stałym członkiem Sekcji.

CZŁONKOWIE KLUBU ZALACHENKI wpadli w panikę. Wtedy właśnie Gunnar Björck zaproponował rozwiązanie: wymienił nazwisko psychiatry Petera Teleboriana.

Teleborian nawiązał współpracę z wydziałem kontrwywiadu RPS/Säk w zupełnie innej sprawie. Wystąpił mianowicie w roli konsultanta, gdy kontrwywiad brał pod lupę podejrzanego szpiega przemysłowego. W delikatnej fazie dochodzenia trzeba było przewidzieć, jak się zachowa w sytuacji ogromnego stresu. Teleborian był młodym, obiecującym psychiatrą. Nie posługiwał się bełkotliwym żargonem, tylko dawał konkretne, proste rady. Rady pomogły RPS/Säk uniknąć samobójstwa szpiega, a nawet zrobić z niego podwójnego agenta, który potem wysyłał swojemu zleceniodawcy fałszywe informacje.

Po ataku Salander na Zalachenkę Björck ostrożnie nawiązał kontakt z Teleborianem. Potrzebował go jako nadzwyczajnego konsultanta. Bardziej niż kiedykolwiek.

Rozwiązanie okazało się bardzo proste. Karl Axel Bodin mógł zaszyć się w ośrodku rehabilitacyjnym. Agneta Sofia

Salander z nieodwracalnym uszkodzeniem mózgu zniknęła na oddziale przewlekle chorych. Wszystkie policyjne raporty zebrano w RPS/Säk i za pośrednictwem zastępcy szefa kancelarii przesłano do Sekcji.

Peter Teleborian niedawno objął posadę zastępcy szefa Dziecięcej Kliniki Psychiatrii św. Stefana w Uppsali. Potrzebny był jedynie raport sądowo-lekarski, który wspólnie napisali Björck i Teleborian. Później doszło do szybkiej i niezbyt kontrowersyjnej rozprawy w sądzie rejonowym. Ważny był tylko sposób przedstawienia wydarzeń. Konstytucja nie miała z tym nic wspólnego. W końcu chodziło o bezpieczeństwo państwa. Naród powinien to zrozumieć.

A że Lisbeth Salander była chora psychicznie, było przecież oczywiste. Kilka lat w zamkniętym ośrodku psychiatrycznym powinno jej dobrze zrobić. Gullberg uznał pomysł za dobry i dał sygnał do rozpoczęcia operacji.

WSZYSTKIE KAWAŁKI UKŁADANKI znalazły się na swoim miejscu. A działo się to w czasie, kiedy Klub Zalachenki i tak był w stanie rozsypki. Związek Radziecki przestał istnieć i lata wielkości Zalachenki definitywnie należały do przeszłości. Jego termin przydatności do użycia już jakiś czas wcześniej został przekroczony.

Grupie Zalachenki udało się jeszcze na pożegnanie zdobyć hojną odprawę z jednego z funduszy służb specjalnych. Zapewnili mu najlepszą rehabilitację i pół roku później z westchnieniem ulgi odwieźli na Arlandę i dali bilet w jedną stronę do Hiszpanii. Jasno powiedzieli, że od tej chwili drogi Zalachenki i Sekcji rozchodzą się na zawsze. Była to jedna z ostatnich spraw Gullberga. Tydzień później przeszedł na zasłużoną emeryturę i zwolnił miejsce dla następcy tronu, Fredrika Clintona. Zwracano się do niego jedynie w szczególnie trudnych sprawach. Bywał konsultantem lub doradcą. Został w Sztokholmie jeszcze przez trzy lata i prawie codziennie pracował w Sekcji, ale zlecenia były coraz rzadsze, więc powoli się wycofał. Wrócił do rodzinnego Laholm i wykonywał jeszcze trochę zleceń na odległość. Przez pierwsze lata regularnie jeździł do Sztokholmu, ale i te podróże stawały się coraz rzadsze.

Przestał myśleć o Zalachence. Aż do tego ranka, kiedy na wszystkich kioskach pojawiło się zdjęcie córki Zalachenki, podejrzanej o trzy morderstwa.

Gullberg śledził doniesienia z uczuciem dezorientacji. Rozumiał bardzo dobrze, że to raczej nie przypadek, iż kuratorem Salander był Bjurman, lecz nie widział żadnego bezpośredniego zagrożenia, że stara historia Zalachenki zostanie ujawniona. Salander była chora psychicznie. Wcale go nie zdziwiło, że urządziła morderczą orgię. I nawet nie zastanawiał się nad tym, czy Zalachenko mógł być powiązany z tą historią, póki w porannych wiadomościach nie usłyszał o wydarzeniach z Gossebergi. Wtedy zaczął wydzwaniać do różnych ludzi, a potem kupił bilet na pociąg do Sztokholmu.

Sekcja stała w obliczu największego kryzysu od dnia, kiedy założył organizację. Wszystko mogło się zawalić.

ZALACHENKO POWLÓKŁ SIĘ do ubikacji i oddał mocz. Odkąd szpital zaopatrzył go w kule, był w stanie się poruszać. W niedzielę i poniedziałek urządził sobie krótkie sesje treningowe. Nadal potwornie bolała go szczęka i pokarm mógł przyjmować jedynie w postaci płynnej, ale zaczął już wstawać z łóżka i próbował przejść krótki odcinek.

Po niemal piętnastu latach życia z protezą był przyzwyczajony do kul. Ćwiczył sztukę bezszelestnego poruszania się z kulami i przechadzał się tam i z powrotem po pokoju. Ilekroć jego prawa stopa dotykała podłogi, nogę przeszywał przenikliwy ból.

Zagryzał zęby. Myślał o tym, że Lisbeth Salander jest tuż obok. Cały dzień zajęło mu odkrycie, że leży dwoje drzwi na prawo od jego pokoju.

O drugiej w nocy, dziesięć minut po ostatniej wizycie pielęgniarki, zapanowała cisza i spokój. Zalachenko z trudem wstał i sięgnął po kule. Podszedł do drzwi i nasłuchiwał, ale nie dochodziły go żadne dźwięki. Otworzył drzwi i wyszedł na korytarz. Z dyżurki pielęgniarek usłyszał cichą muzykę. Przeszedł na koniec korytarza do wyjścia, uchylił drzwi i wyjrzał na klatkę schodową. Były tam windy. Wrócił do pokoju. Gdy mijał drzwi Lisbeth Salander, przystanął na pół minuty, wsparty na kulach.

PIELĘGNIARKA ZAMKNĘŁA tej nocy drzwi do jej pokoju. Lisbeth Salander otworzyła oczy, kiedy usłyszała ciche szuranie na korytarzu. Nie potrafiła rozpoznać tego odgłosu. Brzmiał tak, jakby ktoś ostrożnie wlókł coś korytarzem. Na chwilę zrobiło się całkiem cicho i Lisbeth pomyślała, że jej się wydawało. Po krótkiej chwili znów usłyszała ten dźwięk. Oddalał się. Czuła się coraz bardziej nieswojo.

Gdzieś tam za drzwiami był Zalachenko.

Czuła się, jakby była przykuta do łóżka łańcuchami. Swędziało ją pod kołnierzem ortopedycznym. Miała ogromną potrzebę wstania z łóżka. Powoli udało jej się usiąść. To było mniej więcej wszystko, na co starczyło jej siły. Osunęła się z powrotem i położyła głowę na poduszce.

Po chwili zaczęła palcami badać kołnierz i znalazła zatrzaski. Rozpięła je i opuściła kołnierz na podłogę. Od razu zaczęło się jej łatwiej oddychać.

Chciała mieć jakąś broń w zasięgu ręki. Chciała mieć dość siły, żeby wstać i skończyć z nim raz na zawsze.

Wreszcie uniosła się na łokciu. Zapaliła nocną lampkę i rozejrzała się po pokoju. Nie widziała nic, co nadawałoby się na broń. Potem jej spojrzenie padło na stolik pielęgniarek stojący pod ścianą trzy metry od jej łóżka. Ktoś zostawił na nim ołówek.

Odczekała, aż pielęgniarka zakończy obchód, który tej nocy zdawał się przypadać co pół godziny. Domyślała się, że zmniejszona częstotliwość wizyt oznacza, iż lekarze uznali, że jest w lepszym stanie niż wcześniej, w weekend, kiedy odwiedzano ją średnio co piętnaście minut, albo jeszcze częściej. Ona sama nie odczuwała żadnej różnicy.

Gdy pielęgniarka wyszła, zebrała wszystkie siły, usiadła na łóżku i przerzuciła nogi przez krawędź łóżka. Miała poprzyklejane plastrami elektrody, które rejestrowały jej puls i oddech, ale ich kable biegły w tę samą stronę, w którą zamierzała iść. Stanęła ostrożnie i nagle się zachwiała, tracąc równowagę. Przez sekundę wydawało jej się, że zemdleje, ale oparła się o łóżko i skupiła wzrok na stoliku. Zrobiła kilka niepewnych kroków, wyciągnęła rękę i dosięgnęła ołówka.

Wycofała się do łóżka. Była kompletnie wyczerpana.

Po chwili nabrała dość sił, żeby naciągnąć na siebie kołdrę. Trzymała w dłoni ołówek, sprawdzając jego szpic. Zupełnie zwykły drewniany ołówek, świeżo zatemperowany i ostry jak szydło. Od biedy mógł się nadawać do wbicia w twarz lub oko.

Położyła ołówek przy biodrze, by mieć do niego dostęp, i zasnęła.

Rozdział 6
Poniedziałek 11 kwietnia

W PONIEDZIAŁKOWY RANEK Mikael Blomkvist wstał krótko przed dziewiątą i zadzwonił do Malin Eriksson, która właśnie przyszła do redakcji „Millennium".

– Cześć, naczelna – powiedział.

– Jestem w szoku, że nie ma Eriki i że chcecie, żebym była naczelną.

– Ach tak?

– Nie ma jej. Biurko jest puste.

– Więc chyba niezłym pomysłem byłaby przeprowadzka do jej pokoju.

– Nie wiem, co mam robić. Czuję się bardzo nieswojo.

– Nie powinnaś. Wszyscy są zgodni co do tego, że jesteś najlepszym wyborem w tej sytuacji. I gdyby co, zawsze możesz zwrócić się do mnie lub do Christera.

– Dziękuję za zaufanie.

– Nie ma o czym mówić – powiedział Mikael. – Po prostu pracuj jak zwykle. W najbliższym czasie musimy rozprawiać się z problemami na bieżąco.

– Okej. Chciałeś czegoś?

Wyjaśnił jej, że zamierza zostać w domu i pisać przez cały dzień. Malin nagle uświadomiła sobie, że zgłasza jej raport tak samo, jak – tego się domyślała – informował o swoich planach i zajęciach Erikę. Powinna to jakoś skomentować. A może lepiej nie?

– Czy masz dla nas jakieś instrukcje?

– Nie. Odwrotnie, jeśli ty masz instrukcje dla mnie, to zadzwoń. Ja zajmuję się sprawą Salander, jak dotychczas, i decyduję, co się z nią dzieje, ale we wszystkich innych sprawach dotyczących pisma piłka jest na twojej połowie boiska. Decyduj. Będę cię wspierał.

– A jeśli podejmę niewłaściwe decyzje?

– Jeśli coś takiego zobaczę lub usłyszę, będę chciał z tobą porozmawiać. Ale to musi być coś poważnego. W normalnych przypadkach nie ma decyzji, które byłyby w stu procentach właściwe lub nie. Będziesz podejmowała decyzje, pewnie inne, niż podejmowałaby Erika. Gdybym ja decydował, byłby to trzeci wariant. Ale to twoje decyzje od teraz się liczą.

– Okej.

– Jeśli chcesz być dobrym szefem, powinnaś omawiać problemy z innymi pracownikami. Przede wszystkim z Henrym i Christerem, potem ze mną, a na końcu możemy o tym rozmawiać na zebraniach redakcyjnych.

– Postaram się.

– Świetnie.

Usiadł na sofie w dużym pokoju z iBookiem na kolanach i pracował bez przerwy przez cały dzień. Kiedy skończył, miał gotowe robocze wersje dwóch tekstów, w sumie dwadzieścia jeden stron. Ta część historii skupiała się na zabójstwie współpracownika pisma Daga Svenssona i jego dziewczyny Mii Bergman – nad czym pracowali, dlaczego zostali zastrzeleni i kto był mordercą. Ocenił na oko, że do letniego numeru tematycznego będzie musiał napisać jeszcze mniej więcej czterdzieści stron. Musiał się zdecydować, jak opisze Lisbeth Salander, żeby nie naruszyć jej prywatności. Wiedział o niej rzeczy, których nigdy w życiu nie chciałaby upubliczniać.

PONIEDZIAŁKOWE ŚNIADANIE Everta Gullberga składało się z jednej kromki chleba i filiżanki czarnej kawy w kawiarni Freys. Potem taksówką pojechał na Artillerigatan na Östermalmie. O dziewiątej piętnaście nacisnął guzik domofonu, przedstawił się i od razu został wpuszczony. Wjechał na siódme piętro. Przy windzie przywitał go Birger Wadensjöö, lat pięćdziesiąt cztery. Nowy szef Sekcji. Wadensjöö był jednym z najmłodszych nowo przyjętych, kiedy Gullberg odchodził na emeryturę. Dlatego nie był pewien, co ma o nim myśleć.

Gullberg wolałby widzieć na tym miejscu rzutkiego Fredrika Clintona, który objął funkcję po nim i był szefem Sekcji do roku 2002, kiedy cukrzyca i choroby krążenia zmusiły go do przejścia na emeryturę. Gullberg nigdy nie miał do końca poczucia, że wie, jakiego rodzaju człowiekiem jest Wadensjöö.

– Cześć, Evert – powiedział Wadensjöö i uścisnął dawnemu szefowi rękę. – Świetnie, że znalazłeś czas, żeby do nas wpaść.

– Właściwie mam wyłącznie czas – odparł Gullberg.

– Wiesz, jak u nas jest. Nie potrafimy utrzymywać kontaktów z dawnymi pracownikami.

Evert Gullberg zignorował tę uwagę. Skręcił w lewo i znalazł się w swoim dawnym gabinecie. Usiadł przy okrągłym stole konferencyjnym. Wadensjöö (jak się domyślał) powiesił na ścianach reprodukcje Chagalla i Mondriana. W swoim czasie Gullberg miał na ścianach plany historycznych okrętów, jak „Korona" czy „Waza". Zawsze marzył o morzu i w gruncie rzeczy był oficerem marynarki, nawet jeśli na morzu spędził tylko kilka krótkich miesięcy służby wojskowej. Przybyły komputery. Poza tym pokój wyglądał prawie tak samo jak wtedy, kiedy go opuszczał. Wadensjöö podał kawę.

– Pozostali zaraz przyjdą – powiedział. – Pomyślałem, że możemy najpierw zamienić kilka słów.

– Ile osób zostało w Sekcji z moich czasów?

– Oprócz mnie tylko Otto Hallberg i Georg Nyström, tu, w biurze. Hallberg odchodzi na emeryturę, a Nyström kończy sześćdziesiąt lat. Większość to młody narybek. Chyba spotkałeś już kilku z nich.

– Ilu ludzi pracuje teraz w Sekcji?

– Przeszliśmy małą reorganizację.

– Ach tak?

– Na cały etat pracuje siedem osób. Trochę obcięliśmy zatrudnienie. Ale poza tym Sekcja ma trzydziestu jeden pracowników w strukturach RPS/Säk. Większość z nich nigdy tu nie zagląda. Wykonują swoje normalne obowiązki, a praca dla nas to ich dyskretne zajęcie po godzinach.

– Trzydziestu jeden pracowników.

– Plus siedmiu. Zresztą to ty stworzyłeś ten system. My tylko go udoskonaliliśmy i mówimy dzisiaj o organizacji wewnętrznej i zewnętrznej. Kiedy kogoś rekrutujemy, dostaje na jakiś czas urlop i idzie do nas na szkolenie. Zajmuje się tym Hallberg. Szkolenie podstawowe trwa sześć tygodni. Odbywa się w Szkole Marynarki Wojennej. Potem wracają do swoich normalnych obowiązków w RPS/Säk, ale teraz służą nam.

– Rozumiem.

– To naprawdę znakomity system. Większość naszych pracowników nawet nie wie o sobie nawzajem. A my tu, w Sekcji, jesteśmy głównie odbiorcami raportów. Takie same reguły obowiązywały za twoich czasów. Mamy być organizacją poziomą.

– A jednostka operacyjna?

Wadensjöö zmarszczył brwi. Za czasów Gullberga Sekcja miała małą jednostkę operacyjną składającą się z czterech osób. Dowodził nią doświadczony Hans von Rottinger.

– Tu trochę się zmieniło. Rottinger umarł przecież pięć lat temu. Mamy młody talent, który wykonuje część działań w terenie, ale zwykle korzystamy z zewnętrznej organizacji, jeśli zachodzi potrzeba. Poza tym teraz takie sprawy, jak zakładanie podsłuchów czy wchodzenie do mieszkań, są o wiele bardziej skomplikowane technicznie. Wszędzie są alarmy i inne draństwa.

Gullberg skinął głową.

– A jaki macie budżet? – zapytał.

– W sumie nieco ponad jedenaście milionów rocznie. Jedna trzecia idzie na pensje, druga na utrzymanie, a trzecia na działalność.

– Czyli budżet się zmniejszył?

– Niewiele. Ale mamy mniej personelu, co oznacza, że budżet na działalność tak naprawdę wzrósł.

– Rozumiem. Opowiedz, jak wyglądają nasze stosunki z Säk.

Wadensjöö potrząsnął głową.

– Szef kancelarii i dyrektor finansowy należą do nas. Formalnie szef kancelarii jest jedyną osobą, która ma wgląd w naszą działalność. Jesteśmy tak tajni, że prawie nie istniejemy. Ale w rzeczywistości kilku zastępców szefów wie o nas. Robią, co mogą, żeby nie słyszeć, kiedy się o nas mówi.

– Rozumiem. Co oznacza, że jeśli pojawią się problemy, obecne kierownictwo Säpo będzie miało niemiłą niespodziankę. Jak wygląda sprawa z szefostwem obrony i rządem?

– Szefów obronności wyłączyliśmy jakieś dziesięć lat temu. A rządy przychodzą i odchodzą.

– A więc jeśli rozpęta się burza, jesteśmy całkiem sami? Wadensjöö skinął głową.

– To jest wada tego układu. Zalety są oczywiste. Ale zakres naszych obowiązków też się zmienił. Po upadku Związku Radzieckiego Realpolitik oznacza w Europie coś zupełnie innego. W naszej pracy coraz mniej chodzi o identyfikowanie szpiegów. Teraz chodzi o terroryzm, ale głównie o ocenę różnych osób pod względem politycznej przydatności w napiętych sytuacjach.

– Przecież cały czas o to chodziło.

Rozległo się pukanie do drzwi. Gullberg zobaczył starannie ubranego sześćdziesięcioletniego mężczyznę. Towarzyszył mu młodszy kolega w marynarce i dżinsach.

– Cześć, chłopaki. To jest Jonas Sandberg. Pracuje u nas od czterech lat, odpowiada za działania operacyjne. To o nim ci wspominałem. A to Georg Nyström. Znacie się już.

– Cześć, Georg – powiedział Gullberg.

Uścisnęli sobie ręce. Potem Gullberg zwrócił się do Jonasa Sandberga.

– A ty skąd jesteś? – zapytał, przyglądając się młodemu mężczyźnie.

– W tej chwili z Göteborga – zażartował Sandberg w odpowiedzi. – Byłem u niego.

– Zalachenko... – powiedział Gullberg.

Sandberg potwierdził skinieniem.

– Siadajcie, panowie – powiedział Wadensjöö.

– BJÖRCK – POWIEDZIAŁ GULLBERG i zmarszczył brwi, kiedy Wadensjöö zapalił cygaretkę. Zdjął marynarkę i odchylił się na krześle przy stole konferencyjnym. Wadensjöö spojrzał na Gullberga i uderzyło go, jak bardzo jest wychudzony.

– No więc aresztowali go w zeszły piątek za płatny seks – powiedział Georg Nyström. – Jeszcze nie ma doniesienia, ale on się przyznał i z podkulonym ogonem uciekł do domu. Jest na zwolnieniu lekarskim i mieszka na wsi w Smådalarö. Media jeszcze się tym nie zainteresowały.

– W swoim czasie był jednym z najlepszych ludzi w Sekcji – powiedział Gullberg. – Odgrywał kluczową rolę w sprawie Zalachenki. Co się z nim działo, odkąd przeszedłem na emeryturę?

– Jest jednym z bardzo niewielu wewnętrznych pracowników, którzy z Sekcji wrócili do pracy na zewnątrz. Już za twoich czasów zdarzało się, że bujał trochę po świecie.

– Tak, potrzebował trochę odpoczynku i chciał poszerzać horyzonty. Wziął dwuletni urlop w latach osiemdziesiątych, kiedy był attaché służb informacyjnych. Przedtem prawie na okrągło pracował jak wariat nad sprawą Zalachenki, od 1976 roku, i uznałem, że naprawdę potrzebuje odpoczynku. Nie było go od 1985 do 1987 roku. Potem wrócił.

– Można powiedzieć, że skończył pracę w Sekcji, kiedy przeszedł do organizacji zewnętrznej. W 1996 został zastępcą szefa wydziału do spraw obcokrajowców i zaczął mieć bardzo dużo obowiązków zawodowych. Oczywiście cały czas utrzymywał kontakty z Sekcją. Odbywaliśmy regularne rozmowy średnio raz na miesiąc jeszcze do niedawna.

– A więc jest chory.

– To nic poważnego, ale bardzo boli. Ma dyskopatię. W ostatnich latach objawy się nasiliły. Dwa lata temu przez cztery miesiące był na zwolnieniu. A potem znów zachorował, w sierpniu zeszłego roku. Miał wrócić do pracy pierwszego stycznia, ale zwolnienie zostało przedłużone, a teraz przede wszystkim czeka na operację.

– I wykorzystał zwolnienie, żeby chodzić na kurwy – stwierdził Gullberg.

– Nie jest żonaty i o ile dobrze zrozumiałem, przez całe lata regularnie odwiedzał dziwki – powiedział Jonas Sandberg, który do tego momentu przez prawie pół godziny siedział w milczeniu. – Czytałem rękopis Daga Svenssona.

– Aha. Ale czy ktoś może mi wytłumaczyć, co się właściwie wydarzyło?

– O ile się orientujemy, to Björck musiał puścić w ruch całą tę maszynerię. Tylko tak można wytłumaczyć fakt, że raport z dochodzenia z 1991 roku znalazł się w rękach mecenasa Bjurmana.

– Który także spędza czas na odwiedzaniu kurew? – spytał Gullberg.

– Tego nie wiemy. W każdym razie nie pojawia się w materiałach Daga Svenssona. Był natomiast kuratorem Lisbeth Salander.

Wadensjöö westchnął.

– Można powiedzieć, że to był mój błąd. Ty i Björck uciszyliście Salander w 1991 roku, kiedy trafiła do wariatkowa. Liczyliśmy na to, że zniknie tam na dłużej, ale potem dostała opiekuna prawnego, mecenasa Holgera Palmgrena, któremu udało się ją stamtąd wyciągnąć. Została umieszczona w rodzinie zastępczej. Wtedy ty byłeś już na emeryturze.

– Co się działo później?

– Mieliśmy na nią oko. Jej siostra Camilla była w tym czasie w domu dziecka w Uppsali. Kiedy Lisbeth Salander miała siedemnaście lat, nagle zaczęła grzebać w swojej przeszłości. Szukała Zalachenki i przeglądała wszystkie oficjalne rejestry, jakie mogła znaleźć. W jakiś sposób, nie wiemy, jak to się mogło stać, dowiedziała się, że jej siostra wie, gdzie jest Zalachenko.

– Czy to prawda?

Wadensjöö wzruszył ramionami.

– Nie mam pojęcia. Siostry nie widziały się kilka lat. Nagle Lisbeth Salander odnalazła bliźniaczkę i usiłowała zmusić ją do powiedzenia wszystkiego, co wie. Skończyło się gigantyczną awanturą i solidną bójką między dziewczynami.

– Ach tak?

– Obserwowaliśmy czujnie Lisbeth przez kilka miesięcy. Poinformowaliśmy także Camillę, że jej siostra ma skłonność do stosowania przemocy i jest chora psychicznie. To ona skontaktowała się z nami po niespodziewanej wizycie siostry. Wtedy wzmocniliśmy obserwację Lisbeth Salander.

– A więc to siostra była twoim informatorem?

– Camilla Salander piekielnie bała się siostry. W każdym razie Lisbeth Salander ściągnęła na siebie uwagę także z innych stron. Miała kilka zatargów z urzędnikami z opieki społecznej. Oceniliśmy więc, że nadal stanowi zagrożenie dla anonimowości Zalachenki. Potem zdarzył się ten incydent w metrze.

– Zaatakowała pedofila...

– Właśnie. Wykazywała ewidentne skłonności do przemocy i problemy psychiczne. Uznaliśmy, że najlepiej dla wszystkich będzie, jeśli znów zniknie w jakimś ośrodku i, że się tak wyrażę, kuliśmy żelazo póki gorące. Fredrik Clinton i von Rottinger zabrali się do rzeczy. Znów zwrócili się do Petera Teleboriana i chcieli sądownie przeforsować umieszczenie jej w klinice. Palmgren reprezentował ją przed sądem i wbrew naszym oczekiwaniom sąd przychylił się do jego wniosku, pod warunkiem że otrzyma opiekuna prawnego.

– Ale jak się w tym znalazł Bjurman?

– Jesienią 2002 roku Palmgren miał wylew. Salander nadal była sprawą, którą chcieliśmy mieć pod kontrolą, i gdy nagle pojawiła się w jakimś rejestrze, doprowadziłem do tego, żeby jej nowym opiekunem prawnym został właśnie Bjurman. Zwróć uwagę, że on nie miał pojęcia, że jest córką Zalachenki. Chodziło po prostu o to, żeby Bjurman natychmiast nas zawiadomił, gdy tylko ona zacznie gadać o Zalachence.

– Bjurman był idiotą. Nie powinien nigdy mieć nic wspólnego z Zalachenką, a tym bardziej z jego córką. – Gullberg spojrzał na Wadensjöö. – To był poważny błąd.

– Wiem – przyznał Wadensjöö. – Ale wtedy wydawało mi się to słuszne i nie mogłem sobie nawet wyobrazić...

– Gdzie jest teraz jej siostra? Camilla Salander?

– Nie wiemy. Kiedy miała dziewiętnaście lat, spakowała walizkę i opuściła rodzinę zastępczą. Od tego czasu nic o niej nie słyszeliśmy. Zniknęła.

– Okej. Idźmy dalej.

– Mam swoje źródło w policji. Ten człowiek rozmawiał z prokuratorem Richardem Ekströmem – odezwał się Sandberg. – Inspektor Bublanski, który prowadzi śledztwo, sądzi, że Bjurman zgwałcił Salander.

Gullberg przyglądał się Sandbergowi z nieukrywanym zaskoczeniem. Potem potarł dłonią podbródek.

– Zgwałcił? – powtórzył.

– Bjurman miał na brzuchu tatuaż: „Jestem sadystyczną świnią, dupkiem i gwałcicielem".

Sandberg położył na biurku kolorową fotografię z obdukcji. Gullberg szeroko otwartymi oczami oglądał brzuch Bjurmana.

– I to miałaby mu zrobić córka Zalachenki?

– Inaczej trudno jest to wyjaśnić. A ona wcale nie jest niegroźna. Spuściła solidne lanie dwóm chuliganom z klubu motocyklowego Svavelsjö MC.

– Córka Zalachenki – powtórzył Gullberg. Potem zwrócił się do Wadensjöö. – Wiesz co, uważam, że powinieneś ją zwerbować.

Wadensjöö aż zatkało ze zdziwienia, więc Gullberg musiał wytłumaczyć, że żartował.

– Okej. Przyjmijmy jako hipotezę roboczą, że Bjurman ją zgwałcił, a ona się zemściła. I co dalej?

– Jedyną osobą, która mogłaby dokładnie powiedzieć, co się wydarzyło, jest oczywiście sam Bjurman, ale to będzie raczej trudne, bo nie żyje. Ale chodzi o to, że Bjurman nie miał prawa wiedzieć, że ona jest córką Zalachenki. To nie jest zapisane w żadnym publicznym rejestrze. W jakiś sposób Bjurman musiał odkryć ten związek.

– Ależ, do diabła, Wadensjöö, ona wiedziała, kto jest jej ojcem. W każdej chwili mogła to Bjurmanowi powiedzieć.

– Wiem. Ale my... po prostu nie przemyśleliśmy tej sprawy do końca

– To niewybaczalny brak kompetencji – zawyrokował Gullberg.

– Wiem. I sam sto razy kopałem się za to w tyłek. Ale Bjurman był jedną z niewielu osób wiedzących o istnieniu Zalachenki, i myślałem, że będzie lepiej, jeśli to on odkryje, że dziewczyna jest córką Zalachenki, niż gdyby tego odkrycia miał dokonać jakiś postronny opiekun. Mogła o tym opowiedzieć praktycznie każdemu.

Gullberg pociągnął się za płatek ucha.

– No dobra... mówcie dalej.

– To wszystko hipotezy – powiedział Georg Nyström spokojnie. – Ale domyślamy się, że Bjurman wykorzystał Salander, a ona odpłaciła mu i zrobiła to... – Wskazał na tatuaż na zdjęciu.

144

– Nieodrodna córka swojego ojca – powiedział Gullberg. W jego głosie dała się słyszeć nutka podziwu.

– W efekcie Bjurman nawiązał kontakt z Zalachenką, żeby się rozprawić z jego córką. Jak wiadomo, Zalachenko ma powody, żeby nienawidzić Lisbeth Salander jak nikt inny. A Zalachenko z kolei zlecił tę robotę Svavelsjö MC i Niedermannowi, z którym współpracował.

– Ale jak Bjurman mógł nawiązać kontakt... – Gullberg urwał. Odpowiedź była oczywista.

– Björck – powiedział Wadensjöö. – Bjurman mógł dotrzeć do Zalachenki tylko dzięki temu, że Björck dostarczył mu informacji. To jedyne wytłumaczenie.

– A niech to szlag – zaklął Gullberg.

LISBETH SALANDER czuła coraz silniejszy niepokój połączony z irytacją. Rano dwie pielęgniarki przyszły zmienić jej pościel. Od razu znalazły ołówek.

– Co to, jak on się tu znalazł? – powiedziała jedna z nich i włożyła ołówek do kieszeni.

Lisbeth rzuciła jej mordercze spojrzenie. Więc znów była bezbronna, a do tego tak osłabiona, że nie była w stanie zaprotestować.

Przez cały weekend czuła się źle. Miała potworny ból głowy, dostawała silne środki przeciwbólowe. Czuła tępy ból w ramieniu, który nagle potrafił przeszyć ją jak pchnięcie nożem, kiedy nieostrożnie się poruszyła lub próbowała przenieść ciężar ciała. Leżała na plecach. Na szyi miała kołnierz ortopedyczny. Miała go nosić jeszcze przez kilka dni, aż rana w głowie zacznie się goić. W niedzielę miała gorączkę dochodzącą do 38,7 stopni. Doktor Helena Endrin stwierdziła infekcję. Innymi słowy – nie była zdrowa. Ale żeby się tego domyślić, Lisbeth nie potrzebowała termometru.

Stwierdziła, że znów leży przykuta do wielkiego łóżka, choć tym razem nie była przypięta pasami. Zresztą byłyby zbędne. Nie mogła nawet usiąść, a co dopiero wybrać się na wycieczkę.

W poniedziałek w porze lunchu zajrzał do niej doktor Anders Jonasson. Wyglądał znajomo.

– Dzień dobry. Czy pani mnie pamięta?

Potrząsnęła głową.

– Była pani dość zamroczona, ale to ja obudziłem panią po operacji. Ja też operowałem. Chciałem się tylko dowiedzieć, jak się pani czuje, czy wszystko w porządku.

Lisbeth Salander ze zdziwieniem spojrzała na niego szeroko otwartymi oczami. Przecież było oczywiste, że nic nie jest w porządku.

– Słyszałem, że dziś w nocy zdjęła pani kołnierz.

Skinęła głową.

– Nie założyliśmy go dla żartu, ale po to, żeby pani głowa była unieruchomiona w czasie gojenia się rany.

Przyglądał się milczącej dziewczynie.

– Okej – powiedział w końcu. – Chciałem tylko zajrzeć na chwilę.

Był już przy drzwiach, kiedy usłyszał jej głos.

– Jonasson, czy tak?

Odwrócił się i uśmiechnął do niej zaskoczony.

– Zgadza się. Jeśli pamięta pani moje nazwisko, musiała pani być bardziej przytomna, niż myślałem.

– I to pan wyciągnął kulę?

– Zgadza się.

– Czy może mi pan powiedzieć, co mi jest? Nikt nie chce mi udzielić sensownej odpowiedzi.

Podszedł z powrotem do łóżka i spojrzał jej prosto w oczy.

– Miała pani szczęście. Została pani postrzelona w głowę, ale najwidoczniej żaden odpowiedzialny za ważne funkcje życiowe obszar nie został uszkodzony. Istnieje ryzyko, że pojawią się krwawienia w mózgu. Dlatego zależy nam, żeby pani leżała nieruchomo. Ma pani infekcję. Winę za to ponosi chyba rana w ramieniu. Niewykluczone, że będziemy musieli ponownie operować, o ile antybiotyki nie zahamują infekcji. Czeka panią bolesny okres, póki wszystko się nie zagoi. Lecz sądząc po tym, co widziałem, można mieć nadzieję, że odzyska pani zdrowie i sprawność.

– Czy to może wywołać uszkodzenia mózgu?

Chwilę zwlekał z odpowiedzią.

– Tak, istnieje takie ryzyko. Ale wszystko wskazuje na to, że najgorsze ma pani za sobą. Potem może być tak, że zabliźnienia w mózgu mogą wywoływać problemy, na przykład może pojawić się epilepsja lub jakieś inne komplikacje. Ale szczerze mówiąc, to tylko spekulacje. W tej chwili wszystko wygląda dobrze. Wszystko się goi. A jeśli w trakcie kuracji pojawią się problemy, zajmiemy się nimi.

Skinęła głową.

– Jak długo jeszcze muszę tak leżeć?

– W szpitalu? Na pewno minie co najmniej kilka tygodni, zanim będziemy mogli panią wypuścić.

– Nie, chodzi mi o to, kiedy będę mogła wstawać, próbować chodzić i się ruszać.

– Tego nie wiem. To zależy od tego, jak szybko zagoją się rany. Ale należy odczekać jeszcze co najmniej dwa tygodnie, zanim zaczniemy wprowadzać jakąś formę fizjoterapii.

Przez chwilę przyglądała mu się z powagą.

– Czy przypadkiem nie ma pan papierosa? – zapytała.

– Przykro mi. Mamy tu zakaz palenia. Ale mogę polecić, żeby dano pani plaster nikotynowy albo gumę.

Zastanawiała się, a potem skinęła głową. I znów spojrzała na doktora.

– A jak jest z tym pieprzonym dziadem?

– Z kim? Chodzi pani...

– O tamtego, co został przywieziony razem ze mną.

– To nie jest pani przyjaciel, jak się domyślam. Dobrze. Przeżyje, nawet już wstał i chodził o kulach. Fizycznie wygląda gorzej niż pani i ma bardzo bolesne obrażenia twarzy. O ile dobrze zrozumiałem, walnęła go pani siekierą w głowę.

– Próbował mnie zabić – powiedziała cicho Lisbeth.

– To nie brzmi dobrze. Muszę iść. Czy chce pani, żebym jeszcze zajrzał?

Lisbeth Salander myślała chwilę, po czym nieznacznie kiwnęła głową. Kiedy lekarz zamknął za sobą drzwi, popatrzyła zamyślona w sufit.

Zalachenko dostał kule. To ten dźwięk słyszałam w nocy.

JONAS SANDBERG, najmłodszy wśród zebranych, wyszedł, żeby przynieść coś na lunch. Wrócił z sushi i niskoprocentowym piwem. Potem obsłużył wszystkich przy stole. Evert Gullberg poczuł dreszczyk nostalgii. Dokładnie tak samo było za jego czasów, kiedy jakaś operacja wchodziła w fazę krytyczną i pracowali na okrągło przez całą dobę.

Jedyna różnica, pomyślał, polegała na tym, że za jego czasów nikt nie wpadłby na idiotyczny pomysł, żeby zamówić na lunch surową rybę. Wolałby, żeby Sandberg zamówił klopsiki mięsne z purée ziemniaczanym i borówkami. Ale z drugiej strony nie był głodny, więc bez wyrzutów sumienia odsunął sushi na bok. Zjadł kawałek chleba i napił się wody mineralnej.

Przy jedzeniu dyskutowali dalej. Doszli do punktu, w którym należało podsumować sytuację i zadecydować, jakie zastosują kroki. Musieli szybko podjąć decyzję.

– Nigdy nie poznałem Zalachenki – powiedział Wadensjöö. – Jaki był?

– Dokładnie taki jak dzisiaj, tak sądzę – odparł Gullberg. – Szalenie inteligentny, obdarzony niemal fotograficzną pamięcią do szczegółów. Ale moim zdaniem cholerne bydlę. I trochę niezrównoważony psychicznie, tak mi się wydaje.

– Jonas, spotkałeś go wczoraj. Jakie wnioski? – zapytał Wadensjöö.

Jonas Sandberg odłożył sztućce.

– Nie traci kontroli. Już opowiadałem o jego ultimatum. Albo jakoś zatuszujemy tę sprawę, albo wysadzi całą Sekcję.

– Co on sobie, kurwa, wyobraża? Jak mamy zatuszować sprawę, którą media wałkują bez przerwy?! – wykrzyknął Georg Nyström.

– Tu nie chodzi o to, co możemy zrobić czy czego nie możemy. Tu chodzi o jego potrzebę, żeby mieć nas pod kontrolą – wyjaśnił Gullberg.

– Jak to widzisz? Czy mógłby to zrobić? Rozmawiać z mediami? – zapytał Wadensjöö.

Gullberg odpowiedział:

– Trudno udzielić odpowiedzi. Zalachenko nie rzuca gróźb bez pokrycia. Zrobi to, co będzie najlepsze dla niego samego. Pod tym względem jest przewidywalny. Jeśli rozmowy z mediami przyniosą mu korzyści... jeśli będzie mógł uzyskać amnestię lub złagodzenie kary, zrobi to. Albo jeśli poczuje się zdradzony i będzie chciał się odegrać.

– Nie zważając na konsekwencje?

– Zwłaszcza nie zważając na konsekwencje. Zależy mu na tym, żeby wyjść na największego chojraka z nas wszystkich.

– Ale nawet jeśli Zalachenko zacznie gadać, wcale nie jest pewne, że mu uwierzą. Żeby cokolwiek udowodnić, muszą się dostać do naszego archiwum. On nie zna tego adresu.

– Chcesz ryzykować? Powiedzmy, że Zalachenko zacznie gadać. Kto zacznie mówić jako następny? Co zrobimy, jeśli Björck potwierdzi jego historię? A Clinton podłączony do sztucznej nerki... co będzie, jeśli się nawróci i będzie rozgoryczony na wszystko i wszystkich? Wyobraźcie sobie, że zechce wyznać grzechy. Wierzcie mi, jeśli ktoś zacznie gadać, z Sekcją koniec.

– A więc... co mamy zrobić?

Przy stole zapadła cisza. Gullberg podjął wątek.

– Problem ma kilka aspektów. Po pierwsze, możemy się zgodzić co do konsekwencji, jeśli Zalachenko zacznie gadać.

Cała ta cholernie konstytucyjna Szwecja rzuciłaby się, żeby nas rozszarpać. Zostalibyśmy rozniesieni w pył. Obawiam się, że niektórzy z nas mogliby trafić do więzienia.

– Nasza działalność jest legalna od strony prawnej, przecież pracujemy na zlecenie rządu.

– Nie pieprz głupot – rzucił Gullberg. – Wiesz tak samo dobrze jak ja, że ogólnikowo sformułowany dokument, który został napisany w połowie lat sześćdziesiątych, nie jest dzisiaj wart funta kłaków.

– Domyślam się, że nikt z nas nie chce się dowiedzieć, co dokładnie może się stać, jeśli Zalachenko zacznie gadać – dodał.

Znów zrobiło się cicho.

– A więc nasz punkt wyjścia to jak skłonić Zalachenkę do zachowania milczenia – powiedział wreszcie Nyström.

Gullberg skinął.

– A żeby skłonić go do zachowania milczenia, musimy mieć dla niego jakąś konkretną propozycję. Problem polega na tym, że on jest nieobliczalny. Mógłby równie dobrze wydać nas z czystej złośliwości. Musimy obmyślić sposób, żeby go jakoś zaszachować.

– A żądania... – powiedział Jonas Sandberg. – Żebyśmy wszystko posprzątali i żeby Salander znów wylądowała w psychiatryku?

– Z Salander jakoś sobie poradzimy. To Zalachenko stanowi problem. Ale to prowadzi do kolejnego aspektu, zminimalizowania szkód. Ekspertyza Teleboriana z 1991 roku wyciekła i potencjalnie jest takim samym zagrożeniem jak Zalachenko.

Georg Nyström odchrząknął.

– Gdy tylko zauważyliśmy, że raport się wydostał i trafił w ręce policji, poczyniłem pewne kroki. Zwróciłem się do Foreliusa, prawnika RPS/Säk, a on skontaktował się z prokuratorem generalnym. Ten polecił zabrać raport z policji. Nie wolno go rozpowszechniać ani kopiować.

– Ile wie prokurator generalny? – zapytał Gullberg.

– Zupełnie nic. Działa na wniosek RPS/Säk, dotyczący materiałów objętych klauzulą tajności, więc jako prokurator nie ma wyboru. Nie może podjąć innej decyzji.

– Okej. Kto w policji przeczytał raport?

– Mieli dwie kopie. Przeczytali je Bublanski, jego koleżanka Sonja Modig i prokurator prowadzący dochodzenie wstępne Richard Ekström. Możemy zakładać, że jeszcze dwóch innych policjantów... – Nyström wertował swoje notatki. – Niejaki Curt Svensson i Jerker Holmberg przynajmniej znają treść.

– A więc czworo policjantów i prokurator. Co o nich wiemy?

– Prokurator Ekström, czterdzieści dwa lata. Postrzegany jako potencjalna gwiazda. Był w komisjach śledczych w departamencie sprawiedliwości i miał kilka głośnych spraw. Ambitny. Umie się lansować. Karierowicz.

– Socjaldemokrata? – spytał Gullberg.

– Przypuszczalnie. Ale nie jest aktywny.

– Czyli Bublanski jest szefem śledztwa. Widziałem go na konferencji prasowej w telewizji. Chyba nie czuje się najlepiej przed kamerami.

– Ma pięćdziesiąt dwa lata i imponującą listę sukcesów, ale też mówi się, że potrafi być zrzędą. Jest Żydem, dość ortodoksyjnym.

– A ta kobieta... kim ona jest?

– Sonja Modig. Mężatka, trzydzieści dziewięć lat, dwójka dzieci. Zrobiła dość szybką karierę. Rozmawiałem z Peterem Teleborianem, który opisał ją jako osobę dość emocjonalną. Cały czas podawała wszystko w wątpliwość.

– Okej.

– Curt Svensson to typ twardziela. Trzydzieści osiem lat. Pracował przedtem w wydziale do walki z grupami przestępczymi w Söderort i było o nim głośno, kiedy kilka lat temu zastrzelił jakiegoś łobuza. Podczas śledztwa został oczyszczony ze wszystkich zarzutów. To zresztą jego Bublanski wysłał po Gunnara Björcka.

– Rozumiem. Pamiętajmy o tym śmiertelnym postrzeleniu. Jeśli będą powody, żeby podważyć wiarygodność zespołu Bublanskiego, możemy go podać jako przykład nieodpowiedzialnego funkcjonariusza policji. Zakładam, że mamy jeszcze niezbędne kontakty w mediach... A ten ostatni facet?

– Jerker Holmberg. Pięćdziesiąt pięć lat. Pochodzi z Norrlandii i właściwie jest specjalistą do badania miejsc zbrodni. Kilka lat temu dostał propozycję szkolenia na komisarza, ale ją odrzucił. Wygląda na to, że lubi swoją pracę.

– Czy ktoś z nich działa aktywnie w polityce?

– Nie. Ojciec Holmberga był radnym gminnym z ramienia partii centrowej w latach siedemdziesiątych.

– Hmm. To mi wygląda na porządny zespół. Musimy założyć, że są dość zżyci. Czy moglibyśmy kogoś w jakiś sposób wyizolować?

– Jest jeszcze jeden policjant, który też jest w to zaangażowany – powiedział Nyström. – Hans Faste, czterdzieści siedem lat. Dotarło do mnie, że między nim a Bublanskim doszło do ostrej scysji. Ostrej na tyle, że Faste poszedł na zwolnienie lekarskie.

– Co o nim wiadomo?

– Informacje nie są jednoznaczne. Ma długą listę zasług i właściwie żadnych adnotacji w aktach. Zawodowiec. Ale jest trudnym człowiekiem. I wygląda na to, że w kłótni z Bublanskim chodziło o Lisbeth Salander.

– W jakim sensie?

– Faste najwidoczniej zafiksował się na historii o lesbijkach satanistkach, o której pisały gazety. Naprawdę nie lubi Salander i zachowuje się tak, jakby jej istnienie stanowiło dla niego osobistą obrazę. Przypuszczalnie to on kryje się za połową tych plotek. Od jednego z kolegów słyszałem, że nie umie współpracować z kobietami.

– To ciekawe – powiedział Gullberg. Rozmyślał przez chwilę. – Skoro gazety już pisały o gangu lesbijek satanistek, może dobrze by było ciągnąć ten wątek dalej. To raczej nie buduje wiarygodności Salander.

– Czyli policjanci, którzy przeczytali raport Björcka, stanowią problem. Czy możemy ich w jakiś sposób odizolować? – zapytał Sandberg.

Wadensjöö zapalił kolejną cygaretkę.

– To Ekström prowadzi postępowanie przygotowawcze...

– Ale to Bublanski dowodzi – stwierdził Nyström.

– Tak, ale nie może działać wbrew decyzjom administracyjnym. – Wadensjöö zamyślił się. Spojrzał na Gullberga. – Ty masz większe doświadczenie niż ja, ale ta historia ma tak dużo wątków i bocznych ścieżek... Wydaje mi się, że najlepiej byłoby odsunąć Bublanskiego i Modig od sprawy Salander.

– Świetnie, Wadensjöö – rzucił Gullberg. – I dokładnie to zrobimy. Bublanski jest szefem śledztwa w sprawie zabójstwa Bjurmana i tamtej pary z Enskede. Salander nie jest już brana pod uwagę jako podejrzana o te zbrodnie. Teraz podejrzewa się tego Niemca, Niedermanna. A więc Bublanski i jego drużyna będą musieli skoncentrować się na ściganiu Niedermanna.

– Okej.

– Salander już nie jest ich sprawą. Mamy jeszcze śledztwo w sprawie Nykvarn... to trzy starsze morderstwa. Jest powiązanie z Niedermannem. Śledztwo jest w rękach policji z Södertälje, ale należałoby je połączyć z tym pierwszym. Więc Bublanski przez jakiś czas będzie miał pełne ręce roboty. Kto wie... może nawet uda mu się złapać tego Niedermanna.

– Hmm...

– A ten Faste... czy można by go namówić na powrót do służby? Wygląda na osobę odpowiednią, żeby się zająć podejrzeniami wobec Salander.

– Rozumiem, do czego zmierzasz – powiedział Wadensjöö. – Chodzi o to, żeby skłonić Ekströma do rozdzielenia tych spraw. Ale wtedy będziemy musieli go kontrolować.

– To nie powinno być szczególnym problemem – zapewnił Gullberg. Zerknął na Nyströma, a ten potwierdził skinieniem głowy.

– Ja mogę się zająć Ekströmem – powiedział Nyström.

– Podejrzewam, że wolałby nigdy nie usłyszeć nazwiska Zalachenko. Oddał raport Björcka, gdy tylko Säk o niego poprosiła, i już powiedział, że oczywiście uwzględni wszystko, co ma jakikolwiek wpływ na bezpieczeństwo państwa.

– Co zamierzasz zrobić? – zapytał podejrzliwie Wadensjöö.

– Mam pewien scenariusz – powiedział Nyström. – Zakładam, że po prostu delikatnie wytłumaczymy mu, co powinien robić, jeśli chce uniknąć gwałtownego załamania kariery.

– Jest jeszcze trzecia rzecz, która stanowi poważny kłopot – mówił dalej Gullberg. – Policja nie znalazła raportu Björcka na własną rękę... tylko otrzymała go od pewnego dziennikarza. I media, z czego wszyscy też zdajemy sobie sprawę, są w całej sprawie dużym problemem. „Millennium".

Nyström otworzył notatnik.

– Mikael Blomkvist – powiedział.

Wszyscy zebrani przy stole słyszeli o aferze Wennerströma i znali nazwisko Mikael Blomkvist.

– Dag Svensson, ten zamordowany dziennikarz, pracował dla „Millennium". Pisał tekst o handlu żywym towarem. To on wziął pod lupę Zalachenkę. To Mikael Blomkvist znalazł zwłoki Svenssona. Ponadto zna Lisbeth Salander i niezłomnie wierzy w jej niewinność.

– Jakim cudem może znać córkę Zalachenki... to wygląda na zbyt nieprawdopodobny przypadek.

– Nie sądzimy, żeby to był przypadek – powiedział Wadensjöö. – Podejrzewamy, że Salander w jakiś sposób stanowi łącznik pomiędzy nimi wszystkimi. Nie potrafimy jeszcze wyjaśnić, w jaki, ale to jedyne sensowne wytłumaczenie.

154

Gullberg milczał, skupiony na rysowaniu koncentrycznych kół w notatniku. W końcu podniósł głowę.

– Muszę chwilę pomyśleć o tym wszystkim. Pójdę na spacer. Spotykamy się za godzinę.

WYCIECZKA GULLBERGA trwała niemal cztery godziny, a nie jedną, jak zapowiadał. Spacerował zaledwie kilkanaście minut. Potem usiadł w kawiarni serwującej masę dziwnych rodzajów kawy. Zamówił filiżankę zwykłej czarnej parzonej i usiadł przy narożnym stoliku blisko wyjścia. Rozmyślał intensywnie i próbował oddzielić różne aspekty problemu. Co jakiś czas notował w kalendarzu jakieś hasło.

Półtorej godziny później zarysował się konkretny plan.

Nie był to dobry plan, ale po rozważeniu wszystkiego ze wszystkich stron zrozumiał, że problem wymaga drastycznych środków.

Na szczęście miał do dyspozycji ludzi. To było do zrobienia.

Wstał, znalazł budkę telefoniczną i zadzwonił do Wadensjöö.

– Musimy przesunąć spotkanie jeszcze trochę – uprzedził. – Muszę jeszcze załatwić jedną sprawę. Czy możemy spotkać się znowu o czternastej?

Potem Gullberg poszedł na Stureplan i machnięciem zatrzymał taksówkę. Właściwie nie było go stać na taki luksus przy jego skromnej urzędniczej emeryturze, ale z drugiej strony był już w takim wieku, kiedy nie miał motywacji, żeby oszczędzać na jakieś szaleństwa. Podał taksówkarzowi adres w Brommie.

Kiedy po pewnym czasie wysiadł pod podanym adresem, ruszył piechotą na południe. Minął kwartał ulic i zadzwonił do niewielkiego jednorodzinnego domku. Otworzyła mu około czterdziestoletnia kobieta.

– Dzień dobry. Szukam Fredrika Clintona.

– Kogo mam zapowiedzieć?

– Dawnego kolegę.

Kobieta kiwnęła głową i wprowadziła go do salonu, gdzie Fredrik Clinton powoli wstawał z sofy. Miał dopiero sześćdziesiąt osiem lat, ale wyglądał na o wiele starszego. Cukrzyca i choroba wieńcowa odcisnęły na nim wyraźny ślad.

– Gullberg – powiedział Clinton zaskoczony.

Przyglądali się sobie przez dłuższą chwilę. Potem starzy szpiedzy rzucili się sobie w objęcia.

– Nie myślałem, że cię jeszcze kiedyś zobaczę – powiedział Clinton. – Domyślam się, że to cię tu zwabiło.

Wskazał okładkę popołudniówki, na której widniało zdjęcie Ronalda Niedermanna i tytuł:

ZABÓJCA POLICJANTA ŚCIGANY W DANII

– Jak się czujesz? – zapytał Gullberg.

– Jestem chory – powiedział Clinton.

– Widzę.

– Jeśli nie dostanę nowej nerki, wkrótce umrę. A prawdopodobieństwo, że dostanę, jest raczej małe.

Gullberg pokiwał głową.

W drzwiach stanęła tamta kobieta i zapytała, czy Gullberg się czegoś napije.

– Proszę kawę – powiedział. Kiedy zniknęła, zwrócił się do Clintona.

– Kim ona jest?

– To moja córka.

Gullberg skinął głową. Niepojęte było, że mimo tak ogromnego poczucia wspólnoty przez tyle lat pracownicy Sekcji prawie wcale nie spotykali się prywatnie. Gullberg znał najdrobniejsze cechy charakteru wszystkich pracowników, ich mocne i słabe strony, ale miał tylko niejasne pojęcie o ich sytuacji rodzinnej. Clinton był jego najbliższym współpracownikiem przez dwadzieścia lat. Wiedział, że jest żonaty i ma dzieci. Ale nie znał imienia córki, imienia żony ani nie wiedział, gdzie lubi spędzać urlop. Tak jakby wszystko, co znajdowało się poza Sekcją, było święte i objęte zakazem rozmów.

– Czego chcesz? – zapytał Clinton.

– Mogę cię spytać, co sądzisz o Wadensjöö?

Clinton pokręcił głową.

– Nie chcę się wtrącać.

– Nie o to pytałem. Znasz go. Pracowałeś z nim dziesięć lat.

Clinton znów pokręcił głową.

– To on dzisiaj kieruje Sekcją. To, co ja myślę, jest bez znaczenia.

– Czy daje sobie radę?

– Nie jest idiotą.

– Ale...?

– Analityk. Znakomity w układaniu puzzli. Instynkt. Doskonały administrator. Był w stanie domknąć budżet, i to w taki sposób, że nawet nie sądziliśmy, że to możliwe.

Gullberg przysłuchiwał się. Clinton wymieniał bardzo ważne cechy.

– Czy jesteś gotów wrócić do służby?

Clinton podniósł na Gullberga wzrok. Długą chwilę nic nie mówił.

– Evert... po dziewięć godzin co drugi dzień spędzam w szpitalu przy aparacie do dializy. Nie mogę chodzić po schodach, bo od razu się duszę. Nie mam siły. Zupełnie nie mam siły.

– Potrzebuję cię. Do ostatniej operacji.

– Nie mogę.

– Możesz. I możesz mieć dziewięć godzin dializy co drugi dzień. Możesz jeździć windą, zamiast chodzić po schodach. Mogę urządzić to tak, że ludzie będą cię nosić na noszach tam i z powrotem, jeśli to będzie potrzebne. Potrzebuję twojego mózgu.

Clinton westchnął.

– Opowiadaj – rzucił.

– Jesteśmy w tej chwili w niesłychanie skomplikowanej sytuacji. Potrzebne są działania operacyjne. Wadensjöö ma żółtodzioba, który stanowi całą jednostkę operacyjną, i nie wierzę, żeby Wadensjöö miał jaja, żeby zrobić to, co trzeba zrobić. Może być specem od manipulowania budżetem, ale boi się podejmowania decyzji operacyjnych i wplątania się Sekcji w działania terenowe, które są konieczne.

Clinton kiwnął głową. Na jego twarzy ukazał się blady uśmiech.

– Operacja musi się odbyć na dwóch osobnych frontach. Jedna część dotyczy Zalachenki. Muszę mu przemówić do rozumu i wydaje mi się, że wiem, jak to zrobić. Druga część musi być wykonywana ze Sztokholmu. Tylko problem polega na tym, że nie ma w Sekcji osoby, która mogłaby się tym zająć. Potrzebuję ciebie. Musisz objąć dowodzenie. Ostatnia robota. Mam plan. Jonas Sandberg i Georg Nyström będą wykonawcami. Ty będziesz kierował operacją.

– Nie zdajesz sobie sprawy, czego żądasz.

– Ależ tak, zdaję sobie bardzo dobrze. I sam musisz zdecydować, czy pomożesz, czy nie. Ale albo my, stara gwardia, wkroczymy do akcji i zrobimy swoje, albo Sekcja przestanie istnieć już za parę tygodni.

Clinton położył ramię na oparciu sofy i oparł głowę na dłoni. Zastanawiał się przez dwie minuty.

– Powiedz, jaki masz plan – powiedział wreszcie.

Evert Gullberg i Fredrik Clinton rozmawiali dwie godziny.

WADENSJÖÖ WYTRZESZCZYŁ OCZY, kiedy za pięć druga Gullberg zjawił się z Fredrikiem Clintonem pod rękę. Clinton przypominał szkielet. Wyglądał, jakby miał trudności z chodzeniem i z oddychaniem. Dłonią wspierał się na ramieniu Gullberga.

– Ależ co, na miłość boską... – zaczął Wadensjöö.

– Kontynuujmy zebranie – powiedział krótko Gullberg.

Znów usiedli przy stole w gabinecie Wadensjöö. Clinton bez słowa osunął się na krzesło, które mu podstawiono.

– Wszyscy znacie Fredrika Clintona – zaczął Gullberg.

– Tak – odparł Wadensjöö. – Tylko nie wiemy, co tu robi.

– Clinton postanowił wrócić do aktywnej służby. Będzie kierował jednostką operacyjną Sekcji aż do chwili, kiedy obecny kryzys zostanie zażegnany.

Gullberg uniósł dłoń i uciszył protest Wadensjöö, jeszcze zanim tamten zdołał coś wykrztusić.

– Clinton jest zmęczony. Będzie potrzebował asysty. Musi regularnie jeździć do szpitala na dializę. Wadensjöö, zaangażujesz dwóch osobistych asystentów, którzy pomogą mu we wszystkich praktycznych sprawach. Ale jedno musi być jasne dla wszystkich: jeśli chodzi o tę aferę, decyzje operacyjne będzie podejmował Clinton.

Umilkł i czekał. Nie było protestów.

– Mam pewien plan. Myślę, że jeszcze możemy to wszystko naprostować, ale musimy działać szybko, żeby okazja nie wymknęła nam się z rąk – powiedział. – Druga sprawa to kwestia, jak bardzo jesteście zdeterminowani.

Wadensjöö poczuł, że w słowach Gullberga kryje się wyzwanie.

– Mów.

– Po pierwsze: policjantów już omówiliśmy. Zrobimy tak, jak postanowiliśmy. Spróbujemy odsunąć ich od dalszego śledztwa na boczny tor pościgu za Niedermannem. To będzie zadanie Georga Nyströma. Niezależnie od tego, co się zdarzy, Niedermann jest bez znaczenia. Dopilnujemy, żeby to Faste otrzymał śledztwo w sprawie Salander.

– Przypuszczalnie to nie będzie takie trudne – powiedział Nyström. – Po prostu przeprowadzę dyskretną rozmowę z prokuratorem Ekströmem.

– A jeśli będzie się stawiał...

– Nie sądzę, żeby miał to robić. Jest karierowiczem i troszczy się przede wszystkim o własny interes. Ale chyba uda mi się znaleźć jakiś środek nacisku, gdyby był potrzebny. Na pewno nie chciałby zostać wciągnięty w żaden skandal.

– Dobrze. Kolejny krok to „Millennium" i Mikael Blomkvist. To dlatego Clinton wrócił do służby. Tu są potrzebne nadzwyczajne środki.

– Obawiam się, że raczej mi się to nie spodoba – powiedział Wadensjöö.

– Raczej nie, ale „Millennium" nie da się manipulować w taki sam prosty sposób. Zagrożenie z ich strony to jedna rzecz: raport Björcka z 1991 roku. Przyjmuję, że w tej chwili sytuacja wygląda tak, że raport znajduje się w dwóch miejscach, najwyżej w trzech. Lisbeth Salander go znalazła i w jakiś sposób dostał się w ręce Mikaela Blomkvista. To znaczy, że między Blomkvistem i Salander musiały istnieć jakieś kontakty, kiedy się ukrywała.

Clinton podniósł palec i odezwał się pierwszy raz od chwili przybycia.

– To mówi nam dużo o charakterze przeciwnika. Blomkvist nie boi się ryzykować. Pomyśl o aferze Wennerströma.

Gullberg skinął głową.

– Blomkvist przekazał raport swojej szefowej, Erice Berger, która z kolei podesłała go Bublanskiemu. To znaczy, że ona też go przeczytała. Możemy założyć, że zrobiła kopię. Domyślam się, że Blomkvist ma jedną kopię, a druga jest w redakcji.

– To brzmi sensownie.

– „Millennium" jest miesięcznikiem, co znaczy, że nie opublikują tego jutro. Mamy więc trochę czasu. Ale musimy dotrzeć do obu tych raportów. I nie możemy się posłużyć prokuratorem generalnym.

– Rozumiem.

– Musimy więc podjąć działalność operacyjną i włamać się do Blomkvista i redakcji „Millennium". Czy dasz radę to zorganizować, Jonas?

Jonas Sandberg zerknął na Wadensjöö.

160

– Evert, musisz zrozumieć, że my już nie zajmujemy się takimi rzeczami – zaczął Wadensjöö. – Teraz są nowe czasy, idzie się raczej w stronę wykradania danych lub obserwacji satelitarnej i tym podobnych. Nie mamy środków, żeby prowadzić działalność operacyjną.

Gullberg pochylił się nad stołem.

– Wadensjöö. Będziesz musiał zdobyć środki na działalność operacyjną, i to szybko jak diabli. Zaangażuj ludzi z zewnątrz. Wynajmij opryszków z mafii jugolskiej. Dadzą Blomkvistowi w łeb, jeśli będzie trzeba. Ale te dwie kopie trzeba odzyskać. Jeśli je stracą, wtedy nie będą mieć żadnej dokumentacji i niczego nam nie udowodnią. Jeśli sobie z tym nie poradzicie, to możesz tu sobie siedzieć z kciukiem w dupie i czekać, aż komisja konstytucyjna zapuka do drzwi.

Spojrzenia Gullberga i Wadensjöö spotkały się na długą chwilę.

– Ja mogę się tym zająć – odezwał się nieoczekiwanie Jonas Sandberg.

Gullberg spojrzał na juniora.

– Jesteś pewien, że uda ci się zorganizować taką sprawę?

Sandberg skinął głową.

– Dobrze. Od tej chwili twoim szefem jest Clinton. Od niego dostajesz polecenia.

Sandberg ponownie kiwnął głową.

– Znaczna część roboty to obserwacja. Należy wzmocnić jednostkę operacyjną – powiedział Nyström. – Mogę zaproponować kilka nazwisk. Mamy człowieka w organizacji zewnętrznej, pracuje w ochronie osobistej w Säk, nazywa się Mårtensson. Jest odważny i obiecujący. Długo się zastanawiałem, czy nie zwerbować go tu do nas, do organizacji wewnętrznej. Myślałem nawet, że mógłby zostać moim następcą.

– To brzmi nieźle – stwierdził Gullberg. – Niech Clinton podejmie decyzję.

– Mam jeszcze jedną nowinę – mówił dalej Georg Nyström. – Obawiam się, że może istnieć trzecia kopia.

– Gdzie?

– Po południu dowiedziałem się, że Lisbeth Salander dostała adwokata. Jest nim Annika Giannini, siostra Mikaela Blomkvista.

Gullberg kiwnął głową.

– Masz rację. Blomkvist dał kopię siostrze. To więcej niż pewne. Musimy więc w najbliższym czasie wziąć pod lupę całą trójkę: Berger, Blomkvista i Giannini.

– O Berger chyba nie musimy się martwić. Dzisiaj ukazał się komunikat prasowy, że przechodzi do „Svenska Morgon-Posten" na stanowisko naczelnej. Już nie ma nic wspólnego z „Millennium".

– Okej. Ale sprawdzajcie ją na wszelki wypadek. Jeśli chodzi o „Millennium", musimy mieć podsłuch telefoniczny, możliwość podsłuchiwania ich telefonów prywatnych i oczywiście redakcji. Musimy sprawdzać ich maile. Musimy wiedzieć, z kim się spotykają i z kim rozmawiają. I bardzo chętnie poznalibyśmy ich koncepcję ujawnienia sprawy. Ale przede wszystkim musimy odebrać raport. Mamy dużo do zrobienia, krótko mówiąc.

Wadensjöö powiedział z powątpiewaniem:

– Evert, prosisz nas o poczynienie kroków operacyjnych przeciwko redakcji pisma. To jedna z bardziej niebezpiecznych rzeczy, jakie możemy zrobić.

– Nie masz wyboru. Albo zakasujesz rękawy i bierzesz się do roboty, albo nadszedł czas, żeby szefem został ktoś inny.

Wyzwanie zawisło nad stołem jak ciemna chmura.

– Myślę, że będę w stanie poradzić sobie z „Millennium" – powiedział Jonas Sandberg. – Ale to nie rozwiązuje naszego zasadniczego problemu. Co zrobimy z Zalachenką? Jeśli zacznie gadać, wszystkie wysiłki pójdą na marne.

Gullberg wolno pokiwał głową.

– Wiem. To moja część operacji. Myślę, że mam argument, który przekona Zalachenkę, żeby siedział cicho. Ale potrzeba do tego pewnych przygotowań. Jeszcze dzisiaj po południu jadę do Göteborga.

Umilkł i powiódł wzrokiem po zebranych. Potem wbił spojrzenie w Wadensjöö.

– Podczas mojej nieobecności decyzje operacyjne podejmuje Clinton.

Po chwili Wadensjöö potwierdził to skinieniem.

DOPIERO W PONIEDZIAŁEK po południu doktor Helena Endrin po konsultacjach z kolegą Andersem Jonassonem stwierdziła, że stan Lisbeth Salander jest wystarczająco stabilny, żeby mogła przyjmować wizyty. Jako pierwszych wpuszczono dwoje inspektorów. Na pytania dostali piętnaście minut. Lisbeth w milczeniu obserwowała, jak policjanci przysuwają sobie krzesła.

– Dzień dobry. Nazywam się Marcus Erlander. Pracuję w wydziale zabójstw, tu, w göteborskiej policji. A to moja koleżanka Sonja Modig z policji w Sztokholmie.

Lisbeth Salander nie przywitała się. Wyraz jej twarzy się nie zmienił. Przypomniała sobie, że Sonja Modig to jedna z glin z zespołu Bublanskiego. Erlander uśmiechnął się powściągliwie.

– Rozumiem, że nie zwykła pani rozmawiać zbyt wiele z przedstawicielami władzy. Chciałbym więc poinformować panią, że nie musi pani nic mówić. Ale byłbym wdzięczny, gdyby zechciała pani nas wysłuchać. Mamy kilka spraw i za mało czasu, żeby wszystkie omówić dzisiaj. Będziemy jeszcze mieć niejedną okazję.

Lisbeth Salander wciąż się nie odzywała.

– A więc na początek chciałbym poinformować panią, że pani przyjaciel Mikael Blomkvist poinformował nas, że mecenas Annika Giannini zgodziła się reprezentować panią w sądzie. Jest już wprowadzona w całą sprawę. Powiedział,

163

że przy jakiejś okazji już pani o niej wspominał. Muszę otrzymać od pani potwierdzenie, że to prawda oraz że życzy sobie pani przyjazdu mecenas Giannini do Göteborga, żeby mogła udzielić pani wsparcia.

Lisbeth Salander nic nie powiedziała.

Annika Giannini. Jego siostra. Mikael wspominał o niej w jakiejś wiadomości. Lisbeth nie pomyślała o tym, że potrzebuje adwokata.

– Przykro mi, ale muszę nalegać na odpowiedź w tej kwestii. Wystarczy tak albo nie. Jeśli powie pani tak, prokurator z Göteborga nawiąże kontakt z mecenas Giannini. Jeśli powie pani nie, sąd wyznaczy pani obrońcę z urzędu. Co pani woli?

Lisbeth Salander rozważała propozycję. Przypuszczała, że rzeczywiście będzie jej potrzebny adwokat, ale żeby miała nim być siostra Pieprzonego Kallego Blomkvista, to przesada. To by mu pasowało. Ale z drugiej strony nieznany obrońca na pewno nie byłby lepszy. W końcu otworzyła usta i wydobyła z siebie chrapliwe słowo:

– Giannini.

– Dobrze. Dziękuję bardzo. Mam w takim razie jeszcze jedno pytanie. Nie musi pani powiedzieć ani słowa, zanim nie zjawi się tu pani adwokat, ale to pytanie nie dotyczy bezpośrednio pani ani pani położenia, o ile się orientuję. Policja poszukuje trzydziestosiedmioletniego obywatela Niemiec Ronalda Niedermanna, ściganego listem gończym za zamordowanie policjanta.

Lisbeth zmarszczyła brwi. To była dla niej nowina. Nie miała pojęcia, co się stało po tym, jak rąbnęła Zalachenkę siekierą w głowę.

– My w Göteborgu chcemy go schwytać jak najszybciej. Koleżanka ze Sztokholmu chce poza tym przesłuchać go w sprawie trzech morderstw, o które wcześniej podejrzewano panią. Prosimy panią o pomoc. Chcielibyśmy zapytać, czy ma pani jakiekolwiek pojęcie... czy mogłaby pani w jakikolwiek sposób pomóc nam go znaleźć.

Lisbeth podejrzliwie przenosiła wzrok z Erlandera na Sonję Modig i z powrotem.

Oni nie mają pojęcia, że to mój brat.

Potem zadała sobie pytanie, czy wolałaby widzieć Niedermanna schwytanego, czy nie. Najchętniej wzięłaby go do Gosseberi, wrzuciła do wykopu i pogrzebała. W końcu wzruszyła ramionami. Nie powinna tego robić. Przejmujący ból natychmiast sparaliżował jej lewe ramię.

– Jaki dziś dzień? – zapytała.

– Poniedziałek.

Zastanowiła się chwilę.

– Pierwszy raz usłyszałam nazwisko Ronald Niedermann w czwartek w zeszłym tygodniu. Pojechałam jego śladem do Gosseberi. Nie mam pojęcia, gdzie może być ani dokąd próbuje uciec. Zgaduję, że będzie chciał szybko schronić się za granicą.

– Dlaczego pani sądzi, że zamierza uciec za granicę?

Lisbeth pomyślała.

– Dlatego, że kiedy Niedermann był w lesie i kopał, Zalachenko powiedział mi, że zrobiło się za dużo hałasu i już jest zaplanowane, że Niedermann wyjedzie za granicę na jakiś czas.

Lisbeth nie rozmawiała tak dużo z policjantami, odkąd skończyła dwanaście lat.

– Zalachenko... a więc to pani ojciec.

Przynajmniej to udało im się wytropić. Przypuszczalnie dzięki Pieprzonemu Kallemu Blomkvistowi.

– Muszę panią poinformować, że ojciec złożył doniesienie na policję, że próbowała pani go zamordować. Sprawa jest w tej chwili u prokuratora, który podejmie decyzję o ewentualnym oskarżeniu. Ale w tej chwili jest pani aresztowana za spowodowanie ciężkich obrażeń ciała. Uderzyła pani Zalachenkę siekierą w głowę.

Lisbeth nic nie mówiła. Zapadła cisza. Potem Sonja Modig pochyliła się naprzód i powiedziała niskim głosem:

– Chciałabym tylko dodać, że w policji nie jesteśmy przekonani, czy Zalachenko mówi prawdę. Proszę porozmawiać poważnie ze swoją adwokat. Wtedy wrócimy do tej sprawy.

Erlander skinął głową. Wstali.

– Dziękuję za informacje o Niedermannie – powiedział Erlander.

Lisbeth była zaskoczona, że zachowują się tak poprawnie, niemal serdecznie. Zastanowiło ją to, co powiedziała Sonja Modig. Coś musi się za tym kryć, pomyślała.

Rozdział 7
Poniedziałek 11 kwietnia
– wtorek 12 kwietnia

ZA PIĘTNAŚCIE SZÓSTA w poniedziałkowy wieczór Mikael Blomkvist zamknął klapę iBooka i wstał od kuchennego stołu w swoim mieszkaniu na Bellmansgatan. Włożył kurtkę i poszedł piechotą do biura Milton Security przy Slussen. Wjechał windą na trzecie piętro, gdzie znajdowała się recepcja, i od razu został wpuszczony do sali konferencyjnej.

– Dobry wieczór – przywitał się z Armanskim. Uścisnęli sobie ręce. – Dziękuję, że zechciał pan być gospodarzem tego nieformalnego spotkania.

Rozejrzał się. Oprócz niego i Dragana Armanskiego obecni byli Annika Giannini, Holger Palmgren i Malin Eriksson. Ze strony Milton Security w spotkaniu uczestniczył także dawny inspektor policji Sonny Bohmann, który na zlecenie Armanskiego od pierwszego dnia obserwował dochodzenie przeciwko Salander.

Holger Palmgren po raz pierwszy od dwóch lat opuścił ośrodek rehabilitacyjny. Jego lekarz, doktor A. Sivarnandan, zdecydowanie nie był zachwycony pomysłem, żeby wypuścić pacjenta, ale Palmgren nalegał. Otrzymał komunalny minibusik do przewozu niepełnosprawnych. Towarzyszyła mu jego osobista pielęgniarka Johanna Karolina Oskarsson, trzydzieści dziewięć lat, którą opłacała tajemnicza fundacja, założona po to, żeby zapewnić Palmgrenowi możliwie najlepszą opiekę. Karolina Oskarsson siedziała przy stoliku do kawy przed salą. Miała ze sobą książkę. Mikael zamknął drzwi.

– Może nie wszyscy się znają... Malin Eriksson jest nową redaktor naczelną „Millennium". Poprosiłem ją, żeby się do nas przyłączyła, bo sprawy, które tu będziemy omawiać, mają związek z jej pracą.

– Okej – powiedział Armanski. – A więc jesteśmy. Zamieniam się w słuch.

Mikael stanął przy białej tablicy Armanskiego i wyjął z kieszeni pisak. Rozejrzał się dokoła.

– To najbardziej zwariowana rzecz, jaką kiedykolwiek robiłem – powiedział. – Kiedy to się skończy, założę stowarzyszenie. Nazwę je Rycerze Szalonego Stołu, a jego celem będzie organizowanie dorocznego obiadu, na którym będziemy plotkować o Lisbeth Salander. Wszyscy będziecie członkami.

Po krótkiej przerwie mówił dalej.

– Sytuacja wygląda tak – zaczął i napisał kilka słów na tablicy. Mówił nieco ponad trzydzieści minut. Dyskusja, która się potem wywiązała, trwała trzy godziny.

PO OFICJALNYM ZAKOŃCZENIU spotkania Evert Gullberg usiadł obok Fredrika Clintona. Rozmawiali kilka minut ściszonymi głosami. Potem Gullberg wstał. Starzy towarzysze broni uścisnęli sobie ręce.

Gullberg wrócił taksówką do hotelu Freys, zabrał swoje rzeczy, wymeldował się, po czym wsiadł do popołudniowego pociągu do Göteborga. Wybrał pierwszą klasę. Miał dla siebie cały przedział. Kiedy pociąg mijał most Årstabron, wyciągnął długopis i blok papieru listowego. Zastanawiał się chwilę, potem zaczął pisać. Zapełnił mniej więcej pół strony, przerwał i wyrwał arkusz z bloku.

Fałszowanie dokumentów to nie była jego działka, ale w tym przypadku sprawa była o tyle prosta, że list, który właśnie formułował, miał być podpisany przez niego samego. Problem polegał na tym, że żadne jego słowo nie miało być prawdziwe.

Za Nyköping wyrzucił kolejną porcję nieudanych prób, ale miał już wyobrażenie, jak listy powinny brzmieć. Gdy pociąg dojeżdżał do Göteborga, miał w aktówce dwanaście listów, z których był zadowolony. Dopilnował, żeby odciski jego palców były wyraźnie widoczne.

Na Dworcu Centralnym w Göteborgu udało mu się znaleźć kserokopiarkę i zrobił kopie listów. Potem kupił koperty ze znaczkami i wrzucił listy do skrzynki, która miała zostać opróżniona o dwudziestej pierwszej.

Wziął taksówkę do City Hotel na Lorensbergsgatan, gdzie Clinton zarezerwował już dla niego pokój. W ten sposób znalazł się w tym samym hotelu, w którym Mikael Blomkvist nocował kilka dni wcześniej. Od razu poszedł do pokoju i padł na łóżko. Był ogromnie zmęczony i uświadomił sobie, że przez cały dzień zjadł tylko dwa kawałki chleba. Nadal nie czuł głodu. Rozebrał się, wyciągnął na łóżku i prawie natychmiast zasnął.

ODGŁOS OTWIERANYCH DRZWI wyrwał Lisbeth Salander ze snu. Od razu wiedziała, że to nie pielęgniarka. Uchyliła powieki i przez wąskie szparki zobaczyła w drzwiach sylwetkę wspartą na kulach. Zalachenko stał nieruchomo i przyglądał się jej w świetle sączącym się z korytarza.

Nie poruszając się, przesunęła źrenice i zobaczyła, że cyfrowy zegarek pokazuje trzecią dziesięć.

Przesunęła spojrzenie kilka milimetrów dalej i zobaczyła szklankę z wodą na skraju nocnego stolika. Skoncentrowała na niej wzrok i obliczyła odległość. Powinna jej dosięgnąć bez przesuwania tułowia.

Ułamek sekundy wystarczyłby, żeby wyprostować ramię i zdecydowanym ruchem uderzyć górną częścią szklanki o twardy kant stolika. Pół sekundy zajęłoby potem wbicie ostrej krawędzi w szyję Zalachenki, gdyby chciał się nad nią pochylić. Przeanalizowała inne możliwości, ale doszła do wniosku, że to jedyna dostępna broń.

Rozluźniła się i czekała.

Zalachenko stał nieruchomo w uchylonych drzwiach przez dwie minuty.

Potem ostrożnie zamknął drzwi. Lisbeth usłyszała ciche szuranie kul, kiedy oddalał się od jej pokoju.

Pięć minut później uniosła się na łokciu, sięgnęła po szklankę i napiła się wody. Spuściła nogi na podłogę i odczepiła elektrody od ramion i klatki piersiowej. Odzyskanie kontroli nad ciałem zajęło jej około minuty. Pokuśtykała do drzwi i oparła się o ścianę, biorąc głęboki oddech. Była zlana zimnym potem. Potem ogarnęła ją lodowata wściekłość.

Fuck you, Zalachenko. Skończmy to wreszcie.

Potrzebowała broni.

W tej samej chwili usłyszała szybki stukot obcasów na korytarzu.

Cholera. Elektrody.

– Na miłość boską, co pani robi?! – wykrzyknęła pielęgniarka.

– Muszę... iść... do ubikacji – wydyszała Lisbeth.

– Proszę się natychmiast kłaść.

Ujęła dłoń Lisbeth i podparła ją, prowadząc do łóżka. Potem poszła po basen.

– Kiedy chce pani do ubikacji, wystarczy zadzwonić. Służy do tego ten guzik – pouczyła ją.

Lisbeth nie powiedziała nic. Koncentrowała się na tym, żeby wycisnąć choć kilka kropli.

WE WTOREK MIKAEL BLOMKVIST obudził się o wpół do jedenastej. Wziął prysznic, nastawił kawę i usiadł przy iBooku. Po spotkaniu w Milton Security poprzedniego wieczoru wrócił do domu i pracował do piątej nad ranem. Miał poczucie, że artykuł wreszcie przybiera konkretny kształt. Biografia Zalachenki nadal była bardzo skrótowa – miał do dyspozycji tylko informacje, które wycisnął z Björcka, i kilka szczegółów, które dorzucił Holger Palmgren. Historia

Lisbeth Salander była prawie gotowa. Krok po kroku tłumaczył, jak została osaczona przez szajkę maruderów zimnej wojny w RPS/Säk i zamknięta w klinice psychiatrycznej, żeby nie zdradziła tajemnicy Zalachenki.

Zapalił papierosa i pogrążył się w rozmyślaniach.

Zauważył dwie luki, które trzeba będzie wypełnić. Z jedną nie powinno być problemu. Będzie musiał rozprawić się z Peterem Teleborianem, i już się na to cieszył. Kiedy z nim skończy, znany psychiatra dziecięcy będzie jednym z najbardziej znienawidzonych ludzi w Szwecji.

Drugi problem był o wiele bardziej skomplikowany.

Spisek przeciwko Lisbeth Salander – w myślach nazywał ich Klubem Zalachenki – powstał w łonie służb specjalnych. Znał jedno nazwisko, Gunnar Björck, ale Gunnar Björck w żaden sposób nie mógł być jedynym odpowiedzialnym. Musiała istnieć cała grupa, jakiś wydział czy coś podobnego. Musieli być szefowie, odpowiedzialni oraz budżet. Problem polegał na tym, że nie miał pojęcia, w jaki sposób miałby zidentyfikować te osoby. Nie wiedział, od czego zacząć. Miał tylko ogólne pojęcie, jak wygląda organizacja Säpo.

W poniedziałek zaczął przymierzać się do researchu. Wysłał Henry'ego Corteza do kilku antykwariatów na Södermalmie z poleceniem kupienia każdej książki, która w jakikolwiek sposób dotyczyłaby służb specjalnych. Cortez zjawił się w mieszkaniu Mikaela około czwartej po południu, przynosząc sześć książek. Mikael przyjrzał się stercie leżącej na stole.

Szpiegostwo w Szwecji Mikaela Rosquista (Tempus, 1988), *Szef Säpo 1967–1970* Pera Gunnara Vingego (W & W, 1988), *Tajne siły* Jana Ottosona i Larsa Magnussona (Tiden, 1991), *Walka o Säpo* Erika Magnussona (Corona, 1989); *Zlecenie* Carla Lidboma (W & W, 1990) oraz – nieco zaskakujące – *An Agent in Place* Thomasa Whiteside'a (Ballantine, 1966), książka o aferze Wennerströma. Tej z lat sześćdziesiątych, nie jego własnej aferze z ostatnich lat.

Większą część nocy z poniedziałku na wtorek spędził na czytaniu lub choćby przeglądaniu książek, które znalazł Henry Cortez. Kiedy skończył, nasunęło mu się kilka spostrzeżeń. Po pierwsze, większość książek na temat Säpo, jakie kiedykolwiek zostały napisane, ukazała się pod koniec lat osiemdziesiątych. Poszukiwania w internecie potwierdziły, że nie było nowszych publikacji.

Po drugie, chyba nie istniał żaden przejrzysty przegląd działalności szwedzkiej tajnej policji na przestrzeni lat. Dawało się to wytłumaczyć faktem, że wiele spraw i akt było opatrzonych klauzulą tajności, dlatego trudno byłoby o nich pisać. Ale wszystko wskazywało na to, że nie było ani jednej instytucji, badacza ani dziennikarza, którzy krytycznie przyglądaliby się Säpo.

Zwrócił także uwagę na pewną ciekawostkę: w żadnej z książek przyniesionych przez Henry'ego Corteza nie było bibliografii. Przypisy zawierały odsyłacze do artykułów z popołudniówek lub prywatnych wywiadów z emerytowanymi funkcjonariuszami Säpo.

Książka *Tajne siły* była frapująca, ale opisywała głównie okres przedwojenny i lata drugiej wojny światowej. Wspomnienia Pera Gunnara Vingego wydały mu się zwykłym materiałem propagandowym, książką napisaną w akcie samoobrony przez ostro krytykowanego i w końcu zdymisjonowanego szefa Säpo. *An Agent in Place* zawierał tak dużo bzdurnych informacji o Szwecji już w pierwszym rozdziale, że Blomkvist po prostu wyrzucił książkę do kosza. Jedynymi książkami, które wydawały się opisywać tajną służbę bezpieczeństwa, były *Walka o Säpo* i *Szpiegostwo w Szwecji*. Zawierały daty, nazwiska, strukturę biurokratyczną i inne dane. Zwłaszcza książka Erika Magnussona wydała mu się lekturą godną uwagi. Nawet jeśli nie obejmowała odpowiedzi na jego pytania, dawała wystarczające pojęcie o tym, jak wyglądała organizacja Säpo i czym służba zajmowała się w minionych dekadach.

Największym zaskoczeniem było *Zlecenie* Carla Lidboma, w którym były ambasador w Paryżu opisywał problemy, z jakimi zmagał się, kiedy na zlecenie rządu badał działalność Säpo po zabójstwie Olofa Palmego i aferze Ebbego Carlssona. Mikael nigdy przedtem nie czytał niczego Carla Lidboma i zaskoczył go pełen ironii język okraszony błyskotliwymi spostrzeżeniami. Ale nawet książka Carla Lidboma nie przybliżyła mu odpowiedzi na jego pytania, tyle tylko że coraz wyraźniej widział, na co się porywa.

Po krótkim zastanowieniu sięgnął po komórkę i zadzwonił do Henry'ego Corteza.

– Cześć, Henry. Dziękuję za wczorajszą bieganinę.

– Hmm... czego chcesz?

– Jeszcze trochę bieganiny.

– Micke, mam robotę. Zostałem sekretarzem redakcji.

– Wspaniały krok w karierze.

– Czego chcesz?

– Przez lata przeprowadzono w Säpo wiele publicznych dochodzeń. Jedno z nich prowadził Carl Lidbom. Musi być więcej takich raportów.

– No i co?

– Weź do domu wszystko, co można znaleźć w Riksdagu – budżety, sprawozdania z komisji śledczych, interpelacje i tym podobne. I zamów sprawozdania roczne Säpo tak daleko wstecz, jak się tylko da.

– *Yes, massa.*

– Świetnie. I wiesz, Henry...

– Tak?

– ...potrzebuję tego wszystkiego dopiero na jutro.

LISBETH SALANDER spędziła cały dzień na rozmyślaniach o Zalachence. Wiedziała, że jest dwoje drzwi dalej, że krąży nocami po korytarzu i że zajrzał do jej pokoju o trzeciej dziesięć w nocy.

Pojechała do Gossebergi z zamiarem zabicia go. Nie udało się. Skończyło się na tym, że żyje i jest niecałe dziesięć metrów od niej. Siedziała po szyję w gównie. Nie potrafiła ocenić, jak głęboko, ale zakładała, że powinna uciec i dyskretnie zniknąć za granicą, jeśli nie chce dać się znowu zamknąć w domu wariatów z Peterem Teleborianem na straży.

Największy problem stanowił fakt, że nie miała nawet siły usiąść na łóżku. Zauważała poprawę. Bóle głowy miała nadal, ale teraz przychodziły falami, zamiast jak jeszcze niedawno dręczyć ją nieustannie. Ból w ramieniu czaił się pod powierzchnią i dawał o sobie znać, kiedy tylko próbowała się ruszyć.

Usłyszała kroki za drzwiami i zobaczyła, że pielęgniarka wpuszcza kobietę w czarnych spodniach, białej bluzce i ciemnym żakiecie. Kobieta była piękna, szczupła, miała ciemne włosy obcięte po chłopięcemu. W ręce trzymała czarną aktówkę. Lisbeth od razu zauważyła, że ma takie same oczy jak Mikael Blomkvist.

– Dzień dobry, Lisbeth. Nazywam się Annika Giannini – odezwała się kobieta. – Mogę wejść?

Lisbeth przyglądała się jej z obojętnym wyrazem twarzy. Nagle poczuła, że nie ma najmniejszej ochoty spotykać się z siostrą Mikaela Blomkvista. Pożałowała, że wyraziła zgodę, żeby Giannini została jej adwokatem.

Annika Giannini weszła do pokoju, zamknęła za sobą drzwi i przysunęła sobie krzesło. Kilka sekund siedziała w milczeniu i patrzyła na swoją klientkę.

Lisbeth Salander wyglądała okropnie. Zamiast głowy miała kłąb bandaży. Przekrwione oczy otaczały ogromne purpurowe sińce.

– Zanim zaczniemy cokolwiek omawiać, chciałabym się upewnić, że naprawdę chcesz, żebym była twoim adwokatem. Przeważnie zajmuję się sprawami cywilnymi, reprezentuję ofiary gwałtów i maltretowania. Nie jestem adwokatem od spraw karnych. Ale zapoznałam się ze szczegółami twojej historii i bardzo bym chciała cię reprezentować, jeśli mogę. Muszę dodać, że Mikael Blomkvist jest moim bratem. Zresztą chyba już o tym wiesz. I to on razem z Draganem Armanskim płacą mi honorarium.

Odczekała chwilę, a kiedy nie zauważyła żadnej reakcji ze strony swojej klientki, mówiła dalej.

– Jeśli więc chcesz, bym była twoim adwokatem, będę pracowała dla ciebie. Nie dla mojego brata i nie dla Armanskiego. Podczas rozprawy będzie mi pomagał twój dawny opiekun prawny, Holger Palmgren. Prawdziwy z niego twardziel. Wstał ze szpitalnego łóżka, żeby ci pomóc.

– Palmgren? – powtórzyła Lisbeth Salander.

– Tak.

– Czy spotkałaś się z nim?

– Tak. Będzie moim doradcą.

– Jak on się czuje?

– Jest wściekły jak sto diabłów, ale, co dziwne, wcale nie wygląda na to, żeby się o ciebie martwił.

Na twarzy Lisbeth Salander pokazał się krzywy uśmieszek. Pierwszy, odkąd znalazła się w Sahlgrenska.

– Jak ty się czujesz? – zapytała Annika Giannini.

– Jak worek gówna.

– Rozumiem. Jeśli chcesz, żebym była twoim obrońcą, Armanski i Mikael pokryją koszty i...

– Nie.

– Co nie?

– Sama pokryję. Nie chcę ani grosza od Armanskiego ani od Kallego Blomkvista. Ale będę mogła ci zapłacić dopiero po uzyskaniu dostępu do sieci.

– Rozumiem. Zajmiemy się tym, kiedy przyjdzie co do czego. Zresztą budżet państwa i tak pokryje większą część mojego honorarium. A więc chcesz, żebym cię reprezentowała?

Lisbeth Salander skinęła głową.

– Dobrze. W takim razie na początek powtórzę ci wiadomość od Mikaela. Wyraża się dość zagadkowo, ale mówił, że zrozumiesz, o co mu chodzi.

– Aha.

– Mówi, że opowiedział mi prawie wszystko, z wyjątkiem kilku rzeczy. Pierwsza dotyczy umiejętności, które odkrył w Hedestad.

Mikael wie, że mam fotograficzną pamięć... i że jestem hakerką. Nie zdradził tego nikomu.

– Okej.

– Druga rzecz to płyta CD. Nie wiem, o co mu chodzi, ale mówi, że to ty musisz zdecydować, czy chcesz mi to opowiedzieć, czy nie. Kojarzysz, co może mieć na myśli?

Płyta z nagranym gwałtem Bjurmana.

– Tak.

– Okej...

W głosie Anniki Giannini nagle pojawiło się zwątpienie.

– Trochę jestem zła na mojego brata. Choć sam zlecił mi twoją sprawę, opowiada mi tylko tyle, ile mu pasuje. Czy ty także zamierzasz coś przede mną ukrywać?

Lisbeth zastanowiła się.

– Nie wiem.

– Będziemy musiały omówić dużo spraw. Nie mogę teraz zostać dłużej, bo za czterdzieści pięć minut mam spotkanie z prokurator Agnetą Jervas. Chciałam tylko uzyskać od ciebie potwierdzenie, że naprawdę chcesz, żebym była twoim adwokatem. Dostaniesz też instrukcje...

– Aha.

– Chodzi o to, żebyś beze mnie nie rozmawiała z policją. Ani słowa. Wszystko jedno, o co będą pytali. Nawet jeśli będą próbowali prowokować i oskarżać cię o różne rzeczy. Czy możesz mi to obiecać?

– Bez najmniejszego problemu – odparła Lisbeth Salander.

EVERT GULLBERG był całkowicie wyczerpany po męczącym poniedziałku i obudził się dopiero o dziewiątej rano, czyli prawie cztery godziny później niż zwykle. Poszedł do łazienki, umył się i wyszorował zęby. Długo stał, wpatrując się w swoją twarz w lustrze. Potem zgasił lampę i zaczął się ubierać. Z brązowej aktówki wyjął ostatnią czystą koszulę, do tego założył krawat w brązowy deseń.

Zszedł do sali śniadaniowej, wypił filiżankę zwykłej czarnej kawy, zjadł tosta z plasterkiem sera i odrobiną dżemu pomarańczowego. Popił dużą szklanką wody mineralnej.

Potem poszedł do hotelowego foyer i z automatu na kartę zadzwonił na komórkę Fredrika Clintona.

– To ja. Jak wygląda sytuacja?

– Dość niespokojna.

– Fredrik, dasz radę?

– Oczywiście, jest tak jak kiedyś. Szkoda tylko, że Hans von Rottinger nie żyje. Był lepszy ode mnie w planowaniu operacji.

– Ty i on byliście tak samo dobrzy. Mogliście się w każdej chwili wymienić. Zresztą dość często tak było.

– Tu chodzi o wyczucie szczegółu. On zawsze był o oczko lepszy.

– Jak stoicie?

– Sandberg jest bystrzejszy, niż sądziliśmy. Zaangażowaliśmy Mårtenssona jako zewnętrzną pomoc. Jest gońcem, ale bardzo się przydaje. Mamy podsłuch telefonu domowego i komórki Blomkvista. W ciągu dnia zajmiemy się telefonami Giannini i „Millennium". Zaczęliśmy analizować plany biura i mieszkań. Wejdziemy do nich, gdy się tylko da.

– Musisz najpierw zlokalizować wszystkie kopie.

– To już załatwione. Mieliśmy niesłychane szczęście. Annika Giannini zadzwoniła do Blomkvista o dziewiątej rano. Pytała, ile kopii jest w obiegu. Z rozmowy wynika, że jedyną kopię ma Mikael Blomkvist. Berger też miała, ale wysłała ją Bublanskiemu.

– Świetnie. Nie mamy czasu do stracenia.

– Wiem. Wszystko musi być zrobione za jednym zamachem. Jeśli nie zbierzemy wszystkich kopii równocześnie, poniesiemy klęskę.

– Wiem.

– Sprawa się trochę skomplikowała, bo Giannini pojechała dziś rano do Göteborga. Wysłałem grupę zewnętrznych współpracowników. Właśnie tam lecą.

– Świetnie.

Gullberg nie wiedział, co jeszcze powiedzieć.

– Dziękuję, Fredrik – rzekł w końcu.

– To ja tobie dziękuję. To o wiele ciekawsze, niż siedzieć w domu i nadaremnie czekać na nową nerkę.

Pożegnali się. Gullberg zapłacił za hotel i wyszedł na ulicę. Sprawa nabierała rozpędu. Teraz chodziło o to, żeby możliwie najlepiej zgrać choreografię.

Zaczął od przechadzki do Park Avenue Hotel, gdzie poprosił o możliwość skorzystania z faksu. Nie chciał tego robić w hotelu, w którym mieszkał. Przefaksował listy, które napisał w pociągu dzień wcześniej. Potem wyszedł na Avenyn i poszukał taksówki. Zatrzymał się przy koszu na śmieci i wyrzucił podarte kopie listów.

ANNIKA GIANNINI rozmawiała z prokurator Agnetą Jervas piętnaście minut. Chciała wiedzieć, jakie zarzuty prokurator zamierza postawić Lisbeth Salander, ale szybko wyczuła, że Jervas sama nie jest pewna, jak się wszystko potoczy.

– Na razie zadowolę się aresztem z paragrafu ciężkie obrażenia ciała lub usiłowanie zabójstwa. Chodzi o zaatakowanie siekierą ojca. Zakładam, że pani powoła się na prawo do obrony koniecznej.

– Być może.

– Ale, szczerze powiedziawszy, obecnie mój priorytet to morderca policjanta Ronald Niedermann.

– Rozumiem.

– Kontaktowałam się z prokuratorem generalnym. Trwają dyskusje, czy wszystkie zarzuty wobec pani klientki zostaną zebrane u jednego prokuratora w Sztokholmie i powiązane z tym, co się zdarzyło tutaj.

– Zakładam, że śledztwo zostanie przeniesione do Sztokholmu.

– Dobrze. W każdym razie muszę mieć możliwość przesłuchania Lisbeth Salander. Kiedy mogłoby się to odbyć?

– Mam opinię jej lekarza, Andersa Jonassona. Twierdzi, że Lisbeth Salander nie będzie w stanie uczestniczyć w przesłuchaniach jeszcze przez kilka dni. Pomijając jej obrażenia fizyczne, jest pod wpływem silnych środków przeciwbólowych.

– Dostałam podobne informacje. Chyba pani rozumie, że to dla mnie frustrująca sytuacja. Powtarzam, że moim priorytetem jest obecnie Ronald Niedermann. Pani klientka twierdzi, że nie wie, gdzie się ukrywa.

– Co odpowiada prawdzie. Ona nie zna Niedermanna. Udało jej się tylko zidentyfikować go i wyśledzić.

– Okej – powiedziała Agneta Jervas.

EVERT GULLBERG wsiadał do windy w szpitalu Sahlgrenska razem z krótkowłosą kobietą w ciemnym żakiecie. W dłoni miał wiązankę kwiatów. Przytrzymał uprzejmie drzwi i przepuścił ją przodem w drodze do recepcji na oddziale.

– Nazywam się Annika Giannini. Jestem adwokatem i chciałabym ponownie zobaczyć się z moją klientką, Lisbeth Salander.

Evert Gullberg odwrócił głowę i zszokowany patrzył na kobietę, której otwierał drzwi. Przeniósł spojrzenie i przyjrzał się jej aktówce, podczas gdy pielęgniarka sprawdzała dokument tożsamości Anniki Giannini i przeglądała listę pacjentów.

– Pokój numer dwanaście.

– Dziękuję. Już tam byłam, trafię sama.

Kobieta wzięła aktówkę i zniknęła z pola widzenia Gullberga.

– W czym mogę panu pomóc? – zwróciła się do niego pielęgniarka.

– Chciałbym przekazać te kwiaty Karlowi Axelowi Bodinowi.

– On nie może przyjmować wizyt.

– Wiem, chciałbym je tylko zostawić dla niego.

– Tym możemy się zająć.

Gullberg wziął ze sobą kwiaty, żeby mieć jakiś pretekst. Chciał mieć wyobrażenie, jak wygląda oddział. Podziękował i ruszył do wyjścia. Po drodze mijał drzwi Zalachenki, pokój 14, jak mówił Jonas Sandberg.

Na klatce schodowej zawrócił. Przez szybę w drzwiach zobaczył, jak pielęgniarka idzie z jego kwiatami i znika w pokoju Zalachenki. Kiedy wróciła, Gullberg otworzył drzwi, szybko ruszył do pokoju numer 14 i wśliznął się do środka.

– Witaj, Aleksandrze – powiedział.

Zaskoczony Zalachenko gapił się na niezapowiedzianego gościa.

– Myślałem, że już dawno nie żyjesz – odezwał się wreszcie.

– Jeszcze nie – odparł Gullberg.

– Czego chcesz? – zapytał Zalachenko.

– A jak myślisz?

Gullberg przysunął sobie krzesło.

– Pewnie przekonać się, że odwaliłem kitę.

– No, to nie byłoby wcale takie najgorsze. Jak mogłeś być tak cholernym durniem! Daliśmy ci całkiem nowe życie, a ty wylądowałeś tutaj.

Gdyby Zalachenko mógł się uśmiechać, pewnie by to w tej chwili zrobił. W szwedzkiej służbie bezpieczeństwa pracowali jego zdaniem amatorzy. Zaliczał do nich Everta Gullberga i Svena Janssona alias Gunnara Björcka. Nie wspominając o kompletnym idiocie, jakim był mecenas Nils Bjurman.

180

– A teraz znów pali ci się pod tyłkiem i będziemy musieli cię ratować.

Wyrażenie to szczególnie nie spodobało się ciężko poparzonemu Zalachence.

– Daj spokój z tymi umoralniającymi gadkami. Wydostań mnie stąd.

– Właśnie o tym chciałem z tobą porozmawiać.

Gullberg położył sobie aktówkę na kolanach, wyjął z niej czysty notes i otworzył. Potem spojrzał badawczo na Zalachenkę.

– Jestem ciekaw jednej rzeczy: czy rzeczywiście byłbyś w stanie nas pogrążyć, po tym wszystkim, co dla ciebie zrobiliśmy?

– A jak sądzisz?

– Zależy, jak bardzo jesteś szalony.

– Nie nazywaj mnie szaleńcem. Ja jestem niezniszczalny, jestem mistrzem przetrwania. Robię wszystko, co niezbędne, żeby przetrwać.

Gullberg potrząsnął głową.

– Nie, Aleksandrze. Robisz to, co robisz, bo jesteś zły i zepsuty. Chciałeś mieć odpowiedź Sekcji. Przyjechałem tu, żeby ci ją przekazać. Tym razem nie ruszymy nawet palcem, żeby ci pomóc.

Zalachenko po raz pierwszy miał niepewną minę.

– Nie masz wyboru – powiedział.

– Zawsze jest jakiś wybór – odparł Gullberg.

– Ja mogę wam...

– Ty już nic nie będziesz mógł.

Gullberg wziął głęboki oddech, wsunął rękę do zewnętrznej kieszeni brązowej aktówki i wyjął rewolwer smith and wesson kaliber 9 milimetrów z pozłacaną kolbą. Otrzymał go w prezencie od brytyjskiej służby wywiadowczej dwadzieścia pięć lat temu – za niezwykle cenną informację, jaką udało mu się wydostać od Zalachenki i zamienić na twardą walutę w postaci nazwiska stenografa w brytyjskiej MI-5, który w najlepszym duchu tradycji Philby'ego pracował dla Rosjan.

Zalachenko był zaskoczony. Potem zaśmiał się.

– I co zamierzasz z nim zrobić? Zastrzelić mnie? Spędzisz resztę swojego nędznego życia w pierdlu.

– Nie sądzę – odparł Gullberg.

Zalachenko nagle stracił pewność, że Gullberg blefuje.

– To będzie skandal o ogromnym zasięgu.

– Również nie sądzę. Pojawi się kilka tytułów. Ale za tydzień nikt już nie będzie pamiętał nazwiska Zalachenko.

Zalachenko zmrużył oczy.

– Ty cholerny bydlaku! – powiedział Gullberg z takim chłodem w głosie, że Zalachenkę zmroziło w kawałek lodu.

Potem Gullberg nacisnął spust i strzelił mu prosto w środek czoła, akurat gdy próbował przełożyć protezę przez brzeg łóżka. Zalachenko opadł z powrotem na poduszkę. Zadrgał konwulsyjnie kilka razy i znieruchomiał. Gullberg zobaczył na ścianie za wezgłowiem łóżka czerwony kwiat rozbryźniętej krwi. Od huku dzwoniło mu w uszach. Odruchowo wolnym kciukiem potarł w środku ucho.

Potem wstał, podszedł do Zalachenki, przyłożył mu lufę do skroni i nacisnął spust jeszcze dwa razy. Chciał mieć pewność, że pieprzony dziad naprawdę nie żyje.

KIEDY PADŁ PIERWSZY STRZAŁ, Lisbeth Salander gwałtownie usiadła w łóżku. Poczuła silny ból w ramieniu. Po dwóch kolejnych strzałach próbowała stanąć na nogi.

Annika Giannini rozmawiała z nią zaledwie kilka minut, kiedy padły strzały. Przez chwilę siedziała jak sparaliżowana, usiłując dociec, skąd pochodzi ten głośny huk. Patrząc na Lisbeth, zrozumiała, że dzieje się coś złego.

– Nie ruszaj się! – krzyknęła Annika. Odruchowo położyła dłoń na klatce piersiowej Lisbeth i bezceremonialnie pchnęła swoją klientkę z powrotem na łóżko. Z taką siłą, że z Lisbeth uszło powietrze.

Potem szybko podeszła do drzwi i otworzyła je. Zobaczyła dwie pielęgniarki biegnące w stronę pokoju dwoje drzwi dalej. Pierwsza pielęgniarka stanęła w progu jak wryta. Krzyknęła „Nie, nie rób tego!", a potem cofnęła się, wpadając na koleżankę.

– On jest uzbrojony. Uciekaj!

Annika zobaczyła, jak pielęgniarki otwierają drzwi do pokoju sąsiadującego z Lisbeth Salander, żeby tam się schronić.

W następnym momencie na korytarzu pojawił się wychudzony siwowłosy mężczyzna w marynarce w pepitkę. W dłoni trzymał pistolet. Annika rozpoznała w nim człowieka, z którym kilka minut wcześniej jechała windą.

Wtedy spotkały się ich spojrzenia. Mężczyzna wyglądał na oszołomionego. Potem zobaczyła, że kieruje broń w jej stronę i robi krok naprzód. Cofnęła głowę do pokoju, zatrzasnęła drzwi i zdesperowana rozejrzała się wkoło. Tuż obok niej stał wysoki stolik pielęgniarski. Jednym ruchem przysunęła go do drzwi i wsunęła blat pod klamkę.

Usłyszała jakiś odgłos. Odwróciła się i zobaczyła, że Lisbeth Salander znów próbuje wyczołgać się z łóżka. Kilkoma szybkimi krokami przecięła pokój i objęła swoją klientkę. Poodrywała elektrody i kroplówki, a potem zaniosła dziewczynę do toalety i posadziła na klapie sedesu. Odwróciła się, zablokowała drzwi. Dopiero wtedy sięgnęła do kieszeni żakietu, wyjęła komórkę i wybrała numer alarmowy 112.

EVERT GULLBERG podszedł do drzwi Lisbeth Salander i spróbował nacisnąć klamkę. Była zablokowana. Nie mógł jej poruszyć ani o milimetr.

Krótką chwilę stał niezdecydowany pod drzwiami. Wiedział, że w środku jest Annika Giannini i zastanawiał się, czy ma w teczce kopię raportu Björcka. Ale nie mógł wejść do pokoju. Nie miał też siły, żeby wyważyć drzwi.

Zresztą tego nie było w planie. To Clinton miał się zająć zagrożeniem ze strony Giannini. Jego zadaniem był Zalachenko.

Gullberg rozejrzał się po korytarzu i uświadomił sobie, że jest obserwowany przez dwa tuziny pielęgniarek, pacjentów i gości, wyglądających z wszystkich drzwi. Uniósł pistolet i strzelił w obraz wiszący na końcu korytarza. Publiczność zniknęła jak za dotknięciem czarodziejskiej różdżki.

Jeszcze raz spojrzał na zamknięty pokój, po czym zdecydowanym krokiem ruszył z powrotem do pokoju Zalachenki i zamknął za sobą drzwi. Usiadł na krześle i przyglądał się rosyjskiemu zdrajcy, który przez tak wiele lat stanowił tak ważną część jego życia.

Siedział nieruchomo prawie dziesięć minut, aż usłyszał odgłosy z korytarza i uświadomił sobie, że to musi być policja. Nie myślał o niczym szczególnym.

Potem ostatni raz uniósł pistolet, wycelował w swoją skroń i nacisnął spust.

POTEM OKAZAŁO SIĘ, jakim niedopatrzeniem było usiłowanie popełnienia samobójstwa w szpitalu Sahlgrenska. Evert Gullberg został natychmiast przewieziony na oddział chirurgii, gdzie przyjął go doktor Anders Jonasson. Natychmiast zastosował szereg środków podtrzymujących życie.

Drugi raz w ciągu niecałych dwóch tygodni Jonasson wykonywał operację wyjęcia nienaruszonej kuli z ludzkiej tkanki mózgowej. Po pięciu godzinach operacji Gullberg był w stanie krytycznym. Lecz nadal żył.

Jego obrażenia były jednak znacznie poważniejsze niż te, które odniosła Lisbeth Salander. Przez kilka dni balansował między życiem a śmiercią.

MIKAEL BLOMKVIST był w Kaffebar na Hornsgatan, kiedy usłyszał w radiu, że sześćdziesięciosześcioletni mężczyzna o nieznanym nazwisku, podejrzany o próbę zabicia

Lisbeth Salander, został zastrzelony w szpitalu Sahlgrenska w Göteborgu. Odstawił filiżankę, wziął torbę z komputerem i popędził w stronę Götgatan. Przeciął Mariatorget i skręcał akurat w S:t Paulsgatan, kiedy zadzwoniła jego komórka. Odebrał w biegu.

– Blomkvist.

– Cześć, tu Malin.

– Słyszałem wiadomości. Czy wiemy, kto strzelał?

– Jeszcze nie. Henry Cortez już za tym biega.

– Jestem w drodze do redakcji. Będę za pięć minut.

W drzwiach redakcji „Millennium" spotkał Henry'ego Corteza, który właśnie wychodził.

– Ekström zwołał konferencję prasową na piętnastą – rzucił. – Jadę na Kungsholmen.

– Co wiemy? – zawołał za nim Mikael.

– Malin – odkrzyknął Henry i już go nie było.

Mikael skierował się do gabinetu Eriki Berger... nie, Malin Eriksson. Właśnie rozmawiała przez telefon, notując coś gorączkowo na żółtej samoprzylepnej kartce. Pomachała ostrzegawczo ręką. Mikael poszedł do aneksu kuchennego i nalał kawy z mlekiem do dwóch kubków z logo młodzieżówki chrześcijańskich demokratów i młodzieży socjaldemokratycznej. Kiedy wrócił do gabinetu, Malin właśnie kończyła rozmowę. Podał jej socjaldemokratów.

– A więc tak – zaczęła Malin. – Zalachenko został zastrzelony dziś o trzynastej piętnaście.

Spojrzała na Mikaela.

– Właśnie rozmawiałam z pielęgniarką ze szpitala. Mówi, że mordercą jest starszy mężczyzna, w wieku około siedemdziesięciu lat, który kilka minut przedtem przyniósł Zalachence kwiaty. Oddał kilka strzałów w głowę ofiary, następnie strzelił do siebie. Zalachenko nie żyje. Morderca żyje, właśnie jest operowany.

Mikael wypuścił z ulgą powietrze. Odkąd usłyszał tę wiadomość w Kaffebar, serce podchodziło mu do gardła na myśl, że to Lisbeth Salander mogła trzymać broń. To naprawdę pokrzyżowałoby mu plany.

– Czy znamy nazwisko faceta, który strzelał? – zapytał.

Malin potrząsnęła głową. W tej samej chwili zadzwonił telefon. Odebrała. Z przebiegu rozmowy Mikael wywnioskował, że dzwoni ich niezależny współpracownik z Göteborga, którego Malin wysłała do Sahlgrenska. Pomachał do niej i poszedł do swojego pokoju.

Miał wrażenie, jakby przyszedł do pracy po raz pierwszy od kilku tygodni. Na biurku piętrzyła się sterta nieotwartych listów, ale zdecydowanym ruchem odsunął je na bok. Zadzwonił do siostry.

– Giannini.

– Cześć, tu Mikael. Słyszałaś o tym, co się stało w Sahlgrenska?

– To mało powiedziane.

– Gdzie jesteś?

– W szpitalu. Ten skurwiel celował we mnie.

Mikaelowi na kilka sekund odebrało mowę. W końcu dotarło do niego, co powiedziała.

– O kurwa... byłaś tam?

– Tak. To najgorszy koszmar, jaki kiedykolwiek przeżyłam.

– Jesteś ranna?

– Nie. Ale próbował się dostać do pokoju Lisbeth. Zablokowałam drzwi i zamknęłam się z nią w kiblu.

Mikael poczuł nagle, że cały świat się zakołysał. Jego siostra została prawie...

– A jak się ma Lisbeth? – zapytał.

– Jest cała i zdrowa. To znaczy, chciałam powiedzieć, że nic się jej dzisiaj nie stało.

Mikael odetchnął.

– Anniko, czy wiesz coś o zabójcy?

– Nic. To był starszy mężczyzna, starannie ubrany. Wydawało mi się, że jest trochę zdezorientowany. Nigdy wcześniej go nie widziałam, ale jechałam z nim windą na górę kilka minut przed zabójstwem.

– I to już pewne, że Zalachenko nie żyje?

– Tak. Słyszałam trzy strzały i z tego, co zrozumiałam, za każdym razem strzelał w głowę. Ale tu był straszny chaos, setki policjantów i ewakuacja oddziału, gdzie leżą ciężkie przypadki, których nie wolno przewozić. Kiedy zjawiła się policja, ktoś z nich chciał przesłuchać Lisbeth Salander, nie mając pojęcia, w jakim jest stanie. Musiałam być stanowcza.

INSPEKTOR MARCUS ERLANDER obserwował mecenas Annikę Giannini przez uchylone drzwi pokoju Lisbeth Salander. Przyciskała do ucha komórkę. Musiał więc poczekać, aż skończy rozmowę.

Dwie godziny po zabójstwie Zalachenki na korytarzu nadal panował zorganizowany chaos. Pokój Zalachenki był zamknięty. Lekarze próbowali udzielić mu pomocy zaraz po strzałach, ale szybko dali za wygraną. Nic już nie mogło mu pomóc. Jego ciało zostało przewiezione do patologa. Zaczęto badać miejsce zbrodni.

Zadzwoniła komórka Erlandera. Fredrik Malmberg z dochodzeniówki.

– Zidentyfikowaliśmy mordercę – zaczął Malmberg. – Nazywa się Evert Gullberg, ma siedemdziesiąt osiem lat.

Siedemdziesiąt osiem lat. Dość zaawansowany wiek jak na mordercę.

– A kim, do diabła, jest Evert Gullberg?

– Emeryt. Zamieszkały w Laholm. Prawnik biznesowy. Dzwonili do mnie z RPS/Säk. Okazuje się, że niedawno wszczęto postępowanie przeciwko niemu.

– Kiedy i dlaczego?

– Nie wiem kiedy. A powód jest taki, że ma niemiły zwyczaj wysyłania chorych listów z pogróżkami do osób publicznych.

187

– Na przykład do kogo?

– Do ministra sprawiedliwości.

Marcus Erlander westchnął. A więc to szaleniec. Pieniacz.

– Dziś rano dzwoniło do Säpo kilka redakcji gazet, które dostały listy od Gullberga. Ministerstwo sprawiedliwości też dzwoniło, gdyż Gullberg otwarcie sformułował groźby pod adresem Karla Axela Bodina.

– Chcę mieć kopie tych listów.

– Z Säpo?

– Tak, do cholery! Jedź do Sztokholmu i przywieź je osobiście, jeśli to będzie potrzebne. Chcę je mieć na biurku, kiedy wrócę do komendy. Czyli za jakąś godzinę.

Pewna myśl przemknęła mu przez głowę, po czym zadał jeszcze jedno pytanie:

– Czy to z Säpo dzwonili do ciebie?

– Mówiłem przecież.

– To znaczy, że to oni dzwonili do ciebie, a nie odwrotnie?

– Tak. Właśnie tak było.

– Okej – powiedział Marcus Erlander i rozłączył się.

Zastanawiał się, co tak nagle naszło ludzi z Säpo, że sami z własnej inicjatywy kontaktują się z policją. Normalnie nie dało się od nich wyciągnąć prawie niczego.

WADENSJÖÖ BEZCEREMONIALNIE otworzył drzwi do pokoju, w którym odpoczywał Clinton. Fredrik Clinton usiadł ostrożnie.

– Co tu się, do kurwy nędzy, dzieje? – ryknął Wadensjöö.

– Gullberg zabił Zalachenkę, a potem palnął sobie w łeb.

– Wiem – odrzekł Clinton.

– Wiesz? – wykrzyknął Wadensjöö.

Był purpurowy na twarzy. Wyglądał, jakby za chwilę miał dostać wylewu.

– Przecież on się, kurwa, postrzelił. Próbował się zabić. Czy on oszalał?

– A więc żyje?

– Na razie tak, ale ma poważne uszkodzenie mózgu.

Clinton westchnął.

– Szkoda – powiedział smutnym głosem.

– Szkoda?! – powtórzył Wadensjöö. – Przecież ten Gullberg to wariat. Nie rozumiesz, co...

Clinton mu przerwał.

– Gullberg ma raka żołądka, jelita grubego i pęcherza. Jest umierający od kilku miesięcy i w najlepszym razie miał przed sobą jeszcze kilka miesięcy życia.

– Raka?

– Nosił ze sobą ten pistolet przez ostatnie pół roku, zdecydowany, żeby go użyć, kiedy ból będzie nie do zniesienia, zanim znajdzie się w upokarzającej sytuacji rośliny. A tak udało mu się jeszcze wykonać ostatnie zadanie dla Sekcji. Odszedł w wielkim stylu.

Wadensjöö na chwilę stracił mowę.

– A więc wiedziałeś, że zamierza zabić Zalachenkę?

– Oczywiście. Jego zadaniem było dopilnowanie, żeby Zalachenko nie miał możliwości gadać. A jak wiesz, z nim nie można było rozmawiać rozsądnie ani też go zastraszyć.

– Ale czy nie rozumiesz, jaki z tego może być ogromny skandal? Jesteś tak samo szalony jak Gullberg?

Clinton wstał z widocznym wysiłkiem. Spojrzał prosto w oczy Wadensjöö i wręczył mu plik wydruków z faksu.

– To decyzja operacyjna. Żałuję mojego przyjaciela, ale przypuszczalnie wkrótce i tak pójdę jego śladem. A co się tyczy skandalu... Były prawnik od podatków napisał masę niezbornych i paranoidalnych listów do gazet, policji i wymiaru sprawiedliwości. Tu masz przykłady. Gullberg oskarża Zalachenkę, że od śmierci Palmego zatruwa ludność Szwecji chlorem. Listy wskazują ewidentnie na chorobę psychiczną. Zostały napisane częściowo nieczytelnie, częściowo drukowanymi literami, pełno w nich podkreśleń i wykrzykników. Podobają mi się dopiski na marginesach.

Wadensjöö przeglądał listy z rosnącym zdziwieniem. Przyłożył rękę do czoła. Clinton przyglądał się temu spokojnie.

– Cokolwiek się zdarzy, śmierć Zalachenki nie będzie miała nic wspólnego z Sekcją. Strzały oddał niezrównoważony, chory psychicznie emeryt. – Zrobił pauzę. – Ważne jest, żebyś od tej chwili i ty zajął miejsce w szeregu. *Don't rock the boat.*

Wbił spojrzenie w Wadensjöö. Nagle w oczach ciężko chorego człowieka błysnęła stal.

– Musisz zrozumieć, że Sekcja jest najważniejszym przyczółkiem szwedzkiej obronności. Jesteśmy ostatnią linią obrony. Naszym zadaniem jest czuwanie nad bezpieczeństwem państwa. Cała reszta jest nieważna.

Wadensjöö patrzył na Clintona z desperacją w oczach.

– My jesteśmy tymi, których nie ma. Jesteśmy tymi, którym nikt nie dziękuje. Jesteśmy tymi, którzy muszą podejmować decyzje, z jakimi nikt inny by sobie nie poradził... a już na pewno nie politycy.

Kiedy wypowiadał ostatnie słowo, w jego głosie zabrzmiała pogarda.

– Rób, co ci mówię, a Sekcja może przetrwa. Ale aby to się stało, musimy być zdecydowani i nie przebierać w środkach.

Wadensjöö czuł, że wpada w panikę.

HENRY CORTEZ notował gorączkowo wszystko, co mówiono na konferencji prasowej w siedzibie policji na Kungsholmen. Konferencję otworzył prokurator Richard Ekström. Jak powiedział, rano podjęto decyzję, że śledztwo w sprawie zabójstwa policjanta w Gosseberdze, za które Ronald Niedermann jest ścigany listem gończym, zostanie w rękach prokuratury w Göteborgu, podczas gdy on sam przejmuje wszystkie pozostałe dochodzenia dotyczące Niedermanna. A więc Niedermann był podejrzewany o zamordowanie Daga Svenssona i Mii Bergman. Nie wspomniał o mecenasie Bjurmanie. Powiedział za to, że wszczyna dochodzenie i wniesie oskarżenie przeciwko Lisbeth Salander w związku z wieloma innymi przestępstwami.

Wyjaśnił, że zdecydował się przedstawić te informacje po tym, co zdarzyło się dziś w szpitalu w Göteborgu, czyli po zastrzeleniu Karla Axela Bodina, ojca Lisbeth Salander. Bezpośrednim powodem zwołania konferencji prasowej była chęć zdementowania informacji podawanych w mediach, w sprawie których kilkakrotnie do niego dzwoniono.

– Na podstawie dostępnych w tej chwili danych mogę stwierdzić, że córka Karla Axela Bodina, która jest zatrzymana za usiłowanie zabójstwa ojca, nie ma nic wspólnego z dzisiejszymi wydarzeniami.

– Kim jest morderca? – zawołał reporter z „Dagens Eko".

– Mężczyzna, który o trzynastej piętnaście oddał śmiertelne strzały do Karla Axela Bodina, a następnie próbował popełnić samobójstwo, został zidentyfikowany. To siedemdziesięcioośmioletni emeryt, który od dłuższego czasu był pod opieką lekarzy w związku ze śmiertelnym schorzeniem i wynikającymi z tego problemami psychicznymi.

– Czy jest w jakiś sposób powiązany z Lisbeth Salander?

– Nie. Z całą pewnością możemy to wykluczyć. Tych dwoje nigdy się nie spotkało i nie znają się. Siedemdziesięcioośmiolatek jest postacią tragiczną. Działał na własną rękę, zgodnie ze swoim paranoicznym obrazem świata. Służby specjalne wszczęły niedawno dochodzenie przeciwko niemu, w związku z listownymi pogróżkami, które wysyłał do znanych polityków i mediów. Dziś rano do redakcji gazet i kilku instytucji przyszedł pisany przez niego list, w którym grozi Karlowi Axelowi Bodinowi śmiercią.

– Dlaczego więc policja nie zapewniła Bodinowi ochrony?

– List, który go dotyczy, został wysłany wczoraj wieczorem i przyszedł w zasadzie w tej samej chwili, kiedy dokonano morderstwa. Nic nie można było zrobić.

– Jak się nazywa ten mężczyzna?

– W tej chwili nie chcemy jeszcze ujawniać tej informacji. Najpierw musimy zawiadomić jego najbliższych.

– Kim jest, skąd pochodzi?

– Z tego, co zrozumiałem, pracował wcześniej jako rewizor i prawnik specjalizujący się w podatkach. Od piętnastu lat na emeryturze. Dochodzenie toczy się nadal, ale jak państwo się domyślają na podstawie listów, które wysyłał, można byłoby chyba zapobiec tej tragedii, gdyby społeczeństwo było bardziej czujne.

– Czy groził też innym osobom?

– Otrzymałem takie informacje, tak, ale nie znam bliższych szczegółów.

– A co to znaczy dla sprawy Lisbeth Salander?

– W tej chwili nic. Mamy zeznanie samego Karla Axela Bodina, złożone przed przesłuchującymi go policjantami, mamy też liczne dowody i ślady na miejscu zbrodni, które przemawiają przeciwko niej.

– A jak wygląda sprawa doniesień, że Bodin próbował zamordować swoją córkę?

– Jest to przedmiotem dochodzenia, ale istnieją poważne wątpliwości co do takiego przebiegu sprawy. Obecnie widzimy to tak, że chodzi o głębokie kontrowersje w tragicznie rozbitej rodzinie.

Henry Cortez zamyślił się. Podrapał się w ucho. Zauważył, że koledzy reporterzy notują tak samo pilnie jak on.

KIEDY GUNNAR BJÖRCK usłyszał wiadomość o strzałach w Sahlgrenska, wpadł w przerażenie. Miał potworne bóle pleców.

Siedział niezdecydowany ponad godzinę. Potem sięgnął po telefon i spróbował zadzwonić do swojego dawnego patrona, Everta Gullberga z Laholm. Nikt nie odebrał.

Wysłuchał serwisu informacyjnego, w którym podawano skrót policyjnej konferencji prasowej. Zalachenko zastrzelony przez siedemdziesięciooośmioletniego szaleńca i pieniacza.

Mój Boże. Siedemdziesiąt osiem lat.

Jeszcze raz bezskutecznie spróbował połączyć się z Evertem Gullbergiem.

Wreszcie panika i lęk zwyciężyły. Nie mógł dłużej zostać w domu w Smådalarö. Poczuł się osaczony i zagrożony. Potrzebował czasu, żeby wszystko przemyśleć. Zapakował do torby ubrania, środki przeciwbólowe i przybory toaletowe. Nie chciał korzystać ze swojego telefonu, pokuśtykał więc do automatu przy pobliskim sklepiku spożywczym. Zadzwonił do Landsort i zarezerwował pokój z widokiem na wieżę portową. Landsort leżało na końcu świata i niewielu ludzi wpadłoby na to, żeby go tam szukać. Zarezerwował pokój na dwa tygodnie.

Spojrzał na zegarek. Jeśli chce zdążyć na ostatni prom, powinien się pośpieszyć. Wrócił do domu tak szybko, jak tylko pozwalały mu bolące plecy. Poszedł prosto do kuchni, żeby sprawdzić, czy ekspres do kawy jest wyłączony. Potem wziął z przedpokoju torbę. Mimochodem zajrzał do dużego pokoju i zatrzymał się zaskoczony.

Początkowo nie rozumiał, co widzi.

Lampa w jakiś tajemniczy sposób została zdjęta z sufitu i leżała na stoliku. Zamiast niej na haku wisiała lina, wprost nad taboretem, który normalnie stał w kuchni.

Nic nie rozumiejąc, wpatrywał się w pętlę.

Potem usłyszał za sobą jakieś odgłosy i poczuł, że uginają się pod nim kolana.

Odwrócił się powoli.

Dwóch mężczyzn w wieku około trzydziestu pięciu lat. Zauważył, że wyglądają na południowców. Nie zdążył nic zrobić, kiedy spokojnie schwycili go pod ramiona, postawili na nogi i tyłem doprowadzili do taboretu. Kiedy próbował się wyrywać, ból przeszył mu plecy jak nóż. Niemal sparaliżowany poczuł, że stawiają go na taborecie.

JONASOWI SANBERGOWI towarzyszył czterdziestodziewięcioletni mężczyzna, w pewnych kręgach noszący ksywę Falun. W młodości był zawodowym złodziejem włamywaczem, później zaś wyszkolił się na ślusarza. Hans von Rottinger z Sekcji zaangażował Faluna w 1986 roku do operacji sforsowania drzwi u przywódcy anarchistycznego ugrupowania. Od tego czasu Falun regularnie świadczył usługi dla Sekcji, póki w połowie lat dziewięćdziesiątych tego rodzaju operacji nie zaniechano. Fredrik Clinton wczesnym rankiem odnowił kontakt i zadzwonił do Faluna ze zleceniem. Falun zarabiał około dziesięciu tysięcy koron na czarno za mniej więcej dziesięć minut pracy. W zamian zobowiązał się, że nie ukradnie niczego z mieszkania, do którego się włamywał. Mimo wszystko Sekcja nie zajmowała się działalnością przestępczą.

Falun nie wiedział dokładnie, kogo Clinton reprezentuje, ale zakładał, że ma to coś wspólnego z wojskiem. Czytał Jana Guillou. Nie zadawał pytań. Ale cieszyło go, że znów jest potrzebny, po tylu latach milczenia zleceniodawcy.

Jego robota polegała na otwarciu drzwi. Był ekspertem od włamań i miał komplet wytrychów. A mimo to pokonanie zamka Mikaela Blomkvista zajęło mu pięć minut. Potem został na klatce schodowej, a Jonas Sandberg wszedł do środka.

– Jestem w środku – powiedział Sandberg do komórki z zestawem głośnomówiącym.

– Świetnie – odezwał się Clinton w słuchawce w jego uchu. – Spokojnie i ostrożnie. Opisz, co widzisz.

– Jestem w przedpokoju z garderobą i wieszakiem po prawej stronie i łazienką po lewej. Poza tym mieszkanie składa się z jednego wielkiego pomieszczenia o powierzchni około pięćdziesięciu metrów kwadratowych. Po prawej stronie jest mała kuchnia z barem.

– Jest jakieś biurko czy...

– Wygląda na to, że pracuje przy stole kuchennym albo na sofie... czekaj.

Clinton czekał.

– Tak. Na kuchennym stole jest skoroszyt z raportem Björcka. Wygląda na oryginał.

– Świetnie. Jeszcze jakieś ciekawe rzeczy?

– Książki. Pamiętniki Pera Gunnara Vingego, *Walka o Säpo* Erika Magnussona. Pół tuzina podobnych książek.

– Jest komputer?

– Nie.

– Szafa pancerna?

– Nie... niczego takiego nie zauważyłem.

– Okej. Nie śpiesz się. Obejrzyj mieszkanie metr po metrze. Mårtensson donosi, że Blomkvist jest jeszcze w redakcji. Oczywiście włożyłeś rękawiczki?

– Jasne.

MARCUS ERLANDER mógł wreszcie porozmawiać z Anniką Giannini. Oboje przestali rozmawiać przez komórkę. Wszedł do pokoju Lisbeth Salander, wyciągnął rękę i przedstawił się. Potem przywitał się z Lisbeth i zapytał o samopoczucie. Lisbeth nie odpowiedziała. Inspektor zwrócił się do Anniki Giannini.

– Muszę pani zadać kilka pytań.

– Tak?

– Czy może mi pani powiedzieć, co się zdarzyło?

Annika Giannini opisała, co się wydarzyło i jak się zachowywała aż do momentu, kiedy razem ze swoją klientką zabarykadowała się w toalecie. Erlander sprawiał wrażenie zamyślonego. Spoglądał na Lisbeth Salander, potem na jej adwokat.

– A więc myśli pani, że podszedł do tego pokoju?

– Słyszałam, jak próbował nacisnąć klamkę.

– Jest pani tego pewna? Czasami, kiedy ktoś jest przestraszony lub zdenerwowany, może łatwo sobie coś wyobrazić.

– Słyszałam go. Patrzył na mnie. Wycelował we mnie broń.

– Sądzi pani, że chciał strzelać także do pani?

– Nie wiem. Schowałam głowę i zablokowałam drzwi.

– To było bardzo mądre. Jeszcze mądrzejsze było przeniesienie Lisbeth Salander do toalety. Te drzwi są tak cienkie, że kule przypuszczalnie przeszłyby na wylot, gdyby strzelił. Próbuję tylko zrozumieć, czy chciał zaatakować panią umyślnie, czy tylko dlatego że pani na niego patrzyła. Była pani najbliżej.

– Zgadza się.

– Czy miała pani wrażenie, że panią zna lub rozpoznaje?

– Nie, raczej nie.

– Nie mógł pani znać z prasy? Była pani cytowana przy okazji różnych głośnych procesów.

– To możliwe. Trudno mi powiedzieć.

– I nigdy przedtem go pani nie widziała?

– Widziałam go w windzie, kiedy jechałam na górę.

– Tego nie wiedziałem. Rozmawialiście?

– Nie. Rzuciłam na niego okiem, może na pół sekundy. Miał bukiet w jednej ręce i aktówkę w drugiej.

– Nawiązali państwo kontakt wzrokowy?

– Nie. On patrzył prosto przed siebie.

– Wyszedł pierwszy czy za panią?

Annika zastanowiła się chwilę.

– Wyszliśmy mniej więcej równocześnie.

– Czy wyglądał na zagubionego, czy...

– Nie. Stał spokojnie z tymi kwiatami.

– Co się stało później?

– Wyszłam z windy. On wyszedł jednocześnie ze mną, a ja poszłam do mojej klientki.

– Poszła pani od razu do niej?

– Tak... nie. To znaczy najpierw podeszłam do recepcji, żeby się wylegitymować. Prokurator zakazał odwiedzin u mojej klientki.

– A gdzie w tym czasie był tamten mężczyzna?

Annika zawahała się.

– Nie jestem pewna. Szedł za mną, tak myślę. Chwileczkę, wiem... Wyszedł z windy pierwszy, ale zatrzymał się i przytrzymał mi drzwi. Nie mogę przysiąc, ale wydaje mi się, że też poszedł do recepcji. Tylko że ja szłam szybciej.

Uprzejmy emerytowany morderca, pomyślał Erlander.

– Tak, to prawda, poszedł do recepcji – przyznał. – Rozmawiał z pielęgniarką i zostawił kwiaty. Ale tego pani już nie widziała?

– Nie. Nie przypominam sobie.

Marcus Erlander rozmyślał jeszcze chwilę, ale nie przychodziło mu do głowy nic więcej, o co mógłby zapytać. Był sfrustrowany. Miewał już takie uczucie przedtem i nauczył się interpretować je jako sygnał ostrzegawczy.

Morderca został zidentyfikowany jako siedemdziesięcioośmioletni Evert Gullberg, były rewizor, być może także doradca biznesowy i prawnik podatkowy. Człowiek w podeszłym wieku. Człowiek, przeciwko któremu Säpo wszczęło niedawno postępowanie z powodu listów z pogróżkami, jakie wysyłał do znanych osób.

Z policyjnego doświadczenia Erlandera wynikało, że na świecie żyje mnóstwo wariatów, ludzi chorobliwie opętanych, którzy prześladują sławne osoby i szukają uczucia, osiedlając się w krzakach pod domem obiektu swojego zainteresowania. A kiedy ich miłość pozostaje nieodwzajemniona, szybko może zamienić się w nieprzejednaną nienawiść. Zdarzają się stalkerzy, którzy przyjeżdżają z Niemiec czy Włoch, żeby okazywać uczucie młodziutkiej piosenkarce ze znanego zespołu popowego, a później wściekają się, że nie chce się z nimi natychmiast związać. Są pieniacze przeżuwający ciągle rzeczywiste lub wyimaginowane nieprawości systemu. Też potrafią być groźni. Trafiają się psychopaci, ludzie opętani teorią wszechobecnego spisku, którzy są w stanie odbierać ukryte wiadomości, umykające reszcie świata.

Jest też dość przykładów na to, że tacy wariaci potrafią przejść od fantazji do czynu. Czyż morderstwo minister

Anny Lindh nie było rezultatem impulsu takiego szaleńca? Może. A może nie.

Ale inspektor Marcus Erlander nie był zachwycony tym, że chory psychicznie eksdoradca podatkowy, czy też kim tam mógł być, wchodzi sobie po prostu do Sahlgrenska z bukietem w jednej ręce i pistoletem w drugiej, a następnie morduje osobę, która akurat jest przedmiotem skomplikowanego śledztwa – jego śledztwa. Mężczyznę, który w oficjalnej ewidencji ludności nosił nazwisko Karl Axel Bodin, ale według Mikaela Blomkvista nazywał się Zalachenko i był pieprzonym radzieckim zbiegłym szpiegiem i mordercą.

Zalachenko był w najlepszym razie świadkiem, a w najgorszym odpowiadał za współudział w szeregu zabójstw. Erlander zdążył go dwa razy szybko przesłuchać i podczas obu rozmów ani przez sekundę nie wierzył w jego zapewnienia o niewinności.

A jego zabójca interesował się też Lisbeth Salander lub przynajmniej jej obrońcą. Próbował dostać się do ich pokoju.

Potem zaś próbował popełnić samobójstwo, strzelając sobie w skroń. Zgodnie z opinią lekarzy był w tak ciężkim stanie, że jego zamiar najprawdopodobniej się powiódł, choć ciało jeszcze nie zrozumiało, że czas zakończyć funkcjonowanie. Były więc podstawy, by przypuszczać, że Evert Gullberg nigdy nie stanie przed sądem.

Marcusowi Erlanderowi nie podobała się ta sytuacja. Ani przez chwilę. Ale nie miał żadnych dowodów, że strzały Gullberga były czymś więcej, niż się wydawały. W każdym razie zdecydował, że musi dmuchać na zimne. Spojrzał na Annikę Giannini.

– Zdecydowałem, że Lisbeth Salander zostanie przeniesiona do innego pokoju. W odnodze korytarza na prawo od recepcji jest pokój bezpieczniejszy od tego. Pielęgniarki bez problemu mogą go mieć na oku przez całą dobę, z recepcji i z dyżurki. Zakaz odwiedzin dotyczy wszystkich z wyjątkiem pani. Nikt nie może do niej wejść bez pozwolenia, chyba że to znany w Sahlgrenska lekarz lub pielęgniarka. Dopilnuję też, żeby jej drzwi przez całą dobę były pilnowane przez policjanta.

– Sądzi pan, że coś jej grozi?

– Nic na to nie wskazuje. Ale nie chciałbym ryzykować.

Lisbeth Salander słuchała z uwagą rozmowy swojej adwokat z policjantem. Annika Giannini zaimponowała jej precyzyjnymi i bystrymi odpowiedziami, bardzo szczegółowymi. Jeszcze większe wrażenie zrobiła na niej jej umiejętność zachowania zimnej krwi w trudnej sytuacji.

Poza tym potwornie bolała ją głowa, po tym jak Annika Giannini wyrwała ją z łóżka i zaniosła do toalety. Instynktownie chciała mieć jak najmniej do czynienia z personelem szpitala. Nie lubiła prosić o pomoc ani okazywać słabości. Ale ból głowy był tak silny, że nie była w stanie myśleć. Wyciągnęła rękę i zadzwoniła po pielęgniarkę.

ANNIKA GIANNINI planowała, że zacznie od wizyty w Göteborgu. Najpierw chciała poznać Lisbeth Salander, dowiedzieć się, w jakim jest naprawdę stanie, i zrobić pierwszy szkic strategii, którą wymyślili razem z Mikaelem. Pierwotnie zamierzała wrócić do Sztokholmu tego samego dnia wieczorem, ale dramatyczne wydarzenia w Sahlgrenska sprawiły, że jeszcze nie zdążyła porozmawiać z Lisbeth Salander. Z jej klientką było o wiele gorzej, niż się spodziewała, kiedy lekarze mówili o stabilnym stanie. Miała silne bóle głowy i gorączkę. Doktor Helena Endrin zaleciła jej silne środki przeciwbólowe, antybiotyki i odpoczynek. Gdy tylko Lisbeth została przeniesiona do innego pokoju i przed jej drzwiami stanął policjant, Annikę wyproszono.

Pomrukując z niezadowolenia, spojrzała na zegarek i stwierdziła, że jest już wpół do piątej. Zawahała się. Miała do wyboru: pojechać do Sztokholmu – ale wtedy musiałaby wrócić następnego dnia – albo przenocować w Göteborgu, ryzykując, że jej klientka i tak będzie jeszcze zbyt słaba na wizyty. Nie rezerwowała pokoju w hotelu. Zresztą i tak była adwokatem niskobudżetowym, gdyż reprezentowała prześladowane kobiety w kiepskiej sytuacji ekonomicznej. Unikała więc obciążania rachunków kosztami drogich noclegów. Najpierw zadzwoniła do domu, a potem do mecenas Lillian Josefsson, członkini Sieci Kobiet i dawnej koleżanki ze studiów. Nie widziały się dwa lata, więc zanim Annika przeszła do rzeczy, świergotały przez chwilę.

– Jestem w Göteborgu – powiedziała. – Zamierzałam wracać do domu dziś wieczorem, ale zdarzyło się coś, przez co muszę zostać tu na noc. Czy mogłabym przyjść i wprosić się do ciebie?

– Cudownie. Kochana, chodź i się wpraszaj. Nie widziałyśmy się całe wieki.

– Nie będę przeszkadzać?

– Nie, oczywiście, że nie. Przeprowadziłam się. Teraz mieszkam przy przecznicy Linnéegatan. Mam pokój gościnny. I mogłybyśmy wieczorem iść do knajpy i się trochę pośmiać.

– Jeśli dam radę – powiedziała Annika. – O której mam przyjść?

Umówiły się, że przyjdzie około szóstej.

Annika pojechała autobusem na Linnéegatan i następną godzinę spędziła w greckiej restauracji. Była wygłodzona i zamówiła szaszłyk z sałatą. Siedziała długo i rozmyślała o tym, co się stało. Była jeszcze trochę rozedrgana, bo poziom adrenaliny zdążył już opaść, ale zadowolona z siebie. W chwili zagrożenia działała bez wahania, skutecznie i konkretnie. Dokonała właściwego wyboru, nawet się nad tym nie zastanawiając. To bardzo przyjemne uczucie móc o sobie tak pomyśleć.

Po chwili wyjęła z aktówki organizer i otworzyła notatnik. Czytała w skupieniu. Miała wiele wątpliwości co do tego, co opowiadał jej Mikael. Wszystko brzmiało logicznie, ale plan miał też wielkie dziury. Nie zamierzała jednak się wycofać.

O szóstej zapłaciła i pieszo ruszyła do mieszkania Lillian Josefsson na Olivedalsgatan. Wystukała kod do bramy, który podała jej przyjaciółka. Weszła do klatki schodowej i rozglądała się za windą, kiedy niespodziewanie ktoś się na nią rzucił. Bez żadnych sygnałów ostrzegawczych została brutalnie, z całej siły pchnięta na ceglaną ścianę przy bramie. Uderzyła czołem o mur i poczuła rozbłysk bólu.

W następnej chwili usłyszała oddalające się kroki i odgłos otwieranych i zamykanych drzwi. Podniosła się, dotknęła ręką czoła i zobaczyła na dłoni krew. *Kurwa mać*. Oszołomiona rozejrzała się dokoła i wyszła na ulicę. Zobaczyła skrawek pleców znikających za rogiem przy Sveaplan. Zaskoczona stała w bezruchu jakąś minutę.

Potem uświadomiła sobie, że nie ma aktówki, że właśnie została obrabowana. Dopiero po kilku sekundach dotarło do niej znaczenie tego faktu. O nie. Teczka Zalachenki. Poczuła, jak szok uderza w przeponę i rozchodzi się po całym ciele. Spróbowała pobiec za uciekającym mężczyzną, ale prawie natychmiast się zatrzymała. To nie miało sensu. On zniknął.

Powoli usiadła na krawężniku.

Potem poderwała się i włożyła rękę do kieszeni. Organizer. Dzięki Bogu. Wychodząc z restauracji, włożyła go do kieszeni żakietu zamiast do aktówki. Był w nim szkic jej strategii w sprawie Lisbeth Salander, punkt po punkcie.

Pobiegła z powrotem do bramy, wybrała kod, weszła, popędziła na czwarte piętro i załomotała do drzwi Lillian Josefsson.

BYŁO JUŻ PRAWIE wpół do siódmej, kiedy Annika pozbierała się na tyle, że mogła zadzwonić do Mikaela Blomkvista. Miała podbite oko i rozcięty łuk brwiowy. Lillian Josefsson przemyła jej ranę spirytusem i zakleiła plastrem. Nie, nie chce jechać do szpitala. Tak, chętnie napije się herbaty. Dopiero po jakimś czasie znów zaczęła myśleć racjonalnie.

Mikael Blomkvist był nadal w redakcji „Millennium", gdzie razem z Henrym Cortezem i Malin Eriksson polował na informacje o mordercy Zalachenki. Zszokowany, z rosnącym przerażeniem słuchał relacji Anniki.

– Nic ci nie jest? – zapytał.

– Mam podbite oko. Nic mi nie jest, już się uspokoiłam.

– Jakiś pieprzony napad?

– Zabrali mi aktówkę z teczką Zalachenki, którą od ciebie dostałam. Nie ma jej.

– To nie problem, zrobię ci jeszcze jedną kopię.

Urwał nagle i poczuł, jak włoski jeżą mu się na karku. Najpierw Zalachenko. Teraz Annika.

– Anniko... zaraz oddzwonię.

Zamknął iBooka, włożył go do torby i bez słowa pędem opuścił redakcję. Pobiegł do domu na Bellmansgatan i wbiegł po schodach na górę.

Drzwi były zamknięte.

Gdy tylko znalazł się w środku, stwierdził, że niebieski skoroszyt, który zostawił na stole, zniknął. Nie zawracał sobie głowy szukaniem. Wiedział dokładnie, gdzie leżał, kiedy wychodził z domu. Osunął się wolno na jedno z kuchennych krzeseł. W głowie miał gonitwę myśli.

Ktoś był w mieszkaniu. Ktoś próbuje zacierać ślady po Zalachence.

Zabrano jego kopię i kopię Anniki.

Bublanski nadal ma egzemplarz raportu.

Ale czy na pewno?

Mikael wstał i podszedł do telefonu, ale rozmyślił się już z ręką na słuchawce. Ktoś był w jego mieszkaniu. Nagle z największą podejrzliwością spojrzał na telefon i z kieszeni marynarki wyłowił komórkę.

Czy to taki problem podsłuchiwać rozmowy z komórki?

Powoli położył komórkę obok telefonu stacjonarnego i rozejrzał się po mieszkaniu.

Mam do czynienia z zawodowcami. Czy to tak trudno założyć podsłuch w mieszkaniu?

Znów usiadł przy kuchennym stole.

Spojrzał na torbę z komputerem.

Kontrolowanie maili to też nie jest trudna sztuka. Lisbeth Salander załatwia to w pięć minut.

DŁUGO SIĘ ZASTANAWIAŁ, aż wreszcie znów podszedł do telefonu i zadzwonił do siostry, do Göteborga. Starannie dobierał słowa.

– Cześć... jak się czujesz?

– W porządku, Micke.

Dziesięć minut zajęło jej zrelacjonowanie wydarzeń. Mikael nie komentował, ale wtrącał dodatkowe pytania, aż wszystkiego się dowiedział. Odgrywał zatroskanego brata, ale równocześnie jego mózg pracował na zupełnie innym poziomie, rekonstruując fakty.

O wpół do piątej Annika zdecydowała, że zostanie w Göteborgu, i zadzwoniła z komórki do przyjaciółki, która podała jej adres i kod do bramy. Napastnik czekał na klatce schodowej punktualnie o szóstej.

Jej komórka jest na podsłuchu. To było jedyne sensowne wyjaśnienie.

Wszystko inne było bez sensu.

– Ale oni zabrali teczkę Zalachenki – powtórzyła Annika.

Mikael zwlekał z odpowiedzią. Ci, którzy postanowili ukraść jego raport, wiedzieli już, że jest ukradziony. Naturalne więc było, że opowie o tym siostrze przez telefon.

– Moją też – powiedział.

– Co?

Wyjaśnił, że pobiegł do domu i na kuchennym stole nie było niebieskiego skoroszytu.

– Okej – powiedział Mikael Blomkvist ponurym głosem.
– To katastrofa. Nie mamy akt Zalachenki. To była najistotniejsza część materiału dowodowego.

– Micke... tak mi przykro.

– Mnie też – powiedział Mikael. – Kurwa mać! Ale to nie twoja wina. Powinienem upublicznić ten raport tego samego dnia, kiedy trafił w moje ręce.

– To co teraz zrobimy?

– Nie wiem. To najgorsze, co mogło się zdarzyć. To rozwala cały nasz plan. Nie mamy teraz ani cienia dowodu przeciwko Björckowi czy Teleborianowi.

Rozmawiali jeszcze kilka minut, potem Mikael się pożegnał.

– Chcę, żebyś jutro wróciła do Sztokholmu – powiedział.

– Sorry. Muszę spotkać się z Salander.

– To spotkaj się z nią przed południem i wróć po południu. Musimy razem usiąść i zastanowić się, co dalej.

MIKAEL SIEDZIAŁ NA SOFIE, patrząc przed siebie. Po chwili na jego twarz wypłynął uśmiech. Ten, kto przysłuchiwał się tej rozmowie, wiedział już, że „Millennium" straciło raport Gunnara Björcka z 1991 roku i jego korespondencję z doktorem od czubków Teleborianem. Wiedział też, że Mikael i Annika są załamani.

Poprzedniej nocy z lektury historii tajnych służb Mikael dowiedział się, że dezinformacja jest podstawą wszelkiej działalności szpiegowskiej. Przed chwilą rozpoczął akcję dezinformacyjną, która z perspektywy czasu mogła okazać się bezcenna.

Otworzył torbę i wyjął kopię, którą zrobił z myślą o Draganie Armanskim, ale jeszcze nie miał okazji mu jej dać. Był to jedyny egzemplarz, jaki im pozostał. Nie zamierzał go stracić. Wręcz przeciwnie, zamierzał bezzwłocznie skopiować go w co najmniej pięciu egzemplarzach i rozmieścić w odpowiednich miejscach.

Potem rzucił okiem na zegarek i zadzwonił do redakcji „Millennium". Malin Eriksson była jeszcze w pracy, ale przygotowywała się już do wyjścia.

– Co się stało? Wybiegłeś, jakby się paliło.

– Czy mógłabyś zaczekać jeszcze chwilę? Zaraz wrócę do redakcji i chciałbym jeszcze z tobą porozmawiać, zanim wyjdziesz.

Od kilku tygodni nie miał czasu zrobić prania. Wszystkie koszule leżały w koszu z brudną bielizną. Spakował przybory do golenia i *Walkę o Säpo* wraz z jedynym ocalałym egzemplarzem raportu Björcka. Poszedł do Dressmanna, gdzie kupił cztery koszule, dwie pary spodni, dziesięć par slipów. Wziął ubrania ze sobą do redakcji. Malin Eriksson cierpliwie czekała, a Mikael brał jeszcze szybki prysznic. Nie rozumiała, o co chodzi.

– Ktoś włamał się do mojego mieszkania i ukradł raport o Zalachence. Ktoś napadł Annikę w Göteborgu i zabrał jej egzemplarz. Mam dowody, że jej telefon jest na podsłuchu, co przypuszczalnie oznacza, że także i mój, może twój i być może redakcji. I podejrzewam, że jeśli ktoś zadaje sobie trud, żeby włamać się do mieszkania, byłby głupcem, gdyby przy okazji nie założył podsłuchu.

– Ach tak – powiedziała Malin bezbarwnym głosem. Zerknęła na swoją komórkę leżącą na biurku.

– Pracuj tak jak zwykle. Używaj komórki, ale nie przekazuj żadnych ważnych informacji. Jutro poinformujemy o tym Henry'ego Corteza.

– Okej. Wyszedł godzinę temu. Zostawił ci na biurku stertę sprawozdań z komisji. Ale co ty tu...

– Zamierzam nocować dziś w „Millennium". Jeśli dzisiaj zastrzelili Zalachenkę, ukradli raporty i założyli podsłuch w moim mieszkaniu, to może znaczyć, że dopiero zaczęli się rozkręcać i nie zdążyli jeszcze zajrzeć do redakcji. Przez cały dzień ktoś tu był. Nie chcę, żeby redakcja stała pusta w nocy.

– Myślisz, że zamordowanie Zalachenki... Przecież zastrzelił go jakiś siedemdziesięcioośmioletni świr.

– Nie wierzę ani trochę w taki przypadek. Ktoś zaczyna
zacierać ślady po Zalachence. Kompletnie mnie nie obchodzi, kim jest ten siedemdziesięcioośmiolatek i ile wariackich
listów napisał do ministrów. Był czymś w rodzaju wynajętego mordercy. Poszedł tam z zamiarem zabicia Zalachenki...
i być może Lisbeth Salander.

– Ale przecież popełnił samobójstwo, próbował w każdym razie. Jaki zawodowy morderca tak robi?

Mikael zamyślił się na chwilę. Spojrzał redaktor naczelnej w oczy.

– Taki, który ma siedemdziesiąt osiem lat i przypuszczalnie niewiele do stracenia. On na pewno jest w to zamieszany i kiedy zakończymy śledztwo, będziemy w stanie to
udowodnić.

Malin Eriksson z uwagą przyglądała się twarzy Mikaela.
Nigdy przedtem nie widziała, żeby był tak opanowany. Nagle przeszył ją dreszcz. Mikael to zauważył.

– Jeszcze jedno. Teraz nie jesteśmy już zaplątani w walkę
z bandą kryminalistów. Zaczynamy wojnę ze służbami państwowymi. To będzie ostra walka.

Malin skinęła głową.

– Nie sądziłem, że sprawy zajdą tak daleko, Malin. Powiedz tylko, jeśli chcesz się wycofać.

Przed chwilę się wahała. Zastanawiała się, co powiedziałaby w tej sytuacji Erika Berger. Potem zdecydowanie pokręciła głową.

Część 2

Hacker Republic

1 – 22 maja

Irlandzkie prawo z 697 roku zabrania kobietom wstępowania do wojska – co oznacza, że przedtem kobiety służyły w armii. Do narodów, które w różnych okresach historii wykorzystywały kobiecych żołnierzy, należą Arabowie, Berberowie, Kurdowie, Chińczycy, Filipińczycy, Maorysi, Papuasi, australijscy Aborygeni, Mikronezyjczycy i Indianie amerykańscy.

Istnieje bogaty zbiór legend o budzących grozę kobiecych wojowniczkach ze starożytnej Grecji. W opowieściach pojawiają się kobiety od dzieciństwa szkolone w sztuce wojennej, obchodzeniu się z bronią i znoszeniu fizycznego wysiłku. Mieszkały osobno i wyruszały na wojnę we własnych regimentach. Nierzadko w opowieściach tych można spotkać wzmianki, że na polu bitwy pokonały mężczyzn. Amazonki występują na przykład w *Iliadzie* Homera, ponad siedemset lat przed Chrystusem.

Również z greki pochodzi określenie „Amazonka". Dosłownie oznacza ono „bez piersi", co tłumaczy się tym, że aby łatwiej napinać łuk, Amazonki usuwały sobie prawą pierś. Nawet jeśli najwybitniejsi lekarze w historii Grecji, Hipokrates i Galenos, byli zgodni, że taka operacja ułatwia używanie broni, nie jest pewne, czy rzeczywiście przeprowadzano takie zabiegi. Mamy tu do czynienia z zagadką językową – niejasne jest, czy prefiks a- rzeczywiście oznacza „bez". Niektórzy dopatrywali się odwrotnego znaczenia: w rzeczywistości

211

Amazonka miałaby być kobietą o szczególnie dużych piersiach. W żadnym muzeum nie znajdziemy rysunku, amuletu czy posążku przedstawiającego kobietę bez prawej piersi. Gdyby legenda o usuwaniu piersi odpowiadała prawdzie, powinno to być motywem dosyć częstym.

Rozdział 8
Niedziela 1 maja – poniedziałek 2 maja

ERIKA BERGER wzięła głęboki oddech, otworzyła drzwi windy i weszła do redakcji „Svenska Morgon-Posten". Było piętnaście po dziesiątej. Erika była starannie ubrana. Miała na sobie czarne spodnie, czerwony sweter i ciemny żakiet. Był piękny słoneczny dzień, pierwszy maja. Idąc do redakcji, widziała formujące się grupki uczestników pochodu i przypomniała sobie, że sama nie uczestniczyła w żadnej demonstracji od ponad dwudziestu lat.

Przez chwilę niezauważona stała samotnie przy drzwiach windy. Pierwszy dzień w nowej pracy. Ze swojego miejsca widziała większą część redakcji z newsroomem pośrodku. Uniosła lekko wzrok i zobaczyła szklane drzwi do pokoju redaktora naczelnego, który przez najbliższe lata miał być jej miejscem pracy.

Nie była do końca przekonana, czy jest właściwą osobą do kierowania tak ociężałą strukturą jak „Svenska Morgon-Posten". To był ogromny krok: od pisma „Millennium" z piątką pracowników do gazety codziennej, zatrudniającej osiemdziesięciu dziennikarzy oraz dziewięćdziesiąt innych osób, pracujących w administracji, dziale technicznym, layoucie, fotografów, sprzedawców reklam, dystrybutorów i wielu innych potrzebnych przy wydawaniu gazety. Do tego jest jeszcze wydawnictwo, firma produkcyjna i zarządzająca. W sumie ponad dwieście trzydzieści osób.

Przez chwilę zastanawiała się, czy to wszystko nie było gigantyczną pomyłką.

Potem starsza z dwóch recepcjonistek rozpoznała ją, wyszła zza kontuaru i wyciągnęła rękę.

– Pani Berger. Witamy w SMP.

– Dzień dobry.

– Zaprowadzę panią do redaktora naczelnego Morandera... to znaczy ustępującego redaktora, chciałam powiedzieć.

– Dziękuję, ale widzę go tam, za szybą – odparła Erika z uśmiechem. – Chyba trafię sama. Ale dziękuję za uprzejmość.

Przeszła szybkim krokiem przez redakcję i odnotowała, że w tym czasie gwar nieco przycichł. Nagle poczuła, że wszystkie spojrzenia są skierowane na nią. Zatrzymała się przy na wpół opustoszałym newsroomie i z uśmiechem skinęła głową.

– Za chwilę będziemy mieli czas porządnie się przywitać – powiedziała. Potem podeszła do szklanych drzwi i zapukała w futrynę.

Odchodzący naczelny Håkan Morander miał pięćdziesiąt dziewięć lat, z czego dwanaście spędził w szklanym biurze w redakcji SMP. Podobnie jak Erika Berger, na początku został zwerbowany z zewnątrz – czyli przeszedł taką drogę, jaką ona właśnie miała za sobą. Podniósł na nią wzrok, zdezorientowany rzucił okiem na zegarek i wstał.

– Witam. Myślałem, że ma pani zacząć w poniedziałek.

– Nie mogłam wytrzymać w domu ani dnia dłużej. I oto jestem.

Morander wyciągnął rękę.

– Cieszę się, że pani przyszła. To wspaniale, że ktoś przejmuje moje obowiązki.

– Jak się pan czuje? – zapytała Erika.

Wzruszył ramionami. W tym samym momencie weszła recepcjonistka z kawą.

– Mam wrażenie, jakbym działał na pół gwizdka. Właściwie wolałbym o tym nie mówić. Chodzisz po świecie i czujesz się jak nastolatek, jakbyś był co najmniej nieśmiertelny, a potem nagle zostaje ci bardzo mało czasu. Ale jedno jest pewne: nie zamierzam marnować go w tej szklanej klatce.

Nieświadomie potarł dłonią okolice mostka. Miał problemy z sercem i naczyniami wieńcowymi. To był powód jego nagłej rezygnacji i tego, że Erika zaczynała pracę kilka miesięcy wcześniej, niż było początkowo ustalone.

Erika odwróciła się i rozejrzała po otwartej redakcji. Była w połowie pusta. Zobaczyła reportera i fotografa idących do windy, żeby obserwować obchody 1 Maja.

– Jeśli przeszkadzam albo jest pan dzisiaj zajęty, mogę sobie pójść.

– Muszę napisać wstępniak na cztery i pół tysiąca znaków o demonstracjach pierwszomajowych. Napisałem ich już tak wiele, że mogę to zrobić nawet przez sen. Jeśli socjaldemokraci chcą wszcząć wojnę z Danią, to muszę wyjaśnić, dlaczego się mylą. Jeśli chcą uniknąć wojny z Danią, muszę wyjaśnić, dlaczego robią źle.

– Z Danią? – zdziwiła się Erika.

– No cóż, część przesłania na 1 Maja powinna mówić o konfliktach w kwestii integracji. A socjaldemokraci oczywiście nigdy nie mają racji, choćby nie wiem co mówili.

Zaśmiał się znienacka.

– To brzmi dość cynicznie.

– Witamy w SMP.

Erika nigdy nie miała wyrobionego zdania na temat redaktora Håkana Morandera. Był jednym z anonimowych władców wśród elity naczelnych różnych pism. We wstępniakach wychodził na konserwatywnego nudziarza, specjalistę od narzekania na podatki, typowego liberalnego orędownika swobody wypowiedzi, ale nigdy go nie spotkała ani z nim nie rozmawiała.

– Niech mi pan opowie o tej pracy – poprosiła.

– Kończę ostatniego dnia czerwca. Przez dwa miesiące będziemy pracować równolegle. Odkryje tu pani wiele dobrych rzeczy i wiele złych. Ja jestem cynikiem, więc widzę raczej te złe.

Podniósł się z krzesła i stanął obok niej przy szybie.

– Przekona się pani, że tam w redakcji będzie pani miała paru przeciwników: szefów dnia i weteranów pracy redakcyjnej, tworzących swoje małe imperia i mających własny klub, którego członkiem nie może pani zostać. Będą próbowali sprawdzać granice własnych wpływów i forsować własne tytuły i własny punkt widzenia. Będzie pani musiała rządzić twardą ręką, żeby stawić temu czoło.

Erika skinęła głową.

– Mamy na przykład szefów nocnych, Billingera i Karlssona... to rozdział sam w sobie. Jeden nienawidzi drugiego. Dzięki Bogu nie mają wspólnych zmian, ale zachowują się, jakby byli redaktorami prowadzącymi i naczelnymi. Jest też szef działu wiadomości Anders Holm, z którym będzie pani miała dość dużo do czynienia. Na pewno dojdzie między wami do niejednego starcia. W gruncie rzeczy to on codziennie robi SMP. Ma pani kilku reporterów, którzy zgrywają diwy, i kilku, których należałoby właściwie wysłać na emeryturę.

– Czy nie ma dobrych pracowników?

Morander zaśmiał się znienacka.

– Są, ale sama będzie pani musiała zdecydować, z którymi można się dogadać. Mamy kilku reporterów poza redakcją. Są naprawdę, naprawdę bardzo dobrzy.

– Zarząd?

– Prezesem zarządu jest Magnus Borgsjö. To on panią tu ściągnął. Jest czarujący, trochę ze starej szkoły, a trochę odnowiciel, ale przede wszystkim on o wszystkim decyduje. Jest kilku członków zarządu, kilku z rodziny właścicieli. Głównie odsiadują tu swoje. Są i tacy, którzy zasiadają, gdzie się da, jako zawodowcy od zarządów.

– To brzmi tak, jakby nie był pan szczególnie zachwycony zarządem.

– Jest podział. My wydajemy gazetę. Oni zajmują się stroną ekonomiczną. Oni nie wtrącają się do treści artykułów, ale zdarzają się różne sytuacje. Powiem szczerze, to będzie trudne zadanie, pani Eriko.

– Dlaczego?

– Nakład spadł prawie o sto pięćdziesiąt tysięcy egzemplarzy od okresu świetności w latach sześćdziesiątych. SMP zaczyna się zbliżać do granicy opłacalności. Racjonalizujemy i obcinamy etaty, od 1980 roku zwolniliśmy ponad sto osiemdziesiąt osób. Zmieniliśmy format na tabloidowy, co powinniśmy zrobić już dwadzieścia lat temu. SMP nadal należy do znaczących tytułów, ale niewiele brakuje, żeby zaczęto nas postrzegać jako gazetę klasy B. Jeśli już tak nie jest.

– Dlaczego więc wybrali mnie? – zapytała Erika.

– Dlatego że średnia wieku czytelników SMP wynosi pięćdziesiąt plus, a przyrost dwudziestolatków oscyluje wokół zera. SMP musi się odmłodzić. Więc zarząd wymyślił, żeby ściągnąć najbardziej nieprawdopodobnego redaktora naczelnego, jakiego można sobie wyobrazić.

– Kobietę?

– Nie tylko kobietę. Kobietę, która zniszczyła imperium Wennerströma, która jest czczona jako królowa dziennikarstwa śledczego i powszechnie wiadomo, że jest ostra jak nikt inny. Niech pani pomyśli. To się samo nasuwa. Jeśli pani nie będzie umiała odnowić gazety, to nikomu się to nie uda. Bo SMP angażuje nie tylko Erikę Berger, ale przede wszystkim sławę Eriki Berger.

GDY MIKAEL BLOMKVIST wychodził z Café Copacabana przy Kvartersbion, było krótko po drugiej po południu. Założył okulary przeciwsłoneczne i, skręcając w Bergsunds Strand w drodze do metra, prawie natychmiast zauważył parkujące tuż za rogiem szare volvo. Nie zwalniając, minął samochód i stwierdził, że ma znajomy numer rejestracyjny, a w środku nikogo nie ma.

W ciągu ostatnich czterech dni widział to auto już po raz siódmy. Nie wiedział, czy towarzyszy mu od dawna, ale zwrócił na nie uwagę dzięki przypadkowi. Pierwszy raz zauważył ten samochód zaparkowany w pobliżu wejścia do domu na Bellmansgatan w środę rano, kiedy szedł do redakcji „Millennium". Przypadkiem rzucił okiem na numer rejestracyjny, który zaczynał się literami KAB, i zwrócił na niego uwagę, ponieważ tak nazywała się firma – obecnie w zawieszeniu – Aleksandra Zalachenki: Karl Axel Bodin KAB. Przypuszczalnie nie zastanawiałby się nad tym, gdyby nie to, że widział ten sam samochód zaledwie kilka godzin później, kiedy jadł lunch z Henrym Cortezem i Malin Eriksson przy Medborgarplatsen. Tym razem volvo stało zaparkowane w uliczce obok redakcji „Millennium".

Przyszło mu do głowy, że chyba ma początki paranoi, ale gdy późnym popołudniem odwiedził Holgera Palmgrena w ośrodku rehabilitacyjnym w Ersta, szare volvo stało na parkingu. To nie był przypadek. Mikael Blomkvist zaczął obserwować otoczenie. I wcale nie był zdziwiony, kiedy następnego ranka znów zobaczył ten samochód.

Ani razu nie udało mu się zobaczyć kierowcy. Zadzwonił do centralnego rejestru pojazdów i dowiedział się, że auto jest zarejestrowane na niejakiego Görana Mårtenssona, lat czterdzieści, zamieszkałego na Vittangigatan w Vällingby. Po godzinnym researchu Mikael wiedział już, że Göran Mårtensson jest konsultantem biznesowym i właścicielem firmy ze skrytką pocztową na Flemminggatan w dzielnicy Kungsholmen. Ciekawy w tym kontekście był życiorys Mårtenssona. Mając osiemnaście lat, w roku 1983, rozpoczął służbę wojskową w jednostce komandosów morskich. Potem został w wojsku. Awansował na pułkownika, a następnie w 1989 roku zwolnił się, żeby podjąć studia w szkole policyjnej w Solnej. Między 1991 i 1996 rokiem pracował w sztokholmskiej policji. W 1997 roku zniknął z regularnej służby, a w 1999 zarejestrował samodzielną działalność.

A więc Säpo.

Mikael przygryzł wargę. Połowa tego wystarczyłaby, żeby dociekliwy dziennikarz śledczy popadł w paranoję.

Wyciągnął wniosek, że jest dyskretnie obserwowany, ale tak niezręcznie, że udało mu się to odkryć.

A może wcale nie niezręcznie? Zwrócił uwagę na ten samochód wyłącznie ze względu na jego szczególny numer rejestracyjny, który przez zbieg okoliczności miał dla Mikaela znaczenie. Gdyby nie literki KAB, nie zaszczyciłby samochodu ani jednym spojrzeniem.

W piątek szare volvo się nie pojawiło. Mikael nie był całkiem pewien, wydawało mu się, że tego dnia mogło go śledzić czerwone audi, ale nie odczytał jego numerów. Ale już w sobotę volvo z KAB znów było na posterunku.

DOKŁADNIE DWADZIEŚCIA SEKUND po tym, jak Mikael Blomkvist opuścił Café Copacabana, Christer Malm podniósł cyfrowego nikona i ze swojego miejsca w cieniu ogródka Café Rossos po drugiej stronie ulicy wykonał serię dwunastu zdjęć. Sfotografował dwóch mężczyzn, którzy wyszli z kawiarni zaraz po Mikaelu i ruszyli jego śladem, mijając Kvartersbion.

Jeden z nich, nieco młodszy, był blondynem w nieokreślonym raczej, średnim wieku. Drugi wyglądał na starszego, miał rzadkie rude włosy i nosił okulary słoneczne. Obaj mieli na sobie dżinsy i ciemne skórzane kurtki.

Rozdzielili się przy szarym volvie. Starszy otworzył drzwi samochodu, podczas gdy drugi poszedł za Mikaelem Blomkvistem do stacji metra.

Christer Malm opuścił aparat i westchnął. Nie miał pojęcia, dlaczego Mikael wziął go na stronę i z uporem namawiał na przechadzkę wokół Copacabany, w poszukiwaniu szarego volvo z charakterystycznym numerem rejestracyjnym. Został poinstruowany, że ma usiąść w takim miejscu, z jakiego będzie mógł sfotografować osobę, która, jak twierdził Mikael, tuż po trzeciej powinna otworzyć drzwi auta. Równocześnie miał zwracać uwagę, czy ktoś nie śledzi Mikaela Blomkvista.

Wszystko to brzmiało jak zapowiedź typowej blomkvistowskiej historii. Christer Malm nigdy nie był do końca pewny, czy Mikael Blomkvist ma naturę paranoika, czy jest obdarzony nadprzyrodzonymi zdolnościami. Od wydarzeń w Gosseberdze Mikael był bardzo zamknięty w sobie i trudno było nawiązać z nim kontakt. Zresztą nie było w tym nic niezwykłego. Zawsze tak się zachowywał, ilekroć pracował nad jakąś skomplikowaną sprawą – Christer pamiętał takie samo milczące zaangażowanie i tajemniczość w związku z aferą Wennerströma – ale tym razem wrażenie to było o wiele silniejsze.

Christer mógł bez kłopotu stwierdzić, że Mikael Blomkvist rzeczywiście jest śledzony. Zastanawiał się, co to za nowe kłopoty się szykują. Z dużym prawdopodobieństwem zajmą czas, siły i środki redakcji „Millennium". Christer Malm uważał, że zabawa w partyzantkę śledczą to nie jest najlepszy pomysł, kiedy naczelna pisma dezerteruje do Wielkiego Molocha i z trudem odzyskana stabilność „Millennium" znów jest zagrożona.

Ale z drugiej strony co najmniej od dziesięciu lat nie chodził na żadne demonstracje, z wyjątkiem parady gejów, więc nie miał w tę pierwszomajową niedzielę nic lepszego do roboty. Mógł spełnić prośbę Mikaela. Wstał od stolika i poszedł za mężczyzną śledzącym Blomkvista. Instrukcja tego nie przewidywała. Ale i tak stracił go z oczu już na Långholmsgatan.

JEDNYM Z PIERWSZYCH KROKÓW Mikaela Blomkvista, kiedy zorientował się, że jego telefon jest najprawdopodobniej podsłuchiwany, było wysłanie Henry'ego Corteza po używane komórki. Cortez znalazł gdzieś tanią partię wycofanego modelu Ericsson T10 i kupił za grosze. Mikael kupił w Comviq karty. Oprócz niego telefony dostali Malin Eriksson, Henry Cortez, Annika Giannini, Christer Malm i Dragan Armanski. Używali ich tylko do rozmów, które absolutnie nie mogły być podsłuchiwane. Normalne rozmowy nadal prowadzili przez zwykłe komórki. Oznaczało to, że każde z nich musiało nosić ze sobą dwa aparaty.

Z Copacabany Mikael pojechał do „Millennium", gdzie Henry Cortez miał właśnie dyżur weekendowy. Od zamordowania Zalachenki Mikael zarządził dyżury według listy, dzięki czemu redakcja nigdy nie stała pusta. W nocy też zawsze ktoś był. Na liście był on, Henry Cortez, Malin Eriksson i Christer Malm. Lottie Karim, Monika Nilsson ani szef marketingu Sonny Magnusson nie byli brani pod uwagę. Nikt ich nawet nie zapytał. Lottie panicznie bała się ciemności i za nic w świecie nie byłaby w stanie nocować sama w redakcji. Monika Nilsson wprawdzie nie miała takich lęków, ale pracowała jak szalona nad swoimi sprawami. Poza tym była typem, który po pracy zwykle idzie do domu. A Sonny Magnusson miał już sześćdziesiąt jeden lat. Jego praca miała niewiele wspólnego z działalnością redakcyjną, zresztą wkrótce miał iść na urlop.

– Jakieś nowiny? – zapytał Mikael.

– Nic specjalnego – odparł Henry. – Dzisiejsze wiadomości dotyczą oczywiście 1 Maja.

Mikael kiwnął głową.

– Posiedzę tu kilka godzin. Możesz wyjść i wrócić koło dziewiątej wieczorem.

Kiedy Henry Cortez wyszedł, Mikael podszedł do swojego biurka i sięgnął po nową komórkę. Zadzwonił do dziennikarza, wolnego strzelca, Daniela Olofssona z Göteborga. „Millennium" w ciągu kilku lat opublikowało kilka jego reportaży i Mikael miał duże zaufanie do warsztatu dziennikarskiego Olofssona, zwłaszcza do jego umiejętności zbierania materiału.

– Cześć, Danielu. Mówi Mikael Blomkvist. Czy masz chwilę?

– Tak.

– Mam zlecenie na research. Na rachunku możesz napisać pięć dni, nie chodzi o napisanie tekstu. To znaczy możesz oczywiście napisać tekst na ten temat i my go chętnie opublikujemy, ale w tej chwili chodzi nam wyłącznie o research.

– Strzelaj.

– Sprawa jest dość delikatna. Nie możesz o niej rozmawiać z nikim oprócz mnie, możesz porozumiewać się ze mną tylko przez hotmail. Nie chcę, żebyś w ogóle mówił, że robisz research na zlecenie „Millennium".

– Zapowiada się nieźle. A o co chodzi?

– Chciałbym, żebyś zrobił reportaż o pracy szpitala Sahlgrenska. Nazwiemy go *Ostry dyżur*. Chodzi o to, żeby pokazać różnice między rzeczywistością a serialami telewizyjnymi. Masz przez kilka dni obserwować pracę na ostrym dyżurze i oddziale intensywnej opieki. Dobrze byłoby, żebyś porozmawiał z lekarzami, pielęgniarkami, sprzątaczami i całą resztą personelu. Jakie są warunki ich pracy? Co robią? Takie rzeczy. Oczywiście do tego zdjęcia.

– Oddział intensywnej opieki? – zapytał Olofsson.

– Właśnie. Chciałbym, żebyś zajął się zwłaszcza opieką nad pacjentami po ciężkich urazach w korytarzu 11C. Chciałbym wiedzieć, jak korytarz wygląda na planach, kto tam pracuje, jak wygląda i skąd się wywodzi.

– Hmm... – mruknął Daniel Olofsson. – O ile się nie mylę, to na 11C leży niejaka Lisbeth Salander.

Nie był w ciemię bity.

– Ach tak? – powiedział Mikael Blomkvist. – To ciekawe. Dowiedz się, w którym pokoju leży, co jest w sąsiednich salach i jakie zwyczaje tam panują.

– Domyślam się, że ten reportaż będzie dotyczył czegoś zupełnie innego – rzucił Daniel Olofsson.

– Jak mówiłem... chodzi mi tylko o informacje, jakie uda ci się zebrać.

Wymienili się adresami na hotmailu.

LISBETH SALANDER leżała na plecach na podłodze swojego pokoju, kiedy drzwi otworzyła siostra Marianna.

– Hmm... – mruknęła pielęgniarka, wyrażając w ten sposób wątpliwości, czy leżenie na podłodze na oddziale intensywnej opieki to dobry pomysł. Ale rozumiała, że to jedyne miejsce, gdzie pacjentka może trenować.

Lisbeth Salander była zlana zimnym potem. Przez trzydzieści minut próbowała robić pompki, rozciągania i przysiady – zgodnie z zaleceniami terapeuty. Dostała schemat ćwiczeń, które powinna powtarzać codziennie, żeby wzmocnić mięśnie ramion i biodro po operacji sprzed trzech tygodni. Oddychała ciężko i czuła się całkowicie wyczerpana. Szybko się męczyła, przy każdym wysiłku ramię sztywniało i bolało. Ale jej stan niewątpliwie się poprawiał. Bóle głowy, które dręczyły ją bezpośrednio po operacji, ustały i pojawiały się tylko sporadycznie.

Zdawała sobie sprawę, że jest na tyle zdrowa, że bez problemu mogłaby wyjść ze szpitala albo przynajmniej wykuśtykać, gdyby to było możliwe. Ale nie było. Z jednej strony lekarze jeszcze nie stwierdzili, że jest całkowicie zdrowa, a z drugiej drzwi do jej pokoju były ciągle zamknięte na klucz i pilnie strzeżone przez jakiegoś cholernego wynajętego mięśniaka z Securitasu, który przesiadywał na krześle na korytarzu.

Była przynajmniej na tyle zdrowa, żeby można ją było przenieść na zwykły oddział rehabilitacji. Po długich dyskusjach między policją i kierownictwem szpitala uzgodniono wreszcie, że Lisbeth zostanie na razie w pokoju numer 18. Pokój był łatwy do obserwowania, w pobliżu zawsze ktoś był, poza tym znajdował się na uboczu, za zakrętem korytarza w kształcie litery L. Dlatego łatwiej było zostawić ją na korytarzu 11C, gdzie personel już miał świadomość niebezpieczeństwa po morderstwie Zalachenki i znał problemy związane z Lisbeth, niż przenosić ją na inny oddział ze wszystkimi wynikającymi z tego zmianami.

Jej pobyt w Sahlgrenska był tak czy inaczej kwestią jeszcze kilku tygodni. Gdy tylko lekarze ją wypiszą, zostanie przewieziona do aresztu w Kronoborgu w Sztokholmie, gdzie będzie czekała na proces. A osobą, która decydowała, kiedy to nastąpi, był doktor Anders Jonasson.

Dziesięć dni minęło od strzelaniny w Gosseberdze, zanim doktor Jonasson udzielił policji zgody na przeprowadzenie pierwszego przesłuchania. Annika Giannini była bardzo zadowolona. Choć Anders Jonasson także jej utrudniał dostęp do klientki. Co z kolei było irytujące.

Po zamieszaniu w związku z zamordowaniem Zalachenki przeanalizował stan Lisbeth, biorąc pod uwagę fakt, że jako oskarżona o potrójne morderstwo w sposób oczywisty musiała być narażona na ogromny stres. Nie miał pojęcia, czy jest winna, czy nie. Zresztą jako lekarz wcale nie był zainteresowany odpowiedzią na to pytanie. Uznał tylko, że Lisbeth Salander była narażona na ogromny stres. Została postrzelona trzy razy, a jedna z kul utkwiła w jej mózgu, prawie ją zabijając. Miała gorączkę, która nie chciała ustąpić, i silne bóle głowy.

Postawił więc na ostrożność. Morderczyni czy nie, była jednak jego pacjentką, a jego zadaniem jako lekarza było dbanie o jej jak najszybszy powrót do zdrowia. Wprowadził więc zakaz odwiedzin, który nie miał nic wspólnego z prokuratorskim zakazem umotywowanym prawnie. Zalecił lekarstwa i całkowity odpoczynek.

A ponieważ uznał, że całkowita izolacja to nieludzka, granicząca z torturą kara – wszak nikt nie czuje się najlepiej, będąc oddzielonym od przyjaciół – postanowił, że adwokat Annika Giannini będzie pełniła rolę zastępczego przyjaciela. Porozmawiał z nią poważnie i wyjaśnił, że będzie miała dostęp do Lisbeth codziennie przez godzinę. Mogła ją odwiedzać, rozmawiać albo po prostu w milczeniu dotrzymywać jej towarzystwa. W miarę możliwości rozmowy nie powinny jednak dotyczyć ziemskich problemów Lisbeth Salander i zbliżających się batalii prawnych.

– Lisbeth Salander została postrzelona w głowę i jest naprawdę poważnie ranna – wyjaśnił. – Myślę, że już nic jej nie zagraża, ale zawsze istnieje ryzyko wystąpienia krwawień albo innych powikłań. Potrzebuje spokoju, żeby rany mogły się goić. Dopiero potem może zająć się swoimi problemami z prawem.

Annika Giannini rozumiała racje doktora Jonassona. Rozmawiała z Lisbeth Salander na tematy ogólne, czasem tylko wtrącała, jak wygląda ich wspólna z Mikaelem strategia, ale na początku nie mogła się wdawać w szczegółowe rozważania. Lisbeth była tak otumaniona lekami znieczulającymi i tak wyczerpana, że czasem zasypiała w środku rozmowy.

DRAGAN ARMANSKI przyglądał się serii zdjęć Christera Malma, przedstawiającej dwóch mężczyzn, którzy śledzili Mikaela Blomkvista od Copacabany. Zdjęcia były bardzo ostre.

– Nie – powiedział. – Nigdy ich nie widziałem.

Mikael Blomkvist skinął głową. Spotkali się w poniedziałkowy poranek w gabinecie Armanskiego w Milton Security. Mikael wszedł do budynku przez garaż.

– Ten starszy to Göran Mårtensson, właściciel volva. Chodził za mną jak wyrzut sumienia co najmniej od tygodnia. Oczywiście mogło to trwać dłużej.

– I twierdzisz, że on jest z Säpo.

Mikael przypomniał, czego dowiedział się o karierze Mårtenssona. Fakty mówiły same za siebie. Armanski wątpił. Miał wobec rewelacji Blomkvista mieszane uczucia.

To prawda, że służby specjalne zawsze się kompromitowały. Taka była natura rzeczy i wcale nie dotyczyło to tylko Säpo, ale przypuszczalnie wszystkich tajnych służb informacyjnych świata. Na litość boską, francuska tajna policja wysłała drużynę wojskowych nurków na Nową Zelandię, żeby wysadzili w powietrze statek Greenpeace'u „Rainbow Warrior". Była to chyba najbardziej kretyńska operacja służb specjalnych na świecie, może nie licząc włamania do Watergate za prezydenta Nixona. Przy tak głupim sposobie dowodzenia trudno się było dziwić, że wybuchały skandale. O sukcesach nigdy nie donoszono. Za to media z całą mądrością, jakiej zwykle nabiera się po szkodzie, rzucały się na służby specjalne, ilekroć doszło do czegoś, co nie powinno się zdarzyć, jakiejś niemądrej lub nieudanej akcji.

Armanski nigdy nie był w stanie zrozumieć stosunku szwedzkich mediów do Säpo.

Z jednej strony traktowały Säpo jako znakomite źródło i niemal każda nieprzemyślana akcja polityczna przynosiła krzyczące tytuły. Säpo podejrzewa, że... Pochodzące z Säpo oświadczenia traktowane jako wysoce miarodajne.

Z drugiej wraz z politykami różnych opcji z rzadką zajadłością zajmowały się tępieniem funkcjonariuszy Säpo, którzy szpiegowali szwedzkich obywateli i zostali na tym przyłapani. Było w tym tyle sprzeczności, że Armanskiemu wydawało się czasem, że nikt, ani politycy, ani media, niczego nie rozumie.

Armanski nie miał nic przeciwko istnieniu Säpo. Ktoś musiał czuwać nad tym, żeby narodowo-bolszewiccy wariaci, którzy naczytali się Bakunina czy kogo tam tacy współcześni naziści czytują, nie zmajstrowali bomby z nawozu sztucznego i ropy i nie umieścili jej w furgonetce przed siedzibą rządu. A więc Säpo było potrzebne. Armanski uważał, że trochę szpiegowania od czasu do czasu nie jest takim strasznym złem, dopóki jego celem jest zapewnienie obywatelom bezpieczeństwa.

Problem polegał na tym, że organizacja, której zadaniem jest szpiegowanie obywateli, musi podlegać jak najsurowszej publicznej kontroli, a organy konstytucyjne powinny mieć możliwość wglądu w jej działalność. Tymczasem w przypadku Säpo politycy i członkowie Riksdagu nie mieli możliwości uzyskania takiego wglądu, nawet kiedy premier ustanowił specjalne komisje śledcze, które na papierze miały mieć dostęp do wszystkiego. Armanski pożyczył od Blomkvista książkę Carla Lidboma *Zlecenie* i czytał ją z rosnącym zdziwieniem. W Stanach Zjednoczonych natychmiast aresztowano by kilkunastu najwyższych funkcjonariuszy za utrudnianie śledztwa i poddano publicznemu przesłuchaniu przed komisją w kongresie. W Szwecji byli najwidoczniej nietykalni.

Przypadek Lisbeth Salander pokazywał, że jest w tej organizacji coś chorego, lecz kiedy Mikael Blomkvist wręczył mu bezpieczną komórkę, w pierwszej chwili pomyślał, że Blomkvist jest paranoikiem. Dopiero gdy poznał szczegóły i obejrzał zdjęcia Christera Malma, musiał z oporami przyznać, że podejrzenia Blomkvista są uzasadnione. Co nie wróżyło dobrze, a raczej wskazywało, że spisek, którego ofiarą piętnaście lat temu padła Lisbeth Salander, nie był przypadkiem.

Zbiegów okoliczności było po prostu zbyt wiele, żeby uznać je za przypadkowe. Niech będzie, że Zalachenko został zamordowany przez stukniętego pieniacza. Ale nie w tym samym czasie, kiedy zarówno Mikaelowi Blomkvistowi, jak i Annice Giannini ukradziono dokumenty, które miały stanowić najważniejszy dowód. To była katastrofa. Ponadto najważniejszy świadek Gunnar Björck znienacka się powiesił.

– Okej – powiedział Armanski, składając dokumenty, które dał mu Mikael. – A więc jesteśmy zgodni, że mogę iść z tym do mojego kontaktu?

– Rozumiem, że jest to osoba, której bezgranicznie ufasz.

– Wiem, że to osoba o wysokim morale i głęboko demokratycznych przekonaniach.

– W Säpo – mruknął Mikael z wyraźnym powątpiewaniem w głosie.

– Musimy się porozumieć. Zarówno ja, jak i Holger Palmgren zaakceptowaliśmy twój plan i współpracujemy z tobą. Ale jestem zdania, że nie damy rady przeprowadzić tego całkowicie na własną rękę. Musimy znaleźć sojuszników w aparacie państwa, jeśli nie chcemy, żeby ta sprawa miała tragiczny finał.

– Okej. – Mikael niechętnie skinął głową. – Jestem przyzwyczajony do tego, że moje zaangażowanie w sprawę kończy się w momencie oddawania „Millennium" do druku. Nigdy przedtem nie ujawniałem informacji z tekstu przed jego opublikowaniem.

– Ale w tym przypadku już to zrobiłeś. Wtajemniczyłeś mnie, swoją siostrę, Holgera Palmgrena.

Mikael przyznał Armanskiemu rację.

– A zrobiłeś to, bo zrozumiałeś, że ta sprawa sięga o wiele dalej niż artykuł w twoim piśmie. W tym przypadku nie jesteś obiektywnym reporterem, ale uczestnikiem wydarzeń.

Mikael znów musiał się z nim zgodzić.

– A jako uczestnik potrzebujesz pomocy, żeby osiągnąć to, co zamierzasz.

Mikael skinął głową. Nie powiedział całej prawdy – ani Armanskiemu, ani Annice Giannini. Nadal miał tajemnice, które dzielił tylko z Lisbeth Salander. Uścisnęli sobie z Armanskim dłonie.

Rozdział 9
Środa 4 maja

TRZY DNI PO TYM, jak Erika Berger zaczęła pracę jako redaktor naczelna SMP, w porze lunchu zmarł redaktor Håkan Morander. Siedział w swoim szklanym biurze przez cały ranek, podczas gdy Erika razem z sekretarzem redakcji Peterem Fredrikssonem była na spotkaniu z działem sportowym, żeby poznać pracowników i zorientować się, jak pracują. Fredriksson miał czterdzieści pięć lat i podobnie jak Erika Berger był w SMP stosunkowo nowy. Pracował dopiero cztery lata. Był milkliwy, ale kompetentny i przyjemny w obejściu, więc Erika już zdecydowała, że kiedy obejmie dowodzenie na okręcie, w dużym stopniu będzie polegała na jego opiniach. Dużo czasu poświęciła na rozważania, na kim będzie mogła polegać i kogo będzie mogła pozyskać dla swoich rządów. Fredriksson był niewątpliwie jednym z kandydatów. Kiedy wrócili do newsroomu, zobaczyli, że Håkan Morander wstaje i podchodzi do drzwi swojego biura.

Wyglądał na zaskoczonego.

Potem nagle zgiął się wpół i złapał za oparcie krzesła, by po kilku sekundach upaść na podłogę.

Zanim przyjechała karetka, już nie żył.

Po południu w redakcji panował nastrój zagubienia. Prezes zarządu Borgsjö zjawił się około drugiej i zwołał pracowników na krótkie zebranie. Mówił o tym, że Morander poświęcił gazecie piętnaście ostatnich lat życia, o ofiarach, jakich niejednokrotnie wymaga uprawianie dziennikarstwa. Zarządził minutę ciszy. Kiedy upłynęła, rozejrzał się niepewnie dokoła, jakby nie wiedział, co dalej.

To rzadkie, że ludzie umierają w miejscu pracy, wręcz niespotykane. Powinni mieć na tyle przyzwoitości, żeby wycofać się przed śmiercią. Powinni w porę odejść na emeryturę albo do szpitala, by nagle pewnego dnia stać się przedmiotem rozmów w stołówce. Czy słyszałeś, że stary Karlsson umarł w zeszły piątek? Tak, na serce. Związki zawodowe poślą wieniec na pogrzeb. Śmierć w miejscu pracy na oczach współpracowników to pewna natarczywość. Erika widziała, że redakcja nie może otrząsnąć się z szoku. SMP została bez sternika. Nagle zauważyła, że niektórzy pracownicy zerkają na nią. Nieznana karta.

Nieproszona przez nikogo, nie wiedząc nawet, co powinna powiedzieć, odchrząknęła, wystąpiła pół kroku naprzód i zaczęła jasnym, mocnym głosem:

– Znałam Håkana Morandera trzy dni. To krótko, ale choć poznałam go tylko częściowo, mogę szczerze powiedzieć, że chciałabym mieć możliwość poznać go lepiej.

Kiedy kącikiem oka zauważyła, że Borgsjö na nią patrzy, zrobiła przerwę. Wyglądał na zaskoczonego, że w ogóle zabiera głos. Erika zrobiła jeszcze jeden krok do przodu. *Nie uśmiechaj się. Nie możesz się uśmiechać. Wyglądasz niepewnie.* Głośniej mówiła dalej:

– Nagłe odejście Håkana Morandera wywoła problemy w redakcji. Miałam go zastąpić dopiero za dwa miesiące i byłam pewna, że do tego czasu będę mogła korzystać z jego doświadczenia.

Zauważyła, że Borgsjö otwiera usta, żeby coś powiedzieć.

– Ale tak nie będzie, a nas wszystkich czeka okres zmian. Ale Morander był naczelnym gazety codziennej, i ta gazeta ukaże się także jutro. Zostało nam dziewięć godzin do druku i cztery do zakończenia strony redakcyjnej. Czy mogę zapytać... kto spośród was był najlepszym przyjacielem i zaufanym Morandera?

Zapadła cisza. Pracownicy patrzyli po sobie. Wreszcie Erika usłyszała głos z lewej strony.

– To chyba ja.

Gunnar Magnusson, lat sześćdziesiąt jeden, redaktor prowadzący drugiej strony, pracujący w SMP od trzydziestu pięciu lat.

– Ktoś musi napisać wspomnienie pośmiertne o Moranderze. Ja nie mogę tego zrobić... to byłoby nie na miejscu. Czy może pan napisać taki tekst?

Gunnar Magnusson wahał się chwilę. W końcu kiwnął głową.

– Zrobię to – powiedział.

– Wykorzystamy całą drugą stronę i dodamy jeszcze inny materiał.

Magnusson skinął głową.

– Potrzebujemy zdjęć... – Spojrzała w prawo, na szefa działu fotografii Lennarta Torkelssona. Kiwnął głową.

– Musimy się zabrać do pracy. Przez najbliższe tygodnie może trochę kołysać. Gdy będę potrzebowała pomocy w podejmowaniu decyzji, zwrócę się do was o radę i będę polegała na waszej kompetencji i doświadczeniu. Wy wiecie, jak się robi tę gazetę. Ja muszę jeszcze trochę posiedzieć w szkolnej ławce.

Zwróciła się do sekretarza redakcji Petera Fredrikssona.

– Z tego, co mówił Morander, zrozumiałam, że miał do pana duże zaufanie. Proszę, by został pan moim mentorem i doradcą. Oznacza to, że będzie pan obciążony bardziej niż zwykle. Czy zgadza się pan?

Fredriksson skinął głową. Co mu pozostało?

Znów wróciła do drugiej strony.

– Jeszcze jedno... Morander siedział dzisiaj rano nad tekstem. Gunnarze, czy może pan iść do jego komputera i zobaczyć, czy go dokończył? Nawet jeśli nie jest gotowy, opublikujemy tak, jak jest. To był ostatni komentarz redakcyjny Håkana Morandera i szkoda byłoby go nie wydrukować. Gazeta, którą robimy dzisiaj, wciąż jest gazetą Håkana Morandera.

Cisza.

– Jeśli ktoś potrzebuje przerwy, chce być sam i pomyśleć chwilę, proszę się nie krępować. Wszyscy znacie ostateczne terminy.

Cisza. Zauważyła, że niektórzy z dyskretnym uznaniem kiwają głowami.

– *Go to work, boys and girls* – powiedziała cicho.

JERKER HOLMBERG rozłożył ręce w geście bezradności. Twarze Jana Bublanskiego i Sonji Modig zdradzały powątpiewanie. Oglądali wyniki dochodzenia, które Holmberg zakończył dziś rano.

– Nic? – zapytała Sonja Modig z niedowierzaniem.

– Nic – odparł Holmberg i pokręcił głową. – Raport końcowy patologa przyszedł dziś rano. Nie ma żadnych oznak, że mogłoby to być coś innego niż samobójstwo przez powieszenie.

Wszyscy spojrzeli na zdjęcia zrobione w salonie domku letniego w Smådalarö. Wszystko wskazywało na to, że Gunnar Björck, zastępca wydziału do spraw obcokrajowców Säpo, z własnej woli wszedł na taboret, na haku od lampy umocował pętlę, założył ją sobie na szyję, a potem zdecydowanie kopnął taboret, aż poleciał na odległość kilku metrów. Patolog nie był pewien, kiedy dokładnie nastąpiła śmierć, ale w końcu jako przypuszczalny termin podał środę 12 kwietnia po południu. Björck został znaleziony 17 kwietnia przez ni mniej, ni więcej, tylko Curta Svenssona. Bublanski kilkakrotnie próbował skontaktować się z Björckiem. W końcu zirytowany wysłał Svenssona, by go znów sprowadził.

Przez te kilka dni hak nie wytrzymał ciężaru i ciało Björcka runęło na podłogę. Svensson zobaczył zwłoki przez okno i zaalarmował policję. Do domu Björcka przybył Bublanski ze swoimi ludźmi i od początku uznali je za miejsce zbrodni. Podejrzewali, że Björck został uduszony garotą. Dopiero ekipa techniczna znalazła hak od lampy. Jerker Holmberg miał zbadać okoliczności śmierci Björcka.

– Nic nie wskazuje na przestępstwo ani na to, że Björck nie był wtedy sam – powiedział Holmberg.

– Lampa...

– Na lampie są odciski palców właściciela domu, który ją zawiesił dwa lata temu, i samego Björcka. To może znaczyć, że sam ją zdjął.

– Skąd się wziął sznur?

– Z masztu do flagi na tyłach domu. Ktoś odciął kawałek, niecałe dwa metry. Na parapecie przy drzwiach altany leżał nóż. Normalnie jest w skrzyni z narzędziami pod zlewem. Odciski palców Björcka są na ostrzu i trzonku, i na skrzyni z narzędziami.

– Hmm... – mruknęła Sonja Modig.

– A węzeł?

– Zwyczajny babski węzeł. Sama pętla była pojedyncza. To może być jedyna rzecz warta uwagi. Björck znał się na żeglarstwie i umiał robić prawdziwe węzły. Ale kto wie, czy człowiek zamierzający popełnić samobójstwo przejmuje się węzłami.

– Środki odurzające?

– Raport toksykologiczny podaje, że miał ślady silnych środków przeciwbólowych we krwi. Te tabletki wydaje się na receptę, Björck miał je przepisane. Miał też ślady alkoholu, ale nie była to ilość godna wzmianki. Innymi słowy, był trzeźwy.

– Patolog pisze, że miał zadrapania.

– Długie na trzy centymetry zadrapanie po wewnętrznej stronie lewego kolana. Zadraśnięcie. Zastanawiałem się nad tym, ale mogło powstać z tysiąca najróżniejszych powodów... na przykład mógł zahaczyć o kant krzesła albo coś podobnego.

Sonja Modig wzięła do ręki zdjęcie przedstawiające zdeformowaną twarz Björcka. Pętla wbiła się tak głęboko, że sznur zniknął pod fałdem skóry. Twarz była groteskowo nabrzmiała.

– Możemy stwierdzić, że przypuszczalnie wisiał kilka godzin, może nawet dobę, póki hak nie puścił. Krew jest częściowo w głowie, gdyż pętla sprawiła, że nie mogła spływać w dół, a częściowo w nogach. Kiedy hak puścił, uderzył klatką piersiową w kant stołu. Powstało głębokie stłuczenie. Ale wtedy od dawna już nie żył.

– Co za okropna śmierć – powiedział Curt Svensson.

– Nie wiem. Pętla była tak cienka, że wbiła się bardzo głęboko i zatrzymała dopływ krwi. Przypuszczalnie stracił przytomność w ciągu kilku sekund i minutę lub dwie potem był martwy.

Bublanski z niesmakiem zamknął teczkę z raportem. Nie podobało mu się to. Nie podobało mu się, że Zalachenko i Björck zginęli najwyraźniej jednego dnia. Jeden zastrzelony przez psychicznie chorego pieniacza, drugi poniósł śmierć z własnej ręki. Ale żadne spekulacje nie były w stanie zmienić faktu, że badanie miejsca zbrodni w żaden sposób nie potwierdzało teorii, że ktoś mógł pomóc Björckowi zejść z tego świata.

– Był w ogromnym stresie – powiedział Bublanski. – Wiedział, że afera Zalachenki wkrótce zostanie ujawniona, a do tego groziło mu więzienie za korzystanie z płatnych usług seksualnych i kompromitacja w mediach. Zastanawiam się, czego bał się najbardziej. Był chory i od dłuższego czasu miał chroniczne bóle... Nie wiem. Żałuję, że nie zostawił żadnego listu ani nic takiego.

– Wielu samobójców nie zostawia listów pożegnalnych.

– Wiem. Okej. Nie mamy wyboru. Odkładamy Björcka ad acta.

ERIKA BERGER nie mogła się przemóc, żeby zająć miejsce Morandera w szklanym gabinecie i odsunąć na bok jego rzeczy osobiste. Poprosiła Gunnara Magnussona, żeby porozmawiał z rodziną Morandera i zaproponował, by wdowa w dogodnym dla siebie czasie przyszła do redakcji i zabrała to, co jest jej własnością.

Poleciła zrobić miejsce na biurku w newsroomie, w samym środku redakcyjnego oceanu. Postawiła swojego laptopa i objęła dowodzenie. Było nieco zamieszania. Ale trzy godziny po tym, jak z marszu objęła dowodzenie SMP, strona redakcyjna poszła do druku. Gunnar Magnusson napisał tekst o życiu Håkana Morandera na cztery szpalty. Na środku strony umieścili portret Morandera, po lewej jego niedokończony wstępniak, a na dole serię zdjęć. Wyszło trochę krzywo, ale strona działała na emocje, co równoważyło niedociągnięcia.

Tuż przed szóstą wieczorem Erika przeglądała tytuły na jedynce i rozmawiała o tekstach z szefem redakcji, kiedy podszedł do niej Borgsjö. Dotknął jej ramienia. Podniosła wzrok.

– Czy mogę zamienić z panią kilka słów?

Poszli do automatu z kawą w pokoju śniadaniowym.

– Chciałem tylko powiedzieć, że bardzo mi się podobało, jak pani przejęła dzisiaj dowodzenie. Myślę, że zaskoczyła pani nas wszystkich.

– Nie miałam wielkiego wyboru. Ale niektóre rzeczy jeszcze będą trochę kulały, zanim poczuję się pewnie w siodle.

– Ależ rozumiemy to.

– My?

– Tak, zarówno personel, jak i zarząd. A zwłaszcza zarząd. Ale po tym, co się stało dzisiaj, jestem bardziej niż kiedykolwiek pewien, że jest pani najlepszym wyborem. Pojawiła się tu pani w samą porę i przejęła obowiązki w bardzo kłopotliwej sytuacji.

Erika prawie się zarumieniła. Nie zdarzyło jej się to, odkąd skończyła czternaście lat.

– Czy mogę udzielić pani dobrej rady...

– Oczywiście.

– Słyszałem, że miała pani scysję na temat tytułów z Andersem Holmem, szefem działu wiadomości.

– Mieliśmy różne zdania na temat tekstu o propozycjach podatkowych rządu. Holm zawarł w tytule swój pogląd w miejscu wiadomości. A tam doniesienia mają brzmieć neutralnie. Poglądy przedstawiamy na stronie redakcyjnej. A skoro już o tym mówimy: czasem zamierzam pisać wstępniaki, ale jak mówiłam, nie identyfikuję się z żadną partią i nie jestem aktywna politycznie, więc musimy zdecydować, kto będzie szefem strony redakcyjnej.

– Na razie może to robić Magnusson – zaproponował Borgsjö.

Erika Berger wzruszyła ramionami.

– Wszystko mi jedno, kogo wybierzecie. Ale to powinna być osoba, która wyraźnie reprezentuje orientację gazety.

– Rozumiem. Chciałem powiedzieć, że powinna pani dać Holmowi trochę więcej swobody. Pracuje w SMP od dawna i od piętnastu lat jest szefem wiadomości. Wie, co robi. Potrafi być trudny, ale jest praktycznie niezastąpiony.

– Wiem. Morander mi mówił. Ale jeśli chodzi o *policy* w sprawie wiadomości, musi dostosować się do reguł. W końcu zostałam przyjęta po to, żeby odnowić gazetę.

Borgsjö skinął w zamyśleniu głową.

– Okej. Będziemy rozwiązywać problemy na bieżąco.

KIEDY W ŚRODOWY WIECZÓR Annika Giannini wsiadała na dworcu w Göteborgu do pociągu X2000, żeby wrócić do Sztokholmu, była zmęczona i rozdrażniona. Czuła się prawie tak, jakby przez zeszły miesiąc mieszkała w X2000. Prawie nie widywała rodziny. W wagonie restauracyjnym kupiła kawę, poszła na swoje miejsce i otworzyła teczkę z notatkami z ostatniej rozmowy z Lisbeth Salander. Która także była powodem zmęczenia i irytacji Anniki.

Ona coś ukrywa. Ta mała idiotka nie mówi mi prawdy. Micke też coś przemilcza. Bóg raczy wiedzieć, co kombinują.

Doszła do wniosku, że skoro jej brat i klientka się nie komunikują, zmowa milczenia – jeśli to było coś takiego

– musiała zrodzić się w sposób naturalny. Nie domyślała się, o co chodziło, ale zakładała, że najwidoczniej dotyczy to czegoś, co Mikael Blomkvist woli trzymać w tajemnicy.

Obawiała się, że może chodzić o jakieś problemy natury moralnej. Były słabym punktem Mikaela. Był przyjacielem Lisbeth Salander. Annika znała swojego brata i wiedziała, że jego lojalność wobec ludzi, których raz uznał za przyjaciół, graniczyła czasem z głupotą. Nawet jeśli przyjaciel ewidentnie nie miał racji. Wiedziała zarazem, że Mikael jest w stanie zaakceptować wiele, ale istniała nigdy niesformułowana granica, której nie wolno było przekroczyć. Te granice były różne dla różnych osób, ale Annika pamiętała, że kilka razy całkowicie zerwał kontakty z bliskimi kiedyś przyjaciółmi, którzy zrobili coś, co uznał za niemoralne lub z innych powodów nie do przyjęcia. W takich przypadkach był nieubłagany. Zerwanie było totalne, na zawsze, i nie podlegało dyskusji. Nie odbierał telefonów, nawet jeśli delikwent wydzwaniał i na kolanach błagał o wybaczenie.

Co kłębi się w głowie Mikaela, Annika była w stanie zrozumieć. Ale o tym, co czuje Lisbeth Salander, nie miała pojęcia. Czasem miała wrażenie, że tam, pod jej czaszką, trwa kompletny zastój.

Z tego, co mówił Mikael, Annika zrozumiała, że Lisbeth potrafi być humorzasta i podchodzić do wszystkiego z rezerwą. Aż do spotkania ze swoją klientką Annika miała nadzieję, że to stadium przejściowe i zdoła pozyskać jej zaufanie. Ale po miesiącu rozmów – choć pierwsze dwa tygodnie i tak trzeba uznać za zmarnowane, bo Lisbeth Salander nie miała siły rozmawiać – stwierdziła, że mówi tylko jedna strona.

Zauważyła także, że Lisbeth czasami pogrąża się w głębokiej depresji i zdaje się w ogóle nie interesować swoją sytuacją ani przyszłością. Sprawiała wrażenie, jakby nie rozumiała albo jakby jej nie obchodziło, że dopuszczenie Anniki do wszystkich informacji jest jej jedyną szansą na skuteczną obronę. Annika nie była w stanie pracować po omacku.

Lisbeth Salander była nachmurzona i małomówna. Robiła długie przerwy, żeby się namyślić, a kiedy coś mówiła, używała precyzyjnych sformułowań. Często wcale nie odpowiadała, za to czasem znienacka odpowiadała na pytanie, które Annika zadała kilka dni wcześniej. Podczas policyjnego przesłuchania siedziała w łóżku w całkowitym milczeniu i patrzyła przed siebie. Poza jednym wyjątkiem nie odezwała się do policjantów ani słowem. Wyjątkiem były pytania inspektora Marcusa Erlandera o Ronalda Niedermanna. Spojrzała na niego i rzeczowo odpowiedziała na wszystkie pytania. Gdy zmienił temat, natychmiast straciła zainteresowanie i znów gapiła się przed siebie.

Annika była przygotowana na to, że Lisbeth nie będzie chciała nic powiedzieć policji. Z zasady nie rozmawiała z władzami. Co miało dobre strony. Choć co jakiś czas zachęcała swoją klientkę, żeby udzieliła odpowiedzi na pytania policji, w duchu bardzo się cieszyła z jej niezłomnego milczenia. Powód był prosty: milczenie było konsekwentne. Żadnych kłamstw, z którymi można by ją później konfrontować, żadnych sprzecznych wywodów, które fatalnie wyglądałyby w sądzie.

Ale choć Annika była przygotowana na milczenie, zaskoczyło ją to, że jest tak niewzruszone. Kiedy były same, pytała Lisbeth, dlaczego tak demonstracyjnie odmawia rozmów z policją.

– Przekręcą wszystko, co powiem, i użyją tego przeciwko mnie.

– Ale jeśli nie złożysz wyjaśnień, zostaniesz skazana.

– No to niech tak będzie. To nie ja nawarzyłam tego piwa. Jeśli chcą mnie za nie skazywać, to nie mój problem.

Stopniowo Lisbeth opowiedziała prawie wszystko, co zdarzyło się w Stallarholmen, nawet jeśli Annika przeważnie musiała wyduszać z niej słowo po słowie. Z jednym wyjątkiem. Nie wyjaśniła, jak doszło do tego, że Magge Lundin został postrzelony w stopę. Choć Annika pytała i nalegała, Lisbeth tylko patrzyła na nią wyzywająco i uśmiechała się swoim krzywym uśmieszkiem.

Opowiedziała także o tym, co stało się w Gosseberdze. Ale nie przyznała się, dlaczego wyśledziła Zalachenkę. Czy przyjechała tam, żeby zabić ojca – jak twierdził prokurator – czy po to, żeby przemówić mu do rozumu? Z punktu widzenia prawa te dwie motywacje różniły się zasadniczo.

Gdy Annika wspominała dawnego kuratora Lisbeth, adwokata Bjurmana, dziewczyna stawała się jeszcze bardziej małomówna. Najczęściej odpowiadała, że to nie ona go zastrzeliła i że nie jest o to oskarżona.

Kiedy Annika poruszyła zasadniczy powód całego łańcucha zdarzeń, rolę doktora Petera Teleboriana w roku 1991, Lisbeth zamilkła na dobre.

Tak się nie da. Jeśli Lisbeth nie nabierze do mnie zaufania, przegramy ten proces. Muszę porozmawiać z Mikaelem.

LISBETH SALANDER siedziała na krawędzi łóżka i wyglądała przez okno. Widziała fasadę budynku po drugiej stronie parkingu. Siedziała tak w bezruchu ponad godzinę, odkąd Annika Giannini wstała i zdenerwowana zatrzasnęła za sobą drzwi. Znów bolała ją głowa, ale ból był łagodniejszy, jakby dochodził z oddali. Miała za to zły humor.

Była zła na Annikę Giannini. Czysto praktycznie rozumiała, dlaczego jej adwokat ciągle marudzi i pyta o szczegóły z przeszłości. Kiedy myślała racjonalnie, zdawała sobie sprawę, że Annika musi znać wszystkie fakty. Ale nie miała najmniejszej ochoty opowiadać o swoich uczuciach ani działaniach. Uważała, że jej życie jest jej prywatną sprawą. To nie jej wina, że jej ojciec był zwyrodniałym sadystą i mordercą. To nie jej wina, że brat jest seryjnym zabójcą. I dzięki Bogu nikt nie wiedział, że jest jej bratem. Inaczej prawdopodobnie byłaby to kolejna okoliczność obciążająca w ekspertyzie psychiatrycznej, którą prędzej czy później będą chcieli zrobić. To nie ona zamordowała Daga Svenssona i Mię Bergman. To nie ona ustanowiła dla siebie opiekuna prawnego, który okazał się bydlakiem i gwałcicielem.

A jednak to właśnie jej życie miało zostać wywrócone na lewą stronę, to ona musiała się tłumaczyć i przepraszać za to, że się broniła.

Chciała po prostu mieć spokój. W końcu to ona musiała ze sobą żyć. Nie oczekiwała, że ktoś będzie chciał zostać jej przyjacielem. Pieprzona Annika Giannini stała zapewne po jej stronie, ale była to przyjaźń zawodowa, bo była jej adwokatem. Pieprzony Kalle Blomkvist też był gdzieś tam w tle – Annika niewiele mówiła o swoim bracie, a Lisbeth nie pytała. Nie spodziewała się, że będzie się szczególnie wysilał, kiedy już wyjaśni sprawę zamordowania Daga Svenssona i będzie miał swój tekst.

Zastanawiała się, co Dragan Armanski myśli o niej po tym wszystkim, co się stało.

Zastanawiała się, jak odbiera tę sytuację Holger Palmgren.

Jak mówiła Annika Giannini, obaj stanęli w jej narożniku, ale to tylko słowa. Nie byli w stanie nic zrobić, żeby rozwiązać jej osobiste problemy.

Zastanawiała się, co czuje do niej Miriam Wu.

Zastanawiała się, co sama czuje do siebie, i doszła do wniosku, że w zasadzie czuje obojętność wobec całego swojego życia.

Z rozmyślań wyrwał ją odgłos klucza przekręcanego w zamku. Strażnik Securitasu wpuścił doktora Andersa Jonassona.

– Dobry wieczór, panno Salander. Jak się pani dziś czuje?

– Okej – odparła Lisbeth.

Lekarz obejrzał jej kartę choroby i stwierdził, że gorączka ustąpiła. Lisbeth przyzwyczaiła się do jego wizyt. Odwiedzał ją kilka razy w tygodniu. Ze wszystkich ludzi, którzy się nią zajmowali, dotykali jej, był jedyną osobą, do której czuła odrobinę zaufania. Nigdy nie zauważyła, żeby ukradkiem na nią zerkał. Zaglądał do jej pokoju, gawędził chwilę i sprawdzał, w jakim stanie jest jej ciało. Nie zadawał pytań o Ronalda Niedermanna ani o Aleksandra Zalachenkę, nie pytał, czy jest wariatką ani dlaczego policja trzyma ją pod kluczem. Był zainteresowany tylko tym, jak pracują jej mięśnie, jak goi się rana na głowie i jak się w ogóle czuje.

Poza tym przecież dosłownie grzebał jej w mózgu. Kogoś, kto grzebał jej w mózgu, należy traktować z szacunkiem, uznała. Ku swemu zdumieniu uświadomiła sobie, że wizyty Andersa Jonassona są dla niej przyjemne, choć dotykał jej i analizował wykres temperatury.

– Nie ma pani nic przeciwko temu, żebym się upewnił?

Przeprowadził zwykłe badania: obejrzał źrenice, osłuchał klatkę piersiową, zmierzył puls, sprawdził opad.

– Co ze mną? – zapytała Lisbeth.

– Pani stan ewidentnie się poprawia. Ale musi pani się bardziej przykładać do gimnastyki. I nie drapać strupa na głowie.

Urwał na chwilę.

– Czy mogę pani zadać osobiste pytanie?

Spojrzała na niego zdziwiona. Lekarz odczekał, aż skinęła głową.

– Ten smok, którego ma pani na plecach... nie widziałem całego tatuażu, ale widzę, że jest bardzo duży i pokrywa znaczną część pleców. Dlaczego pani sobie go zrobiła?

– Nie widział go pan?

Lekarz uśmiechnął się niespodziewanie.

– To znaczy widziałem jego skrawki, ale kiedy była pani bez ubrania w mojej obecności, byłem zajęty tamowaniem krwotoku, wyjmowaniem kul z ciała i podobnymi rzeczami.

– Dlaczego pan pyta?

– Z czystej ciekawości.

Lisbeth Salander zastanawiała się dłuższą chwilę. W końcu podniosła na niego wzrok.

– Zrobiłam sobie ten tatuaż z powodów osobistych, o których nie chcę mówić.

Anders Jonasson rozważył odpowiedź i kiwnął głową zamyślony.

– Okej. Przepraszam, że pytałem.

– Chce pan go zobaczyć?

Spojrzał zaskoczony.

– Ależ tak. Dlaczego nie.

Odwróciła się do niego plecami i podciągnęła koszulę nad głowę. Stanęła tak, żeby światło z okna padało na jej plecy. Jonasson zobaczył, że smok pokrywa prawą stronę pleców. Zaczynał się na ramieniu nad łopatką, a ogon kończył się poniżej biodra. Był piękny, profesjonalnie zrobiony. Wyglądał jak prawdziwe dzieło sztuki.

Po chwili odwróciła do niego głowę.

– Zadowolony?

– Jest piękny. Ale to musiało potwornie boleć.

– Tak – przyznała Lisbeth. – Bolało.

ANDERS JONASSON wyszedł z pokoju Lisbeth Salander nieco skonfundowany. Był zadowolony z poprawy stanu fizycznego pacjentki. Ale nie potrafił zrozumieć tej dziwnej dziewczyny. Nie trzeba było mieć dyplomu z psychologii, żeby się domyślać, że psychicznie nie czuła się dobrze. Odnosiła się do niego uprzejmie, ale z szorstką podejrzliwością. Wiedział także, że jest uprzejma dla reszty personelu, ale nie odzywa się słowem, gdy przychodzi policja. Była szczelnie zamknięta w swojej skorupie i cały czas utrzymywała dystans.

Policja zamknęła ją na klucz, a prokurator zamierzał oskarżyć ją o próbę zabójstwa i ciężkie uszkodzenie ciała. Nie mógł się nadziwić, że taka mała, drobna dziewczyna mogła się dopuścić tego rodzaju przemocy, zwłaszcza że obiektem jej ataków byli rośli mężczyźni.

Zapytał o wytatuowanego smoka głównie po to, żeby znaleźć jakiś osobisty temat do rozmowy. Właściwie nie był ciekawy, dlaczego ozdobiła swoje ciało w tak ekstrawagancki sposób, ale uznał, że skoro zdecydowała się na tak duży tatuaż, musiało to mieć dla niej znaczenie. Uznał to za dobry wstęp do rozmowy.

Odwiedzał ją regularnie kilka razy w tygodniu. Wizyty te nie należały do jego obowiązków. Jej lekarzem prowadzącym była doktor Helena Endrin, ale Anders Jonasson był szefem chirurgii urazowej i był niezwykle dumny z tego, co zrobił tamtej nocy, kiedy Lisbeth Salander została przywieziona na ostry dyżur. Decyzja o usunięciu pocisku okazała się słuszna i, o ile się orientował, po postrzale nie było żadnych następstw w postaci zaników pamięci czy innych zaburzeń funkcji organizmu. Jeśli jej powrót do zdrowia będzie dalej przebiegał tak samo, powinna opuścić szpital jedynie z blizną na głowie, bez żadnych innych objawów. Na temat blizn, jakie powstały w jej duszy, wolał się nie wypowiadać.

Zbliżał się do swojego gabinetu, kiedy zauważył opartego o ścianę przy drzwiach mężczyznę w ciemnej marynarce. Miał zmierzwione włosy i starannie przystrzyżoną brodę.

– Doktor Jonasson?

– Tak.

– Dzień dobry, nazywam się Peter Teleborian. Jestem szefem Kliniki Psychiatrycznej św. Stefana w Uppsali.

– Tak, poznaję pana.

– To świetnie. Chciałbym porozmawiać z panem na osobności, jeśli ma pan czas.

Anders Jonasson otworzył drzwi do swojego gabinetu.

– W czym mogę panu pomóc? – zapytał.

– Chodzi o jedną z pańskich pacjentek. Lisbeth Salander. Muszę z nią porozmawiać.

– Hmm... w takim razie musi pan się zwrócić o zgodę do prokuratora. Jest aresztowana i ma zakaz odwiedzin. Takie wizyty należy także wcześniej zgłaszać u adwokat pani Salander.

– Tak, tak, wiem o tym. Ale pomyślałem, że w tym przypadku możemy ominąć całą tę biurokrację. Jestem lekarzem i pan może po prostu umożliwić mi dostęp do niej z przyczyn medycznych.

– Być może dałoby się to tak umotywować. Ale nie do końca rozumiem związek.

– Byłem przez kilka lat psychiatrą Lisbeth Salander, kiedy przebywała w naszej klinice. Prowadziłem ją do ukończenia przez nią osiemnastego roku życia, kiedy to sąd postanowił przywrócić ją społeczeństwu, choć pod nadzorem kuratorskim. Powinienem wspomnieć, że oczywiście byłem temu przeciwny. Od tego czasu była pozostawiona samej sobie, czego efekty wszyscy dzisiaj widzimy.

– Rozumiem – wtrącił Anders Jonasson.

– Nadal czuję się w znacznym stopniu odpowiedzialny za nią, więc chętnie przekonałbym się, jak bardzo w ciągu tych dziesięciu lat pogorszył się jej stan.

– Pogorszył?

– W porównaniu z okresem, kiedy jako nastolatka była pod profesjonalną opieką. Sądzę, że uda nam się znaleźć rozwiązanie, tak między lekarzami.

– Coś mi się przypomniało... Może będzie pan mógł wytłumaczyć mi jedną rzecz, której nie rozumiem, tak między lekarzami. Kiedy została przyjęta do naszego szpitala, zarządziłem gruntowną ocenę stanu jej zdrowia. Kolega zamówił także raport sądowo-lekarski o Lisbeth Salander. Sporządził go doktor Jesper H. Löderman.

– To prawda. Byłem promotorem doktoratu Jespera.

– Rozumiem. Ale zwróciłem uwagę, że raport jest bardzo ogólnikowy.

– Ach, doprawdy?

– Nie zawiera żadnej diagnozy, wygląda raczej na akademickie studium milczącego pacjenta.

Peter Teleborian zaśmiał się.

– To prawda, niełatwo się z nią porozumieć. Jak wynika z raportu, konsekwentnie odmawiała uczestnictwa w rozmowach z Lödermanem, który w takiej sytuacji z konieczności musiał wyrażać się ogólnikowo. Co było z jego strony strategią słuszną.

– Rozumiem. Mimo wszystko zalecił zatrzymanie jej w zamkniętym ośrodku.

– To wynikało z jej wcześniejszej historii. Mamy wieloletnie doświadczenie z jej przypadkiem.

– I właśnie to nie do końca rozumiem. Kiedy pojawiła się u nas, poprosiliśmy o jej dokumentację z Kliniki św. Stefana. Ale do dzisiaj jej nie otrzymaliśmy.

– Przykro mi. Została obłożona klauzulą tajności przez sąd.

– Rozumiem. Tylko jak mamy zapewnić jej dobrą opiekę w Sahlgrenska, jeśli nie mamy dostępu do historii jej choroby? To my ponosimy za nią odpowiedzialność w tej chwili.

– Zajmowałem się nią, od kiedy skończyła dwanaście lat, i nie sądzę, żeby jakikolwiek lekarz w Szwecji miał porównywalną wiedzę na temat jej choroby.

– A chorobą tą jest...

– Lisbeth Salander cierpi na poważne zaburzenia psychiczne. Jak pan wie, psychiatria nie jest dziedziną precyzyjną. Nie chciałbym wiązać się żadną ścisłą diagnozą. Ale ma ona ewidentne urojenia z wyraźnymi cechami paranoidalno-schizoidalnymi. Do tego należy jeszcze dodać okresy psychozy maniakalno-depresyjnej oraz brak empatii.

Anders Jonasson przyglądał się doktorowi Teleborianowi przez dziesięć sekund. Potem rozłożył ręce.

– Nie zamierzam podważać diagnozy doktora Teleboriana, ale czy nie rozważał pan nigdy o wiele prostszej diagnozy?

– Czyli jakiej?

– Na przykład zespół Aspergera. Wprawdzie nie zleciłem badań psychiatrycznych, ale gdybym miał na oko postawić diagnozę, brałbym pod uwagę jakąś formę autyzmu. To wyjaśniałoby jej niezdolność do przestrzegania konwencji społecznych.

– Przykro mi, ale pacjenci z zespołem Aspergera zwykle nie podpalają swoich rodziców. Proszę mi wierzyć, nigdy przedtem nie spotkałem tak jednoznacznego przypadku socjopaty.

– Odbieram ją jako osobę zamkniętą w sobie, ale nie paranoidalną socjopatkę.

– Potrafi znakomicie manipulować – wyjaśnił Peter Teleborian. – Domyśla się, czego pan chce, i tak się zachowuje.

Anders Jonasson ledwie zauważalnie zmarszczył brwi. Peter Teleborian całkowicie podważył jego ogólną ocenę Lisbeth Salander. Jeśli było coś, czego jego zdaniem nie można było jej przypisać, to właśnie zdolności do manipulacji. Wprost przeciwnie – była osobą zachowującą niezmienny dystans w stosunku do otoczenia i nie okazywała żadnych emocji. Próbował połączyć obraz, który odmalował Teleborian, z własną wizją Lisbeth Salander.

– Ponadto widział ją pan krótko, do tego w wyniku obrażeń nie była zdolna do działania. Ja widziałem jej napady agresji i niezrozumiałej nienawiści. Poświęciłem wiele lat na to, żeby pomóc Lisbeth Salander. Dlatego tutaj jestem. Proponuję współpracę między Sahlgrenska i Kliniką św. Stefana.

– O jakiego rodzaju współpracy pan mówi?

– Pan zajmuje się jej zdrowiem fizycznym i jestem pewien, że jest to najlepsza opieka, jaką można jej zapewnić. Ale bardzo niepokoi mnie jej stan psychiczny i chętnie wkroczyłbym we wczesnym stadium. Jestem gotów pomagać na wszelkie możliwe sposoby.

– Rozumiem.

– Muszę się z nią zobaczyć, żeby móc ocenić jej stan.

– Rozumiem. Niestety, nie mogę panu pomóc.

– Słucham?

– Jak już mówiłem, jest aresztowana. Jeśli chce pan zacząć leczenie psychiatryczne, musi pan zwrócić się do prokurator Jervas. To ona podejmuje decyzje w takich sprawach. Potrzebna jest także zgoda obrońcy pacjentki, Anniki Giannini. A przygotowanie opinii sądowo-lekarskiej musi panu zlecić sąd.

– Właśnie tej biurokracji chciałem uniknąć.

– Cóż, jestem odpowiedzialny za pacjentkę i jeśli wkrótce ma stanąć przed sądem, musimy mieć dokumentację wszystkich zastosowanych środków. Musimy więc trzymać się biurokracji.

– Rozumiem. W takim razie mogę panu oświadczyć, że otrzymałem już zapytanie od prokuratora Richarda Ekströma ze Sztokholmu w sprawie przeprowadzenia badań. Będzie to aktualne przed rozpoczęciem procesu.

– To świetnie. W takim razie otrzyma pan zezwolenie na odwiedziny bez potrzeby obchodzenia regulaminu.

– Ale podczas gdy my tu bawimy się w biurokrację, jej stan nadal może się pogarszać. Myślę przede wszystkim o jej zdrowiu.

– Ja też – oświadczył Anders Jonasson. – I mówiąc między nami, nie zauważyłem u niej żadnych oznak choroby psychicznej. Jest poważnie zmaltretowana i pod ogromną presją. Ale w żadnym razie nie uważam, żeby miała być schizofreniczką ani żeby cierpiała na paranoidalne urojenia.

DOKTOR PETER TELEBORIAN jeszcze chwilę próbował przekonać Andersa Jonassona, żeby zmienił decyzję. Kiedy wreszcie pojął, że jego wysiłki są bezcelowe, wstał znienacka i wyszedł.

Anders Jonasson siedział jeszcze jakiś czas i w zamyśleniu patrzył na krzesło, na którym siedział Teleborian.

Wprawdzie nie było w tym nic nadzwyczajnego, że inni lekarze kontaktowali się z nim, aby podzielić się uwagami czy doradzić w sprawie leczenia – ale prawie zawsze chodziło o pacjentów będących w trakcie terapii. Nigdy przedtem nie zdarzyło się, żeby psychiatra tak znikąd wylądował na jego oddziale jak UFO i niemal się upierał, żeby z pominięciem wszelkich zasad regulaminu umożliwić mu dostęp do pacjenta, którego najwyraźniej nie leczył od lat. Po chwili Anders Jonasson zerknął na zegarek i stwierdził, że jest prawie siódma wieczór. Sięgnął po telefon i zadzwonił do Martiny Karlgren, psycholog i rzecznika pacjentów po urazach w szpitalu Sahlgrenska.

– Cześć. Pomyślałem, że już skończyłaś na dzisiaj. Nie przeszkadzam?

– Nie. Jestem w domu i nie robię nic specjalnego.

– Zastanawiam się nad jedną sprawą. Rozmawiałaś z naszą pacjentką Lisbeth Salander. Czy mogłabyś mi powiedzieć, jakie zrobiła na tobie wrażenie?

– Cóż, odwiedziłam ją trzy razy i chciałam porozmawiać. Była uprzejma, ale zdecydowanie odmawiała.

– Jakie odniosłaś wrażenie?

– O co ci chodzi?

– Martino, wiem, że nie jesteś psychiatrą, ale jesteś mądrym i rozumnym człowiekiem. Jakie zrobiła na tobie wrażenie?

Martina Karlgren zastanawiała się chwilę.

– Nie wiem, co odpowiedzieć. Widziałam ją dwa razy, kiedy była w szpitalu od niedawna, w tak kiepskim stanie, że nie nawiązałam z nią żadnego kontaktu. Potem odwiedziłam ją jeszcze raz, mniej więcej tydzień temu, na prośbę Heleny Endrin.

– Dlaczego Helena prosiła cię o wizytę?

– Lisbeth Salander wraca do zdrowia. Przeważnie leży i gapi się w sufit. Doktor Endrin chciała, żebym do niej zajrzała.

– I co dalej?

– Przedstawiłam się. Rozmawiałyśmy kilka minut. Pytałam, jak się czuje i czy chciałaby z kimś porozmawiać. Powiedziała, że nie. Zapytałam, czy mogę jej pomóc w jakiś inny sposób. Poprosiła mnie o przemycenie paczki papierosów.

– Czy była zirytowana albo okazywała wrogość?

– Nie, tego bym nie powiedziała. Była spokojna, ale zdystansowana. Jej prośbę o przemycenie papierosów potraktowałam raczej jako żart niż poważne zamówienie. Zapytałam, czy nie chciałaby czegoś do czytania, czy mogłabym jej przynieść jakieś książki. Najpierw odmówiła, ale potem zapytała, czy mamy jakieś naukowe pisma o genetyce i badaniach mózgu.

– O czym?

– O genetyce.

– O genetyce?

– Tak. Powiedziałam, że w bibliotece szpitalnej są książki popularnonaukowe z tej dziedziny. Ale nie była zainteresowana. Powiedziała, że kiedyś czytała książki na ten temat i wymieniła kilka prac klasycznych, o których nigdy nie słyszałam. Była zainteresowana raczej czystymi badaniami naukowymi.

– Ach tak? – powiedział Anders Jonasson zaskoczony.

– Powiedziałam, że w bibliotece dla pacjentów nie mamy fachowych dzieł, że jest tam więcej Philipa Marlowe'a niż książek naukowych, ale obiecałam, że spróbuję coś znaleźć.

– Udało ci się?

– Poszłam na górę i wypożyczyłam kilka numerów „Nature" i „New England Journal of Medicine". Ucieszyła się i podziękowała mi za fatygę.

– Ale to przecież pisma na dość zaawansowanym poziomie, z artykułami o badaniach naukowych.

– Czyta je z dużym zainteresowaniem.

Anders Jonasson siedział chwilę bez słowa.

– Jak oceniasz jej stan psychiczny?

– Jest zamknięta. Nie chciała rozmawiać o żadnych osobistych sprawach.

– Czy wydała ci się osobą psychicznie chorą, maniakalno-depresyjną albo paranoiczką?

– Nie, skąd. W takim wypadku wszczęłabym alarm. Jest oczywiście dziwna, ma duże problemy i jest pod wpływem ogromnego stresu. Ale jest spokojna i rzeczowa, wszystko wskazuje na to, że umie się odnaleźć w tej sytuacji.

– Okej.

– Dlaczego pytasz? Czy coś się stało?

– Nie, nic się nie stało. Tylko nie wiem, co o niej myśleć.

Rozdział 10
Sobota 7 maja – czwartek 12 maja

MIKAEL BLOMKVIST odłożył teczkę z rezultatami researchu, który przeprowadził w Göteborgu Daniel Olofsson. Pogrążony w myślach spojrzał przez okno na rzekę ludzi płynącą Götgatan. To była jedna z rzeczy, które podobały mu się w jego pokoju najbardziej. Götgatan była pełna życia przez całą dobę i kiedy siedział przy oknie, nigdy nie czuł się samotny.

Nie miał żadnej pilnej sprawy do załatwienia, ale był zestresowany. Pracował wytrwale nad tekstami do letniego numeru „Millennium", ale zaczynał sobie uświadamiać, że materiał jest tak obszerny, że nawet numer tematyczny nie będzie mógł wszystkiego pomieścić. Był w podobnej sytuacji jak przy okazji afery Wennerströma i postanowił opublikować teksty w książce. Miał już materiał na ponad sto pięćdziesiąt stron i liczył, że cała książka może liczyć od trzystu do trzystu pięćdziesięciu.

Najłatwiejsza część była gotowa. Opisał morderstwo Daga Svenssona i Mii Bergman i opowiedział, jak doszło do tego, że to on znalazł ich ciała. Wytłumaczył, dlaczego podejrzenie padło na Lisbeth Salander. Cały liczący trzydzieści siedem stron rozdział poświęcił na rozprawienie się z medialnymi wymysłami na temat Lisbeth, a także z prokuratorem Richardem Ekströmem i pośrednio całym śledztwem. Po gruntownym rozważeniu sprawy złagodził nieco krytykę wobec Jana Bublanskiego i jego zespołu. Bo kiedy przestudiował jeszcze raz nagrania wideo z konferencji prasowej Ekströma, zauważył, że Bublanski okazywał wyraźne niezadowolenie z pochopnych wniosków Ekströma.

Po dramatycznym początku cofnął się trochę w czasie i opisał przybycie Zalachenki do Szwecji, dzieciństwo Lisbeth Salander i wydarzenia, które doprowadziły do zamknięcia jej w Klinice św. Stefana w Uppsali. Dołożył starań, żeby zniszczyć doktora Petera Teleboriana i nieżyjącego Gunnara Björcka. Przedstawił raport lekarsko-sądowy z 1991 roku i wyjaśnił, dlaczego Lisbeth stała się zagrożeniem dla anonimowych funkcjonariuszy państwowych, którzy za cel swoich działań obrali ochronę radzieckiego agenta. Przytoczył obszerne fragmenty korespondencji Teleboriana i Björcka.

Dalej opisał nową tożsamość Zalachenki i jego gangsterską działalność. Opisał jego wspólnika Ronalda Niedermanna, porwanie Miriam Wu i interwencję Paola Roberta. Wreszcie opisał, co się wydarzyło w Gosseberdze, postrzelenie i pogrzebanie Lisbeth Salander. Wyjaśnił także, jak doszło do zupełnie bezsensownego zamordowania policjanta, zważywszy na to, że Niedermann już wcześniej został obezwładniony.

Potem historia się rozmywała. Mikaela dręczyło to, że w rekonstrukcji wydarzeń nadal były luki. Gunnar Björck nie działał sam. Za tym wszystkim musiała stać większa grupa, posiadająca środki i wpływy. Żadne inne wytłumaczenie nie wchodziło w grę. Ale w końcu doszedł do wniosku, że niezgodne z prawem traktowanie Lisbeth Salander nie mogło być sankcjonowane przez rząd ani kierownictwo Säpo. Wniosek ten nie wynikał z naiwnej wiary we władzę państwową, ale ze znajomości ludzkiej natury. Operacja takiego rodzaju nigdy nie mogłaby być utrzymana w tajemnicy, gdyby była umotywowana politycznie. Ktoś miałby jakieś porachunki z kimś innym, wygadałby się, a wtedy media lata wcześniej odkryłyby aferę Salander.

Klub Zalachenki wyobrażał sobie jako niewielką anonimową grupkę aktywistów. Problem polegał na tym, że nie był w stanie zidentyfikować żadnego z nich, może oprócz Görana Mårtenssona, lat czterdzieści, śledzącego go policjanta z tajnych służb.

Planował, że książka zostanie wydrukowana i przygotowana do dystrybucji tego samego dnia, kiedy rozpocznie się proces Lisbeth Salander. Wraz z Christerem Malmem zamierzali zrobić wydanie kieszonkowe. Miało być zafoliowane razem z letnim numerem „Millennium", sprzedawanym po wyższej cenie. Rozdzielił zadania między Henry'ego Corteza i Malin Eriksson, którzy mieli napisać teksty o historii Säpo, aferze IB i podobnych sprawach.

Tymczasem stało się pewne, że proces Lisbeth Salander się odbędzie.

Prokurator Richard Ekström wniósł przeciwko niej oskarżenie o ciężkie uszkodzenie ciała Maggego Lundina oraz ciężkie uszkodzenie ciała względnie usiłowanie zabójstwa Karla Axela Bodina alias Aleksandra Zalachenki.

Nie ustalono jeszcze daty rozpoczęcia procesu, ale od znajomych dziennikarzy Mikael dowiedział się, że Ekström planował proces na lipiec, o ile stan zdrowia Lisbeth na to pozwoli. Mikael rozumiał jego strategię. Proces w środku lata zawsze budzi mniejsze zainteresowanie niż w innym okresie.

Zmarszczył czoło i wyjrzał przez okno swojego pokoju w redakcji „Millennium".

Sprawa nie jest jeszcze zakończona. Sprzysiężenie przeciwko Lisbeth dalej działa. To jedyne wytłumaczenie podsłuchów telefonicznych, napadu na Annikę Giannini, kradzieży raportu Björcka z 1991 roku. I być może zastrzelenia Zalachenki.

Ale nie miał na to dowodów.

Wraz z Malin Eriksson i Christerem Malmem podjął decyzję, że wydawnictwo „Millennium" przed procesem wyda także książkę Daga Svenssona o *traffickingu*. Lepiej było przedstawić cały pakiet za jednym zamachem. Nie mieli powodu zwlekać z publikacją tekstu Daga. Wręcz przeciwnie – kiedy indziej książka nie wzbudziłaby takiego zainteresowania. Malin była odpowiedzialna za ostateczną redakcję książki

Daga Svenssona, podczas gdy Henry Cortez pomagał Mikaelowi przy pisaniu o aferze Salander. Lottie Karim i Christer Malm (wbrew swojej woli) zostali mianowani tymczasowymi sekretarzami redakcji, a Monika Nilsson była jedyną reporterką. W wyniku tego zwiększonego obciążenia cała redakcja ledwie powłóczyła nogami, a Malin Eriksson zaangażowała do pisania tekstów kilku wolnych strzelców. Zapowiadało się kosztownie, ale nie mieli wyboru.

Na żółtej samoprzylepnej karteczce Mikael zanotował, żeby wyjaśnić z rodziną Daga Svenssona kwestię praw autorskich do jego książki. Dowiedział się, że rodzice Daga mieszkają w Örebro i są jedynymi spadkobiercami. Właściwie nie potrzebował pozwolenia, żeby wydać książkę pod nazwiskiem Daga Svenssona, ale i tak zamierzał pojechać do Örebro i osobiście odwiedzić jego rodziców, by uzyskać ich akceptację. Ciągle to odsuwał, bo miał na głowie wiele innych rzeczy, ale czas był najwyższy, żeby się tym zająć.

OPRÓCZ TEGO TRZEBA się było zająć jeszcze tysiącem innych drobiazgów. Jednym z nich była kwestia, jak obchodzić się w tekstach z Lisbeth Salander. Żeby rozstrzygnąć ten problem, był zmuszony porozumieć się z nią osobiście i uzyskać zgodę na opowiedzenie prawdy albo przynajmniej jej części. A na osobistą rozmowę nie miał szans, bo Lisbeth była aresztowana i nie wolno jej było odwiedzać.

W tej kwestii Annika Giannini nie mogła służyć żadną pomocą. Skrupulatnie przestrzegała reguł i nie zamierzała być gońcem Mikaela przenoszącym tajne wiadomości. Nie opowiadała też, o czym rozmawia ze swoją klientką. Pytała tylko o spisek przeciwko niej, kiedy potrzebowała pomocy. Było to frustrujące, ale słuszne. Dlatego Mikael nie miał pojęcia, czy Lisbeth zdradziła Annice, że jej dawny kurator ją zgwałcił i że zemściła się na nim, tatuując mu na brzuchu szczególne przesłanie. Póki Annika nie podejmowała tego tematu, Mikael też nie mógł tego zrobić.

Ale to izolacja Lisbeth Salander niosła jeden zasadniczy problem. Była ekspertką od komputerów i hakerką, o czym wiedział Mikael, ale nie Annika. Mikael obiecał kiedyś Lisbeth, że nigdy nie zdradzi jej tajemnicy, i dotrzymał słowa. Tylko że teraz sam bardzo potrzebował jej umiejętności.

Musiał więc w jakiś sposób nawiązać kontakt z Lisbeth.

Westchnął, jeszcze raz otworzył teczkę i wyjął dwie kartki. Na jednej widniał wyciąg z rejestru paszportowego niejakiego Idrisa Ghidiego, urodzonego w 1950 roku. Miał wąsy, oliwkową cerę i czarne, posiwiałe na skroniach włosy.

Na drugiej kartce Daniel Olofsson pokrótce opisał jego historię.

Ghidi był kurdyjskim uchodźcą z Iraku. Daniel Olofsson wyszukał o wiele więcej informacji o nim niż o jakimkolwiek innym pracowniku szpitala. Przyczyną tej obfitości było to, że przez pewien czas cieszył się on zainteresowaniem mediów i występował w wielu tekstach.

Urodzony w Mosulu w północnym Iraku Idris Ghidi skończył studia inżynierskie i załapał się na duży skok ekonomiczny kraju w latach siedemdziesiątych. W 1984 roku zaczął pracować jako nauczyciel w technikum budowlanym w Mosulu. Nie był znany z aktywności politycznej. Lecz jako Kurd w kraju rządzonym przez Saddama Husajna był automatycznie uznawany za element przestępczy. W październiku 1978 roku jego ojciec został aresztowany jako podejrzany o działalność na rzecz Kurdów. Nie podano szczegółów oskarżenia. Został stracony za zdradę państwa, przypuszczalnie w 1988 roku. Dwa miesiące później iracka tajna policja zabrała Idrisa Ghidiego ze szkoły, właśnie gdy zaczynał lekcję o wytrzymałości materiałów w konstrukcjach mostów. Został przewieziony do więzienia pod Mosulem, gdzie przez jedenaście miesięcy poddawano go torturom, żeby wymusić na nim przyznanie się. Nie wiedział, do czego właściwie ma się przyznać, więc tortury się przeciągały.

W marcu 1989 roku jego wuj zapłacił sumę odpowiadającą pięćdziesięciu tysiącom szwedzkich koron lokalnemu szefowi partii Baas, którą to kwotę potraktowano jako rekompensatę za szkody, jakie Idris Ghidi wyrządził irackiemu państwu. Dwa dni później został wypuszczony i powierzony opiece wuja. Po wyjściu z więzienia ważył trzydzieści dziewięć kilo i nie był w stanie chodzić. Przed zwolnieniem zmiażdżono mu młotem lewe biodro, żeby nie mógł latać wokoło i wynajdywać okazji do nowych niegodziwości.

Przez kilka tygodni balansował między życiem i śmiercią. Kiedy doszedł trochę do siebie, wuj przeniósł go do gospodarstwa na wsi, sześćdziesiąt kilometrów od Mosulu. W lecie odzyskał siły i zaczął się uczyć chodzić o kulach. Miał świadomość, że nigdy w pełni nie odzyska zdrowia. Nie wiedział tylko, co dalej robić. W sierpniu dostał nagle wiadomość, że jego dwaj bracia zostali pojmani przez tajną policję. Nigdy ich już nie zobaczył. Przypuszczał, że leżą pochowani pod stertą piachu gdzieś pod Mosulem. We wrześniu wuj dowiedział się, że policja Saddama Husajna znów szuka Idrisa. Postanowił zwrócić się do jednego z tych anonimowych wyzyskiwaczy, którzy przemycają ludzi. Ten za wynagrodzenie w wysokości trzydziestu tysięcy koron przewiózł Idrisa przez granicę do Turcji i z fałszywym paszportem wyprawił dalej do Europy.

Idris Ghidi wylądował w Szwecji na Arlandzie 19 października 1989 roku. Nie znał ani słowa po szwedzku, ale został poinstruowany, że ma odszukać służby graniczne i natychmiast poprosić o azyl polityczny, co też łamaną angielszczyzną uczynił. Umieszczono go w ośrodku dla uchodźców w Upplands-Väsby, gdzie spędził następne dwa lata. W końcu Urząd do spraw Uchodźców orzekł, że Idris Ghidi nie ma wystarczająco ważnych powodów, by uzyskać pozwolenie na pobyt w Szwecji.

Do tego czasu zdążył się już nauczyć języka, a lekarze zajęli się jego zmiażdżonym biodrem. Przeszedł dwie operacje i był w stanie poruszać się bez kul. Równocześnie w Szwecji trwała debata na temat gminy Sjöbo, dochodziło do ataków na ośrodki dla uchodźców, a Bert Karlsson założył prawicową partię Nowi Demokraci.

Bezpośrednią przyczyną, dla której Idris Ghidi znalazł się w Archiwum Mediów, było to, że w ostatniej chwili dostał nowego adwokata, który zwrócił się do mediów i przedstawił sytuację swojego klienta. W sprawę zaangażowali się inni Kurdowie mieszkający w Szwecji, między innymi członkowie walecznej rodziny Baksi. Odbywały się demonstracje, wysyłano petycje do minister do spraw uchodźców Birgit Friggebo. Zainteresowanie mediów przyniosło efekty. Urząd zmienił decyzję: Ghidi dostał pozwolenie na pobyt i mógł podjąć pracę w Królestwie Szwecji. W styczniu 1992 opuścił ośrodek dla uchodźców w Upplands-Väsby jako wolny człowiek.

Po zwolnieniu z ośrodka czekały go nowe wyzwania. Musiał znaleźć pracę, a równocześnie nadal poddawał się terapii po operacji biodra. Wkrótce przekonał się, że jego inżynierskie wykształcenie, dobre wyniki na studiach i wieloletnie doświadczenie zawodowe znaczą tyle co nic. Przez następne lata pracował jako roznosiciel gazet, pomywacz, sprzątacz i taksówkarz. Roznoszenie gazet musiał porzucić, bo nie mógł wystarczająco szybko chodzić po schodach. Praca taksówkarza podobałaby mu się, gdyby nie dwie rzeczy. Gubił się w Sztokholmie i okolicach, nie mógł też siedzieć nieruchomo dłużej niż godzinę. Potem ból biodra stawał się nie do zniesienia.

W maju 1998 roku przeniósł się do Göteborga. Daleki krewny zlitował się nad nim i zaproponował mu stałą pracę w firmie sprzątającej. Idris Ghidi nie był w stanie pracować na cały etat, więc miał pół etatu szefa jednej z ekip sprzątaczy w szpitalu Sahlgrenska, z którym firma podpisała kontrakt. Miał swoje rutyny i lekką pracę. Szorował korytarze przez sześć dni w tygodniu, między innymi 11C.

Mikael Blomkvist przeczytał tekst Daniela Olofssona i przyjrzał się zdjęciu Idrisa Ghidiego. Potem zalogował się w Archiwum Mediów i ściągnął kilka artykułów, na których opierał się Olofsson. Przeczytał je dokładnie i zamyślił się na chwilę. Zapalił papierosa. Kiedy odeszła Erika Berger, zakaz palenia w redakcji szybko został złagodzony. Henry Cortez nawet zupełnie otwarcie zostawiał popielniczkę na biurku.

Wreszcie z teczki z materiałami, które zebrał Daniel Olofsson, wyciągnął kartkę z charakterystyką doktora Andersa Jonassona. Przeczytał tekst i jego czoło pokryły głębokie zmarszczki.

MIKAEL BLOMKVIST nie dostrzegł nigdzie samochodu z rejestracją KAB i nie miał poczucia, że jest śledzony, ale dla pewności poszedł pieszo z księgarni Akademibokhandeln do bocznego wejścia do domu towarowego NK, a potem wyszedł głównym wejściem. Żeby nie stracić go z oczu w NK, trzeba by mieć nadludzkie zdolności. Wyłączył obydwa telefony komórkowe i przeszedł przez Gallerian do placu Gustawa Adolfa. Minął siedzibę Riksdagu i zapuścił się w uliczki Starego Miasta. Uznał, że nikt za nim nie idzie. Szedł okrężną drogą przez zaułki, aż wreszcie dotarł pod właściwy adres i zadzwonił do drzwi wydawnictwa Svartvitt.

Była trzecia po południu. Mikael zjawił się niezapowiedziany, ale redaktor Kurdo Baksi był na miejscu i gdy zobaczył gościa, twarz mu się rozjaśniła.

– Witaj – powiedział Baksi serdecznie. – Dlaczego ostatnio do nas nie zaglądasz?

– Właśnie zajrzałem – odparł Mikael.

– Tak, ale od ostatniego razu minęły co najmniej trzy lata.

Uścisnęli sobie dłonie.

Mikael Blomkvist znał Kurda Baksiego od lat osiemdziesiątych. Był jedną z osób pomagających Baksiemu w sprawach praktycznych, kiedy ten zakładał pismo „Svartvitt", które nocami kopiowano w siedzibie związków zawodowych LO bez ich pozwolenia. Kurdo został przyłapany przez Pera-Erika Åströma, później znanego jako pogromca pedofilów w Rädda Barnen. W latach osiemdziesiątych był sekretarzem komisji w LO. Pewnej nocy wszedł do pokoju z kserokopiarkami i zobaczył stosy wydruków pierwszego numeru „Svartvitt" oraz wyraźnie zakłopotanego Baksiego. Przyjrzał się pierwszej stronie z niedopracowanym layoutem i powiedział, że tak nie może wyglądać żadna szanująca się gazeta. Potem zaprojektował logo, które przez piętnaście lat zdobiło stronę tytułową „Svartvitt", aż do czasu, gdy pismo przekształciło się w wydawnictwo książkowe Svartvitt. W tym czasie Mikael Blomkvist miał pracę, którą wspominał z prawdziwym obrzydzeniem. Pełnił funkcję rzecznika prasowego LO – był to jego jedyny kontakt z tym rodzajem dziennikarstwa. Per-Erik Åström namówił go, żeby robił korekty w „Svartvitt" i pomagał w redagowaniu. Od tego czasu Kurdo Baksi i Mikael Blomkvist byli przyjaciółmi.

Mikael usiadł na sofie, a Kurdo poszedł po kawę do automatu na korytarzu. Porozmawiali chwilę o błahostkach, jak ludzie, którzy długo się nie widzieli, ale ciągle przerywał im dzwonek komórki Baksiego. Musiał odbywać krótkie rozmowy po kurdyjsku, turecku, może nawet arabsku czy w jeszcze innym języku, którego Mikael nie rozumiał. Tak było zawsze podczas wizyt w wydawnictwie Svartvitt. Dzwonili do niego ludzie z całego świata.

– Drogi Mikaelu, wyglądasz na zmartwionego. Co ci leży na wątrobie? – zapytał wreszcie Baksi.

– Czy możesz wyłączyć komórkę na pięć minut, żebyśmy mogli spokojnie porozmawiać?

Kurdo spełnił prośbę.

– Okej... potrzebuję przysługi. Ważnej przysługi. To musi nastąpić natychmiast i nie może wydostać się poza ten pokój.

– Mów.

– W 1989 roku przyjechał do Szwecji kurdyjski uchodźca z Iraku nazwiskiem Idris Ghidi. Groziło mu wydalenie i wtedy twoja rodzina mu pomogła. Potem dostał pozwolenie na pobyt. Nie wiem, czy to twój ojciec, czy ktoś inny z rodziny był w to zaangażowany.

– Mój stryj, Mahmud Baksi. Ja też znam Idrisa. A co z nim?

– Pracuje teraz w Göteborgu. Potrzebuję jego pomocy. Chodzi o prostą rzecz. Jestem gotów mu zapłacić.

– Co to za rzecz?

– Czy masz do mnie zaufanie, Kurdo?

– Oczywiście. Zawsze byliśmy przyjaciółmi.

– Zadanie, które miałby wykonać Ghidi, jest dziwne. Bardzo dziwne. Wolałbym nie opowiadać, na czym ma polegać, ale zapewniam cię, że w żaden sposób nie jest nielegalne i nie przysporzy problemów ani tobie, ani Idrisowi.

Kurdo uważnie przyglądał się Mikaelowi.

– Rozumiem. I nie chcesz powiedzieć, o co chodzi.

– Im mniej osób wie, tym lepiej. Potrzebuję twojej pomocy. Chciałbym żebyś przedstawił mnie Idrisowi, żeby mógł mnie wysłuchać.

Kurdo zastanawiał się chwilę. Potem podszedł do swojego biurka. Przez chwilę wertował kalendarz, aż znalazł numer Idrisa Ghidiego, podniósł słuchawkę i zaczął mówić po kurdyjsku. Mikael widział po wyrazie jego twarzy, że zaczął od zwyczajowych pozdrowień i grzeczności. Potem spoważniał i wyłuszczył sprawę. Po chwili zwrócił się do Mikaela:

– Kiedy chcesz się z nim spotkać?

– W piątek po południu, jeśli się da. Zapytaj, czy mogę odwiedzić go w domu.

Kurdo mówił jeszcze przez chwilę do słuchawki i się pożegnał.

– Idris Ghidi mieszka w Angered – powiedział. – Masz adres?

Mikael skinął głową.

– W piątek będzie w domu koło piątej po południu. Będzie na ciebie czekał.

– Dziękuję, Kurdo – powiedział Mikael.

– Pracuje w Sahlgrenska jako sprzątacz – dodał Kurdo Baksi.

– Wiem – przyznał Mikael.

– Nie dało się nie zauważyć w gazetach, że jesteś zamieszany w aferę Salander.

– To prawda.

– Została postrzelona.

– Właśnie.

– Zdaje mi się, że leży w Sahlgrenska.

– To też się zgadza.

Kurdo Baksi też nie był w ciemię bity.

Domyślał się, że Mikael zamierza zrobić coś nie całkiem zgodnego z przepisami, z czego zresztą był znany. Znał Blomkvista od lat osiemdziesiątych. Nigdy nie byli bliskimi przyjaciółmi, ale też nigdy się nie kłócili i Mikael zawsze był do dyspozycji, gdy Kurdo potrzebował pomocy. Przez lata wypili razem trochę piwa, kiedy czasami natykali się na siebie w jakiejś knajpie czy na przyjęciu.

– Czy zostanę wciągnięty w coś, o czym powinienem wiedzieć? – zapytał Kurdo.

– Nie zostaniesz w nic wciągnięty. Twoją rolą było tylko przedstawienie mnie znajomemu. I powtarzam... nie zamierzam prosić Idrisa Ghidiego o nic nielegalnego.

Kurdo skinął głową. To mu wystarczyło. Mikael wstał.

– Jestem ci winien przysługę.

– Wszyscy zawsze jesteśmy sobie winni przysługi – stwierdził Kurdo Baksi.

HENRY CORTEZ odłożył słuchawkę i zabębnił palcami o blat stołu tak głośno, że Monika Nilsson uniosła brwi i spojrzała na niego z irytacją. Stwierdziła, że jest pochłonięty własnymi myślami. Zdawała sobie sprawę, że jest ogólnie poirytowana, i postanowiła nie wyładowywać się akurat na nim.

Wiedziała, że Blomkvist szepcze po kątach z Cortezem, Malin Eriksson i Christerem Malmem o sprawie Salander, podczas gdy ona i Lottie Karim mają razem zajmować się niewdzięczną pracą – przygotowaniem następnego numeru pisma, które, odkąd odeszła Erika Berger, nie miało prawdziwego kierownictwa. Malin była zdolna, ale nie miała wprawy i brakowało jej autorytetu Eriki Berger. A Cortez był jeszcze niedoświadczonym chłopcem.

Irytacja Moniki Nilsson nie wynikała z tego, że czuła się pomijana czy chciała robić to co oni – to była ostatnia rzecz, o jakiej myślała. Jej praca polegała na monitorowaniu rządu, Riksdagu i instytucji państwowych dla potrzeb „Millennium". Lubiła ją i znała się na niej. Poza tym miała pod dostatkiem innych zajęć. Regularnie co tydzień pisywała w piśmie związków zawodowych, wykonywała różne prace społeczne dla Amnesty International i innych organizacji. Nie było w jej życiu miejsca na posadę redaktora naczelnego „Millennium", pracę co najmniej dwanaście godzin na dobę i poświęcanie weekendów i świąt.

Ale czuła, że coś się w „Millennium" zmieniło. W redakcji zrobiło się nagle jakoś obco. I nie potrafiła powiedzieć, co było nie tak.

Mikael Blomkvist jak zwykle zachowywał się nieodpowiedzialnie, odbywał tajemnicze podróże, przychodził i wychodził, kiedy chciał. Był wprawdzie udziałowcem „Millennium" i sam mógł decydować, co chce robić, ale jakieś cholerne minimum odpowiedzialności by mu nie zaszkodziło.

Christer Malm był drugim udziałowcem i było z niego mniej więcej tyle pożytku, co gdyby był na urlopie. Bez wątpienia był utalentowany i mógł przejmować szefowanie, kiedy Erika wyjeżdżała na urlop albo była pochłonięta czymś innym, ale przeważnie realizował tylko to, co postanowili inni. Był znakomity w projektach graficznych i prezentacjach, ale jeśli chodzi o planowanie numeru, nie nadawał się do niczego.

Monika Nilsson zmarszczyła brwi.

Nie była jednak niesprawiedliwa. Najbardziej irytowało ją to, że coś w redakcji się zmieniło. Mikael pracował do spółki z Malin i Henrym, a cała reszta została w pewien sposób odsunięta. Utworzyli wewnętrzny krąg i zamykali się w pokoju Eriki... pokoju Malin, a potem wychodzili w milczeniu. Za czasów Eriki redakcja stanowiła kolektyw. Monika nie rozumiała, co się dzieje, ale zdawała sobie sprawę, że stoi z boku.

Mikael pracował nad tekstem o Salander i nie mówił, o co w tym chodzi. Choć z drugiej strony nie było to w jego postępowaniu nic nadzwyczajnego. O sprawie Wennerströma też nie pisnął ani słowa – nawet Erika nie wiedziała – ale tym razem dopuścił do tajemnicy Malin i Henry'ego.

Monika była, krótko mówiąc, poirytowana. Potrzebowała urlopu. Powinna wyjechać i oderwać się od tego wszystkiego na jakiś czas. Spojrzała na Henry'ego Corteza. Zakładał sztruksową marynarkę.

– Muszę wyjść – powiedział. – Czy możesz powiedzieć Malin, że wrócę za dwie godziny?

– Coś się stało?

– Wydaje mi się, że mam na celowniku niezły temat. Naprawdę dobry materiał. O sedesach. Chcę sprawdzić kilka rzeczy, a jeśli wszystko się potwierdzi, będziemy mieć tekst do czerwcowego numeru.

– O sedesach? – powtórzyła Monika i odprowadziła go wzrokiem.

ERIKA BERGER zacisnęła zęby i powoli odłożyła tekst o zbliżającym się procesie Lisbeth Salander. Był krótki, na dwie szpalty, miał iść na stronę piątą z wiadomościami z kraju. Przyglądała się wydrukowi przez minutę, wysuwając wargi. Był czwartek, piętnasta trzydzieści. Pracowała w SMP od dwunastu dni. Sięgnęła po telefon i zadzwoniła do szefa działu wiadomości Andersa Holma.

– Dzień dobry, mówi Berger. Proszę odszukać reportera Johannesa Friska i natychmiast przyjść z nim do mojego pokoju.

Odłożyła słuchawkę i cierpliwie czekała, aż Holm z Johannesem Friskiem pojawią się w jej szklanym biurze. Gdy weszli, spojrzała na zegarek.

– Dwadzieścia dwie – rzuciła.

– Co? – zapytał Holm.

– Dwadzieścia dwie minuty. Tyle czasu potrzebował pan, żeby wstać od biurka, przejść piętnaście metrów do Johannesa Friska i przyczłapać tu z nim.

– Nie mówiła pani, że to takie pilne. Jestem dość zajęty.

– Nie mówiłam, że nie jest pilne. Powiedziałam, że ma pan zabrać Johannesa Friska i przyjść do mojego pokoju. Powiedziałam natychmiast i to właśnie miałam na myśli, nie dziś wieczorem ani w przyszłym tygodniu, ani kiedy raczy pan podnieść tyłek ze swojego krzesła.

– Uważam, że...

– Proszę zamknąć drzwi.

Odczekała, aż Anders Holm zamknie za sobą drzwi. Przyglądała mu się milczeniu. Był bez wątpienia kompetentnym szefem wiadomości, a jego rola polegała na codziennym wypełnianiu kolumn SMP właściwymi tekstami, napisanymi w sposób zrozumiały i przedstawionymi w kolejności, jaką ustalono na porannym posiedzeniu redakcji. Dlatego codziennie musiał żonglować niesłychaną ilością zadań. I robił to, nie gubiąc ani jednej piłeczki.

Problem polegał na tym, że konsekwentnie ignorował decyzje Eriki Berger. Przez dwa tygodnie próbowała znaleźć formułę współpracy. Odnosiła się do niego serdecznie, próbowała bezpośrednich poleceń, zachęcała do samodzielnego myślenia i robiła wszystko, żeby zrozumiał, jaka jest jej wizja gazety.

Nic nie pomagało.

Tekst, który odrzucała po południu, i tak lądował w gazecie wieczorem, kiedy wyszła do domu. *Jeden tekst wypadł i mieliśmy lukę, którą musiałem czymś zapełnić.*

Tytuł, który Erika wybrała, nagle był odrzucany, a zamiast niego ukazywał się zupełnie inny. Nie zawsze był to zły wybór, ale tych zmian dokonywano bez konsultacji. Demonstracyjnie i wyzywająco.

Zwykle chodziło o drobiazgi. Spotkanie redakcji przenoszono z czternastej na trzynastą pięćdziesiąt, nie zawiadamiając Eriki. Kiedy wreszcie się zjawiała, większość decyzji była już przedyskutowana. *Przepraszam... w pośpiechu zapomniałem panią zawiadomić.*

Erika Berger za nic nie mogła zrozumieć, dlaczego Anders Holm przyjął w stosunku do niej taką postawę, ale zauważyła, że miłe rozmowy i uprzejme napomnienia nie odnoszą skutku. Dotychczas nie wdawała się w spory w obecności innych pracowników redakcji, ale starała się dawać wyraz swojej irytacji podczas rozmów w cztery oczy. To też nie przynosiło efektów. Nadszedł czas, by sięgnąć po bardziej zdecydowane środki. Tym razem rozmowa miała się odbyć w obecności Johannesa Friska. Dawało to gwarancję, że jej treść rozejdzie się po całej redakcji.

– Kiedy zaczynałam pracę, powiedziałam od razu, że jestem szczególnie zainteresowana wszystkim, co się wiąże z Lisbeth Salander. Prosiłam, żeby mnie informowano wcześniej o wszystkich planowanych artykułach. Chciałam mieć możliwość przejrzenia i zaakceptowania materiałów. Przypominałam o tym panu kilkanaście razy, ostatnio na spotkaniu redakcji w zeszły piątek. Której części instrukcji pan nie zrozumiał?

– Wszystkie teksty zaplanowane albo w trakcie pisania znajdują się w codziennych notatkach służbowych w intranecie. Zawsze są do pani wysyłane. Jest pani informowana na bieżąco.

– Bzdura. Kiedy dziś rano znalazłam SMP w skrzynce, na najlepszym miejscu mieliśmy tekst na trzy szpalty o Salander i o tym, co dzieje się w związku ze Stallarholmen.

– To był tekst Margarety Orring. Jest freelancerką i przysłała go dopiero wczoraj o siódmej wieczorem.

– Margareta Orring dzwoniła z propozycją napisania artykułu już o jedenastej wczoraj przed południem. Pan się zgodził i zlecił napisanie tekstu około wpół do dwunastej. Na spotkaniu redakcyjnym o czternastej nie wspomniał pan o tym ani słowem.

– Wszystko jest w notatce służbowej.

– Ach tak? W notatce jest napisane: Margareta Orring, wywiad z prokurator Martiną Fransson. Re: przejęcie narkotyków w Södertälje.

– Podstawę materiału stanowił wywiad z Martiną Fransson w sprawie przejęcia sterydów anabolicznych, za które aresztowano jednego z nowych członków Svavelsjö MC.

– Właśnie. A w notatce nie było ani słowa o Svavelsjö MC ani o tym, że w wywiadzie pojawi się także temat Maggego Lundina i Stallarholmen, a co za tym idzie, także śledztwa w sprawie Salander.

– Zakładam, że to wyszło w trakcie wywiadu...

– Anders, nie pojmuję, jak pan może tak stać przede mną i kłamać w żywe oczy. Rozmawiałam z Margaretą Orring. Wyraźnie tłumaczyła panu, o czym będzie mowa w wywiadzie.

– Przykro mi, ale najwyraźniej nie zrozumiałem, że na sprawę Salander ma być położony tak duży nacisk. Dostałem tekst wieczorem. Co miałem zrobić? Wycofać się z publikacji? Orring napisała dobry tekst.

– Tu się zgadzamy. To świetny tekst. Ale to jest pana trzecie kłamstwo w ciągu mniej więcej trzech minut. Orring przysłała tekst o piętnastej dwadzieścia, czyli na długo zanim około szóstej wyszłam z redakcji.

– Pani Berger, nie podoba mi się pani ton.

– To dobrze. A ja panu powiem, że mnie się nie podoba ani pański ton, ani pańskie wykręty i kłamstwa.

– To brzmi, jakby pani myślała, że uprawiam jakąś konspirację przeciwko pani.

– Nadal nie uzyskałam odpowiedzi na moje pytanie. Przejdźmy do punktu drugiego: dzisiaj na moim biurku pojawia się tekst Johannesa Friska. Nie przypominam sobie, żebyśmy mówili o tym na spotkaniu o czternastej. Jak to możliwe, że jeden z naszych reporterów poświęca cały dzień na sprawę Salander, a ja nic o tym nie wiem?

Johannes Frisk kręcił się na krześle. Miał jednak dość rozsądku, żeby się nie odzywać.

– No więc... robimy gazetę i na pewno mamy setki tekstów, których pani nie zna. Mamy w SMP swoje zwyczaje, do których wszyscy muszą się dostosować. Nie mam czasu ani możliwości, żeby niektóre publikacje traktować wyjątkowo.

– Nie prosiłam o wyjątkowe traktowanie niektórych tekstów. Żądałam po pierwsze, żeby mnie informowano o wszystkim, co ma związek ze sprawą Salander, żebym, po drugie, mogła zaakceptować to, co zostanie opublikowane. A więc jeszcze raz: której części instrukcji pan nie rozumie?

Anders Holm westchnął i zrobił minę męczennika.

– Okej – powiedziała Erika Berger. – A więc będę się wyrażała jaśniej. Nie zamierzam się z panem użerać. Zobaczymy, czy zrozumie pan następującą informację: jeśli to się powtórzy jeszcze raz, zdejmę pana z funkcji szefa wiadomości. Będzie wielki huk i dużo wrzasku, a potem będzie pan sobie spokojnie redagował stronę rodzinną, dział komiksów albo coś podobnego. Nie mogę mieć szefa wiadomości, na którym nie mogę polegać, który zajmuje się podważaniem moich decyzji. Czy to jasne?

Anders Holm rozłożył ręce w geście, który oznaczał, że zarzuty Eriki są niedorzeczne.

– Czy pan to zrozumiał? Tak czy nie?

– Słyszałem, co pani powiedziała.

– Pytałam, czy pan mnie zrozumiał. Tak czy nie?

– Czy myśli pani, że to się pani uda? Ta gazeta ukazuje się tylko dlatego, że ja i kilka innych trybików w maszynie zaharowujemy się na śmierć. Zarząd na pewno...

– Zarząd na pewno zaakceptuje moją decyzję. Jestem tu po to, żeby odnowić tę gazetę. Mam precyzyjnie sformułowaną umowę, którą wspólnie wynegocjowaliśmy, a mówi ona, że mam prawo wprowadzać daleko idące zmiany na stanowiskach szefów. Mogę się pozbyć starych złogów i zaangażować młode siły z zewnątrz, jeśli uznam to za stosowne. A im dłużej patrzę na pana, Holm, tym bardziej zaczyna mi pan wyglądać na martwy złóg.

Umilkła. Anders Holm spojrzał jej w oczy. Był wściekły.

– To wszystko – powiedziała Erika Berger. – Proponuję, żeby pan przemyślał wszystko, o czym dzisiaj mówiliśmy.

– Nie zamierzam...

– Wybór należy do pana. To wszystko. Może pan odejść.

Odwrócił się na pięcie i wyszedł z oszklonego biura. Erika widziała jeszcze, jak przechodzi przez biuro i znika w pokoju śniadaniowym. Johannes Frisk wstał i zamierzał pójść w jego ślady.

– Pan nie, Johannes. Proszę zostać i usiąść.

Wzięła do ręki jego tekst i jeszcze raz przeleciała go wzrokiem.

– Pracuje pan u nas w zastępstwie, z tego co wiem.

– Tak. Od pięciu miesięcy, i to ostatni tydzień.

– Przykro mi, że znalazł się pan na linii ognia między mną i Holmem. Niech pan opowie o swoim tekście.

– Dostałem dziś rano informację i poszedłem z nią do Holma, a on powiedział, żebym się tym zajął.

– Okej. W tekście chodzi o to, że policja sprawdza podejrzenia, że Lisbeth Salander mogła być zamieszana w sprzedaż sterydów anabolicznych. Czy ten tekst ma jakiś związek z wczorajszym materiałem o Södertälje, w którym też pojawiły się anaboliki?

– Nic o tym nie wiem, możliwe. Tutaj ta sprawa z anabolikami ma związek z jej kontaktami z bokserem Paolem Roberto i jego znajomymi.

– Czy Paolo Roberto stosuje anaboliki?

– Co... nie, oczywiście, że nie. Tu chodzi raczej o środowisko związane z boksem. Salander trenuje boks z różnymi ciemnymi typami w jakimś klubie na Södermalmie. Ale to pomysł policji, nie mój. Gdzieś w tamtym kontekście pojawiła się myśl, że ona mogłaby być zamieszana w handel anabolikami.

– A więc w tym tekście nie ma nic konkretnego, opiera się tylko na pogłosce?

– To nie pogłoska, że policja bada ten trop. Ale czy mają rację, czy nie, tego nie wiem.

– Okej, Johannes. Chciałabym, żeby pan wiedział, że nasza dyskusja nie ma nic wspólnego z moim stosunkiem do Andersa Holma. Uważam, że jest pan znakomitym dziennikarzem. Dobrze pan pisze i ma oko do szczegółów. Krótko mówiąc, to jest niezły materiał. Ale mój problem polega na tym, że nie wierzę w jego treść.

– A ja zapewniam panią, że opiera się na faktach.

– Więc wytłumaczę panu, na czym polega zasadniczy błąd w tym tekście. Skąd pochodzi informacja?

– Z naszego źródła w policji.

– Od kogo?

Johannes Frisk zawahał się. Odruchowo. Jak wszyscy dziennikarze na całym świecie wolał nie zdradzać tożsamości swojego informatora. Z drugiej strony Erika Berger była redaktorem naczelnym, a przez to jedną z niewielu osób, które miały prawo żądać od niego takiej informacji.

– Policjant z wydziału zabójstw, nazywa się Hans Faste.

– Czy to on zadzwonił do pana, czy pan do niego?

– On do mnie.

Erika Berger skinęła głową.

– Jak pan myśli, dlaczego zadzwonił?

– Przeprowadziłem z nim kilka wywiadów podczas polowania na Salander. Wie, kim jestem.

– I wie, że ma pan dwadzieścia siedem lat, pracuje w zastępstwie i że można pana użyć, kiedy chce się puścić w obieg informację, jeśli zależy na tym prokuratorowi.

– No tak, zdaję sobie z tego sprawę. Ale dostałem sygnał o śledztwie, jadę do Hansa Fastego i piję z nim kawę, a on mi to opowiada. Cytuję go dosłownie. Co innego mogę zrobić?

– Jestem przekonana, że zacytował go pan dosłownie. Ale sprawa powinna wyglądać tak: idzie pan z tą informacją do Andersa Holma, który puka do mnie, wyjaśnia sprawę i razem ustalamy, co zrobić.

– Rozumiem. Ale...

– Złożył pan materiał u Holma, który jest szefem działu wiadomości. Postąpił pan właściwie. To Holm popełnił błąd. Ale zajmijmy się analizą pańskiego tekstu. Po pierwsze, dlaczego Faste chce, żeby ta informacja wyciekła?

Johannes Frisk wzruszył ramionami.

– Czy to znaczy, że pan nie wie, czy że się tym nie interesuje?

– Nie wiem.

– Okej. Jeśli powiem, że ta historia jest zmyślona, że Salander nie ma nic wspólnego ze sterydami, co pan na to powie?

– Nie potrafię udowodnić, że tak nie jest.

– Właśnie. To znaczy, że pana zdaniem można opublikować tekst, który może być kłamliwy, tylko dlatego że nie jest się w stanie udowodnić, że to nieprawda?

– Nie, spoczywa na nas dziennikarska odpowiedzialność. Ale tu trzeba wyważyć różne sprawy. Nie możemy rezygnować z publikacji, kiedy mamy źródło, które dostarcza konkretnych informacji.

– Teoria. Możemy zapytać, dlaczego źródło chce posłać tę informację w świat. Na tym przykładzie pozwolę sobie wytłumaczyć, dlaczego wydałam polecenie, żeby wszystkie teksty dotyczące Salander przechodziły przez moje biurko. Ponieważ dysponuję szczególną wiedzą na temat tej sprawy, jakiej nie ma nikt inny w SMP. Redakcja prawna jest poinformowana, że mam tę wiedzę i nie mogę z nikim o tym rozmawiać. „Millennium" zamierza opublikować obszerny materiał o sprawie Salander, którego zgodnie z umową nie mogę ujawnić w SMP, choć teraz tu pracuję. Otrzymałam te informacje, gdy byłam naczelną „Millennium", i teraz jestem w dość trudnej sytuacji. Rozumie pan, o co mi chodzi?

– Chyba tak.

– A wiedza wyniesiona z „Millennium" pozwala mi jednoznacznie stwierdzić, że ten tekst to kłamstwa i że ma na celu zaszkodzenie Lisbeth Salander przed zbliżającym się procesem.

– Trudno chyba jeszcze bardziej zaszkodzić Lisbeth Salander, biorąc pod uwagę wszystkie doniesienia na jej temat...

– Doniesienia, które w znacznej części są nieprawdziwe i przekręcone. Hans Faste jest jednym z głównych źródeł wszelkich doniesień o tym, że Salander jest paranoidalną i mającą zamiłowanie do przemocy lesbijką, która zajmuje się satanizmem i BDSM. A media kupiły kampanię Fastego, bo jest z pozoru poważnym źródłem, a poza tym zawsze opłaca się pisać o seksie. Teraz próbuje ją obciążyć w oczach opinii publicznej jeszcze innymi rzeczami i chce, żeby SMP mu pomagała.

– Rozumiem.

– Naprawdę? To dobrze. A więc jeszcze raz powtórzę wszystko w jednym zdaniu. Pańskie obowiązki jako dziennikarza polegają na kwestionowaniu i krytycznej analizie – a nie na bezkrytycznym powtarzaniu stwierdzeń, które pochodzą od pobocznych graczy w instytucjach i różnych ośrodkach władzy. Niech pan o tym nie zapomina. Ma pan świetne pióro, ale talent jest bezwartościowy, jeśli zapomina się o podstawach zawodu dziennikarza.

– Tak jest.

– Zamierzam wycofać ten tekst.

– Okej.

– Nie przekonuje. Nie wierzę w jego treść.

– Rozumiem.

– Ale to nie znaczy, że nie mam do pana zaufania.

– Dziękuję.

– Dlatego zamierzam odesłać pana do biurka z propozycją napisania nowego artykułu.

– Ach tak?

– To się wiąże z moją umową z „Millennium". Nie mogę zdradzić tego, co wiem o sprawie Salander. A równocześnie jestem redaktorem naczelnym gazety, która może się skompromitować, gdyż redakcja nie wie tego, co wiem ja.

– Hmm...

– A tak nie może być. To wyjątkowa sytuacja i dotyczy wyłącznie sprawy Salander. Dlatego postanowiłam, że wyznaczę reportera, którego będę naprowadzała na właściwe tory, żebyśmy się nie obudzili z ręką w nocniku, kiedy „Millennium" opublikuje swoje materiały.

– I sądzi pani, że „Millennium" opublikuje o Salander coś szczególnego?

– Ja nie sądzę, ja to wiem. „Millennium" ma w zanadrzu bombę, która postawi na głowie wszystko, co wiadomo o sprawie Salander, i do szału doprowadza mnie fakt, że nie mogę tego ujawnić. Ale to po prostu niemożliwe.

– Odrzuca pani mój tekst, bo jest niezgodny z prawdą... To znaczy, że pani już teraz twierdzi, że w tej sprawie jest coś, co przeoczyli wszyscy dziennikarze.

– Właśnie.

– Przepraszam, ale trudno mi uwierzyć, żeby media całej Szwecji dały się tak nabrać...

– Lisbeth Salander padła ofiarą medialnej nagonki. W takiej sytuacji normalne reguły przestają obowiązywać i każdy nonsens można opublikować na pierwszej stronie.

– Więc twierdzi pani, że Lisbeth Salander nie jest osobą, za jaką jest uważana?

– Niech pan spróbuje sobie wyobrazić, że nie popełniła zbrodni, o które się ją oskarża, że jej obraz, który wyłania się z tytułów tabloidów, to bzdura, i że w tej sprawie działają jeszcze inne siły niż ujawnione dotychczas.

– I pani twierdzi, że tak jest?

Erika Berger kiwnęła głową.

– To znaczy, że to, co próbowałem opublikować, jest dalszą częścią kampanii przeciwko niej?

– Właśnie tak.

– Ale nie może pani powiedzieć, o co tu chodzi?

– Nie.

Johannes Frisk podrapał się po głowie i zamyślił głęboko. Erika Berger zaczekała, aż młody człowiek rozważy wszystko, co usłyszał.

– Okej... więc co mam robić pani zdaniem?

– Proszę wrócić do biurka i zacząć myśleć nad innym artykułem. Nie musi się pan śpieszyć, ale krótko przed rozpoczęciem procesu powinniśmy zamieścić dłuższy tekst, może na całą rozkładówkę, w którym przeanalizujemy wszystkie informacje o Lisbeth Salander zamieszczane w mediach. Może niech pan zacznie od przeczytania wszystkich wycinków prasowych i sporządzi listę opinii na jej temat, a potem weźmie je po kolei pod lupę.

– Dobrze.

– Niech pan myśli po reportersku. Niech pan zbada, kto rozpowszechnia te informacje, dlaczego je rozpowszechnia i kto ma w tym interes.

– Ale kiedy proces ruszy, chyba już nie będę pracował w SMP. Jak mówiłem, to ostatni tydzień mojego zastępstwa.

Erika wyjęła z szuflady plastikową koszulkę, wyciągnęła z niej kartkę i położyła przed nim na biurku.

– Już przedłużyłam umowę z panem o trzy miesiące. Przepracuje pan ten tydzień do końca i zjawi się w poniedziałek.

– Aha.

– O ile chce pan nadal pracować w SMP.

– Oczywiście.

– Jest pan zatrudniony do poszukiwania informacji, poza zwykłą pracą redakcyjną. Pracuje pan bezpośrednio pod moim kierownictwem. Będzie pan szczególnie wnikliwie obserwował proces Salander na potrzeby SMP.

– Szef wiadomości może mieć jakieś uwagi...

– Proszę się nie martwić o Andersa Holma. Rozmawiałam z szefami działu prawnego i ustaliłam wszystko, żeby nie było konfliktów. Ale będzie pan działał w tle, nie w doniesieniach bieżących. Czy to panu odpowiada?

– Jak najbardziej.

– To dobrze. W takim razie umowa stoi. Do poniedziałku.

Machnięciem ręki odesłała go ze swojego szklanego biura. Kiedy podniosła głowę, zobaczyła, że Anders Holm wpatruje się w nią z newsroomu. Nagle spuścił wzrok, udając, że jej nie widzi.

Rozdział 11
Piątek 13 maja – sobota 14 maja

MIKAEL BLOMKVIST dokładnie sprawdził, czy nie jest śledzony, kiedy w piątek wczesnym rankiem szedł z redakcji „Millennium" do dawnego mieszkania Lisbeth Salander na Lundagatan. Musiał pojechać do Göteborga, żeby spotkać się z Idrisem Ghidim. Problemem był transport: musiał być pewny, uniemożliwiać obserwowanie i nie zostawiać śladów. Po długim namyśle odrzucił pociąg, ponieważ nie chciał używać karty kredytowej. Zwykle pożyczał samochód od Eriki Berger, ale to było już niemożliwe. Zastanawiał się, czy nie poprosić Henry'ego Corteza albo kogoś innego o wynajęcie samochodu, zdawał sobie jednak sprawę, że to zostawi ślady na papierze.

Wreszcie przyszło mu do głowy oczywiste rozwiązanie. Wyjął więcej gotówki z bankomatu na Götgatan. Kluczami Lisbeth otworzył jej bordową hondę, która od marca stała opuszczona przed jej dawnym mieszkaniem. Ustawił siedzenie i stwierdził, że bak jest do połowy pełny. Potem wyjechał z parkingu i przez most Liljeholmsbron ruszył w kierunku E4.

Zaparkował na przecznicy Avenyn w Göteborgu o czternastej pięćdziesiąt. W pierwszej z brzegu kawiarni zjadł późny lunch. O szesnastej dziesięć wsiadł do tramwaju do Angered i dojechał do centrum dzielnicy. Dwadzieścia minut zajęło mu odszukanie domu Idrisa Ghidiego. Na umówione spotkanie spóźnił się ponad dwadzieścia minut.

Idris Ghidi kulał. Otworzył drzwi, podał Mikaelowi rękę i zaprosił go do spartańsko umeblowanego dużego pokoju.

Na sekretarzyku obok stołu, przy którym siedział Mikael, stało kilkanaście oprawionych w ramki fotografii. Mikael przyglądał się zdjęciom.

– Moja rodzina – wyjaśnił Idris Ghidi.

Mówił z silnym akcentem. Mikael pomyślał, że nie zdałby testu językowego proponowanego przez Folkpartiet.

– Czy to pana bracia?

– Moi bracia, z lewej strony, zostali zamordowani przez Saddama w latach osiemdziesiątych, tak samo jak ojciec, tu, w środku. Moich dwóch wujów Saddam zamordował w latach dziewięćdziesiątych. Moja matka umarła w roku 2000. Moje trzy siostry żyją. Mieszkają za granicą. Dwie w Syrii, a najmłodsza w Madrycie.

Mikael pokiwał głową. Idris Ghidi podał kawę po turecku.

– Ma pan pozdrowienia od Baksiego.

Idris Ghidi skinął.

– Czy wyjaśnił, czego od pana chcę?

– Kurdo powiedział, że ma pan dla mnie pewne zlecenie, ale nie mówił, o co chodzi. Od razu chciałbym powiedzieć, że go nie przyjmę, jeśli to będzie coś nielegalnego. Nie mogę sobie pozwolić na udział w czymś takim.

Mikael skinął głową.

– W tym, o co chcę pana poprosić, nie ma nic nielegalnego, ale jest to rzecz dość niezwykła. To robota na kilka najbliższych tygodni i trzeba ją wykonywać codziennie. Z drugiej strony zajmie to panu mniej więcej minutę dziennie. Jestem gotów płacić za to tysiąc koron tygodniowo. Pieniądze będą pochodziły z mojej kieszeni. Dostanie pan gotówkę. Nie zamierzam też zgłaszać tego do urzędu skarbowego.

– Rozumiem. A co miałbym robić?

– Pracuje pan jako sprzątacz w Sahlgrenska?

Idris Ghidi potwierdził kiwnięciem głowy.

– Jednym z pana obowiązków jest sprzątanie codziennie albo przez sześć dni w tygodniu, o ile dobrze wiem, korytarza 11C, który znajduje się na oddziale intensywnej opieki.

Idris Ghidi skinął głową.

– Chciałbym pana prosić o następującą rzecz.

Mikael Blomkvist nachylił się ku rozmówcy i zaczął wyjaśniać, o co chodzi.

PROKURATOR RICHARD EKSTRÖM w zamyśleniu przyglądał się gościowi. To było jego trzecie spotkanie z komisarzem Georgiem Nyströmem. Widział przed sobą pofałdowaną twarz okoloną krótko ostrzyżonymi siwymi włosami. Georg Nyström odwiedził go pierwszy raz kilka dni po zabójstwie Zalachenki. Wylegitymował się dokumentem, który zaświadczał, że pracuje dla RPS/Säk. Długo rozmawiali przyciszonymi głosami.

– To ważne, żeby pan rozumiał, że w żaden sposób nie chcę wpływać na to, jakie pan podejmie decyzje i jak pan pracuje.

Ekström skinął głową.

– Chciałbym jeszcze raz podkreślić, że to, co panu powiem, pod żadnym pozorem nie może się przedostać do opinii publicznej.

– Rozumiem – powiedział Ekström.

Ekström powinien raczej przyznać, że nie rozumie, ale wolał nie zadawać zbyt wielu pytań, żeby nie wyjść na idiotę. Rozumiał, że sprawę Zalachenki należy traktować z największą ostrożnością. Rozumiał także, że wizyty Nyströma mają charakter nieformalny, choć przychodził na polecenie kogoś wysoko postawionego w służbie bezpieczeństwa.

– Tu chodzi o ludzkie życie – wyjaśnił Nyström już podczas pierwszej rozmowy. – Ze strony Säpo wszystko, co dotyczy Zalachenki, jest opatrzone klauzulą tajności. Mogę potwierdzić, że jest byłym agentem radzieckiego wywiadu wojskowego i jedną z kluczowych postaci ofensywy Rosjan w Europie Zachodniej w latach siedemdziesiątych.

– Ach tak... tak samo twierdzi Mikael Blomkvist.

– I w tym przypadku Mikael Blomkvist ma całkowitą rację. Jest dziennikarzem i wpadły mu w ręce najtajniejsze sekrety szwedzkiej obronności w całej historii kraju.

– Zamierza je opublikować.

– Oczywiście. Reprezentuje media ze wszystkimi ich wadami i zaletami. Żyjemy w systemie demokratycznym i nie możemy naturalnie wpływać na to, co piszą media. Wadą tej sytuacji jest fakt, że Blomkvist zna tylko niewielki ułamek prawdy o Zalachence, a wiele z tego, co wie, jest nieprawdą.

– Rozumiem.

– Blomkvist nie rozumie jednej rzeczy. Mianowicie tego, że jeśli prawda o Zalachence wyjdzie na jaw, Rosjanie będą mogli zidentyfikować naszych informatorów i źródła w Rosji. Oznacza to, że ludzie, którzy ryzykują życie dla demokracji, będą narażeni na śmierć.

– Ale czy Rosja nie jest obecnie demokracją? To znaczy gdyby to było w czasach komunistycznych...

– To iluzja. Chodzi o ludzi, którzy mogą zostać obwinieni o szpiegostwo przeciwko Rosji. Czegoś takiego nie zaakceptuje żaden reżim na świecie, nawet jeśli zdarzyło się to przed wielu laty. A wiele z tych źródeł nadal działa...

Takich źródeł nie było, ale tego prokurator Ekström nie mógł wiedzieć. Musiał wierzyć Nyströmowi na słowo. I nic nie mógł na to poradzić, ale w pewien sposób pochlebiało mu, że został nieformalnie dopuszczony do informacji należących do najtajniejszych w Szwecji. Był nieco zaskoczony, że szwedzkie służby potrafią infiltrować rosyjską obronność w taki sposób, jak sugerował Nyström, ale rozumiał, że te informacje absolutnie nie mogły wydostać się dalej.

– Kiedy dostałem polecenie, żeby się z panem skontaktować, prześwietliliśmy pana.

Uwodzenie zawsze wymagało znalezienia słabych punktów. Słabością prokuratora Ekströma było jego przesadne przekonanie o własnej ważności. Poza tym, jak każdy, lubił pochlebstwa. Wystarczyło sprawić, by poczuł się kimś wybranym.

– I stwierdziliśmy, że jest pan osobą, która cieszy się dużym zaufaniem w policji... i w kręgach rządowych oczywiście – dodał Nyström.

Ekström sprawiał wrażenie zadowolonego. Informacja, że niewymienione z nazwiska osoby z kręgów rządowych mają do niego zaufanie, oznaczała – tego nie trzeba było mówić otwarcie – że może liczyć na wdzięczność, jeśli umiejętnie rozegra tę partię. To dobrze wróżyło jego dalszej karierze.

– Rozumiem... a czego właściwie pan oczekuje?

– Moim zadaniem, że tak powiem w dużym uproszczeniu, jest jak najdyskretniejsze wspieranie pana naszą wiedzą. Rozumie pan oczywiście, jak niewiarygodnie skomplikowana jest cała ta historia. Z jednej strony zgodnie z prawem toczy się postępowanie przygotowawcze, za które pan odpowiada. Nikt... ani rząd, ani służby bezpieczeństwa, ani ktokolwiek inny nie może wtrącać się w to, jak pan je prowadzi. Pańska praca polega na docieraniu do prawdy i oskarżaniu winnych. To jedna z najważniejszych funkcji w państwie prawa.

Ekström przytaknął.

– Z drugiej zaś strony gdyby cała prawda o Zalachence przedostała się do opinii publicznej, doszłoby do katastrofy narodowej o trudnych do przewidzenia skutkach.

– A więc jaki jest cel pańskiej wizyty?

– Przede wszystkim moim zadaniem jest uświadomienie panu powagi sytuacji. Nie sądzę, żeby od czasu drugiej wojny światowej Szwecja kiedykolwiek znajdowała się w sytuacji większego zagrożenia. Można wręcz powiedzieć, że w pewnym sensie los kraju jest w pańskich rękach.

– Kto jest pańskim szefem?

– Przykro mi, ale nie mogę zdradzić nazwisk osób pracujących nad tą sprawą. Ale pozwolę sobie stwierdzić, że moje instrukcje pochodzą z najwyższych możliwych szczebli.

Wielki Boże. Działa na zlecenie rządu. Ale nie może tego powiedzieć, bo skończyłoby się to polityczną katastrofą.

Nyström zauważył, że Ekström połknął przynętę.

– Mogę za to służyć panu informacjami. Mam dość szerokie uprawnienia, żeby kierując się własnym osądem, wtajemniczyć pana w materiały należące do najbardziej strzeżonych tajemnic naszego kraju.

– Ach tak.

– Oznacza to, że jeśli ma pan jakieś pytania, obojętnie jakie, może pan zwracać się do mnie. Nie może pan rozmawiać z nikim innym ze służby bezpieczeństwa, tylko ze mną. Mam być pana przewodnikiem w tym labiryncie, a jeśli dojdzie do konfliktu interesów, będziemy wspólnie poszukiwać wyjścia.

– Rozumiem. Chciałbym wyrazić wdzięczność za to, że pan i pańscy koledzy jesteście skłonni pomóc mi w ten sposób.

– Chcemy, żeby procesy toczyły się zwykłym trybem, choć sytuacja jest trudna.

– Świetnie. Wspaniale. Zapewniam, że dochowam całkowitej dyskrecji. Nie pierwszy raz mam do czynienia z tajnymi informacjami...

– To prawda, dobrze o tym wiemy.

Ekström miał dziesiątki pytań, które Nyström skrupulatnie notował, a potem próbował w miarę możliwości udzielić odpowiedzi. Podczas trzeciej wizyty Ekström miał otrzymać odpowiedzi na kilka z nich. Najważniejsze dotyczyło raportu Björcka z 1991 roku: co w nim było prawdą, a co nie.

– To poważny problem – stwierdził Nyström.

Wyglądał, jakby go to naprawdę dręczyło.

– Na początek powiem, że odkąd ten raport ujrzał światło dzienne, działa utworzona przez nas grupa analityków. Pracuje niemal dzień i noc. Jej zadaniem jest zbadanie, co dokładnie wówczas się zdarzyło. Obecnie zbliżamy się do punktu, w którym możemy zacząć wyciągać wnioski. I są to wnioski bardzo nieprzyjemne.

– Rozumiem, że ten raport stwierdza, że Säpo i psychiatra Peter Teleborian uknuli spisek, żeby zamknąć Lisbeth Salander w szpitalu psychiatrycznym.

– Dobrze by było – powiedział Nyström i uśmiechnął się blado.

– Dobrze?

– Ależ tak. Gdyby sprawy tak wyglądały, wszystko byłoby proste. Oznaczałoby to, że popełniono zbrodnię i winowajców należy postawić przed sądem. Problem polega na tym, że ten raport różni się od tych, które znajdują się w naszych archiwach.

– Co pan ma na myśli?

Nyström wyjął teczkę i otworzył ją.

– To jest prawdziwy raport, który Gunnar Björck napisał w 1991 roku. Są tu też oryginały jego korespondencji z doktorem Teleborianem. Pochodzą z naszego archiwum. Chodzi o to, że te wersje się różnią.

– Proszę mi to wyjaśnić.

– Najgorsze jest w tym wszystkim to, że Björck się powiesił. Zakładamy, że w obawie przed upublicznieniem jego seksualnych upodobań, które wkrótce miało nastąpić. Wpędziło go to w tak wielkie przygnębienie, że wolał odebrać sobie życie.

– Tak...

– Oryginał raportu mówi o dochodzeniu w sprawie próby zabójstwa Aleksandra Zalachenki przez jego córkę Lisbeth Salander za pomocą koktajlu Mołotowa. Pierwsze trzydzieści stron raportu, który znalazł Blomkvist, pokrywa się z oryginałem. Ta część nie zawiera niczego szczególnego. Dopiero na stronie trzydziestej trzeciej, gdzie Björck zaczyna omawiać wnioski i zaleca działania, pojawiają się rozbieżności.

– Jakie?

– W oryginale Björck daje pięć wyraźnych zaleceń. Nie zamierzamy ukrywać, że dotyczą wyciszenia afery

Zalachenki w mediach i tym podobnych. Björck proponuje, żeby rehabilitacja Zalachenki, który był ciężko poparzony, odbywała się za granicą. I tym podobne rzeczy. Sugeruje także, że Lisbeth Salander powinna otrzymać najlepszą z możliwych opiekę psychiatryczną.

– Ach tak.

– Problem polega na tym, że w bardzo subtelny sposób zmieniono wiele zdań. Na stronie trzydziestej czwartej jest fragment, w którym Björck proponuje, żeby uznać Salander za zaburzoną psychicznie, żeby nie mogła być uważana za osobę wiarygodną, kiedy ktoś zacznie wypytywać o Zalachenkę.

– I tego stwierdzenia nie ma w oryginalnym raporcie?

– Właśnie. Gunnar Björck nigdy czegoś takiego nie proponował. Byłoby to niezgodne z prawem. Zaproponował tylko, żeby otrzymała taką opiekę, jakiej naprawdę potrzebuje. W kopii Blomkvista zrobił się z tego spisek.

– Czy mógłbym przeczytać oryginał?

– Proszę bardzo. Ale muszę zabrać ten raport ze sobą, gdy będę wychodził. I zanim pan się z nim zapozna, chciałbym zwrócić pańską uwagę na załączniki z korespondencją między Björckiem i Teleborianem. To niemal wyłącznie fałszywki. Tutaj nie chodzi o drobne zmiany, to są poważne fałszerstwa.

– Fałszerstwa?

– Wydaje mi się, że w tej sytuacji to najlepsze określenie. Oryginały pokazują, że sąd okręgowy zwrócił się do psychiatry Petera Teleboriana o sporządzenie ekspertyzy sądowo-lekarskiej na temat Lisbeth Salander. Nie ma w tym nic dziwnego. Lisbeth Salander miała dwanaście lat i usiłowała zabić swojego ojca ładunkiem zapalającym. Dziwne byłoby, gdyby po tym wszystkim nie przebadano jej psychiatrycznie.

– To prawda.

– Gdyby pan był prokuratorem, zakładam, że także zażądałby pan badania psychiatrycznego i raportu opieki społecznej.

– Na pewno.

– Teleborian był już wtedy znanym i szanowanym psychiatrą dziecięcym, ponadto zajmował się medycyną sądową. Otrzymał zlecenie i wykonał całkiem normalne badanie, po czym doszedł do wniosku, że Lisbeth Salander jest psychicznie chora... nie muszę chyba wdawać się w fachowe terminy medyczne.

– Oczywiście.

– Wnioski Teleborian przedstawił w raporcie, który wysłał Björckowi i który potem został przedłożony w sądzie, co doprowadziło do orzeczenia, że Salander powinna zostać poddana leczeniu w Klinice św. Stefana.

– Rozumiem.

– W wersji Blomkvista nie ma ekspertyzy, którą przeprowadził Teleborian. Zamiast niej jest korespondencja między Björckiem i Teleborianem, z której wynika, że Björck instruuje lekarza, jak ma sfałszować badanie psychiatryczne.

– I pan twierdzi, że to fałszywka?

– Bez wątpienia.

– Ale kto miałby interes w tym, żeby dokonać takiego fałszerstwa?

Nyström odłożył raport i zmarszczył brwi.

– Zbliżył się pan do pytania zasadniczego.

– A odpowiedź brzmi...

– Nie wiemy. To właśnie nad odpowiedzią na to pytanie pracuje bez wytchnienia grupa naszych analityków.

– Czy to możliwe, żeby Blomkvist coś sobie wymyślił?

Nyström zaśmiał się.

– No cóż, na początku tak podejrzewaliśmy. Ale nie wierzymy, żeby tak było. Uważamy, że fałszerstwa dokonano o wiele wcześniej, przypuszczalnie wtedy, kiedy powstawał prawdziwy raport.

– Ach tak?

– I to prowadzi do przykrych wniosków. Osoby, które dokonały tych fałszerstw, były bardzo zorientowane w sprawie. Poza tym miały dostęp do tej samej maszyny do pisania, której używał Björck.

– Chce pan powiedzieć...

– Nie wiemy, gdzie Björck napisał swój raport. To mogła być maszyna, którą miał w domu albo w miejscu pracy, albo jeszcze gdzie indziej. Możemy sobie wyobrazić dwie możliwości: albo osoba, która zrobiła fałszywkę, była psychiatrą lub lekarzem sądowym i z jakiegoś powodu chciała skompromitować Teleboriana, albo fałszerstwo zostało dokonane w zupełnie innym celu przez kogoś w Säpo.

– Dlaczego?

– To się zdarzyło w roku 1991. Mógł to być radziecki agent w RPS/Säk, który trafił na ślad Zalachenki. W związku z tą ewentualnością w tej chwili uważnie przeglądamy ogromne ilości teczek osobowych pracowników.

– Ale gdyby KGB się o tym dowiedziała... sprawa byłaby znana już od wielu lat.

– Dobrze pomyślane. Ale niech pan nie zapomina, że to właśnie wtedy Związek Radziecki upadł i rozwiązano KGB. Nie wiemy, co się wydarzyło. Może to była zaplanowana operacja, którą potem zawieszono. Akurat w tych sprawach, w fałszowaniu dokumentów i dezinformacji, KGB była mistrzem.

– Ale jaką korzyść miałaby KGB ze sfałszowania takiego dokumentu...

– Tego także nie wiemy. Ale oczywistą korzyścią byłoby wywołanie skandalu rządowego w Szwecji.

Ekström uszczypnął się w dolną wargę.

– A więc twierdzi pan, że medyczna diagnoza Salander jest prawidłowa?

– O tak. Niewątpliwie. Salander jest zdrowo porąbana, że się tak potocznie wyrażę. Nie ma potrzeby kwestionowania tego. Decyzja, żeby umieścić ją w zakładzie zamkniętym, była całkowicie słuszna.

– SEDESY – POWIEDZIAŁA podejrzliwie pełniąca obowiązki redaktora naczelnego Malin Eriksson. Brzmiało to tak, jakby myślała, że Henry Cortez z niej kpi.

– Sedesy – powtórzył Cortez, kiwając głową.

– Chcesz napisać tekst o sedesach. Do „Millennium"?

Monika Nilsson znienacka wybuchnęła głośnym śmiechem. Trochę nie na miejscu. Widziała jego z trudem ukrywany entuzjazm, kiedy wszedł na piątkowe kolegium redakcyjne, i rozpoznała wszystkie oznaki, że oto dziennikarz ma w zanadrzu świetny materiał.

– Okej, to wytłumacz nam, o co chodzi.

– To bardzo proste – powiedział Henry Cortez. – Zdecydowanie największą gałęzią przemysłu Szwecji jest budownictwo. To działalność, której nie można wyprowadzić za granicę, nawet jeśli Skanska twierdzi, że ma biuro w Londynie i takie tam. W każdym razie chałupy muszą być budowane w Szwecji.

– No tak, ale to nic nowego.

– Nie. Nowe jest to, że branża budowlana jest o całe lata świetlne do tyłu w porównaniu z innymi gałęziami przemysłu, jeśli chodzi o konkurencyjność i efektywność. Gdyby Volvo produkowało samochody w taki sposób, jak oni budują, zeszłoroczny model volvo kosztowałby około miliona lub dwóch. W każdym normalnym przemyśle chodzi o to, żeby utrzymać jak najniższe ceny. W branży budowlanej jest odwrotnie. Mają w dupie ograniczanie kosztów, co prowadzi do tego, że metr kwadratowy jest coraz droższy, a państwo ładuje pieniądze podatników w subwencje, żeby ceny nie osiągnęły poziomu kosmicznego.

– I to jest temat na artykuł?

– Czekaj. To skomplikowane. Gdyby ceny na przykład hamburgerów od lat siedemdziesiątych rosły tak samo, Big Mac kosztowałby dzisiaj ponad trzysta pięćdziesiąt koron, albo i więcej. Ile trzeba by zapłacić jeszcze za frytki i colę, wolę nie myśleć, ale moje zarobki w „Millennium" nie wystarczyłyby na długo. Ile osób siedzących przy tym stole poszłoby do McDonalda kupić hamburgera za stówę?

Nikt się nie odezwał.

– Oczywiście. Ale kiedy NCC stawia kilka blaszanych kontenerów w Gåshaga na Lidingö i rozpoczyna budowę, a potem bierze dziesięć albo dwanaście tysięcy czynszu miesięcznie za trzypokojowe mieszkanie... Ilu z was tyle płaci?

– Mnie na to nic stać – powiedziała Monika Nilsson.

– Nie. Ale ty już mieszkasz w dwóch pokojach przy Danvikstull, które twój ojciec kupił dla ciebie dwadzieścia lat temu. Gdybyś teraz chciała je sprzedać, dostałabyś, powiedzmy, z pół miliona. Ale co ma zrobić dwudziestolatek, który chce się wyprowadzić z domu? Nie stać go na to. Więc wynajmuje z drugiej albo nawet trzeciej ręki albo mieszka z matką do emerytury.

– Ale co mają z tym wspólnego sedesy? – zapytał Christer Malm.

– Dojdziemy do tego. Pytanie brzmi: dlaczego mieszkania są tak cholernie drogie? Bo inwestorzy, którzy zlecają budowy, nie umieją zamawiać. Mówiąc w uproszczeniu: komunalna spółdzielnia mieszkaniowa dzwoni do firmy budowlanej w rodzaju Skanska i mówi, że chce zamówić sto mieszkań, i pyta, ile to będzie kosztowało. Skanska robi obliczenia i zgłasza się z ofertą, że to kosztuje, powiedzmy, pięćset milionów koron. Co znaczy, że cena metra kwadratowego będzie wynosiła x koron i jeśli będziesz chciał się tam wprowadzić, będziesz musiał bulić dziesięć tysięcy miesięcznie. Bo w odróżnieniu od McDonalda z tego nie możesz zrezygnować, gdyż po prostu musisz gdzieś mieszkać. Musisz płacić tyle, ile to kosztuje.

– Henry... na litość boską, przejdź wreszcie do rzeczy.

– Dobra, ale właśnie w tym rzecz. Dlaczego musisz płacić dziesięć tysięcy, żeby się wprowadzić do jakiejś zasranej dziupli w Hammarbyhamnen? Właśnie dlatego że firmy budowlane mają gdzieś obniżanie kosztów. Klient i tak zapłaci.

Jedną z istotnych pozycji w kosztach są materiały budowlane. Handlują nimi w hurtowniach, które ustalają własne ceny. A ponieważ nie ma konkurencji, u nas wanna kosztuje pięć tysięcy koron, podczas gdy w Niemczech taka sama wanna z takiej samej fabryki dwa tysiące koron. Nie ma żadnego sensownego uzasadnienia tej różnicy.

– Okej.

– Część tych spraw jest opisana w raporcie rządowej komisji do spraw kosztów budowlanych, która działała pod koniec lat dziewięćdziesiątych. Od tego czasu niewiele się działo. Nikt nie negocjuje z firmami budowlanymi tych niedorzecznych cen. Inwestorzy grzecznie płacą tyle, ile się od nich zażąda, a w rezultacie kasa na to wszystko idzie z kieszeni lokatorów i podatników.

– Henry, a sedesy?

– Pewne efekty prac komisji do spraw kosztów budowlanych były widoczne tylko lokalnie, głównie poza Sztokholmem. Są zleceniodawcy, którzy mają dość wysokich cen. Na przykład Karlskronahem buduje taniej niż wszystkie inne firmy, po prostu dlatego że sami kupują materiały u producenta. Poza tym włączył się w to Svensk Handel. Uważają, że ceny materiałów budowlanych są wzięte z kosmosu, i dlatego starają się ułatwić firmom zamawianie podobnych, ale tańszych produktów. Doprowadziło to do małej awantury na targach budowlanych w Älvsjö, jakiś rok temu. Svensk Handel ściągnął faceta z Tajlandii, który oferował sedesy za niewiele ponad pięćset koron.

– Aha. I co dalej?

– Bezpośrednim konkurentem była szwedzka firma Vitavara AB, prowadząca sprzedaż hurtową. Sprzedaje nasze szwedzkie sedesy po tysiąc siedemset koron sztuka. Więc nieco bardziej rozgarnięci inwestorzy zaczęli drapać się po głowach i pytać, dlaczego płacą tysiąc siedemset koron, kiedy porównywalny sracz z Tajlandii mogą dostać za pięćset koron.

– Może lepsza jakość? – rzuciła Lottie Karim.

– Nic z tych rzeczy. Są porównywalne.

– Tajlandia – powiedział Christer Malm. – Na kilometr śmierdzi pracą dzieci i podobnymi rzeczami. Co może tłumaczyć niską cenę.

– Też nie – odparł Henry Cortez. – Wykorzystywanie pracy dzieci w Tajlandii zdarza się głównie w przemyśle tekstylnym czy pamiątkarskim. I w turystyce pedofilskiej. Ten producent sedesów to prawdziwy zakład przemysłowy. ONZ sprawdza ich pod kątem pracy dzieci. Ja też się im przyjrzałem. Działają czysto. To duży, nowoczesny i renomowany zakład produkujący ceramikę sanitarną.

– Aha… ale mówimy o krajach, w których płace są niskie, co oznacza, że napiszesz artykuł sugerujący, że szwedzki przemysł powinien polec w konkurencji z przemysłem tajlandzkim. Wyrzucić szwedzkich robotników na bruk, zamknąć zakłady i importować towary z Tajlandii. Związki zawodowe nie pochwalą cię za to, delikatnie mówiąc.

Na twarzy Henry'ego Corteza pojawił się uśmiech. Nachylił się nad stołem. Miał wprost obrzydliwie zarozumiałą minę.

– Nic z tego – powiedział. – Zgadnijcie, gdzie Vitavara AB produkuje swoje sedesy po tysiąc siedemset koron sztuka.

W redakcji zapadła cisza.

– W Wietnamie – obwieścił triumfalnie Henry Cortez.

– To niemożliwe – powiedziała Malin Eriksson.

– A jednak – potwierdził Henry. – Produkują sedesy na zamówienie od co najmniej dziesięciu lat. Szwedzcy robotnicy dostali kopa już w latach dziewięćdziesiątych.

– O kurwa.

– Ale nie powiedziałem jeszcze najlepszego. Gdybyśmy importowali bezpośrednio od producenta w Wietnamie, cena za sztukę wynosiłaby nieco ponad trzysta dziewięćdziesiąt koron. Zgadnijcie, jak można wytłumaczyć różnicę ceny między Wietnamem i Tajlandią.

– Nie mów, że…

Henry Cortez pokiwał głową. Jego uśmiech był niemal większy od twarzy.

– Vitavara AB zleca produkcję firmie, która nazywa się Fong Soo Industries. Figuruje na oenzetowskiej liście zakładów, które przynajmniej podczas kontroli w roku 2001 zatrudniały dzieci. Ale główną część załogi stanowią więźniowie.

Malin Eriksson uśmiechnęła się nieoczekiwanie.

– To jest dobre – stwierdziła. – To jest naprawdę dobre. Chyba jednak zostaniesz dziennikarzem, gdy dorośniesz. Jak szybko jesteś w stanie napisać ten artykuł?

– W dwa tygodnie. Muszę jeszcze sprawdzić trochę rzeczy w handlu międzynarodowym. Przydałby się też jakiś *bad guy* w tekście. Chcę sprawdzić właścicieli Vitavara AB.

– Czyli moglibyśmy to puścić w numerze czerwcowym? – zapytała Malin z nadzieją w głosie.

– *No problem.*

INSPEKTOR JAN BUBLANSKI pozbawionym wyrazu spojrzeniem przyglądał się prokuratorowi Richardowi Ekströmowi. Rozmawiali od czterdziestu minut i Bublanski czuł przemożną chęć wyciągnięcia ręki po kodeks karny leżący na skraju biurka Ekströma i walnięcia prokuratora w głowę. Zastanawiał się po cichu, co by się zdarzyło, gdyby naprawdę to zrobił. Niewątpliwie w popołudniówkach pojawiłyby się sensacyjne tytuły, a przypuszczalnie zostałby także oskarżony o uszkodzenie ciała. Odepchnął te myśli. Człowiek cywilizowany nie może poddawać się takim impulsom, niezależnie od tego, jak bardzo druga strona stara się prowokować. Zresztą wzywano go właśnie wtedy, kiedy ktoś uległ podobnemu impulsowi.

– A więc tak – powiedział Ekström. – Rozumiem, że się zgadzamy.

– Nie, nie zgadzamy się – powiedział Bublanski, podnosząc się z krzesła. – Ale to ty prowadzisz postępowanie przygotowawcze.

Idąc korytarzem do swojego gabinetu, mruczał coś do siebie. Po drodze wstąpił po inspektorów Curta Svenssona i Sonję Modig, którzy stanowili cały personel, jakim tego popołudnia dysponował. Jerker Holmberg trochę nie w porę wziął dwa tygodnie urlopu.

– Zapraszam do mnie – powiedział Bublanski. – Przynieście kawę.

Kiedy usiedli, Bublanski otworzył notatnik na zapiskach z rozmowy z Ekströmem.

– Sytuacja wygląda tak, że Ekström wycofał oskarżenie przeciwko Lisbeth Salander w sprawie morderstw, za które była ścigana listem gończym. A więc jeśli chodzi o nas, dochodzenie już nie obejmuje Salander.

– Mimo wszystko jest chyba pewien postęp – stwierdziła Sonja Modig.

Curt Svensson jak zwykle się nie odzywał.

– Wcale nie jestem pewien – powiedział Bublanski. – Salander nadal jest podejrzana o ciężkie przestępstwa w związku ze Stallarholmen i Gossebergą. Ale to już nie wchodzi w zakres naszego śledztwa. My mamy skoncentrować się na szukaniu Niedermanna i wyjaśnieniu sprawy leśnego cmentarza w Nykvarn.

– Rozumiem.

– Ale jasne jest, że Ekström wniesie oskarżenie przeciwko Lisbeth Salander. Sprawa została przeniesiona do Sztokholmu i objęta osobnym śledztwem.

– Co?

– Zgadnijcie, kto ma prowadzić sprawę Salander.

– Obawiam się najgorszego.

– Hans Faste wrócił na służbę. Będzie pomocnikiem Ekströma w sprawie Salander.

– To jest, kurwa, niemożliwe. Faste zupełnie się nie nadaje, żeby cokolwiek robić w sprawie Salander.

– Wiem. Ale Ekström ma dobry argument. Mówi, że Faste był na zwolnieniu od... hm... od załamania w kwietniu, a to byłaby dobra okazja i łatwa sprawa dla niego, żeby się mógł czymś zająć na początek.

Cisza.

– Tak więc po południu mamy mu przekazać wszelkie materiały dotyczące Salander.

– A ta historia z Gunnarem Björckiem, Säpo i tym raportem z 1991 roku...

– Przechodzi w ręce Ekströma i Fastego.

– To mi się wcale nie podoba – powiedziała Sonja Modig.

– Mnie też nie. Ale Ekström jest szefem i ma umocowanie w wyższych instancjach. Innymi słowy, nasze zadanie nadal polega na złapaniu mordercy. Curt, gdzie jesteśmy?

Curt Svensson potrząsnął głową.

– Niedermanna dalej nie ma, jakby się zapadł pod ziemię. Muszę przyznać, że przez wszystkie lata mojej pracy w policji nigdy nie spotkałem się z podobnym przypadkiem. Nie skontaktował się z nami nikt, kto by go znał albo miał pojęcie, gdzie może być.

– Dziwne – zauważyła Sonja Modig. – Ale jest ścigany listem gończym za zamordowanie policjanta w Gosseberdze, ciężkie uszkodzenie ciała policjanta, usiłowanie zabójstwa Lisbeth Salander i brutalne porwanie oraz pobicie pomocy dentystycznej Anity Kaspersson. A także za zamordowanie Daga Svenssona i Mii Bergman. We wszystkich tych przypadkach mamy dostateczne materiały dowodowe.

– Chyba tego wystarczy. A jak z dochodzeniem w sprawie eksperta finansowego Svavelsjö MC?

– Viktor Göransson i jego konkubina Lena Nygren. Mamy dowody, które łączą Niedermanna z tamtym miejscem. Odciski palców i DNA z ciała Göranssona. Mocno obtarł sobie kostki, kiedy się nad nim znęcał.

– Okej. Coś nowego o Svavelsjö MC?

– Sonny Nieminen objął szefostwo na czas, kiedy Magge Lundin siedzi w areszcie, czekając na proces w sprawie porwania Miriam Wu. Chodzą słuchy, że wyznaczył sporą nagrodę za informacje o miejscu pobytu Niedermanna.

– Przez co jeszcze dziwniejsze wydaje się, że go jeszcze nie znaleziono. A co z samochodem Göranssona?

– Samochód Anity Kaspersson znaleźliśmy koło domu Göranssona, więc podejrzewamy, że Niedermann zmienił auto. Po tym nowym nie ma żadnych śladów.

– A więc musimy wszyscy zadać sobie pytanie, czy Niedermann nadal chowa się gdzieś w Szwecji, a w takim razie gdzie i u kogo, czy może zdążył już bezpiecznie zbiec za granicę. Co myślimy?

– W takim razie gdzie pozbył się samochodu?

Zarówno Sonja Modig, jak i Curt Svensson potrząsnęli głowami. Ich praca była w dziewięciu przypadkach na dziesięć raczej prosta, kiedy chodziło o poszukiwanie znanej z nazwiska osoby ściganej listem gończym. Trzeba było odtworzyć logiczny łańcuch wydarzeń i zacząć rozwijać oczko za oczkiem. Jakich miał kolegów? Z kim siedział w pierdlu? Gdzie mieszka jego dziewczyna? Z kim chodził się upić? Gdzie używano ostatnio jego komórki? Gdzie jest jego samochód? Na końcu tego łańcucha powinien się odnaleźć poszukiwany.

Kłopot z Ronaldem Niedermannem polegał na tym, że nie miał kolegów, nie miał dziewczyny, nigdy nie siedział w pierdlu i nie znano numeru jego komórki.

Dlatego duża część poszukiwań koncentrowała się na znalezieniu samochodu Viktora Göranssona, którym przypuszczalnie poruszał się Ronald Niedermann. To dałoby nam wskazówkę, gdzie należy kontynuować poszukiwania. Początkowo spodziewali się, że gdzieś się odnajdzie w ciągu kilku dni, może na jakimś parkingu w Sztokholmie. Mimo postawienia na nogi całego kraju nadal go nie było.

– A jeśli jest za granicą... to gdzie?

– Jest obywatelem niemieckim, więc naturalne byłoby, gdyby udał się do Niemiec.

– W Niemczech jest poszukiwany listem gończym. Wygląda na to, że nie ma kontaktu z dawnymi kumplami z Hamburga.

Curt Svensson machnął ręką.

– Gdyby miał plan, żeby dać nogę do Niemiec... Dlaczego miałby w takim razie jechać do Sztokholmu? Czy nie powinien raczej jechać w stronę Malmö i mostu Öresundsbron albo jakiegoś promu?

– Wiem. I Marcus Erlander z Göteborga początkowo koncentrował poszukiwania na tamtym kierunku. Policja duńska została zawiadomiona o samochodzie Göranssona i z całą pewnością możemy powiedzieć, że nie było go na żadnym promie.

– Za to pojechał do Sztokholmu, do Svavelsjö MC, zabił ich skarbnika i, jak możemy przypuszczać, zniknął z nieokreśloną kwotą pieniędzy. Jaki mógłby być jego następny krok?

– Musi opuścić Szwecję – powiedział Bublanski. – Naturalnym rozwiązaniem byłby prom do którejś z republik bałtyckich. Ale Göransson i jego konkubina zostali zamordowani późnym wieczorem dziewiątego kwietnia. To znaczy, że Niedermann mógł wsiąść na prom następnego ranka. Zostaliśmy zawiadomieni szesnaście godzin po ich śmierci i od tego czasu samochód jest poszukiwany.

– Jeśli wsiadł na prom rano, samochód Göranssona powinien stać zaparkowany przy którejś przystani promowej – powiedziała Sonja Modig.

Curt Svensson skinął głową.

– A może nie możemy znaleźć samochodu Göranssona, bo Niedermann zwyczajnie wyjechał z kraju na północy przez Haparandę? Musiałby nadłożyć drogi wokół Zatoki Botnickiej, ale w szesnaście godzin mógł zdążyć dotrzeć do fińskiej granicy.

– Może tak, ale potem musiałby zostawić samochód gdzieś w Finlandii i od tego czasu powinni go znaleźć nasi fińscy koledzy.

Siedzieli w milczeniu dłuższą chwilę. Wreszcie Bublanski wstał i podszedł do okna.

– Zarówno logika, jak i prawdopodobieństwo przemawiają przeciwko temu, ale samochód Göranssona nadal jest zaginiony. Może znalazł jakąś kryjówkę, po prostu zaszył się i czeka, jakiś letni domek albo...

– Domki letniskowe raczej odpadają. O tej porze roku wszyscy właściciele takich domów są na miejscu i pilnują swoich chat.

– I wykluczone jest, żeby pomagał mu ktoś związany ze Svavelsjö MC. Ich ostatnich chciałby teraz spotkać.

– W ten sposób powinniśmy wykluczyć praktycznie cały przestępczy światek... Może jakaś dziewczyna, o której nie wiemy?

Długo jeszcze mogliby spekulować, ale brakowało im faktów, na których mogliby się oprzeć.

KIEDY CURT SVENSSON skończył pracę i poszedł do domu, Sonja Modig poszła do pokoju Bublanskiego i zapukała w futrynę. Dał ręką znak, żeby weszła.

– Masz dwie minuty?

– A o co chodzi?

– O Salander.

– Okej.

– Nie podoba mi się ten nowy pomysł z Ekströmem i Faste i nowym procesem. Czytałeś raport Björcka. Ja też czytałam raport Björcka. Ona została wtedy unicestwiona i Ekström o tym wie. Co się, do cholery, dzieje?

Bublanski zdjął okulary do czytania i wsunął je do kieszonki na piersi.

– Nie wiem.

– A masz jakiś pomysł?

– Ekström twierdzi, że raport Björcka i korespondencja z Teleborianem są sfabrykowane.

– Bzdura. Gdyby tak było, Björck by nam o tym powiedział, kiedy go tu przesłuchiwaliśmy.

– Ekström twierdzi, że Björck nie chciał o tym mówić, bo sprawa jest ściśle tajna. Zostałem skrytykowany, że uprzedziłem wypadki i kazałem go doprowadzić.

– Ten Ekström coraz mniej mi się podoba.

– Jest naciskany ze wszystkich stron.

– To go nie tłumaczy.

– Nie mamy monopolu na prawdę. Ekström twierdzi, że dostał potwierdzenie, że raport jest fałszywką: nie istnieje żaden raport z tym numerem dziennika. Mówi też, że fałszerstwo jest zręcznie zrobione i zawiera mieszaninę prawdy i zmyśleń. Co było prawdą, a co zmyśleniem?

– Historia jest z grubsza prawdziwa. Zalachenko jest ojcem Lisbeth Salander i kanalią, która maltretowała jej matkę. Problem jest typowy: matka nigdy nie chciała tego zgłosić na policję, więc maltretowanie trwało całymi latami. Björck miał za zadanie zbadać, co się stało, kiedy Lisbeth próbowała zabić ojca koktajlem Mołotowa. Korespondował z Teleborianem, ale cała korespondencja w tej formie, jaką znamy, jest sfałszowana. Teleborian przeprowadził najzwyklejsze badanie psychiatryczne Salander i stwierdził, że jest szalona, a prokurator postanowił, że nie będzie dalszego dochodzenia przeciwko niej. Potrzebowała opieki lekarskiej i otrzymała ją u św. Stefana.

– Jeśli to rzeczywiście fałszerstwo... kto w takim razie miałby go dokonać i w jakim celu? – Bublanski rozłożył ręce.

– Kpisz sobie ze mnie?

– O ile dobrze zrozumiałem, Ekström zażąda ponownego gruntownego badania psychiki Lisbeth Salander.

– Nie mogę się na to zgodzić.

– To już nie jest nasze zmartwienie. Jesteśmy wyłączeni ze sprawy Salander.

– A Hans Faste został włączony... Janie, jeśli te bydlaki jeszcze raz rzucą się na Salander, pójdę do mediów.

– Nie, Sonju. Nie zrobisz tego. Po pierwsze, nie mamy już dostępu do raportu, a to znaczy, że nie masz w tej chwili żadnych dowodów na potwierdzenie swoich słów. Wyjdziesz na walniętą paranoiczkę i tak skończy się twoja kariera.

– Mam ten raport – powiedziała cicho Sonja. – Zrobiłam kopię dla Curta Svenssona, ale nie zdążyłam mu jej dać, a potem prokurator generalny wszystkie pozabierał.

– I jeśli przekażesz komuś ten raport, nie tylko wylecisz z pracy, ale w dodatku zostaniesz oskarżona o poważne wykroczenie: przekazanie mediom materiału objętego klauzulą tajności.

Sonja Modig milczała przez chwilę, wpatrując się w szefa.

– Sonju, lepiej nic nie rób. Obiecaj mi to.

Zwlekała z odpowiedzią.

– Nie, Janie, nie mogę tego obiecać. W tej historii coś śmierdzi.

Bublanski skinął głową.

– To prawda, coś tu śmierdzi. Ale w tej chwili nie wiem, kto jest naszym wrogiem.

Sonja Modig przekrzywiła głowę.

– A czy ty zamierzasz coś zrobić?

– Nie chcę o tym z tobą dyskutować. Zaufaj mi. Jest piątkowy wieczór. Zrób sobie wolne. Idź do domu. Ta rozmowa nigdy się nie odbyła.

O WPÓŁ DO DRUGIEJ w sobotnie popołudnie strażnik Securitasu Niklas Adamsson podniósł głowę znad podręcznika ekonomii, którą miał zdawać za trzy tygodnie. Słyszał odgłos obracających się szczotek w mruczącej cicho froterce i stwierdził, że to ten kulawy Arabus. Zawsze witał się uprzejmie, ale był bardzo cichy. Nawet się nie śmiał, kiedy Niklas czasami próbował z nim żartować. Teraz Niklas mu się przyglądał. Sprzątacz wziął butelkę z ajaksem, popsikał dwa razy kontuar recepcji i wytarł ścierką do czysta. Potem chwycił mopa i wytarł kilka kątów, do których nie docierały szczotki maszyny. Niklas Adamsson znów schował nos w książce i czytał dalej.

Po dziesięciu minutach sprzątacz dotarł do miejsca w końcu korytarza, gdzie siedział Adamsson. Skinęli sobie głowami. Adamsson wstał, żeby sprzątacz mógł przetrzeć podłogę wokół jego krzesła przy pokoju Lisbeth Salander. Strażnik widywał go prawie zawsze, kiedy miał dyżur pod jej pokojem, ale za nic w świecie nie mógł sobie przypomnieć jego imienia. W każdym razie jakieś dziwne. Ale nie przyszło mu do głowy, żeby sprawdzać jego dokumenty. Po pierwsze dlatego, że Arabus nie miał sprzątać w środku, w pokoju aresztantki – to załatwiały dwie sprzątaczki przed południem – a po drugie, nie wydawał mu się szczególnym zagrożeniem.

Kiedy kulawy sprzątacz był gotów z końcówką korytarza, otworzył drzwi do pomieszczenia sąsiadującego z pokojem Lisbeth Salander. Adamsson zerknął na niego, ale i to nie stanowiło specjalnego odstępstwa od codziennej rutyny. Magazyn sprzątaczy znajdował się na końcu korytarza. Przez następne pięć minut sprzątacz opróżniał wiaderka, czyścił szczotki i uzupełniał na wózku worki foliowe do koszy na śmieci. A w końcu schował cały swój wózek do magazynu.

IDRIS GHIDI kojarzył strażnika Securitasu siedzącego na korytarzu. Jasnowłosy chłopak w wieku około dwudziestu pięciu lat. Siedział tam dwa albo trzy razy w tygodniu i czytał podręcznik do ekonomii. Ghidi domyślał się, że pracuje na pół etatu, a równolegle studiuje, więc jest tak czujny jak, nie przymierzając, cegła.

Zastanawiał się, co Adamsson by zrobił, gdyby ktoś naprawdę próbował dostać się do pokoju Lisbeth Salander.

Zastanawiał się także, o co tak naprawdę chodzi Mikaelowi Blomkvistowi. Potrząsnął głową. Oczywiście czytał o nim w gazetach i powiązał go z Lisbeth Salander i korytarzem 11C, spodziewał się więc, że zostanie poproszony o przemycenie czegoś dla niej. Musiałby odmówić, ponieważ nie miał dostępu do jej pokoju, nigdy nawet jej nie widział. Ale choćby snuł najdziksze domysły, nie wpadłby na to, że dostanie właśnie takie zlecenie.

Nie dopatrzył się w nim niczego nielegalnego. Zerknął przez szparę w drzwiach i zobaczył, że Adamsson znów usiadł na krześle przed drzwiami i zagłębił się w lekturze. Był zadowolony, że w pobliżu nie ma nikogo innego. Zresztą przeważnie tak było, bo magazyn sprzątaczy znajdował się na końcu ślepego korytarza. Włożył rękę do kieszeni kitla i wyjął nową komórkę Sony Ericsson Z600. Sprawdził w prospekcie reklamowym i dowiedział się, że kosztuje ponad trzy tysiące pięćset koron i posiada wszystkie funkcje niezbędne do korzystania z internetu.

Rzucił okiem na wyświetlacz. Komórka była włączona, ale miała wyłączony sygnał, zarówno dzwonek, jak i alarm wibracyjny. Potem stanął na palcach i odkręcił okrągłą pokrywę przewodu wentylacyjnego, który prowadził do pokoju Lisbeth Salander. Umieścił w nim komórkę najdalej, jak tylko mógł, dokładnie tak, jak chciał Mikael Blomkvist.

Wszystko trwało mniej więcej trzydzieści sekund. Następnego dnia powinno mu wystarczyć dziesięć. Miał wyjąć komórkę, wymienić baterie i odłożyć telefon z powrotem do otworu wentylacyjnego. Starą baterię miał zabrać do domu i naładować w nocy.

To wszystko, co miał robić.

Choć to nie pomagało Salander. Po jej stronie w ścianie znajdowała się przytwierdzona na stałe kratka. Nie byłaby w stanie wydostać komórki, chyba że miałaby pod ręką śrubokręt i drabinkę.

– Wiem – przyznał Mikael Blomkvist. – Ale ona wcale nie musi dotykać tego telefonu.

Właśnie takie zadanie Idris Ghidi miał wykonywać codziennie, aż Mikael Blomkvist zawiadomi go, że to już niepotrzebne.

I za to miał dostawać tysiąc koron co tydzień, do ręki. Ponadto mógł zachować komórkę, kiedy cała sprawa się zakończy.

Potrząsnął głową. Rozumiał oczywiście, że Mikael Blomkvist ma podejrzane zamiary, ale za nic w świecie nie mógł zrozumieć, na czym by to miało polegać. Wkładanie telefonu komórkowego do przewodu wentylacyjnego w zamkniętym magazynie, włączonego, ale niepodłączonego, wydawało się tak absurdalne, że nie widział w tym żadnego sensu. Jeśli Blomkvist chciał mieć możliwość porozumiewania się z Lisbeth Salander, o wiele sensowniejsze byłoby przekupienie jakiejś pielęgniarki, żeby przeszmuglowała telefon do jej pokoju. A w tym, co robił, nie było żadnej logiki.

Znów pokręcił głową. Z drugiej strony chętnie wyświadczał Mikaelowi Blomkvistowi tę przysługę, dopóki ten płacił mu tysiąc koron tygodniowo. I nie zamierzał o nic pytać.

DOKTOR ANDERS JONASSON zwolnił nieco kroku, kiedy zobaczył ponadczterdziestoletniego mężczyznę opartego o kratę przed bramą jego domu na Hagagatan. Wyglądał znajomo i skinął mu głową na powitanie.

– Doktor Jonasson?

– Tak, to ja.

– Przepraszam, że nachodzę pana na ulicy przed domem. Ale nie chciałem przychodzić do pana do pracy, a bardzo chciałbym z panem porozmawiać.

– O co chodzi i kim pan jest?

– Nazywam się Mikael Blomkvist. Jestem dziennikarzem i pracuję w piśmie „Millennium". Chodzi o Lisbeth Salander.

– Ach, teraz pana poznaję. To pan wezwał pogotowie, kiedy ją znaleziono... Czy to pan zakleił jej ranę taśmą izolacyjną?

– Tak, to ja.

– To było bardzo sprytne. Ale niestety nie mogę rozmawiać z dziennikarzami o pacjentach. Proszę się zwrócić do rzecznika prasowego Sahlgrenska, jak wszyscy.

– Pan mnie nie zrozumiał. Nie chodzi mi o informacje. To całkowicie prywatna sprawa. Nie musi pan mówić ani słowa ani niczego zdradzać. Wręcz odwrotnie. To ja chciałbym panu przekazać pewne informacje.

Anders Jonasson zmarszczył brwi.

– Bardzo proszę – powiedział Mikael Blomkvist. – Nie zwykłem napadać na chirurgów na ulicy w biały dzień, ale bardzo zależy mi na rozmowie z panem. Tu zaraz za rogiem jest kawiarnia. Mogę pana zaprosić na kawę?

– O czym chce pan rozmawiać?

– O przyszłości Lisbeth Salander i jej dobrym samopoczuciu. Jestem jej przyjacielem.

Anders Jonasson długo się wahał. Zdawał sobie sprawę, że gdyby to był ktoś inny, a nie Mikael Blomkvist – gdyby jakiś nieznany człowiek zaczepił go w ten sposób – na pewno by się nie zgodził. Ale Blomkvist był osobą znaną i Anders Jonasson mógł mieć pewność, że nie chodzi o nic złego.

– Pod żadnym warunkiem nie chcę udzielać wywiadu i nie będę się wypowiadał na temat mojej pacjentki.

– W porządku – powiedział Mikael.

Anders Jonasson kiwnął w końcu głową na zgodę i poszli do kawiarni.

– O co chodzi? – zapytał neutralnie, kiedy siedzieli już przy kawie. – Wysłucham pana, ale nie zamierzam niczego komentować.

– Pan się obawia, że zacytuję pana lub skrytykuję w mediach. Więc na początek chciałbym pana zapewnić, że nic takiego nie zrobię. Jeżeli o mnie chodzi, ta rozmowa nigdy się nie odbyła.

– Okej.

– Chciałbym pana prosić o przysługę. Ale zanim to zrobię, muszę dokładnie wyjaśnić dlaczego, żeby pan mógł zdecydować, czy jest to dla pana moralnie do przyjęcia.

– Niezbyt mi się podoba ta rozmowa.

– Proszę tylko posłuchać. Jako lekarz Lisbeth Salander troszczy się pan o jej zdrowie fizyczne i psychiczne. Ja staram się robić to samo jako jej przyjaciel. Nie jestem lekarzem, więc nie mogę grzebać jej w mózgu i wyjmować kul, ale mam inne umiejętności, tak samo ważne dla jej samopoczucia.

– Aha.

– Jestem dziennikarzem i odkryłem prawdę o tym, co ją spotkało.

– Rozumiem.

– Mogę z grubsza panu opowiedzieć, o co chodzi, żeby pan sam mógł wyrobić sobie opinię.

– Aha.

– Na początek chciałbym powiedzieć, że Annika Giannini jest adwokatem Lisbeth Salander. Poznał ją pan?

Jonasson skinął głową.

– Annika jest moją siostrą i to ja jej płacę za to, żeby broniła Lisbeth.

– Naprawdę?

– Może pan sprawdzić w ewidencji ludności. O tę przysługę nie mogę prosić Anniki. Nie rozmawia ze mną o Lisbeth. Ma zresztą obowiązek zachowania tajemnicy, podlega zupełnie innym regułom.

– Hmm...

– Zakładam, że czytał pan, co piszą o Lisbeth Salander gazety.

Anders Jonasson kiwnął głową.

– Przedstawiano ją jako psychopatkę, wariatkę, lesbijkę i seryjną morderczynię. To wszystko bzdury. Lisbeth Salander nie cierpi na żadną psychozę. Przypuszczalnie ma tak samo dobrze w głowie jak pan i ja. A jej preferencje seksualne nie powinny nikogo obchodzić.

– O ile dobrze zrozumiałem, sytuacja się zmieniła. Te morderstwa przypisuje się temu Niemcowi.

– Zresztą całkiem słusznie. To Ronald Niedermann jest winny, jest bezwzględnym mordercą. Ale Lisbeth ma wrogów.

Naprawdę potężnych, groźnych wrogów. Kilku z nich pracuje w Säpo.

Anders Jonasson uniósł brwi.

– Kiedy miała dwanaście lat, została zamknięta w klinice psychiatrycznej w Uppsali, gdyż znała tajemnicę, którą Säpo za wszelką cenę chciała ukryć. Jej ojciec, Aleksander Zalachenko, który właśnie został zamordowany w Sahlgrenska, był zbiegłym radzieckim szpiegiem, reliktem z czasów zimnej wojny. Był także damskim bokserem, latami maltretował jej matkę. Kiedy Lisbeth miała dwanaście lat, postanowiła się zemścić i próbowała zabić Zalachenkę koktajlem Mołotowa. Dlatego zamknięto ją na psychiatrii dziecięcej.

– Nie rozumiem. Jeśli próbowała zamordować ojca, być może leczenie psychiatryczne było uzasadnione.

– W artykule, który zamierzam opublikować, twierdzę, że Säpo wiedziała, co się stało, ale wolała chronić Zalachenkę jako źródło ważnych informacji. A więc wystawili lipną diagnozę i dopilnowali, żeby Lisbeth została zamknięta.

Anders Jonasson nie dowierzał. Miał taki wyraz twarzy, aż Mikael musiał się uśmiechnąć.

– Na potwierdzenie wszystkiego, co mówię, mam dokumenty. Obszerny tekst ukaże się mniej więcej równolegle z rozpoczęciem procesu Lisbeth. Niech mi pan wierzy, to będzie prawdziwe trzęsienie ziemi.

– Rozumiem.

– Zamierzam ujawnić wszystko i bardzo surowo potraktować dwóch lekarzy, którzy działali na zlecenie Säpo i pogrzebali Lisbeth żywcem w domu wariatów. Mam zamiar bezlitośnie ich napiętnować. Jeden z nich to znana i bardzo szanowana osoba. Ale, jak mówiłem, mam dokumenty na potwierdzenie wszystkiego.

– Rozumiem. Jeśli był w to zamieszany lekarz, to będzie kompromitacja dla całej naszej grupy zawodowej.

– Nie, nie wierzę w winę zbiorową. To kompromitacja dla tych konkretnych lekarzy. To samo dotyczy Säpo. Na pewno pracują tam także porządni ludzie. Ta grupa, o której mówię, to coś w rodzaju sekty. Kiedy Lisbeth skończyła osiemnaście lat, próbowali znów umieścić ją w zakładzie zamkniętym. Tym razem się nie udało, ale dostała opiekuna prawnego. Podczas procesu znów będą usiłowali maksymalnie ją skompromitować i obrzucić błotem. Zamierzam, a raczej moja siostra zamierza, walczyć o uniewinnienie Lisbeth i zniesienie jej ubezwłasnowolnienia.

– Rozumiem.

– Ale ona potrzebuje amunicji. Takie są warunki tej gry. Może powinienem także wspomnieć, że jest też kilku policjantów, którzy w tej walce stoją po stronie Lisbeth. Ale to nie dotyczy prokuratora, który wnosi oskarżenie.

– Rozumiem.

– Przed rozpoczęciem procesu Lisbeth potrzebuje pomocy.

– Tak. Z tym że ja nie jestem adwokatem.

– Nie. Ale jest pan lekarzem i ma do niej dostęp.

Oczy Andersa Jonassona zwęziły się.

– To, o co pana zamierzam poprosić, jest nieetyczne i może nawet zostać potraktowanie jako złamanie prawa.

– Aha.

– Ale moralnie jest jak najbardziej słuszne. Jej prawa są z premedytacją łamane przez osoby, które powinny je chronić.

– Aha.

– Dam panu przykład. Jak pan wie, Lisbeth ma zakaz odwiedzin, nie wolno jej czytać gazet ani komunikować się ze światem zewnętrznym. Ponadto prokurator nałożył na jej adwokata zakaz rozmawiania o niej z kimkolwiek. Annika dzielnie trzyma się tej reguły. Tymczasem to sam prokurator jest głównym źródłem przecieków do prasy, która dalej wypisuje bzdury o Lisbeth.

– Naprawdę?

– Na przykład ta historia. – Mikael wyjął popołudniówkę sprzed tygodnia. – Źródło związane z dochodzeniem twierdzi, że Lisbeth jest niepoczytalna, a gazeta na tej podstawie buduje szereg spekulacji na temat jej stanu psychicznego.

– Czytałem ten artykuł. To brednie.

– A więc nie uważa pan, że Salander jest wariatką?

– Na ten temat nie chcę się wypowiadać. Ale wiem, że pacjentki nie poddano żadnym badaniom psychiatrycznym, więc ten artykuł to stek bzdur.

– Okej. Ale mogę udokumentować, że to policjant nazwiskiem Hans Faste, który współpracuje z prokuratorem Ekströmem, wypuścił te pogłoski.

– Rozumiem.

– Ekström będzie się domagał, żeby proces odbywał się za zamkniętymi drzwiami, co oznacza, że nikt z zewnątrz nie będzie mógł oglądać i analizować materiałów przeciwko Lisbeth. Ale co najgorsze... izolując Lisbeth, prokurator uniemożliwił przeprowadzenie researchu, które jest niezbędne, żeby móc jej bronić.

– O ile dobrze rozumiem, to tym powinna się zająć jej adwokat.

– Lisbeth, jak pan pewnie zdążył zauważyć, jest osobą dość niezwykłą. Ma tajemnice, które znam, ale nie mogę ich ujawnić siostrze. Lisbeth może jednak sama zdecydować, czy posłuży się nimi w swojej obronie podczas procesu.

– Aha. ,

– I żeby to zrobić, Lisbeth potrzebuje tego.

Mikael położył na kawiarnianym stoliku palmtopa Lisbeth Salander z ładowarką.

– To najsilniejsza broń, jaką Lisbeth ma w swoim arsenale. Potrzebuje jej.

Anders Jonasson spojrzał podejrzliwie na komputer.

– A dlaczego nie przekaże go pan jej adwokat?

– Dlatego że tylko Lisbeth wie, jak zdobyć materiał dowodowy.

Lekarz siedział w milczeniu dłuższą chwilę, nie dotykając palmtopa.

– Może opowiem panu o doktorze Peterze Teleborianie – zaproponował Mikael, wyciągając teczkę, w której zebrał najważniejsze materiały.

Siedzieli w kawiarni jeszcze dwie godziny, rozmawiając półgłosem.

W SOBOTĘ KRÓTKO PO ÓSMEJ wieczorem Dragan Armanski wyszedł z biura Milton Security i poszedł do synagogi gminy Södermalm na St:Paulsgatan. Zapukał, przedstawił się, po czym został wpuszczony do środka przez samego rabina.

– Umówiłem się tu na spotkanie ze znajomym – powiedział Armanski.

– Proszę na górę. Zaprowadzę pana.

Rabin zaproponował kipę, którą Armanski po krótkim wahaniu założył. Został wychowany w rodzinie muzułmańskiej. Noszenie kipy i odwiedzanie synagog raczej nie były jego zwyczajem. Z takim nakryciem głowy czuł się zakłopotany.

Jan Bublanski także był w kipie.

– Dzień dobry. Dziękuję, że pan przyszedł. Poprosiłem rabina, żeby udostępnił nam pokój, w którym moglibyśmy bez przeszkód porozmawiać.

Armanski usiadł naprzeciwko.

– Zakładam, że ma pan ważne powody, by stosować te wszystkie środki ostrożności.

– Nie będę owijał w bawełnę. Wiem, że jest pan przyjacielem Lisbeth Salander.

Armanski skinął głową.

– Chcę wiedzieć, co pan i Blomkvist kombinujecie, żeby pomóc Salander.

– Dlaczego pan sądzi, że coś kombinujemy?

– Dlatego że prokurator Richard Ekström pytał mnie co najmniej tuzin razy, jaką wiedzę macie w Milton Security o śledztwie w sprawie Salander. A pytał nie dla zabawy, ale dlatego że się niepokoi, że możecie zrobić coś, co odbije się szerokim echem w mediach.

– Hmm...

– A jeśli Ekström się niepokoi, to znaczy, że wie albo obawia się, że wy podejmujecie jakieś działania. Albo rozmawiał z kimś, kto się tego obawia.

– Z kimś?

– Panie Armanski, skończmy z tą ciuciubabką. Wie pan, że Salander została skrzywdzona w 1991 roku, a ja obawiam się, że szykuje się powtórka, kiedy proces się zacznie.

– Jest pan policjantem w demokratycznym państwie. Jeśli ma pan jakąś wiedzę na ten temat, powinien pan reagować.

Bublanski kiwnął głową.

– Zamierzam działać. Pytanie tylko: jak?

– Co chce pan usłyszeć?

– Chcę wiedzieć, co kombinujecie z Blomkvistem. Zakładam, że nie siedzicie z założonymi rękami.

– To skomplikowana sprawa. Jaką mam pewność, że mogę panu zaufać?

– Istnieje raport ze śledztwa z 1991 roku, który odnalazł Mikael Blomkvist.

– Znam ten raport.

– Ja nie mam już do niego dostępu.

– Ja też nie. Obydwa egzemplarze, które mieli Blomkvist i jego siostra, zaginęły.

– Zaginęły?

– Egzemplarz Blomkvista został skradziony podczas włamania do jego mieszkania, a kopia, którą miała Annika Giannini, podczas napadu rabunkowego w Göteborgu. Zdarzyło się to tego samego dnia, kiedy zamordowano Zalachenkę.

Bublanski milczał przez dłuższą chwilę.

– Dlaczego nic o tym nie wiedzieliśmy?

– Jak to ujął Mikael Blomkvist: jest tylko jeden dobry moment na publikację i nieskończenie wiele niedobrych.

– Ale wy... on zamierza to opublikować?

Armanski szybko skinął głową.

– Napad w Göteborgu i włamanie w Sztokholmie. Tego samego dnia. To znaczy, że nasi przeciwnicy są świetnie zorganizowani – powiedział Bublanski.

– Mógłbym jeszcze dodać, że mamy dowody na to, że telefon Giannini jest na podsłuchu.

– To znaczy, że ktoś tu łamie prawo na dużą skalę.

– No właśnie, oto jest pytanie: kim są nasi przeciwnicy – powiedział Dragan Armanski.

– Ja też się nad tym zastanawiam. Najogólniej rzecz biorąc, to Säpo byłaby najbardziej zainteresowana wyciszeniem raportu Björcka. Ale... mówimy o szwedzkiej państwowej służbie bezpieczeństwa. To instytucja państwowa. Nie mogę sobie wyobrazić, żeby takie działania mogły być sankcjonowane przez Säpo. Nie sądzę nawet, żeby Säpo miała uprawnienia do czegoś takiego.

– Wiem. Mnie też nie może się pomieścić to w głowie. Nie mówiąc już o tym, że ktoś wchodzi do szpitala i strzela Zalachence w głowę.

Bublanski milczał. Wtedy Armanski wbił ostatni gwóźdź:

– A równocześnie Gunnar Björck decyduje się na samobójstwo i się wiesza.

– Czyli uważacie, że to zaplanowane morderstwa. Znam Marcusa Erlandera, który prowadzi śledztwo w Göteborgu. Nie znajduje niczego, co wskazywałoby na wyjaśnienie inne niż impuls chorego psychicznie człowieka. Zbadaliśmy też drobiazgowo sprawę śmierci Björcka. Wszystko przemawia za samobójstwem.

Armanski skinął głową.

– Evert Gullberg, lat siedemdziesiąt osiem, chory na raka w ostatnim stadium, na kilka miesięcy przed zabójstwem leczony na depresję. Poleciłem Fräklundowi, żeby znalazł wszystko, co można znaleźć o Gullbergu w rejestrach i archiwach publicznych.

– I co?

– W latach czterdziestych odbył służbę wojskową w Karlskronie, studiował prawo, potem został doradcą podatko-
wym w sektorze prywatnym. Miał biuro tu, w Sztokholmie,
przez ponad trzydzieści lat. Dyskretna działalność, prywatni klienci... kimkolwiek byli. Na emeryturze od 1991 roku.
W 1994 roku przeprowadził się z powrotem do rodzinnego
Laholm... Nic godnego uwagi.

– Ale?

– Poza kilkoma dziwnymi szczegółami. Fräklund nie
znalazł ani jednej informacji o Gullbergu. Nigdzie. Nigdy
nie pisano o nim w żadnej gazecie, nikt nie wie, jakich miał
klientów. Wygląda to tak, jakby nigdy nie pracował.

– Co pan sugeruje?

– W oczywisty sposób nasuwa się Säpo. Zalachenko był
radzieckim szpiegiem, więc kto inny miałby się nim zajmować, jeśli nie Säpo? Dalej weźmy możliwość zorganizowania
czegoś takiego, jak zamknięcie Lisbeth Salander w psychiatryku w 1991 roku. Nie mówiąc o włamaniach, napadach
i podsłuchach piętnaście lat później... Ale ja też nie sądzę,
żeby to Säpo stała za tym wszystkim. Mikael Blomkvist
nazywa ich Klubem Zalachenki... to mała grupa sekciarzy,
składająca się z niedobitków zimnej wojny, którzy ukrywają
się w jakimś ciemnym korytarzu w Säpo.

Bublanski pokiwał głową.

– Więc co możemy zrobić?

Rozdział 12
Niedziela 15 maja
– poniedziałek 16 maja

KOMISARZ TORSTEN EDKLINTH, szef wydziału ochrony konstytucji w Säpo, uszczypnął się w płatek ucha i w zamyśleniu spojrzał na dyrektora wykonawczego szanowanej prywatnej firmy ochroniarskiej Milton Security, który niedawno zupełnie znienacka zadzwonił do niego i nalegał na spotkanie i wspólną kolację u siebie w domu na Lidingö. Żona Armanskiego Ritva przygotowała wyśmienity gulasz. Jedli, miło konwersując. Edklinth zastanawiał się, o co Armanskiemu może chodzić. Po posiłku Ritva wycofała się na sofę stojącą przed telewizorem i zostawiła mężczyzn samych przy stole. Armanski zaczął opowiadać historię Lisbeth Salander.

Edklinth powoli obracał w palcach kieliszek z czerwonym winem.

Armanski nie był świrem. To wiedział na pewno.

Znał Armanskiego od dwunastu lat, odkąd pewna lewicowa parlamentarzystka dostała serię anonimowych pogróżek. Posłanka zwróciła się do swojej frakcji w Riksdagu, po czym o sprawie poinformowano wydział bezpieczeństwa szwedzkiego parlamentu. Pogróżki były pisemne, pełne wulgaryzmów i zawierały informacje sugerujące, że anonimowy nadawca dużo wie o posłance. Sprawa stała się przedmiotem zainteresowania służby bezpieczeństwa. Na czas trwania śledztwa parlamentarzystce zapewniono ochronę.

W tamtych czasach ochrona osobista dysponowała najmniejszym budżetem ze wszystkich wydziałów służb bezpieczeństwa. Jej środki były bardzo ograniczone. Wydział odpowiadał za ochronę rodziny królewskiej i premiera, a ponadto, w razie potrzeby, poszczególnych ministrów lub szefów partii. Potrzeby najczęściej przekraczały możliwości, więc w rzeczywistości wielu szwedzkich polityków nie miało żadnej ochrony. Nękana pogróżkami posłanka dostała ochronę na kilka publicznych wystąpień, ale wycofywano ją po godzinach pracy, czyli w momencie kiedy zwykle prawdopodobieństwo ataku ze strony prześladowcy rośnie. Posłanka szybko zwątpiła w to, że Säpo jest w stanie zapewnić jej bezpieczeństwo.

Miała dom w Nacka. Kiedyś wróciła późnym wieczorem po zmaganiach w Komisji Finansów Publicznych i odkryła, że ktoś włamał się przez werandę, nabazgrał wulgarne i obraźliwe słowa na ścianach w salonie i onanizował się w jej sypialni. Natychmiast chwyciła za telefon i zadzwoniła do Milton Security, zlecając firmie ochronę. Nie zawiadomiła o tym Säpo i gdy następnego ranka miała spotkanie w szkole w Täby, doszło do zderzenia czołowego między ochroniarzami państwowymi i prywatnymi.

Torsten Edklinth był wtedy pełniącym obowiązki zastępcy szefa ochrony osobistej. Czuł obrzydzenie na myśl, że prywatni chuligani mieliby robić to, co należy do państwowych chuliganów. Rozumiał nawet, że parlamentarzystka miała prawo się poskarżyć – już samo zbezczeszczone łóżko było wystarczającym dowodem na nieudolność państwa. Zamiast więc prężyć muskuły i wszczynać kłótnie, postanowił zaprosić na lunch szefa Milton Security Dragana Armanskiego. Doszli do wniosku, że sytuacja jest poważniejsza, niż początkowo przypuszczano w Säpo, należy więc wzmocnić ochronę posłanki. Edklinth miał także dość rozumu, by zauważyć, że ludzie Armanskiego nie tylko dysponują wymaganymi w tej pracy umiejętnościami, ale mają co najmniej tak samo dobre wykształcenie i przypuszczalnie lepszy sprzęt. Rozwiązano problem w ten sposób, że ludzie Armanskiego przejęli całą odpowiedzialność za ochronę osobistą, a Säpo odpowiadała za samo śledztwo i zapłaciła rachunek.

Obaj odkryli przy okazji, że się lubią i że dobrze im się współpracuje, do czego zresztą w następnych latach mieli jeszcze kilka okazji. Edklinth zdążył nabrać wielkiego szacunku dla fachowości Armanskiego, więc był skłonny go wysłuchać, gdy ten zadzwonił z zaproszeniem na kolację i poprosił o poufną rozmowę.

Nie spodziewał się jednak, że Armanski położy mu na kolanach bombę z zapalonym lontem.

– Jeśli dobrze zrozumiałem, twierdzisz, że policja bezpieczeństwa prowadzi działalność przestępczą.

– Nie – odparł Armanski. – Źle mnie zrozumiałeś. Twierdzę, że kilka osób zatrudnionych w służbie bezpieczeństwa prowadzi taką działalność. W żadnym wypadku nie sądzę, żeby ta działalność była sankcjonowana przez kierownictwo Säpo albo w jakikolwiek sposób akceptowana przez organy państwa.

Edklinth przyglądał się zrobionym przez Christera Malma zdjęciom mężczyzny wsiadającego do samochodu z rejestracją zaczynającą się od liter KAB.

– Dragan... to na pewno nie jest żaden *practical joke*?

– Wolałbym, żeby tak było, ale to nie jest żart.

Edklinth zamyślił się na chwilę.

– I czego, do cholery, się spodziewasz? Co ja mam z tym zrobić?

NASTĘPNEGO RANKA Torsten Edklinth pogrążony w myślach starannie czyścił okulary. Był siwowłosym mężczyzną o wielkich uszach i wyrazistej twarzy. W tej chwili malowała się na niej konfuzja. Siedział w swoim gabinecie w siedzibie policji na Kungsholmen. Wcześniej, w nocy, długo rozmyślał o tym, co powiedział mu Dragan Armanski.

Nie były to przyjemne rozmyślania. Służba bezpieczeństwa była w Szwecji instytucją, którą wszystkie partie (no dobrze, prawie wszystkie) uznawały za niezbędną, ale równocześnie wszystkie w takim samym stopniu nie miały do niej zaufania i wymyślały na jej temat najfantastyczniejsze teorie spiskowe. Bez wątpienia stała się bohaterem wielu skandali, choćby w lewicujących latach siedemdziesiątych, kiedy to na pewno kilkakrotnie doszło do naruszenia zasad konstytucji. Po pięciu ostro krytykowanych państwowych dochodzeniach w sprawie Säpo wyrosły nowe pokolenia funkcjonariuszy. Była to nowa szkoła aktywistów rekrutujących się z normalnej policji, wydziałów gospodarczych, handlu bronią czy oszustw – policjantów przyzwyczajonych do badania prawdziwych przestępstw, a nie politycznych urojeń.

Służba bezpieczeństwa zmodernizowała się i główną rolę zaczął pełnić między innymi wydział ochrony konstytucji. Jego zadanie, sformułowane w instrukcji rządowej, polegało na zapobieganiu zagrożeniom bezpieczeństwa wewnętrznego państwa i ujawnianiu ich. Zagrożenia te zostały zdefiniowane jako *nielegalna działalność mająca na celu zmianę ustroju państwa z użyciem siły, groźby lub przymusu, wpływanie na decyzje polityczne organów lub instytucji lub utrudnianie obywatelom korzystania z praw i swobód konstytucyjnych.*

Czyli zadaniem wydziału ochrony konstytucji była obrona szwedzkiej demokracji przed rzeczywistymi lub domniemanymi zamachami. Głównie przed anarchistami i nazistami. Przed anarchistami dlatego że upierali się przy nieposłuszeństwie obywatelskim, podpalając sklepy z futrami. Przed nazistami dlatego że byli nazistami, czyli z definicji wrogami demokracji.

Będąc prawnikiem z wykształcenia, Torsten Edklinth został prokuratorem. Potem przez dwadzieścia jeden lat pracował w Säpo. Najpierw był administratorem ochrony osobistej, potem przeszedł do ochrony konstytucji, gdzie początkowo zajmował się analizą, potem został szefem administracyjnym i wreszcie dyrektorem biura. Innymi słowy, był najwyższym szefem policyjnej części sił obrony szwedzkiej demokracji. Uważał się za demokratę. Sprawa była prosta: konstytucję uchwalał Riksdag, a jego zadaniem było pilnowanie, aby jej nie łamano.

Szwedzka demokracja opiera się na jednym podstawowym prawie, prawie do swobody wypowiedzi. Prawo to głosi, że obywatele mają niezbywalne prawo mówić, myśleć, sądzić, uważać i wierzyć, w co tylko chcą. Dotyczy ono wszystkich szwedzkich obywateli, od obłąkanego nazisty po rzucającego kamieniami anarchistę, i całego spektrum, które mieści się pomiędzy nimi.

Wszystkie inne prawa podstawowe, na przykład ustawa ustrojowa, są jedynie praktycznymi ozdobnikami wolności wypowiedzi. Dlatego prawo do swobody wypowiedzi tworzy demokrację, a jego naruszenie oznacza jej koniec. Edklinth uważał, że jego najważniejszym obowiązkiem jest obrona ustawowych praw szwedzkich obywateli, by mogli myśleć i mówić, co tylko zechcą, choćby sam ani przez sekundę nie podzielał ich poglądów czy wypowiedzi.

Owa wolność nie oznacza jednak, że wszystko jest dozwolone, co w publicznej debacie politycznej próbowali głosić niektórzy fundamentalni interpretatorzy tego prawa, głównie pedofile i ugrupowania rasistowskie. Każda demokracja ma ograniczenia, a o ograniczeniach swobody wypowiedzi mówi ustawa o wolności publikacji. Definiuje ona cztery zasadnicze ograniczenia demokracji: zabrania publikowania pornografii dziecięcej oraz niektórych seksualnych obrazów przemocy, niezależnie od tego, jak artystycznie wyrafinowane by były zdaniem autorów, podżegania i nakłaniania do przestępstw, naruszania czci drugiej osoby i pomawiania jej, a także podsycania niechęci wobec grup etnicznych.

Również uchwalona przez Riksdag ustawa o wolności publikacji jest społecznie i demokratycznie akceptowalnym ograniczeniem demokracji. Jest umową społeczną, która tworzy ramę dla cywilizowanego społeczeństwa. Samo prawodawstwo mówi, że żaden człowiek nie ma prawa prześladować ani poniżać innego człowieka.

Ponieważ zarówno wolność wypowiedzi, jak i wolność publikacji są prawami, potrzebna jest instytucja, która gwarantuje ich przestrzeganie. W Szwecji funkcja ta jest rozdzielona między dwie instytucje, z których jedna, specjalny urząd, doradcy prawnego rządu, ma za zadanie ścigać za naruszenie ustawy o wolności publikacji.

W tej kwestii Torsten Edklinth miał zastrzeżenia. Uważał, że doradca prawny rządu jest zbyt łagodny, zbyt rzadko wnosi oskarżenie, nawet jeśli ma do czynienia z rzeczywistym naruszeniem konstytucji. Urząd doradcy zwykle odpowiadał, że zasady demokracji są tak ważne, że wkraczać i wnosić oskarżenie należy jedynie w ekstremalnych przypadkach. To nastawienie było w ostatnich latach coraz powszechniej krytykowane, zwłaszcza odkąd sekretarz generalny szwedzkiego Komitetu Helsińskiego Robert Hårdh zlecił sporządzenie raportu w sprawie wieloletniego powstrzymywania się od podejmowania inicjatywy przez doradcę prawnego. Raport stwierdzał, że prawie niemożliwe jest oskarżenie i skazanie kogokolwiek za podsycanie nienawiści wobec grup etnicznych.

Drugą instytucją był wydział ochrony konstytucji służby bezpieczeństwa. Komisarz Torsten Edklinth traktował swoje zadanie z niezwykłą powagą. Uważał, że to najważniejsza i najpiękniejsza funkcja, jaką szwedzki policjant może sprawować. Nie zamieniłby swojego stanowiska na żadne inne, w żadnej instytucji prawnej lub policyjnej w całej Szwecji. Był po prostu jedynym policjantem w Szwecji, który miał działać jak policja polityczna. Było to zadanie delikatne, wymagające dużej mądrości i silnego poczucia sprawiedliwości. Doświadczenia wielu krajów pokazywały, że policja polityczna z łatwością może stać się zagrożeniem dla demokracji.

Media i opinia publiczna wyobrażały sobie, że ochrona konstytucji musi mieć oko głównie na nazistów i wojujących weganów. Po części słusznie, gdyż tego rodzaju postawy często stanowiły przedmiot jej zainteresowania, lecz przyglądała się również wielu innym instytucjom i zjawiskom. Gdyby na przykład król albo zwierzchnik sił zbrojnych doszli do wniosku, że parlamentaryzm już się przeżył i należy zastąpić Riksdag dyktaturą militarną lub czymś podobnym, szybko staliby się obiektem zainteresowania ochrony konstytucji. A gdyby grupa policjantów postanowiła naciągnąć prawo do tego stopnia, że doszłoby do ograniczenia podstawowych praw jednostki, ochrona konstytucji także miała obowiązek zareagować. W tak poważnych sprawach dochodzenie oddawano w ręce prokuratora generalnego.

Problem stanowiło to, że ochrona konstytucji prowadziła działalność obserwacyjną i analityczną, ale nie operacyjną. Dlatego właśnie kiedy miało dojść na przykład do zatrzymania nazistów, do akcji wkraczali głównie policjanci lub inne wydziały policji bezpieczeństwa.

Budziło to głębokie niezadowolenie Torstena Edklintha. Prawie wszystkie cywilizowane kraje miały samodzielne trybunały konstytucyjne, które między innymi miały pilnować, by władze nie naruszały zasad demokracji. W Szwecji zadanie to spoczywało w rękach doradcy prawnego rządu lub rzecznika praw obywatelskich, którzy musieli jednak brać pod uwagę decyzje innych osób. Gdyby Szwecja miała trybunał konstytucyjny, adwokat Lisbeth Salander mogłaby oskarżyć bezpośrednio państwo szwedzkie o złamanie jej konstytucyjnych praw. Trybunał zażądałby wyłożenia na stół wszystkich dokumentów i mógłby wzywać na przesłuchania wszystkich, z premierem włącznie, aż do wyjaśnienia sprawy. W obecnej sytuacji obrońca mógł najwyżej złożyć doniesienie do rzecznika praw obywatelskich, który jednak nie miał uprawnień, żeby zwrócić się do służby bezpieczeństwa i zażądać jej dokumentacji.

Torsten Edklinth od wielu lat był orędownikiem powołania trybunału konstytucyjnego. Mógłby wtedy wykorzystać rewelacje Dragana Armanskiego, składając doniesienie na policji, a dokumenty przedstawiając trybunałowi. Sprawa potoczyłaby się właściwym torem.

Teraz Torsten Edklinth nie miał uprawnień do rozpoczęcia postępowania wstępnego.

Westchnął i wsunął do ust prymkę tytoniu.

Jeżeli informacje Dragana Armanskiego były zgodne z prawdą, to kilku funkcjonariuszy policji bezpieczeństwa na kierowniczych stanowiskach patrzyło przez palce na ciężkie przestępstwa wobec szwedzkiej obywatelki. Potem zamknęli jej córkę w szpitalu psychiatrycznym, a wreszcie dali byłemu radzieckiemu asowi wywiadu wolną rękę – pozwolili mu na handel bronią, przestępstwa narkotykowe i handel żywym towarem. Torsten Edklinth w zamyśleniu wydął wargi. Wolał nawet nie liczyć, do ilu naruszeń prawa przez ten czas doszło. Nie mówiąc o włamaniu do mieszkania Mikaela Blomkvista, napadzie na obrończę Lisbeth Salander oraz ewentualnie – w co Edklinth nie był w stanie uwierzyć – udziale w zamordowaniu Aleksandra Zalachenki.

Był to pasztet, z którym Torsten Edklinth wolałby nie mieć do czynienia. Niestety, został w to wciągnięty w momencie, kiedy Dragan Armanski zaprosił go na kolację.

Teraz musiał odpowiedzieć sobie na pytanie, jak ma postąpić w tej sytuacji. Formalnie odpowiedź była prosta. Jeśli opowieść Armanskiego była prawdziwa, to Lisbeth Salander została całkowicie pozbawiona możliwości korzystania ze swoich podstawowych swobód i praw. Z punktu widzenia konstytucji powstawało kłębowisko podejrzeń, że organy lub instytucje ustawodawcze były nakłaniane do podejmowania pewnych decyzji, a taka sytuacja stanowiła zasadniczy przedmiot zainteresowania ochrony konstytucji. Torsten Edklinth był policjantem i został zawiadomiony o przestępstwie, miał więc obowiązek zawiadomić prokuratora i złożyć doniesienie. Lecz nieformalnie odpowiedź już taka prosta nie była. Była wręcz bardzo skomplikowana.

INSPEKTOR MONIKA FIGUEROLA mimo niezwykłego nazwiska urodziła się w Dalarnie w rodzinie, która co najmniej od czasów Gustawa Wazy mieszkała w Szwecji. Była kobietą, na którą ludzie zwykle zwracali uwagę. Z kilku powodów. Miała trzydzieści sześć lat, niebieskie oczy i sto osiemdziesiąt cztery centymetry wzrostu. Jasne, kręcone włosy nosiła krótko obcięte. Była atrakcyjna i ubierała się w sposób, który dodatkowo to podkreślał.

I była wyjątkowo wysportowana.

A to dzięki temu, że jako nastolatka wyczynowo uprawiała lekkoatletykę i w wieku siedemnastu lat prawie zakwalifikowała się do szwedzkiej reprezentacji olimpijskiej. Potem porzuciła lekkoatletykę, ale nadal przez pięć wieczorów w tygodniu zawzięcie trenowała na siłowni. Biegała tak często, że endorfiny działały na nią jak narkotyk. Gdyby rzuciła trening, czułaby się jak na głodzie. Biegała, podnosiła ciężary, grała w tenisa, ćwiczyła karate, a poza tym przez ponad dziesięć lat trenowała body building. Ostatnio mocno ograniczyła ów ekstremalny wariant kultu ciała. Dwa lata temu codziennie przez dwie godziny podnosiła ciężary. Teraz poświęcała na to tylko chwilę, ale i tak była tak muskularna, że niektórzy złośliwi koledzy nazywali ją panem Figuerolą. W podkoszulkach bez rękawów i letnich sukienkach jej bicepsy i ramiona prezentowały się tak, że nikt nie mógł ich przeoczyć.

Oprócz jej figury dla niektórych pracujących z nią mężczyzn problem stanowiło to, że była czymś więcej niż *pretty face*. Gimnazjum skończyła z najlepszymi wynikami, w wieku dwudziestu lat ukończyła szkołę policyjną, a potem przez dziewięć lat służyła w policji w Uppsali, równocześnie studiując prawo. Dla rozrywki zrobiła także dyplom z politologii. Nie miała trudności z zapamiętywaniem i analizowaniem. Rzadko czytała kryminały i inną literaturę rozrywkową. Za to z dużym zainteresowaniem wgłębiała się w najróżniejsze tematy, od prawa międzynarodowego aż po historię starożytną.

W policji przeszła ze służby w patrolach ulicznych, co wpłynęło na zmniejszenie bezpieczeństwa w Uppsali, na stanowisko inspektora kryminalnego, najpierw w wydziale zabójstw, potem w wydziale przestępczości gospodarczej. W roku 2000 złożyła podanie do Säpo w Uppsali, a w 2001 przeniosła się do Sztokholmu. Najpierw pracowała w agencji kontrwywiadu, lecz niemal natychmiast została wyłowiona przez Torstena Edklintha i przeniesiona do ochrony konstytucji. Edklinth znał jej ojca i przez lata śledził jej karierę.

Gdy wreszcie postanowił, że z informacji otrzymanych od Dragana Armanskiego musi zrobić jakiś użytek, zastanowił się chwilę. Potem zadzwonił i wezwał do swojego gabinetu Monikę Figuerolę. W ochronie konstytucji pracowała od blisko trzech lat, co oznaczało, że w większym stopniu była jeszcze prawdziwą policjantką niż wojownikiem zza biurka.

Weszła ubrana w obcisłe niebieskie dżinsy i granatowy żakiet. Na nogach miała turkusowe sandały na niewielkim obcasie.

– Czym się teraz zajmujesz? – zapytał Edklinth, wskazując jej krzesło.

– Badamy sprawę rabunku w sklepiku spożywczym w Sunne sprzed dwóch tygodni.

Oczywiście Säpo nie zajmowała się kradzieżami w sklepach spożywczych. Takie sprawy należały do policji. Monika Figuerola była szefem liczącej pięciu pracowników komórki mającej badać ochronę konstytucji. Zajmowali się analizowaniem przestępczości politycznej. Najważniejszym narzędziem ich pracy były komputery podłączone na stałe do serwerów policyjnych i zbierające na bieżąco ich zgłoszenia. W zasadzie każde zgłoszenie na policję dokonane w jakimkolwiek dystrykcie w Szwecji przechodziło przez komputery, nad którymi opiekę sprawowała Monika Figuerola. Specjalne programy automatycznie skanowały każdy raport policyjny w poszukiwaniu jednego z trzystu dziesięciu słów, takich

318

jak: czarnuch, skinhead, swastyka, imigrant, anarchista, heil, nazista, narodowy demokrata, zdrada stanu, żydowska dziwka albo kochanica Murzyna. Jeśli w jakimś raporcie zostało znalezione takie słowo, komputer dawał sygnał, a raport był brany pod lupę i analizowany. Można było wszcząć postępowanie przygotowawcze i dalej badać sprawę.

Do zadań ochrony konstytucji należało doroczne publikowanie Raportu o Zagrożeniach Bezpieczeństwa Państwa, stanowiącego jedyną wiarygodną statystykę przestępczości politycznej. Statystyka opierała się wyłącznie na zgłoszeniach do lokalnych posterunków policji. W przypadku kradzieży w sklepie w Sunne komputer wyłowi trzy słowa: imigrant, opaska naramienna i czarnuch. Dwóch zamaskowanych młodych mężczyzn okradło niewielki sklep spożywczy, grożąc pistoletem właścicielowi, który był imigrantem. Zabrali około dwóch tysięcy siedmiuset osiemdziesięciu koron oraz karton papierosów. Jeden z nich miał krótką kurtkę ze szwedzką flagą na ramieniu. Drugi kilka razy nazwał właściciela sklepu „pieprzonym czarnuchem" i kazał mu położyć się na podłodze.

Wszystko razem wystarczyło, żeby podwładni Figueroli sięgnęli po raport ze śledztwa i spróbowali zbadać, czy złodzieje mieli jakieś powiązania z ugrupowaniami nazistowskimi Värmlandii i czy napad można uznać za przestępstwo na tle rasowym, skoro napastnik dał wyraz swoim rasistowskim przekonaniom. Gdyby się okazało, że można, napad na sklep stanowiłby jedną z pozycji w przyszłorocznym podsumowaniu, które następnie zostałoby przeanalizowane i włączone do europejskich statystyk, publikowanych co roku przez wiedeńskie biuro UE. Ale mogło się też okazać, że złodzieje byli skautami, którzy po prostu kupili kurtkę ze szwedzką flagą, a to, że napadli na sklep prowadzony przez imigranta i użyli słowa czarnuch, było dziełem przypadku. Jeśli komórka Figueroli stwierdzi, że tak właśnie było, skreśli napad ze statystyk.

– Mam dla ciebie dość kłopotliwe zadanie – zaczął Torsten Edklinth.

– Aha – powiedziała Monika Figuerola.

– Możesz przez to popaść w niełaskę. Może to nawet oznaczać koniec twojej kariery.

– Rozumiem.

– Ale z drugiej strony, jeśli zrobisz co trzeba i wszystko potoczy się dobrze, może to być duży krok naprzód. Zamierzam przenieść cię do jednostki operacyjnej.

– Przepraszam, ale muszę wtrącić sprostowanie: ochrona konstytucji nie ma jednostki operacyjnej.

– Ależ tak – odparł Torsten Edklinth. – Teraz już ma. Utworzyłem ją dzisiaj rano. Obecnie składa się z jednej osoby. Jesteś nią ty.

Monika Figuerola patrzyła z powątpiewaniem.

– Ochrona konstytucji ma strzec konstytucję przed zagrożeniami z wewnątrz, czyli głównie ze strony nazistów i anarchistów. Ale co mamy zrobić, gdy zagraża jej nasza własna organizacja?

Przez następne pół godziny opowiadał, co usłyszał od Dragana Armanskiego poprzedniego wieczoru.

– Skąd to wszystko wiesz? – zapytała Monika Figuerola.

– W tej chwili to nieważne. Skoncentruj się na informacjach, których ten ktoś dostarczył.

– Zastanawiam się tylko, czy uważasz to źródło za wiarygodne.

– Znam to źródło od wielu lat i uważam, że jest w najwyższym stopniu wiarygodne.

– To brzmi zupełnie... sama nie wiem. Nieprawdopodobnie to mało powiedziane.

Edklinth skinął głową.

– Jak powieść szpiegowska – przyznał.

– Czego ode mnie oczekujesz?

– Od tej chwili jesteś zwolniona ze wszystkich pozostałych obowiązków. Masz tylko jedno zadanie: zbadać prawdziwość tej historii. Masz ją zweryfikować. Składasz sprawozdania bezpośrednio mnie i nikomu innemu.

– Wielki Boże – westchnęła Monika Figuerola. – Rozumiem już, co miałeś na myśli, mówiąc, że mogę popaść w niełaskę.

– Tak. Ale jeśli to prawda... jeśli choć ułamek tego wszystkiego jest prawdziwy, znajdziemy się w obliczu kryzysu konstytucyjnego i będziemy sobie musieli z nim poradzić.

– Od czego mam zacząć? Co robić?

– Zacznij od rzeczy najprostszych. Od przeczytania raportu, który Gunnar Björck napisał w 1991 roku. Potem masz zidentyfikować osoby, które rzekomo śledzą Mikaela Blomkvista. Jak twierdzi moje źródło, samochód należy do niejakiego Görana Mårtenssona, lat czterdzieści, policjanta zamieszkałego na Vittangigatan w Vällingby. Potem masz zidentyfikować drugą osobę widoczną na zdjęciu, które zrobił fotograf Mikaela Blomkvista. Tego młodszego blondyna.

– Okej.

– Następnie zbadaj życiorys Everta Gullberga. Nigdy nie słyszałem o nikim takim, ale moje źródło twierdzi, że ma on związek z Säpo.

– Czyli ktoś tutaj w Säk miałby zatrudnić siedemdziesięciooośmioletniego dziadka do sprzątnięcia szpiega? Nie wierzę.

– Niemniej jednak powinnaś go sprawdzić. Dochodzenie ma być prowadzone w tajemnicy. Zanim poczynisz jakiekolwiek kroki, chcę być o nich poinformowany. Nie chcę, żeby się tworzyły jakieś kręgi na wodzie.

– To ogromne dochodzenie. Jak mam je przeprowadzić sama?

– Nie masz. Masz tylko wszystko wstępnie sprawdzić. Jeśli wrócisz i powiesz, że sprawdziłaś i nic takiego nie znalazłaś, wszystko będzie w porządku. A jeśli odkryjesz coś podejrzanego, będziemy musieli zdecydować, co dalej.

MONIKA FIGUEROLA poświęciła przerwę na lunch na podnoszenie ciężarów w policyjnej siłowni. Lunch składał się z czarnej kawy, kanapki z klopsikami mięsnymi i sałatki z buraków. Zabrała jedzenie do swojego pokoju. Zamknęła drzwi, uprzątnęła biurko i pogryzając kanapkę, zaczęła czytać raport Gunnara Björcka.

Przeczytała także załącznik z korespondencją Björcka z Teleborianem. Notowała każde nazwisko i każde pojedyncze wydarzenie, które będzie można zweryfikować. Po dwóch godzinach wstała i przyniosła sobie kawę z automatu. Wychodząc z pokoju, zamknęła drzwi na klucz. W RPS/Säk zawsze tak robiono.

Najpierw sprawdziła numer dziennika podawczego. Zadzwoniła do rejestracji i dowiedziała się, że raport o takim numerze nie istnieje. Potem sprawdziła w Archiwum Mediów. Tu miała więcej szczęścia. Obydwie popołudniówki i jedna gazeta poranna z 1991 roku donosiły o osobie ciężko rannej w pożarze samochodu na Luntmakargatan. Ofiarą był mężczyzna w średnim wieku. Jego nazwiska nie podano. Jedna z popołudniówek pisała, że według świadków pożar świadomie spowodowała jakaś dziewczynka. A więc to miałby być ten słynny ładunek zapalający, którym Lisbeth Salander rzuciła w radzieckiego agenta nazwiskiem Zalachenko. Przynajmniej było wiadomo, że wydarzenie to rzeczywiście miało miejsce.

Gunnar Björck, autor raportu, istniał naprawdę. Był znanym wysokim urzędnikiem w wydziale do spraw obcokrajowców, na zwolnieniu lekarskim z powodu dyskopatii. Niestety, popełnił samobójstwo.

Dział personalny nie mógł jednak udzielić informacji, czym Gunnar Björck zajmował się w 1991 roku. Informacje te były tajne także dla innych pracowników Säk. Takie były reguły.

Łatwo było sprawdzić, że w roku 1991 Lisbeth Salander mieszkała na Lundagatan, a następne dwa lata spędziła w Klinice Psychiatrii Dziecięcej św. Stefana. Pod tym względem rzeczywistość nie podważała treści raportu.

Peter Teleborian był znanym psychiatrą, często występował w telewizji. Pracował u św. Stefana w roku 1991 i do dzisiaj był dyrektorem kliniki.

Monika Figuerola zastanawiała się chwilę nad znaczeniem raportu. Potem zadzwoniła do zastępcy szefa wydziału personalnego.

– Mam nieco skomplikowane pytanie – powiedziała.

– O co chodzi?

– W ochronie konstytucji analizujemy pewną sprawę. Chodzi o wiarygodność pewnej osoby i jej ogólne zdrowie psychiczne. Potrzebna jest konsultacja psychiatry lub innego specjalisty, który byłby dopuszczony do informacji z klauzulą tajności. Ktoś polecił mi doktora Petera Teleboriana. Chciałabym wiedzieć, czy mogę się do niego zwrócić.

Dopiero po dłuższej chwili otrzymała odpowiedź.

– Doktor Teleborian był zewnętrznym konsultantem Säk przy kilku sprawach. Ma przyznany certyfikat bezpieczeństwa i może pani ogólnie porozmawiać z nim o tajnych sprawach. Ale zanim się pani do niego zwróci, musi pani trzymać się naszych procedur. Pani szef musi wyrazić zgodę i wystąpić z formalnym wnioskiem.

Serce Moniki Figueroli zabiło mocniej. Właśnie potwierdziła coś, o czym nie mógł wiedzieć nikt spoza bardzo wąskiego grona wybranych. Peter Teleborian był w jakiś sposób związany z RPS/Säk. Czyli wiarygodność raportu została potwierdzona.

Odłożyła dokumenty na bok i zajęła się innymi informacjami, które przekazał jej Torsten Edklinth. Przyglądała się zdjęciom Christera Malma przedstawiającym dwie osoby, które pierwszego maja miały śledzić Mikaela Blomkvista od kawiarni Copacabana.

Sprawdziła w centralnym rejestrze pojazdów. Dowiedziała się, że Göran Mårtensson istnieje naprawdę i posiada szare volvo o podanym numerze rejestracyjnym. Potem dział personalny służby bezpieczeństwa potwierdził, że jest zatrudniony w RPS/Säk. Sprawdzenie tego było naprawdę proste. Także i ta informacja zdawała się odpowiadać prawdzie.

Göran Mårtensson pracował w wydziale ochrony osobistej. Był ochroniarzem. Wchodził w skład grupy odpowiadającej za bezpieczeństwo premiera. Ale kilka tygodni temu przeniesiono go czasowo do kontrwywiadu. Z dotychczasowych obowiązków został zwolniony 10 kwietnia, kilka dni po tym, jak Aleksander Zalachenko i Lisbeth Salander znaleźli się w szpitalu Sahlgrenska. Takie czasowe przeniesienia nie były niczym nadzwyczajnym, gdy do jakiejś pilnej sprawy brakowało ludzi.

Następnie zadzwoniła do zastępcy szefa kontrwywiadu, którego znała osobiście – pracowała dla niego przez jakiś czas. Zapytała, czy Göran Mårtensson jest zajęty czymś ważnym, czy może dałoby się go wypożyczyć do dochodzenia w ochronie konstytucji.

Zastępca szefa kontrwywiadu wyraził zdziwienie. Ktoś musiał wprowadzić ją w błąd. Göran Mårtensson z ochrony osobistej nie został wypożyczony przez kontrwywiad. Niestety.

Monika Figuerola odłożyła słuchawkę. Przez dwie minuty siedziała wpatrzona w telefon. W ochronie osobistej byli przekonani, że Mårtensson został wypożyczony przez kontrwywiad. Tymczasem w kontrwywiadzie go nie było. Takie transfery musiały być zatwierdzone przez szefa kancelarii. Wyciągnęła dłoń po słuchawkę, żeby do niego zadzwonić, ale zrezygnowała z tego pomysłu. Jeśli Mårtensson został wypożyczony z ochrony osobistej, szef kancelarii musiał o tym wiedzieć. Lecz Mårtenssona nie było tam, gdzie miał być. Czego szef kancelarii musiał być świadomy. Jeśli Mårtensson został wypożyczony przez jakiś wydział zajmujący się śledzeniem Mikaela Blomkvista, szef kancelarii musiał być poinformowany także o tym.

Torsten Edklinth powiedział, żeby nie tworzyła kręgów na wodzie. Zadanie pytania wprost szefowi kancelarii byłoby porównywalne z wrzuceniem ogromnego kamienia do sadzawki.

W PONIEDZIAŁEK tuż po wpół do jedenastej Erika Berger usiadła przy swoim biurku w szklanym gabinecie i odetchnęła z ulgą. Bardzo potrzebowała tej kawy, którą przyniosła sobie z pokoju śniadaniowego. Pierwsze godziny spędziła na dwóch zebraniach. Najpierw odbyło się piętnastominutowe poranne spotkanie, na którym sekretarz redakcji Peter Fredriksson przedstawił plany na dzisiejszy dzień. Z powodu braku zaufania do Andersa Holma Erika była zmuszona coraz bardziej polegać na zdaniu Fredrikssona.

Podczas drugiego, trwającego godzinę spotkania rozmawiała z prezesem zarządu Magnusem Borgsjö, dyrektorem finansowym SMP Christerem Sellbergiem i szefem budżetu Ulfem Flodinem. Rozmawiali o upadającym rynku reklam i ogłoszeń oraz zmniejszającej się liczbie sprzedawanych egzemplarzy. Szef budżetu i dyrektor finansowy byli zgodni co do tego, że trzeba podjąć kroki w celu ograniczenia deficytu gazety.

– Pierwszy kwartał tego roku zakończyliśmy na plusie dzięki minimalnemu wzrostowi na rynku reklam oraz dzięki temu, że dwóch pracowników wraz z końcem roku odeszło na emeryturę. Ich stanowiska nie są obsadzone – powiedział Ulf Flodin. – Przypuszczalnie obecny kwartał zakończymy minimalnym deficytem. Ale oczywiste jest, że darmowe gazety „Metro" i „Stockholm City" dalej podgryzają rynek reklamowy w Sztokholmie. Jedyna prognoza, jaką możemy sporządzić na trzeci kwartał bieżącego roku, przewiduje poważny deficyt.

– I jak zamierzamy się na to przygotować? – zapytał Borgsjö.

– Jedyną sensowną alternatywą jest cięcie kosztów. Nie robiliśmy tego od 2002 roku. Ale oceniam, że pod koniec roku trzeba będzie zredukować około dziesięciu etatów.

– A jakichże to? – spytała Erika Berger.

– Musimy działać jak nóż do sera: ścinać wszędzie po trochu, jeden etat tu, jeden tam. Redakcja sportowa ma w tej chwili sześć i pół etatu. Tam powinniśmy zmniejszyć zatrudnienie do pięciu pełnych etatów.

– O ile dobrze rozumiem, redakcja sportowa już teraz robi bokami. To oznacza, że będziemy musieli znacznie ograniczyć bieżące doniesienia z imprez sportowych.

Flodin wzruszył ramionami.

– Chętnie posłucham lepszych propozycji.

– Nie mam lepszych propozycji, ale zasada jest taka, że jeśli zwolnimy część pracowników, będziemy zmuszeni robić gazetę o mniejszej objętości, a jeśli gazeta będzie cieńsza, zmniejszy się liczba czytelników, czyli także reklamodawców.

– Słynny zaklęty krąg – skomentował Sellberg.

– Zostałam zatrudniona po to, żeby zmienić te tendencje. Oznacza to, że będę próbowała ofensywnie zmieniać gazetę, by była bardziej atrakcyjna dla czytelników. Ale nie mogę tego zrobić, jeśli zacznę redukować personel.

Zwróciła się do Magnusa Borgsjö:

– Jak długo gazeta może krwawić? Jak wielki deficyt jesteśmy w stanie znieść, póki sytuacja się nie odwróci?

Borgsjö wydął wargi.

– Od początku lat dziewięćdziesiątych SMP przejadła dużą część dawnych zysków złożonych w funduszach. Mamy portfel akcji, którego wartość spadła o nieco ponad trzydzieści procent w porównaniu ze stanem sprzed dziesięciu lat. Duża część tych funduszy poszła na inwestycje w technikę komputerową. Mieliśmy naprawdę gigantyczne wydatki.

– Zauważyłam, że SMP ma własny program redakcyjno-korektorski, AXT. Ile kosztowało jego stworzenie?

– Około pięciu milionów koron.

– Nie do końca rozumiem logikę tego przedsięwzięcia. Istnieją tanie komercyjne programy, do kupienia na rynku. Dlaczego SMP inwestuje w tworzenie własnych programów?

– Wie pani, Eriko, trudno powiedzieć. Namówił nas poprzedni szef działu technicznego. Twierdził, że na dłuższą metę będzie taniej, że SMP będzie mogła sprzedawać licencje innym gazetom.

– I czy ktoś kupił ten program?

– Tak, w rzeczy samej, pewna lokalna gazeta z Norwegii.

– Wspaniale – stwierdziła cierpko Erika. – Następne pytanie: pracujemy na komputerach, które mają pięć czy sześć lat...

– W najbliższych latach wszelkie inwestycje w nowy sprzęt komputerowy są wykluczone – uciął Flodin.

Dyskusja potoczyła się dalej. Erika zaczęła sobie boleśnie zdawać sprawę, że Flodin i Sellberg nonszalancko odrzucają jej uwagi. Dla nich liczyło się tylko cięcie kosztów, co zresztą było zrozumiałe z perspektywy szefa budżetu, ale nie do przyjęcia z punktu widzenia nowo mianowanej redaktor naczelnej. Ale najbardziej irytowało ją to, że ciągle odrzucali jej argumenty z uprzejmym uśmiechem. Czuła się jak odpytywana na lekcji uczennica. Nie wypowiadając ani jednego niedopuszczalnego słowa, odnosili się do niej w sposób tak stereotypowy, że było to niemal zabawne. *Nie zaprzątaj sobie główki skomplikowanymi sprawami, maleńka.*

Na pomoc Borgsjö nie mogła liczyć. Był ostrożny, wolał zaczekać i pozwolić pozostałym uczestnikom spotkania dokończyć wypowiedź, ale przynajmniej z jego strony nie czuła tego lekceważenia.

Westchnęła, włączyła laptop i otworzyła skrzynkę mailową. Dostała dziewiętnaście wiadomości. Cztery od kogoś, kto a) chciał żeby kupiła viagrę, b) proponował jej cyberseks z *The Sexiest Lolitas on the net* za jedyne cztery dolary za minutę c) składał nieco ostrzejszą ofertę o *Animal Sex, the Juciest Horse Fuck in the Universe* oraz d) proponował elektroniczną prenumeratę doniesień ze świata mody, wysyłanych przez tandetną firmę *mode.nu*, która zasypywała odbiorców reklamami. Potem, mimo usilnych starań, nie można się było od niej odczepić. Dalej siedem listów nigeryjskich od wdowy po byłym dyrektorze banku centralnego w Abu Zabi, z propozycją fantastycznych sum za wsparcie niewielkim kapitałem, i tym podobne bzdury.

Wśród pozostałych wiadomości były poranne notatki służbowe, południowe notatki służbowe, trzy maile od sekretarza redakcji Petera Fredrikssona, który informował ją na bieżąco o zmianach w materiale tytułowym dzisiejszego dnia, mail od jej osobistego księgowego, który chciał się spotkać i omówić zmiany w jej dochodach po przejściu z „Millennium" do SMP, oraz od dentysty z przypomnieniem o cokwartalnej wizycie. Erika zapisała datę w elektronicznym kalendarzu i od razu zauważyła, że będzie zmuszona zmienić termin, gdyż tego dnia ma zaplanowaną konferencję w redakcji.

Wreszcie otworzyła ostatni mail, wysłany przez <centralred@smpost.se>, a zatytułowany [Do wiadomości redaktor naczelnej]. Powoli odstawiła kubek z kawą.

[TY KURWO! MYŚLISZ, ŻE JESTEŚ KIMŚ WYJĄTKOWYM, PIEPRZONA PIZDO. NIE WYOBRAŻAJ SOBIE, ŻE MOŻESZ TU PRZYCHODZIĆ I ZADZIERAĆ NOSA. ZOSTANIESZ WYRUCHANA ŚRUBOKRĘTEM W DUPĘ, DZIWKO! IM PRĘDZEJ STĄD ZNIKNIESZ, TYM LEPIEJ.]

Odruchowo podniosła wzrok w poszukiwaniu szefa wiadomości Andersa Holma. Nie było go na jego miejscu, nie widziała go też w redakcji. Spojrzała jeszcze raz na nadawcę, sięgnęła po telefon i zadzwoniła do Petera Fleminga, szefa technicznego SMP.

– Dzień dobry. Kto używa adresu <centralred@smpost.se>?

– Nikt. Takiego adresu nie ma w SMP.

– Właśnie dostałam maila z tego właśnie adresu.

– To oszustwo. Czy ten mail zawiera wirusa?

– Nie. Przynajmniej mój program antywirusowy go nie wykrył.

– Okej. Takiego adresu nie ma. Ale bardzo łatwo można podrobić adres tak, żeby wyglądał jak prawdziwy. Są w necie strony, przez które można coś takiego wysyłać.

– Czy można prześledzić, skąd przyszedł taki mail?

– To prawie niemożliwe, nawet jeśli nadawca jest tak głupi, żeby korzystać z prywatnego, domowego komputera. Ewentualnie można dojść do numeru IP serwera, ale jeśli ten ktoś używa konta założonego na przykład na hotmailu, to ślad się urywa.

Erika podziękowała za informacje. Zastanawiała się nad tym przez chwilę. Nie pierwszy raz dostawała maile z pogróżkami czy listy od ewidentnego wariata. Mail odnosił się jednoznacznie do jej nowej pracy jako redaktor naczelnej SMP. Nie była pewna, czy to jakiś świr, który czytał o niej w związku ze śmiercią Morandera, czy może ktoś, kto pracuje w tym budynku.

MONIKA FIGUEROLA długo i głęboko zastanawiała się, co ma zrobić z Evertem Gullbergiem. Zaletą pracy w ochronie konstytucji były daleko idące uprawnienia. Mogła zażądać wglądu w każde śledztwo policyjne w Szwecji, które mogło mieć związek z przestępczością polityczną lub przestępstwami na tle rasowym. Stwierdziła, że Aleksander Zalachenko był imigrantem, a przecież w zakres jej obowiązków wchodziło między innymi monitorowanie przemocy wobec osób urodzonych za granicą i ocenianie, czy miały tło rasistowskie, czy nie. Dlatego miała prawo przyjrzeć się śledztwu w sprawie morderstwa Zalachenki, żeby zdecydować, czy Evert Gullberg miał powiązania z jakąś organizacją rasistowską i czy w związku z morderstwem wyrażał poglądy rasistowskie. Zamówiła raport ze śledztwa i dokładnie go przeczytała. Dołączono do niego listy wysyłane do ministra sprawiedliwości. Monika przejrzała je i stwierdziła, że oprócz prawniczego bełkotu, awanturnictwa i obraźliwych ataków osobistych zawierają także określenia „miłośnik czarnuchów" i „zdrajca ojczyzny".

Zrobiła się godzina piąta. Monika Figuerola zamknęła wszystkie materiały w szafie pancernej w swoim pokoju, sprzątnęła kubek po kawie, wyłączyła komputer i podbiła kartę. Szybkim krokiem poszła na siłownię przy S:t Eriksplan i następną godzinę poświęciła na spokojny trening siłowy.

Po treningu poszła pieszo do swojego mieszkania przy Pontonjärgatan. Wzięła prysznic i zjadła późny obiad, uwzględniając zasady zdrowego żywienia. Przez chwilę zastanawiała się, czy nie zadzwonić do Daniela Mogrena, który mieszkał trzy przecznice dalej przy tej samej ulicy. Daniel był stolarzem. Zajmował się także kulturystyką i od trzech lat od czasu do czasu towarzyszył jej w treningach. Od kilku miesięcy po przyjacielsku ze sobą sypiali.

Seks niemal zawsze był tak samo satysfakcjonujący jak ostry trening na siłowni, ale w dojrzałym wieku lat trzydziestu plus, właściwie wkrótce czterdziestu minus, Monika Figuerola zaczęła się zastanawiać, czy jednak nie powinna się zainteresować jakimś mężczyzną na dłużej i pomyśleć o bardziej uregulowanej sytuacji osobistej. Może nawet o dziecku. Ale nie z Danielem Mogrenem.

Doszła do wniosku, że jednak nie ma ochoty się z nikim spotkać. Poszła do łóżka z książką o historii starożytności. Zasnęła krótko przed północą.

Rozdział 13
Wtorek 17 maja

WE WTOREK RANO Monika Figuerola obudziła się dziesięć po szóstej. Zrobiła dużą rundę wzdłuż Norr Mälarstrand, wzięła prysznic i już dziesięć po ósmej podbiła kartę w siedzibie policji. Pierwszą godzinę poświęciła na sporządzenie notatki służbowej z wnioskami, do których doszła poprzedniego dnia.

O dziewiątej w pracy zjawił się Torsten Edklinth. Monika dała mu dwadzieścia minut na załatwienie porannej poczty. Potem podeszła do jego drzwi i zapukała. Czytał notatkę dziesięć minut. Dwa razy przebiegł oczami cztery zapisane strony formatu A4, od początku do końca. Wreszcie spojrzał na nią.

– Szef kancelarii – powiedział z zadumą.

Monika skinęła głową.

– Musiał się zgodzić na wypożyczenie Mårtenssona. Musiał więc być poinformowany, że Mårtenssona nie ma w kontrwywiadzie, gdzie, jak twierdzi ochrona osobista, powinien być.

Torsten Edklinth zdjął okulary i porządnie wyczyścił je papierową serwetką. Zamyślił się. Spotykał szefa kancelarii Alfreda Shenkego na zebraniach i wewnętrznych konferencjach niezliczoną ilość razy, ale nie mógł powiedzieć, że zna go osobiście szczególnie dobrze. Był to raczej niewysoki mężczyzna z rzadkimi jasnorudymi włosami i poszerzającym się z upływem lat obwodem w pasie. Edklinth wiedział, że Shenke ma nieco ponad pięćdziesiąt pięć lat i co najmniej od dwudziestu pięciu pracuje w RPS/Säk. Przez dziesięć ostatnich sprawował funkcję szefa kancelarii, przedtem był zastępcą szefa kancelarii, a jeszcze wcześniej zajmował inne stanowiska w administracji. Torsten Edklinth uważał Shenkego za człowieka małomównego, potrafiącego działać bezpardonowo i zdecydowanie, jeśli trzeba. Nie miał pojęcia, czym Shenke zajmuje się w wolnym czasie, ale przypomniał sobie, że przy jakiejś okazji widział go w garażu budynku policji w ubraniu sportowym i z kijami golfowymi na ramieniu. Raz, kilka lat temu, przypadkiem natknęli się na siebie w operze.

– Jedna rzecz mnie uderzyła – powiedziała Monika Figuerola.

– Co?

– Evert Gullberg. W latach czterdziestych odbył służbę wojskową, potem został doradcą biznesowym i w latach pięćdziesiątych rozpłynął się we mgle.

– Tak?

– Kiedy zastanawialiśmy się nad tą sprawą, mówiliśmy o nim tak, jakby był wynajętym mordercą.

– Wiem, że to nie brzmi zbyt prawdopodobnie, ale...

– Uderzyło mnie, że jest o nim tak mało informacji, że to wygląda prawie jak kamuflaż. Zarówno IB, jak i Säk w latach czterdziestych i pięćdziesiątych zakładały zewnętrzne firmy.

Torsten Edklinth skinął głową.

– Byłem ciekaw, kiedy pomyślisz o tej możliwości.

– Potrzebowałabym pozwolenia na korzystanie z akt osobowych z lat pięćdziesiątych – powiedziała Monika Figuerola.

– Nie – odparł Edklinth, kręcąc głową. – Nie możemy wchodzić do archiwum bez zgody szefa kancelarii, a nie chcemy zwracać na siebie uwagi, póki nie staniemy mocniej na nogi.

– A więc jak twoim zdaniem mamy działać dalej?

– Mårtensson – rzucił Edklinth. – Dowiedz się, czym on się zajmuje.

LISBETH SALANDER wpatrywała się w otwór wentylacyjny w oknie swojego zamkniętego pokoju, kiedy usłyszała odgłos klucza w zamku. Wszedł doktor Anders Jonasson. Był wtorek, dziesiąta wieczór. Wejście lekarza przerwało jej snucie planów ucieczki ze szpitala. Zmierzyła średnicę otworu wentylacyjnego i stwierdziła, że jej głowa mogłaby się zmieścić, nie powinna też mieć szczególnych problemów z przeciśnięciem reszty ciała. Od ziemi dzieliła ją wysokość trzech pięter, ale związanie podartych na pasy prześcieradeł i trzymetrowego kabla od lampki stojącej mogło rozwiązać ten problem.

Zaplanowała ucieczkę krok po kroku. Kłopot stanowiły ubrania. Miała na sobie majtki i koszulę nocną, należące do szpitala. Dwieście koron w gotówce, które dostała od Anniki Giannini, żeby mogła sobie zamówić słodycze w szpitalnym sklepiku, powinno wystarczyć na tanie dżinsy i podkoszulek w szmateksie charytatywnej sieci Myrorna, jeśli oczywiście uda jej się odnaleźć Myrorna w Göteborgu. Za resztę pieniędzy miała zadzwonić z budki do Plague'a. Potem wszystko powinno się ułożyć. Po kilku dniach zamierzała wylądować na Gibraltarze, a potem zacząć nowe życie gdzieś w świecie.

Anders Jonasson skinął głową na powitanie i usiadł na krześle dla odwiedzających. Lisbeth usiadła na krawędzi łóżka.

– Dzień dobry, Lisbeth. Przepraszam, że nie zaglądałem do pani w ostatnich dniach, ale miałem mnóstwo pracy w izbie przyjęć. Poza tym zostałem opiekunem kilku młodych lekarzy.

Kiwnęła głową. Nie spodziewała się, że doktor Anders Jonasson będzie jej składał wizyty.

Wziął do ręki kartę choroby i w skupieniu przyglądał się wykresowi temperatury i podawanym lekom. Zauważył, że gorączka ustabilizowała się na poziomie między 37 i 37,2. W zeszłym tygodniu nie dostawała także żadnych tabletek od bólu głowy.

– Pani lekarką jest doktor Endrin. Czy dobrze się pani z nią dogaduje?

– Jest okej – odparła Lisbeth bez większego entuzjazmu.

– Czy mogę panią zbadać?

Kiwnęła głową na zgodę. Lekarz wyjął z kieszeni fartucha długopis z latarką, nachylił się do niej i poświecił w oczy, żeby sprawdzić, jak jej źrenice zwężają się i rozszerzają. Potem poprosił, żeby otworzyła usta i zbadał jej gardło. Delikatnie otoczył dłońmi szyję i kilka razy poruszył jej głową na boki, w przód i w tył.

– Nie ma pani żadnych problemów z karkiem?

Potrząsnęła głową.

– A jak z bólami głowy?

– Czasami jeszcze boli, ale przechodzi.

– Wciąż się goi. Bóle głowy będą stopniowo zanikać.

Lisbeth nadal miała tak krótkie włosy, że musiał tylko odgarnąć na bok mały kosmyk, żeby dotknąć blizny nad uchem. Goiła się bez problemów, ale był na niej mały strupek.

– Znów drapała pani bliznę. Nie wolno tego robić.

Kiwnęła głową. Lekarz ujął jej lewy łokieć i podniósł do góry.

– Czy może pani podnieść ramię o własnych siłach?

Zrobiła to, o co poprosił.

– Czuje pani w ramieniu ból albo ma inne nieprzyjemne wrażenia?

Potrząsnęła głową.

– Nie ciągnie?

– Trochę.

– Wydaje mi się, że powinna pani trochę więcej ćwiczyć mięsień ramienia.

– To trudne, kiedy jest się zamkniętym.

Uśmiechnął się do niej.

– To nie będzie trwało wiecznie. Czy wykonuje pani ćwiczenia, które zaleca terapeuta?

Skinęła głową.

Doktor Jonasson wyjął stetoskop i na chwilę przyłożył do przegubu swojej dłoni, żeby go ogrzać. Potem usiadł obok na krawędzi łóżka, osłuchał jej serce i zmierzył puls. Poprosił, żeby się nachyliła, i przyłożył stetoskop do jej pleców, żeby osłuchać płuca.

– Proszę kaszlnąć.

Kaszlnęła.

– Okej. Może pani zapiąć koszulę. Z medycznego punktu widzenia jest pani w zasadzie wyleczona.

Lisbeth kiwnęła głową. Spodziewała się, że teraz lekarz wstanie i zapowie, że za kilka dni znów do niej zajrzy. Tymczasem Anders Jonasson nie ruszał się z krzesła i najwyraźniej nad czymś się zastanawiał. Lisbeth czekała cierpliwie.

– Wie pani, dlaczego zostałem lekarzem? – zapytał znienacka.

Pokręciła głową.

– Pochodzę z rodziny robotniczej. Zawsze chciałem być lekarzem. Jako nastolatek miałem nawet zamiar zostać psychiatrą. Byłem wtedy ciężkim intelektualistą.

Kiedy Lisbeth usłyszała słowo psychiatra, spojrzała na niego z nagłym zainteresowaniem.

– Ale nie byłem pewien, czy sobie poradzę na studiach. Więc po maturze zrobiłem kurs spawacza i przez jakiś rok nawet pracowałem w tym zawodzie.

Pokiwał głową na znak, że mówi prawdę.

– Myślałem, że to dobry pomysł mieć jakiś fach w ręku, gdyby z medycyną nie wyszło. A praca spawacza wcale nie jest tak odległa od bycia lekarzem. Chodzi o naprawianie, łatanie różnych rzeczy. A teraz pracuję w Sahlgrenska i łatam ludzi takich jak pani.

Lisbeth zmarszczyła brwi i pomyślała podejrzliwie, że doktor chyba sobie z niej żartuje. Ale spoglądał poważnie.

– Lisbeth... zastanawiam się...

Zamilkł i nie odzywał się tak długo, że Lisbeth już chciała zapytać, czego on właściwie chce. Udało jej się opanować impuls i czekała, aż zacznie mówić dalej.

– Zastanawiam się, czy byłaby pani na mnie zła, gdybym zadał pani prywatne i osobiste pytanie. Pytam jako osoba prywatna. Nie jako lekarz. Nie zamierzam notować pani odpowiedzi, nie będę też z nikim o tym rozmawiał. Nie musi pani odpowiadać, jeśli pani nie chce.

– Słucham?

– To dość niedyskretne i osobiste pytanie.

Spojrzała mu prosto w oczy.

– Odkąd w wieku dwunastu lat znalazła się pani w Klinice św. Stefana w Uppsali, odmawia pani odpowiedzi na każde pytanie, kiedy próbuje z panią rozmawiać psychiatra. Dlaczego?

Oczy Lisbeth lekko pociemniały. Patrzyła na Andersa Jonassona wzrokiem całkowicie pozbawionym wyrazu. Milczała dwie minuty.

– Dlaczego pana to interesuje? – zapytała wreszcie.

– Szczerze mówiąc, sam nie jestem pewien. Wydaje mi się, że próbuję zrozumieć pewne rzeczy.

Wydęła lekko usta.

– Nie gadam z doktorami od czubków, bo nigdy nie słuchają tego, co mówię.

Anders Jonasson skinął głową i zaśmiał się niespodziewanie.

– Okej. Proszę mi powiedzieć... co pani sądzi o Peterze Teleborianie?

– Co to, kurwa, ma być? Jakiś cholerny quiz czy co? O co panu chodzi?

Jej głos nagle zabrzmiał jak papier ścierny. Anders Jonasson nachylił się ku niej tak blisko, że niemal naruszył jej strefę intymną.

– Chodzi o to, że ten... jak go pani określiła... doktor od czubków nazwiskiem Peter Teleborian, który nie jest całkiem nieznany w moich kręgach zawodowych, w ciągu ostatnich kilku dni nachodził mnie już dwa razy i usiłował dostać pozwolenie na zbadanie pani.

Lisbeth nagle poczuła lodowate zimno wzdłuż kręgosłupa.

– Sąd wyznaczy go do ekspertyzy sądowo-lekarskiej na pani temat.

– I co?

– Nie podoba mi się ten Peter Teleborian. Zakazałem mu dostępu do pani. Drugim razem zjawił się na oddziale niezapowiedziany i usiłował namówić pielęgniarkę, żeby go do pani wpuściła.

Lisbeth zacisnęła usta.

– Jego zachowanie było nieco dziwne i trochę zbyt natarczywe, żeby je uznać za coś normalnego. Dlatego chciałbym wiedzieć, co pani o nim sądzi.

Tym razem to Anders Jonasson musiał cierpliwie poczekać na odpowiedź Lisbeth Salander.

– Teleborian to bydlę – powiedziała w końcu.

– Czy to jakieś osobiste urazy między wami?

– Można tak powiedzieć.

– Rozmawiałem także z pewnym wysokim urzędnikiem, który nalegał, żebym wpuścił do pani Teleboriana.

– I co?

– Zapytałem tego człowieka, jakie ma kompetencje, żeby oceniać pani stan, i odesłałem go do diabła. Choć w bardziej dyplomatycznych słowach.

– Okej.

– Ostatnie pytanie. Dlaczego pani mi to mówi?

– Przecież pan pytał.

– No tak. Ale jestem lekarzem i studiowałem psychiatrię. Więc dlaczego pani ze mną rozmawia? Czy mam przez to rozumieć, że ma pani do mnie choć trochę zaufania?

Nie odpowiedziała.

– A więc wybieram taką interpretację. Chciałbym panią zapewnić, że jest pani moją pacjentką. To znaczy, że działam dla pani dobra, a nie na czyjekolwiek zlecenie.

Lisbeth patrzyła na niego podejrzliwie. Siedział chwilę i przyglądał się jej. Potem powiedział już lżejszym tonem:

– Z medycznego punktu widzenia jest pani mniej lub bardziej zdrowa. Potrzebuje pani jeszcze kilku tygodni rehabilitacji. Ale niestety, jest pani niesłychanie zdrowa.

– Niestety?

– Tak. – Uśmiechnął się do niej żartobliwie. – Czuje się pani aż za dobrze.

– Co pan ma na myśli?

– To znaczy, że nie mam już powodów, żeby trzymać panią w odosobnieniu w szpitalu, więc prokurator wkrótce będzie mógł zażądać przeniesienia pani do aresztu w Sztokholmie, gdzie przez sześć tygodni będzie pani czekała na proces. Domyślam się, że taki wniosek wpłynie do nas w przyszłym tygodniu. A to będzie oznaczało, że Peter Teleborian będzie miał możliwość obserwowania pani.

Lisbeth siedziała nieruchomo na łóżku. Anders Jonasson, jakby trochę rozkojarzony, nachylił się, żeby poprawić jej poduszkę. Mówił przy tym głosem, który brzmiał tak, jakby głośno myślał.

– Nie ma pani bólów głowy ani śladu gorączki, więc doktor Endrin najprawdopodobniej wkrótce panią wypisze.

Nagle wstał.

– Dziękuję za rozmowę. Zajrzę jeszcze do pani przed wypisaniem.

Był już przy drzwiach, gdy Lisbeth wreszcie się odezwała.

– Doktorze Jonasson.

Lekarz odwrócił się do niej.

– Dziękuję.

Skinął krótko głową i wyszedł, zamykając drzwi na klucz.

LISBETH SALANDER długo jeszcze siedziała na łóżku i wpatrywała się w zamknięte drzwi. Wreszcie położyła się na plecach ze wzrokiem wbitym w sufit.

Wtedy poczuła, że pod poduszką jest coś twardego. Podniosła ją i ku swojemu zaskoczeniu zobaczyła niewielki płócienny worek, którego z całą pewnością przedtem tam nie było. Otworzyła go, a potem nic nierozumiejącym wzrokiem wpatrywała się w komputer Palm Tungsten T3 i ładowarkę do akumulatora. Obejrzała komputer dokładniej i odkryła rysę na górnej krawędzi. Jej serce zabiło mocniej. *To mój palm. Ale jak...* Zaskoczona powiodła wzrokiem do drzwi. Anders Jonasson potrafił robić niespodzianki. Nagle ogarnęło ją podniecenie. Natychmiast włączyła komputer i równie szybko odkryła, że jest zabezpieczony hasłem.

Rozczarowana spojrzała na monitor. Migał pytająco. *I jak mam teraz, do cholery...* Potem zajrzała jeszcze raz do worka i na jego dnie zobaczyła złożony kawałek papieru. Wytrząsnęła go, rozwinęła i przeczytała napisane pięknym charakterem pisma:

Jesteś hakerką. Wykombinuj sama! / Kalle B.

Lisbeth zaśmiała się po raz pierwszy od wielu tygodni. Odpłacił jej pięknym za nadobne. Pomyślała chwilę. Potem sięgnęła po rysik i wpisała cyfry 9277, odpowiadające literom WASP na klawiaturze. To był kod, który Pieprzony Kalle Blomkvist musiał odgadnąć, kiedy nieproszony wszedł do jej mieszkania na Fiskargatan i włączył alarm antywłamaniowy.

Kod nie zadziałał.

Wpisała cyfry 52553, odpowiadające literom KALLE.

Też nie działało. Ale ponieważ Pieprzony Kalle Blomkvist chyba chciał, żeby ona jednak używała tego komputera, na pewno wybrał jakieś proste hasło. Użył pseudonimu Kalle, którego nienawidził. Lisbeth zaczęła kojarzyć. Chwilę rozważała różne możliwości. To musi być coś obraźliwego. Potem wystukała cyfry 63663, które odpowiadały słowu PIPPI.

Komputer posłusznie ruszył.

Na monitorze pokazał się uśmieszek i dymek z tekstem:

[No proszę – to wcale nie było takie trudne. Proponuję, żebyś kliknęła na zachowane dokumenty.]

Od razu znalazła plik <Hej Sally>, znajdujący się na samej górze listy. Otworzyła go i zaczęła czytać.

[Przede wszystkim – to ma pozostać między nami. Twoja adwokat, czyli moja siostra Annika, nie ma pojęcia, że masz dostęp do tego komputera. I niech tak zostanie.
Nie wiem, ile wiesz o tym, co dzieje się poza twoim zamkniętym pokojem, ale dziwnym trafem (mimo twojego charakterku) kilku lojalnych kretynów pracuje dla ciebie. Kiedy to wszystko się skończy, założę stowarzyszenie, które zamierzam nazwać Rycerze Szalonego Stołu. Jego celem będzie doroczne organizowanie uroczystej kolacji, na której będziemy się zabawiać opowiadaniem samych najgorszych rzeczy o tobie. (Nie – ty nie jesteś zaproszona).
No dobra. Do rzeczy. Annika pracuje ostro nad przygotowaniami do procesu. Szkoda tylko, że upiera się przy jakichś cholernych bzdurach z tajemnicą zawodową. To znaczy, że nie opowiada nawet mnie, o czym rozmawiacie, co w tej sytuacji stanowi pewne utrudnienie. Ale na szczęście mogę się z tobą kontaktować inaczej.
Musimy się namówić, ty i ja.
Nie używaj mojego adresu mailowego.
Może jestem paranoikiem, ale mam podstawy sądzić, że nie tylko ja sprawdzam moje konto. Jeśli chcesz mi coś wysłać, wejdź na Yahoo do grupy [Szalony_Stół]. Login Pippi, hasło p9i2p7p7i. /Mikael]

Lisbeth dwa razy przeczytała list od Mikaela i zbita z tropu spojrzała na komputer. Po okresie całkowitej abstynencji miała ogromny głód internetu. Zastanawiała się, którą częścią ciała Pieprzony Kalle Blomkvist myślał, kiedy podrzucał jej komputer, zapominając, że do połączenia z internetem potrzebuje komórki.

Leżała, szukając rozwiązania, gdy nagle usłyszała kroki na korytarzu. Błyskawicznie wyłączyła komputer i wsunęła go pod poduszkę. Kiedy usłyszała przekręcanie klucza w zamku, zobaczyła, że pokrowiec i ładowarka nadal leżą na nocnej szafce. Wyciągnęła rękę i schowała worek pod kołdrę, a kłębek kabli wcisnęła sobie między nogi. Leżała nieruchomo, patrząc w sufit, kiedy pielęgniarka zajrzała z uprzejmym pytaniem, jak się czuje i czy czegoś jej nie potrzeba.

Lisbeth odparła, że czuje się dobrze i że chciałaby dostać paczkę papierosów. Prośba została odrzucona uprzejmie, acz stanowczo. Dostała paczkę gumy antynikotynowej. Gdy pielęgniarka zamykała za sobą drzwi, Lisbeth mignął strażnik Securitasu. Siedział na posterunku na korytarzu. Odczekała, aż kroki się oddalą, i znów wyjęła komputer.

Włączyła go i spróbowała połączyć się z internetem.

Niemal doznała szoku, gdy komputer się połączył. *Internet. Niemożliwe.*

Wyskoczyła z łóżka tak szybko, że poczuła ból w postrzelonym biodrze. Z niedowierzaniem rozejrzała się po pokoju. Jak? Obeszła powoli całe pomieszczenie, zaglądała w każdy kąt... *Nie, w pokoju nie ma żadnej komórki.* A mimo to miała połączenie z internetem. Potem na jej twarzy pokazał się krzywy uśmieszek. Bezprzewodowy internet przez Bluetooth połączony z komórką, która miała zasięg od dziesięciu do dwunastu metrów. Jej spojrzenie powędrowało do kratki wentylacyjnej tuż pod sufitem.

Pieprzony Kalle Blomkvist umieścił telefon tuż obok jej pokoju. To było jedyne wytłumaczenie.

Ale dlaczego nie przeszmuglować też komórki... *Oczywiście. Baterie.*

Jej palm potrzebował nowych baterii średnio co trzy dni. Stale włączona komórka, przez którą intensywnie surfowała, bardzo szybko wyczerpywałaby baterie. Blomkvist, czy raczej ktoś, komu to zlecił, ktoś z zewnątrz, musiał regularnie wymieniać baterie.

Przesłał za to ładowarkę do jej komputera. Do niej musiała mieć dostęp. Ale łatwiej jej było ukrywać jeden przedmiot niż dwa. Jednak nie jest taki głupi.

Zaczęła od wymyślenia skrytki dla komputera. Potrzebowała miejsca, gdzie mogłaby go chować. Gniazdka elektryczne były przy drzwiach i w panelu na ścianie za łóżkiem. Stamtąd czerpały prąd jej nocna lampka i elektroniczny budzik. W panelu była pusta wnęka po radiu. Uśmiechnęła się. Zmieścił się w niej zarówno komputer, jak i ładowarka. Mogła korzystać z gniazdka przy szafce nocnej i ładować komputer w nocy.

LISBETH SALANDER była szczęśliwa. Jej serce mocno waliło, kiedy po raz pierwszy od dwóch miesięcy włączyła komputer i weszła do internetu.

Surfowanie na komputerze z maleńkim monitorem i rysikiem to nie to samo co surfowanie na PowerBooku z siedemnastocalowym ekranem. Ale była w sieci. Z łóżka w Sahlgrenska mogła dotrzeć do każdego miejsca na świecie.

Zaczęła od prywatnej strony reklamującej raczej niezbyt ciekawe zdjęcia nieznanego i nie całkiem profesjonalnego fotografa nazwiskiem Gill Bates z Jobsville w Pensylwanii. Przy jakiejś okazji sprawdziła to i stwierdziła, że miejscowość Jobsville nie istnieje. Mimo to Bates zrobił tam ponad dwieście zdjęć i umieścił w internecie jako galerię miniatur. Odszukała zdjęcie 167 i powiększyła je kliknięciem. Przedstawiało kościół w Jobsville. Naprowadziła kursor na czubek kościelnej wieży i kliknęła. Od razu wyskoczyło okienko z prośbą o podanie loginu i hasła. Login – *Remarkable*, hasło – *A(89)Cx#magnolia*.

Pokazało się okienko z napisem [ERROR – You have the wrong password] i przycisk [OK – Try again]. Lisbeth wiedziała, że gdyby kliknęła przycisk i próbowała wpisać nowe hasło, wyświetliłoby się znów to samo okienko – niezależnie od tego, ile razy by próbowała. Kliknęła literę O w słowie ERROR.

Monitor zrobił się czarny. Potem otworzyły się rysunkowe drzwi i wyszło z nich coś wyglądającego jak Lara Croft. Pojawił się dymek z tekstem [WHO GOES THERE?].

Kliknęła w dymek i wpisała Wasp. Natychmiast dostała odpowiedź: [PROVE IT – OR ELSE...], a równocześnie animowana Lara Croft odbezpieczyła pistolet. Lisbeth wiedziała, że ta groźba wcale nie jest tak do końca żartem. Gdyby trzy razy z rzędu wpisała nieprawidłowe hasło, strona zniknęłaby, a imię Wasp zostałoby skreślone z listy użytkowników. Starannie wpisała hasło: *MonkeyBusiness*.

Ekran znów się zmienił. Teraz na niebieskim tle widniał tekst:

[Welcome to Hacker Republic, citizen Wasp. It is 56 days since your last visit. There are 10 citizens online. Do you want to (a) Browse the Forum (b) Send a Message (c) Search the Archive (d) Talk (e) Get laid?]

Kliknęła na (d) Talk, potem wybrała opcję [Who's online?] i otrzymała listę nicków: Andy, Bambi, Dakota, Jabba, BuckRogers, Mandrake, Pred, Slip, SisterJen, SixOfOne i Trinity.

<Hi gang>, napisała.

<Wasp. That really U?>, odpisał od razu SixOfOne. <Look who's home>.

<Gdzie się podziewałaś?>, zapytał Trinity.

<Plague mówił, że masz jakieś kłopoty>, napisała Dakota.

Lisbeth nie była pewna, ale podejrzewała, że Dakota jest kobietą. Pozostali członkowie, łącznie z tym, który nazwał się SisterJen, byli facetami. Hacker Republic miała w sumie (kiedy ostatnio tam była) sześćdziesięciu dwóch obywateli, w tym cztery dziewczyny.

<Cześć, Trinity>, napisała Lisbeth. <Cześć wszystkim>.

<Dlaczego witasz się z Trin? Czy coś się kroi? A może coś jest nie tak z nami pozostałymi?>, napisała Dakota.

<Mieliśmy randkę>, odpisał Trinity. <Wasp spotyka się tylko z inteligentnymi ludźmi>.

Od razu dostał *abuse* od pięciu osób.

Spośród sześćdziesięciu dwóch obywateli Wasp tylko dwie osoby poznała osobiście. Plague, który wyjątkowo nie był zalogowany, był jedną z nich. Drugą był Trinity. Anglik z Londynu. Dwa lata temu widziała się z nim kilka godzin, kiedy pomagał jej i Mikaelowi Blomkvistowi w poszukiwaniach Harriet Vanger. Założył nielegalny podsłuch na prywatny telefon w malowniczym podmiejskim St. Albans. Lisbeth z trudem manipulowała niewygodnym rysikiem, marząc o klawiaturze.

<Jesteś jeszcze?>, zapytał Mandrake.

Odpisała.

<Sorry. Mam tylko palma. Wolno idzie>.

<Co się stało z twoim komputerem?> zapytał Pred.

<Mój komputer ma się dobrze. To ja mam problemy>.

<Wyżal się starszemu bratu>, napisał Slip.

<Jestem uwięziona przez państwo>.

<Co? Dlaczego?>, nadeszło natychmiast od trzech rozmówców.

Lisbeth streściła swoją sytuację w pięciu linijkach. Zostały przyjęte z zatroskanymi pomrukami.

<Jak się czujesz?>, zapytał Trinity.

<Mam dziurę w głowie>.

<Nie zauważyłem różnicy>, stwierdził Bambi.

<Wasp zawsze miała powietrze w głowie>, powiedział SisterJen, po czym nastąpiła seria uszczypliwych uwag o rozumie Wasp. Lisbeth uśmiechnęła się. Konwersacja wróciła na dawny tor po wpisie Dakoty:

<Czekajcie. To jest atak na obywatela Hacker Republic. Jak mamy na to odpowiedzieć?>.

<Atak jądrowy na Sztokholm?>, zaproponował SixOfOne.

<Nie, to byłaby przesada >, stwierdziła Wasp.

<Maleńka bombka?>.

<Zamknij się, SixOO>.

<Możemy wykasować Sztokholm>, zaproponował Mandrake.

<Wirus, który wykasuje rząd?>.

OBYWATELE HACKER REPUBLIC właściwie nie zajmowali się rozsyłaniem wirusów komputerowych. Wprost przeciwnie – byli hakerami, czyli nieprzejednanymi wrogami idiotów rozsyłających wirusy, których jedynym celem było sabotowanie sieci i niszczenie komputerów. Byli uzależnieni od informacji, więc potrzebowali działającej sieci, do której mogą się włamywać.

Ale propozycja, żeby wykasować szwedzki rząd, wcale nie była pustą pogróżką. Hacker Republic była bardzo ekskluzywnym klubem zrzeszającym najlepszych z najlepszych, elitarnym oddziałem, za który każde siły zbrojne świata zapłaciłyby olbrzymie sumy, żeby móc używać go w cybermilitarnych celach, gdyby *citizens* można było przekonać do takiego rodzaju lojalności wobec jakiegoś państwa.

Lecz równocześnie jako *Computer Wizards* potrafili konstruować wirusy. Jeśli sytuacja wymagała przeprowadzenia jakiejś kampanii, nie dawali się długo prosić. Kilka lat temu jeden z obywateli Hacker Republic, w cywilu programista z Kalifornii, został przez jedną z dynamicznych firm dot. com okradziony z patentu. Firma była na tyle bezczelna, żeby zaciągnąć go do sądu. To skłoniło wszystkich aktywistów Hacker Rep, żeby przez pół roku z niewyczerpaną energią włamywać się do każdego komputera tej firmy i go niszczyć. Każdą tajemnicę biznesową i każdy mail – plus kilka sfałszowanych dokumentów, które mogły oznaczać, że firma dopuszcza się oszustw podatkowych – z satysfakcją umieszczali w internecie wraz z informacją o tajemniczej kochance prezesa i zdjęciami z przyjęcia w Hollywood, na którym prezes wciągał kokę. Firma splajtowała pół roku później, a niektórzy pamiętliwi członkowie milicji obywatelskiej Hacker Republic jeszcze przez kilka lat regularnie nawiedzali byłego prezesa.

Gdyby pięćdziesiątka najlepszych hakerów świata postanowiła wspólnie zaatakować jakieś państwo, państwo to pewnie mogłoby przetrwać, ale miałoby poważne problemy. Gdyby Lisbeth podniosła kciuk do góry, koszty takiego ataku poszłyby w miliardy. Zastanowiła się chwilę.

<Jeszcze nie teraz. Ale jeśli wszystko potoczy się nie tak, jak chcę, może poproszę was o pomoc>.

<Tylko powiedz>, odpisała Dakota.

<Dawno już nie walczyliśmy z żadnym rządem>, napisał Mandrake.

<Mam propozycję: moglibyśmy postawić na głowie system pobierania podatków. Program pasowałby jak ulał do takiego małego kraju jak Norwegia>, napisał Bambi.

<Super, ale Sztokholm jest w Szwecji>, wyjaśnił Trinity.

<Obojętnie. Jedno gówno. Można zrobić tak...>.

LISBETH SALANDER oparła się na poduszce i z krzywym uśmieszkiem śledziła rozmowę. Zastanawiała się, dlaczego ona, osoba tak niechętnie mówiąca o sobie z ludźmi, których spotyka na żywo, może bez skrępowania zwierzać się w internecie z najintymniejszych tajemnic grupie całkowicie nieznanych wariatów. Fakt pozostawał faktem: jeśli

Lisbeth Salander miała jakąkolwiek rodzinę lub odczuwała jakąkolwiek przynależność grupową, to tylko w stosunku do tych kompletnych szaleńców. Żaden z nich nie miał właściwie możliwości pomóc jej w problemach ze szwedzkim państwem. Ale wiedziała, że gdyby zaszła potrzeba, poświęciliby dużo czasu i energii na demonstrację siły. Dzięki sieci mogła też znaleźć schronienie za granicą. To właśnie dzięki kontaktom, jakimi dysponował w sieci Plague, zdobyła norweski paszport na nazwisko Irene Nesser.

Lisbeth nie miała pojęcia, jak wyglądają obywatele Hacker Republic, miała też bardzo mgliste pojęcie, czym się zajmują poza internetem – *citizens* konsekwentnie unikali jasnych wypowiedzi na temat swojej tożsamości. Na przykład SixOfOne twierdził, że jest Afroamerykaninem o katolickich korzeniach, zamieszkałym w Toronto w Kanadzie. Ale równie dobrze mógł być białą kobietą, luteranką mieszkającą w Skövde.

Najlepiej znała Plague – to on kiedyś wprowadził ją do rodziny. Najwidoczniej nie można było zostać członkiem tego ekskluzywnego towarzystwa bez dobrych rekomendacji. Nowy członek musiał ponadto znać osobiście jakiegoś innego obywatela – w jej wypadku był to Plague.

W sieci Plague był człowiekiem inteligentnym i towarzyskim. W rzeczywistości zaś był aspołecznym, około trzydziestoletnim rencistą ze znaczną nadwagą. Mieszkał w Sundbybergu. Mył się zdecydowanie zbyt rzadko i w jego mieszkaniu potwornie cuchnęło. Lisbeth starała się oszczędnie dawkować wizyty u niego. Wystarczyły kontakty przez internet.

Chat trwał dalej, a Wasp w tym czasie ściągała maile, które przyszły na jej prywatną skrzynkę w Hacker Republic. Jeden został wysłany przez członka wspólnoty Poison i zawierał nową wersję programu Asphyxia 1.3, który w archiwum dostępny był dla wszystkich obywateli republiki. Dzięki Asphyxii Lisbeth mogła kontrolować przez internet komputery innych osób. Poison wyjaśniał, że z powodzeniem korzystał z tego programu. Jego poprawiona wersja obejmowała najnowsze wersje Uniksa, Apple i Windows. Lisbeth zwięźle mu podziękowała.

W ciągu następnej godziny, kiedy w Stanach zapadał wieczór, zalogowało się sześciu kolejnych *citizens*. Witali Wasp i włączali się do dyskusji. Gdy Lisbeth wreszcie się wylogowała, dyskusja dotyczyła kwestii, jak można sprawić, żeby komputer szwedzkiego premiera wysyłał uprzejme, ale kompletnie bezsensowne maile do innych szefów rządów na całym świecie. Powstała grupa robocza, która miała się tym zająć. Lisbeth zakończyła krótkim wpisem:

<Dyskutujcie dalej, ale nie róbcie niczego bez mojej zgody. Wrócę, kiedy będę znów podłączona>.

Wszyscy zasypali ją całusami, uściskami i prośbami, żeby dbała o dziurę w głowie.

PO WYLOGOWANIU SIĘ z Hacker Republic Lisbeth weszła na www.yahoo.com i zalogowała się na prywatnej grupie newsowej [Szalony_Stół]. Zauważyła, że grupę tworzą dwie osoby: ona i Mikael Blomkvist. Skrzynka zawierała tylko jedną wiadomość, wysłaną dwa dni temu. Była zatytułowana „Przeczytaj to najpierw".

[Cześć, Sally. Sytuacja wygląda w tej chwili następująco:
• Policja jeszcze nie znalazła twojego mieszkania i nie ma dostępu do płyty z nagraniem gwałtu. Płyta stanowi bardzo ważny dowód, ale nie chcę przekazywać jej Annice bez twojego pozwolenia. Mam też klucze do twojego mieszkania i paszport na nazwisko Irene Nesser.
• Mają za to plecak, który miałaś ze sobą w Gosseberdze. Nie wiem, czy jest w nim coś niewygodnego.]

Lisbeth zastanowiła się chwilę. Pół termosu kawy, kilka jabłek i ubranie na zmianę. Spoko.

[Zostaniesz oskarżona o ciężkie uszkodzenie ciała względnie próbę morderstwa Zalachenki oraz ciężkie uszkodzenie ciała Carla-Magnusa Lundina ze Svavelsjö MC – postrzeliłaś go w stopę i kopem wybiłaś mu szczękę. Z wiarygodnego źródła w policji wiem jednak, że sytuacja dowodowa w obu przypadkach jest trochę niejasna. Ważne są następujące rzeczy:

(1) Zanim Zalachenko został zastrzelony, zaprzeczał wszystkiemu i twierdził, że to Niedermann musiał cię postrzelić i pogrzebać w lesie. Złożył doniesienie, że próbowałaś go zamordować. Prokurator będzie kładł nacisk na to, że już po raz drugi próbowałaś zabić Zalachenkę.

(2) Ani Magge Lundin, ani Sonny Nieminen nie powiedzieli ani słowa o tym, co zdarzyło się w Stallarholmen. Lundin został aresztowany za porwanie Miriam Wu. Nieminen opuścił areszt.]

Lisbeth rozważała przez chwilę treść listu. Potem wzruszyła ramionami. Wszystko to już omówiła z Anniką Giannini. Sytuacja była kiepska, ale to żadna nowość. Otwarcie zdała relację z tego, co wydarzyło się w Gosseberdze, ale nie opowiadała szczegółowo o Bjurmanie. Czytała dalej:

[Zala był chroniony przez piętnaście lat, właściwie niezależnie od tego, co robił. Na jego znaczeniu robiono kariery. W kilku przypadkach udzielono mu pomocy, usuwając ślady po jego wybrykach. Wszystko to jest działalnością przestępczą. Szwedzkie władze pomagały ukrywać przestępstwa przeciwko pojedynczym obywatelom.

Jeśli to przedostanie się do wiadomości publicznej, rozpęta się polityczny skandal, który będzie dotyczył zarówno rządów konserwatywnych, jak i socjaldemokratycznych. Oznacza to przede wszystkim, że kilku szefów Säpo zostanie publicznie napiętnowanych za wspieranie przestępczej, niemoralnej działalności. Nawet jeśli pojedyncze przestępstwa są przedawnione, i tak wybuchnie skandal.

Chodzi o grube ryby, które obecnie są na emeryturze lub tuż przed.

Zrobią wszystko, żeby ograniczyć szkody, a wtedy znów ty stajesz się ważnym elementem rozgrywki. Ale teraz nie chodzi o poświęcenie pionka – teraz chodzi o aktywne ograniczanie szkód w trosce o własną skórę. A więc muszą cię zamknąć.]

W zamyśleniu przygryzła dolną wargę.

[To wygląda tak: wiedzą, że informacji o Zalachence nie uda im się długo utrzymać w tajemnicy. Ja znam tę sprawę i jestem dziennikarzem. Wiedzą, że prędzej czy później to opublikuję. Teraz to i tak nie jest takie ważne, bo Zalachenko nie żyje. Teraz oni sami walczą o przeżycie. Dlatego najważniejsze na ich liście są następujące punkty:

(1) Muszą przekonać sąd rejonowy (to znaczy opinię publiczną), że decyzja o zamknięciu cię w Klinice św. Stefana w 1991 roku była uzasadniona – ponieważ rzeczywiście jesteś chora psychicznie.

(2) Muszą oddzielić „sprawę Lisbeth Salander" od „sprawy Zalachenki". Usiłują doprowadzić do sytuacji, w której będą mogli powiedzieć: „No tak, Zalachenko był łajdakiem, ale to nie ma nic wspólnego z decyzją o zamknięciu jego córki. Została wysłana do zakładu, bo jest chora psychicznie – wszystko inne to chore fantazje zgorzkniałych dziennikarzy. Nie, nie pomagaliśmy Zalachence przy żadnym przestępstwie – to tylko czcza gadanina i wymysły chorej psychicznie nastolatki".

(3) Problem polega na tym, że jeśli zostaniesz uniewinniona, będzie to oznaczało, że sąd nie uznaje cię za wariatkę, co z kolei nasunie podejrzenia, że zamknięcie cię w klinice w 1991 roku było brudną sprawą. A więc za wszelką cenę muszą doprowadzić do skazania cię na pobyt na oddziale zamkniętym. Jeśli sąd stwierdzi, że jesteś psychicznie

chora, skończy się zainteresowanie mediów grzebaniem w sprawie Salander. Tak właśnie działają media. Rozumiesz?]

Lisbeth skinęła głową sama do siebie. Wszystko to wydedukowała sama. Problem w tym, że nie wiedziała, co z tym zrobić.

[Lisbeth – mówię poważnie – o wyniku tego meczu zdecydują media, a nie sąd. Niestety ze względu na „ochronę prywatności" proces będzie się odbywał za zamkniętymi drzwiami.

Tego samego dnia, kiedy zginął Zalachenko, włamano się do mojego mieszkania. Nie ma śladów na drzwiach, niczego nie dotykano ani nie zmieniono – poza jedną rzeczą. Zniknął skoroszyt z domku letniego Bjurmana z raportem Gunnara Björcka. Równocześnie napadnięto na moją siostrę i skradziono jej kopię raportu. Ten skoroszyt to twój najważniejszy dowód.

Zachowywałem się tak, jakbyśmy stracili dokumenty o Zalachence. W rzeczywistości miałem trzecią kopię, którą zamierzałem dać Draganowi Armanskiemu. Skopiowałem ją w kilku egzemplarzach i umieściłem w różnych miejscach.

Strona przeciwna, czyli pewni funkcjonariusze służb i niektórzy psychiatrzy, także przygotowuje się do procesu, we współpracy z prokuratorem Richardem Ekströmem. Mam źródło w policji, które informuje mnie na bieżąco, co się dzieje, ale mam nadzieję, że masz większe możliwości dotarcia do interesujących nas informacji... Jeśli tak, to sprawa jest pilna.

Prokurator będzie próbował skazać cię na leczenie psychiatryczne w zakładzie zamkniętym. Do pomocy ma twojego dawnego znajomego Petera Teleboriana.

Annika nie będzie mogła wystąpić z kampanią medialną w taki sposób, jak to czyni strona prokuratorska, pozwalając na przeciek informacji, które są dla nich wygodne. Ma więc związane ręce.

Ale mnie nie ograniczają żadne reguły. Mogę pisać wszystko, co tylko chcę – poza tym mam do dyspozycji całą gazetę.

Trzeba dodać dwa ważne szczegóły:

1. Chcę mieć coś, co dowodzi, że prokurator Ekström współpracuje dziś z Teleborianem w sposób niedozwolony i że celem tej współpracy jest umieszczenie cię w domu wariatów. Chcę mieć możliwość wystąpienia w najlepszych talk-show i pokazania dokumentów, które obalą argumenty prokuratora.

2. A żebym mógł prowadzić wojnę medialną przeciwko Säpo, muszę publicznie mówić o rzeczach, które przypuszczalnie uważasz za swoje sprawy osobiste. O anonimowości w tej sytuacji nie ma mowy, biorąc pod uwagę wszystko, co pisano o tobie od Wielkanocy. Muszę mieć możliwość zbudowania nowego obrazu medialnego twojej osoby – nawet jeśli twoim zdaniem narusza to twoją prywatność. Wolałbym mieć na to twoją zgodę. Rozumiesz, o co mi chodzi?]

Lisbeth otworzyła archiwum [Szalony_Stół]. Zawierało dwadzieścia sześć dokumentów różnej objętości.

Rozdział 14
Środa 18 maja

W ŚRODĘ MONIKA FIGUEROLA wstała o piątej rano. Zrobiła niezwykle krótką rundę, wzięła prysznic i ubrała się w czarne dżinsy, białą bluzkę i cienki żakiet z szarego lnu. Napełniła termos kawą i zrobiła kanapki. Założyła kaburę i z szafki na broń wyjęła sig sauera. Tuż po szóstej wsiadła do białego saaba 9-5 i pojechała na ulicę Vittangigatan w Vällingby.

Göran Mårtensson mieszkał na najwyższym piętrze trzykondygnacyjnego domu na przedmieściu. We wtorek Monika zebrała wszystkie informacje na jego temat, jakie mogła znaleźć w publicznych archiwach. Nie był żonaty, choć nie oznaczało to, że z kimś nie mieszka. Nie występował w rejestrze dłużników, nie posiadał większego majątku i nic nie wskazywało na to, żeby prowadził hulaszcze życie. Rzadko brał zwolnienia lekarskie.

Jedyną zastanawiającą rzeczą było w jego przypadku to, że posiadał licencje na ni mniej, ni więcej, tylko szesnaście sztuk ręcznej broni palnej różnego typu. Miał licencje, więc nie było to przestępstwo, ale Monika Figuerola żywiła uzasadnioną nieufność do osób, które gromadzą w domu duże ilości broni.

Volvo z rejestracją zaczynającą się od liter KAB stało na parkingu około czterdziestu metrów od miejsca, gdzie się zatrzymała. Nalała sobie czarnej kawy do papierowego kubka i zjadła bagietkę z serem i sałatą. Potem obrała pomarańczę i długo ssała każdą cząstkę.

PODCZAS PORANNEGO OBCHODU Lisbeth Salander była w kiepskiej formie. Bolała ją głowa. Poprosiła o alvedon i dostała go bez dyskusji.

Po godzinie ból głowy się nasilił. Zadzwoniła po pielęgniarkę i poprosiła o jeszcze jedną tabletkę. Ale i to nie pomogło. W porze lunchu ból stał się tak silny, że pielęgniarka wezwała doktor Endrin, która po krótkim badaniu przepisała pacjentce silniejsze środki.

Lisbeth włożyła pastylki pod język i wypluła, gdy tylko została sama.

Około drugiej po południu zaczęła wymiotować. Potem znów, koło trzeciej.

O czwartej na oddziale zjawił się doktor Anders Jonasson, akurat gdy doktor Endrin wybierała się do domu. Odbyli krótką naradę.

– Ma mdłości i silne bóle głowy. Dałam jej dexofen. Naprawdę nie rozumiem, co się z nią dzieje... Tak dobrze się czuła w ostatnim czasie. Może to jakaś grypa...

– Ma gorączkę? – zapytał doktor Jonasson.

– Nie, zaledwie 37,2 godzinę temu. Opad też nie jest niepokojący.

– Okej. Będę ją miał na oku w nocy.

– Idę na urlop i nie będzie mnie trzy tygodnie – powiedziała doktor Endrin. – Ty albo Svantesson chyba będziecie musieli ją przejąć. Ale Svantesson miał z nią niewiele do czynienia...

– Okej. Na czas twojej nieobecności wpiszę siebie jako jej lekarza prowadzącego.

– Świetnie. Jeśli będzie jakiś kryzys i będziesz potrzebował pomocy, możesz oczywiście zadzwonić.

Razem złożyli Lisbeth krótką wizytę. Leżała przykryta kołdrą po czubek nosa i wyglądała mizernie.

Anders Jonasson położył jej dłoń na czole i stwierdził, że jest spocona.

– Myślę, że musimy przeprowadzić małe badanie.

Podziękował doktor Endrin i pożegnał się z nią.

Około piątej po południu doktor Jonasson zauważył, że Lisbeth nagle skoczyła temperatura, do 37,8 stopni. Wpisano to do jej karty choroby. Wieczorem zaglądał do niej trzy razy i odnotował w karcie, że temperatura nadal utrzymuje się na poziomie 38 stopni – jest za wysoka, żeby to uznać za normalne, i za niska, żeby sprawiać prawdziwy kłopot. Około ósmej zlecił rentgen czaszki.

Następnie dokładnie przestudiował zdjęcia. Nie zaobserwował niczego niepokojącego, ale zauważył, że tuż przy wlocie kuli pojawiła się ledwo zauważalna ciemniejsza plama. Do karty choroby wpisał starannie przemyślane, acz niezobowiązujące sformułowanie: „Badanie rentgenowskie nie daje podstaw do wyciągania definitywnych wniosków, lecz stan pacjentki w widoczny sposób nagle się pogorszył. Nie można wykluczyć niewielkiego krwawienia, które jest niewidoczne na zdjęciach rentgenowskich. Pacjentce należy zapewnić spokój i odpoczynek. W najbliższym czasie powinna znajdować się pod ścisłą obserwacją".

W ŚRODĘ ERIKA BERGER przyszła do SMP o wpół do siódmej rano. Miała w skrzynce dwadzieścia trzy maile.

Jeden został wysłany z adresu redakcja-sr@sverigesradio. com. Tekst był krótki, składał się z jednego tylko słowa:

[KURWA]

Z westchnieniem wyciągnęła palec wskazujący, żeby wymazać mail. W ostatniej chwili zmieniła zdanie. Przejrzała listę otrzymanych maili i otworzyła wiadomość, którą dostała przed dwoma dniami. Nadawca miał adres centralred@ smpost.se. Hmm… dwa maile ze słowem kurwa i fałszywymi adresami wskazującymi na media. Założyła nowy folder, który nazwała [Medialny czub] i przeniosła do niego obie wiadomości. Potem zajęła się porannymi notatkami służbowymi.

GÖRAN MÅRTENSSON wyszedł ze swojego mieszkania za dwadzieścia ósma rano. Wsiadł do volva i ruszył w stronę centrum, ale potem skręcił, po czym przez Stora Essingen i Gröndal wjechał na Södermalm. Jechał Hornsgatan, potem przez Brännkyrkagatan dojechał na Bellmansgatan. Skręcił w lewo na Tavastgatan przy pubie Bishop's Arms i zaparkował na samym rogu.

Monika Figuerola miała niesamowite szczęście. Akurat gdy dojeżdżała do Bishop's Arms, jakaś furgonetka włączyła się do ruchu i zwolniła miejsce parkingowe na chodniku Bellmansgatan. Stała przodem do skrzyżowania Bellmansgatan i Tavastgatan. Ze wzniesienia przy Bishop's Arms miała znakomity widok na miejsce akcji. Widziała skrawek tylnej szyby samochodu Mårtenssona, zaparkowanego na Tavastgatan. Tuż przed nią, na stromiźnie opadającej ku Pryssgränd, stał dom o adresie Bellmansgatan 1. Widziała jego fasadę z boku, więc nie mogła obserwować bramy wejściowej, ale gdy tylko ktoś wychodził na ulicę, musiała go zauważyć. Nie miała wątpliwości, że to właśnie ten adres przyciągnął w te strony Mårtenssona. Była to brama Mikaela Blomkvista.

Monika Figuerola stwierdziła, że okolice Bellmansgatan są dla obserwatora koszmarem. Jedynym miejscem, z którego można było obserwować bramę w obniżeniu Bellmansgatan, była promenada i kładka w górnej części Bellmansgatan przy windzie Mariahissen i Domu Laurina. Nie było tu gdzie zaparkować samochodu, a obserwator stał odsłonięty jak jaskółka na drucie telefonicznym. Ten zakątek przy skrzyżowaniu Bellmansgatan i Tavastgatan, na którym parkowała, był w zasadzie jedynym miejscem, skąd mogła obserwować okolicę, siedząc w samochodzie. Miał jednak tę wadę, że czujny obiekt obserwacji łatwo mógł ją zauważyć.

Odwróciła głowę. Nie chciała wychodzić z samochodu i szwendać się po okolicy. Miała świadomość, że łatwo zwraca uwagę. W jej pracy wygląd działał na jej niekorzyść.

Mikael Blomkvist wyszedł z bramy o dziewiątej dziesięć. Monika Figuerola zanotowała czas. Widziała, jak omiata wzrokiem kładkę w górnej części Bellmansgatan. Ruszył pod górę, prosto w jej stronę.

Otworzyła schowek i wyjęła plan Sztokholmu. Rozłożyła na siedzeniu pasażera. Potem otworzyła notes, z kieszeni żakietu wyjęła długopis, a do drugiej ręki wzięła komórkę i zaczęła udawać, że rozmawia. Opuściła głowę tak, żeby dłoń z telefonem zasłaniała część jej twarzy.

Widziała, jak Mikael Blomkvist rzuca szybkie spojrzenie w głąb Tavastgatan. Wiedział, że jest obserwowany i musiał zauważyć samochód Mårtenssona, ale szedł dalej, nie okazując żadnego zainteresowania volvem. *Działa spokojnie i na zimno. Niektórzy szarpnęliby drzwi auta i dali tamtemu po mordzie.*

W następnym momencie Blomkvist mijał jej samochód. Monika Figuerola była bardzo zajęta szukaniem na planie Sztokholmu jakiegoś miejsca i rozmawiała równocześnie przez komórkę, ale poczuła, że spojrzał na nią. *Podejrzliwy wobec całego otoczenia.* Widziała jego plecy w lusterku od strony pasażera, kiedy szedł dalej w stronę Hornsgatan. Widziała go kilka razy w telewizji, ale teraz pierwszy raz mogła oglądać go na żywo. Miał na sobie niebieskie dżinsy, podkoszulek i szarą marynarkę. Na ramieniu niósł torbę i szedł długim, zamaszystym krokiem. Przystojny facet.

Göran Mårtensson ukazał się na rogu przy Bishop's Arms i powiódł wzrokiem za Mikaelem Blomkvistem. Miał dość dużą sportową torbę przewieszoną przez ramię i właśnie kończył rozmawiać przez komórkę. Monika spodziewała się, że pójdzie śladem Mikaela Blomkvista, ale ku jej zdziwieniu Mårtensson przeciął ulicę tuż przed maską jej samochodu i skręcił w lewo, w dół ulicy, do bramy domu Blomkvista. W następnym momencie obok jej samochodu przeszedł mężczyzna w niebieskim roboczym kombinezonie. Dołączył do Mårtenssona. *Ejże, a ty skąd się wziąłeś?*

Obaj mężczyźni zatrzymali się przed bramą Mikaela Blomkvista. Mårtensson wybrał kod, po czym zniknęli na klatce schodowej. *Zamierzają sprawdzić mieszkanie. Parada amatorów. Co on, do cholery, sobie wyobraża?*

Potem podniosła wzrok na lusterko wsteczne i zesztywniała, gdy znienacka znów zobaczyła Mikaela Blomkvista. Wrócił i zatrzymał się mniej więcej dziesięć metrów za nią, wystarczająco blisko, żeby móc śledzić wzrokiem Mårtenssona i jego kompana idących ku Bellmansgatan 1. Monika przyjrzała się jego twarzy. Nie patrzył na nią. Przyglądał się, jak Göran Mårtensson wchodzi do bramy. Po chwili odwrócił się na pięcie i ruszył dalej, w stronę Hornsgatan.

Monika Figuerola siedziała nieruchomo przez trzydzieści sekund. *Wie, że jest obserwowany. Zwraca uwagę na otoczenie. Ale dlaczego nic nie robi? Normalny człowiek poruszyłby niebo i ziemię... on chyba coś knuje.*

MIKAEL BLOMKVIST odłożył telefon i zamyślony wpatrywał się w leżący na biurku notatnik. Biuro rejestru pojazdów właśnie go poinformowało, że samochód z blondynką, który widział na wzniesieniu Bellmansgatan, należy do niejakiej Moniki Figueroli, urodzonej w 1969 roku i zamieszkałej na Pontonjärgatan na Kungsholmen. Ponieważ w aucie siedziała kobieta, Mikael zakładał, że była to Figuerola we własnej osobie.

Rozmawiała przez komórkę i sprawdzała coś na rozłożonym planie miasta. Mikael nie miał powodu przypuszczać, że ma coś wspólnego z Klubem Zalachenki, ale rejestrował wszystko, co w jego otoczeniu, a zwłaszcza w pobliżu mieszkania, odbiegało od normy.

Zawołał Lottie Karim.

– Kim jest ta kobieta? Zdobądź zdjęcie paszportowe, dowiedz się, gdzie pracuje, wszystko, co się da znaleźć na jej temat.

– Okej – powiedziała Lottie i wróciła do swojego biurka.

DYREKTOR FINANSOWY SMP Christer Sellberg wyglądał, jakby osłupiał. Odsunął od siebie kartkę papieru z dziewięcioma punktami, które Erika Berger przedstawiła na cotygodniowym spotkaniu budżetowym. Szef budżetu Ulf Flodin miał zatroskaną minę. Prezes zarządu Borgsjö jak zwykle neutralną.

– To niemożliwe – stwierdził Sellberg z uprzejmym uśmieszkiem.

– Dlaczego? – zdziwiła się Erika Berger.

– Zarząd nigdy się na to nie zgodzi. Przecież to nie ma rąk ani nóg.

– Więc zacznijmy jeszcze raz od początku – powiedziała Erika. – Zostałam zaangażowana po to, żeby SMP znów zaczęła przynosić zyski. Żeby to osiągnąć, muszę mieć na czym pracować. Nieprawdaż?

– Tak, ale...

– Nie mogę wyczarować zawartości gazety codziennej, siedząc tylko w przeszklonym biurze i śniąc o różnych rzeczach.

– Pani nie rozumie realiów ekonomicznych.

– Możliwe. Ale wiem, jak się robi gazetę. A prawda jest taka, że w ostatnich latach liczba zatrudnionych w SMP zmniejszyła się o sto osiemnaście osób. Nawet jeśli uznamy, że połowa z nich to byli graficy, których wymiotła technika komputerowa i tak dalej, to i tak grupa osób piszących teksty skurczyła się w tym okresie o czterdzieści osiem osób.

– To były niezbędne cięcia. Gdybyśmy ich nie przeprowadzili, gazeta musiałaby zostać zamknięta dawno temu.

– Zaczekajmy może z oceną, co jest niezbędne, a co nie. Przez ostatnie trzy lata zniknęło osiemnaście etatów reporterskich. Ponadto mamy wakaty na dziewięciu. W pewnym stopniu obsługiwane są przez praktykantów. Redakcja sportowa ma wielkie braki personalne. Powinni mieć dziewięciu pracowników, a przez ponad rok dwa etaty były nieobsadzone.

– Tu chodzi o oszczędności. To przecież proste.

– W dziale kultury nieobsadzone są trzy etaty. W redakcji ekonomicznej brakuje jednego. Redakcja prawna praktycznie już nie istnieje... mamy tam szefa redakcji, który do każdego zlecenia ściąga reporterów z redakcji ogólnej. I tak dalej. SMP nie prowadzi poważnego monitoringu instytucji i urzędów państwowych co najmniej od ośmiu lat. Jesteśmy uzależnieni od wolnych strzelców i materiałów produkowanych przez agencję TT... a jak wiecie, TT zamknęła swoją redakcję zajmującą się instytucjami państwowymi kilka lat temu. Innymi słowy, nie ma w Szwecji ani jednej redakcji, która zajmowałaby się patrzeniem władzy na ręce.

– Prasa jest w ciężkiej sytuacji...

– Sytuacja wygląda tak, że albo powinniśmy zamknąć SMP ze skutkiem natychmiastowym, albo zarząd musi zdecydować o podjęciu kroków ofensywnych. Mamy dzisiaj mniej zatrudnionych, którzy produkują więcej tekstów. Teksty są kiepskie, powierzchowne i brak im wiarygodności. Dlatego ludzie przestają czytać SMP.

– Pani nie rozumie, że...

– Mam dość słuchania, czego to ja nie rozumiem. Nie jestem uczennicą gimnazjum, która przyszła tu na praktykę.

– Ale pani propozycja jest szalona.

– Dlaczego?

– Proponuje pani, żeby gazeta nie przynosiła zysków.

– Niech pan posłucha, Sellberg. W tym roku rozdzieli pan znaczną sumę pieniędzy, jako dywidendę dla dwudziestu trzech akcjonariuszy gazety. Do tego dochodzą absolutnie kosmiczne bonusy dla dziewięciu członków zarządu, które będą kosztowały SMP około dziesięciu milionów koron. Samemu sobie przyznał pan bonus w wysokości czterystu tysięcy koron za administrowanie oszczędnościami administracyjnymi w SMP. Wprawdzie to jeszcze nie są takie bonusy, jakie zgarniają pazerni dyrektorzy Skandii, ale w moich oczach nie zasłużył pan ani na jedno öre. Bonus ma być przyznawany za dokonanie czegoś, co wzmacnia gazetę. A te cięcia osłabiły gazetę i pogłębiły kryzys.

– To bardzo niesprawiedliwe. Zarząd zaakceptował wszystko, co zaproponowałem.

– Zarząd akceptuje pańskie pomysły, bo co roku gwarantuje pan zyski z akcji. To właśnie musi się zmienić, od zaraz.

– A więc proponuje pani zupełnie poważnie, żeby zarząd podjął decyzję o wstrzymaniu wypłat dla akcjonariuszy i wszystkich bonusów. Czy sądzi pani, że udziałowcy się na to zgodzą?

– Proponuję w tym roku zerowy poziom zysku. Przyniosłoby to oszczędności rzędu dwudziestu jeden milionów koron i możliwość wzmocnienia personalnego i finansowego SMP. Proponuję także obniżenie pensji na stanowiskach kierowniczych. Dostaję miesięcznie osiemdziesiąt osiem tysięcy koron, co jest szaleństwem w przypadku gazety, która nie jest nawet w stanie obsadzić etatów w redakcji sportowej.

– A więc chce pani obniżyć własną pensję? Czyżby była pani głosicielką jakiegoś komunizmu w kwestii dochodów?

– Niech pan nie gada głupstw. Dostaje pan pensję w wysokości stu dwunastu tysięcy koron miesięcznie, jeśli doliczyć roczny bonus. To jest chore. Gdyby gazeta miała stabilną pozycję i przynosiła zawrotne zyski, mógłby pan przyznawać bonusy według uznania. Ale to nie jest sytuacja, w której może pan podwyższać sobie bonus. Proponuję obniżenie o połowę dochodów wszystkich szefów.

– Nie rozumie pani, że nasi akcjonariusze są akcjonariuszami dlatego, że chcą zarabiać pieniądze. To się nazywa kapitalizm. Jeśli zaproponuje im pani, żeby tracili pieniądze, nie zechcą już być udziałowcami.

– Nie proponuję, żeby tracili pieniądze, ale kiedyś może dojść i do tego. Z posiadaniem wiąże się odpowiedzialność. Sam pan zauważył, że to jest kapitalizm. Akcjonariusze SMP chcą mieć zyski. Ale reguły są takie, że to rynek decyduje o zyskach i stratach. Z pańskiego rozumowania wynika, że prawa kapitalizmu mają dotyczyć zatrudnionych w SMP, ale udziałowcy i pan sam macie być wyłączeni.

Sellberg westchnął i podniósł oczy do góry. Poszukał wzrokiem pomocy u Borgsjö. Ale ten w skupieniu studiował dziewięciopunktowy program Eriki Berger.

MONIKA FIGUEROLA czekała czterdzieści minut, aż Göran Mårtensson wraz z nieznajomym mężczyzną wyjdą z bramy przy Bellmansgatan 1. Kiedy szli w jej stronę w górę ulicy, uniosła nikona z trzystumilimetrowym teleobiektywem i zrobiła dwa zdjęcia. Włożyła aparat do schowka i znów zajęła się planem miasta. Nagle przypadkiem spojrzała w stronę Mariahissen. Otworzyła szeroko oczy. W górnym końcu Bellmansgatan, tuż przy wejściu do Mariahissen, stała ciemnowłosa kobieta z kamerą cyfrową i filmowała Mårtenssona i towarzyszącego mu mężczyznę. *Co jest, do cholery... czy to jakiś zlot agentów na Bellmansgatan?*

Mårtensson i jego towarzysz rozstali się bez słowa. Mårtensson podszedł do swojego samochodu zaparkowanego na Tavastgatan. Włączył silnik, wycofał i zniknął z jej pola widzenia.

Tymczasem ona przeniosła wzrok na lusterko wsteczne i zobaczyła plecy mężczyzny w roboczym ubraniu. Podniosła wzrok i zobaczyła, że kobieta z kamerą skończyła filmować i idzie w jej stronę.

Orzeł czy reszka? Wiedziała już, kim jest Göran Mårtensson i czym się zajmuje. Zarówno mężczyzna w roboczym kombinezonie, jak i filmująca kobieta byli nowymi, nieznanymi kartami. Lecz gdyby wyszła z samochodu, ryzykowałaby, że kobieta z kamerą ją zauważy.

Siedziała nieruchomo. W tylnym lusterku widziała, jak mężczyzna w kombinezonie skręca w Brännkyrkagatan. Czekała, aż kobieta z kamerą dojdzie do skrzyżowania i ją minie, ale tamta zawróciła i poszła w dół, do domu przy

Bellmansgatan 1. Monika Figuerola zobaczyła około trzydziestopięcioletnią kobietę o ciemnych, krótko obciętych włosach, ubraną w ciemne dżinsy i czarną kurtkę. Gdy tylko zeszła nieco niżej stromą ulicą, Monika Figuerola otworzyła drzwi samochodu i wyskoczyła na Brännkyrkagatan. Nie widziała mężczyzny w kombinezonie. W następnej sekundzie od krawężnika oderwała się furgonetka marki Toyota. Monika Figuerola dostrzegła półprofil mężczyzny i spojrzała na numer rejestracyjny. Ale nawet gdyby go nie zapamiętała, i tak mogła ten samochód odnaleźć. Na bokach widniała reklama firmy ślusarskiej Serwis kluczy i zamków Larsa Faulssona oraz numer telefonu.

Nie próbowała biec z powrotem do samochodu, żeby ruszyć za toyotą. Spokojnie wróciła na miejsce. Doszła do szczytu wzniesienia akurat w chwili, gdy kobieta z kamerą wchodziła do bramy Mikaela Blomkvista.

Wsiadła do samochodu i zapisała numer rejestracyjny serwisu Larsa Faulssona wraz z telefonem. Potem podrapała się w głowę. Strasznie dużo tajemniczych rzeczy działo się wokół mieszkania Mikaela Blomkvista. Podniosła wzrok na strych kamienicy przy Bellmansgatan 1. Wiedziała, że jest tam mieszkanie Blomkvista, ale z planów, jakie otrzymała w wydziale budowlanym, zapamiętała, że znajduje się ono po drugiej stronie domu, a okno szczytowe wychodzi na Riddarfjärden i Stare Miasto. Ekskluzywny adres w szacownym miejscu z tradycjami. Ciekawa była, czy Blomkvist jest zarozumiałym szpanerem.

Po dziesięciu minutach kobieta z kamerą wyszła z bramy. Zamiast wrócić pod górę na Tavastgatan, poszła dalej w dół i skręciła za róg Pryssgränd. Hmm.... jeśli czekał tam na nią samochód, Monika Figuerola nie miała szans. Ale jeśli szła pieszo, miała tylko jedno wyjście z obniżenia – przy Brännkyrkagatan w pobliżu zaułka Pustegränd od strony Slussen.

Monika wysiadła z samochodu i poszła w lewo na Brännkyrkagatan, ku Slussen. Dotarła niemal do Pustegränd, gdy wyrosła przed nią kobieta z kamerą. Bingo. Ruszyła za nią wzdłuż hotelu Hilton i wyszła na Södermalmstorg przed muzeum przy Slussen. Kobieta zmierzała przed siebie szybkim krokiem, nie rozglądając się dokoła. Monika dała jej około trzydziestu metrów przewagi. Kobieta zniknęła w wejściu na stację metra Slussen i Monika musiała przyśpieszyć kroku, ale zatrzymała się, widząc, że kobieta nie przechodzi przez bramki na perony, tylko skręca do kiosku.

Przyglądała się kobiecie stojącej w kolejce. Miała około stu siedemdziesięciu centymetrów wzrostu i wyglądała na dość wysportowaną. Na nogach miała adidasy. Kiedy stanęła przy okienku obiema stopami mocno oparta na ziemi, Monika odniosła nagle przelotne wrażenie, że może być policjantką. Kobieta kupiła pudełko tytoniu Catch Dry i wróciła na Södermalmstorg. Potem poszła w prawo przez Katarinavägen.

Monika Figuerola szła za nią. Była pewna, że tamta jej nie zauważyła. Kobieta zniknęła na rogu za McDonalds'em, gdy była około czterdziestu metrów za nią.

Kiedy po chwili skręciła za róg, po tajemniczej kobiecie nie było ani śladu. Monika Figuerola stanęła zaskoczona. *Niech to diabli*. Powoli szła wzdłuż domów, patrząc na bramy. Jej wzrok padł na tabliczkę Milton Security.

Monika Figuerola skinęła głową sama do siebie i poszła z powrotem na Bellmansgatan.

Pojechała na Götgatan, gdzie znajdowała się redakcja „Millennium", i krążyła wokół niej przez następne pół godziny. Nie zauważyła nigdzie samochodu Mårtenssona. W porze lunchu wróciła do siedziby policji na Kungsholmen. Potem spędziła godzinę w siłowni na podnoszeniu żelastwa.

– MAMY PROBLEM – zaczął Henry Cortez.

Malin Eriksson i Mikael Blomkvist spojrzeli na niego znad wydruku książki o Zalachence. Było wpół do drugiej po południu.

– Siadaj – poprosiła Malin.

– Chodzi o firmę Vitavara AB, czyli firmę, która produkuje sedesy w Wietnamie, a potem sprzedaje po tysiąc siedemset koron za sztukę.

– Aha. A jaki jest problem? – zapytał Mikael.

– Vitavara AB jest w całości spółką córką firmy SveaBygg AB.

– Ach tak. To wielkie przedsiębiorstwo.

– Właśnie. Prezes zarządu nazywa się Magnus Borgsjö i zawodowo zasiada w zarządach. Jest też między innymi prezesem zarządu w „Svenska Morgon-Posten" i ma ponad dziesięć procent udziałów.

Mikael spojrzał na niego szybko.

– Jesteś pewien?

– Tak. Szef Eriki Berger to obrzydliwy łotr, który ciągnie zyski z pracy wietnamskich dzieci.

– Ożeż – wyrwało się Malin Eriksson.

KIEDY OKOŁO DRUGIEJ PO POŁUDNIU sekretarz redakcji Peter Fredriksson zapukał do drzwi biura Eriki Berger, miał bardzo niewyraźną minę.

– Słucham?

– Cóż, to dość delikatna sprawa. Ale pewna osoba w redakcji dostała od pani maile.

– Ode mnie?

– Tak. Niestety.

– Ale o co chodzi?

Podał jej arkusze z wydrukami maili, których adresatką była Eva Carlsson, dwudziestosześcioletnia praktykantka z działu kultury. Nadawcą była według nagłówka erika. berger@smpost.se.

[Kochana Evo. Chciałabym cię pieścić i całować twoje piersi. Jestem rozgrzana z podniecenia i nie mogę się opanować. Proszę, żebyś odwzajemniła moje uczucia. Możesz się ze mną spotkać? Erika]

Eva Carlsson nie odpowiedziała na tę wstępną propozycję i w ciągu kilku dni otrzymała kolejne dwa maile.

[Najdroższa, ukochana Evo. Proszę, żebyś mnie nie odtrącała. Jestem jak oszalała z pożądania. Chcę ciebie nagą. Muszę cię mieć. Sprawię, że będzie ci dobrze. Nie będziesz żałowała. Wycałuję każdy centymetr twojej nagiej skóry, twoje piękne piersi i twoją cudowną muszelkę. /Erika]

[Evo, dlaczego nie odpowiadasz? Nie bój się mnie. Nie odrzucaj mnie. Nie jesteś dziewicą. Wiesz, o co chodzi. Chcę uprawiać z tobą seks i dobrze cię wynagrodzę. Jeśli będziesz dla mnie miła, ja będę miła dla ciebie. Pytałaś o przedłużenie praktyki. W mojej mocy jest przedłużenie jej, a nawet przekształcenie w stały etat. Spotkajmy się dziś wieczorem o 21:00 przy moim samochodzie w garażu. Twoja Erika]

– Aha – powiedziała Erika Berger. – I teraz ona się zastanawia, czy ja naprawdę wysyłam do niej te sprośne propozycje.

– Właściwie nie... to znaczy... ech…

– Peterze, niech pan nie owija w bawełnę.

– Może była skłonna uwierzyć w pierwszy mail, ale w każdym razie była solidnie zaskoczona. Potem zrozumiała, że to jest całkowicie chore i raczej nie w pani stylu i tak dalej...

– Tak?

– Ona uważa to za żenujące i nie wie, co ma z tym zrobić. Trzeba dodać, że pani bardzo jej imponuje i lubi panią... jako szefową, chciałem powiedzieć. Więc przyszła do mnie, żeby poprosić o radę.

– Rozumiem. I co pan jej powiedział?

– Powiedziałem, że ktoś podrobił pani adres albo ją molestuje. A najpewniej jedno i drugie. I obiecałem, że porozmawiam o tym z panią.

– Dziękuję. Niech pan będzie tak dobry i przyśle ją do mnie za dziesięć minut.

Przez ten czas Erika napisała całkowicie własnego maila:

[W związku z zaistniałą sytuacją chciałabym poinformować wszystkich, że jeden z pracowników SMP otrzymał kilka wiadomości, które wyglądały na napisane przeze mnie. Listy zawierały ordynarne erotyczne aluzje. Ja również dostawałam wulgarne maile, których nadawcą był „centralred" SMP. Lecz, jak wiadomo, w SMP taki adres nie istnieje. Skonsultowałam się z dyrektorem technicznym, który wyjaśnił, że niezwykle łatwo jest podrobić adres nadawcy. Nie wiem dokładnie w jaki sposób, ale istnieją podobno strony internetowe, na których coś takiego można zrobić. Muszę niestety stwierdzić, że jakiś chory osobnik właśnie czymś takim się zajmuje.

Chciałabym wiedzieć, czy jeszcze ktoś z pracowników dostawał dziwne maile. Proszę niezwłocznie zawiadomić o tym sekretarza redakcji Petera Fredrikssona. Jeśli te głupie wybryki nie ustaną, będziemy musieli rozważyć zgłoszenie na policję.

Erika Berger, redaktor naczelna]

Wydrukowała jeden egzemplarz, a potem nacisnęła przycisk wyślij. Wiadomość poszła do wszystkich zatrudnionych w SMP. W tej samej chwili do drzwi zapukała Eva Carlsson.

– Dzień dobry, proszę usiąść – powitała ją Erika. – Słyszałam, że dostawała pani maile ode mnie.

– Ech, nie wierzę, żeby pochodziły od pani.

– W każdym razie trzydzieści sekund temu dostała pani maila ode mnie. Napisałam go całkiem sama i wysłałam do wszystkich pracowników.

Podała Evie Carlsson wydruk.

– Okej. Rozumiem – powiedziała praktykantka.

– Przykro mi, że ktoś wybrał panią na ofiarę tej nieprzyjemnej gry.

– Nie musi pani przepraszać za coś, co sobie wymyślił jakiś idiota.

– Chciałabym tylko się upewnić, że nie ma pani jakichś resztek podejrzeń, że mam coś wspólnego z tymi listami.

– Nigdy nie myślałam, że to pani je wysyłała.

– Okej, dziękuję – zakończyła Erika z uśmiechem.

MONIKA FIGUEROLA przez całe popołudnie zbierała informacje. Zaczęła od zamówienia zdjęcia paszportowego Larsa Faulssona, żeby sprawdzić, czy to jego widziała z Göranem Mårtenssonem. Potem zajrzała do rejestru policyjnego, w którym od razu znalazła ciekawe informacje.

Lars Faulsson, lat czterdzieści siedem, znany pod pseudonimem Falun, zaczął karierę jako siedemnastolatek, od kradzieży samochodu. W latach siedemdziesiątych i osiemdziesiątych był dwa razy aresztowany i oskarżony o kradzież, włamania i paserstwo. Najpierw otrzymał niewielką karę więzienia, za drugim razem został skazany na trzy lata. Przesłuchiwano go także w charakterze podejrzanego w związku z trzema włamaniami, między innymi ze skomplikowanym i dość głośnym opróżnieniem sejfu w domu towarowym w Västerås. Po odsiedzeniu kary wyszedł w 1984 roku i od tego czasu był czysty – a przynajmniej nie został złapany i osądzony. Wyuczył się za to zawodu ślusarza (ze wszystkich zawodów wybrał właśnie ten) i w 1987 roku założył firmę Lars Faulsson Serwis kluczy i zamków z adresem w Norrtull.

Zidentyfikowanie nieznajomej kobiety, która filmowała Mårtenssona z Faulssonem, okazało się prostsze, niż Monika się spodziewała. Zadzwoniła po prostu do recepcji Milton Security i wyjaśniła, że szuka zatrudnionej tam kobiety, którą spotkała, ale zapomniała nazwiska. Potrafiła ją za to dobrze opisać. Recepcjonistka stwierdziła, że opis pasuje do

Susanne Linder i połączyła ją z nią. Kiedy Susanne Linder się odezwała, Figuerola przeprosiła i wyjaśniła, że to pomyłka.

Weszła na strony ewidencji meldunkowej i stwierdziła, że w Sztokholmie i okolicy mieszka osiemnaście kobiet o takim imieniu i nazwisku. Trzy z nich miały około trzydziestu pięciu lat. Jedna mieszkała w Sztokholmie, jedna w Norrtälje, jedna w Nacka. Zamówiła zdjęcia paszportowe całej trójki i natychmiast zidentyfikowała kobietę, którą śledziła od Bellmansgatan jako Susanne Linder, na stałe zameldowaną w Nacka.

Opisała swoje działania w notatce służbowej i poszła z nią do Torstena Edklintha.

OKOŁO PIĄTEJ MIKAEL BLOMKVIST zamknął teczkę z rezultatami researchu Henry'ego Corteza i odsunął od siebie z niesmakiem. Christer Malm odłożył wydrukowany tekst Corteza. Przeczytał go cztery razy. Henry Cortez siedział na sofie w pokoju Malin Eriksson i wyglądał, jakby dręczyło go poczucie winy.

– Kawa – powiedziała Malin i poszła do kuchni. Wróciła z czterema kubkami i dzbankiem.

Mikael westchnął.

– To jest cholernie dobry tekst – zaczął. – Pierwszorzędny research. Każde stwierdzenie jest udokumentowane. Doskonała dramaturgia, w roli głównej *bad guy*, który dzięki systemowi oszukuje szwedzkich lokatorów – co jest zresztą zgodne z prawem – ale jest przy tym tak cholernie pazerny i durny, że wykorzystuje firmę zatrudniającą wietnamskie dzieci.

– Poza tym dobrze napisany – dodał Christer Malm. – Na drugi dzień po publikacji Borgsjö zostanie persona non grata szwedzkiego biznesu. Telewizja na pewno też się tym zainteresuje. Postawią go obok dyrektorów Skandii i innych chciwych oszustów. To będzie wielki sukces „Millennium". Świetna robota, Henry.

Mikael skinął głową.

– Ale ta sprawa z Eriką jest łyżką dziegciu w tej beczce miodu.

Christer Malm pokiwał głową.

– Ale dlaczego to ma być problem? – zapytała Malin.

– Przecież to nie Erika jest draniem. Musimy mieć prawo brać pod lupę każdego prezesa zarządu, nawet jeśli przypadkiem jest jej szefem.

– To cholerny problem – odrzekł Mikael.

– Erika Berger nie zerwała z nami całkiem – wyjaśnił Christer Malm. – Posiada trzydzieści procent „Millennium" i zasiada w naszym zarządzie. Jest nawet prezesem, do czasu, kiedy na następnym zebraniu będziemy mogli wybrać Harriet Vanger, a to będzie możliwe dopiero w sierpniu. Teraz Erika pracuje w SMP, gdzie także zasiada w zarządzie, a prezes tego zarządu zostanie przez nas publicznie zniszczony.

Ponura cisza.

– No to co zrobimy? – zapytał Henry Cortez. – Mamy wycofać tekst?

Mikael spojrzał mu prosto w oczy.

– Nie, Henry. Nie wycofamy tego tekstu. W „Millennium" nie pracujemy w taki sposób. Ale to będzie wymagało trochę zachodu. Nie możemy tak po prostu zaskoczyć tym Eriki. Nie może się dowiedzieć z prasy.

Christer Malm kiwnął głową i pokiwał palcem.

– Pakujemy Erikę w niezły bigos. Ma wybór między sprzedażą swoich udziałów i natychmiastowym odejściem z zarządu „Millennium" i, w najgorszym razie, wykopaniem z posady w SMP. Tak czy inaczej, to będzie konflikt interesów. Powiem szczerze, Henry... myślę tak jak Mikael, że powinniśmy opublikować ten tekst, ale może będziemy zmuszeni przesunąć to o miesiąc.

Mikael kiwnął głową z aprobatą.

– Dlatego że dla nas to też konflikt. Lojalności – powiedział.

– Czy mam do niej zadzwonić? – zapytał Christer Malm.

– Nie – odparł Mikael. – Ja do niej zadzwonię i umówię się na spotkanie. Może dziś wieczorem.

TORSTEN EDKLINTH słuchał uważnie Moniki Figueroli. Streszczała mu cały cyrk rozgrywający się w okolicy mieszkania Mikaela Blomkvista na Bellmansgatan 1. Czuł, jak podłoga ugina mu się pod stopami.

– A więc pracownik RPS/Säk wszedł do domu Blomkvista razem z byłym kasiarzem, który wyuczył się na ślusarza.

– Tak jest.

– Jak myślisz, co robili na klatce schodowej?

– Tego nie wiem. Ale nie było ich czterdzieści dziewięć minut. Można oczywiście zgadywać, że Faulsson otworzył drzwi, a Mårtensson wszedł do mieszkania Blomkvista.

– I co tam robili?

– Raczej nie instalowali podsłuchu, bo coś takiego zajmuje minutę. A więc Mårtensson musiał szperać w papierach Blomkvista, czy co on tam ma w domu.

– Ale Blomkvist został już ostrzeżony... przecież ukradli mu z domu raport Björcka.

– Właśnie. Wie, że jest obserwowany i obserwuje tych, co obserwują jego. Jest cwany. Kalkuluje na zimno.

– Jak to?

– Ma jakiś plan. Zbiera informacje i zamierza zdemaskować Görana Mårtenssona. To jedyne sensowne wyjaśnienie.

– A potem zjawiła się tamta kobieta, Linder.

– Susanne Linder, lat trzydzieści cztery, zamieszkała w Nacka. Jest byłą policjantką.

– Policjantką?

– Skończyła szkołę policyjną i przez sześć lat pracowała w jednostce interwencyjnej na Södermalmie. Potem niespodziewanie zwolniła się z pracy. W jej papierach nie ma żadnego wyjaśnienia. Przez kilka miesięcy była bezrobotna, a później zatrudniła się w Milton Security.

– Dragan Armanski – powiedział Edklinth zamyślony. – A jak długo była w domu?

– Dziewięć minut.

– I co robiła?

– Domyślam się, że skoro filmowała Mårtenssona i Faulssona, to znaczy, że dokumentowała ich działania. Wynikałoby z tego, że Milton Security współpracuje z Blomkvistem, że założyli ukryte kamery w jego mieszkaniu albo na klatce schodowej. Ona prawdopodobnie weszła, żeby zabrać nagrane materiały.

Edklinth westchnął. Sprawa Zalachenki zaczynała się niesłychanie komplikować.

– Okej. Dziękuję. Możesz iść do domu. Muszę nad tym pomyśleć.

Monika Figuerola poszła do siłowni na S:t Eriksplan i zajęła się treningiem.

MIKAEL BLOMKVIST z niebieskiej komórki Ericsson T10 zadzwonił do Eriki Berger, do SMP. Przerwał jej dyskusję z redaktorami na temat stanowiska gazety w artykule o międzynarodowym terroryzmie.

– Ależ witaj... zaczekaj sekundę.

Erika położyła dłoń na słuchawce i rozejrzała się po zebranych.

– Wydaje mi się, że wszystko jest jasne – powiedziała i dała jeszcze kilka ostatnich instrukcji.

Kiedy została sama, podniosła słuchawkę.

– Cześć, Mikael. Przepraszam, że się nie odzywałam. Jestem po prostu zawalona robotą i muszę się nauczyć tysiąca nowych rzeczy.

– Ja też raczej nie siedziałem bezczynnie – odparł Mikael.

– Jak idzie ze sprawą Salander?

– Dobrze. Ale nie dlatego dzwonię. Musimy się spotkać. Dziś wieczorem.

– Bardzo bym chciała, ale muszę być w pracy do ósmej. I jestem padnięta. Jestem na nogach od szóstej rano.

– Ricky... nie mówię o urozmaicaniu twojego życia seksualnego. Muszę z tobą porozmawiać. To ważne.

Erika zamilkła na chwilę.

– A o co chodzi?

– Pogadamy, jak się zobaczymy. Ale to nie jest przyjemna sprawa.

– Okej. Przyjdę do ciebie koło wpół do dziewiątej.

– Nie, nie u mnie w domu. To długa historia, ale moje mieszkanie w tej chwili niezbyt się nadaje. Przyjdź do Samirs Gryta, to napijemy się piwa.

– Jestem samochodem.

– Dobrze. Weźmiemy niskoprocentowe.

KIEDY O WPÓŁ DO DZIEWIĄTEJ Erika Berger wchodziła do lokalu Samirs Gryta, była lekko poirytowana. Dręczyły ją wyrzuty sumienia, że nie odezwała się do Mikaela ani słowem od dnia, kiedy przeszła do SMP. Ale jeszcze nigdy nie miała tyle pracy.

Mikael dał jej znak ręką. Siedział przy narożnym stoliku pod oknem. Erika zatrzymała się w drzwiach. Przez sekundę miała wrażenie, że Mikael jest całkowicie obcym człowiekiem. Wydawało jej się, że patrzy na niego innymi oczami. *Co to za facet? Boże, ależ jestem zmęczona.* Potem Mikael wstał i cmoknął ją w policzek, a ona ku swemu przerażeniu uświadomiła sobie, że nawet nie myślała o nim od kilku tygodni, ale potwornie za nim tęskniła. Poczuła się, jakby czas spędzony w SMP był tylko snem i jakby zaraz miała się obudzić na swojej sofie w „Millennium". Wszystko było takie nierzeczywiste.

– Cześć, Mikael.

– Cześć, naczelna. Jadłaś kolację?

– Jest wpół do dziewiątej. Nie mam tak fatalnych przyzwyczajeń żywieniowych jak ty.

Potem uświadomiła sobie, że umiera z głodu. Podszedł Samir z kartą i Erika zamówiła niskoprocentowe piwo i małą porcję kalmarów z ćwiartkami pieczonych ziemniaków. Mikael wybrał kuskus i takie samo lekkie piwo.

– Jak się czujesz? – zapytała Erika.

– Żyjemy w ciekawych czasach. Mam pełno roboty.

– Co tam z Salander?

– Ona też sprawia, że czasy są ciekawe.

– Micke, nie zamierzam uciec z twoim materiałem.

– Przepraszam... ale nie unikam odpowiedzi. Po prostu w tej chwili sprawy są nieco skomplikowane. Chętnie ci wszystko opowiem, ale to zajmie pół nocy. A jak to jest być szefem SMP?

– Niezupełnie tak jak być szefem „Millennium".

Milczała chwilę.

– Po powrocie do domu zasypiam jak zdmuchnięta świeczka, a kiedy się budzę, mam przed oczami obliczenia budżetowe. Tęskniłam za tobą. Nie możemy iść do ciebie i położyć się spać? Nie mam siły na seks, ale chętnie przytuliłabym się i zasnęła u ciebie.

– Sorry, Ricky. Moje mieszkanie nie jest teraz najlepszym miejscem.

– Dlaczego nie? Coś się stało?

– Bo wiesz... pewna banda założyła w nim podsłuch i słyszy każde moje słowo. Ja sam zainstalowałem ukryte kamery, które pokazują, co się tam dzieje, kiedy nie ma mnie w domu. Myślę, że lepiej oszczędzić światu widoku twojego gołego tyłka.

– Żartujesz?

– Nie. Ale to nie z tego powodu musiałem się z tobą zobaczyć.

– Co się stało? Masz taką dziwną minę.

374

– Otóż... zaczęłaś pracować w SMP. A my w „Millennium" trafiliśmy na świetny temat, który pogrąży prezesa twojego zarządu. Chodzi o wykorzystywanie pracy dzieci i więźniów politycznych w Wietnamie. Myślę, że znaleźliśmy się w sytuacji konfliktu interesów.

Erika odłożyła widelec i wbiła wzrok w Mikaela. Od razu zrozumiała, że to nie żarty.

– Sprawa wygląda tak – zaczął. – Borgsjö jest prezesem zarządu i ma większość w spółce, która nazywa się Svea--Bygg AB. Zlecają produkcję sedesów w Wietnamie firmie, która figuruje na prowadzonej przez ONZ czarnej liście zakładów wykorzystujących pracę dzieci.

– Powtórz to.

Mikael ze szczegółami opowiedział o tym, co wyśledził Henry Cortez. Z torby wyjął kopie dokumentacji. Erika powoli przeczytała tekst Corteza. Wreszcie podniosła wzrok i spojrzała Mikaelowi prosto w oczy. Ogarnęła ją niewytłumaczalna panika pomieszana z podejrzliwością.

– Co to ma, do cholery, znaczyć, że pierwszą rzeczą, jaką zajmuje się „Millennium" po moim odejściu, jest sprawdzanie członków zarządu SMP?

– To nie było tak, Ricky.

Wyjaśnił, jak rozrastał się ten temat.

– Od jak dawna o tym wiesz?

– Od dzisiaj po południu. Czuję się z tym podle.

– Co zamierzacie zrobić?

– Nie wiem. Musimy to opublikować. Nie możemy zrobić wyjątku dlatego, że to dotyczy twojego szefa. Ale nikt z nas nie chce ci zaszkodzić. – Rozłożył bezradnie ręce. – Jesteśmy podłamani. Zwłaszcza Henry.

– Nadal jestem członkiem zarządu „Millennium". Mam tam udziały... to będzie wyglądało jak...

– Wiem doskonale, jak to będzie wyglądało. Będziesz miała w SMP przechlapane.

Erika poczuła, jak zmęczenie ogarnia całe jej ciało. Zacisnęła zęby i stłumiła odruch, żeby poprosić Mikaela o zamiecenie sprawy pod dywan.

– A niech to diabli – powiedziała. – Nie ma żadnych wątpliwości? Sprawa jest pewna?

Mikael pokręcił głową.

– Przez cały wieczór przeglądałem materiały Henry'ego. Borgsjö jest gotowy do odstrzału.

– Co zamierzacie zrobić?

– A co ty byś zrobiła, gdyby ta sprawa wypłynęła dwa miesiące wcześniej?

Erika Berger spojrzała uważnie na swojego przyjaciela i kochanka. Był nim od ponad dwudziestu lat. Potem opuściła wzrok.

– Wiesz dobrze, co bym zrobiła.

– To fatalny zbieg okoliczności. Nic tu nie jest wymierzone przeciwko tobie. Jest mi naprawdę przykro. To dlatego nalegałem na spotkanie jak najszybciej. Musimy postanowić, co zrobimy.

– My?

– Otóż... ten tekst miał pójść do druku w numerze czerwcowym. Już go zastopowałem. Zostanie opublikowany najwcześniej w sierpniu, ale możemy jeszcze przełożyć termin, jeśli chcesz.

– Rozumiem.

W jej głosie dało się słyszeć gorycz.

– Eriko, proponuję, żebyśmy dziś niczego nie postanawiali. Weź te materiały, idź do domu i zastanów się. Nie rób nic, póki nie ustalimy wspólnej strategii. Mamy jeszcze czas.

– Wspólnej strategii?

– Musisz albo odejść z zarządu „Millennium" jakiś czas przed publikacją, albo odejść z SMP. Nie możesz siedzieć na obu stołkach.

Skinęła głową.

– Jestem kojarzona z „Millennium" tak mocno, że nikt nie uwierzy, że nie maczałam w tym palców, choćbym nie wiem ile razy odeszła.

– Istnieje alternatywa. Możesz wziąć ten tekst do SMP, skonfrontować zawarte w nim informacje z Borgsjö i zażądać jego odejścia. Jestem pewien, że Henry Cortez zgodzi się na to. Ale nie rób nic, zanim się nie dogadamy.

– Pracę w SMP zaczynam od tego, że człowiek, który mnie zaangażował, przeze mnie wylatuje z posady.

– Przykro mi.

– To nie jest zły człowiek.

Mikael skinął głową.

– Wierzę ci. Ale chciwy.

Erika pokiwała głową. Potem wstała.

– Muszę jechać do domu.

– Ricky, ja...

Przerwała mu:

– Jestem po prostu śmiertelnie zmęczona. Dziękuję, że mnie ostrzegłeś. Muszę pomyśleć, co to wszystko może oznaczać.

Mikael ze zrozumieniem kiwnął głową.

Erika wyszła, bez pocałunku na pożegnanie, i zostawiła go z rachunkiem.

ERIKA BERGER zaparkowała dwieście metrów od Samirs Gryta. Była w połowie drogi do samochodu, kiedy nagle poczuła tak silne kołatanie serca, że musiała oprzeć się o ścianę. Było jej niedobrze.

Stała długo, wdychając chłodne majowe powietrze. Nagle uświadomiła sobie, że od pierwszego maja pracowała średnio piętnaście godzin na dobę. Wkrótce miną trzy tygodnie. A jak będzie się czuła za trzy lata? Jak czuł się Morander, kiedy padł martwy na środku redakcji?

Po dziesięciu minutach wróciła do Samirs Gryta i w drzwiach natknęła się na wychodzącego Mikaela. Zatrzymał się zdziwiony.

– Eriko...

– Mikael, nie mów nic. Przyjaźnimy się od tak dawna, że nic tego nie zepsuje. Jesteś moim najlepszym przyjacielem i teraz jest tak samo jak wtedy, kiedy wyjechałeś do Hedestad dwa lata temu, tylko na odwrót. Jestem pod presją i czuję się nieszczęśliwa.

Mikael otoczył ją ramionami. Nagle poczuła, że ma łzy w oczach.

– Te trzy tygodnie w redakcji SMP mnie wykończyły – zaśmiała się.

– Ależ skąd. Chyba trochę więcej potrzeba, żeby wykończyć Erikę Berger.

– Twoje mieszkanie to kocioł. Jestem za bardzo zmęczona, żeby jechać do domu, do Saltsjöbaden. Mogłabym zasnąć za kółkiem i się zabić. Podjęłam decyzję. Zamierzam pójść do hotelu Scandic Crown i wynająć pokój. Chodź ze mną.

Skinął głową.

– Teraz to się nazywa Hilton.

– Wszystko mi jedno.

KRÓTKI ODCINEK DO HOTELU przeszli pieszo. Żadne z nich się nie odzywało. Mikael obejmował Erikę. Podniosła na niego wzrok i stwierdziła, że jest tak samo zmęczony jak ona.

Poszli prosto do recepcji, poprosili o dwuosobowy pokój i zapłacili kartą Eriki. W pokoju rozebrali się, wzięli prysznic i wśliznęli się do łóżka. Erikę bolały mięśnie, jakby przebiegła maraton sztokholmski. Poprzytulali się chwilę i po chwili zasnęli jak zabici.

Żadne z nich nie zauważyło, że są obserwowani. Nie zwrócili uwagi na mężczyznę, który przyglądał się im przy wejściu do hotelu.

Rozdział 15
Czwartek 19 maja – niedziela 22 maja

LISBETH SALANDER dużą część czwartkowej nocy spędziła na czytaniu artykułów Mikaela Blomkvista i prawie gotowych rozdziałów książki. Ponieważ prokurator Ekström planował proces na lipiec, Mikael ustalił ostateczny termin druku na dwudziestego czerwca. To oznaczało, że Pieprzony Kalle Blomkvist ma jeszcze około miesiąca na uzupełnienie braków i dokończenie książki.

Lisbeth nie wiedziała, jak zamierza ze wszystkim zdążyć, ale to był jego problem, nie jej. Jej problemem było ustosunkowanie się do pytań, które postawił Mikael.

Wzięła do ręki palmtopa, zalogowała się na Szalonym Stole i sprawdziła, czy od wczoraj nie napisał czegoś nowego. Nic nowego nie było. Potem otworzyła dokument, który zatytułował „Zasadnicze pytania". Znała ten tekst na pamięć, ale przeczytała jeszcze raz.

Mikael naszkicował strategię, którą już przedstawiła jej Annika Giannini. Kiedy rozmawiała z nią Annika, słuchała nie całkiem uważnie, jakby jej to wszystko nie dotyczyło. Ale Mikael Blomkvist znał jej tajemnice, o których nie wiedziała Annika Giannini. Dlatego mógł bardziej wyraziście zarysować strategię. Lisbeth przeczytała czwarty akapit:

[Jedyną osobą, która może zdecydować, jak będzie wyglądała twoja przeszłość, jesteś ty sama. Nie ma znaczenia, jak bardzo Annika będzie się dla ciebie starała ani czy ja, Armanski i Palmgren będziemy usiłowali cię wspierać. Nie zamierzam próbować cię do czegokolwiek namawiać.

Musisz sama zdecydować, co zamierzasz zrobić. Albo odwrócisz proces na swoją korzyść, albo pozwolisz, żeby cię skazali. Ale jeśli chcesz wygrać, musisz zacząć walczyć.]

Wyłączyła komputer i popatrzyła w sufit. Mikael prosił ją o pozwolenie, żeby w swojej książce mógł przedstawić prawdę. Zamierzał pominąć ponury rozdział z gwałtem. Napisał już ten fragment. Wspomniał tylko, że Bjurman zaczął współpracować z Zalachenką, ale coś im nie wyszło i Niedermann był zmuszony go zabić. Nie analizował motywów Bjurmana.

Pieprzony Kalle Blomkvist nie ułatwiał jej życia.

Długo rozmyślała.

Około drugiej w nocy znów sięgnęła po palma tungstena T3 i otworzyła edytor tekstów. Utworzyła nowy dokument, wyjęła rysik i zaczęła naciskać literki na cyfrowej klawiaturze.

[Nazywam się Lisbeth Salander. Urodziłam się 30 kwietnia 1978 roku. Moja matka, Agneta Sofia Salander, miała wtedy siedemnaście lat. Mój ojciec był psychopatą, mordercą i damskim bokserem. Nazywał się Aleksander Zalachenko. Wcześniej pracował w Europie Zachodniej jako nielegalny operator radzieckiej wojskowej służby informacyjnej GRU.]

Pisanie szło jej wolno, bo musiała pojedynczo wystukiwać każdą literkę. Najpierw układała sobie zdanie w głowie, a potem je zapisywała. Nie zrobiła ani jednej poprawki. Pracowała do czwartej nad ranem. Potem wyłączyła palmtopa i umieściła go we wnęce za szafką nocną, żeby się naładował. Napisany tekst odpowiadał mniej więcej dwóm stronom A4 z pojedynczym odstępem między wersami.

ERIKA BERGER obudziła się o siódmej rano. Nie czuła się wypoczęta, ale spała bez przerwy osiem godzin. Spojrzała na Mikaela Blomkvista. Nadal spał głęboko.

Zaczęła od włączenia komórki, żeby sprawdzić, czy dostała jakieś wiadomości. Wyświetlacz pokazał, że jej mąż, Greger Backman, dzwonił jedenaście razy. Cholera. Zapomniałam go uprzedzić. Wybrała numer i wyjaśniła, gdzie jest i dlaczego nie wróciła do domu. Mąż był zły.

– Eriko, nigdy więcej tego nie rób. Wiesz, że tu nie chodzi o Mikaela, ale przez całą noc byłem bardzo niespokojny. Bałem się, że coś ci się stało. Musisz zadzwonić i powiedzieć, że nie wracasz do domu. Nie wolno ci o tym zapominać.

Greger Backman był całkowicie pogodzony z faktem, że Mikael Blomkvist jest kochankiem jego żony. Ich romans rozwijał się za jego przyzwoleniem. Lecz przedtem, ilekroć postanawiała nocować u Mikaela, zawsze dzwoniła do męża i go o tym informowała. Tym razem poszła do Hiltona tylko z jedną myślą w głowie – żeby się wyspać.

– Przepraszam – powiedziała. – Ale wczoraj po prostu padłam jak ścięta.

Pomrukiwał coś jeszcze przez chwilę.

– Nie złość się, Greger. Nie mam teraz na to siły. Możesz mnie opieprzyć, jak wrócę wieczorem do domu.

Tym razem pomrukiwanie było łagodniejsze. Obiecał, że ją zwymyśla, kiedy się spotkają.

– Okej. A co z Blomkvistem?

– Śpi. – Zaśmiała się nagle. – Możesz mi wierzyć albo nie, ale zasnęliśmy już po pięciu minutach w łóżku. Nigdy wcześniej coś takiego się nie zdarzyło.

– Eriko, to brzmi poważnie. Może powinnaś pójść do lekarza.

Po rozmowie z mężem zadzwoniła do centrali SMP i zostawiła wiadomość dla sekretarza redakcji Petera Fredrikssona. Wyjaśniła, że ma problemy i przyjdzie nieco później niż zwykle. Poprosiła o przełożenie zaplanowanego wcześniej zebrania z pracownikami działu kultury.

Potem odszukała torebkę, wyjęła szczoteczkę do zębów i poszła do łazienki. Wróciła do łóżka i obudziła Mikaela.

– Dzień dobry – wymamrotał.

– Dzień dobry – powiedziała. – Leć do łazienki umyć się i wyszorować zęby.

– Co... co?

Usiadł na łóżku i rozejrzał się dokoła zdezorientowany, aż Erika musiała mu przypomnieć, że znajdują się w Hiltonie przy Slussen.

– Tak. A teraz idź do łazienki.

– Dlaczego?

– Bo jak wrócisz, chcę się z tobą kochać.

Spojrzała na zegarek.

– I pośpiesz się. Mam spotkanie o jedenastej, a muszę jeszcze mieć co najmniej pół godziny na zrobienie sobie twarzy. Muszę też w drodze do pracy kupić czystą bieliznę. Mamy dwie godziny, żeby nadrobić mnóstwo straconego czasu.

Mikael poszedł do łazienki.

JERKER HOLMBERG zaparkował forda swojego ojca na podwórzu byłego premiera Thorbjörna Fälldina w Ås koło Ramviku w gminie Härnösand. Wysiadł i rozejrzał się dokoła. Było czwartkowe przedpołudnie. Mżyło i pola były już wyraźnie zazielenione. W wieku siedemdziesięciu dziewięciu lat Fälldin nie zajmował się aktywnie rolnictwem. Holmberg zastanawiał się, kto teraz sieje i zbiera. Wiedział, że jest obserwowany z kuchennego okna. Takie są reguły wiejskiego życia. Sam dorastał w Hälledal pod Ramvikiem, niedaleko Sandöbron, jednego z najpiękniejszych miejsc na ziemi. Jego zdaniem.

Podszedł do frontowych schodów i zapukał do drzwi.

Dawny przywódca partii Centrum postarzał się, ale nadal sprawiał wrażenie człowieka dziarskiego i silnego.

– Dzień dobry. Nazywam się Jerker Holmberg. Spotkaliśmy się kilka razy, ale to było dawno temu. Jestem synem Gustava Holmberga, radnego z ramienia Centrum w latach siedemdziesiątych i osiemdziesiątych.

– Dzień dobry. Oczywiście, że cię poznaję, Jerkerze. Jesteś policjantem w Sztokholmie, o ile się nie mylę. Ostatnio widzieliśmy się chyba z piętnaście lat temu.

– Co najmniej. Mogę wejść?

Usiadł przy kuchennym stole, a Thorbjörn Fälldin nalał mu kawy.

– Mam nadzieję, że twój ojciec ma się dobrze. To nie z jego powodu przyjechałeś?

– Nie. Tata czuje się dobrze. W tej chwili siedzi na dachu i wbija gwoździe.

– Ile ma lat?

– Dwa miesiące temu skończył siedemdziesiąt jeden.

– Aha – mruknął Fälldin i usiadł. – A więc co cię sprowadza?

Jerker Holmberg wyjrzał przez kuchenne okno. Zobaczył srokę, która usiadła przy jego samochodzie i badała grunt. Potem zwrócił się do Fälldina:

– Przyjeżdżam bez zaproszenia i z wielkim problemem. Możliwe, że po tej rozmowie zostanę wyrzucony z pracy. Jestem tu więc w związku ze sprawami zawodowymi, ale mój szef, inspektor Jan Bublanski z wydziału kryminalnego w Sztokholmie, nic nie wie o tej wizycie.

– To brzmi poważnie.

– Chodzę po cienkim lodzie. Miałbym kłopoty, gdyby mój przełożony się o tym dowiedział.

– Rozumiem.

– Ale boję się, że jeśli nic nie zrobię, dojdzie do ogromnego bezprawia, i to już drugi raz.

– Najlepiej będzie, jak mi wszystko wyjaśnisz.

– Chodzi o mężczyznę nazwiskiem Aleksander Zalachenko. Był szpiegiem radzieckiej służby GRU i zbiegł do

Szwecji. To się stało w dniu wyborów w 1976 roku. Dostał azyl i zaczął pracować dla Säpo. Mam powody sądzić, że wie pan coś o tej historii.

Thorbjörn Fälldin uważnie wpatrywał się w Jerkera Holmberga.

– To długa historia – mówił dalej Holmberg i przedstawił postępowanie przygotowawcze, w którym uczestniczył przez ostatnie miesiące.

ERIKA BERGER przeturlała się na brzuch i podparła głowę na pięściach. Uśmiechnęła się znienacka.

– Mikaelu, czy nigdy nie pomyślałeś, że my oboje musimy być całkiem szaleni?

– Dlaczego?

– Przynajmniej ja tak to czuję. Pożądam cię bezgranicznie. Jestem jak zwariowana nastolatka.

– Aha.

– A potem chcę jechać do domu i kochać się z mężem.

Mikael zaśmiał się.

– Znam dobrego terapeutę.

Erika dziobnęła go palcem w brzuch.

– Mikaelu, całe to SMP wydaje się jedną wielką pomyłką.

– Bzdury. To dla ciebie ogromna szansa. Jeśli ktoś może ożywić tę padlinę, to tylko ty.

– Tak, może masz rację. Ale to właśnie jest problem. SMP jest jak trup. A potem jeszcze ty przychodzisz i opowiadasz mi o grzeszkach Magnusa Borgsjö. Nie mam pojęcia, co ja tam jeszcze robię.

– Poczekaj, niech się wszystko ułoży.

– Dobrze, ale ta sprawa z Borgsjö to nic przyjemnego. Nie mam zielonego pojęcia, jak do niej podejść.

– Ja też nie wiem. Ale coś wymyślimy.

Erika leżała chwilę bez słowa.

– Brakuje mi ciebie.

Skinął głową i spojrzał na nią.

– Mnie ciebie też.

– Co by się musiało stać, żebyś zgodził się przejść do SMP i zostać szefem działu wiadomości?

– Nigdy w życiu. Czy ten, jak mu tam, Holm nim nie jest?

– Tak, ale on jest idiotą.

– Masz rację.

– Znasz go.

– Jasne. Pracowałem pod jego kierownictwem trzy miesiące jako praktykant, w połowie lat osiemdziesiątych. To palant, który napuszcza ludzi na siebie. Poza tym...

– Poza tym co?

– Ech. Nic takiego. Nie chciałbym roznosić plotek.

– Powiedz.

– Jedna dziewczyna, Ulla Jakaśtam, która też była praktykantką, mówiła, że ją molestował seksualnie. Nie wiem, co było prawdą, a co nie, ale związki zawodowe nic w tej sprawie nie zrobiły, a ona nie dostała obiecanego przedłużenia umowy.

Erika spojrzała na zegarek, westchnęła i zniknęła w łazience. Kiedy się wycierała i ubierała, Mikael nie ruszył się z łóżka.

– Poleżę jeszcze trochę – powiedział.

Erika ucałowała go w policzek, pomachała ręką i wyszła.

MONIKA FIGUEROLA zaparkowała przy Luntmakargatan, tuż obok Olof Palmes gata, dwadzieścia metrów od samochodu Görana Mårtenssona. Widziała, jak Mårtensson idzie ponad sześćdziesiąt metrów do automatu i płaci za parkowanie. Potem ruszył ku Sveavägen.

Monika nie zawracała sobie głowy parkometrem. Gdyby teraz chciała zapłacić, straciłaby go z oczu. Szła za nim do Kungsgatan, gdzie skręcił w lewo. Potem wszedł do kawiarni Kungstornet. Mruknęła do siebie niezadowolona, ale nie miała wyboru. Odczekała trzy minuty i też weszła do lokalu. Siedział na parterze i rozmawiał z mężczyzną w wieku około trzydziestu pięciu lat. Nieznajomy miał jasne włosy i wyglądał na dość wysportowanego. Glina, pomyślała.

Rozpoznała w nim mężczyznę, którego Christer Malm sfotografował przed Copacabaną pierwszego maja.

Kupiła kawę, usiadła w drugim końcu sali i otworzyła „Dagens Nyheter". Mårtensson i jego towarzysz rozmawiali przyciszonymi głosami. Nie słyszała ani słowa. Wyjęła komórkę i udawała, że dzwoni – choć to nie było potrzebne, bo żaden z nich nie zwracał na nią uwagi. Zrobiła zdjęcie aparatem w komórce, wiedząc, że ma rozdzielczość tylko 72 dpi i jakość będzie za słaba, żeby nadawało się do wydrukowania. Ale mogło być wykorzystane jako dowód, że spotkanie się odbyło.

Nieco ponad piętnaście minut później młody blondyn wstał i wyszedł z kawiarni. Monika Figuerola zaklęła w duchu. Dlaczego nie została na zewnątrz. Rozpoznałaby go, gdyby stała przed Kungstornet. Chciała się zerwać i ruszyć w pościg. Ale Mårtensson siedział spokojnie przy stoliku i kończył kawę. Nie chciała zwracać na siebie uwagi, wstając i wychodząc w ślad za jego tajemniczym towarzyszem.

Czterdzieści sekund później Mårtensson wstał i poszedł do toalety. Gdy tylko zamknął za sobą drzwi, Monika wybiegła na Kungsgatan. Rozglądała się na wszystkie strony, ale blondyn zniknął.

Na chybił trafił ruszyła do skrzyżowania ze Sveavägen. Nigdzie go nie widziała, więc zbiegła na perony metra. Sprawa była beznadziejna.

Wróciła do Kungstornet. Mårtenssona też już nie było.

KIEDY ERIKA BERGER wróciła do miejsca, w którym poprzedniego dnia zostawiła swoje bmw, dwie przecznice od Samirs Gryta, zaklęła siarczyście.

Samochód był na miejscu. Ale w nocy ktoś poprzebijał wszystkie opony. Niech to szlag trafi, cholerne łobuzy, zaklęła, gotując się ze złości.

Nie miała wielkiego wyboru. Zadzwoniła po pomoc drogową i wyjaśniła, o co chodzi. Nie miała czasu czekać na ich przyjazd, więc włożyła kluczyki do rury wydechowej, żeby mogli otworzyć samochód. Potem zeszła do Mariatorget i zatrzymała taksówkę.

LISBETH SALANDER weszła na stronę Hacker Republic i stwierdziła, że Plague jest zalogowany. Wywołała go.

<Cześć, Wasp. Jak tam Sahlgrenska?>.

<Spoko. Potrzebuję twojej pomocy>.

<O cholera>.

< Nigdy nie myślałam, że będę musiała o to prosić>.

<To musi być coś poważnego>.

< Göran Mårtensson, zamieszkały w Vällingby. Potrzebuję dostępu do jego komputera>.

<Okej>.

<Cały materiał trzeba przenieść na komputer Mikaela Blomkvista z „Millennium">.

<Okej. Zrobi się>.

<Wielki Brat pilnuje telefonu Kallego Blomkvista i przypuszczalnie poczty elektronicznej. Wyślij wszystko na adres na hotmailu>.

<Jeśli ja nie będę osiągalna, Blomkvist będzie potrzebował twojej pomocy. Musi mieć możliwość kontaktu z tobą>.

<Hmm>.

<Jest trochę sztywny, ale możesz mu zaufać>.

<Hmm>.

<Ile za to chcesz?>.

Plague nie odzywał się kilka sekund.

<Czy to ma związek z twoimi kłopotami?>.

<Tak>.

<Czy może ci pomóc?>.

<Tak>.

<Zrobię to za friko>.

<Dziękuję. Ale zawsze spłacam długi. Będę potrzebowała twojej pomocy aż do procesu. Płacę 30000>.

<Stać cię?>.

<Stać mnie>.

<Okej>.

<Sądzę, że będziemy potrzebować Trinity. Myślisz, że dałoby się go ściągnąć do Szwecji?>.

<I co miałby zrobić?>.

<To, w czym jest najlepszy. Płacę mu standardowe honorarium plus zwrot kosztów>.

<Okej. O kogo chodzi?>.

Lisbeth wyjaśniła, czego potrzebuje.

W PIĄTKOWY PORANEK doktor Anders Jonasson uprzejmie przyglądał się wyraźnie zirytowanemu inspektorowi Hansowi Fastemu siedzącemu po drugiej stronie biurka.

– Przykro mi – powiedział doktor Jonasson. Miał zatroskaną minę.

– Nie rozumiem tego. Sądziłem, że Salander jest już wyleczona. Przyjechałem do Göteborga, żeby ją przesłuchać i żeby przygotować przeniesienie jej do celi w Sztokholmie, gdzie jest jej miejsce.

– Przykro mi – powtórzył Anders Jonasson. – Bardzo chętnie bym się jej pozbył. Jak wiadomo, nie cierpimy na nadmiar wolnych łóżek. Ale...

– A czy jest możliwe, że ona symuluje?

Anders Jonasson roześmiał się.

– Nie sądzę, żeby to było możliwe. Musi pan zrozumieć jedną rzecz. Lisbeth Salander została postrzelona w głowę. Operacyjnie usunąłem pocisk z jej mózgu i wtedy była to właściwie loteria, czy przeżyje, czy nie. Przeżyła i prognozy były nawet bardzo dobre... tak dobre, że wraz z kolegami planowaliśmy ją wypisać. Ale wczoraj nastąpiło pogorszenie. Skarżyła się na silne bóle głowy i nagle dostała gorączki. Gorączka opadała i powracała. Wczoraj wieczorem miała

38 stopni i dwa razy wymiotowała. W nocy gorączka spadła, nie miała temperatury, i myślałem już, że to było coś przelotnego. Ale kiedy badałem ją dziś rano, miała prawie 39 stopni, co jest już niepokojące. Teraz, w dzień, temperatura znów spadła.

– Czyli co jej dolega?

– Tego nie wiem, ale fakt, że ma skoki temperatury, świadczy o tym, że to nie jest grypa ani nic podobnego. Co to dokładnie jest, nie umiem powiedzieć, ale może być na przykład uczulona na jakieś lekarstwo albo jakąś inną substancję, z którą się zetknęła.

Otworzył zdjęcie w komputerze i odwrócił monitor do policjanta.

– Zleciłem rentgen głowy. Jak pan widzi, jest tu ciemniejszy fragment, tuż przy ranie postrzałowej. Nie potrafię powiedzieć, co to jest. Może to być blizna powstała podczas gojenia, ale możliwe też, że to mały krwiak. Ale dopóki nie wyjaśnimy, co jej jest, nie mogę jej wypuścić, choćby nie wiem jak pilna to była sprawa.

Hans Faste z rezygnacją kiwnął głową. Wiedział, że nie ma sensu wdawać się w dyskusje z lekarzami, że są panami życia i śmierci i że są pierwsi po Bogu. Może jeszcze po policjantach. W każdym razie nie miał ani kompetencji, ani wiedzy, żeby ocenić, czy z Lisbeth Salander naprawdę jest tak źle.

– I co teraz?

– Zaleciłem całkowity spokój i odpoczynek. Zrobimy przerwę w terapii. Potrzebuje fizjoterapii z powodu postrzałów w biodro i ramię.

– Okej... muszę się skontaktować z prokuratorem Ekströmem ze Sztokholmu. To było trochę niespodziewane. Co mam mu powiedzieć?

– Dwa dni temu byłem gotów zgodzić się na przeniesienie, może pod koniec tego tygodnia. Ale w tej chwili wygląda na to, że potrwa to jeszcze jakiś czas. Niech pan go uprzedzi, że raczej nie podejmę decyzji w przyszłym tygodniu. Pewnie najwcześniej za dwa tygodnie będziecie mogli ją przewieźć do aresztu w Sztokholmie. Wszystko zależy od tego, jak sytuacja się rozwinie.

– Rozpoczęcie procesu jest przewidziane na lipiec...

– Jeśli nie nastąpi nic nieprzewidzianego, powinna być na nogach odpowiednio wcześniej.

INSPEKTOR JAN BUBLANSKI nieufnie patrzył na umięśnioną kobietę siedzącą z nim przy stoliku. Siedzieli w ogródku kawiarnianym przy Norr Mälarstrand i pili kawę. Był piątek, dwudziestego maja, w powietrzu wyczuwało się ciepło lata. O piątej przechwyciła go w drodze do domu. Wylegitymowała się jako Monika Figuerola z RPS/Säk i zaproponowała rozmowę w cztery oczy przy filiżance kawy.

Bublanski początkowo odnosił się do niej z niechęcią. Był nieuprzejmy. Po chwili spojrzała mu prosto w oczy i powiedziała, że nie ma oficjalnego polecenia przesłuchania go i że oczywiście nie musi nic mówić, jeśli nie chce. Zapytał, o co jej chodzi, a ona otwarcie wyjaśniła, że szef polecił jej, by nieoficjalnie zorientowała się, co jest prawdą, a co fałszem w tak zwanej historii Zalachenki, nazywanej też historią Salander. Wyjaśniła także, że nie jest całkiem pewna, czy ma prawo zadawać mu pytania, i sam może zdecydować, co zrobić.

– Co pani chce wiedzieć? – zapytał wreszcie Bublanski.

– Proszę opowiedzieć, co pan wie o Lisbeth Salander, Mikaelu Blomkviście, Gunnarze Björcku i Aleksandrze Zalachence. Co powstaje z tych puzzli?

Potem rozmawiali ponad dwie godziny.

TORSTEN EDKLINTH zastanawiał się długo i głęboko, jak powinien postępować dalej. Po pięciu dniach śledztwa Monika Figuerola dostarczyła mu wiele wyraźnych wskazówek, że w RPS/Säk dzieje się coś podejrzanego. Zdawał

390

sobie sprawę, że zanim zbierze wystarczająco dużo dowodów, trzeba będzie działać ostrożnie. Znalazł się w pewnego rodzaju konstytucyjnej pułapce, ponieważ nie miał uprawnień do prowadzenia tajnych dochodzeń operacyjnych, zwłaszcza przeciwko kolegom.

Dlatego musiał znaleźć sposób na uprawomocnienie swoich poczynań. W sytuacji kryzysowej zawsze mógł zasłonić się legitymacją policyjną i powiedzieć, że obowiązkiem policjanta jest wyjaśnianie zbrodni w każdej sytuacji – lecz w tym przypadku zbrodnia była tak niesłychanie delikatnej natury, że gdyby zrobił fałszywy krok, prawdopodobnie zostałby wyrzucony z pracy. Cały piątek siedział samotnie w gabinecie i rozmyślał.

Ostatecznie doszedł do wniosku, że Dragan Armanski ma rację, jakkolwiek nieprawdopodobnie by to brzmiało. W łonie RPS/Säk zawiązano spisek. Kilka osób przekroczyło zakres swoich obowiązków lub działało obok niego. Ponieważ działalność ta trwała od wielu lat – co najmniej od roku 1976, kiedy Zalachenko przybył do Szwecji – musiała być zorganizowana i usankcjonowana odgórnie. Jak wysoko sięgał ten spisek, jeszcze nie wiedział.

Drukowanymi literami napisał w notatniku trzy nazwiska:

GÖRAN MÅRTENSSON, ochrona osobista. Inspektor
GUNNAR BJÖRCK, zast. szefa wydziału do spraw obcokrajowców. Nie żyje. (Samobójstwo?)
ALBERT SHENKE, szef kancelarii, RPS/Säk

Monika Figuerola sugerowała, że przynajmniej szef kancelarii musiał pociągać za sznurki, kiedy Mårtensson został przeniesiony z ochrony osobistej do kontrwywiadu, choć wcale się tam nie pojawił. Zajmował się przecież śledzeniem dziennikarza Mikaela Blomkvista, co wszak nie miało nic wspólnego z działalnością kontrwywiadu.

Do listy należało dopisać kolejne nazwiska, spoza RPS/Säk.

PETER TELEBORIAN, psychiatra
LARS FAULSSON, ślusarz

Teleborian współpracował z RPS/Säk. Zlecono mu konsultacje psychiatryczne w kilku przypadkach pod koniec lat osiemdziesiątych i na początku dziewięćdziesiątych. Dokładnie w trzech. Edklinth przejrzał raporty z archiwum. Pierwszy był sprawą nadzwyczajną: kontrwywiad zidentyfikował radzieckiego szpiega w szwedzkim przemyśle telekomunikacyjnym, a jego historia dawała podstawy do podejrzeń, że w przypadku zdemaskowania mógłby popełnić samobójstwo. Teleborian sporządził znakomitą analizę, z której wynikało, że informatora można zwerbować i zrobić z niego podwójnego agenta. Pozostałe przypadki dotyczyły spraw mniejszego kalibru. Raz chodziło o pracownika RPS/Säk z problemem alkoholowym, a innym razem o dziwne zachowania seksualne dyplomaty z pewnego afrykańskiego kraju.

Ale Teleborian i Faulsson – zwłaszcza Faulsson – nie mieli etatu w RPS/Säk. A mimo to poprzez zlecenia byli powiązani z... z czym?

Spisek wyraźnie dotyczył nieżyjącego Aleksandra Zalachenki, radzieckiego agenta GRU, który porzucił służbę i rzekomo przybył do Szwecji w dniu wyborów w 1976 roku. O którym nikt nic nie słyszał. *Jak to możliwe?*

Edklinth próbował sobie wyobrazić, co mogłoby się stać, gdyby sam piastował kierownicze stanowisko w RPS/Säk w czasie, kiedy w Szwecji pojawił się Zalachenko. Jak by się wtedy zachował? Wszystko ściśle tajne. To było konieczne. O ucieczce szpiega mogło wiedzieć tylko niewielkie grono wybranych ludzi, jeśli chciało się wyeliminować ryzyko, że informacja o jego dalszych losach przedostanie się znów do Rosjan i... Ale jak małe grono?

Wydział operacyjny?

Nieznany wydział operacyjny?

Gdyby wszystko odbywało się zgodnie z regułami, Zalachenko wylądowałby w kontrwywiadzie. Najbardziej odpowiednim miejscem była wojskowa służba informacyjna, ale ci nie mieli środków ani kompetencji, żeby prowadzić działalność operacyjną takiego rodzaju. A więc Säk.

A w kontrwywiadzie Zalachenko nigdy nie był. Kluczem był tu Björck; najwyraźniej to on odpowiadał za Zalachenkę. Tylko że Björck nie miał nic wspólnego z kontrwywiadem. Był tajemniczą postacią. Formalnie od lat siedemdziesiątych miał etat w wydziale do spraw obcokrajowców, ale prawie nigdy go tam nie widywano. Pojawił się tam dopiero w latach dziewięćdziesiątych, kiedy nagle został zastępcą szefa.

A mimo to był głównym źródłem informacji Blomkvista. Jak Blomkvistowi udało się namówić Björcka do ujawnienia tak wybuchowego materiału? I to dziennikarzowi?

Kurwy. Björck odwiedzał młodociane prostytutki, a „Millennium" zamierzało to ujawnić. Blomkvist na pewno szantażował Björcka.

Potem na scenie pojawiła się Salander.

Nieżyjący adwokat Bjurman pracował w wydziale obcokrajowców w tym samym czasie co nieżyjący Björck. To oni zaopiekowali się Zalachenką. Ale co z nim zrobili?

Ktoś musiał podejmować decyzje. W przypadku zbiegłego szpiega o takim znaczeniu na pewno sama góra.

Rząd. To rząd musiał je podejmować. Inne możliwości były wykluczone.

Czyż nie?

Edklinth poczuł nieprzyjemny zimny dreszcz. Wszystko to od strony formalnej było zrozumiałe. Szpieg o znaczeniu Zalachenki musiał być tak tajny, jak tylko się dało. Sam też podjąłby taką decyzję. Taką decyzję na pewno podjął rząd Fälldina. To logiczne.

Ale to, co się stało w roku 1991, było bez sensu. Björck poprosił Petera Teleboriana, żeby mu pomógł zamknąć Lisbeth Salander w dziecięcym szpitalu psychiatrycznym pod pretekstem jej rzekomej choroby. To była zbrodnia. Zbrodnia tak wielka, że Edklinthowi znów zrobiło się zimno.

Ktoś musiał podejmować decyzje. W tym przypadku to po prostu nie mógł być rząd... Premierem był Ingvar Carlsson, po nim funkcję tę objął Carl Bild. Ale żaden polityk nie chciałby mieć nic wspólnego z taką decyzją. Była zaprzeczeniem wszelkiego prawa, wszelkiej sprawiedliwości. Gdyby sprawa kiedykolwiek wyszła na jaw, wybuchłby gigantyczny skandal.

Jeśli rząd był w to zamieszany, Szwecja nie jest ani odrobinę lepsza od pierwszej lepszej dyktatury.

To było niemożliwe.

A do tego jeszcze wydarzenia ze szpitala Sahlgrenska z dwunastego kwietnia. Śmierć Zalachenki – w bardzo dogodnym dla wszystkich momencie, z ręki psychicznie chorego pieniacza – a w tym samym czasie włamanie u Mikaela Blomkvista i napad na Annikę Giannini. W obu przypadkach dochodzi do kradzieży raportu Björcka z 1991 roku. Te informacje Dragan Armanski przekazał mu całkowicie *off the record*. Nie złożono doniesienia na policję.

A równocześnie Gunnar Björck zakłada sobie stryczek na szyję i się wiesza. Osoba, z którą Edklinth bardziej niż z kimkolwiek innym chciałby poważnie porozmawiać.

Torsten Edklinth nie wierzył w takie nagromadzenie przypadków. Inspektor Jan Bublanski też nie. Ani Mikael Blomkvist. Edklinth znów sięgnął po długopis.

EVERT GULLBERG, lat 78. Prawnik podatkowy???

Kim, do jasnej cholery, jest Evert Gullberg?

Zastanawiał się, czy nie zadzwonić do szefa RPS/Säk, ale powstrzymał się z tego prostego powodu, że nie wiedział, jak wysoko w organizacji sięgał spisek. Nie był pewien, na kim może polegać.

Po odrzuceniu tej ewentualności pomyślał o skontaktowaniu się z policją. Jan Bublanski dowodził śledztwem w sprawie Ronalda Niedermanna i w oczywisty sposób powinien być zainteresowany wszelkimi informacjami z nią związanymi. Ale z politycznego punktu widzenia to też było niemożliwe.

Edklinth czuł ciężar, jaki spoczywał na jego barkach.

W końcu została mu tylko jedna dopuszczalna konstytucyjnie możliwość, która zresztą gwarantowałaby mu pewną ochronę, gdyby miał w przyszłości popaść w niełaskę. Musi zwrócić się do szefa i zadbać o polityczne umocowanie tego, co zamierza zrobić.

Spojrzał na zegarek. Krótko przed czwartą, piątkowe popołudnie. Podniósł słuchawkę i zadzwonił do ministra sprawiedliwości. Znał go od wielu lat i spotykał przy różnych okazjach w departamencie. W ciągu pięciu minut minister był na linii.

– Witaj, Torstenie – ucieszył się. – Dawno się nie słyszeliśmy. O co chodzi?

– Szczerze mówiąc, dzwonię chyba po to, żeby sprawdzić, do jakiego stopnia darzysz mnie zaufaniem.

– Zaufanie. To interesująca kwestia. Jeśli o mnie chodzi, darzę cię dużym zaufaniem. A skąd to pytanie?

– Pytanie wynika z dramatycznej i nadzwyczajnej prośby... Muszę spotkać się z tobą i z premierem. Sprawa jest pilna.

– Rety.

– Wybacz, ale wolałbym poczekać z wyjaśnieniami do czasu, kiedy siądziemy do rozmowy w cztery oczy. Trafiłem na sprawę tak niebywałą, że uznałem, że trzeba o niej poinformować zarówno ciebie, jak i premiera.

– To brzmi poważnie.

– To jest poważne.

– Czy to ma coś wspólnego z terroryzmem i zagrożeniami...

– Nie, to coś poważniejszego. Dzwoniąc do ciebie z tą prośbą, ryzykuję całą karierę i dobrą opinię. Nie zaczynałbym tej rozmowy, gdybym nie uważał, że sytuacja jest naprawdę poważna i że jest to konieczne.

– Rozumiem. Dlatego pytałeś, czy ci ufam... Kiedy chcesz się spotkać?

– Jeszcze dziś wieczorem, jeśli to możliwe.

– Teraz się zaniepokoiłem.

– Niestety, masz ku temu powody.

– Jak długo to potrwa?

Edklinth zastanowił się chwilę.

– Omówienie wszystkich szczegółów powinno zająć około godziny.

– Dobrze. Oddzwonię za chwilę.

Zadzwonił po pięciu minutach i powiedział, że premier może go przyjąć w swoim mieszkaniu o dwudziestej pierwszej trzydzieści. Gdy Edklinth odkładał telefon, miał spocone ręce. *Okej... a więc jutro rano moja kariera może się skończyć.*

Znów podniósł słuchawkę i zadzwonił do Moniki Figueroli.

– Cześć, Moniko. Zgłoś się na służbę dziś o dziewiątej wieczorem. Nienagannie ubrana.

– Zawsze jestem nienagannie ubrana – odparła.

PREMIER PRZYGLĄDAŁ SIĘ szefowi ochrony konstytucji wzrokiem, który należałoby opisać jako nieufny. Edklinth miał wrażenie, że za okularami szefa rządu z ogromną prędkością wirują zębate kółka.

Następnie premier przeniósł wzrok na Monikę Figuerolę, która podczas godzinnej prezentacji nie odezwała się ani słowem. Zobaczył bardzo wysoką i umięśnioną kobietę, która odwzajemniła jego spojrzenie uprzejmie i z pewnym wyczekiwaniem w oczach. Potem zwrócił się do ministra sprawiedliwości, który w trakcie spotkania trochę pobladł.

W końcu wziął głęboki oddech, zdjął okulary i na dłuższą chwilę zapatrzył się gdzieś w dal.

– Sądzę, że potrzebujemy więcej kawy – odezwał się wreszcie.

– Tak, poproszę – odezwała się Monika Figuerola.

Edklinth skinął głową i premier nalał wszystkim kawy ze stojącego na stole termosu.

– Może jeszcze raz wszystko streszczę, żeby mieć absolutną pewność, że dobrze pana zrozumiałem – powiedział premier. – Podejrzewa pan, że w służbie bezpieczeństwa powstał spisek, że pewne osoby działają poza ramami konstytucyjnymi i przez wiele lat prowadziły działalność, którą można określić jako przestępczą.

Edklinth skinął głową.

– I przychodzi pan z tym do mnie, gdyż nie ma pan zaufania do kierownictwa służby bezpieczeństwa.

– Właściwie – zaczął Edklinth – zdecydowałem się zwrócić do pana premiera dlatego, że działalność tego rodzaju narusza konstytucję, ale nie znam celu tego spisku i niewykluczone jest, że niewłaściwie interpretuję pewne dane. Może ta działalność jest jednak legalna i usankcjonowana przez rząd. Wtedy ryzykowałbym podjęcie działań na podstawie błędnych lub fałszywie zinterpretowanych informacji i mógłbym przez nieostrożność ujawnić tajną operację.

Premier spojrzał na ministra sprawiedliwości. Obaj rozumieli, że Edklinth chce się zabezpieczyć.

– Nigdy nie słyszałem o czymś podobnym. Czy pan coś o tym wie?

– Absolutnie nic – zaprzeczył minister. – W żadnym z raportów Säpo, które widziałem, nie ma o czymś takim ani słowa.

– Mikael Blomkvist uważa, że w łonie Säpo istnieje wewnętrzna frakcja, którą nazywa Klubem Zalachenki.

– Nigdy nie słyszałem, żeby Szwecja przyjęła i utrzymywała zbiegłego radzieckiego szpiega tej rangi... Czyli przeszedł do nas za rządów Fälldina...

– Nie mogę uwierzyć, żeby Fälldin mógł ukrywać taką sprawę – powiedział minister sprawiedliwości. – Taki łup powinien być raczej priorytetem do przekazania kolejnemu rządowi.

Edklinth odchrząknął.

– Rząd konserwatywny ustąpił Olofowi Palmemu. Nie jest żadną tajemnicą, że niektórzy z moich poprzedników w RPS/Säk mieli o nim dość specyficzne mniemanie.

– Chce pan powiedzieć, że ktoś zapomniał poinformować rząd socjaldemokratów...

Edklinth potwierdził skinieniem.

– Przypominam, że Fälldin rządził przez dwie kadencje. Oba gabinety się rozpadły. Za pierwszym razem przekazał rządy Oli Ullstenowi, który w 1979 roku utworzył rząd mniejszościowy. Potem rząd upadł drugi raz, kiedy wystąpili z niego moderaci, a Fälldin rządził do spółki z liberałami. Można się domyślać, że w okresach przejściowych kancelaria premiera pogrążała się w chaosie. Możliwe nawet, że ta sprawa była utrzymywana w tak ścisłej tajemnicy, że premier Fälldin nawet o niej nie wiedział i dlatego nie miał nic do przekazania Palmemu.

– Kto w takim razie za to odpowiada? – zapytał premier.

Wszyscy oprócz Moniki Figueroli potrząsnęli głowami.

– Zakładam, że ta sprawa nieuchronnie przeniknie do mediów – powiedział premier.

– Mikael Blomkvist i jego „Millennium" zamierzają to opublikować. Innymi słowy, stawiają nas w sytuacji przymusowej.

Edklinth świadomie użył liczby mnogiej, mówiąc nas. Szef rządu skinął głową. Rozumiał powagę sytuacji.

– W takim razie chciałbym najpierw panu podziękować, że tak szybko poinformował mnie pan o tej sprawie. Nie mam w zwyczaju brać udziału w naprędce zwołanych zebraniach, ale minister sprawiedliwości zapewnił mnie, że jest pan rozsądnym człowiekiem i musiało się zdarzyć coś nadzwyczajnego, skoro chce pan rozmawiać ze mną poza oficjalnymi kanałami.

Edklinth odetchnął z pewną ulgą. Niezależnie od tego, co się stanie, nie dotknie go niełaska premiera.

– Teraz musimy zdecydować, co w tej sytuacji zrobić. Czy ma pan jakieś propozycje?

– Być może – odpowiedział Edklinth niepewnym głosem. Potem nie odzywał się tak długo, że Monika Figuerola odchrząknęła i zapytała:

– Czy mogę coś powiedzieć?

– Proszę bardzo – odrzekł premier.

– Jeśli jest tak, że rząd nie wie o tej operacji, to znaczy, że jest bezprawna. Odpowiedzialny w takich przypadkach jest przestępca, czyli ten urzędnik lub ci urzędnicy państwowi, którzy przekroczyli swoje uprawnienia. Jeżeli uda nam się potwierdzić wszystko, co mówi Mikael Blomkvist, będzie to oznaczało, że grupa osób zatrudnionych w Säk zajmowała się działalnością przestępczą. Ten problem dzieli się jeszcze na dwie części.

– Co pani ma na myśli?

– Po pierwsze, trzeba odpowiedzieć na pytanie: jak mogło do tego dojść? Kto ponosi odpowiedzialność? Jak taki spisek mógł powstać w istniejącej od dawna organizacji policyjnej? Chciałabym przypomnieć, że sama pracuję w RPS/Säk i jestem z tego dumna. Jak to możliwe, żeby to trwało tak długo? Jak udawało się ukrywać tę działalność i jak ją finansowano?

Premier kiwnął głową.

– Jeśli o to chodzi, to będzie się jeszcze pisało książki o tej sprawie – mówiła dalej Monika Figuerola. – Ale jedno jest pewne: ktoś musi to finansować i na pewno chodzi o wiele milionów koron rocznie. Przeglądałam budżet służb bezpieczeństwa i nie znalazłam niczego, co można by połączyć z Klubem Zalachenki. Ale jak pan wie, istnieje mnóstwo ukrytych funduszy, w które wgląd mają szef kancelarii i dyrektor finansowy. Do nich nie mogę dotrzeć.

Premier skinął głową z ponurą miną. Dlaczego zarządzanie Säpo zawsze musi być takim koszmarem?

– Druga rzecz to kwestia, kto jest w to zamieszany. Albo inaczej: kto dokładnie powinien zostać aresztowany.

Premier wydął wargi.

– Z mojego punktu widzenia odpowiedzi na wszystkie te pytania zależą od tego, jaką decyzję pan podejmie, panie premierze, w ciągu najbliższych minut.

Torsten Edklinth wstrzymał oddech. Gdyby mógł kopnąć Monikę Figuerolę w kostkę, zrobiłby to bez wahania. Nagle ucięła całą retorykę i stwierdziła, że premier ponosi osobistą odpowiedzialność. Sam też zamierzał dojść do takiej konkluzji, ale dopiero po długich dyplomatycznych podchodach.

– A jaką decyzję pani zdaniem powinienem podjąć? – zapytał premier.

– My uważamy, że łączy nas wspólny interes. Pracuję w ochronie konstytucji od trzech lat i uważam, że jest to zadanie o ogromnym znaczeniu dla szwedzkiej demokracji. Policja bezpieczeństwa przez ostatnie lata zachowywała się jak należy. Oczywiście nie chcę, żeby skandal dotknął RPS/Säk. Dla nas najważniejsze jest podkreślanie, że chodzi o działalność przestępczą, prowadzoną przez pojedyncze osoby.

– Działalność tego rodzaju na pewno nie jest sankcjonowana przez rząd – powiedział minister sprawiedliwości.

Monika Figuerola skinęła głową i zastanawiała się przez chwilę.

– Dla pana, jak zakładam, ważne jest, żeby skandal nie odbił się na rządzie. A stałoby się tak, gdyby rząd próbował zatuszować tę historię – mówiła dalej.

– Rząd nie zajmuje się tuszowaniem działalności przestępczej – wyjaśnił minister sprawiedliwości.

– Nie, ale załóżmy, że próbowałby to robić. Wtedy będziemy mieć do czynienia ze skandalem niebywałych rozmiarów.

– Proszę mówić dalej – powiedział premier.

– Sytuację dodatkowo komplikuje to, że w ochronie konstytucji jesteśmy zmuszeni prowadzić działalność niezgodną z regulaminem, żeby wyjaśnić tę historię. Chcielibyśmy więc, aby mogło się to odbywać legalnie i zgodnie z konstytucją.

– Tego chcemy wszyscy – wtrącił premier.

– W takim razie chciałabym zaproponować, żeby pan premier, korzystając ze swoich uprawnień, zlecił ochronie konstytucji rozwikłanie tej zagadki. Proszę nam dać pisemne polecenie i potrzebne uprawnienia.

– Nie jestem pewien, czy to, co pani proponuje, jest zgodne z prawem – powiedział minister sprawiedliwości.

– Ależ tak. Jest zgodne z prawem. Rząd ma prawo poczynić daleko idące kroki w przypadku zagrożenia konstytucji przez nielegalne działania. Jeśli grupa wojskowych albo policjantów prowadzi politykę zagraniczną na własną rękę, to tak, jakby doszło do zamachu stanu.

– Politykę zagraniczną? – powtórzył minister.

Premier znienacka pokiwał głową.

– Zalachenko był zbiegiem z innego mocarstwa – wyjaśniła Monika Figuerola. – Informacje, których dostarczał swoim opiekunom, były przekazywane, jak twierdzi Mikael Blomkvist, służbom wywiadowczym innych krajów. Jeśli rząd nie był o tym poinformowany, to był to zamach stanu.

– Rozumiem tok pani rozumowania – powiedział premier. – A teraz proszę posłuchać mnie.

Premier wstał i przeszedł się dookoła stołu. Wreszcie zatrzymał się przed Torstenem Edklinthem.

– Ma pan zdolną współpracownicę. W dodatku nie owija w bawełnę.

Edklinth przełknął ślinę i skinął głową. Potem premier zwrócił się do ministra sprawiedliwości:

– Niech pan zadzwoni do swojego sekretarza stanu i dyrektora prawnego. Jutro rano chcę mieć dokument przyznający ochronie konstytucji nadzwyczajne uprawnienia do wyjaśnienia tej afery. Zlecenie obejmuje określenie stopnia prawdziwości omawianych tu twierdzeń, zebranie dokumentów o ich zasięgu oraz zidentyfikowanie osób, które są odpowiedzialne lub zamieszane w tę działalność.

Edklinth skinął głową.

– Dokument nie może stwierdzać, że prowadzi pan postępowanie przygotowawcze. Mogę się mylić, ale wydaje mi się, że tylko prokurator generalny może wyznaczyć kogoś do takiego postępowania. Ale mogę panu zlecić jednoosobowe śledztwo. Będzie pan więc w pewnym sensie pełnił funkcję komisji specjalnej. Rozumie pan?

– Tak. Chciałbym tylko przypomnieć, że sam byłem kiedyś prokuratorem.

– Hmm... Poprosimy dyrektora prawnego, żeby na to spojrzał i rozważył, co będzie najlepsze od strony formalnej. W każdym razie pan jeden jest odpowiedzialny za to śledztwo. Może pan dobierać sobie pracowników, jakich pan potrzebuje. Jeśli znajdzie pan jakieś dowody na działalność przestępczą, powinien je pan przedstawić prokuratorowi generalnemu, który zadecyduje o postawieniu w stan oskarżenia.

– Muszę jeszcze to sprawdzić, ale wydaje mi się, że musimy poinformować szefa parlamentu i komisję konstytucyjną... To się szybko rozejdzie – powiedział minister sprawiedliwości.

– To znaczy, że musimy działać szybko – stwierdził premier.

– Hmm... – mruknęła Monika Figuerola.

– Słucham? – zapytał premier.

– Pozostają dwa problemy... Po pierwsze, publikacja w „Millennium" może kolidować z naszym śledztwem, a po drugie, proces przeciwko Lisbeth Salander zaczyna się już za kilka tygodni.

– Czy możemy się dowiedzieć, kiedy „Millennium" chce wypuścić swoje materiały?

– Możemy najwyżej zapytać – odparł Torsten Edklinth.

– Absolutnie ostatnią rzeczą, jaką chcemy robić, jest wtrącanie się w działania mediów.

– Jeśli chodzi o tę dziewczynę, Salander... – zaczął minister sprawiedliwości. Urwał i zamyślił się na chwilę. – To byłoby straszne, gdyby rzeczywiście spotkało ją to, co twierdzą w „Millennium"... Czy to naprawdę możliwe?

– Obawiam się, że tak – stwierdził Torsten Edklinth.

– W takim razie musimy dopilnować, żeby otrzymała zadośćuczynienie, a przede wszystkim żeby znów nie była narażona na takie bezprawie – powiedział premier.

– A jak mamy to zrobić? – zapytał minister sprawiedliwości. – Rząd w żadnym wypadku nie może wpływać na proces sądowy. To byłoby złamanie prawa.

– Czy nie możemy porozmawiać z prokuratorem...

– Nie – przerwał Edklinth. – Jako premier w żaden sposób nie może pan wpływać na działalność sądów.

– Innymi słowy, Salander musi rozegrać swój mecz przed sądem – wyjaśnił minister sprawiedliwości. – Dopiero jeśli przegra proces i zaskarży wyrok, rząd może wkroczyć i ułaskawić ją lub zlecić prokuratorowi generalnemu zbadanie, czy istnieją podstawy do wznowienia procesu.

Potem dodał jeszcze jedno:

– Ale taka możliwość istnieje tylko w przypadku, kiedy otrzyma karę więzienia. Jeśli sąd wyśle ją do zakładu zamkniętego, rząd nie będzie w stanie nic zrobić. To kwestia natury medycznej, a premier nie posiada kompetencji, by stwierdzić, czy jest zdrowa, czy nie.

W PIĄTEK O DZIESIĄTEJ WIECZOREM Lisbeth Salander usłyszała chrobot klucza w zamku. Błyskawicznie wyłączyła palmtopa i wsunęła go pod poduszkę. Kiedy podniosła wzrok, zobaczyła Andersa Jonassona zamykającego za sobą drzwi.

– Dobry wieczór, panno Salander. Jak się pani dziś czuje?

– Mam potworne bóle głowy i chyba temperaturę – odparła Lisbeth.

– To niedobrze.

403

Lisbeth Salander nie wyglądała na szczególnie obolałą ani rozpaloną. Doktor Anders Jonasson badał ją dziesięć minut. Stwierdził, że w godzinach wieczornych temperatura znacznie wzrosła.

– To przykre, że coś takiego się zdarzyło. W ostatnich tygodniach robiła pani takie postępy. Teraz niestety nie mogę wypuścić pani ze szpitala przez co najmniej dwa tygodnie.

– Dwa tygodnie powinny wystarczyć.

Posłał jej długie spojrzenie.

ODLEGŁOŚĆ MIĘDZY Londynem i Sztokholmem drogą lądową wynosi z grubsza tysiąc osiemset kilometrów. Teoretycznie można ją pokonać w ciągu dwudziestu godzin. Tymczasem około dwudziestu godzin zajęło samo dotarcie do granicy niemiecko-duńskiej. Był poniedziałek. Niebo zasnuły ołowiane burzowe chmury. Gdy Trinity stał na środku mostu nad Sundem, zaczął lać rzęsisty deszcz. Zwolnił trochę i włączył wycieraczki.

Trinity uważał, że podróżowanie samochodem po Europie to koszmar, ponieważ cały kontynent upiera się przy jeżdżeniu złą stroną drogi. W sobotę rano zapakował furgonetkę i wsiadł na prom między Dover i Calais, a potem przejechał Belgię drogą przez Liège. Niemiecką granicę przekroczył w pobliżu Aachen, a potem pojechał autostradą na północ, do Hamburga i dalej do Danii.

Jego towarzysz Bob the Dog drzemał na tylnym siedzeniu. Zmieniali się za kierownicą. Zrobili tylko kilka godzinnych postojów w przydrożnych barach, poza tym stale utrzymywali prędkość około dziewięćdziesięciu kilometrów na godzinę. Furgonetka miała osiemnaście lat i nie była w stanie rozwijać większych prędkości.

Istniały prostsze sposoby podróżowania między Londynem i Sztokholmem, ale niestety raczej niemożliwe byłoby przewiezienie ponad trzydziestu kilogramów sprzętu elektronicznego zwykłym rejsowym samolotem. Choć przekroczyli sześć granic, ani razu nie zostali zatrzymani przez celnika czy kontrolę paszportową. Trinity był gorącym zwolennikiem Unii Europejskiej. Unijne reguły ułatwiały mu wizyty na kontynencie.

Urodził się trzydzieści dwa lata wcześniej w Bradford, ale od dzieciństwa mieszkał w północnym Londynie. Formalnie miał kiepskie wykształcenie, skończył szkołę zawodową i miał papiery technika telekomunikacji. Zresztą po ukończeniu dziewiętnastego roku życia przepracował trzy lata jako instalator w British Telecom.

W rzeczywistości miał ogromną teoretyczną wiedzę z dziedziny elektroniki i informatyki i był w stanie pobić na tym polu wielu nadętych profesorów. Od dziesiątego roku życia zajmował się komputerami. Kiedy miał lat trzynaście, pierwszy raz włamał się do innego komputera. Spodobało mu się to tak bardzo, że w wieku szesnastu lat mógł już konkurować z najlepszymi na świecie. Był taki okres w jego życiu, kiedy każdą wolną minutę spędzał przed komputerem. Pisał własne programy komputerowe i umieszczał zdradzieckie pułapki w sieci. Zakradł się do BBC, do brytyjskiego departamentu obrony i do Scotland Yardu. Udało mu się nawet chwilowo objąć dowodzenie na brytyjskiej atomowej łodzi podwodnej na Morzu Północnym. Na szczęście należał raczej do ciekawskich niż do złośliwych figlarzy komputerowych. Jego zainteresowanie gasło w momencie, gdy udawało mu się wejść do komputera i poznać jego tajemnice. Czasami pozwalał sobie na jakiś *practical joke*. Na przykład kiedy kapitan łodzi podwodnej chciał sprawdzić położenie, komputer polecił mu, żeby podtarł sobie tyłek. Ten żart spowodował zwołanie kilku kryzysowych narad w Ministerstwie Obrony, więc Trinity zrozumiał, że może lepiej nie chwalić się swoimi talentami, jeśli państwo nie żartuje, grożąc hakerom wieloletnim więzieniem.

Został technikiem telekomunikacji, bo i tak już wiedział, jak działa sieć telefoniczna. A ponieważ jego zdaniem była beznadziejnie przestarzała, zmienił działkę i został prywatnym konsultantem do spraw zabezpieczeń. Instalował alarmy i systemy antywłamaniowe. Wybranym klientom oferował także takie usługi, jak podgląd i podsłuchy telefoniczne.

Był jednym z założycieli Hacker Republic. A Wasp jednym z obywateli.

W niedzielę o wpół do ósmej wieczorem Trinity i Bob the Dog zbliżali się do Sztokholmu. Kiedy przejeżdżali obok Ikei w Skärholmen, Trinity otworzył komórkę i wybrał z pamięci numer.

– Plague – powiedział.

– Gdzie jesteście?

– Mówiłeś, że mam dzwonić, gdy miniemy Ikeę.

Plague poprowadził ich do schroniska na Långholmen, gdzie zarezerwował dla nich pokoje. Ponieważ sam prawie nie wychodził z domu, umówili się u niego następnego dnia o dziesiątej rano.

Po chwili namysłu Plague stwierdził, że powinien się jednak trochę postarać i pozmywać, może też umyć podłogi i wywietrzyć mieszkanie, zanim zjawią się goście.

Część 3

Disc Crash

27 maja – 6 czerwca

Żyjący w II wieku przed naszą erą historyk Diodor Sycylijski (którego część innych historyków uważa za źródło niewiarygodne) opisuje Amazonki z Libii. W tamtych czasach Libią nazywano całą Afrykę Północną na zachód od Egiptu. Owo państwo Amazonek było gynokracją, czyli wyłącznie kobiety mogły sprawować funkcje publiczne, z wojskowymi włącznie. Jak podają legendy, państwem rządziła królowa Myrina. Na czele trzydziestu tysięcy kobiet żołnierzy i trzytysięcznej kobiecej kawalerii przeszła Egipt i Syrię, dotarła aż do Morza Egejskiego, podbijając po drodze kilka armii złożonych z mężczyzn. Po śmierci królowej Myriny jej wojsko uległo rozproszeniu.

Lecz jej armia wywarła wpływ na cały region. Kobiety z Anatolii chwyciły za broń, żeby przeciwstawić się inwazji z Kaukazu, po tym jak mężczyźni zostali wybici w wyniku ludobójstwa. Kobiety owe ćwiczyły posługiwanie się wszelkimi rodzajami broni: łukiem, oszczepem, toporem i lancą. Kopiowały kolczugi z brązu, jakie nosili Grecy.

Odrzucały małżeństwo jako podporządkowanie kobiety. Żeby płodzić dzieci, były zwalniane ze służby. W tym czasie odbywały stosunki z przypadkowo wybranymi mężczyznami z pobliskich wiosek. Jedynie kobieta, która w walce zabiła mężczyznę, mogła stracić cnotę.

Rozdział 16
Piątek 27 maja – wtorek 31 maja

W PIĄTEK MIKAEL BLOMKVIST wyszedł z redakcji „Millennium" o wpół do jedenastej wieczorem. Zszedł na parter, ale zamiast wyjść z klatki schodowej na ulicę, skręcił w lewo i przez suterenę wydostał się na dziedziniec wewnętrzny, a potem przez sąsiednią posesję na Hökens gata. Minął grupkę młodzieży wracającej z Mosebacke. Nikt nie zwracał na niego uwagi. Jeśli ktoś go obserwował, miał pomyśleć, że nocuje w redakcji. Wypracował ten system już w kwietniu. Tymczasem dziś dyżur nocny w redakcji pełnił Christer Malm.

Przez piętnaście minut krążył po wąskich uliczkach i alejkach wokół Mosebacke, by potem ruszyć w stronę Fiskarsgatan 9. Wstukał kod do bramy i po schodach wszedł na ostatnie piętro. Kluczami Lisbeth Salander otworzył drzwi do jej mieszkania. Wyłączył alarm. Ilekroć wchodził do tego mieszkania, składającego się z dwudziestu jeden pokoi, z czego umeblowane były trzy, zawsze czuł się tak samo zagubiony.

Zaczął od zaparzenia kawy i przygotowania kanapek. Potem poszedł do gabinetu Lisbeth Salander i włączył jej PowerBooka.

Od czasu kiedy w połowie kwietnia skradziono mu raport Björcka i zrozumiał, że jest obserwowany, w mieszkaniu Lisbeth urządził swoją prywatną kwaterę główną. Przewiózł tu wszystkie ważne materiały. Kilka nocy w tygodniu spędzał w jej mieszkaniu, spał w jej łóżku i pracował na jej komputerze. Przed wyjazdem do Gossebergi na rozprawę z Zalachenką Lisbeth wyczyściła twardy dysk ze wszystkich informacji. Mikael domyślił się, że raczej nie zamierzała wracać. Za pomocą jej płyt instalacyjnych przywrócił komputer do stanu używalności.

Od kwietnia nawet nie podłączał swojego komputera do sieci. Zalogował się na łączu szerokopasmowym Lisbeth, uruchomił ICQ i wywołał adres, który założyła dla niego i przesłała przez grupę Yahoo [Szalony_Stół].

<Cześć, Sally>.

<Opowiadaj>.

<Przerobiłem te dwa rozdziały, o których rozmawialiśmy w tym tygodniu. Nowa wersja jest na Yahoo. A tobie jak idzie?>.

<Skończyłam siedemnaście stron. Wysyłam je w tej chwili na Szalony Stół>.

Pling.

<Okej. Mam. Poczytam, a potem pogadamy>.

<Mam coś jeszcze>.

<Co?>.

<Stworzyłam jeszcze jedną grupę na Yahoo. Nazywa się Rycerze>

Mikael uśmiechnął się.

<Okej. Rycerze Szalonego Stołu>.

<Hasło yacarana12>.

<Okej>.

<Czterech członków. Ty, ja, Plague i Trinity>.

<Twoi tajemniczy kumple z sieci>.

<Zasłona>.

<Okej>.

<Plague skopiował informacje z dysku prokuratora Ekströma. Włamaliśmy się do niego w kwietniu>.

<Okej>

<Jeśli stracę palma, on będzie cię informował na bieżąco>.

<Świetnie. Dzięki>.

Mikael wyłączył ICQ i wszedł na nowo utworzoną grupę Rycerze. Znalazł tam link od Plague'a do anonimowego adresu http, składającego się z samych cyfr. Skopiował adres do Explorera, nacisnął enter i znalazł się na stronie zawierającej szesnaście gigabajtów z twardego dysku prokuratora Richarda Ekströma.

Plague najwyraźniej ułatwił sobie sprawę, kopiując cały dysk. Mikael poświęcił ponad godzinę na sortowanie jego zawartości. Odrzucił pliki systemowe, programy i ogromną liczbę postępowań z wielu lat. W końcu ściągnął cztery foldery. Nosiły nazwy PostPrzyg/Salander, Odpady/Salander oraz PostPrzyg/Niedermann. Czwarty folder zawierał skopiowaną pocztę elektroniczną prokuratora Ekströma do godziny czternastej poprzedniego dnia.

– Dzięki, Plague – powiedział Mikael Blomkvist do siebie.

Trzy godziny zajęło mu przeczytanie materiałów z postępowania przygotowawczego Ekströma i strategii przeciwko Lisbeth Salander. Nie był zaskoczony tym, że duże znaczenie przypisywał jej zdrowiu psychicznemu. Zażądał badania psychiatrycznego i wysłał masę maili, nalegając na jak najszybsze przewiezienie jej do aresztu w Kronobergu.

Mikael stwierdził, że poszukiwania Niedermanna utknęły w martwym punkcie. Bublanski nadzorował śledztwo. Najwyraźniej udało mu się zdobyć dowody obciążające Niedermanna w sprawie morderstwa Daga Svenssona i Mii Bergman, jak również Bjurmana. Mikael sam podczas trzech długich przesłuchań dostarczył znaczną część tych dowodów i jeśli Niedermann kiedykolwiek zostanie ujęty, będzie musiał zeznawać w sądzie. Udało się wreszcie porównać DNA uzyskane z kilku kropli potu i dwóch włosów z mieszkania Bjurmana z próbkami znalezionymi w pokoju Niedermanna w Gosseberdze. To samo DNA w znacznych ilościach znajdowało się także na ciele eksperta finansowego Svavelsjö MC Viktora Göranssona.

W komputerze Ekströma było za to zadziwiająco mało informacji o Zalachence.

Mikael zapalił papierosa, stanął przy oknie i popatrzył na Djurgården.

Ekström prowadził obecnie dwa postępowania, wydzielone z jednego. Inspektor Hans Faste kierował śledztwem we wszystkich sprawach związanych z Lisbeth Salander. Bublanski zajmował się jedynie Niedermannem.

Kiedy w postępowaniu pojawiło się nazwisko Zalachenko, Ekström powinien był skontaktować się z dyrektorem generalnym służby bezpieczeństwa i dopytać, kim właściwie jest Zalachenko. Ale Mikael niczego takiego nie znalazł ani w mailach Ekströma, ani w dzienniku, ani w notatkach. Równocześnie oczywiste było, że prokurator posiada pewne informacje na temat Zalachenki. W jego notatkach Mikael znalazł wiele zagadkowych sformułowań.

Raport o Salander jest sfałszowany. Oryginał Björcka nie zgadza się z wersją Blomkvista. Ściśle tajne.

Hmmm. Potem szereg zapisków o tym, że Lisbeth Salander ma schizofrenię paranoidalną.

Przymusowe zamknięcie jej w klinice w 1991 roku było słuszne.

To, co łączyło raporty, Mikael znalazł w folderze Salander Odpady. Były tam informacje, które prokurator ocenił jako nieistotne dla postępowania i których nie zamierzał przedstawiać przed sądem ani włączać do dowodów przeciwko niej. Czyli prawie wszystko, co wiązało się z przeszłością Zalachenki.

Dochodzenie było całkowicie nieprzekonujące.

Mikael był ciekaw, co było w nim kwestią przypadku, a co zostało zaaranżowane. Gdzie przebiegała granica? I czy Ekström był świadom istnienia tej granicy?

A może ktoś świadomie podsuwał Ekströmowi wiarygodnie wyglądające, lecz błędne informacje?

Na koniec Mikael wszedł na hotmail. Przez dziesięć minut sprawdzał kilka założonych przez siebie anonimowych kont. Codziennie sprawdzał adres, który dał Sonji Modig. Nie miał szczególnej nadziei, że się kiedykolwiek odezwie. Dlatego mocno się zdziwił, kiedy otworzył skrzynkę i znalazł mail od wpodrozy9kwie@hotmail.com. Wiadomość składała się z jednej linijki:

[Cafe Madeleine, na piętrze, g. 11 sobota]

Mikael Blomkvist pokiwał w zamyśleniu głową.

PLAGUE WYWOŁAŁ Lisbeth Salander około północy, przerywając jej w pół zdania. Właśnie opisywała okres swojego życia, kiedy jej opiekunem prawnym był Holger Palmgren. Spojrzała z irytacją na wyświetlacz.

<Czego chcesz?>.
<Cześć, Wasp, też się cieszę, że cię słyszę>.
<No dobra. Co tam?>.
<Teleborian>.

Usiadła wyprostowana na łóżku i w napięciu spojrzała na ekran palmtopa.

<Opowiadaj>.
<Trinity załatwił to ekspresowo szybko>.
<Jak?>.
<Doktor od czubków nie siedzi na tyłku. Ciągle jeździ między Sztokholmem i Uppsalą i nie możemy zrobić *hostile takeover*>.
<Wiem. Jak?>.
<Gra w tenisa dwa razy w tygodniu. Ponad dwie godziny. Zostawił komputer w aucie w garażu>.
<Aha>.
<Trinity bez problemu wyłączył alarm i zabrał komputer. Wystarczyło trzydzieści minut, żeby wszystko skopiować przez Firewire i zainstalować Asphyxię>.

<Gdzie?>.

Plague podał jej adres serwera, na którym znajdowała się kopia twardego dysku doktora Petera Teleboriana.

<Jak powiedział Trinity... *This is some nasty shit*>.

<?>.

<Sprawdź jego dysk>.

Lisbeth rozłączyła się i weszła na serwer, którego adres dostała od Plague'a. Przez następne trzy godziny przeglądała folder za folderem.

Znalazła korespondencję między doktorem i osobą, która z adresu na hotmailu wysyłała zaszyfrowane wiadomości. Miała dostęp do klucza PGP Teleboriana, więc bez problemu mogła odczytywać wiadomości. Tamten miał na imię Jonas, nazwiska nie było. Jonas i Teleborian żywili niezdrowe zainteresowanie kiepskim stanem zdrowia Lisbeth Salander.

Yes... możemy udowodnić, że był spisek.

Ale tym, co naprawdę zainteresowało Lisbeth Salander, było czterdzieści siedem folderów zawierających osiem tysięcy siedemset pięćdziesiąt sześć zdjęć z twardą pornografią dziecięcą. Otwierała jedno za drugim. Przedstawiały dzieci w wieku od mniej więcej piętnastu lat w dół. Na niektórych były naprawdę małe dzieci. Przeważnie dziewczynki. Część miała charakter sadystyczny.

Znalazła linki do co najmniej tuzina osób z kilku krajów, które wymieniały między sobą dziecięcą pornografię.

Przygryzła wargę. Poza tym jej twarz była całkowicie pozbawiona wyrazu.

Pamiętała noce, kiedy jako dwunastolatka leżała przypięta pasami do łóżka, pozbawiona wszelkich bodźców, w pustym pokoju w Klinice św. Stefana. Teleborian wiele razy przychodził do niej w nocy i przyglądał się jej w świetle lampki.

Wiedziała. Nigdy jej nie dotknął, ale ona zawsze to wiedziała.

Sklęła samą siebie. Powinna rozprawić się z Teleboria-nem wiele lat temu. Ale wyparła go z pamięci. Nie chciała wiedzieć, że istnieje.

Pozwoliła mu robić swoje.

Po chwili wysłała sygnał Mikaelowi Blomkvistowi na ICQ.

MIKAEL BLOMKVIST spędził noc w mieszkaniu Salan-der na Fiskargatan. Dopiero o wpół do siódmej rano wy-łączył komputer. Zasnął z obrazami pornografii dziecięcej pod powiekami. Obudził się piętnaście po dziesiątej. Wy-skoczył z łóżka Lisbeth, wziął prysznic i zamówił taksówkę. Miała czekać na niego przed Södra Teatern. Za pięć jede-nasta wysiadł na Birger Jarlsgatan i poszedł pieszo do Café Madeleine.

Sonja Modig czekała na niego nad filiżanką czarnej kawy.

– Dzień dobry – przywitał się Mikael.

– Dużo ryzykuję, przychodząc tutaj – powiedziała bez powitania. – Jeśli kiedykolwiek wyjdzie na jaw, że się z pa-nem spotykałam, zostanę wyrzucona z pracy. I mogą mi po-stawić zarzuty.

– Ode mnie nikt się nie dowie.

Wyglądała na zestresowaną.

– Mój kolega z pracy odwiedził niedawno byłego pre-miera Thorbjörna Fälldina. Pojechał tam prywatnie. Jego kariera też wisi na włosku.

– Rozumiem.

– Oczekuję, że pozostaniemy anonimowi, on i ja.

– Nawet nie wiem, o którym koledze pani mówi.

– Dojdę do tego. Chcę, żeby nam pan obiecał ochronę źródła.

– Ma pani moje słowo.

Zerknęła na zegarek.

– Śpieszy się pani?

– Tak. Za dziesięć minut jestem umówiona z mężem i dziećmi w Sturegallerian. Mój mąż myśli, że jestem w pracy.

– A Bublanski nie ma o tym pojęcia.

– Tak jest.

– Okej. Pani i pani kolega jako informatorzy macie zapewnioną całkowitą gwarancję anonimowości. Do grobowej deski.

– Mój kolega to Jerker Holmberg. Spotkał go pan w Göteborgu. Jego ojciec należy do partii Centrum i Jerker zna Fälldina od dziecka. Pojechał z prywatną wizytą i zapytał go o Zalachenkę.

– Rozumiem.

Nagle serce Mikaela zabiło mocniej.

– Fälldin wygląda na porządnego człowieka. Holmberg opowiedział mu o Zalachence i poprosił, żeby Fälldin powiedział, co o nim wie. Fälldin nie powiedział nic. Wtedy Holmberg wspomniał o naszych podejrzeniach, że Lisbeth Salander została zamknięta w psychiatryku przez ludzi chcących chronić Zalachenkę. Fälldin był strasznie oburzony.

– Rozumiem.

– Powiedział, że ówczesny szef Säpo z kimś jeszcze odwiedzili go krótko po tym, jak został premierem. Przedstawili mu niesamowitą szpiegowską historię o radzieckim agencie, który uciekł do Szwecji. Usłyszał, że to najpilniej strzeżona tajemnica wojskowa Szwecji. W historii szwedzkiej obronności nie było dotychczas niczego o porównywalnym znaczeniu.

– Rozumiem.

– Fälldin mówił, że nie miał pojęcia, co zrobić z tą sprawą. Był nowo mianowanym premierem i nikt w jego rządzie nie miał doświadczenia. Socjaldemokraci sprawowali rządy przez ponad czterdzieści lat. Usłyszał, że na nim osobiście spoczywa odpowiedzialność, że musi podjąć decyzję sam, a jeśli zwróci się do kogoś z rządu, Säpo umyje ręce. To wszystko było dla niego bardzo nieprzyjemne, nie wiedział, co ma zrobić.

420

– Okej.

– W końcu poczuł się zmuszony zrobić to, co proponowali panowie z Säpo. Wydał rozporządzenie przyznające Säpo wyłączność na zajmowanie się Zalachenką. Zobowiązał się nie rozmawiać z nikim o tej sprawie. Nie poznał nawet nazwiska szpiega.

– Rozumiem.

– Potem w zasadzie nic o tym nie słyszał przez swoje dwie kadencje. Ale przedtem zrobił coś bardzo rozsądnego. Nalegał, żeby wtajemniczyć w sprawę sekretarza stanu, który miałby działać jako *go between* między kancelarią premiera i osobami chroniącymi Zalachenkę.

– Aha.

– Sekretarz stanu nazywał się Bertil K. Janeryd. Dziś ma sześćdziesiąt trzy lata i jest konsulem generalnym Szwecji w Amsterdamie.

– O cholera.

– Kiedy Fälldin zrozumiał powagę sytuacji, napisał do Janeryda list.

Sonja Modig podsunęła Mikaelowi kopertę.

Drogi Bertilu!
Tajemnica, której obydwaj dochowywaliśmy podczas moich rządów, stanęła obecnie pod wieloma poważnymi znakami zapytania. Osoba, której to dotyczy, nie żyje, więc nic jej nie grozi. Zagrożone są za to inne osoby.
Chodzi o uzyskanie odpowiedzi na kilka niezbędnych pytań.
Osoba, która dostarczy ci ten list, zajmuje się tą sprawą nieoficjalnie. Darzę ją zaufaniem. Proszę, żebyś wysłuchał historii, którą ci opowie, i odpowiedział na pytania.
Kieruj się rozsądkiem. Jesteś z niego znany.
TF

– A więc w tym liście jest mowa o Jerkerze Holmbergu.

421

– Nie. Holmberg specjalnie prosił Fälldina, żeby nie podawał nazwiska. Powiedział wyraźnie, że jeszcze nie wie, kto pojedzie do Amsterdamu.

– Pani myśli...

– Omówiliśmy tę sprawę z Jerkerem. My już i tak jesteśmy w trudnej sytuacji. Chodzimy po polu minowym i w każdej chwili możemy wylecieć w powietrze. W żadnym wypadku nie mamy uprawnień, żeby jechać do Amsterdamu i przesłuchiwać konsula generalnego. Za to pan mógłby to zrobić.

Mikael złożył list i chciał włożyć do kieszonki marynarki, kiedy Sonja Modig złapała go za rękę.

– Informacja za informację – powiedziała. – Chcemy wiedzieć, co Janeryd panu powie.

Mikael skinął głową. Sonja Modig wstała.

– Chwileczkę. Wspominała pani, że Fälldina odwiedziło dwóch ludzi z Säpo. Jedną z nich był szef. A ten drugi?

– Fälldin spotkał go wtedy pierwszy raz i nie zapamiętał jego nazwiska. Podczas spotkania nikt nie robił notatek. Fälldin pamięta go jako szczupłego mężczyznę z cienkim wąsikiem. Został przedstawiony jako szef Sekcji Analiz Specjalnych albo czegoś podobnego. Fälldin sprawdził potem w schemacie organizacji Säpo, ale nie znalazł takiego wydziału.

Klub Zalachenki, pomyślał Mikael.

Sonja Modig znów usiadła. Widać było, że rozważa każde słowo.

– Okej – powiedziała w końcu. – A niech mnie za to rozstrzelają. Było jeszcze jedno źródło, o którym nie pomyślał Fälldin ani jego goście.

– Jakie?

– Dziennik wizyt Fälldina w Rosenbad.

– I?

– Jerker zażądał wglądu do tego dziennika. To przecież publiczny dokument.

– I co?

Sonja Modig jeszcze raz się zawahała.

– Dziennik podaje tylko, że premier spotkał się z szefem Säpo i jego kolegą w celu przedyskutowania zagadnień ogólnych.

– Było jakieś nazwisko?

– Tak. E. Gullberg.

Mikael poczuł, jak krew uderza mu do głowy.

– Evert Gullberg – powtórzył.

Sonja Modig miała zaciętą minę. Skinęła głową, wstała i wyszła.

MIKAEL BLOMKVIST siedział jeszcze chwilę w Café Madeleine. Z ogólnodostępnego telefonu zarezerwował lot do Amsterdamu. Samolot odlatywał z Arlandy o czternastej pięćdziesiąt. Poszedł do Dressmana na Kungsgatan, kupił czystą koszulę i zmianę bielizny, a potem w aptece szczotkę do zębów i przybory toaletowe. Kiedy wsiadał do autobusu jadącego na lotnisko, zwracał baczną uwagę, czy nikt go nie obserwuje. Zdążył na samolot z dziesięciominutowym zapasem.

O osiemnastej trzydzieści wynajął pokój w podupadłym hotelu w dzielnicy czerwonych latarni, około dziesięciu minut piechotą od głównego dworca w Amsterdamie.

Następnie przez dwie godziny usiłował zlokalizować generalnego konsula Szwecji w Amsterdamie i około dziewiątej udało mu się połączyć z nim telefonicznie. Musiał użyć całego swego daru przekonywania, podkreślając, że dzwoni w sprawie najwyższej wagi, którą musi bezzwłocznie przedyskutować. Konsul w końcu się poddał i wyznaczył Mikaelowi spotkanie w niedzielny poranek o dziesiątej.

Potem Mikael wyszedł i zjadł lekką kolację w restauracji obok hotelu. Zasnął około jedenastej.

KONSUL GENERALNY Bertil K. Janeryd przyjął Mikaela kawą w swoim prywatnym mieszkaniu. Nie był zbyt rozmowny.

– A więc... Co to za pilna sprawa?

– Aleksander Zalachenko. Zbiegły radziecki szpieg, który znalazł się w Szwecji w 1976 roku – powiedział Mikael i wręczył gospodarzowi list od Fälldina.

Janeryd wyglądał na zaskoczonego. Przeczytał list i ostrożnie odłożył go na bok.

Przez następne pół godziny Mikael wyjaśniał mu, na czym polega problem i dlaczego Fälldin napisał ten list.

– Ja... nie mogę z panem o tym rozmawiać – powiedział w końcu.

– Ależ tak, może pan.

– Nie. Mogę o tym mówić tylko przed komisją konstytucyjną.

– Istnieje duże prawdopodobieństwo, że będzie pan musiał to zrobić. Ale autor listu radzi, żeby się pan kierował własnym rozumem.

– Fälldin to uczciwy człowiek.

– Wcale w to nie wątpię. I nie poluję w tej chwili ani na Fälldina, ani na pana. Nie musi pan zdradzać żadnych wojskowych tajemnic, które ewentualnie wyjawił Zalachenko.

– Nie znam żadnej tajemnicy. Nie wiedziałem nawet, że nazywał się Zalachenko... Znałem go tylko pod pseudonimem.

– Jakim?

– Nazywali go Ruben.

– Okej.

– Nie mogę o tym mówić.

– Ależ tak, może pan – powtórzył Mikael i usiadł wygodniej. – Gdyż sytuacja wygląda tak, że cała sprawa wkrótce przedostanie się do publicznej wiadomości. A kiedy to nastąpi, media albo pana zniszczą, albo potraktują jako uczciwego urzędnika państwowego, który w trudnej sytuacji

424

dokonał właściwego wyboru. To pan miał za zadanie być pośrednikiem między Fälldinem i ludźmi opiekującymi się Zalachenką. Tyle już wiem.

Janeryd skinął głową.

– Proszę mówić.

Janeryd milczał prawie minutę.

– Nigdy o niczym mnie nie informowano. Byłem młody... nie wiedziałem, jak mam się zachować w związku z tą sprawą. Spotykałem ich może dwa razy do roku w tamtym czasie. Dowiedziałem się, że Ruben... Zalachenko żyje i ma się dobrze, że współpracuje, a informacje, których dostarcza, są bezcenne. Nigdy nie poznałem szczegółów. Nie miałem potrzeby ich znać.

Mikael czekał na dalszy ciąg.

– Jako szpieg działał w innych krajach, o Szwecji nie wiedział nic. Dlatego nigdy nie był szczególnie ważny dla naszej polityki bezpieczeństwa. Informowałem premiera przy kilku okazjach, ale często nie było nic istotnego do powiedzenia.

– Rozumiem.

– Zawsze mówili, że jest traktowany zgodnie z zasadami, a informacje, których dostarcza, przechodzą przez nasze normalne kanały. Co miałem mówić? Kiedy pytałem, co to oznacza, odpowiadali z uśmiechem, że to przekracza moje uprawnienia w sferze bezpieczeństwa. Czułem się jak idiota.

– Nigdy pan nie pomyślał, że w tym układzie jest coś podejrzanego?

– Nie. Układ był w porządku. Zakładałem, że Säpo wie, co robi, że mają wystarczająco dużo rutyny i doświadczenia. Ale ja nie mogę o tym rozmawiać.

Tymczasem mówił o tym już dobrych kilka minut.

– Ale to nie ma znaczenia. Najważniejsza w tej chwili jest jedna rzecz.

– Jaka?

– Nazwiska osób, z którymi się pan spotykał.

Janeryd spojrzał pytająco na Mikaela.

– Osoby, które opiekowały się Zalachenką, przekroczyły wszelkie posiadane uprawnienia. Prowadziły działalność przestępczą i sprawa ta musi stać się przedmiotem dochodzenia. Dlatego Fälldin mnie do pana wysłał. Fälldin nie zna tych nazwisk. To pan się z nimi spotykał.

Janeryd zamrugał, potem zacisnął usta.

– Spotykał się pan z Evertem Gullbergiem... to on był szefem.

Janeryd skinął głową.

– Ile razy pan się z nim spotkał?

– Był na wszystkich spotkaniach z wyjątkiem jednego. Za rządów Fälldina odbyło się ich mniej więcej dziesięć.

– Gdzie się spotykaliście?

– W holu jakiegoś hotelu. Najczęściej Sheratona. Raz w Amaranten na Kungsholmen, kilka razy w pubie w Continentalu.

– Kto jeszcze bywał na tych spotkaniach?

Janeryd spojrzał z rezygnacją.

– To było dawno temu... nie pamiętam już.

– Niech pan spróbuje.

– Jeden nazywał się... Clinton. Jak amerykański prezydent.

– Imię?

– Fredrik Clinton. Jego spotkałem pięć razy.

– Okej... inni?

– Hans von Rottinger. Jego znałem przez moją matkę.

– Matkę?

– Tak, matka znała rodzinę von Rottingerów. Hans był bardzo miłym człowiekiem. Nie miałem pojęcia, że pracuje w Säpo, póki nagle nie pojawił się na jednym ze spotkań.

– Nie pracował w Säpo – wtrącił Mikael.

Janeryd zbladł.

– Pracował w czymś, co nazywało się Specjalna Sekcja Analiz – wyjaśnił Mikael. – Czego się pan o nich dowiedział?

– Niczego... to znaczy tyle, że to oni zajmowali się byłym szpiegiem.

– Tak. Ale czy to nie ciekawe, że w schemacie organizacji Säpo ich nie ma?

– To absurdalne...

– Właśnie, nieprawdaż? A jak się umawialiście? Czy to oni dzwonili do pana, czy pan do nich?

– Nie... podczas każdego spotkania ustalaliśmy czas i miejsce następnego.

– A gdyby pan musiał się z nimi skontaktować? Na przykład żeby zmienić termin spotkania czy coś podobnego?

– Miałem dzwonić.

– Na jaki numer?

– Szczerze powiedziawszy, nie pamiętam.

– Do kogo należał?

– Nie wiem. Nigdy z niego nie skorzystałem.

– Okej. Następne pytanie... komu przekazał pan swoje zadanie?

– Co pan ma na myśli?

– Kiedy Fälldin odszedł. Kto przejął pana funkcję?

– Tego nie wiem.

– Napisał pan jakiś raport?

– Nie, wszystko było przecież tajne. Nie mogłem nawet robić notatek.

– I nie wprowadzał pan żadnego zastępcy?

– Nie.

– Więc co się stało?

– No... Fälldin złożył urząd i premierem został Ola Ullsten. Dostałem informację, że mamy czekać do następnych wyborów. Wtedy Fälldin znów został wybrany i znowu zaczęliśmy się spotykać. Potem nadszedł rok 1982 i wygrali socjaldemokraci. Zakładam, że Palme wyznaczył kogoś, kto mnie zastąpił. Ja poszedłem do MSZ i zostałem dyplomatą. Zostałem wysłany do Egiptu, potem do Indii.

Mikael jeszcze przez kilka minut zadawał pytania, choć był przekonany, że wie już to, co Janeryd miał do powiedzenia. Trzy nazwiska.

Fredrik Clinton.

Hans von Rottinger.

Evert Gullberg – człowiek, który zastrzelił Zalachenkę.

Klub Zalachenki.

Mikael podziękował Janerydowi za informacje i wziął taksówkę na dworzec. Dopiero kiedy znalazł się w taksówce, odpiął kieszeń marynarki i wyłączył dyktafon. Wylądował na Arlandzie o wpół do ósmej wieczorem.

ERIKA BERGER w zamyśleniu przyglądała się zdjęciu na ekranie. Podniosła wzrok i spojrzała na opustoszałą redakcję za szklaną ścianą swojego biura. Anders Holm miał dzisiaj wolne. Nie widziała, żeby ktoś okazywał zainteresowanie jej osobą, ani otwarcie, ani ukradkiem. Nie miała też powodu podejrzewać, żeby ktoś z redakcji chce ją skrzywdzić.

Mail przyszedł kilka minut wcześniej. Nadawcą był redax@aftonbladet.com. *Dlaczego akurat Aftonbladet?* Adres był fałszywy.

Nie zawierał tekstu, tylko zdjęcie w formacie JPG. Otworzyła je w Photoshopie.

Pornograficzne zdjęcie przedstawiające nagą kobietę z wyjątkowo dużymi piersiami i psią obrożą na szyi. Stała na czworakach, a ktoś brał ją od tyłu.

Kobieta miała nie swoją twarz. Nie był to szczególnie finezyjny fotomontaż, przypuszczalnie wcale nie o to chodziło. W miejscu jej twarzy ktoś wkleił zdjęcie Eriki Berger. Pochodziło z jej dawnego biogramu z „Millennium", każdy mógł ściągnąć je z sieci.

W dolnym rogu funkcją spray w Photoshopie napisano jedno słowo: *Kurwa.*

To była dziewiąta anonimowa wiadomość ze słowem „kurwa", której nadawca był rzekomo pracownikiem jakiegoś wielkiego szwedzkiego koncernu medialnego. Najwidoczniej jakiś cyberstalker wziął Erikę na celownik.

PODSŁUCH TELEFONICZNY to niełatwa sprawa. Trinity bez problemu zlokalizował kabel domowego telefonu prokuratora Ekströma. Problemem było tylko to, że Ekström rzadko albo nigdy nie używał go do zawodowych rozmów. Nie próbował nawet podsłuchiwać telefonu Ekströma w pracy, w budynku policji na Kungsholmen. Wymagałoby to dostępu do szwedzkiej sieci kabli w wymiarze, na który Trinity nie miał szans.

Za to razem ze swoim kompanem Bobem the Dogiem przez większą część tygodnia usiłował zidentyfikować i wyłowić komórkę Ekströma w szumie mniej więcej dwustu tysięcy komórek w promieniu kilometra od siedziby policji.

Trinity i Bob the Dog korzystali z techniki zwanej Random Frequency Tracking System, w skrócie RFTS. Technika była dość znana. Została stworzona przez amerykańską agencję National Security Agency, w skrócie NSA, i wbudowana w nieznaną liczbę satelitów, które punktowo obserwowały szczególnie ważne konflikty i stolice na całym świecie.

NSA dysponowała ogromnymi środkami i używała wielkiej sieci, żeby namierzyć równocześnie dużą liczbę rozmów przez komórki w danym regionie. Każda pojedyncza rozmowa była oddzielana od tła i zdigitalizowana przechodziła przez komputer zaprogramowany tak, żeby reagował na pewne słowa, na przykład terrorysta czy kałasznikow. Jeśli takie słowo się pojawiło, komputer automatycznie wysyłał sygnał, po którym operator włączał się i słuchał rozmowy, żeby ocenić, czy dotyczy czegoś godnego zainteresowania, czy nie.

Większym problemem było zidentyfikowanie konkretnego telefonu. Każdy telefon komórkowy ma własny unikatowy podpis – odcisk palca – w postaci numeru. Mając wyjątkowo czułą aparaturę, NSA mogła sprawdzać określony obszar, wydzielać i podsłuchiwać rozmowy prowadzone przez komórki. Technika była prosta, lecz nie niezawodna. Szczególnie trudne do zidentyfikowania były rozmowy wychodzące. Przychodzące łatwiej było wyłapać, ponieważ poprzedzał je odcisk palca, który miał skłonić wybrany telefon do odebrania sygnału.

Różnice między ambicjami podsłuchowymi Trinity'ego i NSA były głównie natury ekonomicznej. Budżet roczny NSA wynosił kilka miliardów dolarów. Agencja miała dwanaście tysięcy pełnoetatowych agentów i dostęp do absolutnie najnowszej technologii w dziedzinie informatyki i telefonii. Furgonetka Trinity'ego mogła pomieścić około trzydziestu kilogramów sprzętu elektronicznego, a dużą jego część stanowiły urządzenia własnej roboty zmontowane przez Boba the Doga. NSA dzięki globalnej obserwacji satelitarnej mogła ustawiać anteny o wysokiej czułości na określony budynek w każdym miejscu na świecie. Trinity miał antenę o zasięgu około pięciuset metrów, którą skonstruował Bob the Dog.

Technika, jaką dysponował Trinity, wymagała, żeby furgonetka była zaparkowana na Bergsgatan lub jednej z sąsiednich uliczek. Potem trzeba było mozolnie ustawić sprzęt i zidentyfikować odcisk palca – numer telefonu prokuratora Richarda Ekströma. Ponieważ Trinity nie znał szwedzkiego, musiał przez drugi telefon komórkowy przekierowywać rozmowy do domu Plague'a, który zajmował się ich odsłuchiwaniem.

Przez pięć dni coraz bardziej wyczerpany Plague słuchał mnóstwa rozmów odbieranych i prowadzonych z siedziby policji oraz z sąsiednich budynków. Słyszał urywki trwających śledztw, dowiadywał się o planowanych randkach i nagrał wiele rozmów o nieistotnych bzdurach. Piątego dnia późnym wieczorem Trinity wysłał sygnał, który cyfrowy wyświetlacz od razu zidentyfikował jako numer telefonu komórkowego prokuratora Ekströma. Plague ustawił antenę satelitarną na właściwą częstotliwość.

Technika RTS sprawdzała się najlepiej w przypadku rozmów przychodzących. Trinity łapał po prostu anteną numer Ekströma, kiedy w poszukiwaniu połączenia był emitowany w eter nad całą Szwecją.

Trinity zaczął nagrywać rozmowy Ekströma. Udało mu się także uzyskać charakterystykę jego głosu, którą Plague mógł rozpracować.

Plague przepuścił zdigitalizowany głos Ekströma przez program VPRS, czyli Voiceprint Recognition System. Wybrał kilkanaście powtarzających się słów, na przykład „okej" i „Salander". Kiedy miał pięć różnych wersji danego słowa, analizował je, określając, jak długo trwa ich wypowiedzenie, ton głosu i częstotliwości, akcentowanie końcówki i kilka innych parametrów. W rezultacie otrzymywał wykres. Dzięki temu mógł odsłuchiwać rozmowy wychodzące. Jego antena odbierała rozmowy, poszukując takiej, w której pojawi się wykres Ekströma dla jednego z kilkunastu wybranych słów. Technika nie była doskonała, lecz pozwalała podsłuchiwać i nagrywać około pięćdziesięciu procent wszystkich rozmów, które Ekström prowadził z komórki gdzieś w siedzibie policji i jej okolicach.

Niestety, miała jedną zasadniczą wadę: gdy prokurator Ekström opuszczał budynek policji, nie dało się już go podsłuchiwać. Trinity nie wiedział, gdzie znajduje się prokurator, i nie mógł w pobliżu zaparkować furgonetki.

Z POLECENIA NAJWYŻSZEGO SZCZEBLA Torsten Edklinth naresznie mógł utworzyć mały, lecz legalny wydział operacyjny. Wybrał czterech pracowników, świadomie decydując się na młodszych, wywodzących się z policji, stosunkowo niedawno zwerbowanych do RPS/Säk. Dwaj pracowali w wydziale zwalczania oszustw, jeden w policji finansowej, jeden w wydziale zabójstw. Wezwał ich do swojego gabinetu i poinformował o charakterze zadania, uprzedzając o konieczności dochowania absolutnej tajemnicy. Podkreślił, że śledztwo zlecił premier. Szefem nowej jednostki została Monika Figuerola. Kierowała śledztwem z siłą odpowiadającą jej powierzchowności.

Posuwało się jednak powoli, głównie dlatego że nikt nie był do końca pewien, kogo śledzić. Edklinth i Figuerola kilka razy rozważali, czy nic należałoby znienacka aresztować Mårtenssona, by zadać mu kilka pytań. Lecz przy każdej okazji decydowali, żeby jeszcze zaczekać. Po zatrzymaniu Mårtenssona śledztwo przestałoby być tajne.

Dopiero we wtorek, jedenaście dni po rozmowie z premierem, Monika Figuerola zapukała do Edklintha.

– Wydaje mi się, że coś mamy.

– Siadaj.

– Evert Gullberg.

– Tak?

– Jeden z naszych śledczych rozmawiał z Marcusem Erlanderem, który zajmuje się śledztwem w sprawie zamordowania Zalachenki. Erlander twierdzi, że ludzie z RPS/Säk skontaktowali się z policją z Göteborga już dwie godziny po zabójstwie i przesłali informacje o listach z pogróżkami Gullberga.

– Nie tracili czasu.

– Tak. Nawet trochę się pośpieszyli. Przefaksowali do Göteborga dziewięć listów, które podobno napisał Gullberg. Jest tylko jeden problem.

– Jaki?

– Dwa z nich były zaadresowane do ministerstwa sprawiedliwości: do ministra sprawiedliwości i ministra demokracji.

– Tak. Ale to już wiem.

– Tak, tylko że list do ministra demokracji został wpisany do dziennika dopiero następnego dnia. Przyszedł z późniejszą pocztą.

Edklinth wpatrywał się w Monikę Figuerolę. Po raz pierwszy poczuł rzeczywisty strach, że wszystkie jego podejrzenia mogą się sprawdzić. A Monika nieubłaganie mówiła dalej:

– Innymi słowy, RPS/Säk wysłała faksem kopię listu, który jeszcze nie dotarł do adresata.

– Wielki Boże – powiedział Edklinth.

– Listy faksował pracownik wydziału ochrony osobistej.

– Kto?

– Nie sądzę, żeby miał z tym coś wspólnego. Dostał listy na biurko rano i wkrótce po zabójstwie otrzymał polecenie skontaktowania się z göteborską policją.

– Kto mu to polecił?

– Sekretarz szefa kancelarii.

– Na Boga, Moniko... Czy rozumiesz, co to oznacza?

– Tak.

– To oznacza, że RPS/Säk maczała palce w zamordowaniu Zalachenki.

– Nie. Ale to na pewno oznacza, że pewne osoby z RPS/Säk wiedziały o morderstwie, zanim zostało popełnione. Nie wiemy tylko kto.

– Szef kancelarii...

– Tak. Ale zaczynam podejrzewać, że ten Klub Zalachenki ma siedzibę poza naszym budynkiem.

– Dlaczego tak myślisz?

– Mårtensson. Został przeniesiony z ochrony osobistej i pracuje na własną rękę. Obserwowaliśmy go przez cały zeszły tydzień. Nie kontaktował się z nikim tu, w budynku, o ile wiemy. Jego rozmów przez komórkę nie możemy podsłuchiwać. Nie wiem, co to za numer, ale to nie jego własna komórka. Spotykał się z tym blondynem, którego jeszcze nie udało nam się zidentyfikować.

Edklinth zmarszczył czoło. W tej samej chwili do drzwi zapukał Anders Berglund, nowy pracownik jednostki operacyjnej, zatrudniony wcześniej w policji finansowej.

– Wydaje mi się, że znalazłem Everta Gullberga – powiedział.

– Niech pan wejdzie – zaprosił go Edklinth.

Berglund położył na biurku zniszczoną czarno-białą fotografię. Edklinth i Figuerola przyjrzeli się zdjęciu. Przedstawiało mężczyznę, którego oboje od razu rozpoznali. Dwóch postawnych policjantów w cywilu wyprowadzało go przez drzwi. Legendarny szpieg pułkownik Stig Wennerström.

– To zdjęcie pochodzi z wydawnictwa Åhlén & Åkerlund i zostało opublikowane w gazecie „Se" wiosną roku 1964. Zostało zrobione przy okazji procesu, na którym Wennerström dostał dożywocie.

– Aha.

– W tle widać trzy osoby. Po prawej komisarz Otto Danielsson, czyli ten, który schwytał Wennerströma.

– Tak...

– Proszę spojrzeć na mężczyznę z boku, po lewej za Danielssonem.

Edklinth i Figuerola przyjrzeli się wysokiemu mężczyźnie z cienkim wąsikiem i w kapeluszu. Przypominał trochę pisarza Dashiella Hammetta.

– Niech pan porówna twarz ze zdjęciem paszportowym Gullberga. Kiedy je robiono, miał sześćdziesiąt sześć lat.

Edklinth zmarszczył brwi.

– Nie mógłbym przysiąc, że to ta sama osoba...

– Ale ja mogę – powiedział Berglund. – Niech pan odwróci zdjęcie.

Na odwrocie widniała pieczątka informująca o tym, że zdjęcie jest własnością wydawnictwa Åhlén & Åkerlund, a wykonał je Julius Estholm. Ołówkiem dopisano: *Stig Wennerström prowadzony przez policjantów do sądu rejonowego w Sztokholmie. W tle O. Danielsson, E. Gullberg i H.W. Francke.*

– Evert Gullberg – powiedziała Monika Figuerola. – Był w RPS/Säk.

– Nie – odparł Berglund. – Ściśle rzecz biorąc, nie był. Przynajmniej wtedy, kiedy zrobiono to zdjęcie.

– Jak to?

– RPS/Säk powstała dopiero cztery miesiące później. Na tym zdjęciu należy jeszcze do tajnej policji państwowej.

– Kim jest H.W. Francke? – zapytała Monika Figuerola.

– Hans Wilhelm Francke – wyjaśnił Edklinth. – Zmarł na początku lat dziewięćdziesiątych, był zastępcą szefa tajnej policji pod koniec lat pięćdziesiątych i na początku sześćdziesiątych. Jest czymś w rodzaju legendy, podobnie jak Otto Danielsson. Spotkałem go nawet kilka razy.

– Naprawdę? – zapytała Monika Figuerola.

– Odszedł z RPS/Säk pod koniec lat sześćdziesiątych. Francke i Per Gunnar Vinge nigdy nie potrafili się dogadać. W gruncie rzeczy został wyrzucony krótko po pięćdziesiątce. Założył własną firmę.

– Własną?

– Tak, został doradcą do spraw bezpieczeństwa w prywatnej firmie. Miał biuro przy Stureplan, czasem też wykładał na szkoleniach wewnętrznych w RPS/Säk. Wtedy go spotkałem.

– Rozumiem. A dlaczego Vinge i Francke się kłócili?

– Każdy ciągnął w swoją stronę. Francke był kowbojem i wszędzie widział agentów KGB, a Vinge biurokratą ze starej szkoły. Zresztą krótko potem Vinge też został wyrzucony – co za ironia – bo twierdził, że Palme pracuje dla KGB.

– Hmmm... – mruknęła Monika Figuerola, przyglądając się zdjęciu, na którym Gullberg stał ramię w ramię z Franckem.

– Wydaje mi się, że nadeszła pora, żebyśmy jeszcze raz porozmawiali z ministerstwem sprawiedliwości.

– Dzisiaj ukazało się „Millennium".

Edklinth rzucił jej szybkie spojrzenie.

– Ani słowa o Zalachence – dodała.

– To znaczy, że przypuszczalnie mamy jeszcze miesiąc, do następnego numeru. Dobrze wiedzieć. Ale musimy się zająć Blomkvistem. W całym tym zamieszaniu jest jak odbezpieczony granat.

Rozdział 17
Środa 1 czerwca

MIKAEL BLOMKVIST pokonał ostatni zakręt schodów przed swoim mieszkaniem przy Bellmansgatan 1. Nie spodziewał się, że ktoś jest na klatce. Była siódma wieczorem. Gdy zobaczył kobietę o jasnych, krótko obciętych lokach, siedzącą na ostatnim stopniu, nagle się zatrzymał. Od razu rozpoznał Monikę Figuerolę z RPS/Säk. Widział ją na zdjęciu, które zdobyła Lottie Karim.

– Dobry wieczór, panie Blomkvist – przywitała go i zamknęła książkę, którą czytała. Mikael zerknął na okładkę i stwierdził, że czytała po angielsku, o pojęciu bóstwa w starożytności. Podniósł wzrok i przyglądał się niespodziewanemu gościowi. Kobieta wstała. Miała na sobie białą letnią sukienkę z krótkim rękawem. Na balustradzie schodów powiesiła ceglastoczerwoną skórzaną kurtkę.

– Musimy porozmawiać – powiedziała.

Mikael nie odrywał od niej wzroku. Była wysoka, wyższa od niego, a wrażenie potęgowało jeszcze to, że stała dwa schodki nad nim. Przyjrzał się jej ramionom, potem opuścił wzrok na nogi i stwierdził, że jest o wiele lepiej umięśniona od niego.

– Na pewno spędza pani kilka godzin tygodniowo na siłowni – powiedział.

Kobieta uśmiechnęła się i sięgnęła po legitymację.

– Nazywam się...

– Nazywa się pani Monika Figuerola, urodzona w 1969 roku, zamieszkała przy Pontonjärgatan na Kungsholmen. Pochodzi pani z Borlänge, pracowała pani jako policjantka w Uppsali. Od trzech lat jest pani zatrudniona w RPS/Säk, w ochronie konstytucji. Jest pani fanatyczką treningów, byłą lekkoatletką, otarła się pani nawet o szwedzką reprezentację olimpijską. Słucham?

Była kompletnie zaskoczona, ale skinęła głową i szybko odzyskała fason.

– Nieźle – powiedziała lekkim tonem. – W takim razie wie pan, kim jestem, i że nie musi się pan mnie obawiać.

– Nie?

– Kilka osób chciało z panem w spokoju porozmawiać. A ponieważ pańskie mieszkanie i telefon chyba są na podsłuchu, istnieją podstawy do zachowania dyskrecji. Wysłano mnie, żebym pana zaprosiła.

– A dlaczego miałbym jechać gdziekolwiek z osobą, która pracuje dla Säpo?

Pomyślała chwilę.

– No cóż... może pan pojechać ze mną na uprzejme osobiste zaproszenie, chyba że woli pan, żebym pana skuła i zabrała siłą.

Uśmiechnęła się rozbrajająco. Mikael Blomkvist odwzajemnił uśmiech.

– Panie Blomkvist... rozumiem, że nie ma pan szczególnych powodów ufać komuś, kto pracuje w RPS/Säk. Ale to nie jest tak, że wszyscy ludzie stamtąd są pańskimi wrogami. Ma pan naprawdę dużo ważnych powodów, żeby porozmawiać z moim zleceniodawcą.

Mikael jeszcze się wahał.

– Więc jak pan woli? W kajdankach czy dobrowolnie?

– Już raz w tym roku zostałem skuty przez policję. To mi na razie wystarczy. Dokąd jedziemy?

Jej nowy saab 9-5 stał zaparkowany za rogiem, na Pryssgränd. Gdy wsiedli do samochodu, Monika wyjęła komórkę i wybrała numer.

– Będziemy za piętnaście minut – powiedziała.

Poprosiła, żeby zapiął pasy, a potem przez Slussen pojechała na Östermalm i zaparkowała w przecznicy Artillerigatan. Przez sekundę siedziała nieruchomo i patrzyła na Mikaela.

– Blomkvist... to zwykłe zaproszenie. Nic pan nie ryzykuje.

Nie odezwał się. Czekał, aż dowie się, o co chodzi. Monika wystukała kod do bramy. Wjechali windą na czwarte piętro i stanęli przed drzwiami mieszkania z nazwiskiem Martinsson.

– Korzystamy z tego mieszkania tylko podczas dzisiejszego spotkania – powiedziała i otworzyła drzwi. – Na prawo, do salonu.

Pierwszą osobą, którą zobaczył Mikael, był Torsten Edklinth. Wcale go to nie zaskoczyło, bo to Säpo było w najwyższym stopniu w tę sprawę zamieszane, a Edklinth był szefem Moniki Figueroli. Skoro szef ochrony konstytucji pofatygował się, żeby wezwać go na spotkanie, ktoś musiał się bardzo niepokoić.

Potem zobaczył okno i jeszcze kogoś, kto odwrócił się w jego stronę. Minister sprawiedliwości. Co za niespodzianka.

Usłyszał jakiś odgłos z prawej strony i zobaczył, jak z fotela wstaje dobrze znana postać. Nie spodziewał się, że Monika Figuerola przywiezie go na konspiracyjne wieczorne spotkanie z premierem.

– Dobry wieczór, panie Blomkvist – przywitał go premier. – Proszę wybaczyć, że zaprosiliśmy pana na to spotkanie z tak małym wyprzedzeniem, ale rozważyliśmy sytuację i wspólnie doszliśmy do wniosku, że musimy z panem porozmawiać. Czy mogę panu zaproponować kawę albo coś innego do picia?

Mikael rozejrzał się dokoła. Zobaczył stół z ciemnego drewna zastawiony szklankami, pustymi filiżankami i resztkami kanapek. Musieli tu siedzieć już od kilku godzin.

– Proszę wodę – powiedział.

Monika Figuerola obsłużyła go. Trzymała się z tyłu, a pozostali usiedli na fotelach.

– Rozpoznał mnie. Wiedział, jak się nazywam, gdzie mieszkam i pracuję i że dużo trenuję – powiedziała Monika Figuerola.

Premier rzucił szybkie spojrzenie na Edklintha, potem na Mikaela Blomkvista. Mikael uświadomił sobie nagle, że jest górą. To premier potrzebował czegoś od niego, a przypuszczalnie nie miał nawet pojęcia, co Mikael tak naprawdę wie, a czego nie wie.

– Próbuję tylko rozpoznać aktorów grających w tej zawiłej sztuce – rzucił od niechcenia.

No to poblefujmy sobie trochę przed premierem.

– Skąd znał pan nazwisko Moniki Figueroli? – zapytał Edklinth.

Mikael spojrzał na szefa ochrony konstytucji. Nie miał pojęcia, co skłoniło premiera do zorganizowania tajnego spotkania w wynajętym mieszkaniu na Östermalmie, ale miał pewne podejrzenia. Praktycznie rzecz biorąc, nie było aż tak wielu możliwości. To Dragan Armanski uruchomił ten łańcuch wydarzeń, przekazując informacje osobie, do której miał zaufanie. Osobą tą był prawdopodobnie Edklinth lub ktoś z jego otoczenia. Mikael zaryzykował.

– Rozmawiał z panem nasz wspólny znajomy – zwrócił się do Edklintha. – Następnie zlecił pan Figueroli zbadanie, co się tak naprawdę dzieje, a ona odkryła, że kilku funkcjonariuszy Säpo prowadzi nielegalne podsłuchy, włamuje się do mojego mieszkania i tym podobne. To oznacza, że potwierdził pan istnienie Klubu Zalachenki. Zaniepokoiło to pana do tego stopnia, że zdecydował się pan pójść z tą sprawą dalej, ale najpierw przez pewien czas dumał pan w swoim gabinecie, do kogo się z tym zwrócić. Wreszcie skontaktował się pan z ministrem sprawiedliwości, który zawiadomił premiera. I teraz wszyscy się tu spotykamy. Czego panowie chcą?

Mikael mówił tonem, który miał sugerować, że ma jakieś strategicznie umieszczone źródło i śledzi każdy krok Edklintha. Stwierdził, że blef działa. Oczy Edklintha rozszerzyły się. Blomkvist mówił dalej:

– Klub Zalachenki szpieguje mnie, ja szpieguję ich, a pan szpieguje Klub Zalachenki. Premier zaś jest wściekły i zaniepokojony. Zdaje sobie sprawę, że na końcu tej rozmowy czai się skandal, którego rząd może nie przetrwać.

Monika Figuerola uśmiechnęła się nieoczekiwanie, ale zasłoniła twarz uniesioną szklanką wody Ramlösa. Zrozumiała, że Blomkvist blefuje. Domyśliła się, skąd tyle o niej wie.

Widział mnie w samochodzie na Bellmansgatan. Jest bardzo czujny. Zapisał numer rejestracyjny i w ten sposób mnie zidentyfikował. Cała reszta to domysły.

Nic nie powiedziała.

Premier wyglądał na zatroskanego.

– Czy rzeczywiście to nas czeka? – zapytał. – Skandal, który wysadzi rząd?

– Rząd nie jest moim problemem – odparł Mikael. – Moim obowiązkiem jest ujawnienie całego brudu o Klubie Zalachenki.

Premier skinął głową.

– A moje obowiązki polegają na kierowaniu krajem zgodnie z konstytucją.

– Co oznacza, że mój problem jest w najwyższym stopniu problemem rządu. Lecz nie na odwrót.

– Czy możemy przestać kręcić się w kółko? Jak pan sądzi, dlaczego zwołałem to spotkanie?

– Żeby się dowiedzieć, co wiem i co zamierzam zrobić.

– Po części ma pan rację. Ale chodzi raczej o to, że stoimy w obliczu kryzysu konstytucyjnego. Chciałbym na początek wyjaśnić, że rząd nie ma z tym absolutnie nic wspólnego. Zostaliśmy kompletnie zaskoczeni. Nigdy nie słyszałem o tym... co pan nazywa Klubem Zalachenki. Minister sprawiedliwości też nic o tym nie wie. Torsten Edklinth, który zajmuje wysokie stanowisko w RPS/Säk i pracował w Säpo wiele lat, też nie miał o tym pojęcia.

– To nadal nie mój problem.

– Rozumiem. Chcemy wiedzieć, kiedy zamierza pan opublikować swój tekst, a także chętnie usłyszelibyśmy, co dokładnie chce pan opublikować. To moje pytanie. To nie ma absolutnie nic wspólnego z minimalizacją szkód.

– Nie?

– Panie Blomkvist, najgorszą rzeczą, jaką mógłbym w tej sytuacji zrobić, byłaby próba wpływania na treść pańskiego artykułu. Ale chciałbym zaproponować panu współpracę.

– To znaczy?

– Kiedy otrzymaliśmy potwierdzenie, że w niesłychanie delikatnym dziale administracji państwowej zawiązano spisek, zleciłem śledztwo. – Premier zwrócił się do ministra sprawiedliwości: – Może pan wyjaśni, na czym polega zlecenie rządu.

– To proste. Torsten Edklinth miał bezzwłocznie sprawdzić, czy istnieje możliwość potwierdzenia tych informacji. Jego zadanie polega na zbieraniu informacji. Potem zostaną przekazane prokuratorowi generalnemu, który z kolei ma za zadanie ocenić, czy można wnieść oskarżenie. To bardzo jasna instrukcja.

Mikael skinął głową.

– Podczas naszego dzisiejszego spotkania Edklinth przedstawił postępy w śledztwie. Długo rozmawialiśmy o kwestiach konstytucyjnych. Oczywiście chcemy, żeby wszystko odbyło się zgodnie z prawem.

– Oczywiście – przyznał Mikael tonem, który sugerował, że ani trochę nie wierzy w jego zapewnienia.

– Śledztwo jest w tej chwili w trudnej fazie. Jeszcze nie zidentyfikowaliśmy wszystkich zamieszanych w tę sprawę osób. Potrzebujemy na to czasu. Dlatego wysłaliśmy Monikę Figuerolę, żeby zaprosiła pana na to spotkanie.

– Wywiązała się jak należy. Nie miałem wielkiego wyboru.

Premier zmarszczył brwi i spojrzał w stronę Figueroli.

– Nieważne – powiedział Mikael. – Zachowała się wzorowo. Czego pan oczekuje?

– Chcemy wiedzieć, kiedy chce pan opublikować swój tekst. W tej chwili śledztwo toczy się z zachowaniem reguł tajności, ale jeśli zacznie pan działać, zanim Edklinth skończy, może pan udaremnić nasze działania.

– Hmm... a kiedy według pana powinienem to opublikować? Po następnych wyborach?

– Sam pan zdecyduje. Nikt nie może na pana wpływać. Chciałbym tylko, żeby pan nas poinformował, kiedy zamierza to zrobić, żebyśmy wiedzieli, kiedy musimy zakończyć śledztwo.

– Rozumiem. Wspomniał pan o współpracy...

Premier skinął głową.

– Chciałbym jeszcze tylko powiedzieć, że w normalnej sytuacji nigdy nie przyszłoby mi do głowy prosić dziennikarza o przyjście na takie spotkanie.

– W normalnej sytuacji zrobiłby pan wszystko, żeby utrzymać dziennikarzy jak najdalej od takiego spotkania.

– Właśnie. Ale zrozumiałem, że ma pan wiele motywów. Jako dziennikarz znany jest pan z tego, że kiedy chodzi o ujawnianie korupcji, nie cofa się pan przed niczym. Pod tym względem nie ma między nami różnicy.

– Nie ma?

– Nie. Najmniejszej. Czy może ściślej mówiąc... różnice, które mogą się pojawić, mają ewentualnie charakter prawny, ale nie dotyczą zasady. Jeśli Klub Zalachenki rzeczywiście istnieje, to jest to nie tylko stowarzyszenie o charakterze przestępczym, ale także zagrożenie dla bezpieczeństwa państwa. Trzeba ich zatrzymać i pociągnąć do odpowiedzialności. W tym punkcie się zgadzamy?

Mikael potwierdził skinieniem głowy.

– Domyślam się, że wie pan o tej sprawie więcej niż ktokolwiek inny. Chcielibyśmy, żeby się pan z nami podzielił swoją wiedzą. Gdyby to było zwykłe policyjne śledztwo w sprawie zwykłego przestępstwa, prowadzący postępowanie mógłby podjąć decyzję o wezwaniu pana na przesłuchanie. Ale, jak pan rozumie, jest to sytuacja wyjątkowa.

Mikael milczał przez chwilę. Analizował sytuację.

– A co dostanę w zamian, jeśli zgodzę się na współpracę?

– Nic. Nie zamierzam się z panem targować. Jeśli chce pan opublikować swój tekst jutro rano, to pan to zrobi. Nie chcę wdawać się w jakiś handel wymienny, który może być podejrzany od strony konstytucyjnej. Proszę pana o współpracę dla dobra kraju.

– Nic to może być całkiem sporo – powiedział Mikael Blomkvist. – Chciałbym wyjaśnić jedną rzecz... jestem cholernie wściekły. Jestem wkurzony na państwo, na rząd i Säpo, i tych cholernych bydlaków, którzy zupełnie bez powodu zamknęli dwunastoletnią dziewczynkę w szpitalu psychiatrycznym, a potem załatwili jej ubezwłasnowolnienie.

– Lisbeth Salander stała się sprawą rządu – powiedział premier i nawet się uśmiechnął. – Panie Blomkvist, też jestem głęboko poruszony tym, co ją spotkało. Proszę mi wierzyć, kiedy mówię, że winni poniosą karę. Ale zanim do tego dojdzie, musimy wiedzieć, kto za to odpowiada.

– To pański problem. Moim problemem jest uwolnienie Lisbeth Salander i umożliwienie jej odzyskania kontroli nad swoim życiem.

– W tym nie mogę panu pomóc. Nie mogę postawić się ponad prawem i decydować o postanowieniach prokuratora czy sądów. Musi zostać zwolniona przez sąd.

– Okej – zgodził się Mikael. – Chce pan współpracy. Niech mi pan umożliwi wgląd w śledztwo Edklintha. Wtedy powiem, kiedy i co zamierzam opublikować.

– Tego nie mogę panu umożliwić. Bo znalazłbym się w takiej samej sytuacji w stosunku do pana jak kiedyś przedstawiciel ministra sprawiedliwości w stosunku do niejakiego Ebbego Carlssona.

– Nie jestem Ebbem Carlssonem – odparł spokojnie Mikael.

– Zdaję sobie z tego sprawę. Za to Torsten Edklinth może oczywiście sam zdecydować, czym może się z panem podzielić.

– Hmm – mruknął Mikael. – Chcę wiedzieć, kim był Evert Gullberg.

Na chwilę zapadła cisza.

– Evert Gullberg przez wiele lat był przypuszczalnie szefem wydziału RPS/Säk, który pan nazywa Klubem Zalachenki – wyjaśnił Edklinth.

Premier spojrzał na niego surowo.

– Sądzę, że pan Blomkvist już to wie – wytłumaczył się Edklinth.

– To prawda – przyznał Mikael. – Zaczął pracować w Säpo w latach pięćdziesiątych, został szefem jednostki zwanej Specjalną Sekcją Analiz w latach sześćdziesiątych. To on zajmował się sprawą Zalachenki.

Premier potrząsnął głową.

– Wie pan więcej, niż powinien. Chętnie bym się dowiedział, jak pan do tego doszedł. Ale nie zamierzam pytać.

– W moim tekście są jeszcze luki – stwierdził Mikael. – Chciałbym je uzupełnić. Jeśli mi pomożecie, nie będę wam utrudniał pracy.

– Jako premier nie mogę niczego ujawniać. A Torsten Edklinth będzie stąpał po cienkim lodzie, jeśli to zrobi.

– Dajmy temu spokój. Wiem coś, co wy chcielibyście wiedzieć. Pan wie coś, co chciałbym wiedzieć ja. Jeśli dostanę potrzebne informacje, potraktuję panów jako źródło i zapewnię anonimowość. Proszę mnie źle nie zrozumieć. Zamierzam przedstawić w swoim reportażu prawdę taką, jak ja ją widzę. Jeśli jest pan w to zamieszany, ujawnię to i dopilnuję, żeby już nigdy nie został pan wybrany na żadne stanowisko. Ale w tej chwili nie mam powodów, żeby tak sądzić.

Premier zerknął na Edklintha. Po chwili skinął głową. Mikael odebrał to jako znak, że premier właśnie naruszył prawo – czy może jego bardziej akademicki wariant – i po cichu zgodził się, żeby Mikael Blomkvist został dopuszczony do tajnych informacji.

– Można to rozwiązać w bardzo prosty sposób – powiedział Edklinth. – Prowadzę jednoosobowe śledztwo i sam decyduję, kogo powołuję do współpracy. Nie może pan pracować przy tym śledztwie, ponieważ wymagałoby to podpisania zobowiązania do zachowania tajemnicy. Ale mogę pana zaangażować jako zewnętrznego konsultanta.

OD KIEDY ERIKA BERGER przejęła obowiązki zmarłego redaktora naczelnego Håkana Morandera, jej życie wypełniło się niekończącymi się zebraniami i pracą dwadzieścia cztery godziny na dobę. Nieustannie czuła się nieprzygotowana, nie dość dobra i niezorientowana.

Dopiero w środę wieczorem, niemal dwa tygodnie po tym, jak Mikael Blomkvist wręczył jej teczkę z materiałami Henry'ego Corteza o prezesie zarządu Magnusie Borgsjö, znalazła czas, żeby zająć się tą sprawą. Otwierając teczkę, uświadomiła sobie, że to opóźnienie wynika też z tego, że w gruncie rzeczy nie chciała się tym zajmować. Wiedziała, że niezależnie od tego, co zrobi, i tak wszystko skończy się katastrofą.

Wróciła do willi w Saltsjöbaden wcześniej niż zwykle, już o siódmej wieczorem. Wyłączyła alarm i ze zdziwieniem stwierdziła, że jej męża Gregera Backmana nie ma w domu. Dopiero po chwili przypomniała sobie, że rano ucałowała go szczególnie mocno, bo miał jechać do Paryża na wykłady, a wrócić miał dopiero w weekend. Uświadomiła sobie, że nie ma pojęcia, gdzie i dla kogo będzie wykładał, o czym będą wykłady ani kiedy je zaplanował.

Przepraszam, ale zgubiłam swojego męża. Czuła się jak postać z książki doktora Richarda Schwartza i przemknęło jej przez głowę, czy nie powinna skorzystać z pomocy psychoterapeuty.

Weszła na piętro, napuściła wody do wanny i zdjęła ubranie. Teczkę z materiałami wzięła ze sobą do wanny i kolejne pół godziny poświęciła na dokładne przeczytanie całego artykułu. Kiedy skończyła, nie mogła powstrzymać uśmiechu. Henry Cortez zapowiadał się na wspaniałego pismaka. Miał dwadzieścia sześć lat i od czterech pracował w „Millennium", gdzie trafił prosto po studiach dziennikarskich. Erikę rozpierała duma. Artykuł o sedesach i prezesie Borgsjö od początku do końca nosił znak jakości „Millennium". Wszystko, każda linijka, było udokumentowane.

Ale poczuła też przygnębienie. Magnus Borgsjö był porządnym człowiekiem, nawet go lubiła. Był małomówny, umiał słuchać, miał dużo uroku i sprawiał wrażenie bezpretensjonalnego. Ponadto był jej szefem i pracodawcą. *Pieprzony Borgsjö. Jak mogłeś być tak cholernie głupi.*

Zastanawiała się przez chwilę, czy nie znalazłyby się jakieś inne powiązania lub okoliczności łagodzące, ale wiedziała, że żadne wyjaśnienia nie mogły oddalić postawionych zarzutów.

Położyła teczkę na parapecie, wyciągnęła się wygodnie w wannie i pogrążyła w myślach.

Publikacja w „Millennium" była nieunikniona. Gdyby nadal była naczelną, nie wahałaby się ani sekundy, a to, że ujawnili przed nią materiały, należało uznać za gest przyjaźni, który miał pokazać, że „Millennium" stara się w miarę możliwości ograniczyć negatywne dla niej konsekwencje. Gdyby było odwrotnie – gdyby SMP znalazło materiały kompromitujące prezesa zarządu „Millennium" (co prawda tak się złożyło, że to ona nim była) – też nawet by się nie zastanawiała, czy należy je opublikować, czy nie.

Publikacja poważnie zaszkodzi Magnusowi Borgsjö. Najgorsze w tym wszystkim nie było nawet to, że jego firma Vitavara AB zamawiała sedesy u wietnamskiej firmy, którą ONZ podejrzewała o wykorzystywanie pracy dzieci i niewolniczej pracy więźniów. A z pewnością niejeden z tych więźniów został skazany z powodów politycznych. Najgorsze było to, że Magnus Borgsjö wiedział o tym, ale nadal współpracował z Fong Soo Industries. Takiej pazerności po historiach z byłym prezesem Skandii czy innymi kapitalistycznymi gangsterami w garniturach Szwedzi nie akceptowali.

Magnus Borgsjö z pewnością będzie utrzymywał, że nie znał warunków pracy w fabryce Fong Soo, ale Henry Cortez miał dokumentację w tej sprawie, więc gdyby Borgsjö chciał iść w zaparte, wyjdzie na kłamcę. W czerwcu 1997 roku był w Wietnamie, żeby podpisać pierwszą umowę. Spędził tam wtedy dziesięć dni, odwiedzając między innymi fabryki należące do firmy. Jeśli będzie twierdził, że nie domyślał się, że część pracowników ma dwanaście czy trzynaście lat, wyjdzie dodatkowo na idiotę.

Ewentualnej nieświadomości Magnusa Borgsjö przeczył fakt, że komisja ONZ zajmująca się pracą dzieci w roku 1999 umieściła Fong Soo Industries na czarnej liście przedsiębiorstw wykorzystujących dzieci jako siłę roboczą. Sprawa ta stała się następnie tematem artykułów prasowych. Dwie organizacje pozarządowe, w tym znana International Joint Effort Against Child Labour, niezależnie od siebie wystosowały listy do firm współpracujących z Fong Soo. Do Vitavara AB co najmniej siedem. Dwa z nich zaadresowano bezpośrednio do Magnusa Borgsjö. Organizacja z Londynu z przyjemnością wysłała kopie Henry'emu Cortezowi, podkreślając, że Vitavara AB nigdy na żaden nie odpowiedziała.

Tymczasem Borgsjö jeszcze dwa razy pojechał do Wietnamu, żeby odnowić kontrakt, w 2001 i w 2004 roku. To ostatecznie przesądzało sprawę. Nie miał najmniejszych szans, żeby kogokolwiek przekonać, że o niczym nie wiedział.

Burza medialna, jaka się po tym rozpęta, może się skończyć tylko w jeden sposób. Jeśli Borgsjö będzie miał dość rozumu, będzie chciał odpokutować i odejdzie ze stanowisk w zarządach. Jeśli zacznie się bronić, zostanie zniszczony w sądzie.

Eriki nie obchodziło specjalnie, czy Borgsjö będzie, czy nie będzie prezesem zarządu Vitavara AB. Dla niej liczyło się to, że był także prezesem SMP. Publikacja sprawi, że będzie musiał odejść. Akurat kiedy gazeta balansuje nad przepaścią i zaczyna się proces jej odnowy. SMP nie może sobie pozwolić na prezesa o wątpliwej moralności. Gazeta mogłaby na tym ucierpieć. Dlatego będzie musiał odejść z SMP. Erika rozważała dwie alternatywne strategie.

Albo pójdzie do Borgsjö i wyłoży karty na stół, pokaże dokumentację i skłoni go, żeby sam wyciągnął wnioski i odszedł ze stanowiska przed publikacją artykułu.

Albo, jeśli będzie się upierał przy swoim, zwoła w trybie pilnym zebranie zarządu, poinformuje o tym, co się dzieje, i zmusi zarząd, żeby pozbył się prezesa. Jeśli zarząd nie zgodzi się na takie rozwiązanie, Erika ze skutkiem natychmiastowym złoży dymisję.

Kiedy doszła do tego miejsca, woda zdążyła wystygnąć. Spłukała ciało prysznicem, wytarła się i poszła do sypialni po szlafrok. Potem zadzwoniła do Mikaela Blomkvista. Nie zgłaszał się, więc zeszła na parter, żeby nastawić kawę i, po raz pierwszy, odkąd zaczęła pracę w SMP, sprawdzić, czy w telewizji jest jakiś film, przy którym mogłaby się rozerwać.

Kiedy przechodziła obok drzwi do salonu, poczuła nagły ból w stopie. Spojrzała w dół i zobaczyła, że obficie krwawi. Przy następnym kroku ból przeszył całą stopę. Skacząc na jednej nodze, dotarła się do krzesła i usiadła. Ku swemu przerażeniu odkryła kawałek szkła w podeszwie stopy. Najpierw zrobiło się jej słabo. Potem wzięła się w garść, chwyciła szkło za krawędź i szybko je wyciągnęła. Poczuła straszliwy ból, a z rany aż trysnęła krew.

Z komody stojącej w przedpokoju wyciągnęła szufladę z szalikami i rękawiczkami. Znalazła jakąś chustkę, szybko obwiązała nią stopę i mocno zacisnęła. Nie wystarczyło, więc ten zaimprowizowany opatrunek poprawiła jeszcze jedną chustką. Upływ krwi się trochę zmniejszył.

Zszokowana patrzyła na odłamek szkła. *Skąd on się tu wziął?* Potem na podłodze przedpokoju odkryła więcej takich kawałków. *Co, do jasnej cholery...* Wstała, zajrzała do salonu i zobaczyła, że wielkie panoramiczne okno z widokiem na Saltsjön jest rozbite, a całą podłogę pokrywają odłamki szkła.

Wycofała się do drzwi wejściowych i założyła buty, które zrzuciła po przyjściu do domu. Właściwie założyła jeden, a do drugiego wsunęła tylko palce zranionej stopy i pokuśtykała do salonu, żeby obejrzeć zniszczenia.

Potem zobaczyła cegłę leżącą na środku stołu.

Podeszła do drzwi werandy i wyszła na tyły domu.

Na ścianie metrowymi literami ktoś napisał sprayem jedno słowo:

KURWA

KRÓTKO PO DZIEWIĄTEJ WIECZOREM Monika Figuerola otworzyła Mikaelowi Blomkvistowi drzwi auta. Obeszła samochód i usiadła na miejscu kierowcy.

– Mam pana podwieźć do domu czy wysadzić gdzie indziej?

Mikael patrzył przed siebie pustym wzrokiem.

– Szczerze mówiąc... nie bardzo wiem, gdzie jestem. Nigdy przedtem nie naciskałem premiera.

Monika zaśmiała się.

– Świetnie pan rozegrał karty – stwierdziła. – Nie miałam pojęcia, że ma pan taki talent do pokera.

– Każde słowo było szczere.

– Tak, ale chodzi mi o to, że udawał pan, że wie więcej niż w rzeczywistości. Zrozumiałam to, kiedy domyśliłam się, w jaki sposób udało się panu zidentyfikować mnie.

Mikael odwrócił się do niej i przyglądał się jej profilowi.

– Zanotował pan mój numer rejestracyjny, kiedy siedziałam w aucie przed pańskim domem.

Skinął głową.

– A pan przedstawił to tak, jakby pan co najmniej wiedział wszystko, o czym się mówi w kancelarii premiera.

– Dlaczego się pani nie odezwała?

Rzuciła mu szybkie spojrzenie i skręciła w Grev Turegatan.

– Reguły gry. Nie powinnam tam stać. Ale nie mogłam zaparkować gdzie indziej. Kontroluje pan wszystko dookoła, prawda?

– Siedziała pani z mapą na przednim siedzeniu i rozmawiała przez telefon. Sprawdziłem numery rutynowo. Sprawdzam wszystkie samochody, które zwracają uwagę. Przeważnie trafiam na puste losy. Ale tym razem odkryłem, że pracuje pani w Säpo.

– Pilnowałam Mårtenssona. Potem zauważyłam, że pan też go pilnuje za pośrednictwem Susanne Linder z Milton Security.

– Armanski wyznaczył ją do dokumentowania wszystkiego, co się dzieje wokół mojego mieszkania.

– A ponieważ weszła do bramy, domyśliłam się, że Armanski umieścił w pańskim mieszkaniu ukryte kamery.

– To prawda. Mamy znakomite nagrania, jak włamują się do środka i przeglądają moje papiery. Mårtensson miał ze sobą przenośną kopiarkę. Czy zidentyfikowaliście jego kompana?

– To nikt ważny. Ślusarz o kryminalnej przeszłości, któremu pewnie zapłacili za tę robotę.

– Nazwisko?

– Ochrona źródła?

– Jasne.

– Lars Faulsson. Lat czterdzieści siedem. Nazywany Falun. Skazany za napad na kasę w latach osiemdziesiątych i kilka mniejszych rzeczy. Ma firmę przy Norrtull.

– Dzięki.

– Ale zachowajmy może jakieś tajemnice na jutro.

Spotkanie zakończyło się porozumieniem. Następnego dnia Mikael Blomkvist miał zjawić się w ochronie konstytucji, żeby wymienić się informacjami. Nagle coś mu przyszło do głowy. Właśnie mijali Sergels torg.

– Wie pani co? Umieram z głodu. Jadłem późny lunch koło drugiej i właśnie zamierzałem ugotować sobie w domu makaron, kiedy pani mnie zgarnęła. Czy pani już jadła?

– Jakiś czas temu.

– Jedźmy do jakiejś restauracji z porządnym jedzeniem.

– Każde jedzenie jest porządne.

Mikael zerknął na nią.

– Myślałem, że jest pani jedną z tych fanatyczek zdrowej żywności.

– Nie, jestem fanatyczką treningów. Kiedy się uprawia sport, można jeść, co się chce. W granicach rozsądku, oczywiście.

Zatrzymała się przy Klarabergsviadukten i rozważała różne możliwości. Zamiast skręcić na Södermalm, jechała dalej prosto, na Kungsholmen.

– Nie wiem, jakie są knajpy na Södermalmie, ale znam świetną bośniacką restaurację przy Fridhemsplan. Mają wspaniały burek.

– To brzmi obiecująco – zgodził się Mikael Blomkvist.

LISBETH SALANDER pisała litera za literą. Pracowała średnio po pięć godzin dziennie. Starała się wyrażać precyzyjnie. Starannie pomijała wszystkie szczegóły, które mogłyby zostać wykorzystane przeciwko niej.

Fakt, że była zamknięta w szpitalnym pokoju, okazał się błogosławieństwem. Mogła pracować, kiedy chciała, gdy była sama i zawsze brzęk kluczy lub chrzęst otwieranego zamka ostrzegał ją w porę, żeby zdążyła schować komputer.

Kiedy zamykałam letni domek Bjurmana pod Stallarholmen, przyjechali na motorach Carl-Magnus Lundin i Sonny

Nieminen. Ponieważ na próżno szukali mnie wcześniej na zlecenie Zalachenki/Niedermanna, byli zdziwieni, że mnie tam widzą. Magge Lundin zsiadł z motoru i powiedział: „Tej lesbie potrzeba fiuta". Obaj z Nieminenem zachowywali się groźnie, więc byłam zmuszona skorzystać z prawa do obrony koniecznej. Opuściłam miejsce zdarzenia na motorze Lundina, który później zostawiłam przy kompleksie targowym w Älvsjö.

Przeczytała jeszcze raz to, co napisała, i zadowolona kiwnęła głową. Nie było powodu, żeby wspominać, że Magge Lundin nazwał ją kurwą, a ona w związku z tym schyliła się i podniosła pistolet P-83 wanad należący do Sonny'ego Nieminena i ukarała go, strzelając mu w stopę. Przypuszczalnie policja się tego domyślała, ale to ich sprawa, żeby udowodnić, że naprawdę tak było. Nie zamierzała ułatwiać im pracy, przyznając się do czegoś, za co groziło jej więzienie z tytułu spowodowania ciężkich obrażeń ciała.

Tekst rozrósł się do trzydziestu trzech stron i Lisbeth zbliżała się do końca. W niektórych partiach była szczególnie oszczędna, jeśli chodzi o szczegóły, i bardzo uważała, żeby nie przedstawiać dowodów potwierdzających jej wypowiedzi. Posunęła się do tego, że pomijała pewne oczywiste dowody i przechodziła do kolejnego ogniwa w łańcuchu zdarzeń.

Zastanowiła się chwilę, potem przewinęła tekst i jeszcze raz odczytała fragment opisujący brutalny, sadystyczny gwałt mecenasa Nilsa Bjurmana. Poświęciła na ten kawałek najwięcej czasu. Było to jedno z niewielu miejsc, które kilka razy przerabiała, aż uznała, że jest w porządku. Rzeczowo zrelacjonowała, jak ją bił, rzucił na łóżko twarzą do dołu, zakleił usta taśmą i przykuł kajdankami. Następnie opisała, jak wielokrotnie dokonał wymuszonych czynów lubieżnych, między innymi penetracji analnej i oralnej. Dalej zrelacjonowała, jak podczas gwałtu w pewnym momencie owinął jej wokół szyi jakieś ubranie – jej własny T-shirt – i zacisnął tak mocno, że na chwilę straciła przytomność. Potem w kilku linijkach wymieniła narzędzia, jakich użył podczas gwałtu: krótki pejcz, czop analny, wielki wibrator i spinacze, którymi miażdżył jej sutki.

Czytała ze zmarszczonym czołem. W końcu uniosła rysik i wystukała kilka dodatkowych linijek.

W pewnym momencie, kiedy usta nadal miałam zaklejone taśmą, Bjurman skomentował moje liczne tatuaże i kolczyki, między innymi w lewym sutku. Zapytał, czy lubię robić sobie dziury i na chwilę wyszedł z pokoju. Wrócił ze szpilką, którą następnie przebił mój prawy sutek.

Przeczytała nowy fragment i z aprobatą skinęła głową. Suchy, rzeczowy ton nadawał opisowi nieco surrealistyczny charakter, sprawiał, że wszystko to wyglądało na niedorzeczne fantazje.

Cała opowieść brzmiała po prostu niewiarygodnie.

I właśnie taki był cel Lisbeth Salander.

W następnym momencie usłyszała podzwanianie kluczy strażnika Securitasu. Błyskawicznie wyłączyła palma i włożyła go do niszy za nocną szafką. Do pokoju weszła Annika Giannini. Lisbeth zmarszczyła brwi. Było już po dziewiątej wieczorem. Zwykle Giannini nie zjawiała się o tak późnej porze.

– Witaj, Lisbeth.

– Cześć.

– Jak się czujesz?

– Jeszcze nie jestem gotowa.

Annika Giannini westchnęła.

– Lisbeth... datę rozpoczęcia procesu ustalili na trzynasty lipca.

– W porządku.

– Nie, to nie jest w porządku. Czas ucieka, a ty nic mi nie mówisz. Zaczynam się obawiać, że popełniłam kolosalną pomyłkę, kiedy podjęłam się twojej obrony. Żeby mieć jakieś szanse, musisz mi zaufać. Musimy współpracować.

Lisbeth przez dłuższą chwilę wpatrywała się w Annikę Giannini. Wreszcie odchyliła głowę do tyłu i spojrzała na sufit.

– Wiem, co teraz zrobimy – powiedziała. – Zrozumiałam plan Mikaela. I on ma rację.

– Nie jestem tego pewna – stwierdziła Annika.

– Za to ja jestem.

– Policja chce cię jeszcze raz przesłuchać. Jakiś Hans Faste ze Sztokholmu.

– A niech mnie przesłuchuje. Nie powiem ani słowa.

– Musisz złożyć jakieś wyjaśnienia.

Lisbeth spojrzała bystro na Annikę.

– Powtarzam: nie powiemy policji ani słowa. Kiedy zacznie się proces, prokurator nie będzie miał ani słowa z żadnego przesłuchania, żeby się na nim oprzeć. Jedyną rzeczą, jaką będą mieli, będzie moja relacja, którą właśnie spisuję i która w wielu miejscach będzie sprawiała wrażenie niewiarygodnej. A otrzymają ją kilka dni przed procesem.

– A kiedy zamierzasz usiąść i ją spisać?

– Dostaniesz ją za kilka dni. Ale do prokuratora pójdzie dopiero kilka dni przed procesem.

Annika Giannini nie była przekonana. Lisbeth posłała jej ostrożny krzywy uśmieszek.

– Mówisz o zaufaniu. Czy ja mogę ci zaufać?

– Oczywiście.

– Okej, czy mogłabyś w takim razie przemycić dla mnie palmtopa, żebym mogła kontaktować się ze światem przez internet?

– Nie. Oczywiście, że nie. Gdyby ktoś to odkrył, postawiono by mi zarzuty i mogłabym stracić licencję adwokacką.

– A gdyby ktoś inny przemycił taki komputer, czy zgłosiłabyś to policji?

Annika uniosła brwi.

– Jeśli o nim nie wiem...

– Ale gdybyś wiedziała, co byś wtedy zrobiła?

Annika długo się zastanawiała.

– Udawałabym, że nie widzę. A dlaczego pytasz?

– Ten hipotetyczny komputer wkrótce wyśle ci hipotetycznego maila. Kiedy go przeczytasz, przyjdź do mnie znowu.

– Lisbeth...

– Czekaj. Sprawa wygląda tak: prokurator gra znaczonymi kartami. Choćbym nie wiem co robiła, jestem w gorszej sytuacji, a celem procesu jest wysłanie mnie do zakładu zamkniętego.

– Wiem.

– Jeśli mam przeżyć, też muszę walczyć nieczystymi metodami.

Annika Giannini w końcu skinęła głową.

– Kiedy przyszłaś do mnie pierwszy raz, przekazałaś mi wiadomość od Mikaela Blomkvista. Powiedział, że wtajemniczył cię we wszystko, z kilkoma wyjątkami. Jeden z tych wyjątków to moje umiejętności, o których się dowiedział, kiedy byliśmy w Hedestad.

– Rozumiem.

– Chodzi o to, że jestem zajebiście dobra w komputerach. Tak dobra, że mogę czytać i kopiować wszystko, co znajduje się w komputerze prokuratora Ekströma.

Annika zbladła.

– Ale ty nie możesz być w to wciągnięta. Nie mogłabyś wykorzystać tej wiedzy podczas procesu – powiedziała Lisbeth.

– Nie, nie sądzę.

– A więc nic o tym nie wiesz.

– Okej.

– Ale za to ktoś inny, na przykład twój brat, może opublikować wybrane części tego materiału. Musisz wziąć to pod uwagę, kiedy będziesz planowała naszą strategię na proces.

– Rozumiem.

– Anniko, podczas procesu będzie liczyło się to, kto użyje bardziej bezwzględnych metod.

– Wiem.

– Cieszę się, że jesteś moim adwokatem. Ufam ci i potrzebuję twojej pomocy.

– Hmm...

– Ale jeśli będziesz się oburzać, że ja też używam nieetycznych metod, przegramy.

– Tak.

– A gdyby miało tak być, chciałabym to wiedzieć już teraz. Wtedy będę musiała cię zwolnić i znaleźć sobie innego adwokata.

– Lisbeth, ja nie mogę łamać prawa.

– Wcale nie masz łamać prawa. Ale powinnaś przymykać oczy, kiedy ja to robię. Czy będziesz w stanie?

Lisbeth czekała cierpliwie prawie minutę. Wreszcie Annika skinęła głową.

– Świetnie. W takim razie opowiem ci z grubsza, o czym napiszę.

Rozmawiały dwie godziny.

MONIKA FIGUEROLA miała rację. Burek w bośniackiej restauracji był wyśmienity. Mikael Blomkvist zerkał na nią ostrożnie, kiedy wracała z toalety. Poruszała się z gracją baletnicy, ale ciało miała jak... Mikael nie mógł nic poradzić, że go to fascynowało. Powstrzymał impuls, żeby wyciągnąć rękę i dotknąć mięśni jej nóg.

– Jak długo trenujesz? – zapytał.

– Zaczęłam jako nastolatka.

– Ile godzin tygodniowo?

– Dwie dziennie. Czasem trzy.

– Dlaczego? To znaczy rozumiem, dlaczego ludzie trenują, ale...

– Myślisz, że to przesada?

– Sam już nie wiem, co myślałem.

Monika uśmiechnęła się. Wcale nie wyglądała na zirytowaną jego pytaniami.

– Może jesteś tylko zirytowany, widząc umięśnioną kobietę, i uważasz, że to jest aseksualne i niekobiece?

– Nie. Ależ skąd. To pasuje do ciebie w pewien sposób. Jesteś bardzo seksowna.

Znów się zaśmiała.

– Teraz trochę ograniczam treningi. Dziesięć lat temu ostro uprawiałam body building. To było super. Ale teraz muszę uważać, żeby wszystkie mięśnie nie zamieniły się w tłuszcz, bo będę za pulchna. Więc teraz raz w tygodniu podnoszę ciężary, poza tym biegam, gram w badmintona, pływam albo coś podobnego. To bardziej ruch niż trening.

– Rozumiem.

– A trenuję dlatego, że to bardzo przyjemne. To się często zdarza ludziom, którzy dużo trenują. Ciało wytwarza substancje uśmierzające ból, od których można się uzależnić. Po pewnym czasie ma się objawy głodu narkotykowego, kiedy się codziennie nie biega. To niesłychany kop pozytywnej energii, kiedy człowiek daje z siebie wszystko. Prawie tak mocny jak dobry seks.

Mikael roześmiał się.

– Ty też powinieneś zacząć trenować – powiedziała. – Brzuch ci rośnie.

– Wiem – przyznał. – Nieustające wyrzuty sumienia. Czasami biorę się w garść i zaczynam biegać, gubię kilka kilo, a potem coś mnie tak wciąga, że jestem ciągle zajęty i nie mam czasu na bieganie przez miesiąc albo dwa.

– Przez ostatnie miesiące byłeś bardzo zajęty.

Mikael nagle spoważniał. Potem skinął głową.

– Przez ostatnie tygodnie bardzo dużo o tobie czytałam. Kiedy wyśledziłeś Zalachenkę i zidentyfikowałeś Niedermanna, wyprzedziłeś policję o kilka długości.

– Lisbeth Salander była szybsza.

– A jak ci się udało trafić na Gossebergę?

Mikael wzruszył ramionami.

– Zwykły research. Zresztą to nie ja ją znalazłem, tylko nasza sekretarz redakcji, teraz naczelna, Malin Eriksson. To jej udało się odnaleźć Niedermánna w rejestrze firm. Był w zarządzie przedsiębiorstwa KAB, należącego do Zalachenki.

– Rozumiem.

– Dlaczego zostałaś funkcjonariuszką Säpo? – zapytał.

– Możesz mi wierzyć albo nie, ale jestem kimś naprawdę niedzisiejszym, osobą o demokratycznych przekonaniach. Uważam, że policja jest potrzebna, a demokracja potrzebuje policyjnej ochrony. Dlatego jestem bardzo dumna, że mogę pracować w ochronie konstytucji.

– Hmm... – mruknął Mikael.

– Nie lubisz służby bezpieczeństwa.

– Nie lubię instytucji, które są poza kontrolą parlamentarną. To prowokuje do nadużywania władzy, niezależnie od szlachetnych intencji. Dlaczego interesujesz się starożytnymi bóstwami?

Uniosła brwi.

– Czytałaś książkę o tym, kiedy siedziałaś u mnie na schodach.

– Ach tak. Oczywiście. Fascynuje mnie to.

– Aha.

– Interesuję się wieloma rzeczami. Równolegle ze służbą w policji studiowałam prawo i politologię. A przedtem historię idei i filozofię.

– Nie masz żadnych słabych stron?

– Nie czytam literatury pięknej, nie chodzę do kina, a w telewizji oglądam tylko wiadomości. A ty? Dlaczego zostałeś dziennikarzem?

– Bo istnieją instytucje takie jak Säpo, niekontrolowane przez parlament, którym trzeba patrzeć na ręce.

Mikael uśmiechnął się.

– Szczerze mówiąc, nie wiem do końca. Ale właściwie odpowiedź powinna być chyba taka sama jak twoja. Wierzę w demokrację konstytucyjną, której czasem trzeba bronić.

– Jak w przypadku finansisty Hansa-Erika Wennerströma.

– Coś w tym rodzaju.

– Nie jesteś żonaty. Czy jesteście parą z Eriką Berger?

– Erika jest mężatką.

– Okej. A więc wszystkie plotki o was to wymysły. Masz kogoś?

– Nikogo na stałe.

– A więc i te plotki są prawdziwe.

Mikael wzruszył ramionami i znów się uśmiechnął.

REDAKTOR NACZELNA MALIN ERIKSSON wieczór i znaczną część nocy spędziła przy kuchennym stole w swoim domu w Årsta. Siedziała nad budżetem „Millennium" i była tak zajęta, że jej chłopak Anton powoli porzucił wszelkie próby nawiązania kontaktu. Pozmywał, zrobił sobie późną kanapkę i kawę. Potem zostawił ją w spokoju i usiadł przed telewizorem. Akurat leciała powtórka CSI.

Malin Eriksson nigdy jeszcze nie zajmowała się czymś bardziej skomplikowanym niż budżet domowy, ale razem z Eriką Berger robiła rozliczenia miesięczne, więc zasady księgowości były jej znane. Teraz nagle była naczelną i odpowiadała także za budżet. Było już po północy, kiedy postanowiła, że jednak musi mieć kogoś do pomocy. Ingela Oscarsson, która raz w tygodniu zajmowała się księgowością, nie odpowiadała za budżet i nie była szczególną pomocą, kiedy chodziło o decyzję, ile można zapłacić wolnemu strzelcowi albo czy redakcję stać na zakup nowej drukarki laserowej ze środków nieprzeznaczonych na technikę.

W gruncie rzeczy sytuacja była idiotyczna: „Millennium" przynosiło zyski, ale tylko dlatego, że Erika Berger nieustannie kombinowała, jak zredukować do zera wydatki. I bywało, że tak podstawowa sprawa jak kolorowa drukarka laserowa za czterdzieści pięć tysięcy koron szybko okazywała się czarno-białą drukarką za osiem tysięcy.

Przez chwilę pozazdrościła Erice. W SMP dysponowała budżetem, w którym wydatek na drukarkę był drobiazgiem bez znaczenia.

Na ostatnim walnym zebraniu stwierdzono, że sytuacja finansowa „Millennium" jest nie najgorsza, lecz nadwyżki w budżecie pochodziły głównie ze sprzedaży książki Mikaela Blomkvista o aferze Wennerströma. Nadwyżka przeznaczona na inwestycje kurczyła się w zastraszającym tempie. Jedną z przyczyn były wydatki Mikaela w związku ze sprawą Salander. „Millennium" nie miało wystarczających środków na pokrywanie z bieżącego budżetu wszelkich wydatków pracowników, czyli wynajmu samochodów, noclegów w hotelach, taksówek, zakupu materiałów do badań, telefonów komórkowych i tym podobnych.

Malin przyjęła fakturę od freelancera Davida Olofssona z Göteborga. Westchnęła. Mikael Blomkvist wydał czternaście tysięcy na tydzień researchu do artykułu, który nawet nie miał zostać opublikowany. Wynagrodzenie dla Idrisa Ghidiego z Göteborga szło z budżetu na honoraria dla anonimowych źródeł, których nazwisk nie wolno było podawać, co oznaczało, że rewizor przyczepi się do braku pokwitowania i o wszystkim będzie musiał zdecydować zarząd. „Millennium" płaciło także honorarium Anniki Giannini, która wprawdzie miała dostać pieniądze z budżetu państwa, ale i tak na bieżąco potrzebowała ich na bilety kolejowe i tym podobne sprawy.

Malin odłożyła długopis i przyjrzała się wyliczeniom. Mikael Blomkvist, nie biorąc pod uwagę ich sytuacji, przepuścił ponad sto pięćdziesiąt tysięcy koron na sprawę Salander, całkowicie poza budżetem. Tak nie mogło być.

Uświadomiła sobie, że musi z nim porozmawiać.

ZAMIAST NA SOFIE przed telewizorem Erika Berger spędziła wieczór na pogotowiu w szpitalu Nacka. Szkło wbiło się tak głęboko, że krwawienie nie ustawało, a oględziny wykazały, że ukruszony kawałeczek szkła nadal tkwi w jej pięcie i trzeba go usunąć. Zabieg przeprowadzono przy znieczuleniu miejscowym, a potem założono jej trzy szwy.

Przez cały czas pobytu w szpitalu, klnąc pod nosem, co chwilę próbowała dodzwonić się do Gregera Backmana lub Mikaela Blomkvista. Lecz ani jej mąż, ani kochanek nie raczyli odebrać. O dziesiątej wieczorem, z grubo obandażowaną stopą i wypożyczonymi kulami, wróciła taksówką do domu.

Najpierw, kuśtykając na jednej nodze i podpierając się na palcach drugiej, pozamiatała szkło w salonie i zamówiła nową szybę. Miała szczęście. W mieście nie było wielkiego ruchu, więc szklarze przyjechali już po dziesięciu minutach. Ale potem okazało się, że ma pecha. Okno w salonie było tak duże, że w magazynie nie mieli odpowiedniej szyby. Zaproponowali prowizoryczne zasłonięcie okna dyktą, na co Erika z wdzięcznością się zgodziła.

Kiedy zakładano dyktę, zadzwoniła do dyżurnego w prywatnej firmie ochroniarskiej NIP, czyli Nacka Integrated Protection, żeby zapytać, dlaczego jej kosztowny alarm antywłamaniowy się nie włączył, kiedy ktoś wrzucił przez okno cegłę do domu o powierzchni dwustu pięćdziesięciu metrów kwadratowych.

Wkrótce zjawił się samochód z ludźmi z NIP. Obejrzeli instalację i stwierdzili, że technik, który kilka lat temu zakładał alarm, zapomniał podłączyć kabelki do okna w salonie.

Erika Berger zaniemówiła.

Na propozycję NIP, że załatwią sprawę następnego ranka, odpowiedziała, że nie muszą się fatygować. Zadzwoniła na nocny dyżur do Milton Security, wyjaśniła swoją sytuację i poprosiła o jak najszybsze założenie kompletnego systemu alarmowego. *Tak, wiem, że trzeba podpisać umowę, ale niech pan powie Draganowi Armanskiemu, że dzwoniła Erika Berger, i dopilnuje, żeby alarm został zainstalowany jutro rano.*

Na koniec zatelefonowała na policję. Dowiedziała się, że w tej chwili nie ma wolnego radiowozu. Poradzono jej, żeby następnego dnia udała się do najbliższego komisariatu. *Piękne dzięki. Fuck off.*

Potem siedziała samotnie i długo jeszcze wszystko w niej buzowało. Wreszcie poziom adrenaliny zaczął opadać i uświadomiła sobie, że będzie musiała spać sama w niezabezpieczonym domu, podczas gdy ktoś, kto nazywa ją kurwą i ma skłonność do agresji, krąży po okolicy.

Przez chwilę rozważała, czy nie pojechać do miasta i nie przenocować w hotelu, ale nie lubiła, kiedy jej grożono, a jeszcze bardziej nie lubiła się przed pogróżkami uginać. *Niech sobie ta pieprzona menda nie myśli, że mnie tak łatwo wykurzy z własnego domu.*

Potem zastosowała kilka prostych środków ostrożności.

Mikael Blomkvist opowiadał jej, jak Lisbeth Salander potraktowała seryjnego zabójcę Martina Vangera kijem golfowym. Poszła więc do garażu, gdzie przez dziesięć minut szukała kompletu kijów. Nie używała ich od piętnastu lat. Wybrała żelazny, którym najłatwiej było się zamachnąć, i położyła go w sypialni przy łóżku. Małego puttera umieściła w przedpokoju, a drugi żelazny kij w kuchni. Ze skrzyni na narzędzia stojącej w piwnicy wyjęła młotek i położyła go w łazience obok sypialni.

Z torebki wyciągnęła pojemnik z gazem łzawiącym i postawiła go na nocnym stoliku. Wreszcie znalazła gumowy klin, zamknęła drzwi sypialni i zablokowała je. Niemal miała nadzieję, że ten pieprzony dureń, który nazwał ją kurwą i rozwalił okno, będzie na tyle głupi, żeby pojawić się w nocy jeszcze raz.

Była już pierwsza, kiedy stwierdziła, że jest wystarczająco dobrze zabezpieczona. W SMP miała być o ósmej. Zajrzała do kalendarza i stwierdziła, że ma umówione cztery spotkania, pierwsze o dziesiątej. Stopa bardzo ją bolała. Musiała kuśtykać podparta na palcach. Rozebrała się i wsunęła do łóżka. Nie miała koszuli nocnej i przez chwilę zastanawiała się, czy nie założyć jakiegoś podkoszulka, ale ponieważ sypiała nago od wczesnej młodości, uznała, że jakaś cegła wrzucona przez okno salonu nie powinna zmieniać jej zwyczajów.

Potem oczywiście nie mogła zasnąć, więc leżała pogrążona w myślach.

Kurwa.

Dostała dziewięć maili ze słowem kurwa. Zdawały się pochodzić od różnych osób ze środowiska mediów. Pierwszy z jej własnej redakcji, ale adres nadawcy był fałszywy.

Wstała i przyniosła swój nowy laptop Della. Dostała go, kiedy zaczęła pracować w SMP.

Pierwszy mail – najbardziej wulgarny i groźny, w którym była mowa o ruchaniu śrubokrętem – przyszedł szesnastego maja.

Mail numer dwa dwa dni później, osiemnastego maja.

Po tygodniu przerwy znów zaczęły przychodzić, średnio co dwadzieścia cztery godziny. Potem atak na jej dom.

Kurwa.

W tym czasie także Eva Carlsson z działu kultury dostawała wulgarne maile, których nadawcą była rzekomo Erika, więc możliwe, że dostawali je także inni, o czym nie miała pojęcia.

Nie była to przyjemna myśl.

Ale najbardziej niepokoił ją atak na dom.

Oznaczało to, że ktoś zadał sobie trud, żeby przyjechać do Saltsjöbaden, zlokalizować jej dom i wrzucić przez okno cegłę. Napastnik się przygotował – zabrał ze sobą puszkę farby w sprayu. W pewnej chwili aż ją zmroziło, bo uświadomiła sobie, że może dopisać do tej listy jeszcze jeden punkt. Kiedy nocowała z Mikaelem Blomkvistem w Hiltonie przy Slussen, ktoś przedziurawił wszystkie opony w jej aucie.

Wniosek był tyleż oczywisty, co niepokojący. Prześladował ją stalker.

Był ktoś, kto z nieznanych powodów postanowił dręczyć Erikę Berger.

Atak na dom był w pewnym sensie zrozumiały – budynek jest tu, gdzie jest, nie dało się go ukryć ani przenieść. Ale to, że ktoś zniszczył jej samochód, kiedy stał na przypadkowo wybranej ulicy na Södermalmie, oznaczało, że stalker śledzi każdy jej krok.

Rozdział 18
Czwartek 2 czerwca

ERIKA BERGER obudziła się pięć po dziewiątej, kiedy zadzwoniła komórka.

– Dzień dobry, pani Berger. Mówi Dragan Armanski. Słyszałem, że coś się działo w nocy.

Erika wyjaśniła, co zaszło, i zapytała, czy Milton Security może przejąć zlecenie po Nacka Integrated Protection.

– Możemy w każdym razie zainstalować alarm, który będzie działał – stwierdził sarkastycznie Armanski. – Problem tylko w tym, że najbliższy patrol z samochodem, jakim dysponujemy w nocy, jest w centrum Nacka. Dojazd trwałby około trzydziestu minut. Jeśli przyjmiemy ochronę pani domu, będę to musiał zlecić firmie zewnętrznej. Mamy umowę o współpracy z miejscową firmą ochroniarską, Adam Säkerhet z Fisksätry. Jeśli wszystko dobrze pójdzie, mogą być na miejscu w ciągu dziesięciu minut.

– To lepsze niż NIP, który nie przyjeżdża wcale.

– Firma, z którą współpracowaliśmy to firma rodzinna, ojciec, dwóch synów i kilku kuzynów. Grecy, porządni ludzie. Ojca znam od wielu lat. Są do dyspozycji przez trzysta dwadzieścia dni w roku. Kiedy nie są, z powodu urlopu czy innych spraw, uprzedzają, i wtedy do Nacka wysyłamy nasz samochód.

– W porządku.

– Wyślę do pani naszego człowieka przed południem. Nazywa się David Rosin i już jest w drodze. Sprawdzi, jakie zabezpieczenia są potrzebne. Jeśli nie zastanie pani w domu, będzie potrzebował kluczy. Musi mieć pozwolenie na zbadanie całego domu od piwnicy aż po dach. Zrobi zdjęcia domu, działki i najbliższego otoczenia.

– Rozumiem.

– Rosin ma duże doświadczenie. Po jego raporcie przedstawimy pani ofertę zabezpieczeń. Za kilka dni plan będzie gotowy. Obejmuje instalację alarmową, zabezpieczenie przeciwpożarowe, plan ewakuacji i ochronę antywłamaniową.

– Okej.

– Chcemy także panią przeszkolić, żeby pani w razie czego wiedziała, co trzeba robić przez te dziesięć minut do przyjazdu samochodu z Fisksätry.

– Dobrze.

– Już dziś po południu założymy alarm. Potem musimy podpisać umowę.

Po rozmowie z Armanskim Erika uświadomiła sobie, że zaspała. Zadzwoniła do sekretarza redakcji Petera Fredriks-sona, wyjaśniła, że miała wypadek, i poprosiła o przełożenie spotkania z godziny dziesiątej.

– Jak się pani czuje? – zapytał.

– Zraniłam się w stopę – powiedziała Erika. – Dokuśtykam do redakcji, jak tylko się pozbieram.

Następnie poszła do łazienki sąsiadującej z sypialnią. Potem włożyła czarne spodnie, a na obandażowaną stopę nałożyła pantofel męża. Do tego czarna bluzka i żakiet. Zanim usunęła gumowy klin spod drzwi sypialni, uzbroiła się w gaz łzawiący.

Rozglądając się uważnie, poszła do kuchni i nastawiła kawę. Jadła śniadanie przy kuchennym stole, nasłuchując cały czas. Właśnie nalewała sobie drugą filiżankę kawy, kiedy do drzwi zapukał David Rosin z Milton Security.

MONIKA FIGUEROLA przyszła pieszo na Bergsgatan i zwołała czwórkę swoich podwładnych na poranne spotkanie.

– Teraz mamy już *deadline* – poinformowała. – Musimy zakończyć pracę do trzynastego lipca. Wtedy ruszy proces przeciwko Lisbeth Salander. To znaczy, że został nam jeszcze ponad miesiąc. Musimy ustalić, co jest w tej chwili najważniejsze. Jak uważacie?

Berglund odchrząknął.

– Ten blondyn, który spotyka się z Mårtenssonem. Musimy ustalić, kto to jest.

Wszyscy skinęli głowami.

– Mamy go na zdjęciach, ale nie wiemy, jak go znaleźć. Nie możemy rozesłać listu gończego.

– A Gullberg? Musi być jakiś sposób, żeby prześledzić, co się z nim działo. Wiemy, że w tajnej policji państwowej był od początku lat pięćdziesiątych do 1964 roku. Wtedy powstała RPS/Säk. Potem zniknął gdzieś w mroku.

Figuerola pokiwała głową.

– Czy możemy w takim razie wyciągnąć wniosek, że Klub Zalachenki to coś, co powstało w 1964 roku? A więc na długo zanim Zalachenko znalazł się w Szwecji?

– Może mieli wtedy jakiś inny cel... tajna organizacja w organizacji.

– To było po sprawie z Wennerströmem. Wtedy wszyscy wpadli w paranoję.

– Coś w rodzaju tajnej policji szpiegowskiej?

– Istnieją podobne rzeczy za granicą. W Stanach w latach sześćdziesiątych powstała specjalna grupa wewnętrznych łowców szpiegów w łonie CIA. Kierował nią James Jesus Angleton. Udało im się niemal rozwalić działalność całej CIA. Ludzie Angletona to byli fanatycy i paranoicy – każdego ciecia w CIA podejrzewali, że jest radzieckim agentem. W rezultacie znaczne obszary aktywności CIA były sparaliżowane.

– Ale to tylko spekulacje...

– Gdzie są przechowywane dawne akta osobowe?

– Gullberga w nich nie ma. Już sprawdzałam.

– A co z budżetem? Taka operacja musiała być jakoś finansowana...

Dyskusja trwała aż do przerwy na lunch. Monika Figuerola przeprosiła i wyszła do siłowni, żeby trochę pomyśleć w spokoju.

ERIKA BERGER, kulejąc, weszła do redakcji SMP w porze lunchu. Stopa bolała ją tak bardzo, że nie mogła jej stawiać na podłodze. Dotarła do swojego biura i z ulgą osunęła się na krzesło. Peter Fredriksson zobaczył ją ze swojego miejsca w newsroomie. Dała mu ręką znak, żeby do niej przyszedł.

– Co się stało? – zapytał.

– Nastąpiłam na kawałek szkła. Odłamek utkwił w pięcie.

– To niedobrze.

– Bardzo niedobrze. Czy ktoś dostał jakieś dziwne maile?

– Nic o tym nie wiem.

– Okej. Niech pan ma uszy otwarte. Chcę wiedzieć o wszystkich podejrzanych sprawach w SMP.

– Co pani ma na myśli?

– Obawiam się, że jakiś wariat rozsyła obrzydliwe maile i mnie upatrzył sobie na ofiarę. Chcę wiedzieć, jeśli pan coś zauważy.

– Na przykład takie maile, jakie dostała Eva Carlsson?

– Wszelkie dziwne sprawy. Ja sama też dostałam masę chorych maili. Ktoś przypisuje mi wszystko co najgorsze i proponuje różne zboczone rzeczy.

Peter Fredriksson spochmurniał.

– Od jak dawna to trwa?

– Kilka tygodni. A teraz niech pan powie, co jutro będzie w gazecie.

– Hmm...

– Co znaczy hmmm...?

– Holm i szef redakcji prawnej się pieklą.

– Ach tak. A z jakiego powodu?

– Z powodu Johannesa Friska. Przedłużyła mu pani umowę i zleciła napisanie reportażu, a on nie chce powiedzieć, o co chodzi.

– Nie może tego powiedzieć. Takie było moje polecenie.

– On też tak mówi. I właśnie dlatego Holm i szef prawnej są na panią wściekli.

– Rozumiem. Proszę umówić spotkanie z redakcją prawną na dziś na trzecią po południu. Wyjaśnię, o co chodzi.

– Holm jest trochę zły...

– Ja też jestem trochę zła na Holma, więc wszystko się wyrównuje.

– Jest tak zły, że poszedł na skargę do zarządu.

Erika podniosła wzrok. *Jasna cholera. Muszę zająć się sprawą Borgsjö.*

– Borgsjö przyjdzie dziś po południu i chce się z panią spotkać. Podejrzewam, że to zasługa Holma.

– Okej. O której?

– O drugiej.

Potem zaczął referować popołudniowe notatki służbowe.

DOKTOR ANDERS JONASSON odwiedził Lisbeth Salander w porze lunchu. Pacjentka odsunęła od siebie talerz ze szpitalną zapiekanką warzywną. Jak zwykle zrobił krótkie badanie, ale Lisbeth zauważyła, że nie przykładał się zbytnio.

– Jest pani zdrowa – stwierdził w końcu.

– Hmm... Musicie coś zrobić z jedzeniem w tym lokalu.

– Z jedzeniem?

– No... nie dałoby się załatwić pizzy albo czegoś podobnego?

– Niestety. Za mały budżet.

– Tego się obawiałam.

– Lisbeth. Jutro przeprowadzimy dokładną kontrolę stanu pani zdrowia...

– Rozumiem. I jestem już zdrowa.

– Jest pani wystarczająco zdrowa, żeby można było panią przenieść do Kronobergu w Sztokholmie.

Skinęła głową.

– Pewnie mógłbym opóźnić przeniesienie jeszcze o jakiś tydzień, ale moi koledzy zaczną sobie zadawać pytania.

– Nie musi pan tego robić.

– Na pewno?

Kiwnęła głową.

– Jestem gotowa. Zresztą to i tak musi nastąpić prędzej czy później.

Lekarz skinął głową.

– To dobrze – powiedział. – W takim razie jutro dam zielone światło. To znaczy, że prawdopodobnie przeniosą panią dość szybko.

Lisbeth skinęła głową.

– Niewykluczone, że już w najbliższy weekend. Kierownictwo szpitala nie chce już pani trzymać.

– Rozumiem.

– Ehm... a pani zabawka...

– Będzie we wnęce za nocną szafką.

Pokazała mu.

– Okej.

Siedzieli chwilę w milczeniu, potem Anders Jonasson podniósł się.

– Muszę zajrzeć do innych pacjentów. Oni bardziej potrzebują mojej pomocy.

– Dziękuję za wszystko. Jestem panu winna przysługę.

– Wykonywałem tylko swoją pracę.

– Nie. Pan zrobił dużo więcej. Nie zapomnę tego.

MIKAEL BLOMKVIST wszedł do budynku policji na Kungsholmen przez bramę od Polhemsgatan. Monika Figuerola wyszła po niego i zaprowadziła do wydziału ochrony konstytucji. W windzie spoglądali na siebie w milczeniu.

– Czy to rozsądne, żebym pokazywał się tu, na policji? – zapytał Mikael. – Ktoś może mnie zobaczyć i zacznie się zastanawiać.

Monika Figuerola skinęła głową.

– To będzie jedyne spotkanie tutaj. Potem będziemy się spotykać w biurze, które wynajmujemy przy Fridhemsplan. Będziemy mieli do niego dostęp od jutra. Ale to nie problem. Ochrona konstytucji jest małą i niemal samowystarczalną jednostką. Nikt w RPS/Säk nie zwraca na nią uwagi. Zresztą jesteśmy na innym piętrze niż reszta Säpo.

Mikael skinął na powitanie Torstenowi Edklinthowi, nie podając ręki, i przywitał się z dwoma pracownikami, którzy najwyraźniej wchodzili w skład zespołu Edklintha. Przedstawili się jako Stefan i Anders. Mikael zwrócił uwagę, że nie podali nazwisk.

– Od czego zaczynamy? – zapytał Blomkvist.

– Może na początek kawa... Moniko?

– Chętnie, poproszę – powiedziała Monika Figuerola.

Mikael zauważył, że szef ochrony konstytucji przez chwilę się wahał, a potem poszedł po dzbanek z kawą i przyniósł do stołu konferencyjnego, na którym stały już filiżanki. Mikael domyślił się, że Torsten Edklinth oczekiwał, że to Monika poda kawę. Uśmiechnął się nawet, podając ją sam, co Mikael uznał za dobry znak. Potem spoważniał.

– Szczerze powiedziawszy, nie wiem, jak mam się zachować w tej sytuacji. Czegoś takiego chyba jeszcze nie było, żeby dziennikarz siedział na roboczym spotkaniu w służbie bezpieczeństwa. Sprawy, o których tu będziemy mówić, są w większości objęte klauzulą tajności.

– Nie interesują mnie tajemnice wojskowe. Interesuje mnie Klub Zalachenki.

– Ale musimy znaleźć złoty środek. Po pierwsze, moi pracownicy nie mogą być wymieniani w pańskich tekstach.

– Okej.

Edklinth ze zdziwieniem spojrzał na Mikaela Blomkvista.

– Po drugie, nie będzie pan rozmawiał z żadnym innym pracownikiem oprócz mnie i Moniki Figueroli. To my będziemy decydować, co możemy panu powiedzieć.

– Jeśli ma pan jeszcze dużo takich żądań, powinien pan zgłosić je wczoraj.

– Wczoraj nie zdążyłem wszystkiego przemyśleć.

– A więc ja też coś panu wyznam. Jest to chyba pierwszy i ostatni raz w mojej karierze zawodowej, kiedy zdradzam policji treść nieopublikowanego tekstu. Więc, że posłużę się pańskimi słowami... szczerze powiedziawszy, nie wiem, jak mam się zachować w tej sytuacji.

Na chwilę przy stole zapadła cisza.

– Może moglibyśmy...

– A gdyby...

Edklinth i Monika Figuerola odezwali się jednocześnie i zaraz zamilkli.

– Szukam Klubu Zalachenki. Wy chcecie postawić przed sądem Klub Zalachenki. Tego się trzymajmy – zaproponował Mikael.

Edklinth skinął głową.

– Co macie?

Edklinth opowiedział, czego dowiedziała się Monika Figuerola i jej ludzie. Pokazał zdjęcie Everta Gullberga z agentem pułkownikiem Stigiem Wennerströmem.

– Dobrze. Chcę mieć kopię tego zdjęcia.

– Znajduje się w archiwach Åhléna & Åkerlunda – powiedziała Monika Figuerola.

– Znajduje się przede mną na stole. Z notatką na odwrocie – odparł Mikael.

– Okej. Dajcie mu kopię.

– To znaczy, że Zalachenkę zamordowała Sekcja.

– Zabójstwo i samobójstwo człowieka, który sam umierał na raka. Gullberg jeszcze żyje, ale lekarze dają mu najwyżej parę tygodni. Po próbie samobójstwa ma takie uszkodzenia mózgu, że w praktyce jest jak roślina.

– I to on był osobiście odpowiedzialny za Zalachenkę po jego ucieczce do Szwecji.

– Skąd pan to wie?

– Gullberg spotkał się z premierem Thorbjörnem Fälldinem sześć tygodni po przybyciu Zalachenki.

– Czy może pan to udowodnić?

– Tak. Dziennik wizyt kancelarii premiera. Gullberg zjawił się tam razem z ówczesnym szefem RPS/Säk.

– Nieżyjącym już.

– Ale Fälldin żyje i jest gotów o tym opowiedzieć.

– Czy pan...

– Nie, ja z nim nie rozmawiałem. Ale zrobił to ktoś inny.
Nie mogę podać nazwiska tej osoby. Ochrona źródła.

Mikael opowiedział, jak Thorbjörn Fälldin zareagował
na informacje o Zalachence, opowiedział o swojej wizycie
w Holandii i rozmowie z Janerydem.

– A więc Klub Zalachenki ma siedzibę gdzieś w tym budynku – powiedział Mikael, wskazując zdjęcie.

– Po części. Podejrzewamy, że jest to organizacja w organizacji. Klub Zalachenki nie może istnieć bez wsparcia
ważnych osób z tego budynku. Ale sądzimy, że tak zwana
Specjalna Sekcja Analiz mieści się gdzie indziej.

– Czyli to działa tak, że ktoś może być zatrudniony
przez Säpo, opłacany przez Säpo, a potem składać raporty
ze swojej pracy komuś zupełnie innemu?

– Mniej więcej tak.

– A więc kto w tym budynku pomaga Klubowi Zalachenki?

– Tego jeszcze nie wiemy. Mamy pewne podejrzenia.

– Mårtensson – podpowiedział Mikael.

Edklinth skinął głową.

– Mårtensson pracuje dla Säpo i kiedy Klub Zalachenki go potrzebuje, zwalnia się go z normalnych obowiązków
– wyjaśniła Monika Figuerola.

– Jak to jest możliwe od strony praktycznej?

– Dobre pytanie – odparł Edklinth i uśmiechnął się blado. – Nie miałby pan ochoty popracować u nas?

– Nigdy w życiu – odparł Mikael.

– Żartowałem. Ale pytanie nasuwa się samo. Mamy tu jednego podejrzanego, ale jeszcze nie potrafimy nic udowodnić.

– Pomyślmy... to musi być ktoś, kto ma uprawnienia administracyjne.

– Podejrzewamy, że to szef kancelarii Albert Shenke – powiedziała Monika Figuerola.

– I tu dochodzimy do pierwszego problemu – wtrącił Edklinth. – Podaliśmy panu nazwisko, ale to nie jest udokumentowane w żaden sposób. Jak pan zamierza w związku z tym postąpić?

– Nie mogę opublikować nazwiska, jeśli nie mam żadnej dokumentacji. Jeśli Shenke jest niewinny, będzie mógł pozwać „Millennium" za pomówienie.

– Dobrze. Czyli jesteśmy zgodni. Nasza współpraca musi się opierać na wzajemnym zaufaniu. Pana kolej. Co pan jeszcze ma?

– Trzy nazwiska – powiedział Mikael. – Dwaj pierwsi byli członkami Klubu Zalachenki w latach osiemdziesiątych.

Edklinth i Figuerola czujnie nastawili uszu.

– Hans von Rottinger i Fredrik Clinton. Rottinger nie żyje. Clinton jest na emeryturze. Ale obaj wchodzili w skład najbliższego kręgu wokół Zalachenki.

– A trzecie nazwisko? – zapytał Edklinth.

– Teleborian jest w kontakcie z osobą nazywaną Jonas. Nie znamy jego nazwiska, ale wiemy, że obecnie należy do Klubu Zalachenki... Spekulowaliśmy nawet, czy to może być mężczyzna, który razem z Mårtenssonem jest na zdjęciach sprzed Copacabany.

– A w jakim kontekście pojawiło się imię Jonas?

– Lisbeth Salander włamała się do komputera Petera Teleboriana, więc możemy śledzić jego korespondencję. Teleborian konspiruje z Jonasem w taki sam sposób, jak konspirował z Björckiem w 1991 roku. Jonas daje doktorowi instrukcje. No i tutaj dochodzimy do kolejnej komplikacji

– powiedział Mikael i uśmiechnął się do Edklintha. – Jestem w stanie udokumentować to, o czym mówię, ale nie mogę przekazać wam dokumentacji, nie zdradzając źródła. Musicie przyjąć to, co mówię.

Edklinth zamyślił się.

– Może jakiś kolega Teleboriana w Uppsali – zastanawiał się głośno.

– Okej. Zaczniemy od Clintona i von Rottingera. Niech pan opowie, co o nich wie.

PREZES ZARZĄDU MAGNUS BORGSJÖ przyjął Erikę Berger w swoim gabinecie obok sali konferencyjnej zarządu. Miał zatroskaną minę.

– Słyszałem, że się pani zraniła – powiedział, wskazując na stopę Eriki.

– To przejdzie – odparła Erika, oparła kulę o kant biurka i usiadła na krześle naprzeciwko niego.

– Ach tak, to dobrze. Eriko, jest pani u nas od miesiąca i chciałbym, żebyśmy omówili parę spraw. Jak się pani czuje?

Muszę porozmawiać z nim o Vitavara AB. Ale jak? Kiedy?

– Zaczynam się powoli orientować w tym wszystkim. Są dwie strony. Z jednej strony SMP ma problemy ekonomiczne, a budżet dławi gazetę. Z drugiej strony SMP ma w redakcji niewiarygodną masę złogów.

– A są jakieś pozytywne strony?

– Ależ tak. Mnóstwo profesjonalistów, starych wyjadaczy, którzy wiedzą, co mają robić. Problem polega na tym, że mamy też takich, którzy nie pozwalają im tego robić.

– Holm był u mnie...

– Wiem.

Borgsjö uniósł brwi.

– Miał szereg uwag na pani temat. W zasadzie same negatywne.

– To dobrze. Ja też mam szereg uwag na jego temat.

– Negatywnych? To niedobrze, że współpraca się wam nie układa.

– Ja nie mam problemu z pracą z nim. Za to on ma problem ze mną.

Erika westchnęła.

– Doprowadza mnie do szału. Ma duże doświadczenie i bez wątpienia jest jednym z najbardziej kompetentnych szefów wiadomości, jakich spotkałam. Jednocześnie to kawał drania. Knuje intrygi i wygrywa ludzi przeciwko sobie. Pracuję w branży od dwudziestu pięciu lat i nigdy nie spotkałam takiego człowieka na stanowisku szefa.

– Musi rządzić twardą ręką, żeby sobie radzić ze swoją rolą. Jest naciskany ze wszystkich stron.

– Twarda ręka, tak. Ale to nie znaczy, że musi być idiotą. Niestety Holm to katastrofa i główny sprawca tego, że tak trudno namówić pracowników do pracy zespołowej. Jemu się wydaje, że jego obowiązki polegają na tym, żeby dzielić i rządzić.

– Ostre słowa.

– Daję mu jeszcze miesiąc na zastanowienie. Potem zdejmę go ze stanowiska szefa wiadomości.

– Nie może pani tego zrobić. Pani praca nie ma polegać na rozwalaniu organizacji pracy.

Erika umilkła i przez chwilę wpatrywała się w prezesa.

– Przepraszam, ale muszę przypomnieć, że właśnie po to mnie pan zatrudnił. Spisaliśmy nawet kontrakt, który daje mi wolną rękę w sprawie zmian w redakcji, które uznam za niezbędne. Moje zadanie polega na odnowieniu gazety, a to mogę zrobić, zmieniając organizację i sposób pracy.

– Holm poświęcił SMP całe życie.

– Owszem. Ale ma pięćdziesiąt osiem lat i za sześć lat idzie na emeryturę, a ja nie mogę pozwolić, żeby przez cały ten czas był obciążeniem. Proszę mnie źle nie zrozumieć. Od chwili, kiedy usiadłam na fotelu w tym szklanym biurze, moim celem jest ulepszenie SMP i wzrost nakładu gazety.

Holm może wybrać: może pracować tak, jak ja oczekuję, albo robić coś innego. Jestem zdecydowana rozprawić się z każdym, kto stanie mi na drodze albo w inny sposób będzie chciał zaszkodzić SMP.

Cholera... muszę się zabrać za sprawę Vitavara. Borgsjö wyleci.

Borgsjö nieoczekiwanie się uśmiechnął.

– Wydaje mi się, że pani też potrafi mieć twardą rękę.

– Tak, potrafię, ale w tym przypadku to przykre, bo nie powinno być potrzebne. Moja praca polega na robieniu dobrej gazety, a to mogę robić tylko wtedy, kiedy mam dobrze działające kierownictwo i zadowolonych współpracowników.

Po rozmowie z Borgsjö Erika pokuśtykała do swojego biura. Czuła się podle. Rozmawiała z nim czterdzieści pięć minut i ani słowem nie wspomniała o sprawie Vitavary. Innymi słowy, nie była wobec niego szczera.

Zajrzała do komputera i odkryła nowy mail od mikblom@millennium.nu. Wiedziała doskonale, że takiego adresu w „Millennium" nie ma, więc łatwo mogła się domyślić, że to nowy znak życia od jej stalkera. Otworzyła wiadomość.

[CZY MYŚLISZ, ŻE BORGSJÖ CIĘ URATUJE, TY KUREWKO? JAK STOPA?]

Podniosła wzrok i odruchowo powiodła nim po redakcji. Jej spojrzenie padło na Holma. Patrzył na nią. Potem skinął głową i uśmiechnął się.

To na pewno ktoś z SMP.

SPOTKANIE W OCHRONIE KONSTYTUCJI skończyło się dopiero o godzinie piątej. Umówili się na kolejne w przyszłym tygodniu, a gdyby Mikael Blomkvist potrzebował czegoś od RPS/Säk wcześniej, miał się kontaktować z Moniką Figuerolą. Mikael wziął swoją torbę komputerową i wstał.

– Jak mam stąd wyjść? – zapytał.

– Raczej nie powinien pan chodzić po budynku sam – powiedział Edklinth.

– Ja go wyprowadzę – zaproponowała Monika Figuerola. – Zaczekaj kilka minut, tylko zabiorę rzeczy z mojego pokoju.

Szli razem przez Kronobergsparken w stronę Fridhemsplan.

– To co teraz będzie? – zapytał Mikael.

– Będziemy w kontakcie – odparła Monika.

– Zaczynam lubić kontakty z Säpo – powiedział Mikael, patrząc na nią z uśmiechem.

– Masz może ochotę na wspólną kolację?

– Znów w bośniackiej restauracji?

– Nie, nie stać mnie, żeby co wieczór jadać poza domem. Myślałam raczej o czymś skromnym u mnie w domu.

Zatrzymała się i uśmiechnęła do niego.

– Wiesz, na co mam w tej chwili ochotę? – zapytała.

– Nie.

– Chciałabym zabrać cię do siebie do domu i rozebrać.

– To może wszystko skomplikować.

– Wiem. Nie zamierzam opowiadać o tym szefowi.

– Nie wiemy, jak to się dalej potoczy. Możemy się znaleźć po przeciwnych stronach barykady.

– Zaryzykuję. Pójdziesz dobrowolnie czy muszę cię skuć?

Skinął głową. Wzięła go pod ramię i poprowadziła na Pontonjärgatan. Po trzydziestu sekundach od zamknięcia drzwi oboje byli nadzy.

KIEDY ERIKA BERGER około siódmej wieczorem wróciła do domu, czekał na nią David Rosin, konsultant do spraw bezpieczeństwa w Milton Security. Z obolałą stopą wkuśtykała do kuchni i opadła na najbliższe krzesło. Rosin zaparzył i podał kawę.

– Dziękuję. Czy serwowanie kawy wchodzi w zakres usług Milton Security?

Uśmiechnął się uprzejmie. Był pulchnym mężczyzną około pięćdziesiątki, z rudawą brodą.

– Dziękuję, że mogłem korzystać z kuchni w ciągu dnia.

– Drobnostka. Jak to wszystko wygląda?

– W ciągu dnia byli technicy i zainstalowali prawdziwy alarm. Za chwilę pani pokażę, jak działa. Obejrzałem także cały dom, od piwnic po strych, i okolice. Najpierw omówimy sprawę z kolegami z Milton Security i za kilka dni będzie gotowa analiza, którą pani przedstawimy. Ale jest jeszcze kilka spraw, o których powinniśmy przedtem porozmawiać.

– Okej.

– Po pierwsze, musimy załatwić formalności. Ostateczny kontrakt spiszemy później – zależy, na jakie usługi się umówimy – ale musi pani podpisać, że zleca pani Milton Security instalację alarmu, który dzisiaj założyliśmy. To standardowy kontrakt dwustronny: nasza firma ma wobec pani pewne wymagania i obie strony zobowiązują się do różnych rzeczy, zachowania tajemnicy i tak dalej.

– Wymagania wobec mnie?

– Tak. Alarm to alarm i nie znaczy nic, kiedy jakiś wariat z karabinem stoi w pani salonie. Jeśli zabezpieczenia mają mieć sens, pani i pani mąż musicie przemyśleć pewne sprawy i zdecydować się na pewne rutynowe środki. Omówimy to punkt po punkcie.

– Okej.

– Nie zamierzam uprzedzać końcowej analizy, ale sytuację widzę tak: mieszkają państwo w willi. Z tyłu za domem macie wodę, a w najbliższym sąsiedztwie kilka dużych willi. O ile mogłem się zorientować, sąsiedzi nie mają dobrego widoku na pani dom, budynek stoi nieco na uboczu.

– To prawda.

– To znaczy, że intruz może podejść pod pani dom niezauważony.

– Sąsiedzi z prawej strony przebywają przez dużą część roku poza domem, a po lewej mieszka starsze małżeństwo, które wcześnie kładzie się spać.

– Właśnie. Poza tym domy zwrócone są do siebie ścianami szczytowymi. A w nich jest mało okien. Jeśli ktoś wchodzi na pani posesję – w pięć sekund można zboczyć z drogi i znaleźć się z tyłu domu – nikt go nie widzi. Tył domu jest otoczony wysokim żywopłotem, jest garaż i duży wolno stojący budynek.

– To atelier mojego męża.

– Jest malarzem, tak?

– Tak. I co dalej?

– Człowiek, który rozwalił okno i pomalował sprayem fasadę, mógł to zrobić bez przeszkód. Ryzykował najwyżej, że ktoś usłyszy brzęk tłuczonego szkła i zareaguje, ale dom ma taki kształt, że fasada stłumiła odgłos.

– Aha.

– Inna rzecz, że to duży dom, około dwustu pięćdziesięciu metrów kwadratowych, do tego dochodzi strych i piwnica. Jedenaście pokoi na dwóch kondygnacjach.

– Ten dom to gigant. Greger przejął go po rodzicach.

– Jest też dużo różnych możliwości dostania się do domu. Przez drzwi wejściowe, przez werandę z tyłu, przez werandę na piętrze i przez garaż. Poza tym są okna na parterze i sześć okien piwnicznych, które wcale nie były podłączone do instalacji alarmowej. Można się też włamać, wspinając się po drabince przeciwpożarowej z tyłu domu, a potem przez właz w dachu. Jest zamknięty tylko na haczyk.

– To brzmi tak, jakbyśmy tu mieli co najmniej drzwi obrotowe. Co mamy zrobić?

– Alarm, który dzisiaj założyliśmy, jest prowizoryczny. Wrócimy w przyszłym tygodniu i zrobimy solidną instalację, zabezpieczymy wszystkie okna na parterze i w piwnicy. To zabezpieczenie przed włamaniem, na wypadek gdyby pani i pani męża nie było w domu.

– Okej.

– Ale to wszystko wynika z tego, że ktoś zagraża bezpośrednio pani bezpieczeństwu. To znacznie poważniejsza sprawa. Nie wiemy o nim nic, kim jest, jakie ma motywy i jak daleko może się posunąć, ale możemy wyciągnąć pewne wnioski. Gdyby chodziło o zwykłe pogróżki, ryzyko byłoby nieco mniejsze, ale tu ktoś zadaje sobie trud, żeby przyjechać do pani domu, a do Saltsjöbaden jest kawałek drogi, i się włamać. To zdecydowanie źle wróży.

– Zgadzam się.

– Rozmawiałem dzisiaj z Armanskim i zgodziliśmy się, że zagrożenie jest oczywiste.

– Aha.

– Póki nie dowiemy się więcej o tym kimś, musimy dmuchać na zimne.

– Czyli...

– Po pierwsze: alarm, który zainstalowaliśmy dzisiaj, składa się z dwóch części. Zwykłego alarmu antywłamaniowego, włączonego, kiedy pani nie ma w domu, i detektorów ruchu na parterze, które musi pani włączyć, kiedy w nocy jest pani na piętrze.

– Okej.

– To trochę kłopotliwe, bo za każdym razem, kiedy schodzi pani na parter, musi pani wyłączyć alarm.

– Rozumiem.

– Po drugie, wymieniliśmy drzwi do sypialni.

– Wymieniliście drzwi?

– Tak. Założyliśmy pancerne stalowe drzwi. Proszę się nie obawiać, są pomalowane na biało i wyglądają zupełnie normalnie. Różnica polega na tym, że automatycznie się blokują, kiedy pani je zamyka. Żeby je otworzyć od środka, wystarczy nacisnąć klamkę, jak w każdych normalnych drzwiach. Ale żeby otworzyć je od zewnątrz, trzeba wpisać trzycyfrowy kod. W klamkę wbudowana jest specjalna płytka.

– Okej.

– Jeśli ktoś napadnie panią w domu, ma pani jedno bezpieczne pomieszczenie, żeby się zabarykadować. Ściany są mocne i wyłamanie tych drzwi powinno zająć dużo czasu, nawet jeśli ma się potrzebne narzędzia. Po trzecie, zainstalujemy kamery. Będą pokazywały, co się dzieje z tyłu domu i na parterze, kiedy pani jest w sypialni. Zrobimy to jakoś w tygodniu. Założymy też detektory ruchu przed domem.

– Ojej. Wygląda na to, że sypialnia już nie będzie zbyt romantycznym miejscem.

– To mały monitor. Możemy wbudować go do szafy, żeby nie był na widoku.

– Okej.

– W tym tygodniu chciałbym też wymienić drzwi do gabinetu i pokoju tu, na dole. Gdyby coś się stało, może pani szybko się tu schronić, zamknąć drzwi i czekać na pomoc.

– Tak.

– Jeśli przez pomyłkę włączy pani alarm antywłamaniowy, musi pani natychmiast zadzwonić do centrali alarmowej Milton Security i odwołać wyjazd samochodu z pomocą. W tym celu musi pani podać hasło, które będzie u nas zarejestrowane. Jeśli zapomni pani hasła i załoga i tak przyjedzie, obciążymy panią pewną kwotą.

– Rozumiem.

– Po czwarte, w czterech miejscach w domu ma pani alarm na wypadek napadu. Tu, w kuchni, w przedpokoju, w pani gabinecie na piętrze i w sypialni. To dwa guziki, które naciska pani równocześnie i trzyma wciśnięte przez trzy sekundy. Można to zrobić jedną ręką, ale nie można przez pomyłkę.

– Aha.

– Jeśli uruchomi się ten alarm, dzieją się trzy rzeczy. Najpierw przyjeżdżają samochody Milton Security. Najbliżej ma nasz partner Adam Säkerhet z Fisksätry. To dwaj potężni faceci, którzy mogą tu być w ciągu dziesięciu, dwunastu minut. Potem przyjedzie samochód z naszego oddziału w Nacka. W najlepszym razie mogą dojechać w dwadzieścia minut, ale bardziej prawdopodobne jest dwadzieścia pięć. Po piąte, automatycznie sygnał idzie na policję. Czyli co kilka minut na miejscu będą się pojawiały samochody.

– Okej.

– Alarmu antynapadowego nie można odwołać tak jak antywłamaniowego. Nie może pani zadzwonić i powiedzieć, że to była pomyłka. Nawet jeśli wyjdzie pani do nas na podjazd i powie, że to pomyłka, policja i tak wejdzie do domu. Musimy się upewnić, że żaden szaleniec nie przystawia pistoletu do głowy pani mężowi czy coś podobnego. Tego alarmu należy używać tylko w przypadku prawdziwego zagrożenia.

– Rozumiem.

– To nie musi być bezpośrednia napaść. Wystarczy, że ktoś próbuje się włamać albo krąży z tyłu domu, albo coś w tym rodzaju. Jeśli czuje się pani w jakikolwiek sposób zagrożona, może go pani użyć, ale najpierw proszę ocenić sytuację.

– Obiecuję.

– Zauważyłem, że tu i ówdzie ma pani porozkładane kije golfowe.

– Tak. Tej nocy spałam tu sama.

– Ja wolałbym pójść do hotelu. Nie przeszkadza mi, że zabezpiecza się pani na własną rękę. Ale mam nadzieję, że zdaje sobie pani sprawę, że kijem golfowym można z łatwością zabić.

– Hmm...

– I gdyby do tego doszło, prawdopodobnie zostanie pani oskarżona o nieumyślne zabójstwo. A jeśli pani przyzna, że kije miały być bronią, może nawet o umyślne.

– A więc powinnam...

– Niech pani nic nie mówi. Wiem, co pani myśli.

– Jeśli ktoś mnie napadnie, to nie zawaham się rozwalić mu łba.

– Rozumiem. Ale po to właśnie jesteśmy, żeby miała pani wybór. Chodzi o to, żeby pani mogła wezwać pomoc, żeby nie doszło do sytuacji, kiedy musi pani rozwalić komuś łeb.

– Okej.

– Zresztą na co się przydadzą kije golfowe, jeśli on będzie miał broń palną? Przy zapewnianiu ochrony chodzi o to, żeby zawsze być o krok do przodu przed napastnikiem.

– A co, jeśli prześladuje mnie jakiś stalker?

– Powinna pani pilnować, żeby nie miał najmniejszej szansy znaleźć się w bezpośredniej bliskości. Sytuacja wygląda tak, że wszystkie instalacje będą gotowe dopiero za kilka dni, a potem będziemy musieli porozmawiać z pani mężem, żeby miał taką samą świadomość środków bezpieczeństwa jak pani.

– Aha.

– Ale wolałbym, żeby do tego czasu nie mieszkała pani w domu.

– Nie mogę się nigdzie wynieść. Mój mąż wróci za kilka dni. Ale oboje dużo podróżujemy i czasem ktoś jest tu sam.

– Rozumiem. Ale chodzi tylko o te kilka dni, póki nie zamontujemy wszystkich instalacji. Może mogłaby pani pomieszkać u znajomych?

Erika pomyślała przez chwilę o mieszkaniu Mikaela Blomkvista, ale przypomniała sobie, że to nie jest dobre rozwiązanie.

– Nie, wolę jednak zostać w domu.

– Tego się obawiałem. W takim razie chciałbym, żeby do końca tygodnia miała pani towarzystwo.

– Hmm...

– Czy ktoś z pani znajomych mógłby tu z panią pomieszkać kilka dni?

– Na pewno. Ale nie wieczorem, kiedy jakiś szalony morderca krąży koło domu.

David Rosin zastanawiał się chwilę.

– Okej. Czy miałaby pani coś przeciwko towarzystwu pracownika Milton Security? Mogę zadzwonić do koleżanki, nazywa się Susanne Linder i ma dziś wieczorem wolne. Na pewno nie miałaby nic przeciwko temu, żeby sobie dorobić kilkaset koron na boku.

– A ile to kosztuje?

– Musi pani to omówić z nią. To byłaby usługa poza formalnymi umowami. Ale naprawdę nie chcę, żeby pani była tu sama.

– Nie boję się ciemności.

– Wierzę. Wtedy nie spałaby tu pani w nocy. A Susanne Linder jest poza tym byłą policjantką. Zostałaby u pani tylko przez jakiś czas. Gdyby pani chciała osobistego ochroniarza, to byłaby inna sprawa. Kosztowałoby to dość dużo.

Poważny ton Davida Rosina zrobił na Erice wrażenie. Zrozumiała nagle, że oto siedzi i trzeźwo dyskutuje o zagrożeniu jej własnego życia. Czy to przesadzone obawy? Czy powinna zlekceważyć jego profesjonalny niepokój? Dlaczego w takim razie dzwoniła do Milton Security i zamówiła alarm?

– Okej. Niech pan do niej zadzwoni. Pościelę łóżko w gościnnym.

DOPIERO OKOŁO DZIESIĄTEJ wieczorem Monika Figuerola i Mikael Blomkvist owinięci prześcieradłami poszli do kuchni i z resztek znalezionych w lodówce naprędce przygotowali sałatkę z makaronu z tuńczykiem i bekonem. Pili wodę. Nagle Monika zachichotała.

– Co?

– Obawiam się, że Edklinth byłby trochę zdziwiony, gdyby nas teraz zobaczył. Nie sądzę, że miał na myśli przespanie się z tobą, kiedy mówił, że mam cię wziąć pod lupę.

– To ty zaczęłaś. Miałem do wyboru kajdanki albo pójść dobrowolnie.

– Wiem. Ale nie było trudno cię namówić.

– Może nie zdajesz sobie z tego sprawy, choć sądzę, że tak, ale masz po prostu zniewalającą erotyczną aurę.

– Dziękuję. Ale aż tak seksowna nie jestem. I tak często seksu też nie uprawiam.

– Hmm...

– To prawda. Nie chodzę do łóżka z pierwszym lepszym facetem. Spotykałam się z takim jednym na wiosnę. Ale to się skończyło.

– Dlaczego?

– Był całkiem miły, ale potem zrobiły się z tego nudne zawody siłowe. Byłam od niego silniejsza i nie mógł tego znieść.

– Rozumiem.

– Ty też jesteś takim facetem, który będzie chciał się ze mną siłować?

– Chodzi ci o to, czy mam problem z tym, że jesteś bardziej wysportowana i fizycznie silniejsza ode mnie? Nie.

– Powiem szczerze. Zauważyłam, że wielu facetów się mną interesuje, ale potem zaczynają prowokować i próbują mnie zdominować na różne sposoby. Zwłaszcza gdy się dowiedzą, że jestem gliną.

– Nie zamierzam z tobą konkurować. Jestem lepszy w tym, co robię. Ty jesteś lepsza w tym, co ty robisz.

– Dobrze. Z takim nastawieniem da się żyć.

– Dlaczego mnie poderwałaś?

– Zwykle ulegam impulsom. A ty byłeś takim impulsem.

– Okej. Ale jesteś policjantką i ze wszystkich cholernych miejsc wybrałaś Säpo. W dodatku prowadzisz śledztwo, którego jestem jednym z bohaterów...

– Uważasz, że to było nieprofesjonalne z mojej strony. Masz rację. Nie powinnam tego robić. I mogę mieć problemy, gdyby to się wydało. Edklinth na pewno by się wściekł.

– Ja nie wygadam.

– Dzięki.

Milczeli chwilę.

– Nie wiem, co z tego będzie. Jak rozumiem, jesteś facetem, który lubi się zabawić tu i ówdzie. Czy to prawda?

– Tak. Niestety. I raczej nie szukam dziewczyny na stałe.

– Okej. Dostałam ostrzeżenie. Ja też raczej nie szukam faceta na stałe. Czy możemy pozostać przyjaciółmi?

– Bardzo chętnie. Moniko, nie powiem nikomu, że się ze sobą przespaliśmy. Ale jeśli wszystko pójdzie źle, może dojść do konfliktu między mną a twoimi kolegami.

– Nie sądzę. Edklinth jest bardzo uczciwy. My naprawdę chcemy dopaść Klub Zalachenki. Jeśli twoje teorie są prawdziwe, to mamy do czynienia z kompletnym szaleństwem.

– Zobaczymy.

– Sypiałeś także z Lisbeth Salander.

Mikael podniósł wzrok na Monikę.

– Wiesz... nie jestem otwartą książką, którą każdy może sobie czytać, jak chce. Moja relacja z Lisbeth Salander nie powinna nikogo obchodzić.

– Jest córką Zalachenki.

– Tak. I musi z tym żyć. Ale nie jest Zalachenką. To cholernie ważna różnica.

– Nie chodziło mi o to. Zastanawiałam się tylko nad twoim zaangażowaniem w tę historię.

– Lisbeth jest moją przyjaciółką. To wystarczające wyjaśnienie.

SUSANNE LINDER z Milton Security była ubrana w dżinsy, czarną skórzaną kurtkę i adidasy. Przyjechała do Saltsjöbaden około dziewiątej wieczorem, wysłuchała instrukcji Davida Rosina, a potem razem z nim obeszła cały dom. Była uzbrojona w laptop, składaną pałkę, gaz łzawiący, kajdanki i szczoteczkę do zębów, wszystko w zielonej wojskowej torbie. Rozpakowała ją w pokoju gościnnym Eriki Berger. Potem Erika zaproponowała jej kawę.

– Dziękuję. Będzie pani myślała, że jestem gościem, którego trzeba na różne sposoby zabawiać. Ale ja wcale nie jestem gościem. Jestem złem koniecznym, które nagle wkroczyło w pani życie. Dobrze, że tylko na kilka dni. Sześć lat pracowałam jako policjantka, potem cztery lata w Milton Security. Jestem wyszkolonym ochroniarzem.

– Ach tak.

– Jest pani w niebezpieczeństwie, a ja jestem tu, żeby pełnić straż, żeby pani mogła spokojnie spać, pracować, czytać książkę czy robić cokolwiek. Jeśli chce pani porozmawiać, chętnie posłucham. Ale mam też ze sobą książkę, którą mogę się zająć.

– Okej.

– Chodzi mi o to, żeby pani żyła swoim życiem i nie czuła presji, żeby się mną zajmować. Wtedy będę tylko przeszkodą w pani życiu. Więc proszę mnie traktować jako chwilową koleżankę z pracy.

– Muszę przyznać, że to dla mnie zupełnie nowa sytuacja. Grożono mi już, kiedy byłam naczelną „Millennium", ale wtedy chodziło o sprawy zawodowe. A teraz to jakiś wyjątkowo obrzydliwy typ...

– Który uwziął się akurat na panią.

– Coś w tym rodzaju.

– Jeśli będziemy musieli zapewnić pani prawdziwą ochronę osobistą, to będzie to panią sporo kosztować i musi pani to omówić z Draganem Armanskim. To ma sens w przypadku bardzo wyraźnego i określonego zagrożenia. Teraz to dla mnie dodatkowa fucha. Biorę pięćset koron za to, że w tygodniu śpię tutaj zamiast u siebie w domu. To niedużo i o wiele mniej, niż dostałabym, gdybym robiła to na zlecenie Milton Security. Czy to pani odpowiada?

– Całkowicie.

– Jeśli coś się będzie działo, pani zamyka się w sypialni, a ja próbuję opanować sytuację. Pani zadaniem jest uruchomienie alarmu antynapadowego.

– Rozumiem.

– Mówię poważnie. Gdyby coś się miało zdarzyć, nie chcę, żeby pani się tu kręciła.

ERIKA BERGER położyła się spać około jedenastej. Słyszała kliknięcie zamka, kiedy zamknęła drzwi sypialni. W zamyśleniu rozebrała się i położyła do łóżka.

Mimo że miała nie zabawiać gościa, przesiedziała z Susanne Linder przy kuchennym stole dwie godziny. Stwierdziła, że świetnie się dogadują i dobrze się z nią czuje. Rozmawiały o psychologicznych przyczynach, dla których niektórzy mężczyźni prześladują kobiety. Susanne Linder nie zawracała sobie głowy naukową gadaniną. Uważała, że najważniejsze jest uniemożliwienie wariatom tego, co chcą zrobić, dlatego lubiła swoją pracę w Milton Security, gdyż jej obowiązki w znacznym stopniu polegały na unieszkodliwianiu groźnych świrów.

– Dlaczego odeszłaś z policji? – zapytała Erika Berger.

– Zapytaj raczej, dlaczego zostałam policjantką.

– Okej. Dlaczego zostałaś policjantką?

– Dlatego że kiedy miałam siedemnaście lat, moja bliska przyjaciółka została napadnięta i zgwałcona w samochodzie przez trzech żuli. Zostałam policjantką, bo miałam romantyczne wyobrażenie, że policja jest po to, żeby zapobiegać takim przestępstwom.

– Tak...

– Tymczasem nie byłam w stanie zapobiec niczemu. Jako policjantka zjawiałam się na miejscu zawsze po tym, jak już doszło do zbrodni. Nie mogłam znieść tych gadek twardzieli z posterunku. Szybko nauczyłam się, że niektóre przestępstwa nigdy nie są wyjaśniane. Jesteś tego typowym przykładem. Czy próbowałaś dzwonić na policję z tym, co się zdarzyło?

– Ależ tak.

– I przyjechali?

– Nie całkiem. Poradzili mi, żebym złożyła doniesienie na najbliższym posterunku.

– No właśnie. Czyli już wiesz. Teraz pracuję dla Armanskiego i tam wkraczam do akcji, zanim dojdzie do przestępstwa.

– Kobiety w sytuacji zagrożenia?

– Zajmuję się wszystkim. Analizy bezpieczeństwa, ochrona osobista, obserwacja i tym podobne. Ale często chodzi o ludzi w sytuacji zagrożenia i to odpowiada mi o wiele bardziej niż praca w policji.

– Okej.

– Jest tylko jedna wada.

– Jaka?

– Możemy pomagać tylko ludziom, którzy za to płacą.

Kładąc się do łóżka, Erika Berger rozmyślała o tym, co powiedziała Susanne Linder. Nie każdego stać na bezpieczeństwo. Sama bez mrugnięcia okiem przyjęła propozycje Davida Rosina, obejmujące wymianę kilku drzwi, podwójny system alarmowy i inne rzeczy. To wszystko może kosztować nawet pięćdziesiąt tysięcy koron. Było ją stać.

Zastanawiała się nad swoim wrażeniem, że napastnik ma coś wspólnego z SMP. Wiedział, że zraniła się w stopę. Pomyślała o Andersie Holmie. Nie lubiła go, łatwiej więc było go podejrzewać, ale wiadomość o jej wypadku szybko się rozniosła, gdy tylko weszła o kulach do redakcji.

Musi też rozwiązać problem z Magnusem Borgsjö.

Nagle usiadła na łóżku i ze zmarszczonymi brwiami rozejrzała się po sypialni. Nie pamiętała, gdzie położyła teczkę Henry'ego Corteza o Borgsjö i firmie Vitavara AB.

Wstała, narzuciła szlafrok i sięgnęła po kule. Potem poszła do gabinetu i zapaliła światło. Nie, nie była w tym pokoju, od kiedy... czytała teczkę w wannie poprzedniego wieczoru. Odłożyła ją na parapet.

Poszła do łazienki. Nie było jej na oknie.

Stała chwilę w bezruchu, zbierając myśli.

Wyszłam z wanny, chciałam nastawić kawę, nastąpiłam po drodze na szkło, a potem miałam co innego na głowie.

Nie przypominała sobie, żeby rano widziała teczkę. Nie przełożyła jej w inne miejsce.

Nagle przeszedł ją dreszcz. Zaczęła systematycznie przeszukiwać łazienkę, potem przejrzała stosy papierów i gazet w kuchni i w sypialni. W końcu musiała uznać, że teczka zniknęła.

W którymś momencie, po tym, jak się zraniła, ale przed przybyciem Davida Rosina następnego ranka, ktoś musiał wejść do łazienki i zabrać materiały „Millennium" o Vitavara AB.

Uświadomiła sobie nagle, że ma w domu jeszcze inne tajemnice. Pokuśtykała szybko do sypialni i otworzyła dolną szufladę w szafce przy łóżku. Jej serce zastygło na chwilę, ciężkie jak kamień. Wszyscy ludzie mają tajemnice. Erika zbierała swoje w szufladzie w sypialni. Nie pisała pamiętnika regularnie, ale bywały okresy, kiedy zapisywała swoje myśli i emocje. Zachowała listy miłosne z wczesnej młodości.

W szufladzie była też koperta ze zdjęciami, które wydawały się zabawne, gdy je robiono, ale nie nadawałyby się do publikacji. W wieku około dwudziestu pięciu lat Erika należała do Club Xtreme, który organizował prywatne imprezy erotyczne dla ludzi lubujących się w skórach i lateksach. W kopercie były zdjęcia, do których wolała się nie przyznawać na trzeźwo.

I największa katastrofa – kaseta wideo nagrana podczas urlopu na początku lat dziewięćdziesiątych, kiedy razem z mężem gościli u Torkela Bollingera, artysty pracującego w szkle, w jego letnim domu na Costa del Sol. Erika zauważyła wtedy u swojego męża wyraźne skłonności biseksualne. Oboje wylądowali w łóżku z Torkelem. To był wspaniały urlop. Kamery wideo były wówczas jeszcze nowinką, a film, który wtedy nakręcili, na pewno nie nadawał się dla dzieci.

Szuflada była pusta.

Boże, jak mogłam być tak beznadziejnie głupia?

Na dnie szuflady ktoś napisał sprayem dobrze znane słowo na k.

Rozdział 19
Piątek 3 czerwca – sobota 4 czerwca

W PIĄTEK OKOŁO CZWARTEJ nad ranem Lisbeth Salander skończyła autobiografię. Wysłała tekst Mikaelowi Blomkvistowi na grupę Yahoo [Szalony_Stół]. Potem leżała nieruchomo w łóżku, wpatrzona w sufit.

Przypomniała sobie, że ostatniego dnia kwietnia skończyła dwadzieścia siedem lat, ale wtedy nawet nie pomyślała o tym, że ma urodziny. Była w niewoli. Tak samo czuła się, kiedy przebywała w Klinice Psychiatrii Dziecięcej św. Stefana, a teraz, jeśli wszystko potoczy się nie tak, jak powinno, jeszcze niejedne urodziny być może spędzi w domu wariatów.

Na co nie zamierzała się godzić.

Kiedy zamknięto ją poprzednim razem, ledwie zaczęła być nastolatką. Teraz była dorosła, miała inną wiedzę o świecie i inne umiejętności. Zastanawiała się, ile czasu zajęłaby jej ucieczka i znalezienie bezpiecznego miejsca gdzieś za granicą, zafundowanie sobie nowego życia i nowej tożsamości.

Wstała, poszła do toalety i przyjrzała się sobie w lustrze. Już nie kulała. Przesunęła dłonią po zewnętrznej stronie uda. Rana postrzałowa zagoiła się, zostawiając bliznę. Wygięła ramiona, napięła i rozluźniła mięśnie. Czuła jeszcze pewien opór, ale właściwie była wyleczona. Postukała się w głowę. Zakładała, że jej mózg nie ucierpiał szczególnie od pocisku płaszczowego.

Miała szalone szczęście.

Zanim dostała do rąk komputer, zajmowała się wymyślaniem sposobów ucieczki z zamkniętego pokoju w Sahlgrenska.

Potem doktor Anders Jonasson i Mikael Blomkvist pokrzyżowali jej plany, przemycając palmtopa. Czytała teksty Mikaela

Blomkvista i rozmyślała. Przemyślała konsekwencje i zastanowiła się nad jego planem, ważąc swoje szanse. Wreszcie postanowiła wyjątkowo, raz, zrobić to, co proponował. Zdecydowała, że sprawdzi system. Mikael przekonał ją, że właściwie nie ma nic do stracenia. Wymyślił inny sposób ucieczki. Jeśli plan się nie powiedzie, po prostu będzie musiała zaplanować ucieczkę ze św. Stefana czy innego domu wariatów.

Ale tym, co naprawdę przekonało ją do planu Mikaela, było pragnienie zemsty.

Niczego nie wybaczała.

Zalachenko, Björck i Bjurman nie żyli.

Ale Teleborian żył.

Tak samo jak jej brat Ronald Niedermann. Choć w gruncie rzeczy nie był dla niej problemem. Wprawdzie pomagał ją zamordować i pogrzebać, ale był postacią poboczną. *Jeśli kiedyś się na niego natknę, zobaczymy, ale na razie jest problemem policji.*

Ale Mikael miał rację: za spiskiem przeciwko niej musiały stać też inne osoby. To dzięki nim jej życie ułożyło się tak, jak się ułożyło. Musiała poznać nazwiska i inne dane tych anonimowych twarzy.

Postanowiła więc działać zgodnie z planem Mikaela. I dlatego spisała nagą, nieuszminkowaną prawdę o swoim życiu – suchą jak pieprz czterdziestostronicową autobiografię. Starannie dobierała słowa. Każde zdanie było prawdziwe. Zrozumiała Mikaela, kiedy powiedział, że szwedzkie media już ją doszczętnie skompromitowały tak groteskowymi stwierdzeniami, że porcja prawdziwego szaleństwa raczej nie powinna jej zaszkodzić jeszcze bardziej.

Lecz autobiografia była też w pewnym sensie fałszem: nie opowiedziała w niej całej prawdy o sobie i swoim życiu. Nie widziała powodów, żeby to zrobić.

Wróciła do łóżka i przykryła się kołdrą. Czuła irytację, ale sama nie wiedziała dlaczego. Wyciągnęła rękę po notatnik, który dostała od Anniki Giannini. Prawie nieużywany.

Otworzyła go na pierwszej stronie i zapisała tylko jedną jedyną linijkę:

$$(x^3 + y^3 = z^3)$$

Zeszłej zimy spędziła wiele tygodni na Karaibach, rozmyślając dużo nad twierdzeniem Fermata. Po powrocie do Szwecji, zanim wciągnęła ją pogoń za Zalachenką, nadal dla rozrywki zajmowała się równaniami. Teraz miała irytujące wrażenie, że widziała dowód... *że przeżyła dowód.*
Ale nie mogła go sobie przypomnieć.
Nieprzypominanie sobie czegoś było dla Lisbeth Salander zjawiskiem dotychczas nieznanym. Sprawdziła pamięć, wchodząc do internetu i wybierając na chybił trafił kilka kodów HTML. Przeczytała je za jednym zamachem, zapamiętała, a potem bezbłędnie odtworzyła.
Nie straciła fotograficznej pamięci, którą czasem uważała za przekleństwo.
W jej głowie wszystko było po staremu.
Pomijając fakt, że wydawało jej się, że widziała dowód twierdzenia Fermata, ale nie pamiętała jak, gdzie i kiedy.
Najgorsze było to, że już nie była zainteresowana tą zagadką. Fermat już jej nie fascynował. To zły znak. Tak właśnie z nią było. Fascynował ją jakiś problem, ale gdy tylko udało jej się znaleźć rozwiązanie, przestawał.
I właśnie coś takiego odczuwała w stosunku do twierdzenia Fermata. Nie był to już diabełek siedzący jej na ramieniu i dopominający się o uwagę, wyzwanie dla jej intelektu. Tylko płaska formułka, kilka gryzmołów na papierze. Nie czuła żadnej potrzeby zmierzenia się z nią.
Powinna się wyspać.
Mimo to znów sięgnęła po komputer i weszła do internetu. Po krótkim zastanowieniu zajrzała na twardy dysk Dragana Armanskiego. Nie odwiedzała go, od kiedy dostała palmtopa. Armanski współpracował z Mikaelem Blomkvi-

stem, ale nie odczuwała bezpośredniej potrzeby czytania, czym się zajmuje.

Z roztargnieniem przeglądała jego skrzynkę mailową. Potem znalazła sporządzoną przez Davida Rosina analizę bezpieczeństwa domu Eriki Berger. Uniosła brwi.

Erika Berger ma na karku stalkera.

Znalazła notatkę służbową Susanne Linder, która widocznie spała u Eriki Berger poprzedniej nocy i późnym wieczorem wysłała raport. Spojrzała na godzinę wysłania. Tuż przed trzecią nad ranem. Przeczytała, że z szuflady w sypialni Eriki zniknęły osobiste dzienniki, listy, zdjęcia i taśmy wideo o wyjątkowo intymnym charakterze.

Po przedyskutowaniu sprawy z panią Berger stwierdziłyśmy, że do kradzieży musiało dojść w czasie, kiedy pani Berger była w szpitalu w Nacka, po tym jak nastąpiła na odłamek szkła. Wtedy przez blisko dwie i pół godziny dom był niepilnowany, a alarm firmy NIP nie był podłączony. Poza tym aż do chwili odkrycia kradzieży w domu byli albo Erika Berger, albo David Rosin.

Można z tego wywnioskować, że jej prześladowca był w pobliżu i mógł obserwować, jak odjeżdża taksówką. Przypuszczalnie także widział, że ma zranioną stopę i kuleje. Wykorzystał okazję, żeby wejść do domu.

Lisbeth wyszła z dysku Armanskiego i pogrążona w myślach wyłączyła komputer. Targały nią sprzeczne uczucia.

Nie miała powodów, żeby kochać Erikę Berger. Pamiętała jeszcze poniżenie, które przeżyła, kiedy półtora roku temu dzień przed sylwestrem widziała ją, jak znika z Mikaelem Blomkvistem za rogiem Hornsgatan.

Nigdy w życiu nie czuła się bardziej głupio i nigdy więcej nie zamierzała przeżywać czegoś takiego.

Pamiętała tę niepojętą nienawiść, jaką wtedy czuła, i chęć, żeby ich dogonić i zrobić Erice krzywdę.

Co za żenada.

Była uleczona.

Nadal jednak nie miała powodów, żeby kochać Erikę Berger.

Zaczęła się zastanawiać, co też mogło zawierać wideo Eriki o wyjątkowo intymnym charakterze. Sama też miała nagranie o wyjątkowo intymnym charakterze. Pokazywało, jak wykorzystuje ją Obleśny Dziad Nils Bjurman. Teraz znajdowało się w rękach Mikaela Blomkvista. Nie wiedziała, co by zrobiła, gdyby ktoś włamał się do jej domu i je ukradł. Właściwie, ściśle rzecz biorąc, Mikael zrobił to samo, nawet jeśli jego celem nie było zaszkodzenie Lisbeth.

Hmm...

Niełatwa sprawa.

W NOCY Z CZWARTKU NA PIĄTEK Erika Berger nie mogła zasnąć. Kuśtykała bez przerwy po domu, tam i z powrotem, a Susanne Linder czujnie się jej przyglądała. Lęk Eriki zalegał w całym domu jak ciężka mgła.

Około wpół do trzeciej nad ranem Susanne udało się namówić Erikę, żeby przynajmniej położyła się do łóżka i chwilę odpoczęła. Kiedy Erika zamknęła za sobą drzwi sypialni, Susanne odetchnęła z ulgą. Otworzyła laptop i napisała do Dragana Armanskiego o ostatnich wydarzeniach. Ledwie zdążyła wysłać mail, gdy Erika znów wstała i zaczęła chodzić po domu.

O siódmej rano Susanne Linder wreszcie przekonała Erikę, żeby zadzwoniła do SMP i wzięła dzień zwolnienia. Erika niechętnie przyznała, że w pracy nie byłoby z niej żadnego pożytku. Oczy same jej się zamykały. Zasnęła na sofie w salonie, przed zasłoniętym dyktą oknem. Susanne Linder przyniosła koc i ją przykryła. Potem zrobiła sobie kawy, zadzwoniła do Armanskiego i wyjaśniła, co robi u Eriki. Opowiedziała, jak wezwał ją David Rosin.

– Ja też nie zmrużyłam oka – powiedziała.

– Okej. W takim razie zostań u Berger. Połóż się i prześpij kilka godzin – zaproponował Armanski.

– Nie wiem, jak mam wystawić fakturę...

– Potem coś wymyślimy.

Erika Berger spała do wpół do trzeciej po południu. Po przebudzeniu znalazła Susanne Linder uśpioną w fotelu w drugim końcu salonu.

W PIĄTKOWY RANEK Monika Figuerola zaspała i nie miała czasu przed pójściem do pracy przebiec porannej rundy. Winą za to obciążyła Mikaela Blomkvista. Wzięła prysznic, a potem wykopała go z łóżka.

Mikael od razu pojechał do „Millennium". Wszyscy bardzo się zdziwili, że jest na nogach tak wcześnie. Wymamrotał coś, poszedł po kawę i zawołał Malin Eriksson i Henry'ego Corteza do swojego pokoju. Przez trzy godziny omawiali teksty do numeru tematycznego i postępy w produkcji książki.

– Książka Daga Svenssona poszła wczoraj do drukarni – powiedziała Malin. – Robimy ją w formacie kieszonkowym.

– Okej.

– A numer tematyczny to nie będzie nic innego jak *Salander story* – dodał Henry Cortez. – Termin procesu już podano, trzynasty lipca. Do tego czasu numer będzie wydrukowany, ale dystrybucja przeciągnie się do połowy tygodnia. Ty zdecydujesz, kiedy ma się ukazać.

– Dobrze. Zostaje w takim razie tylko książka o Zalachence. W tej chwili praca nad nią to jakiś koszmar. Będzie miała tytuł *Sekcja*. Pierwsza część to właściwie to, co wydrukujemy w „Millennium". Punktem wyjścia będzie morderstwo Daga i Mii, potem polowanie na Lisbeth Salander, Zalachenkę i Niedermanna. W drugiej części będzie wszystko, co wiemy o Sekcji.

– Mikaelu, nawet jeśli drukarnia zrobi, co może, żeby pójść nam na rękę, gotowy do druku tekst musimy złożyć ostatniego dnia czerwca – powiedziała Malin. – Christer potrzebuje co najmniej kilku dni na layout. Mamy nieco ponad dwa tygodnie. Nie wyobrażam sobie, jak ma nam się udać.

– Nie zdążymy wydobyć na światło dzienne wszystkiego – przyznał Mikael. – Ale nie sądzę, żeby to w ogóle było możliwe, nawet gdybyśmy mieli jeszcze rok. W tej książce po prostu opowiemy, co się wydarzyło. Jeśli nie będziemy w stanie podać źródła, wspomnę o tym. Jeśli będziemy spekulować, będzie to jasno i wyraźnie powiedziane. A więc napiszemy to, co się stało i co możemy udokumentować, i to, co sądzimy, że mogło się zdarzyć.

– Dość ryzykowne – stwierdził Henry Cortez.

Mikael potrząsnął głową.

– Jeśli powiem, że funkcjonariusze Säpo włamują się do mojego mieszkania i jestem w stanie dostarczyć nagranie wideo, to mam dowód. A jeśli powiem, że robią to na zlecenie Sekcji, to jest to spekulacja, ale w świetle wszystkich faktów, które ujawniamy, jest to spekulacja uzasadniona. Rozumiesz?

– Rozumiem.

– Nie zdążę sam napisać wszystkich tekstów. Henry, mam tu listę tego, co musisz jakoś poskładać do kupy. To będzie mniej więcej pięćdziesiąt stron książki. Malin, ty będziesz go wspierać, jak przy redagowaniu książki Daga Svenssona. Na okładce wszyscy troje będziemy autorami. Czy wam to odpowiada?

– Jasne – powiedziała Malin. – Ale mamy jeszcze kilka innych problemów.

– Jakich?

– Kiedy ty męczyłeś się nad historią Zalachenki, mieliśmy tu cholerne spiętrzenie roboty...

– Chodzi ci o to, że byłem nieosiągalny?

Malin skinęła głową.

– Masz rację. Przykro mi.

– Nie musi. Wiemy wszyscy, że kiedy wciąga cię jakaś sprawa, nic innego nie istnieje. Ale to dla nas trudne. Trudne dla mnie. Erika miała oparcie we mnie. Ja mam Henry'ego i on jest prawdziwym asem, ale pracuje nad twoim tekstem tak samo dużo jak ty. Nawet jeśli doliczymy ciebie, to nadal brakuje nam dwóch ludzi.

– Okej.

– Tylko że ja nie jestem Eriką Berger. Ona miała wprawę, której mi brakuje. Ja dopiero uczę się tej pracy. Monika Nilsson zapieprza jak dziki osioł. Lottie Karim tak samo. I nikt nie ma chwili, żeby się zatrzymać i pomyśleć.

– To przejściowe. Gdy tylko ruszy proces...

– Nie, Mikaelu, to się wtedy nie skończy. Kiedy ruszy proces, rozpęta się prawdziwe piekło. Pamiętasz, jak było z aferą Wennerströma. To znaczy, że nie będziemy cię oglądać przez co najmniej trzy miesiące, najwyżej w telewizji w różnych dyskusjach.

Mikael westchnął. Powoli skinął głową.

– Więc co proponujesz?

– Jeśli mamy sobie jakoś radzić w „Millennium" jesienią, musimy zatrudnić nowych ludzi. Co najmniej dwóch. Może więcej. Nie mamy warunków, żeby robić to, co chcemy i...

– I co?

– I nie jestem pewna, czy chcę to robić.

– Rozumiem.

– Mówię poważnie. Znam się na robocie sekretarza redakcji, to jest *piece of cake* z Eriką Berger w roli szefa. Mówiliśmy, że spróbujemy przez lato... okej, spróbowaliśmy. Nie jestem dobrą naczelną.

– Bzdura – rzucił Henry Cortez.

Malin potrząsnęła głową.

– Okej – stwierdził Mikael. – Wysłuchałem tego, co masz do powiedzenia. Ale nie zapominaj, że to była sytuacja przymusowa.

Malin uśmiechnęła się do niego.

– Potraktuj to jako skargi i zażalenia personelu – powiedziała.

JEDNOSTKA OPERACYJNA ochrony konstytucji cały piątek poświęciła na uporządkowanie informacji otrzymanych od Mikaela Blomkvista. Dwoje pracowników przeniesiono do tymczasowego biura przy Fridhemsplan. Zbierano tam całą dokumentację. Nie było to zbyt wygodne, gdyż wewnętrzny system komputerowy znajdował się w siedzibie policji. Pracownicy kilka razy dziennie musieli chodzić tam i z powrotem. Pokonanie tego odcinka zajmowało tylko dziesięć minut, ale i tak było to irytujące utrudnienie. Już w porze lunchu udało się zebrać obszerną dokumentację poświadczającą, że zarówno Fredrik Clinton, jak i Hans von Rottinger byli związani ze służbą bezpieczeństwa w latach sześćdziesiątych i siedemdziesiątych.

Von Rottinger wywodził się z wojskowych służb informacyjnych i kilka lat pracował w biurze koordynującym siły zbrojne i służby bezpieczeństwa. Fredrik Clinton służył przedtem w lotnictwie wojskowym i w 1976 roku zaczął pracę w kontroli personalnej Säpo.

Ale obaj odeszli z RPS/Säk na początku lat siedemdziesiątych: Clinton w 1971, a von Rottinger w 1973 roku. Clinton przeszedł do prywatnej przedsiębiorczości jako konsultant, a von Rottinger do służb cywilnych, prowadzących badania dla Międzynarodowej Agencji Energii Atomowej. Został wysłany do Londynu.

Dopiero późnym popołudniem Monika Figuerola zapukała do Edklintha z informacją, że fakty z życia Clintona i von Rottingera po odejściu z RPS/Säk są najprawdopodobniej spreparowane. Trudno było prześledzić działalność Clintona. Konsultant w prywatnym biznesie może oznaczać w gruncie rzeczy wszystko. Taki ktoś nie ma obowiązku składać państwu sprawozdań ze swojej działalności. Z deklaracji wynikało, że miał niezłe obroty. Niestety, jego klientami były w większości anonimowe spółki z siedzibą w Szwajcarii lub podobnych krajach. Dlatego nie można było udowodnić, że to nieprawda.

Za to von Rottinger nigdy nawet nie był w biurze, które miało być jego miejscem pracy w Londynie. W 1973 roku budynek, w którym rzekomo pracował, zburzono, żeby zrobić miejsce pod rozbudowę stacji King's Cross. Ktoś najwyraźniej dopuścił się niedopatrzenia, kiedy pisano tę bajeczkę. W ciągu dnia zespół Figueroli przepytał wielu emerytowanych pracowników agencji atomowej. Nikt z nich nigdy nie słyszał o Hansie von Rottingerze.

– A więc to już wiemy – powiedział Edklinth. – Teraz musimy się tylko dowiedzieć, co oni tak naprawdę robili.

Monika Figuerola skinęła głową.

– A co zrobimy z Blomkvistem?

– Co masz na myśli?

– Obiecaliśmy, że go poinformujemy, gdy tylko znajdziemy Clintona i Rottingera.

Edklinth zastanowił się chwilę.

– Okej. I tak sam się do tego dokopie za jakiś czas. Lepiej, żebyśmy mieli z nim dobre układy. Możesz mu przekazać te informacje. Kieruj się własnym osądem.

Monika Figuerola powiedziała, że tak właśnie zrobi. Potem w kilka minut omówili plany na weekend. Dwóch podwładnych Moniki miało nadal pracować nad tą sprawą. Sama zamierzała zrobić sobie wolne.

Podbiła kartę i poszła na siłownię na S:t Eriksplan. Przez dwie godziny zawzięcie próbowała nadrobić trening. Wróciła do domu około siódmej, wzięła prysznic, zrobiła sobie skromną kolację i włączyła telewizor, żeby obejrzeć wiadomości. O wpół do ósmej już nie mogła usiedzieć spokojnie i włożyła strój do joggingu. Zatrzymała się przy drzwiach i zastanowiła się nad powodem swojego nastroju. *Pieprzony Blomkvist*. Włączyła komórkę i zadzwoniła do Mikaela na T10.

– Wiemy co nieco o Rottingerze i Clintonie.

– Opowiadaj – poprosił Mikael.

– Jeśli przyjdziesz do mnie, mogę ci opowiedzieć.

– Hmm… – mruknął w odpowiedzi.

– Właśnie ubrałam się w ciuchy do biegania, żeby się pozbyć nadwyżek energii – powiedziała Monika. – Czy mam iść biegać, czy zaczekać na ciebie?

– Czy będzie ci pasowało, jeśli przyjdę gdzieś tak po dziewiątej?

– Jak najbardziej.

W PIĄTKOWY WIECZÓR około ósmej Lisbeth Salander odwiedził doktor Anders Jonasson. Usiadł na krześle dla gości i odchylił się na oparcie.

– Czy będzie mnie pan badał? – zapytała Lisbeth.

– Nie, dziś nie.

– Okej.

– Przeanalizowaliśmy dzisiaj pani stan i poinformowaliśmy prokuratora, że jesteśmy gotowi panią wypuścić.

– Rozumiem.

– Chcieli panią zabrać do aresztu w Göteborgu już dzisiaj wieczorem.

– Tak szybko?

Skinął głową.

– Najwyraźniej Sztokholm bardzo naciska. Powiedziałem, że jutro zrobimy jeszcze część badań końcowych i nie wypuszczę pani wcześniej niż w niedzielę.

– Dlaczego?

– Nie wiem. Trochę się wkurzyłem, że są tacy namolni.

Lisbeth Salander nie mogła powstrzymać uśmiechu. Na pewno udałoby się jej zrobić z doktora Jonassona porządnego anarchistę, gdyby tylko miała kilka lat. W każdym razie miał ciągoty do nieposłuszeństwa cywilnego w sferze prywatnej.

– FREDRIK CLINTON – powiedział Mikael Blomkvist i spojrzał w sufit nad łóżkiem Moniki Figueroli.

– Jeśli zapalisz tego papierosa, zgaszę go w twoim pępku – uprzedziła Monika.

Mikael spojrzał zaskoczony na papierosa, którego wyjął z kieszeni marynarki.

– Przepraszam – mruknął. – Mogę skorzystać z balkonu?

– Jeśli potem umyjesz zęby.

Kiwnął głową, owinął się prześcieradłem i wstał z łóżka. Monika poszła za nim do kuchni i nalała sobie dużą szklankę wody z kranu. Oparła się o futrynę drzwi balkonowych.

– Fredrik Clinton?

– Jeszcze żyje. Jest łącznikiem z przeszłością.

– Ale jest umierający. Czeka na przeszczep nerki i większość czasu spędza na dializach i innych takich sprawach.

– Mimo wszystko żyje. Moglibyśmy się z nim skontaktować i zapytać go bezpośrednio. Może zechce mówić.

– Nie – zaprzeczyła Monika. – Po pierwsze, to jest postępowanie przygotowawcze, które prowadzi policja. W tym sensie nie ma tu żadnego „my". Po drugie, dostajesz te informacje dzięki umowie z Edklinthem, ale zobowiązałeś się w niej, że nie będziesz robił nic, co może zakłócić dochodzenie.

Mikael spojrzał na nią z uśmiechem. Zgasił papierosa.

– Ho, ho – powiedział. – Policja bezpieczeństwa krótko trzyma smycz.

Monika nagle spoważniała.

– Mikaelu, to nie są żarty.

W SOBOTNI PORANEK Erika Berger jechała do redakcji „Svenska Morgon-Posten" z żołądkiem zaciśniętym w supeł. Czuła, że zaczyna panować nad produkcją gazety i właściwie zamierzała pozwolić sobie na wolny weekend – pierwszy, odkąd przyszła do SMP – ale odkrycie, że jej najbardziej osobiste i intymne pamiątki zniknęły wraz z raportem w sprawie Magnusa Borgsjö, sprawiło, że nie mogła się rozluźnić.

Podczas bezsennej nocy spędzonej głównie w kuchni w towarzystwie Susanne Linder snuła wyobrażenia, jak Zatrute Pióro znów uderza i szybko rozpowszechnia jej mało stosowne zdjęcia. Internet był dla takich łajdaków znakomitym narzędziem. *Dobry Boże, cholerne wideo, na którym się pieprzę z mężem i jeszcze jednym facetem – napiszą o tym wszystkie tabloidy na całym świecie. Najintymniejsze sprawy.*

Ogarnęły ją lęk i panika.

Susanne Linder udało się wreszcie zmusić ją, żeby poszła się położyć.

Wstała o ósmej i pojechała do SMP. Nie mogła wytrzymać. Jeśli zapowiadała się burza, chciała zmierzyć się z nią pierwsza.

Ale w na pół wyludnionej redakcji wszystko wyglądało normalnie. Pracownicy witali ją uprzejmie, kiedy szła do newsroomu. Anders Holm miał wolne. Szefem wiadomości był Peter Fredriksson.

– Dzień dobry. Myślałem, że ma pani dziś wolne – powitał ją.

– Ja też. Ale wczoraj źle się czułam i mam trochę do nadrobienia. Czy coś się dzieje?

– Nie, cienko dziś z wiadomościami. Najciekawsza dotyczy przemysłu drzewnego z Dalarny, który odnotował wzrost. Był też rabunek w Norrköping, jedna osoba ranna.

– Okej. Posiedzę trochę w swoim biurze.

Usiadła, opierając kule o regał z książkami, i zalogowała się do internetu. Zaczęła od sprawdzenia skrzynki mailowej. Dostała kilka wiadomości, ale żadna nie pochodziła od Zatrutego Pióra. Zmarszczyła brwi. Od włamania minęły dwa dni, a on jeszcze nie zaczął korzystać ze zdobytych skarbów. *Dlaczego? Czyżby zamierzał zmienić taktykę? Szantaż? Chce mnie trzymać w niepewności?*

Nie miała nic szczególnego do załatwienia, więc otworzyła dokument, w którym formułowała plan dla SMP. Siedziała tak i piętnaście minut wpatrywała się w monitor, nie widząc liter.

Próbowała dzwonić do Gregera, ale nie udało jej się go złapać. Nie wiedziała nawet, czy jego komórka działa za granicą. Oczywiście gdyby się postarała, byłaby w stanie go odszukać, ale czuła się całkowicie zobojętniała i bezsilna. Nie – czuła się zrozpaczona i sparaliżowana lękiem.

Zadzwoniła do Mikaela Blomkvista, żeby go poinformować, że teczka z dokumentami o Borgsjö została skradziona. Mikael nie odbierał.

Była dziewiąta, a ona jeszcze nie zrobiła nic sensownego, więc postanowiła pojechać do domu. Właśnie wyciągała rękę, żeby wyłączyć komputer, kiedy odezwał się jej ICQ. Zaskoczona spojrzała na menu. Wiedziała, co to za program, ale rzadko zdarzało jej się czatować, a odkąd zaczęła pracować w SMP, nigdy z niego nie korzystała.

Z wahaniem kliknęła na odpowiedz.

<Cześć, Eriko>.

<Cześć. Kto tam?>.

<Osoba prywatna. Jesteś sama?>.

Co to za sztuczka? Zatrute Pióro?

<Tak. Kim jesteś?>.

<Spotkałyśmy się w mieszkaniu Kallego Blomkvista, kiedy wrócił z Sandhamn>.

Erika Berger zaskoczona wpatrywała się w monitor. Dopiero po kilku sekundach skojarzyła. *Lisbeth Salander. To niemożliwe.*

<Jesteś tam jeszcze?>.

<Tak>.

<Żadnych nazwisk. Wiesz, kim jestem?>.

<Skąd mam wiedzieć, że nie blefujesz?>.

<Wiem, skąd Mikael ma bliznę na szyi>.

Erika przełknęła ślinę. Cztery osoby na świecie wiedziały, jak do tego doszło. Lisbeth Salander była jedną z nich.

<Okej. Ale jak to możliwe, że ze mną czatujesz?>.

<Nieźle się znam na komputerach>.

Lisbeth Salander to szatan komputerowy. Ale nie pojmuję, jak udaje jej się odzywać przez internet z Sahlgrenska. Leży tam zamknięta od kwietnia.

<Czy mogę ci zaufać?>.

<Co masz na myśli?>.

<Ta rozmowa musi pozostać między nami>.

Nie chce, żeby policja wiedziała, że ma dostęp do internetu. Oczywiście, że nie. Dlatego czatuje z redaktorem naczelnym jednego z największych szwedzkich dzienników.

<Nie ma sprawy. Czego chcesz?>.

<Zapłacić>.

<O co chodzi?>.

<Millennium mnie wspierało>.

<Robiliśmy swoją robotę>.

<Ale inne gazety nie>.

<Nie jesteś winna tego, o co cię oskarżano>.

<Masz na karku stalkera>.

Nagle serce Eriki Berger zakołatało. Zwlekała chwilę.

<Co wiesz?>.

<Skradzione wideo. Włamanie>.

<Tak. Możesz pomóc?>.

Erika Berger sama nie wierzyła, że zadała to pytanie. To było wyjątkowo nierozsądne. Lisbeth Salander przebywała na rehabilitacji w Sahlgrenska i sama miała masę problemów. Była ostatnią osobą, do której Erika mogłaby się zwrócić z nadzieją na pomoc.

<Nie wiem. Mogę spróbować>.

<Jak?>.

<Pytanie. Myślisz, że ten bydlak jest w SMP?>.

<Nie umiem tego udowodnić>.

<Dlaczego nie?>.

Erika zastanawiała się chwilę, zanim odpowiedziała.

<Przeczucie. To się zaczęło, kiedy przyszłam do SMP. Inne osoby z SMP dostały od Zatrutego Pióra nieprzyjemne maile, które wyglądały, jakby pochodziły ode mnie>.

<Zatrutego Pióra?>

<Ja tak nazwałam tego drania>.

<Okej. Dlaczego on się tobą interesuje?>.

<Nie wiem>.

<Czy coś wskazuje, że to jakieś osobiste powody?>.

<Co masz na myśli?>.

<Ilu ludzi pracuje w SMP?>.

<Ponad 230 razem z wydawnictwem>.

<Ilu znasz osobiście?>.

<Nie wiem do końca. Poznałam wielu dziennikarzy i innych pracowników lata wcześniej, przy różnych okazjach>.

<Miałaś z kimś zatarg?>.

<Nie. Raczej nie>.

<Ktoś, kto może chcieć się na tobie zemścić?>.

<Zemścić? Za co?>.

<Zemsta jest wielką siłą napędową>.

Erika ze zdziwieniem spojrzała na monitor, nie wiedząc, co Lisbeth Salander chciała przez to powiedzieć.

<Jesteś tam?>.

<Tak. Dlaczego pytasz o zemstę?>.

<Czytałam listę Rosina ze wszystkimi incydentami, które łączysz z Zatrutym Piórem>.

Dlaczego mnie to nie dziwi?

<Okej???>.

<To nie wygląda na stalkera>.

<Co masz na myśli?>.

<Stalker to ktoś, kogo napędza opętanie seksualne. Wygląda raczej na to, jakby ktoś udawał stalkera. Śrubokręt w cipie... daj spokój, to czysta parodia>.

<Tak?>.

<Widziałam prawdziwych stalkerów. Są o wiele bardziej perwersyjni, wulgarni i groteskowi. Wyrażają równocześnie miłość i nienawiść. To tak nie wygląda>.

<Uważasz, że to nie jest wystarczająco wulgarne?>.

<Tak. Maile do Evy Carlsson nie pasują. Ktoś chce się z tobą podrażnić>.

<Rozumiem. Nie myślałam o tym w taki sposób>.

<To nie stalker. Personalnie przeciwko tobie>.

<Okej. Co proponujesz?>.

<Ufasz mi?>.

<Może>.

<Potrzebuję dostępu do sieci komputerowej SMP>.

<Nie tak szybko>.

<Natychmiast. Bo wkrótce mnie przenoszą i nie będę miała internetu>.

Erika wahała się kilkanaście sekund. Wydać całą SMP na łaskę i niełaskę... no właśnie, kogo? Kompletnej wariatki? Lisbeth może nie była winna morderstw, ale zdecydowanie nie była normalną osobą.

Ale z drugiej strony co miała do stracenia?

<Jak?>.

<Muszę zainstalować program w twoim komputerze>.

<Mamy firewall>.

<Musisz trochę pomóc. Wejdź do internetu>.

<Już jestem>.

<Explorer?>.

<Tak>.

<Napiszę ci adres. Skopiuj go i wklej do Explorera>.

<Zrobione>.

<Teraz widzisz listę wielu programów. Kliknij na Asphyxia Server i ściągnij go>.

Erika postąpiła zgodnie z instrukcją.

<Gotowe>.

<Uruchom Asphyxię. Kliknij na instalację i wybierz explorera>.

To zajęło trzy minuty.

<Gotowe. Okej. Teraz musisz jeszcze raz wystartować komputer. Na chwilę stracimy kontakt>.

<Okej>.

<Kiedy znów się połączymy, przeniosę zawartość twojego twardego dysku na inny serwer w sieci>.

<Okej>.

<Uruchom od nowa. Na razie>.

Erika Berger zafascynowana wpatrywała się w monitor. Jej komputer powoli znów się włączał. Zastanawiała się, czy przypadkiem nie zwariowała. Potem odezwał się jej ICQ.

<Witaj znowu>.

<Cześć>.

<Szybciej pójdzie, jeśli ty to zrobisz. Włącz internet i wklej adres, który ci wysyłam>.

<Okej>.

<Dostałaś pytanie. Kliknij start>.

<Okej>.

<Teraz masz pytanie, jak chcesz nazwać dysk. Nazwij go SMP-2>.

<Okej>.

<A teraz idź i przynieś sobie kawę. To potrwa jeszcze jakiś czas>.

W SOBOTĘ MONIKA FIGUEROLA obudziła się około ósmej, dwie godziny później niż zwykle. Usiadła na łóżku i spojrzała na Mikaela Blomkvista. Chrapał.

Well. Nobody is perfect.

Zastanawiała się, do czego doprowadzi historia z Mikaelem Blomkvistem. To nie jest gatunek poczciwego faceta, z którym można planować przyszłość na dłuższą metę – to już wiedziała z jego biografii. Z drugiej strony sama nie była pewna, czy naprawdę szuka stałego związku z facetem, lodówką i dzieckiem. Po kilkunastu nieudanych próbach coraz bardziej skłaniała się do poglądu, że stałe związki są przereklamowane. Jej najdłuższym związkiem było wspólne mieszkanie przez dwa lata z kolegą w Uppsali.

Z drugiej strony nie była też dziewczyną lubującą się w znajomościach na jedną noc, nawet jeśli uważała, że seks jest zdecydowanie niedoceniany jako terapia praktycznie na wszystkie dolegliwości. A seks z Mikaelem był całkiem w porządku. Nawet więcej niż w porządku. Był superfacetem. Chciała go lepiej poznać.

Letni romans? Zakochanie? Czy była zakochana?

Poszła do łazienki, obmyła twarz, wyszorowała zęby, włożyła buty i szorty do biegania, cienką kurtkę, i wyszła cicho z mieszkania. Zrobiła ćwiczenia rozciągające, a potem przebiegła czterdziestopięciominutową rundę obok szpitala Rålambshov wokół Fredhäll i z powrotem przez Smedsudden. Wróciła o dziewiątej i stwierdziła, że Mikael dalej śpi. Pochyliła się nad nim i ukąsiła lekko w ucho. Zdezorientowany otworzył oczy.

– Dzień dobry, kochanie. Potrzebuję kogoś, kto wyszoruje mi plecy.

Spojrzał na nią i wymruczał coś niewyraźnie.

– Co mówiłeś?

– Nie musisz się kąpać. Już i tak jesteś mokra.

– Zrobiłam swoją rundę. Powinieneś się dołączyć.

– Podejrzewam, że jakbym próbował dotrzymać ci kroku, musiałabyś zadzwonić na pogotowie. Zawał serca na Norr Mälarstrand.

– Bzdura. Chodź. Czas wstawać.

Wyszorował jej plecy i namydlił pachy. I biodra. I brzuch. I piersi. W końcu Monika straciła ochotę na prysznic i zaciągnęła go z powrotem do łóżka. Dopiero o jedenastej pili kawę w kawiarnianym ogródku przy Norr Mälarstrand.

– Mogłabym się od ciebie uzależnić – powiedziała Monika. – Znamy się dopiero kilka dni.

– Bardzo mnie pociągasz. Ale myślę, że to już wiesz.

Skinęła głową.

– A dlaczego?

– Sorry. Nie umiem odpowiedzieć na to pytanie. Nigdy nie umiem wytłumaczyć, dlaczego nagle pociąga mnie jedna kobieta, a inna nie interesuje ani trochę.

Uśmiechnęła się znacząco.

– Mam dzisiaj wolne – powiedziała.

– Ale ja nie. Mam górę roboty przed rozpoczęciem procesu i zamiast pracować, spędzałem ostatnio noce u ciebie.

– Szkoda.

Pokiwał głową, wstał i pocałował ją w policzek. Monika złapała go za rękaw.

– Blomkvist, chciałabym dalej się z tobą spotykać.

– Ja też – powiedział. – Ale to będzie trochę trudne, póki nie skończymy tej sprawy.

ERIKA BERGER przyniosła sobie kawę i wpatrzyła się w monitor. Przez pięćdziesiąt trzy minuty nie działo się absolutnie nic, tylko wygaszacz ekranu włączał się co chwilę. Potem znów zadźwięczało jej ICQ.

<Gotowe. Masz na twardym dysku bardzo dużo śmieci, w tym dwa wirusy>.

<Sorry. Co dalej?>.

<Kto jest adminem sieci SMP?>.

<Nie wiem. Chyba Peter Fleming, jest szefem technicznym>.

<Okej>.

<Co mam robić?>.

<Nic. Idź do domu>.

<Tak po prostu?>.

<Odezwę się>.

<Mam zostawić włączony komputer?>.

Ale Lisbeth Salander już wyszła z jej ICQ. Erika zdezorientowana wpatrzyła się w monitor. W końcu wyłączyła komputer i wyszła poszukać kawiarni, gdzie mogłaby posiedzieć w spokoju i pomyśleć.

Rozdział 20
Sobota 4 czerwca

MIKAEL BLOMKVIST wysiadł z autobusu przy Slussen, wjechał windą Katarinahissen na Mosebacke i poszedł na Fiskargatan 9. W sklepie spożywczym naprzeciwko siedziby Landstingu kupił chleb, mleko i ser. Od razu włożył je do lodówki. Potem włączył komputer Lisbeth.

Po chwili zastanowienia włączył także niebieskiego Ericssona T10. Nie zawracał sobie głowy drugim telefonem, bo i tak nie chciał rozmawiać z nikim, kto nie jest zaangażowany w sprawę Zalachenki. Stwierdził, że w ciągu minionej doby dzwoniono do niego sześć razy: trzy razy Henry Cortez, dwa Malin Eriksson i raz Erika Berger.

Zaczął od telefonu do Corteza. Był akurat w kawiarni w Vasastan i miał parę drobnych spraw do omówienia, ale nic szczególnie pilnego.

Malin Eriksson chciała tylko sprawdzić, co u niego.

Potem zatelefonował do Eriki Berger, ale jej komórka była zajęta.

Wszedł na Yahoo [Szalony_Stół] i znalazł ostateczną wersję biografii Lisbeth Salander. Z zadowoleniem pokiwał głową, wydrukował dokument i od razu zaczął czytać.

LISBETH SALANDER siedziała nad palmem tungstenem T3. Godzinę poświęciła na zorientowanie się w sieci komputerowej SMP przez konto Eriki Berger. Nie próbowała wchodzić na konto Petera Fleminga, bo pełne uprawnienia administratora nie były jej potrzebne. Była zainteresowana dostępem do administracji SMP z plikami prywatnymi. A tam Erika miała pełne uprawnienia.

Lisbeth przez chwilę zamarzyła, żeby Mikael Blomkvist był na tyle wspaniałomyślny i przemycił jej PowerBooka z prawdziwą klawiaturą i siedemnastocalowym monitorem zamiast małego palmtopa. Potem ściągnęła listę wszystkich pracowników SMP i zaczęła ją analizować. Figurowały na niej dwieście dwadzieścia trzy osoby, w tym osiemdziesiąt dwie kobiety.

Zaczęła od wykreślenia wszystkich kobiet. Nie odmawiała kobietom prawa do popełniania takich niegodziwości, ale statystyki mówiły, że absolutna większość osób prześladujących kobiety to mężczyźni. Zostało sto czterdzieści jeden osób.

Według statystyk większość Zatrutych Piór to nastolatki lub osoby w średnim wieku. Ponieważ w SMP nie pracował żaden nastolatek, zrobiła wykres wieku i wykreśliła wszystkich poniżej dwudziestego piątego i powyżej pięćdziesiątego piątego roku życia. Zostały sto trzy osoby.

Zamyśliła się na chwilę. Miała mało czasu. Zdecydowanym cięciem wyrzuciła wszystkich zatrudnionych w dystrybucji, ogłoszeniach, dziale fotografii i pionie technicznym. Skupiła się na dziennikarzach i pracownikach redakcji. Na liście znalazło się czterdziestu ośmiu mężczyzn w wieku od dwudziestu sześciu do pięćdziesięciu czterech lat.

Potem usłyszała dzwonienie kluczy. Natychmiast wyłączyła komputer i schowała pod kołdrą między udami. Ostatni sobotni lunch w Sahlgrenska. Spojrzała ponuro na duszoną kapustę. Wiedziała, że po lunchu nie będzie mogła pracować w spokoju, więc schowała komputer w skrytce za nocną szafką i czekała, aż dwie kobiety z Erytrei odkurzą i zmienią jej pościel.

Jedna z nich, Sara, w ostatnich tygodniach regularnie przemycała Lisbeth pojedyncze marlboro light. Przyniosła także zapalniczkę, którą Lisbeth chowała za nocną szafką.

Lisbeth z wdzięcznością przyjęła dwa papierosy. Zamierzała je wypalić w nocy przy otworze wentylacyjnym.

Dopiero około drugiej znów zapanował spokój. Lisbeth wyjęła komputer i już chciała ponownie wejść do administracji SMP, ale przypomniała sobie, że ma też własne problemy, którymi musi się zająć. Zrobiła codzienny przegląd, na początek zajrzała na grupę Szalony Stół. Stwierdziła, że Mikael Blomkvist w ciągu ostatnich trzech dni nie dołożył nic nowego i była ciekawa, czym się zajmuje. *Ten palant na pewno gdzieś łazi i gzi się z jakąś laską z wielkim cycem.*

Przeszła do grupy Rycerze i sprawdziła, czy Plague coś zostawił. Nie było nic nowego.

Potem sprawdziła twarde dyski prokuratora Ekströma (niezbyt ciekawa korespondencja na temat zbliżającego się procesu) oraz doktora Petera Teleboriana.

Ilekroć wchodziła na dysk Teleboriana, miała wrażenie, jakby temperatura jej ciała obniżała się o kilka stopni.

Znalazła ekspertyzę sądowo-lekarską na swój temat. Była już gotowa, choć oficjalnie miała zostać napisana dopiero po tym, jak Teleborian ją zbada. Wprowadził do tekstu kilka poprawek, ale w gruncie rzeczy nie było tam nic nowego. Ściągnęła dokument i posłała go dalej na Szalony Stół. Sprawdziła skrzynkę mailową Teleboriana. Otworzyła jedną po drugiej wiadomości z ostatnich dwudziestu czterech godzin. O mało nie przegapiła krótkiego maila:

[Sobota, 15:00 przy okręgu na Centralnym. /Jonas]

Fuck. Jonas. Pojawiał się w wielu mailach do Teleboriana. Używa konta na hotmailu. Niezidentyfikowany.

Rzuciła okiem na elektroniczny zegar na szafce. Była czternasta dwadzieścia osiem. Natychmiast wysłała Mikaelowi Blomkvistowi sygnał na ICQ. Nie otrzymała odpowiedzi.

MIKAEL BLOMKVIST wydrukował dwieście dwadzieścia gotowych stron. Potem wyłączył komputer, wziął do ręki długopis i usiadł przy kuchennym stole Lisbeth.

Był zadowolony. Choć w tekście nadal ziała wielka dziura. Jak znaleźć resztę Sekcji? Malin Eriksson miała rację. To niemożliwe. Był pod ogromną presją czasu.

LISBETH SALANDER zaklęła z bezsilności i spróbowała skontaktować się z Plague'em na ICQ. Nie odpowiadał. Zerknęła na zegarek. Czternasta trzydzieści.

Usiadła na krawędzi łóżka i spróbowała przywołać z pamięci adresy ICQ. Najpierw chciała złapać Henry'ego Corteza, potem Malin Eriksson. Nikt się nie zgłaszał. *Sobota. Wszyscy mają wolne.* Zegarek pokazywał czternastą trzydzieści trzy.

Mogłaby wysłać SMS-a na komórkę Mikaela Blomkvista... ale była na podsłuchu. Przygryzła dolną wargę.

W końcu zdesperowana zadzwoniła po pielęgniarkę. Była czternasta trzydzieści pięć, kiedy usłyszała klucz przekręcany w zamku. Potem weszła siostra Agneta.

– Czy pani czegoś potrzebuje?

– Czy doktor Jonasson jest na oddziale?

– Źle się pani czuje?

– Dobrze się czuję. Ale muszę zamienić z nim kilka słów. Jeśli to możliwe.

– Widziałam go przed chwilą. A o co chodzi?

– Muszę z nim porozmawiać.

Siostra Agneta zmarszczyła brwi. Pacjentka Salander rzadko dzwoniła po pielęgniarki, jeśli nie miała bólów głowy lub innego nagłego problemu. Nigdy wcześniej nie marudziła ani nie prosiła o rozmowę z konkretnym lekarzem. Ale siostra Agneta zauważyła, że doktor Jonasson spędzał u aresztowanej pacjentki nieco więcej czasu niż gdzie indziej. U pacjentki poza tym całkowicie odciętej od świata. Możliwe, że mają jakieś wspólne sprawy.

– Okej. Zobaczę, czy ma czas – powiedziała siostra Agneta i zamknęła drzwi. I przekręciła klucz. Na zegarze czternasta trzydzieści sześć właśnie zmieniła się w czternastą trzydzieści siedem.

Lisbeth wstała z łóżka i podeszła do okna. Co chwilę spoglądała na zegarek. Czternasta trzydzieści dziewięć. Czternasta czterdzieści.

O czternastej czterdzieści cztery usłyszała kroki na korytarzu i brzęk kluczy strażnika Securitasu. Anders Jonasson posłał Lisbeth pytające spojrzenie i zatrzymał się, widząc desperację w jej oczach.

– Czy coś się stało?

– Coś się dzieje właśnie teraz. Czy ma pan przy sobie komórkę?

– Co?

– Komórkę. Muszę zadzwonić.

Anders Jonasson spojrzał niepewnie na drzwi.

– Doktorze... Potrzebuję pańskiej komórki. Natychmiast!

Zrozumiał, że sprawa jest naprawdę ważna. Włożył rękę do kieszeni i podał jej swoją motorolę. Lisbeth niemal wyrwała mu ją z ręki. Nie mogła zadzwonić do Mikaela Blomkvista, ponieważ jego telefon był na podsłuchu. A nigdy nie dał jej numeru swojego anonimowego niebieskiego Ericssona T10, bo nie spodziewał się, że mogłaby zadzwonić do niego ze swojego więzienia. Zawahała się na ułamek sekundy i wybrała numer komórki Eriki Berger. Po trzech sygnałach uzyskała połączenie.

ERIKA BERGER siedziała w swoim bmw, jakiś kilometr od domu w Saltsjöbaden, kiedy zadzwonił ktoś, po kim się tego nie spodziewała. Ale z drugiej strony Lisbeth Salander już raz zaskoczyła ją dzisiaj rano.

– Berger.

– Salander. Nie mam czasu na wyjaśnienia. Masz numer anonimowej komórki Mikaela. Tej niepodsłuchiwanej.

– Tak.

– Zadzwoń do niego. Natychmiast! Teleborian spotka się z Jonasem przy okręgu na Centralnym o piętnastej.

– Co to...

– Pośpiesz się. Teleborian. Jonas. Okręg na Centralnym. Piętnasta. Ma kwadrans, żeby zdążyć.

Lisbeth wyłączyła komórkę, żeby Erika nie miała pokusy marnowania cennych sekund na niepotrzebne pytania. Zerknęła na zegarek. Wyświetlacz właśnie pokazał czternastą czterdzieści sześć.

Erika Berger zjechała na pobocze. Z torebki wyjęła notes z telefonami i odszukała numer, który Mikael dał jej tamtego wieczoru, kiedy spotkali się w Samirs Gryta.

MIKAEL BLOMKVIST usłyszał sygnał telefonu. Wstał od stołu, poszedł do gabinetu Lisbeth i wziął leżącą na biurku komórkę.

– Tak?

– Erika.

– Cześć.

– Teleborian spotka się z Jonasem przy okręgu na Centralnym o piętnastej. Masz tylko kilka minut.

– Co? Co?

– Teleborian...

– Słyszałem. A skąd ty o tym wiesz?

– Nie gadaj, tylko leć już.

Mikael spojrzał na zegarek. Czternasta czterdzieści siedem.

– Dzięki. Cześć.

Złapał w biegu torbę od komputera i zbiegł schodami, zamiast czekać na windę. Biegnąc, wybierał numer niebieskiego T10 Henry'ego Corteza.

– Cortez.

– Gdzie jesteś?

– W Akademibokhandeln.

– Teleborian spotka się z Jonasem przy okręgu na Centralnym o piętnastej. Jestem w drodze, ale ty masz bliżej.

– O kurwa. To pędzę.

Mikael dobiegł do Götgatan i puścił się pędem ku Slussen. Kiedy zdyszany dotarł na plac, spojrzał na zegarek. Monika Figuerola chyba miała rację, kiedy mówiła, że powinien zacząć trenować. Czternasta pięćdziesiąt sześć. Nie zdąży. Rozejrzał się za taksówką.

LISBETH SALANDER oddała komórkę Andersowi Jonassonowi.

– Dzięki.

– Teleborian? – zapytał lekarz. Nie mógł nie słyszeć tego nazwiska.

Pokiwała głową i spojrzała mu w oczy.

– Teleborian to naprawdę obrzydliwa gnida. Nie ma pan bladego pojęcia.

– Nie. Ale domyślam się, że właśnie dzieje się coś, co poruszyło panią tak, że jeszcze nie widziałem pani w takim stanie, odkąd jest pani pod moją opieką. Mam nadzieję, że pani wie, co robi.

Lisbeth posłała mu krzywy uśmieszek.

– Powinien pan się o tym przekonać w niedalekiej przyszłości – odparła.

HENRY CORTEZ jak szalony wybiegł z księgarni Akademibokhandeln. Przeciął Sveavägen wiaduktem nad Mäster Samuelsgatan i dalej biegł prosto w dół do Klara Norra, gdzie skręcił na Klarabergsviadukten i przeciął Vasagatan. Przebiegł przez Klarabergsgatan pomiędzy autobusem i dwoma samochodami osobowymi, które go głośno obtrąbiły, i wpadł w drzwi Dworca Centralnego równo o piętnastej.

Zjechał ruchomymi schodami do głównej hali, przesadzając w biegu po trzy stopnie naraz, minął księgarnię, a potem zwolnił kroku, żeby nie zwracać na siebie uwagi.

Wpatrywał się uporczywie w ludzi zgromadzonych wokół kolistej barierki na środku hali.

Nie widział ani Teleboriana, ani człowieka, którego Christer Malm sfotografował przed Copacabaną. Domyślali się, że to on jest Jonasem. Spojrzał na zegar. Piętnasta jeden. Dyszał tak, jakby przebiegł maraton sztokholmski.

Zaryzykował i przeszedł przez halę w stronę wyjścia na Vasagatan. Zatrzymał się i rozejrzał bacznie dookoła, przyglądając się każdemu z osobna, jak daleko mógł sięgnąć wzrokiem. Nie było Teleboriana. Nie było Jonasa.

Odwrócił się i znów wszedł do budynku dworca. Piętnasta trzy. Wokół okręgu było pusto.

Potem spojrzał w bok i na mgnienie oka dostrzegł zmierzwione włosy i brodę Petera Teleboriana. Właśnie wychodził z kiosku w drugim końcu hali. W następnej sekundzie zmaterializował się obok niego mężczyzna sprzed Copacabany. Jonas. Przecięli halę i północnym wyjściem wydostali się na Vasagatan.

Henry Cortez odetchnął z ulgą. Wytarł dłonią pot z czoła i ruszył ich śladem.

MIKAEL BLOMKVIST dojechał taksówką na dworzec o piętnastej siedem. Pobiegł do głównej hali, ale nie zobaczył ani Teleboriana, ani Jonasa. Henry'ego też nie.

Wyjął swojego T10, żeby do niego zadzwonić, ale telefon wcześniej zabrzęczał w jego dłoni.

– Mam ich. Siedzą w pubie Tre Remmare na Vasagatan przy wejściu do metra na Akallę.

– Dzięki, Henry. Gdzie jesteś?

– Stoję przy barze. Piję piwo. Zasłużyłem sobie.

– Okej. Mogą mnie rozpoznać, więc nie będę wchodził. Domyślam się, że nie słyszysz, o czym rozmawiają?

– Nie ma szans. Widzę plecy Jonasa, a ten cholerny Teleborian tylko mamrocze, zamiast mówić. Nie widzę nawet ruchu warg.

– Rozumiem.

– Ale możemy mieć problem.

– Jaki problem?

– Jonas położył na stoliku portfel i komórkę. Na portfelu leżą kluczyki do samochodu.

– Okej. Zajmę się tym.

KOMÓRKA MONIKI FIGUEROLI zadzwoniła polifonicznym sygnałem, melodyjką z filmu *Pewnego razu na Dzikim Zachodzie*. Odłożyła książkę o pojęciu bóstwa w starożytności, której chyba nigdy już nie skończy.

– Cześć. Tu Mikael. Co robisz?

– Siedzę w domu i przeglądam zdjęcia dawnych kochanków. Zostałam dziś rano sromotnie porzucona.

– Wybacz. Czy masz pod ręką samochód?

– Ostatnio widziałam go na parkingu przed domem.

– Świetnie. Masz ochotę na przejażdżkę po mieście?

– Niespecjalnie. Dlaczego?

– W tej chwili Peter Teleborian pije piwo z Jonasem na Vasagatan. A ponieważ współpracuję z biurokratami ze Stasi w Säpo, pomyślałem, że może chciałabyś się przyłączyć.

Monika Figuerola w jednej chwili była na nogach i sięgała po kluczyki.

– Nie żartujesz?

– Raczej nie. A Jonas położył przed sobą na stoliku kluczyki do auta.

– Już jadę.

MALIN ERIKSSON nie odbierała komórki, ale Mikael Blomkvist miał szczęście i złapał Lottie Karim. Była właśnie w domu towarowym Åhlens, żeby kupić prezent urodzinowy dla męża. Mikael zarządził nadgodziny i poprosił, żeby jak najszybciej poszła do pubu jako posiłki dla Henry'ego Corteza. Potem zadzwonił jeszcze raz do Corteza.

– Taki jest plan. Za pięć minut będę miał na miejscu samochód. Zaparkujemy na Järnvägsgatan, niedaleko pubu.

– Okej.

– Za chwilę przyjdzie do ciebie Lottie Karim, żeby cię wzmocnić.

– Dobra.

– Kiedy wyjdą z pubu, ty przyklejasz się do Jonasa. Idziesz za nim pieszo i przez komórkę mówisz mi, gdzie jesteście. Gdy tylko zobaczysz, że podchodzi do samochodu, musisz nam powiedzieć. Lottie pójdzie za Teleborianem. Jeśli nie zdążymy dojechać, zapiszesz numer auta Jonasa.

– Okej.

MONIKA FIGUEROLA zaparkowała przy Nordic Light Hotel, obok przystanku autobusów Arlanda Express. Minutę później Mikael Blomkvist otworzył drzwi od strony pasażera.

– W którym pubie siedzą?

Mikael wyjaśnił.

– Muszę poprosić o posiłki.

– Nie denerwuj się. Mamy ich pod kontrolą. Im więcej kucharek, tym bardziej mogą spieprzyć zupę.

Monika przyjrzała mu się podejrzliwie.

– A skąd wiedziałeś, że to spotkanie się odbędzie?

– Sorry. Ochrona źródła.

– Czy wy macie jakąś cholerną służbę wywiadowczą w tym swoim „Millennium"?! – wykrzyknęła.

Mikael pękał z dumy. To było przyjemne uczucie pokonać Säpo na ich własnym terytorium.

W rzeczywistości nie miał bladego pojęcia, jak doszło do tego, że Erika Berger zadzwoniła do niego jak grom z jasnego nieba i zakomunikowała, że Teleborian ma się spotkać z Jonasem. Nie miała wglądu w pracę redakcji „Millennium" od połowy kwietnia. Oczywiście wiedziała o Teleborianie, ale Jonas pojawił się w tej historii dopiero w maju, i z tego, co Mikael wiedział, Erika nie miała pojęcia o jego istnieniu ani o tym, że był przedmiotem intensywnych spekulacji zarówno w „Millennium", jak i w Säpo.

Musi porządnie porozmawiać z Eriką, jak najszybciej.

LISBETH SALANDER wydęła wargi, wpatrując się w wyświetlacz swojego palmtopa. Po rozmowie z Andersem Jonassonem odsunęła na bok myśli o Sekcji i zajęła się problemami Eriki Berger. Po dogłębnym przemyśleniu sprawy skreśliła z listy mężczyzn, wszystkich żonatych, między dwudziestym szóstym a pięćdziesiątym czwartym rokiem życia. Wiedziała, że to wielkie uproszczenie i właściwie jej decyzja nie opierała się na żadnych przesłankach statystycznych czy naukowych. Zatrute Pióro bez wątpienia mógł być szczęśliwym małżonkiem z piątką dzieci i psem. Po prostu mógłby to być również ktoś z portierni. A nawet kobieta, choć Lisbeth w to nie wierzyła.

Chciała po prostu skrócić listę, a ta decyzja okroiła ją z czterdziestu ośmiu nazwisk do osiemnastu. Stwierdziła, że są na niej głównie bardziej znaczący reporterzy, szefowie i zastępcy szefów w wieku od trzydziestu pięciu lat w górę. Jeśli pośród nich nie trafi na nic interesującego, zawsze może zarzucić sieć szerzej.

O czwartej po południu weszła na stronę Hacker Republic i przesłała listę na adres Plague'a. Odezwał się po kilku minutach.

<18 nazwisk. I co?>.

<Mały projekt poboczny. Potraktuj to jako ćwiczenie>.
<Okej>.

<Jedno z tych nazwisk to łajdak. Znajdź go>.
<Jakie są kryteria?>.

<Muszę działać szybko. Jutro wyciągną mi wtyczkę. Musimy go znaleźć do tego czasu>.

Opowiedziała o Erice Berger i Zatrutym Piórze.

<Okej. A będą z tego jakieś korzyści?>.

Lisbeth zastanowiła się szybko.

<Tak. Nie przyjadę do ciebie, żeby spalić twoją budę>.

<Zrobiłabyś to?>.

<Płacę ci za wszystko, co dla mnie robisz. Tu nie chodzi o mnie. Potraktuj to jako podatek>.

<Zauważam u ciebie oznaki przystosowania społecznego>.

<To jak będzie?>.

<Okej>.

Wysłała mu kody dostępu do redakcji SMP i wyszła z ICQ.

BYŁA JUŻ SZESNASTA DWADZIEŚCIA, kiedy Henry Cortez wreszcie zadzwonił.

– Wygląda na to, że zbierają się do wyjścia.

– Okej. Jesteśmy gotowi.

Cisza.

– Żegnają się przed pubem. Jonas idzie na północ. Lottie za Teleborianem na południe.

Mikael podniósł palec i wskazał kierunek. Jonas przemknął przed nimi na Vasagatan. Monika Figuerola skinęła głową. Kilka sekund później Mikael zobaczył także Henry'ego Corteza. Monika włączyła silnik.

– Przecina Vasagatan i idzie dalej Kungsgatan – mówił Henry przez komórkę.

– Zachowuj odległość, żeby cię nie zauważył.

– Na ulicy jest dość dużo ludzi.

Cisza.

– Idzie na północ Kungsgatan.

Monika Figuerola zmieniła bieg i wyjechała na Vasagatan. Tam od razu utknęli na czerwonym świetle.

– Gdzie jesteście? – zapytał Mikael, kiedy udało im się dostać na Kungsgatan.

– Na wysokości sklepu PUB. Idzie szybko. Uwaga, skręca w Drottninggatan, idzie na północ.

– Drottninggatan, na północ – powtórzył Mikael.

– Okej – powiedziała Monika Figuerola i wykonała nie-
dozwolony manewr, skręcając w Klara Norra. Następnie
wjechała w Olof Palmes gata i zahamowała przed biurow-
cem SIF. Jonas przeciął Olof Palmes gata i szedł w górę ku
Sveavägen. Henry Cortez szedł za nim po drugiej stronie
ulicy.
– Skręca na wschód...
– W porządku. Widzimy was obu.
– Zboczył w Holländargatan... No właśnie... Samochód.
Czerwone audi.
– Samochód – powtórzył Mikael i zapisał numer reje-
stracyjny, który szybko wyrecytował Henry.
– W którą stronę jest zaparkowany? – zapytała Monika.
– Przodem na południe – zameldował Henry Cortez.
– Wyjeżdża na Olof Palmes gata prosto na was... teraz.
Monika znów ruszyła i minęła Drottninggatan. Włączy-
ła kierunkowskaz, przegoniła ruchem ręki kilku niecierpli-
wych przechodniów, którzy próbowali przejść przez ulicę na
czerwonym świetle.
– Dzięki, Henry. Przejmujemy go.
Czerwone audi jechało na południe Sveavägen. Monika
jechała za nim, równocześnie lewą ręką włączyła komórkę
i wybrała numer.
– Czy możecie sprawdzić dla mnie numer rejestracyjny,
czerwone audi – powiedziała i powtórzyła numer, który podał Henry Cortez.
– Jonas Sandberg, rok urodzenia 1971. Co mówisz...
Helsingörgatan, Kista. Dziękuję.
Mikael zanotował dane.
Jechali śladem czerwonego audi przez Hamngatan,
Strandvägen, potem skręcili w Artillerigatan. Jonas Sand-
berg zaparkował o przecznicę od Muzeum Broni. Przeszedł
na drugą stronę ulicy i zniknął w bramie kamienicy z prze-
łomu wieków.
– Hmm... – mruknęła Monika i zerknęła na Mikaela.

Pokiwał głową. Jonas Sandberg wszedł do domu stojącego zaledwie kilka domów od tego, w którym odbyło się prywatne spotkanie z premierem.

– Dobra robota – powiedziała Monika.

W tej samej chwili zadzwoniła Lottie Karim i powiedziała, że Peter Teleborian przez Dworzec Centralny schodami ruchomymi dotarł do Klarabergsgatan, a stamtąd idzie dalej do siedziby policji na Kungsholmen.

– Policja? O piątej w sobotni wieczór? – zdziwił się Mikael.

Monika i Mikael spoglądali na siebie niepewnie. W końcu Monika sięgnęła po komórkę i zadzwoniła do inspektora Jana Bublanskiego.

– Dzień dobry, mówi Monika Figuerola z RPS/Säk. Spotkaliśmy się niedawno na Norr Mälarstrand.

– Słucham – powiedział Bublanski.

– Czy ktoś ma u pana dyżur weekendowy?

– Sonja Modig.

– Potrzebuję pewnej przysługi. Wie pan, czy jest w budynku policji?

– Wątpię. Jest piękna pogoda, sobotni wieczór.

– Okej. A mógłby pan spróbować ją złapać? Albo kogoś innego z zespołu, kto mógłby mieć coś do załatwienia na korytarzu prokuratora Richarda Ekströma? Chciałabym wiedzieć, czy przypadkiem nie odbywa się u niego spotkanie.

– Spotkanie?

– Nie mam czasu na wyjaśnienia. Chciałabym tylko wiedzieć, czy spotyka się z kimś teraz. A jeśli tak, to z kim.

– Chce pani, żeby szpiegował prokuratora, który jest moim zwierzchnikiem?

Monika Figuerola uniosła brwi. Potem wzruszyła ramionami.

– Tak – odparła.

– Okej – powiedział Bublanski i rozłączył się.

SONJA MODIG była w rzeczywistości znacznie bliżej siedziby policji, niż Bublanski sobie wyobrażał. Siedziała z mężem na balkonie i piła kawę w mieszkaniu przyjaciółki na Vasastan. Mieli czas dla siebie, gdyż rodzice Sonji na tydzień wzięli dzieci. Planowali więc tak staroświeckie zajęcia jak wyjście do restauracji czy do kina.

Bublanski wyjaśnił, o co chodzi.

– A pod jakim pretekstem mam tak po prostu wparować do Ekströma?

– Obiecałem, że wyślę mu najnowsze rezultaty poszukiwań Niedermanna, ale wczoraj przed wyjściem zapomniałem mu to zanieść. Leżą na moim biurku.

– Okej – zgodziła się Sonja Modig.

Spojrzała na męża i przyjaciółkę.

– Muszę do pracy. Biorę samochód. Przy dobrych układach za godzinę jestem z powrotem.

Jej mąż westchnął. Przyjaciółka westchnęła.

– Mam przecież dyżur weekendowy – próbowała się tłumaczyć.

Zaparkowała przy Bergsgatan, pojechała windą do gabinetu Bublanskiego i wzięła trzy arkusze A4 z rezultatami poszukiwań ściganego listem gończym Ronalda Niedermanna. *Raczej nie ma się czym pochwalić*, pomyślała.

Potem weszła piętro wyżej. Przy drzwiach na korytarz stanęła na chwilę. W letni wieczór w siedzibie policji było pusto. Nie skradała się. Po prostu szła bardzo cicho. Zatrzymała się przed zamkniętymi drzwiami Ekströma. Usłyszała jakieś głosy. Przygryzła dolną wargę.

Nagle opuściła ją odwaga i poczuła się głupio. W normalnej sytuacji zapukałaby do drzwi, otworzyła je i weszła, mówiąc: Ach, więc pan jeszcze nie wyszedł. Teraz wydawało się to niemożliwe.

Rozejrzała się.

Dlaczego Bublanski do niej zadzwonił? Co to za spotkanie?

Zerknęła na drugą stronę korytarza. Naprzeciwko gabinetu Ekströma znajdowała się niewielka sala konferencyjna na dziesięć osób. Sama siedziała tam na niejednym zebraniu.

Weszła i zamknęła za sobą drzwi. Żaluzje były opuszczone, a szklana ściana od strony korytarza zasłonięta kotarą. W pokoju panował półmrok. Przysunęła sobie krzesło i odsunęła zasłonę tak, żeby mieć widok na korytarz.

Czuła się nieswojo. Gdyby ktoś otworzył drzwi, miałaby duże problemy z wytłumaczeniem, co tam robi. Na wyświetlaczu komórki sprawdziła godzinę. Krótko przed szóstą. Wyłączyła dzwonek, odchyliła się na oparcie i przyglądała się zamkniętym drzwiom gabinetu Ekströma.

O SIÓDMEJ WIECZOREM Plague wysłał Lisbeth Salander wiadomość:

<Okej. Jestem adminem SMP>.

<Gdzie?>.

Podał jej adres http.

<Nie zdążymy w 24 godziny. Mamy pocztę elektroniczną wszystkich osiemnastu, ale dotarcie do ich domowych komputerów zajmie kilka dni. Zresztą na pewno większość nie siedzi w internecie w sobotę wieczorem>.

<Plague, skup się na ich komputerach domowych, a ja się zajmę SMP>.

<Tak myślałem. Twój komputer ma ograniczenia. Czy ktoś ma iść na pierwszy ogień?>.

<Nie. Weź kogokolwiek>.

<Okej>.

<Plague>.

<No co?>.

<Jeśli nie zdążymy do jutra, chciałabym, żebyś to robił dalej sam>.

<Okej>.

<Wtedy mogę ci zapłacić>.

<Ech, daj spokój, to świetna zabawa>.

Lisbeth wyszła z ICQ i wkleiła adres strony, na której Plague zostawił dla niej uprawnienia administratora sieci SMP. Na początek sprawdziła, czy Peter Fleming nie jest przypadkiem zalogowany i czy nie ma go w SMP. Nie było. Więc pożyczyła sobie jego uprawnienia i weszła na serwer pocztowy SMP. Mogła prześledzić wszystko, co działo się w poczcie elektronicznej, nawet przeczytać maile dawno wykasowane.

Zaczęła od Ernsta Teodora Billinga, lat czterdzieści trzy, jednego z szefów nocnej zmiany. Otworzyła jego skrzynkę i zaczęła przeglądać wiadomości, cofając się w czasie. Poświęcała mniej więcej dwie sekundy na każdy mail. Tyle wystarczyło, żeby sprawdzić, kto go wysłał i o co chodziło. Po kilku minutach wiedziała, jak wyglądają rutynowe wiadomości redakcyjne, notatki służbowe, rozkłady terminów i inne. Mogła je po prostu przewijać.

Czytała wszystko do trzech miesięcy wstecz. Potem przeskakiwała z miesiąca na miesiąc i czytała tylko tytuły wiadomości. Sprawdzała dokładniej, jeśli było w nich coś szczególnego. Dowiedziała się, że spotyka się z kobietą imieniem Sofia i że źle ją traktuje. Nic było w tym nic dziwnego, bo Billing był niemiły dla większości osób, do których pisywał – reporterów, layouterów i innych. Uznała jednak, że nie jest normalne, kiedy ktoś zwraca się do swojej dziewczyny cholerna klępo, głupia dupo czy stara cipo.

Gdy cofnęła się o rok, przerwała. Zajrzała do jego Explorera i przejrzała historię jego aktywności w internecie. Zauważyła, że jak większość mężczyzn w jego wieku regularnie zagląda na strony pornograficzne, ale najczęściej odwiedza strony związane z pracą. Interesował się też samochodami i często oglądał w sieci najnowsze modele.

Po ponad godzinie wyszła z konta Billinga i skreśliła go z listy. Zajęła się Larsem Örjanem Wollbergiem, lat pięćdziesiąt jeden, najstarszym reporterem w redakcji prawnej.

W SOBOTNI WIECZÓR o wpół do ósmej Torsten Edklinth przyszedł do siedziby policji. Czekali na niego Monika Figuerola i Mikael Blomkvist. Siedzieli przy tym samym stole konferencyjnym, przy którym dzień wcześniej odbyło się spotkanie z Blomkvistem.

Edklinth stwierdził, że stąpa po grząskim gruncie, gdyż z chwilą wejścia Blomkvista na ten korytarz złamanych zostało kilka wewnętrznych reguł. Monika Figuerola zdecydowanie nie powinna zapraszać go tu z własnej inicjatywy. Normalnie nawet żony i mężowie nie mieli wstępu na tajne korytarze RPS/Säk – jeśli chcieli porozmawiać z partnerem, musieli grzecznie czekać na schodach. A Blomkvist był na domiar złego dziennikarzem. W przyszłości będzie mógł przychodzić tylko do wynajętego tymczasowego biura przy Fridhemsplan.

A z drugiej strony korytarzami przemykały masy ludzi ze specjalnymi zaproszeniami. Zagraniczni goście, badacze, naukowcy, dorywczy konsultanci... Edklinth umieścił Blomkvista w przegródce z zewnętrznymi konsultantami. Całe to zawracanie głowy z kategoriami bezpieczeństwa i tak było tylko czczą gadaniną. Ktoś decydował, że ktoś inny dostanie taką czy inną kategorię tajności. Edklinth zdecydował, że w razie kłopotów będzie mówił, że osobiście pozwolił Blomkvistowi wchodzić.

Usiadł i spojrzał na Figuerolę.

– Jak się dowiedziałaś o spotkaniu?

– Blomkvist zadzwonił do mnie około czwartej – odparła z uśmiechem.

– A jak pan się o tym dowiedział?

– Od mojego źródła – powiedział Mikael Blomkvist.

– Czy mam z tego wnioskować, że prowadzi pan jakiś rodzaj obserwacji Teleboriana?

Monika Figuerola potrząsnęła głową.

– Początkowo też tak myślałam – powiedziała zdecydowanie, jakby Mikaela nie było w pokoju. – Ale to się nie trzyma kupy. Nawet gdyby ktoś śledził Teleboriana na zlecenie Blomkvista, to i tak nie mógłby z góry wiedzieć, że ma się spotkać z Jonasem Sandbergiem.

Edklinth powoli skinął głową.

– A więc... co nam zostaje? Nielegalny podsłuch albo coś takiego?

– Mogę pana zapewnić, że nie prowadzę nielegalnych podsłuchów ani nie słyszałem, żeby ktoś coś takiego robił – powiedział Mikael Blomkvist, jakby chcąc przypomnieć, że jest w pokoju. – Bądźmy realistami. Nielegalnymi podsłuchami zajmują się instytucje państwowe.

Edklinth wydął wargi.

– A więc nie chce pan powiedzieć, skąd miał informacje o spotkaniu.

– Ależ tak. Już mówiłem. Od mojego źródła. Źródło jest anonimowe. Może zajęlibyśmy się tym, co z tego wynika?

– Nie lubię takich tropów donikąd – powiedział Edklinth. – Ale okej. Co wiemy?

– Nazywa się Jonas Sandberg – powiedziała Monika Figuerola. – Wyszkolony nurek wojskowy, na początku lat dziewięćdziesiątych skończył szkołę policyjną. Pracował najpierw w Uppsali, potem w Södertälje.

– Ty pochodzisz z Uppsali.

– Tak, ale minęliśmy się o rok czy dwa. Zaczęłam wtedy, kiedy on przeniósł się do Södertälje.

– Okej.

– Został zwerbowany przez RPS/Säk do kontrwywiadu w 1998 roku. Przeniesiony za granicę w tajnej misji w 2000 roku. Według naszych dokumentów powinien w tej chwili być w ambasadzie w Madrycie. Skontaktowałam się z ambasadą. Nie mają pojęcia, kim jest Jonas Sandberg.

– To samo co z Mårtenssonem. Oficjalnie przeniesiony gdzie indziej, ale tam go nie ma.

– Tylko szef kancelarii może robić takie rzeczy, jeśli to ma działać.

– A w normalnym przypadku potraktowano by coś takiego jako pomyłkę w papierach. Odkryliśmy to, bo zwróciliśmy na to szczególną uwagę. A gdy ktoś zacznie gadać, mówi się: tajne, albo że chodzi o terroryzm.

– Jest jeszcze masa spraw budżetowych do sprawdzenia.

– Dyrektor finansowy?

– Być może.

– Okej. Coś jeszcze?

– Mieszka w Sollentunie. Nie jest żonaty, ale ma dziecko z nauczycielką z Södertälje. Żadnych haków w życiorysie. Licencja na dwie sztuki broni. Porządny, abstynent. Jedyna trochę dziwna rzecz to fakt, że jest chyba religijny. Był w sekcie Słowa Życia w latach dziewięćdziesiątych.

– Skąd to wiesz?

– Rozmawiałam z dawnym szefem z Uppsali. Bardzo dobrze pamięta Sandberga.

– Okej. Wierzący nurek wojskowy z dwoma pistoletami i dzieciakiem w Södertälje. Coś jeszcze?

– Zidentyfikowaliśmy go trzy godziny temu. Chyba nieźle się sprawiliśmy jak na tak niewiele czasu.

– Przepraszam. Co wiemy o domu na Artillerigatan?

– Jeszcze niezbyt dużo. Stefan musiał złapać kogoś z wydziału budowlanego. Mamy plany budynku. Kamienica czynszowa z końca dziewiętnastego wieku. Sześć pięter z dwudziestoma dwoma mieszkaniami plus osiem mieszkań w oficynie. Sprawdzałam najemców, ale nie znalazłam nic specjalnego. Dwóch lokatorów jest po wyrokach.

– Kto?

– Niejaki Lindström z pierwszego piętra. Lat sześćdziesiąt trzy. Skazany za oszustwo ubezpieczeniowe w latach siedemdziesiątych. Wittfelt z trzeciego piętra. Lat czterdzieści siedem. Dwa razy skazany za maltretowanie byłej żony.

– Hmm...

– Mieszka tam solidna klasa średnia. Tylko jedno mieszkanie stanowi znak zapytania.

– Które?

– Na najwyższym piętrze. Jedenaście pokoi, luksusowy apartament. Jest własnością firmy o nazwie Bellona AB.

– A czym się zajmuje ta firma?

– Bóg wie. Prowadzą analizy rynku i mają obroty w wysokości ponad trzydzieści milionów koron rocznie. Wszyscy udziałowcy mieszkają za granicą.

– Aha.

– Co za aha?

– Tylko aha. Badajcie tę Bellonę dalej.

W tej chwili wszedł funkcjonariusz, którego Mikael poznał jako Stefana.

– Cześć, szefie – pozdrowił Torstena Edklintha. – To bardzo ciekawe. Sprawdziłem historię mieszkania należącego do Bellony.

– I co? – zapytała Monika Figuerola.

– Firma Bellona została założona w latach siedemdziesiątych i zakupiła mieszkanie ze spadku po dawnym właścicielu. To była kobieta, nazywała się Kristina Cederholm, urodzona w 1917 roku.

– Ach tak?

– Była żoną Hansa Wilhelma Franckego, kowboja, który kłócił się z Perem Gunnarem Vingem, kiedy zakładano RPS/Säk.

– Świetnie – powiedział Torsten Edklinth. – Bardzo dobrze. Moniko, ten budynek ma być obserwowany przez całą dobę. Dowiedzcie się, jakie tam są telefony. Chcę wiedzieć, kto wchodzi i wychodzi przez bramę, jakie samochody tam się pojawiają. To co zwykle.

Edklinth zerknął na Mikaela Blomkvista. Wyglądał, jakby chciał coś powiedzieć, ale się powstrzymał. Mikael uniósł brwi.

– Czy jest pan zadowolony z przepływu informacji? – zapytał w końcu Edklinth.

– Jak najbardziej. A pan jest zadowolony z wkładu „Millennium"?

Edklinth powoli skinął głową.

– Zdaje pan sobie sprawę, że mogę za to beknąć? – zapytał.

– Z mojej strony na pewno nic panu nie grozi. Uważam, że to, co tu usłyszałem, podlega ochronie źródła. Zamierzam podać fakty, ale nie mówić, jak się o nich dowiedziałem. Zanim rzecz pójdzie do druku, chciałbym z panem przeprowadzić oficjalny wywiad. Jeśli nie będzie pan chciał odpowiedzieć, powie pan tylko: bez komentarza. Albo powie pan, co sądzi o Specjalnej Sekcji Analiz. Sam pan zdecyduje.

Edklinth skinął głową.

Mikael był zadowolony. W ciągu kilku zaledwie godzin Sekcja nagle nabrała namacalnych kształtów. To był prawdziwy przełom.

SONJA MODIG z przygnębieniem stwierdziła, że spotkanie w gabinecie prokuratora Ekströma się przeciąga. Na stole konferencyjnym znalazła zapomnianą butelkę wody mineralnej Loka. Dwa razy dzwoniła do męża, żeby powiedzieć, że się spóźni i obiecać, że wynagrodzi mu to wieczorem, gdy tylko wróci do domu. Niecierpliwiła się coraz bardziej.

Spotkanie skończyło się dopiero około wpół do ósmej. Sonja Modig była całkowicie zaskoczona, kiedy nagle otworzyły się drzwi i na korytarzu pojawił się Hans Faste. Tuż za nim wyszedł doktor Peter Teleborian. Potem starszy siwowłosy mężczyzna, którego nigdy nie widziała. Ostatni wychodził sam Ekström. Zakładał jeszcze marynarkę, równocześnie gasząc światło i zamykając drzwi na klucz.

Sonja Modig wsunęła komórkę w szparę w zasłonie i utrwaliła grupę przed drzwiami Ekströma na dwóch zdjęciach o niskiej rozdzielczości. Po kilku sekundach mężczyźni ruszyli korytarzem. Kiedy mijali salę konferencyjną,

Sonja wstrzymała oddech i skuliła się za zasłoną. Wreszcie usłyszała trzaśnięcie drzwi na klatkę schodową i uświadomiła sobie, że jest zlana zimnym potem. Podniosła się i stanęła na drżących nogach.

BUBLANSKI ZADZWONIŁ do Moniki Figueroli tuż po ósmej wieczorem.

– Chciała pani wiedzieć, czy u Ekströma było jakieś spotkanie.

– Tak – potwierdziła Figuerola.

– Właśnie się skończyło. Ekström spotkał się z doktorem Teleborianem i moim dawnym współpracownikiem, inspektorem Hansem Fastem. Był tam też starszy mężczyzna, którego jeszcze nie zidentyfikowaliśmy.

– Chwileczkę – powiedziała Monika Figuerola. Zasłoniła dłonią słuchawkę i zwróciła się do zebranych: – Nasz strzał w ciemno był celny. Teleborian pojechał prosto do prokuratora Ekströma.

– Jest pani tam?

– Przepraszam. Czy mamy rysopis tego nieznajomego mężczyzny?

– Nawet więcej. Wysyłam pani zdjęcie.

– Zdjęcie. Cudownie. Jestem panu winna wielką przysługę.

– Wystarczyłoby, gdyby pani powiedziała, o co chodzi.

– Odezwę się wkrótce.

Przez jakąś minutę siedzieli w milczeniu.

– Okej – odezwał się w końcu Edklinth. – Teleborian spotyka się z Sekcją, a potem jedzie bezpośrednio do prokuratora Ekströma. Dużo dałbym za to, żeby wiedzieć, o czym rozmawiali.

– Może pan zapytać mnie – zaproponował Mikael Blomkvist.

Edklinth i Figuerola spojrzeli na niego.

– Spotkali się, żeby doprecyzować szczegóły strategii, którą zamierzają za miesiąc wykończyć w sądzie Lisbeth Salander.

Monika Figuerola przyjrzała mu się. Potem powoli pokiwała głową.

– To przypuszczenie – stwierdził Edklinth. – O ile nie ma pan nadprzyrodzonych zdolności.

– To nie jest przypuszczenie – odparł Mikael. – Spotkali się, żeby omówić szczegóły ekspertyzy sądowo-lekarskiej na temat Salander. Teleborian właśnie ją napisał.

– Bzdura. Przecież Salander nawet nie została jeszcze zbadana.

Mikael Blomkvist wzruszył ramionami. Potem sięgnął do torby.

– Przedtem coś takiego też nie było dla niego problemem. Tutaj mam ostatnią wersję jego opinii. Jak państwo widzą, dokument jest datowany na dzień, kiedy ma się rozpocząć proces.

Edklinth i Figuerola spoglądali na leżącą przed nimi kartkę. W końcu powoli podnieśli wzrok, popatrzyli na siebie, potem na Mikaela Blomkvista.

– A skąd pan to ma? – zapytał Edklinth.

– Sorry. Ochrona źródła – powiedział Mikael.

– Panie Blomkvist... musimy na sobie polegać. Pan zatrzymuje informacje dla siebie. Czy ma pan więcej takich niespodzianek?

– Tak. Oczywiście mam swoje tajemnice. Pan też, mam wrażenie, nie dawał mi wolnej ręki, żebym mógł zaglądać we wszystko, co robicie w Säpo. Nieprawdaż?

– To nie to samo.

– Ależ tak. Dokładnie to samo. Nasza umowa określa charakter współpracy. Dokładnie jak pan mówi, musimy na sobie polegać. Nie ukrywam niczego, co może się przyczynić do zdemaskowania Sekcji czy wykrycia popełnionych przestępstw. Już dostarczyłem państwu materiały, które dowodzą, że Teleborian razem z Björckiem popełnił przestępstwo w 1991 roku, i powiedziałem, że teraz otrzymał takie samo zlecenie. A ten dokument potwierdza, że właśnie tak jest.

– Ale ma pan tajemnice.

– Naturalnie. Więc albo pan zerwie współpracę, albo się z tym pogodzi.

Monika Figuerola dyplomatycznie podniosła palec.

– Przepraszam, ale czy to oznacza, że prokurator Ekström pracuje dla Sekcji?

Mikael zmarszczył brwi.

– Tego nie wiem. Mam raczej wrażenie, że jest pożytecznym idiotą, którego Sekcja wykorzystuje. Jest karierowiczem, ale wydaje mi się uczciwy, choć niezbyt mądry. Moje źródło opowiada, że gładko łykał wszystko, co Teleborian opowiadał o Lisbeth podczas zebrania na policji w czasie, kiedy pogoń za nią trwała w najlepsze.

– Czyli twierdzi pan, że nie potrzeba dużo, żeby nim manipulować?

– Właśnie. A Hans Faste to idiota, który myśli, że Lisbeth Salander jest lesbijką satanistką.

ERIKA BERGER siedziała sama w willi w Saltsjöbaden. Czuła się jak sparaliżowana. Nie mogła się skupić na niczym sensownym. Cały czas spodziewała się, że ktoś zadzwoni i powie, że jej zdjęcia już można obejrzeć na jakiejś stronie internetowej.

Przyłapała się na tym, że co chwilę wraca myślami do Lisbeth Salander, i uświadomiła sobie, że wiązała z nią pewne, raczej płonne nadzieje. Salander była zamknięta w izolatce w szpitalu Sahlgrenska. Miała zakaz przyjmowania wizyt, nie mogła nawet czytać gazet. Ale była niesamowicie twardą i pomysłową dziewczyną. Mimo zamknięcia udało jej się skontaktować z nią przez ICQ, a potem przez telefon. A przed dwoma laty na własną rękę zniszczyła imperium Wennerströma i uratowała „Millennium".

O ósmej wieczorem do drzwi zapukała Susanne Linder. Erika drgnęła, jakby ktoś wystrzelił z pistoletu.

– Cześć. Siedzisz tu sama po ciemku z ponurą miną.

Erika zapaliła górne światło.

– Cześć. Zaraz zrobię kawy...

– Nie. Ja zrobię. Zdarzyło się coś nowego?

Jak najbardziej. Lisbeth Salander się odezwała i przejęła kontrolę nad moim komputerem. Potem zadzwoniła i powiedziała, że Teleborian i ktoś, kto nazywa się Jonas, po południu spotkali się na dworcu.

– Nie. Nic nowego – odparła. – Ale jest coś, co chciałabym z tobą omówić.

– Okej.

– Co myślisz o możliwości, że to nie żaden stalker, tylko ktoś z kręgu znajomych, kto chce się ze mną trochę podrażnić?

– A czym się to różni?

– Stalker to ktoś nieznany, kto się na mnie zafiksował. Ten drugi wariant to ktoś, kto chce się na mnie zemścić lub zniszczyć moje życie z powodów osobistych.

– Ciekawa myśl. Jak na to wpadłaś?

– Rozmawiałam o tym dzisiaj z... pewną osobą. Nie mogę powiedzieć z kim, ale ten ktoś powiedział, że groźby stalkera wyglądałyby inaczej. Ale przede wszystkim stalker nigdy nie napisałby maili do Evy Carlsson z działu kultury. To było bezsensowne posunięcie.

Susanne Linder powoli skinęła głową.

– Coś w tym jest. Wiesz, właściwie nigdy nawet nie czytałam tych maili. Czy mogłabym je zobaczyć?

Erika wyjęła laptop i postawiła na kuchennym stole.

OKOŁO DZIESIĄTEJ WIECZOREM Mikael Blomkvist wychodził z budynku policji. Eskortowała go Monika Figuerola. Zatrzymali się w parku Kronoberg na tym samym placu co poprzedniego dnia.

– A więc znów tu jesteśmy. Zamierzasz uciekać do pracy czy pójdziemy do mnie uprawiać seks?

– Wiesz...

– Mikaelu, nie myśl, że na ciebie naciskam. Jeśli musisz pracować, po prostu pracuj.

– Słuchaj, Figuerola, bardzo łatwo się od ciebie uzależnić.

– A nie chcesz być od niczego zależny. Czy o to chodzi?

– Nie. Nie to miałem na myśli. Ale dziś w nocy muszę z kimś porozmawiać i to trochę potrwa. Więc zanim skończę, ty na pewno zdążysz zasnąć.

Skinęła głową.

– No to na razie.

Pocałował ją w policzek i ruszył w stronę przystanku autobusowego na Fridhemsplan.

– Blomkvist! – zawołała za nim.

– Tak?

– Jutro rano też mam wolne. Wpadnij na śniadanie, jeśli zdążysz.

Rozdział 21
Sobota 4 czerwca
– poniedziałek 6 czerwca

LISBETH SALANDER poczuła złowróżbne wibracje, kiedy zabrała się do sprawdzania Andersa Holma. Miał pięćdziesiąt osiem lat, więc właściwie znalazł się poza wyselekcjonowaną grupą, ale Lisbeth włączyła go, bo był w konflikcie z Eriką Berger. Był intrygantem, który w mailach do różnych osób pisał, jak źle inni wykonują swoją pracę.

Lisbeth zauważyła, że Holm nie lubi Eriki Berger i poświęca dużo miejsca na uwagi o tym, co „to babsko" powiedziało czy zrobiło. Surfował w sieci wyłącznie po stronach związanych z pracą. Jeśli miał jakieś inne zainteresowania, oddawał się im w czasie wolnym lub korzystał z innego komputera.

Nadal pozostawał kandydatem na Zatrute Pióro, ale był to kandydat wysokiego ryzyka. Lisbeth zastanawiała się chwilę, dlaczego właściwie nie wierzy, że to on, i doszła do wniosku, że Holm jest tak niesłychanie butny, że nie musi krążyć opłotkami i pisać anonimowych maili. Gdyby chciał nazwać Erikę kurwą, zrobiłby to otwarcie. Nie wyglądał też na typa, który zadałby sobie tyle trudu, żeby zakradać się nocą do jej domu.

Około dziesiątej zrobiła przerwę. Weszła na Szalony Stół i stwierdziła, że Mikael Blomkvist jeszcze nie wrócił. Poczuła przypływ lekkiej irytacji. Była ciekawa, co robi i czy zdążył na spotkanie z Teleborianem.

Potem wróciła na serwer SMP.

Przeszła do następnego nazwiska na liście. Sekretarz redakcji sportowej Claes Lundin, lat dwadzieścia dziewięć. Ledwie otworzyła jego skrzynkę mailową, gdy przyszła jej do głowy nowa myśl. Przygryzła dolną wargę. Zamknęła Lundina i weszła do poczty Eriki Berger.

Cofnęła się do najstarszych wiadomości. Lista była stosunkowo krótka, gdyż konto zostało otwarte dopiero drugiego maja. Pierwszym mailem była poranna notatka służbowa od sekretarza redakcji Petera Fredrikssona. Pierwszego dnia wiele osób pisało do Eriki, żeby powitać ją w SMP.

Lisbeth czytała dokładnie każdy mail. Zauważyła, że już pierwszego dnia w korespondencji z Andersem Holmem pojawił się ton podskórnej wrogości. Nie zgadzali się w żadnej chyba sprawie, a Holm, jak zauważyła Lisbeth, dodatkowo utrudniał Erice pracę, wysyłając jej po kilka maili dotyczących drobiazgów.

Przeskoczyła reklamy, spam i zwyczajne notatki służbowe. Skoncentrowała się na wszelkich bardziej osobistych wiadomościach. Czytała wewnętrzne rozliczenia budżetowe, wyniki działu reklamy i rynku, obejmującą ponad tydzień wymianę maili z dyrektorem finansowym Christerem Sellbergiem, którą można było nazwać wręcz awanturą o redukcję etatów. Erika dostawała pełne wymówek maile od szefa redakcji prawnej dotyczące praktykanta nazwiskiem Johannes Frisk, któremu zleciła napisanie pewnego tekstu, co nie wywołało powszechnego zachwytu. Pomijając pierwsze powitalne maile, wyglądało na to, że nikt z pracowników SMP wyższych szczebli nie widział nic dobrego w propozycjach i argumentach Eriki Berger.

Przewinęła listę na początek i przeprowadziła w głowie obliczenia. Stwierdziła, że spośród różnych szefów i dyrektorów SMP, którzy otaczali Erikę, tylko cztery osoby nie próbowały kwestionować jej pozycji. Do tej czwórki należeli prezes zarządu Magnus Borgsjö, sekretarz redakcji Peter Fredriksson, sekretarz strony redakcyjnej Gunnar Magnusson i szef działu kultury Sebastian Strandlund.

Czy w SMP nigdy nie słyszeli o kobietach? Wszyscy szefowie to faceci.

Osobą, z którą Erika miała do czynienia najmniej, był szef kultury. Od początku wymieniła z nim tylko dwa maile. Najbardziej życzliwe i sympatyczne wiadomości pisał odpowiedzialny za stronę redakcyjną Magnusson. Borgsjö był zwięzły i szorstki. Pozostali szefowie w gruncie rzeczy trzymali Erikę pod mniej lub bardziej otwartym ostrzałem.

Po co, do jasnej cholery, ci faceci zatrudnili Erikę Berger, skoro wszystko wskazuje na to, że ich jedynym zamiarem jest rozszarpać ją na kawałki.

Osobą, z którą Erika miała do czynienia najwięcej, był sekretarz redakcji Peter Fredriksson. Był na każdym spotkaniu redakcyjnym, chodził za Eriką jak cień. Przygotowywał notatki służbowe, informował Erikę na bieżąco o różnych tekstach, o problemach, i trzymał rękę na pulsie.

Codziennie wymieniał z nią po kilkanaście maili.

Lisbeth zebrała wszystkie wiadomości Petera Fredrikssona i przeczytała je jedną po drugiej. W kilku przypadkach miał uwagi do jakiejś decyzji Eriki. Podawał rzeczowe argumenty, więc Erika zdawała się mu ufać i zmieniała decyzje lub doceniała jego rozumowanie. Nigdy nie odnosił się do niej wrogo. Ale z drugiej strony w jego mailach nie pojawił nawet cień osobistego stosunku do Eriki.

Lisbeth wyszła z konta Eriki i zamyśliła się na chwilę.

Potem otworzyła skrzynkę Petera Fredrikssona.

PLAGUE PRZEZ CAŁY WIECZÓR bez powodzenia dobierał się do komputerów domowych pracowników SMP. Udało mu się dostać na twardy dysk Andersa Holma, gdyż miał on stałe łącze ze swoim biurkiem w pracy, żeby w każdej chwili móc wejść i coś zrobić. Prywatny komputer Holma był jednym z najnudniejszych, jakie Plague kiedykolwiek oglądał. Ale z pozostałymi osiemnastoma nazwiskami z listy Lisbeth Salander nie udało mu się nic zdziałać. Między innymi dlatego że w sobotni wieczór żadna z tych osób nie była podłączona do sieci. Zaczęło go już nudzić to niewykonalne zadanie, gdy Lisbeth odezwała się na ICQ. Było wpół do jedenastej wieczorem.

<Co?>.

<Peter Fredriksson>.

<Okej>.

<Olej resztę. Skup się na nim>.

<Dlaczego?>.

<Przeczucie>.

<To trochę potrwa>.

<Jest droga na skróty. Fredriksson jest sekretarzem redakcji i używa programu Integrator, żeby sprawdzać z domu, co się dzieje w jego komputerze w SMP>.

<Nic nie wiem o Integratorze>.

<Niewielki program sprzed kilku lat. Teraz nieużywany. Zawiera błąd. Jest w archiwum Hackers Rep. Teoretycznie możesz go używać w obie strony i z pracy wejść do jego komputera w domu>.

Plague westchnął. Ona, kiedyś jego uczennica, teraz była lepsza od niego.

<Okej. Spróbuję>.

<Jak coś znajdziesz – idź z tym do Kallego Blomkvista, jeśli już nie będę online>.

MIKAEL BLOMKVIST wrócił do mieszkania Lisbeth przy Mosebacke około wpół do dwunastej. Był zmęczony i zaczął od prysznica i włączenia ekspresu do kawy. Potem włączył komputer Lisbeth i wywołał ją na ICQ.

<No, nareszcie>.

<Sorry>.

<Gdzie byłeś przez ostatnią dobę?>.

<W łóżku z tajnym agentem. I ścigałem Jonasa>.

<Zdążyłeś na spotkanie?>.
<Tak. To ty dzwoniłaś do Eriki???>.
<Jedyny sposób, żeby cię zawiadomić>.
<Sprytnie>.
<Jutro przenoszą mnie do aresztu>.
<Wiem>.
<Plague będzie ci pomagał w internecie>.
<Świetnie>.
<Pozostaje tylko finał>.
Mikael skinął głową sam do siebie.
<Sally... zrobimy to, co powinniśmy>.
<Wiem. Jesteś przewidywalny>.
<A ty jak zwykle czarująca>.
<Czy powinnam wiedzieć coś jeszcze?>.
<Nie>.
<W takim razie muszę załatwić jeszcze parę ostatnich spraw w necie>.
<Okej. Trzymaj się>.

SUSANNE LINDER nagle zerwała się z łóżka. W słuchawce, którą miała w uchu, rozległ się pisk. Ktoś uruchomił detektor ruchu, który umieściła na parterze willi Eriki Berger. Stwierdziła, że jest piąta dwadzieścia trzy w niedzielny ranek. Po cichu wstała, włożyła dżinsy, T-shirt i sportowe buty. Gaz łzawiący wsadziła do kieszeni spodni. Wzięła też pałkę sprężynową.

Przemknęła cicho obok drzwi sypialni Eriki i stwierdziła, że są zamknięte, czyli zablokowane.

Potem zatrzymała się przy schodach i zaczęła nasłuchiwać. Ktoś był na parterze. Doleciał ją odgłos przesuwania krzesła w kuchni. Ujęła mocno pałkę, po czym bezszelestnie podeszła do kuchennych drzwi i zobaczyła łysiejącego, nieogolonego mężczyznę. Siedział przy stole ze szklanką soku pomarańczowego i czytał SMP. Zauważył ją i podniósł wzrok znad gazety.

– A kimże pani jest, u diabła? – zapytał.

Susanne odetchnęła z ulgą i oparła się o framugę.

– Greger Backman, jak przypuszczam. Dzień dobry. Nazywam się Susanne Linder.

– Aha. Czy chce mnie pani zdzielić tą pałką w łeb, czy może woli pani napić się soku?

– Chętnie – powiedziała Susanne, odkładając pałkę. – To znaczy proszę soku.

Greger Backman wziął szklankę z suszarki do naczyń i nalał jej soku z kartonu.

– Pracuję w Milton Security – wyjaśniła Susanne. – Myślę, że najlepiej będzie, jeśli żona wytłumaczy panu, co tu robię.

Nagle Greger Backman się zerwał.

– Czy coś się stało Erice?

– Z pana żoną wszystko w porządku. Ale były pewne nieprzyjemności. Szukaliśmy pana w Paryżu.

– W Paryżu? Cholera, przecież ja byłem w Helsinkach!

– Ach tak. Przepraszam, ale pańska żona myślała, że w Paryżu.

– To za miesiąc.

Greger poszedł do drzwi.

– Drzwi sypialni są zamknięte. Żeby je otworzyć, musi pan mieć kod – powiedziała Susanne Linder.

– Kod?

Podała mu trzy cyfry, które miał wystukać, żeby drzwi się otworzyły. Pobiegł po schodach na piętro. Susanne Linder wyciągnęła rękę po jego porzuconą SMP.

W NIEDZIELNY PORANEK o dziesiątej doktor Anders Jonasson zajrzał do Lisbeth Salander.

– Dzień dobry, Lisbeth.

– Dzień dobry.

– Chciałem tylko uprzedzić, że w porze lunchu zjawi się policja.

– Okej.

– Nie wygląda pani na szczególnie zaniepokojoną.

– Nie jestem.

– Mam dla pani prezent.

– Prezent? Z jakiej okazji?

– Od dawna nie miałem tak zabawnego pacjenta jak pani.

– Ach tak – powiedziała Lisbeth podejrzliwie.

– Słyszałem, że jest pani zafascynowana DNA i genetyką.

– Kto wygadał... ach, pewnie ta nudziara psycholożka. Tak myślę.

Anders Jonasson skinął głową.

– Jeśli będzie się pani nudziło w więzieniu... proszę, oto najnowszy hit z dziedziny badań DNA.

Podał jej opasły tom zatytułowany *Spirals – Mysteries of DNA*, autorstwa profesora Yoshito Takamury z Uniwersytetu Tokijskiego. Lisbeth Salander otworzyła książkę i przejrzała spis treści.

– Fajne – powiedziała.

– Kiedyś chętnie bym się dowiedział, jak to możliwe, że czyta pani artykuły naukowe, których nawet ja nie rozumiem.

Gdy tylko Anders Jonasson wyszedł, Lisbeth wyjęła palmtopa. Ostatnie podejście. W dziale personalnym SMP dowiedziała się, że Peter Fredriksson pracuje w gazecie od sześciu lat. W tym czasie dwa razy brał dłuższe zwolnienia. Dwa miesiące w 2003 roku i trzy w 2004. W jego aktach personalnych wyczytała, że w obu przypadkach przyczyną było wypalenie zawodowe. Poprzednik Eriki Berger Håkan Morander przy jakiejś okazji wyraził wątpliwości, czy Fredriksson powinien dalej być sekretarzem redakcji.

Gadanie, gadanie, gadanie. Nic konkretnego.

Za piętnaście dwunasta wywołał ją Plague.

<Co?>.

<Jesteś jeszcze w Sahlgrenska?>.

<Zgadnij>.

<To on>.

<Jesteś pewien?>.

<Pół godziny temu wszedł do swojego komputera z domu. Skorzystałem z okazji i włamałem się do domowego. Ma na twardym dysku zdjęcia Eriki Berger>.

<Dzięki>.

<Wygląda całkiem apetycznie>.

<Plague>.

<Wiem. Co mam zrobić?>.

<Czy wstawił jakieś zdjęcia do sieci?>

<Nic nie zauważyłem>.

<Możesz zaminować jego komputer?>.

<Już załatwione. Jeśli spróbuje przemailować zdjęcia albo wstawić do sieci coś, co ma ponad dwadzieścia kilobajtów, jego twardziel padnie>.

<Pięknie>.

<Idę spać. Poradzisz sobie sama?>.

<Jak zwykle>.

Lisbeth wyszła z ICQ. Rzuciła okiem na zegarek i stwierdziła, że zbliża się pora lunchu. Szybko napisała na grupę Yahoo [Szalony_Stół].

Mikael. Ważne. Zadzwoń natychmiast do Eriki Berger i przekaż jej, że Zatrute Pióro to Peter Fredriksson.

W tej chwili gdy wysłała wiadomość, usłyszała poruszenie na korytarzu. Podniosła palma tungstena T3 do góry i ucałowała jego wyświetlacz. Potem go wyłączyła i umieściła w schowku za nocną szafką.

– Dzień dobry, Lisbeth – powiedziała od drzwi Annika Giannini.

– Dobry.

– Policjanci przyjdą po ciebie za chwilę. Przyniosłam ci trochę ubrań. Mam nadzieję, że rozmiar będzie dobry.

Lisbeth spojrzała nieufnie na kupkę grzecznych ciemnych spodni i jasnych bluzek.

PRZYSZŁY PO NIĄ DWIE umundurowane policjantki z göteborskiej policji. W drodze do aresztu towarzyszyła jej Annika Giannini.

Kiedy szły korytarzem, Lisbeth zauważyła, że część personelu przygląda jej się ciekawie. Kiwnęła do nich przyjaźnie głową. Niektórzy pozdrawiali ją gestem dłoni. Przypadkiem koło recepcji stał Anders Jonasson. Wymienili spojrzenia i dyskretnie skinęli do siebie głowami. Skręcając za róg, Lisbeth zdążyła jeszcze zobaczyć, że lekarz rusza w stronę jej pokoju.

Podczas opuszczania szpitala i transportu do aresztu Lisbeth Salander nie odezwała się do policji ani słowem.

MIKAEL BLOMKVIST skończył pracę i zamknął iBooka w niedzielę o siódmej rano. Siedział jeszcze chwilę przy biurku Lisbeth Salander i gapił się przed siebie pustym wzrokiem.

Potem poszedł do jej sypialni i popatrzył na ogromne podwójne łóżko. Wrócił do biurka, wziął komórkę i zadzwonił do Moniki Figueroli.

– Cześć. Mówi Mikael.

– No cześć. Już wstałeś?

– Właśnie skończyłem pracę i zamierzam się położyć. Tak tylko dzwonię, żeby się odezwać.

– Faceci, którzy dzwonią, żeby się odezwać, mają ukryte zamiary.

Zaśmiał się.

– Blomkvist, możesz przyjechać spać tutaj, jeśli chcesz.

– Ale będę nudnym towarzystwem.

– Przyzwyczaję się.

Wziął taksówkę na Pontonjärgatan.

ERIKA BERGER spędziła niedzielę w łóżku z mężem. Leżeli i rozmawiali, czasami zapadając w drzemkę. Po południu ubrali się i poszli na długi spacer, aż do przystani parowców.

– SMP to pomyłka – powiedziała Erika, kiedy wrócili do domu

– Nie mów tak. Jest ciężko, ale wiedziałaś, że tak będzie. Wszystko się uspokoi, gdy tylko nabierzesz wprawy.

– Ale tu nie chodzi o pracę. Z tym mogę sobie poradzić. Chodzi o ich nastawienie.

– Hmm...

– Nie czuję się tam dobrze. Ale nie mogę odejść po kilku tygodniach.

Przygnębiona usiadła przy kuchennym stole i tępo patrzyła przed siebie. Greger Backman nigdy nie widział swojej żony tak załamanej.

INSPEKTOR HANS FASTE po raz pierwszy spotkał się z Lisbeth Salander w niedzielę koło wpół do pierwszej, kiedy policjantka wprowadziła ją do gabinetu Marcusa Erlandera.

– Cholernie trudno było cię złapać – powiedział.

Lisbeth obrzuciła go badawczym spojrzeniem i uznała, że jest idiotą, więc nie warto poświęcać czasu na przejmowanie się jego istnieniem.

– Inspektor Gunilla Wäring pojedzie z wami do Sztokholmu – powiedział Erlander.

– Aha – powiedział Faste. – No to zaraz możemy ruszać. Jest w Sztokholmie kilka osób, które koniecznie chcą z tobą porozmawiać, Salander.

Erlander powiedział jej do widzenia. Lisbeth go zignorowała.

Postanowili dla ułatwienia przewieźć aresztantkę do Sztokholmu służbowym samochodem. Prowadziła Gunilla Wäring. Na początku Hans Faste siedział z przodu, na siedzeniu pasażera, z głową odwróconą do tyłu. Próbował rozmawiać z Lisbeth. Na wysokości Alingsås zaczął mu sztywnieć kark, więc się poddał.

Lisbeth przez boczną szybę przyglądała się krajobrazom. Sprawiała wrażenie, jakby zupełnie nie dostrzegała Fastego. *Teleborian ma rację. Przecież ta pinda jest nienormalna. Ale zajmiemy się tym w Sztokholmie.*

Co jakiś czas zerkał na nią i próbował wyrobić sobie jakąś opinię o kobiecie, którą ścigał tak długo. Nawet jego ogarnęły wątpliwości co do tej sprawy, kiedy zobaczył tę drobną dziewczynę. Zastanawiał się, ile może ważyć. Potem przypomniał sobie, że jest lesbijką, więc nie jest prawdziwą kobietą.

Ale możliwe, że ta sprawa z satanizmem to przesada. Nie wyglądała szczególnie satanistycznie.

Ironią losu było to, że zdecydowanie wolałby ją aresztować za trzy morderstwa, o które pierwotnie ją podejrzewano. Rzeczywistość rozminęła się z jego śledztwem. Pistoletem potrafi się posługiwać nawet drobna kobieta. A teraz była aresztowana za ciężkie uszkodzenie ciała najwyższego szefostwa Svavelsjö MC. Jej wina była oczywista. Gdyby się nie przyznała, istniały dowody.

MONIKA FIGUEROLA zbudziła Mikaela Blomkvista około pierwszej po południu. Siedziała na balkonie i wreszcie skończyła książkę o pojęciu bóstwa w starożytności, słuchając przy tym pochrapywania Mikaela z sypialni. Panował błogi spokój. Kiedy weszła, żeby na niego spojrzeć, uświadomiła sobie, że bardzo ją pociąga, bardziej niż jakikolwiek inny mężczyzna w ostatnich latach.

To było przyjemne uczucie, choć także niepokojące. Mikael Blomkvist nie nadawał się raczej na stały punkt w jej życiu.

Poszli na kawę na Norr Mälarstrand. Potem Monika zaciągnęła go do domu i resztę popołudnia spędzili w łóżku. Wyszedł około siódmej wieczorem. Poczuła, że za nim tęskni w tej samej chwili, kiedy cmoknął ją na pożegnanie i zamknął za sobą drzwi.

W NIEDZIELĘ OKOŁO ÓSMEJ wieczorem Susanne Linder zapukała do Eriki Berger. Nie miała u niej nocować, bo do domu wrócił Greger Backman. Była to wizyta całkowicie prywatna. W ciągu tych kilku nocy, które spędziła u Eriki na długich rozmowach w kuchni, bardzo się do siebie zbliżyły. Susanne uświadomiła sobie, że lubi Erikę. Widziała w niej załamaną kobietę, która nakłada maskę i z pozoru niewzruszona jedzie do pracy, a tak naprawdę jest chodzącym kłębkiem lęków.

Podejrzewała, że powodem lęków Eriki jest nie tylko Zatrute Pióro. Ale nie była kuratorem, a życie i problemy Eriki Berger nie były jej sprawą. Pojechała do niej, żeby się pożegnać i sprawdzić, czy wszystko w porządku. Zastała ją z mężem w kuchni, milczących i przygnębionych. Wyglądało na to, że spędzili niedzielę na rozmowach o poważnych sprawach.

Greger Backman nastawił kawę. Susanne Linder była u nich dopiero kilka minut, gdy zadzwoniła komórka Eriki.

KAŻDY TELEFON, który Erika Berger odbierała tego dnia, wiązał się z narastającym przeczuciem zbliżającej się katastrofy.

– Berger.

– Cześć, Ricky.

Mikael. Jasny gwint. Nie powiedziałam mu, że teczka Borgsjö zniknęła.

– Cześć, Micke.

– Dziś wieczorem Salander została przewieziona do aresztu.

– Rozumiem.

– Przysłała mi... wiadomość dla ciebie.

– Aha?

– Jest bardzo tajemnicza.

– No?

– Powiedziała, że Zatrute Pióro to Peter Fredriksson.

Erika Berger zamilkła na dziesięć sekund. W głowie miała gonitwę myśli. *Niemożliwe. Peter nie jest taki. Salander na pewno się pomyliła.*

– Coś jeszcze?

– Nie. To wszystko. Czy wiesz, o co chodzi?

– Tak.

– Ricky, co ty właściwie kombinujesz z Lisbeth? Zadzwoniła do ciebie z informacją o Teleborianie i...

– Dzięki, Micke. Porozmawiamy potem.

Wyłączyła komórkę i spojrzała na Susanne Linder rozbieganym wzrokiem.

– Opowiadaj – poprosiła Susanne.

SUSANNE LINDER miała sprzeczne uczucia. Erika Berger nagle dostała wiadomość, że Zatrutym Piórem jest sekretarz redakcji Peter Fredriksson. Słowa tryskały z niej jak woda, kiedy o tym opowiadała. Potem Susanne zapytała, skąd Erika wie, że to on jest stalkerem.

Wtedy Erika nagle umilkła. Susanne obserwowała jej oczy i dostrzegła pewną zmianę w jej zachowaniu. Nagle zaczęła sprawiać wrażenie zagubionej.

– Nie mogę o tym mówić...

– To znaczy?

– Susanne, wiem, że to Fredriksson. Ale nie mogę powiedzieć skąd. Co mam zrobić?

– Musisz mi powiedzieć, jeśli mam ci pomóc.

– Ale... nie mogę. Nie rozumiesz.

Erika wstała i podeszła do okna, plecami zwrócona do Susanne. Wreszcie odwróciła się.

– Pojadę do tego skurwiela do domu.

– Po moim trupie. Nigdzie nie pojedziesz, a już na pewno nie do domu kogoś, kogo podejrzewamy o nienawiść i agresję w stosunku do ciebie.

Erika była niezdecydowana.

– Siadaj. Opowiedz, co się stało. To Mikael Blomkvist dzwonił?

Erika skinęła głową.

– Poprosiłam hakera, żeby przejrzał domowe komputery pracowników.

– Aha. Zapewne popełniłaś poważne przestępstwo komputerowe przeciwko ochronie informacji. I nie chcesz powiedzieć, kim jest ten haker?

– Przyrzekłam, że nie powiem... Tu chodzi o innych ludzi. To coś, nad czym pracuje Mikael.

– Czy Blomkvist zna Zatrute Pióro?

– Nie, przekazał tylko wiadomość.

Susanne Linder przekrzywiła głowę i przyjrzała się Erice Berger. Nagle w jej głowie powstał łańcuch skojarzeń.

Erika Berger. Mikael Blomkvist. „Millennium". Podejrzani agenci, którzy włamali się do mieszkania Blomkvista i go podsłuchiwali. Ja obserwowałam obserwatorów. Blomkvist pracował jak opętany nad historią Lisbeth Salander.

Wszyscy w Milton Security wiedzieli, że Lisbeth jest doskonałym specem od komputerów. Nikt nie wiedział, gdzie się tego nauczyła, i Susanne nigdy nie słyszała nawet plotek, że Salander miałaby być hakerką. Ale Dragan Armanski kiedyś wspomniał, że Lisbeth dostarcza znakomite raporty, kiedy robi wywiad środowiskowy. Hakerka...

Ale przecież Salander leży odcięta od świata w szpitalu, do cholery.

To się nie trzymało kupy.

– Czy mówimy o Salander? – zapytała Susanne.

Erika wyglądała jak rażona gromem.

– Nie mogę o tym rozmawiać. Nie powiem ani słowa.

Susanne niespodziewanie zachichotała.

To Salander. Potwierdzenie nie mogło być wyraźniejsze. Jest kompletnie wytrącona z równowagi.

Ale to przecież niemożliwe.

Co tu się, kurwa, dzieje?

A więc przebywająca w areszcie Lisbeth Salander miałaby podjąć się wyjaśnienia, kim jest Zatrute Pióro. Czyste szaleństwo.

Susanne intensywnie rozmyślała. Nie miała pojęcia, co w historii Salander jest prawdą, a co nie. Spotkała ją może pięć razy, kiedy pracowała w Milton Security i właściwie nigdy nie rozmawiały o niczym osobistym. Uważała ją za ponurą i aspołeczną osobę o tak twardej skorupie, że nawet młot pneumatyczny nie mógłby się przez nią przebić. Zauważyła także, że Dragan Armanski trzyma nad Lisbeth parasol ochronny. A ponieważ szanowała Armanskiego, uznała, że jego zachowanie wobec tej pochmurnej dziewczyny musi mieć jakieś przyczyny.

Zatrute Pióro to Peter Fredriksson.

Czy mogła mieć rację? Były jakieś dowody?

Przez następne dwie godziny Susanne wypytywała Erikę o wszystko, co wie o Fredrikssonie, co robi w SMP i jak wyglądają ich relacje, od kiedy jest jego szefem. Odpowiedzi niewiele jej pomogły.

Erika była rozchwiana i miała mnóstwo wątpliwości. Raz chciała jechać do niego i powiedzieć, że o wszystkim wie, a po chwili wątpiła, że to może być prawda. W końcu Susanne przekonała ją, że nie może ot tak wpaść do Petera Fredrikssona i go oskarżyć. Gdyby się okazało, że jest niewinny, wyszłyby na kompletną idiotkę.

Susanne obiecała, że sama się zajmie tą sprawą. Natychmiast zaczęła tego żałować, bo nie miała pojęcia, jak się do tego zabrać.

Zaparkowała swojego starego fiata stradę tak blisko mieszkania Petera Fredrikssona w Fisksätra, jak tylko mogła. Zamknęła drzwi auta i rozejrzała się. Sama nie widziała, co z tego wyniknie, ale uznała, że powinna zapukać do jego drzwi i w jakiś sposób skłonić go do udzielenia odpowiedzi na kilka pytań. Zdawała sobie jasno sprawę, że ta akcja wykraczała poza jej obowiązki w Milton Security i że Dragan Armanski wściekałby się na nią, gdyby wiedział, czym się zajmuje.

To nie był dobry plan. W dodatku rozsypał się, zanim zaczęła go realizować.

W chwili kiedy weszła na podwórko i zbliżała się do bramy Fredrikssona, brama się otworzyła. Od razu go rozpoznała. Widziała go na zdjęciu w jego aktach, które oglądała w komputerze Eriki. Susanne nie zwolniła kroku i po chwili się minęli. Fredriksson poszedł w stronę garaży. Susanne zatrzymała się niezdecydowanie i spojrzała za nim. Potem popatrzyła na zegarek i stwierdziła, że jest krótko przed jedenastą, a Peter Fredriksson najwyraźniej dokądś się wybierał. Była ciekawa dokąd, więc pobiegła do swojego samochodu.

KIEDY ERIKA BERGER się rozłączyła, Mikael Blomkvist jeszcze długo siedział wpatrzony w swoją komórkę. Bezradny spojrzał na komputer Lisbeth. O tej porze była już w areszcie i nie mógł jej zapytać.

Sięgnął po niebieskiego Ericssona T10 i zadzwonił do Idrisa Ghidiego do Angered.

– Dobry wieczór, mówi Mikael Blomkvist.

– Dobry wieczór.

– Chciałbym tylko poinformować, że to już koniec zlecenia.

Idris Ghidi w milczeniu skinął głową. Spodziewał się, że Mikael zadzwoni, bo Lisbeth Salander została przewieziona do aresztu.

– Rozumiem – powiedział.

– Może pan zachować komórkę, jak się umawialiśmy. Pod koniec tygodnia wyślę ostatnią zapłatę.

– Dziękuję.

– To ja panu muszę podziękować.

Otworzył iBooka i zabrał się do pracy. Wydarzenia z ostatniej doby sprawiły, że będzie musiał zmienić istotną część tekstu i prawdopodobnie dodać całkiem nowy wątek.

Westchnął.

KWADRANS PO JEDENASTEJ Peter Fredriksson zaparkował trzy przecznice od domu Eriki Berger. Susanne Linder wiedziała już, dokąd jadą, więc zwiększyła odległość, żeby jej nie zauważył. Minęła jego pozostawiony na poboczu samochód i stwierdziła, że jest pusty. Potem przejechała obok domu Eriki. Zaparkowała kawałek dalej. Czuła, że ma spocone dłonie.

Sięgnęła po pudełko catch dry i wsunęła do ust prymkę tytoniu.

Potem przyjechała do domu Eriki, otworzyła drzwi i rozejrzała się dokoła. Gdy tylko uświadomiła sobie, że Fredriksson jedzie do Saltsjöbaden, zrozumiała, że informacja od Salander była prawdziwa. Susanne nie miała pojęcia, jak Salander na to wpadła, ale już nie wątpiła, że to Fredriksson jest Zatrutym Piórem. Raczej nie wybierałby się do Saltsjöbaden dla zabawy. Na pewno miał niecne zamiary.

Susanne było to bardzo na rękę, gdyż dzięki temu mogła go złapać na gorącym uczynku.

Ze schowka w drzwiach samochodu wyjęła składaną pałkę i przez chwilę ważyła ją w dłoni. Nacisnęła blokadę w uchwycie i wysunęła ciężką stalową kolbę. Zacisnęła zęby.

To dlatego zwolniła się z pracy w jednostce interwencyjnej policji w Södermalmspiketen.

Tylko raz miała napad szału, kiedy po raz trzeci w ciągu trzech dni została wezwana pod pewien adres w Hägersten. Kobieta dzwoniła na policję, krzycząc, że mąż ją bije. I za każdym razem przed przybyciem policji sytuacja się uspokajała.

Rutynowo wyprowadzali faceta na klatkę schodową i przesłuchiwali kobietę. *Nie, nie chce składać doniesienia. Nie, to pomyłka. Nie, on jest dobry, to w gruncie rzeczy jej wina. Sprowokowała go...*

I przez cały czas ten bydlak stał i z uśmiechem patrzył Susanne prosto w oczy.

Nie potrafiła wytłumaczyć, dlaczego to zrobiła. Ale nagle coś w niej pękło. Wyjęła pałkę i uderzyła go w usta.

Pierwsze uderzenie było słabe. Spuchła mu tylko warga i skulił się w sobie. Ale przez kolejne dziesięć sekund, zanim jej kolegom udało się ją obezwładnić i wywlec z klatki, zasypała go ciosami w plecy, nerki, boki i ramiona.

Nie postawiono jej zarzutów. Zwolniła się tego samego wieczoru. Pojechała do domu i płakała przez tydzień. Potem wzięła się w garść i zapukała do Dragana Armanskiego. Szukała pracy. Opowiedziała, co zrobiła i dlaczego odeszła z policji. Dragan Armanski miał wątpliwości i poprosił ją o czas do namysłu. Już straciła nadzieję, kiedy sześć tygodni później zadzwonił i powiedział, że chce ją zatrudnić na próbę.

Wykrzywiła się w gorzkim grymasie i wsunęła pałkę za pasek od spodni na plecach. Sprawdziła, czy pojemnik z gazem łzawiącym jest w prawej kieszeni kurtki i czy ma porządnie zawiązane sznurówki. Cofnęła się do domu Eriki i weszła na posesję.

Wiedziała, że czujniki ruchu w ogrodzie jeszcze nie są zainstalowane, więc bezszelestnie chodziła po trawniku wzdłuż żywopłotu stanowiącego granicę działki. Nie widziała nikogo. Obeszła dom dokoła i zatrzymała się na chwilę. Nagle zauważyła jego cień w mroku, przy atelier Gregera Backmana.

Nie zdaje sobie sprawy, jaki głupi błąd popełnia, wracając tutaj. Nie potrafi się powstrzymać.

Fredriksson przykucnął i próbował zajrzeć przez szparę w zasłonie do pokoju sąsiadującego z salonem. Potem przeniósł się na werandę i zaglądał w szczeliny opuszczonych żaluzji obok wielkiego panoramicznego okna, nadal zakrytego dyktą.

Susanne Linder nagle się uśmiechnęła.

Przekradła się ogrodem do rogu budynku, korzystając z tego, że Fredriksson był odwrócony plecami. Schowała się w krzakach porzeczek przy ścianie szczytowej i czekała. Przez gałęzie widziała zarys jego sylwetki. Ze swojego miejsca Fredriksson powinien widzieć sień i część kuchni. Chyba znalazł coś ciekawego, bo nie ruszał się przez dziesięć minut. Potem podszedł do następnego okna. Szedł w jej stronę.

Kiedy skręcił za róg i mijał krzaki porzeczek, Susanne zerwała się i powiedziała głośno:

– Witam, panie Fredriksson.

Zatrzymał się nagle i odwrócił w jej stronę.

Zobaczyła jego oczy połyskujące w ciemnościach. Nie widziała wyrazu twarzy, ale słyszała, że zaskoczony wstrzymał oddech.

– Możemy to załatwić w prosty sposób albo w trudny – powiedziała Susanne. – Pójdziemy do pańskiego samochodu i...

Fredriksson odwrócił się na pięcie i zaczął uciekać.

Susanne Linder uniosła pałkę i z boku wymierzyła mu bolesny cios w lewe kolano.

Upadł, tłumiąc jęk bólu.

Susanne wzniosła pałkę do kolejnego uderzenia, ale powstrzymała się. Poczuła na karku spojrzenie Dragana Armanskiego.

Schyliła się, przeturlała go na brzuch i kolanem oparła się na jego krzyżu. Złapała go za prawą rękę, wykręciła ją na plecy i skuła go kajdankami. Nie był silny i nie stawiał oporu.

ERIKA BERGER zgasiła lampę w salonie i utykając, poszła na górę. Nie potrzebowała już kul, ale stopa nadal bolała, kiedy opierała na niej ciężar ciała. Greger Backman zgasił światło w kuchni i poszedł za żoną. Nigdy przedtem nie widział Eriki tak nieszczęśliwej. Nic nie mogło jej uspokoić ani złagodzić jej lęku.

Rozebrała się i położyła do łóżka, odwracając się do niego plecami.

– To nie twoja wina, Gregerze – powiedziała, kiedy usłyszała, że on też się kładzie.

– Nie czujesz się dobrze – odparł. – Chcę, żebyś została w domu przez kilka dni.

Objął ją. Nie próbowała się uwolnić, ale nie ruszyła się. Mąż pochylił się nad nią, pocałował w szyję i przytulił.

– Nie możesz powiedzieć ani zrobić nic, co mogłoby pomóc. Wiem, że potrzebuję czasu. Czuję się tak, jakbym wsiadła do pociągu pośpiesznego i odkryła, że jadę nie w tę stronę.

– Możemy wyjechać gdzieś na kilka dni, pożeglować, zostawić to wszystko.

– Nie, nie mogę zostawić tego wszystkiego.

Odwróciła się do niego.

– Najgorszą rzeczą, jaką mogłabym teraz zrobić, byłaby ucieczka. Muszę rozwiązać te problemy. Potem możemy wyjechać.

– Okej – zgodził się Greger. – Rzeczywiście niewiele ci mogę pomóc.

Uśmiechnęła się blado.

– Ależ tak. Możesz. Dziękuję ci, że tu jesteś. Kocham cię jak szalona, wiesz o tym.

Skinął głową.

– Nie mogę uwierzyć, że to Peter Fredriksson – powiedziała Erika. – Nigdy nie odczułam żadnej wrogości z jego strony.

SUSANNE LINDER zastanawiała się, czy powinna zadzwonić do Eriki Berger. Zobaczyła, że na parterze gasną światła. Spojrzała w dół na Petera Fredrikssona. Nie odzywał się ani słowem. Był całkowicie bezwolny. Po chwili namysłu podjęła decyzję.

Schyliła się, złapała za kajdanki, podciągnęła go do góry, żeby stanął na nogach, i oparła o ścianę domu.

– Możesz stać? – zapytała.

Nie odpowiedział.

– Okej, to ułatwimy sobie sprawę. Jeśli będziesz stawiał najmniejszy opór, tak samo potraktuję twoją prawą nogę.

Usłyszała jego przyśpieszony oddech. Strach?

Popychając Fredrikssona przed sobą, poprowadziła go na ulicę i dalej do jego samochodu trzy przecznice dalej.

Utykał. Musiała go podpierać. Kiedy doszli do auta, spotkali nocnego wędrowca z psem na smyczy. Przystanął i popatrzył na skutego Fredrikssona.

– To policyjna sprawa – powiedziała Susanne Linder zdecydowanym tonem. – Proszę iść dalej.

Wepchnęła Fredrikssona na tylne siedzenie samochodu i pojechała do Fisksätry. Było wpół do pierwszej w nocy. W drodze do bramy domu nie spotkali żywego ducha. Susanne wyjęła z kieszeni Fredrikssona klucze i zaprowadziła do mieszkania na trzecim piętrze.

– Nie możesz wchodzić do mojego mieszkania – odezwał się.

To były jego pierwsze słowa od chwili pojmania.

Otworzyła drzwi i popchnęła go do środka.

– Nie masz prawa. Musisz mieć nakaz przeszukania...

– Nie jestem policjantką – odparła cicho.

Patrzył na nią nieufnie.

Chwyciła go za koszulę, popchnęła przodem do salonu i posadziła na sofie. Miał eleganckie i czyste trzypokojowe mieszkanie. Na lewo była sypialnia, kuchnia po przeciwnej stronie przedpokoju, do salonu przylegał niewielki gabinet.

Zajrzała do niego i odetchnęła z ulgą. *The smoking gun*. Natychmiast zobaczyła zdjęcia z albumu Eriki Berger porozkładane na podręcznym stoliku obok komputera. Na ścianie wokół komputera przypiął około trzydziestu. Susanne obejrzała wystawę z uniesionymi brwiami. Erika była naprawdę piękną kobietą. I miała ciekawsze życie seksualne niż ona.

Usłyszała, jak Fredriksson wstaje. Wróciła do salonu i złapała go w biegu. Wymierzyła mu cios, pociągnęła za sobą do gabinetu i posadziła na podłodze.

– Nie ruszać się – powiedziała.

Poszła do kuchni i przyniosła papierową reklamówkę z Konsumu. Pozdejmowała ze ściany wszystkie zdjęcia. Znalazła rozbebeszony album i pamiętniki Eriki Berger.

– Gdzie jest wideo? – zapytała.

Fredriksson nie odpowiedział. Susanne poszła do salonu i włączyła telewizor. Kaseta była w odtwarzaczu, ale długo szukała pilotem kanału wideo.

Wyjęła kasetę i sprawdziła dokładnie, czy nie zrobił kopii.

Znalazła młodzieńcze listy miłosne Eriki i materiały dotyczące Magnusa Borgsjö. Potem zainteresowała się komputerem. Zauważyła, że do peceta ma podłączony skaner Microtek. Podniosła klapę i znalazła zapomniane zdjęcie z albumu Eriki, przedstawiające imprezę w Club Xtreme. Jak wskazywał baner na ścianie, sylwester 1986.

Odpaliła komputer i zauważyła, że jest zabezpieczony hasłem.

– Jakie masz hasło? – zapytała.

Peter Fredriksson z wściekłością wpatrywał się w podłogę i nie chciał w ogóle z nią rozmawiać.

Susanne nagle poczuła wielki spokój. Wiedziała, że formalnie rzecz biorąc, tego wieczoru popełniła kilka przestępstw, włącznie z takimi, które można by określić jako użycie przemocy czy nawet porwanie. Ale nie przejmowała się tym. Wprost przeciwnie, czuła się wręcz szczęśliwa.

Po chwili wzruszyła ramionami, sięgnęła do kieszeni i wyjęła scyzoryk. Odłączyła od komputera wszystkie kable, odwróciła go tyłem do siebie i śrubokrętem odkręciła pokrywę. W ciągu pięciu minut rozmontowała komputer i wyjęła twardy dysk.

Rozejrzała się po mieszkaniu. Miała już wszystko, ale dla pewności jeszcze raz gruntownie przeszukała szuflady i papiery na półkach. Nagle jej wzrok padł na starą pamiątkową księgę maturalną leżącą na parapecie. Zobaczyła napis Liceum Djursholm 1978. *Czy Erika Berger nie pochodzi przypadkiem z Djursholmu...* Otworzyła księgę i zaczęła przeglądać abiturientów, klasa za klasą.

Znalazła Erikę, osiemnastoletnią, w białej czapce studenckiej, z promiennym uśmiechem i dołeczkami w policzkach. Była ubrana w białą bawełnianą sukienkę, w rękach trzymała kwiaty. Wyglądała jak nastoletnie uosobienie niewinności z wzorowym świadectwem.

Mało brakowało, żeby przegapiła to powiązanie, ale zerknęła na następną stronę. Nie potrafiłaby go rozpoznać, ale podpis pod zdjęciem rozwiewał wszelkie wątpliwości. Peter Fredriksson. Chodził do równoległej klasy. Zobaczyła chudego chłopca z poważną miną, spoglądającego w obiektyw spod czapki z daszkiem.

Podniosła wzrok i napotkała jego spojrzenie.

– Już wtedy była kurwą.

– To bardzo ciekawe – stwierdziła Susanne.

– Pieprzyła się z każdym chłopakiem ze szkoły.

– Wątpię.

– Była cholerną...

– Co ty nie powiesz? A co? Czyżby dla ciebie nie ściągnęła majtek?

– Traktowała mnie jak powietrze. Śmiała się ze mnie. A kiedy zaczęła pracować w SMP, nawet mnie nie poznała.

– Tak, tak – powiedziała Susanne Linder zmęczonym tonem. – Na pewno miałeś straszne dzieciństwo. Może porozmawiamy poważnie?

– Czego chcesz?

– Nie jestem policjantką – powiedziała Susanne Linder. – Jestem kimś, kto unieszkodliwia takich jak ty.

Zaczekała, żeby jego fantazja mogła chwilę popracować.

– Chcę wiedzieć, czy wstawiłeś jej zdjęcia do internetu.

Potrząsnął głową.

– Na pewno?

– Erika Berger sama zdecyduje, czy złoży na ciebie doniesienie na policję za molestowanie, pogróżki i naruszenie miru domowego, czy może zechce to rozwiązać polubownie.

Nie odzywał się.

– Jeśli zdecyduje, że nie będzie sobie tobą zawracać głowy, a jest to mniej więcej to, czego jesteś wart, ja będę cię mieć na oku.

Wyjęła pałkę.

– Jeśli kiedykolwiek zbliżysz się do domu Eriki Berger albo wyślesz jej maila, albo w jakikolwiek inny sposób będziesz ją niepokoił, stłukę cię tak, że cię rodzona matka nie pozna. Czy rozumiesz?

Nie odzywał się.

– Masz więc szansę zdecydować, jak się ta historia zakończy. Czy jesteś zainteresowany?

Niechętnie skinął głową.

– W takim razie będę namawiała Erikę Berger, żeby puściła cię wolno. Nie musisz już chodzić do pracy. Zwolniłeś się ze skutkiem natychmiastowym.

Skinął głową.

– Dogadaliśmy się?

Peter Fredriksson nagle się rozpłakał.

– Nie chciałem zrobić nic złego – powiedział. – Chciałem tylko...

– Chciałeś tylko zmienić jej życie w piekło i to ci się udało. Czy mam twoje słowo?

Kiwnął głową.

Susanne schyliła się nad nim, przewróciła go na brzuch i otworzyła kajdanki. Zabrała papierową torbę Konsumu wypełnioną życiem Eriki Berger i zostawiła go na podłodze.

W PONIEDZIAŁEK O WPÓŁ DO TRZECIEJ nad ranem Susanne Linder wyszła z bramy domu Fredrikssona. Zastanawiała się, czy nie zostawić tej sprawy do jutra, ale stwierdziła, że gdyby to dotyczyło jej, wolałaby wiedzieć od razu. Poza tym jej samochód został w Saltsjöbaden. Zadzwoniła po taksówkę.

Greger Backman otworzył jej, zanim zdążyła nacisnąć dzwonek. Miał na sobie dżinsy i wyglądał na wyrwanego ze snu.

– Erika nie śpi? – zapytała Susanne.

Kiwnął głową.

– Czy zdarzyło się coś nowego? – zapytał.

Potwierdziła skinieniem i uśmiechnęła się do niego.

– Wejdź. Siedzimy w kuchni i rozmawiamy.

Weszli do środka.

– Cześć, Berger – powiedziała Susanne. – Musisz nauczyć się spać od czasu do czasu.

– Co się stało?

Susanne podała jej torbę z Konsumu.

– Peter Fredriksson obiecuje, że zostawi cię w spokoju. Diabli wiedzą, czy można na nim polegać, ale jeśli dotrzyma słowa, będzie to lepsze niż użeranie się z doniesieniem na policję i sprawą sądową. Sama możesz zdecydować.

– A więc to jednak on?

Susanne skinęła głową. Greger Backman zrobił kawę, ale podziękowała. Przez ostatnią dobę wypiła o wiele za dużo kawy. Usiadła i opowiedziała, co się wydarzyło w nocy pod ich domem.

Erika chwilę siedziała w milczeniu. Potem wstała, poszła na górę i wróciła ze swoim egzemplarzem księgi maturalnej. Długo wpatrywała się w twarz Petera Fredrikssona.

– Pamiętam go – powiedziała w końcu. – Ale nie miałam pojęcia, że to ten sam Peter Fredriksson pracuje w SMP.

– Coś się wtedy stało? – zapytała Susanne.

– Nic. Zupełnie nic. Był cichym i absolutnie nieciekawym chłopakiem z równoległej klasy. Chyba mieliśmy razem jeden przedmiot, francuski, o ile się nie mylę.

– Mówił, że traktowałaś go jak powietrze.

Erika skinęła głową.

– Pewnie tak było. Nie znałam go, nie należał do naszej paczki.

– Czy znęcaliście się nad nim jakoś, czy coś w tym rodzaju?

– Ależ skąd. Nigdy nie lubiłam mobbingu. W liceum mieliśmy akcje przeciwko mobbingowi, byłam wtedy przewodniczącą samorządu uczniowskiego. Po prostu nie pamiętam, żeby kiedykolwiek się do mnie odezwał albo żebym ja zamieniła z nim choć słowo.

– Okej – powiedziała Susanne. – W każdym razie najwyraźniej od tamtego czasu żywił do ciebie jakąś urazę. Dwa razy był na dłuższym zwolnieniu, z powodu stresu i wypalenia. Ale może powody były inne, może nie wiemy wszystkiego.

Wstała i narzuciła skórzaną kurtkę.

– Zatrzymam jego twardy dysk. W zasadzie to była kradzież, więc nie powinien być u ciebie. Nie musisz się obawiać, zniszczę go, jak tylko wrócę do domu.

– Zaczekaj, Susanne... Czy mogę ci się jakoś odwdzięczyć?

– Hm... możesz mnie wspierać, kiedy gniew Armanskiego spadnie na mnie jak grom z jasnego nieba.

Erika spojrzała na nią z powagą.

– Czy możesz mieć przez to kłopoty?

– Nie wiem... naprawdę nie wiem.

– Możemy ci zapłacić za...

– Nie. Ale może Armanski dopisze do rachunku tę noc. Mam nadzieję, że to zrobi. To będzie znaczyło, że popiera to, co zrobiłam, i może nie będzie chciał mnie wylać.

– Dopilnuję, żeby to doliczył.

Erika wstała i na chwilę mocno objęła Susanne.

– Dziękuję, Susanne. Jeśli kiedykolwiek będziesz potrzebowała pomocy, masz we mnie przyjaciela. W każdej sprawie.

– Dziękuję. I nie zostawiaj tych zdjęć na wierzchu. A tak przy okazji, to Milton Security instaluje superbezpieczne sejfy.

Erika uśmiechnęła się.

Rozdział 22
Poniedziałek 6 czerwca

W PONIEDZIAŁKOWY RANEK Erika Berger obudziła się o szóstej. Wprawdzie spała niecałą godzinę, ale czuła się dziwnie wypoczęta. Po raz pierwszy od wielu miesięcy ubrała się w sportowe ciuchy i przebiegła długą trasę do przystani promowej. Narzuciła sobie szalone tempo, ale po około stu metrach stwierdziła, że boli ją jeszcze zraniona pięta, więc nieco zwolniła. Ból w pięcie przy każdym kroku sprawiał jej niemal przyjemność.

Czuła się jak nowo narodzona. Jakby kostucha, która już szła do jej drzwi, w ostatniej chwili zmieniła zdanie i zapukała do sąsiadów. Nie mieściło się jej w głowie, że miała takie szczęście. Peter Fredriksson trzymał w łapach jej zdjęcia przez cztery doby i nic z nimi nie zrobił. Zeskanował je, więc pewnie miał jakieś zamiary, ale do niczego nie doszło.

Postanowiła zrobić Susanne Linder niespodziankę na Boże Narodzenie, dać jakiś drogi prezent. Wymyśli coś specjalnego.

O wpół do ósmej zostawiła śpiącego Gregera w łóżku i wsiadła do swojego bmw, żeby pojechać do redakcji SMP przy Norrtull. Zaparkowała w garażu, windą wjechała na górę i usiadła w swoim szklanym biurze. Na początek zadzwoniła do portiera.

– Peter Fredriksson zwolnił się z SMP ze skutkiem natychmiastowym – powiedziała. – Proszę znaleźć jakiś duży karton i opróżnić jego biurko z przedmiotów osobistych. Niech posłaniec zawiezie to do jego domu jeszcze przed południem.

Spojrzała na newsroom. Właśnie wszedł Anders Holm. Napotkał jej wzrok i skinął głową.

Odpowiedziała skinieniem.

Holm był palantem, ale po kłótni sprzed kilku tygodni przestał sprawiać kłopoty. Jeśli nadal będzie miał takie pozytywne nastawienie, może utrzyma się na stanowisku szefa wiadomości. Może.

Poczuła, że będzie w stanie zmienić kurs tego statku.

O ósmej czterdzieści pięć zobaczyła Borgsjö. Wyszedł z windy i zniknął na schodach prowadzących do jego gabinetu piętro wyżej. *Muszę z nim pogadać, najlepiej jeszcze dzisiaj.*

Przyniosła sobie kawę i przez chwilę przeglądała poranne notatki służbowe. Nic specjalnego nie wydarzyło się tego ranka. Jedynym ciekawszym tekstem była notatka o przewiezieniu Lisbeth Salander do aresztu. Zaakceptowała ją i przesłała do Andersa Holma.

O ósmej pięćdziesiąt dziewięć zadzwonił Borgsjö.

– Berger. Proszę przyjść do mnie na górę. Natychmiast.

I od razu odłożył słuchawkę.

Kiedy Erika weszła do gabinetu, Magnus Borgsjö był biały na twarzy. Wstał, odwrócił się do niej i cisnął na biurko plik papierów.

– Co to ma być, do diabła? – ryknął na Erikę.

Serce Eriki nagle zrobiło się ciężkie jak kamień. Jedno spojrzenie na okładkę wystarczyło, żeby się domyślić, co Borgsjö znalazł w porannej poczcie.

Fredriksson nie zdążył wykorzystać zdjęć. Ale udało mu się wysłać do Borgsjö tekst Henry'ego Corteza.

Erika spokojnie usiadła przed biurkiem.

– To reportaż napisany przez Henry'ego Corteza. „Millennium" zamierzało wydrukować go w numerze, który ukazał się tydzień temu.

Borgsjö był wściekły.

– Jak śmiesz. Ściągnąłem cię do SMP i od razu zaczynasz knuć intrygi. Co za kurwa medialna z ciebie?!

Oczy Eriki Berger zwęziły się, poczuła lodowaty chłód. Miała już dość słowa kurwa.

– Czy naprawdę myślisz, że ktoś się tym przejmie? Myślisz, że się mnie pozbędziesz przez takie bzdurne wymysły? I dlaczego, do kurwy nędzy, wysyłasz to do mnie anonimowo?

– To nie jest tak, Borgsjö.

– No to opowiedz jak.

– To Peter Fredriksson wysłał ci ten tekst. Wczoraj został wyrzucony z SMP.

– O czym ty, kurwa, mówisz?

– To długa historia. Ale zastanawiałam się nad tym ponad dwa tygodnie i próbowałam wymyślić, jak ci to powiedzieć.

– To ty stoisz za tym tekstem.

– Nie, to nieprawda. Henry Cortez zrobił research i napisał tekst. Nie miałam o tym pojęcia.

– I ja mam w to wierzyć?

– Gdy tylko moi koledzy z „Millennium" zauważyli, że jesteś w to zamieszany, Mikael Blomkvist zablokował publikację. Zadzwonił do mnie i dał mi tę kopię. Z troski o mnie. Skradziono mi ją i tak znalazła się w twoich rękach. „Millennium" chciało mi dać możliwość porozmawiania z tobą przed publikacją. Zamierzają dać to w numerze sierpniowym.

– Nigdy jeszcze nie spotkałem tak bezwzględnego dziennikarza. Bijesz wszystkich na głowę.

– Okej. Skoro przeczytałeś ten reportaż, może przejrzałeś też materiały z researchu. Cortez napisał tekst, w którym nie można podważyć ani jednego słowa. Wiesz o tym.

– Co to ma, do diabła, znaczyć?

– Że jeśli nadal będziesz prezesem zarządu, kiedy „Millennium" pójdzie do druku, poważnie zaszkodzi to SMP. Łamałam sobie głowę, próbując znaleźć wyjście z tej sytuacji, ale nie znalazłam.

– Co masz na myśli?

– Musisz odejść.

– Czy to ma być żart? Nie zrobiłem nic, co byłoby niezgodne z prawem.

– Magnusie, czy naprawdę nie rozumiesz wagi tych faktów? Wolałabym nie być zmuszona do zwołania zarządu. To będzie kompromitacja.

– Nie będziesz niczego zwoływać. Jesteś skończona w SMP.

– Sorry. Tylko zarząd może mnie wyrzucić. Będziesz musiał zwołać zebranie nadzwyczajne. Proponowałabym dziś po południu.

Borgsjö wyszedł zza biurka i stanął tak blisko Eriki Berger, że poczuła jego oddech.

– Berger... masz szansę to przeżyć. Pójdziesz do swoich pieprzonych kumpli z „Millennium" i dopilnujesz, żeby ten tekst nigdy nie poszedł do druku. Jeśli zręcznie to załatwisz, mogę spróbować zapomnieć o tym, co zrobiłaś.

Erika Berger westchnęła.

– Magnusie, nadal nie rozumiesz powagi sytuacji. Nie mam żadnego wpływu na to, co „Millennium" opublikuje i czego nie opublikuje. Ta historia i tak będzie nagłośniona, wszystko jedno, co zrobię. Jedyną rzeczą, jaka mnie teraz interesuje, jest to, jak ta sprawa się odbije na SMP. Dlatego musisz odejść.

Borgsjö położył dłonie na oparciu krzesła i nachylił się do niej.

– Twoi kompani z „Millennium" może się zastanowią, jeśli dostaniesz kopa w tej samej chwili, w której te brednie ujrzą światło dzienne.

Potem znów się wyprostował.

– Muszę zaraz jechać na zebranie do Norrköping. – Spojrzał na nią i dodał z naciskiem: – SveaBygg.

– Ach tak.

– Kiedy jutro wrócę, masz zameldować, że sprawa została załatwiona. Zrozumiano?

Włożył marynarkę. Erika Berger przyglądała mu się przymrużonymi oczami.

– Załatw to zręcznie, to może utrzymasz się w SMP. A teraz wynoś się z mojego biura.

Wstała i wróciła do swojego szklanego biura. Przez dwadzieścia minut siedziała w bezruchu na krześle. Potem podniosła słuchawkę i poprosiła Andersa Holma, żeby do niej przyszedł. Potrafił się uczyć na błędach i zjawił się już po minucie.

– Niech pan siada.

Anders Holm uniósł jedną brew i usiadł na krześle.

– No, co znowu zrobiłem nie tak? – zapytał ironicznie.

– Anders, to mój ostatni dzień w SMP. Zwalniam się z pracy od zaraz. Zamierzam zaprosić wiceprezesa i resztę zarządu na spotkanie w porze lunchu.

Patrzył na nią z autentycznym zaskoczeniem.

– Zaproponuję pana na pełniącego obowiązki redaktora naczelnego.

– Co?

– Czy to panu odpowiada?

Anders Holm odchylił się na oparcie i przyglądał się Erice.

– Nigdy za diabła nie chciałem być redaktorem naczelnym – powiedział.

– Wiem o tym. Ale ma pan twardą rękę, której do tego potrzeba. I będzie pan szedł po trupach, żeby opublikować dobry tekst. Wolałabym tylko, żeby miał pan trochę więcej rozumu.

– Ale co się właściwie stało?

– Mam inny styl niż pan. Ciągle kłóciliśmy się o to, jak mamy przedstawiać różne rzeczy, i raczej nigdy się nie dogadamy.

– Nie – zgodził się. – Nigdy. Ale możliwe, że mój styl jest staroświecki.

– Nie wiem, czy staroświecki to dobre słowo. Jest pan cholernie dobrym specem od wiadomości, ale zachowuje się pan jak drań. To niepotrzebne. A najczęściej kłóciliśmy się dlatego, że pan nigdy nie dopuszczał, żeby osobiste poglądy wpływały na ocenę wydarzeń.

Tu Erika niespodziewanie posłała mu złośliwy uśmieszek. Otworzyła teczkę i wyjęła materiał o Borgsjö.

– Sprawdzimy, jak to jest z pańskim podejściem do oceny wiadomości. Mam tu tekst, który otrzymaliśmy od Henry'ego Corteza, pracownika pisma „Millennium". Zdecydowałam dziś rano, że wykorzystamy ten tekst jako materiał na czołówkę.

Rzuciła teczkę na kolana Holma.

– Pan jest szefem wiadomości. Ciekawa jestem, czy się pan ze mną zgadza.

Anders Holm otworzył teczkę i zaczął czytać. Już przy wstępie jego oczy się rozszerzyły. Usiadł prosto i spojrzał na Erikę Berger. Potem opuścił wzrok i przeczytał cały tekst od początku do końca. Przejrzał starannie dokumentację. Zajęło mu to dziesięć minut. Potem powoli odłożył teczkę.

– Z tego będzie gigantyczna afera.

– Wiem. Dlatego dzisiaj jestem w SMP ostatni dzień. „Millennium" zamierzało puścić to w numerze czerwcowym, ale Mikael Blomkvist to zastopował. Dał mi ten tekst, żebym przed publikacją mogła porozmawiać z Borgsjö.

– I co?

– Borgsjö kazał mi to wyciszyć.

– Rozumiem. Więc na złość jemu zamierza pani to opublikować w SMP?

– Nie na złość. Po prostu nie ma innego wyjścia. Jeśli to SMP wydrukuje ten tekst, mamy jeszcze szansę wyjść z tego z honorem. Borgsjö musi odejść. Ale to znaczy, że po tym wszystkim ja też nie mogę tu zostać.

Holm milczał dwie minuty.

– Jasny gwint, Berger, nie sądziłam, że z pani taki twardziel. Nigdy nie myślałem, że coś takiego powiem, ale ma pani jaja. Naprawdę żałuję, że pani odchodzi.

– Mógłby pan zatrzymać publikację, ale jeśli jesteśmy zgodni... Chce pan to opublikować?

– Jasne, że tak. I tak prędzej czy później sprawa by wyciekła.

– Właśnie.

Anders Holm wstał i niezdecydowany zatrzymał się jeszcze przy jej biurku.

– No to do roboty – powiedziała.

PO WYJŚCIU HOLMA odczekała pięć minut, a potem sięgnęła po telefon i zadzwoniła do Malin Eriksson, do „Millennium".

– Cześć, Malin. Czy Henry Cortez jest gdzieś w pobliżu?

– Tak. Przy swoim biurku.

– Czy mogłabyś go zawołać i przełączyć telefon na głośne mówienie? Musimy się naradzić.

W ciągu piętnastu sekund zjawił się Henry Cortez.

– Co się dzieje?

– Henry, zrobiłam dziś coś niemoralnego.

– Aha?

– Dałam twój tekst o Vitavara AB Andersowi Holmowi, szefowi wiadomości tu, w SMP.

– Co?

– Poleciłam mu wydrukować go w jutrzejszym numerze. Z twoim nazwiskiem i danymi. Oczywiście dostaniesz za to pieniądze. Możesz sam wyznaczyć cenę.

– Eriko... co się, kurwa, dzieje?

Streściła wydarzenia ostatnich tygodni i opowiedziała, jak Peter Fredriksson prawie ją zniszczył.

– Kurwa mać – powiedział Henry Cortez.

– Wiem, że to twój tekst, Henry. Ale nie miałam wyboru. Czy zgadzasz się na taki układ?

Henry Cortez nie odpowiadał przez kilka sekund.

– Dzięki, że zadzwoniłaś, Eriko. Zgadzam się na wydrukowanie artykułu w SMP pod moim nazwiskiem. Jeśli Malin się na to zgadza oczywiście.

– Zgadzam się – wtrąciła Malin.

– Świetnic – powiedziała Erika. – Czy możecie zawiadomić Mikaela? Domyślam się, że jeszcze go nie ma.

– Pogadam z Mikaelem – powiedziała Malin Eriksson. – Ale, słuchaj, Eriko, czy to oznacza, że od dzisiaj jesteś bezrobotna?

Erika zaśmiała się.

– Postanowiłam, że wezmę sobie urlop do końca roku. Wierzcie mi, kilka tygodni w SMP wystarczyło.

– Lepiej nie planuj jeszcze urlopu – powiedziała Malin Eriksson.

– Dlaczego nie?

– Czy mogłabyś wpaść do „Millennium" dziś po południu?

– Po co?

– Potrzebuję pomocy. Jeśli chcesz z powrotem być naczelną tutaj, możesz zacząć już jutro rano.

– Malin, to ty jesteś naczelną „Millennium". Nic innego nie wchodzi w grę.

– Okej. To możesz zostać sekretarzem redakcji – zaśmiała się Malin.

– Mówisz poważnie?

– Do diabła, Eriko, brakuje mi ciebie tak bardzo, że nie umiem tego wyrazić. Przyszłam do „Millennium" między innymi dlatego, żeby móc współpracować z tobą. A teraz nagle ty jesteś w niewłaściwej gazecie.

Erika Berger milczała chwilę. Nawet nie zdążyła pomyśleć o ewentualnym powrocie do „Millennium".

– Ale czy wy chcielibyście, żebym wróciła? – zapytała niepewnie.

– A jak myślisz? Wydaje mi się, że powinniśmy zacząć od megaimprezy. Sama ją zorganizuję. I wróciłabyś akurat w samą porę przed publikacją wiesz czego.

Erika spojrzała na zegar stojący na biurku. Za pięć dziesiąta. W ciągu godziny cały jej świat stanął na głowie. Nagle poczuła, jak bardzo tęskni za tym, żeby znów wchodzić na górę do „Millennium".

– Mam jeszcze kilka spraw do załatwienia w SMP. Czy pasuje ci, żebym przyszła o czwartej?

SUSANNE LINDER patrzyła Draganowi Armanskiemu w oczy. Relacjonowała dokładnie wypadki ostatniej nocy. Jedyną rzeczą, jaką pominęła, było jej nagłe przekonanie, że z włamaniem do komputera Fredrikssona miała związek Lisbeth Salander. Pominęła ten fakt z dwóch powodów. Po pierwsze, wiedziała, że to brzmi nieprawdopodobnie. Po drugie, wiedziała, że Dragan Armanski jest głęboko zaangażowany w sprawę Lisbeth Salander, podobnie jak Mikael Blomkvist.

Szef słuchał jej uważnie. Kiedy skończyła swoją opowieść, umilkła i czekała na jego reakcję.

– Greger Backman dzwonił godzinę temu – powiedział.

– Aha.

– Przyjdą razem z Eriką jeszcze w tym tygodniu, żeby podpisać umowę. Chcieli podziękować za pomoc Milton Security, a przede wszystkim za twój wkład.

– Rozumiem. To miło, kiedy klienci są zadowoleni.

– Chcą także zamówić sejf do domu. Zainstalujemy go i zrobimy cały system alarmowy do końca tygodnia.

– Dobrze.

– Chciał też, żebyśmy dopisali twój dyżur w zeszły weekend.

– Hmm...

– To znaczy, że w sumie zapłacą niezłą sumkę.

– Tak.

Armanski westchnął.

– Susanne, zdajesz sobie chyba sprawę, że Fredriksson może pójść na policję i złożyć na ciebie doniesienie? Z wielu powodów

Skinęła głową.

– Sam też wpakowałby się prosto do paki, ale może pomyśleć, że mu się to opłaca.

– Nie sądzę, żeby miał takie jaja, żeby pójść na policję.

– Może nie ma, ale działałaś wbrew wszelkim moim instrukcjom.

– Wiem – przyznała.

– Więc jak sądzisz, co powinienem zrobić?

– Tylko ty możesz o tym zdecydować.

– Ale co ty sądzisz?

– Co ja sądzę, nie ma tu nic do rzeczy. Zawsze możesz mnie wyrzucić.

– Nie bardzo. Nie mogę sobie pozwolić na utratę pracownika tej klasy.

– Dziękuję.

– Ale jeśli jeszcze raz zrobisz coś takiego, będę bardzo zły.

Susanne Linder kiwnęła głową.

– A co zrobiłaś z twardym dyskiem?

– Zniszczyłam. Włożyłam go dziś rano w imadło i zmiażdżyłam w drobny mak.

– Okej. A więc odcinamy tę sprawę grubą krechą.

ERIKA BERGER spędziła przedpołudnie na telefonowaniu do członków zarządu SMP. Wiceprezesa znalazła w jego letnim domu przy Vaxholm i namówiła, żeby wsiadł do samochodu i jak najszybciej przyjechał do redakcji. Po lunchu odbyło się zebranie mocno okrojonego zarządu. Najpierw opowiedziała, jak doszło do powstania teczki Corteza i jakie były tego konsekwencje.

Kiedy skończyła, pojawiły się łatwe do przewidzenia propozycje, żeby poszukać alternatywnego rozwiązania. Erika wyjaśniła, że SMP zamierza wydrukować tekst Corteza w jutrzejszym numerze. Dodała, że jest to ostatni dzień jej pracy i jej decyzja jest nieodwołalna.

Przekonała zarząd do uchwalenia i zaprotokołowania dwóch postanowień. Po pierwsze, Magnus Borgsjö jest proszony o ustąpienie ze stanowiska ze skutkiem natychmiastowym, po drugie, Anders Holm będzie pełnił obowiązki redaktora naczelnego. Potem przeprosiła zebranych i zostawiła ich, żeby przedyskutowali sytuację we własnym gronie.

O czternastej zeszła do działu personalnego i sporządziła kontrakt. Potem poszła do działu kultury, żeby porozmawiać z jego szefem Strandlundem i Evą Carlsson.

– Jak rozumiem, uważacie w dziale kultury, że Eva Carlsson jest dobrą dziennikarką – zagadnęła Sebastiana Strandlunda.

– To prawda – przyznał.

– I w projekcie budżetu przez ostatnie dwa lata prosiliście o wzmocnienie redakcji o co najmniej dwie osoby.

– Tak.

– Evo, z uwagi na korespondencję, na jaką była pani narażona, mogą się pojawić nieprzyjemne plotki, kiedy otrzyma pani stałą umowę. Czy jest pani nadal zainteresowana?

– Oczywiście.

– W takim razie moją ostatnią decyzją w SMP będzie podpisanie z panią umowy o pracę.

– Ostatnią?

– To długa historia. Dzisiaj kończę pracę. Czy możecie jeszcze przez godzinę zachować tę informację dla siebie?

– Co...

– Za chwilę wszyscy otrzymają notatkę służbową.

Erika Berger złożyła podpis na umowie i podsunęła ją Evie Carlsson.

– Powodzenia – powiedziała z uśmiechem.

– NIEZNAJOMY STARSZY MĘŻCZYZNA, który brał udział w spotkaniu u Ekströma w sobotę, nazywa się Georg Nyström i jest komisarzem – powiedziała Monika Figuerola i położyła zdjęcia na biurku przed Torstenem Edklinthem.

– Komisarz – mruknął Edklinth.

– Stefan zidentyfikował go wczoraj wieczorem. Georg odwiedził mieszkanie na Artillerigatan. Przyjechał samochodem.

– Co o nim wiemy?

– Był w policji, a od 1983 roku pracował w RPS/Säk. Od 1996 roku jest śledczym i nie odpowiada przed nikim. Prowadzi wewnętrzne kontrole i analizuje sprawy zakończone przez Säk.

– Okej.

– Od soboty w sumie sześć osób z kręgu naszych zainteresowań wchodziło do tego domu. Oprócz Jonasa Sandberga i Georga Nyströma Fredrik Clinton. Dziś rano pojechał transportem sanitarnym na dializę.

– A pozostała trójka?

– Jeden nazywa się Otto Hallberg. Pracował w RPS/Säk w latach osiemdziesiątych, ale właściwie związany jest ze Sztabem Obrony. Pracuje w marynarce i Wojskowej Służbie Informacyjnej.

– Aha. Dlaczego mnie to nie dziwi...

Monika Figuerola położyła na stole kolejne zdjęcie.

– Tego faceta jeszcze nie zidentyfikowaliśmy. Był na lunchu razem z Hallbergiem. Zobaczymy, czy uda nam się go namierzyć, jak będzie wracał wieczorem do domu.

– Okej.

– Ale bardziej interesujący jest ten człowiek.

Dołożyła jeszcze jedno zdjęcie.

– Tego poznaję – powiedział Edklinth.

– Nazywa się Wadensjöö.

– Właśnie. Najpierw pracował w wydziale zwalczania terroryzmu, jakieś piętnaście lat temu. Generał zza biurka.

Był jednym z kandydatów na stanowisko szefa tu, w Firmie. Nie wiem, co się z nim stało.

– Zwolnił się w 1991 roku. Zgadnij, z kim jadł lunch jakąś godzinę temu.

Położyła na biurku jeszcze jedno zdjęcie.

– Szef kancelarii Albert Shenke i dyrektor finansowy Gustav Atterbom. Chcę ich obserwować przez całą dobę. Muszę dokładnie wiedzieć, z kim się spotykają.

– To niemożliwe. Mam do dyspozycji tylko czterech ludzi. A oni muszą zajmować się dokumentacją.

Edklinth skinął głową i w zamyśleniu ścisnął palcami dolną wargę. Po chwili podniósł wzrok na Monikę Figuerolę.

– Potrzebujemy więcej ludzi – powiedział. – Myślisz, że mogłabyś dyskretnie skontaktować się z Bublanskim i zapytać, czy miałby ochotę zjeść ze mną kolację po pracy? Powiedzmy koło siódmej.

Potem wziął do ręki telefon i z pamięci wybrał numer.

– Cześć, Armanski. Mówi Edklinth. Czy mógłbym się zrewanżować za tę wspaniałą kolację, na którą zaprosiłeś mnie ostatnio... nie, nalegam. Może koło siódmej?

LISBETH SALANDER spędziła noc w Kronobergu w celi o wymiarach mniej więcej dwa na cztery metry. Bardzo skromnie wyposażonej. Zasnęła w ciągu pięciu minut po zamknięciu drzwi i obudziła się wcześnie. Był poniedziałkowy ranek. Posłusznie wykonała ćwiezenia rozciągająco-rozluźniające, które zalecił jej terapeuta z Sahlgrenska. Potem dostała śniadanie i siedziała na pryczy, patrząc przed siebie.

O wpół do dziesiątej zaprowadzono ją do pokoju przesłuchań na drugim końcu korytarza. Strażnik był starszym, niskim, łysym dziadkiem o okrągłej twarzy, w rogowych okularach na nosie. Traktował ją poprawnie i dobrodusznie.

Annika Giannini serdecznie powitała swoją klientkę. Lisbeth zignorowała Hansa Fastego. Potem po raz pierwszy spotkała się z prokuratorem Richardem Ekströmem i przez następne pół godziny siedziała na krześle naprzeciwko niego, wpatrując się uporczywie w jakiś punkt na ścianie nieco ponad jego głową. Nie powiedziała ani słowa, nie drgnął jej ani jeden mięsień.

O dziesiątej Ekström przerwał nieudane przesłuchanie. Był zirytowany, że nie udało mu się wycisnąć z niej żadnej reakcji. Po raz pierwszy stracił pewność, kiedy zobaczył tę chudą, wyglądającą jak lalka dziewczynę. Czy możliwe, żeby mogła skopać tyłek Maggemu Lundinowi i Sonny'emu Nieminenowi w Stallarholmen? Czy sąd uwierzy w tę historię, nawet jeśli będzie miał silny materiał dowodowy?

O dwunastej Lisbeth dostała skromny lunch i przez następną godzinę rozwiązywała w myślach równania. Koncentrowała się na fragmencie książki o astronomii sferycznej, którą czytała dwa lata wcześniej.

O czternastej trzydzieści znów zaprowadzono ją do pokoju przesłuchań. Tym razem strażnikiem była młoda kobieta. Pokój był pusty. Usiadła na krześle i kontynuowała rozważania o szczególnie zawiłym równaniu.

Po dziesięciu minutach drzwi się otworzyły.

– Witaj, Lisbeth – powiedział przyjaźnie Peter Teleborian.

Uśmiechał się. Lisbeth Salander zesztywniała w sopel lodu. Elementy równania, które konstruowała w powietrzu, pospadały na podłogę. Słyszała, jak cyfry i znaki podskakują i grzechoczą, jakby istniały fizycznie.

Peter Teleborian minutę stał nieruchomo i przyglądał się jej, a potem usiadł naprzeciwko. Lisbeth nie przestawała wpatrywać się w ścianę.

Po chwili przeniosła wzrok i spojrzała mu prosto w oczy.

– Przykro mi, że znalazłaś się w tej sytuacji – powiedział Teleborian. – Spróbuję ci pomóc na wszelkie możliwe sposoby. Mam nadzieję, że uda nam się zbudować wzajemne zaufanie.

Lisbeth oglądała go centymetr po centymetrze. Rozwichrzone włosy. Broda. Przerwa między przednimi zębami. Wąskie usta. Brązowa marynarka. Rozpięta pod szyją koszula. Słyszała jego łagodny i zdradziecko miły głos.

– Mam też nadzieję, że tym razem będę umiał ci pomóc bardziej niż wtedy, kiedy się spotkaliśmy ostatnim razem.

Na stole przed sobą położył mały notatnik i pióro. Lisbeth spuściła wzrok i przyjrzała się pióru. Wyglądało jak srebrzysta, ostro zakończona rurka.

Analiza konsekwencji.

Powstrzymała odruch, żeby wyciągnąć rękę i porwać pióro. Poszukała oczami małego palca u jego lewej dłoni. Wciąż było widać niewyraźny biały pasek w miejscu, gdzie piętnaście lat temu wbiła zęby i zacisnęła tak mocno, że niemal mu go odgryzła. Potrzeba było trzech pielęgniarzy, żeby ją przytrzymać i rozewrzeć jej szczęki.

Wtedy byłam małą, przerażoną dziewczynką, która ledwie przestała być dzieckiem. Teraz jestem dorosła. Mogę cię zabić, kiedy zechcę.

Wbiła spojrzenie w punkt za głową Teleboriana, pozbierała cyfry i symbole matematyczne, które rozsypały się po podłodze, i na nowo zaczęła układać równania.

Doktor Peter Teleborian przyglądał się Lisbeth Salander z obojętnym wyrazem twarzy. Nie zostałby cenionym za granicą psychiatrą, gdyby nie znał ludzkiej natury. Znakomicie potrafił odczytywać ludzkie uczucia i nastroje. Poczuł chłodny cień przeciągający przez pokój, ale zinterpretował to jako oznakę strachu i zawstydzenia, jakie pacjentka odczuwa pod niewzruszoną powierzchnią. Odebrał to pozytywnie, jako znak, że jednak reaguje na jego obecność. Cieszyło go też, że wciąż zachowuje się tak samo. W sądzie sama się tym pogrąży.

OSTATNIĄ RZECZĄ, jaką Erika Berger zrobiła w SMP, było napisanie notatki służbowej do pracowników. Kiedy zabierała się do pisania, była poirytowana. Miała świadomość, że źle robi, tak się rozpisując. Mimo to wyszły jej dwie strony A4. Wyjaśniła, dlaczego odchodzi z SMP, i zreferowała, co sądzi o niektórych osobach. Potem skasowała wszystko i zaczęła od nowa, tym razem bardziej rzeczowo.

Nie wspomniała o Peterze Fredrikssonie. Gdyby to zrobiła, cała uwaga skupiłaby się na nim i prawdziwy powód zniknąłby za nagłówkami o molestowaniu.

Podała dwa powody. Najważniejszym był silny opór zarządu, z jakim spotkała się jej propozycja, żeby szefowie i udziałowcy zmniejszyli swoje pensje i dywidendy. Była zmuszona zacząć pracę w SMP od drastycznego okrojenia liczby zatrudnionych, co uznała za naruszenie obietnic, jakimi ją mamiono, kiedy proponowano jej stanowisko naczelnej. Ponadto uniemożliwiało to wszelkie próby długofalowej poprawy i wzmocnienia kondycji gazety.

Drugim powodem było ujawnienie prawdy o Magnusie Borgsjö. Wyjaśniła, że polecono jej wyciszyć tę sprawę, a to nie wchodziło w zakres jej obowiązków. Znalazła się więc w sytuacji bez wyjścia. Dlatego jest zmuszona opuścić redakcję. Zakończyła stwierdzeniem, że problemy, z jakimi boryka się SMP, to nie kłopoty natury personalnej, ale problemy z zarządzaniem.

Przeczytała notatkę jeszcze raz, poprawiła literówki i przesłała ją do wszystkich pracowników koncernu. Kopię wysłała do gazety „Pressens Tidning" i organu związku dziennikarzy „Journalisten". Potem spakowała laptop i podeszła do Andersa Holma.

– Do widzenia – powiedziała.

– Do widzenia, pani Berger. Praca z panią była męczarnią.

Wymienili uśmiechy.

– Jest jeszcze jedna rzecz – powiedziała.

– Co?

– Johannes Frisk pracuje nad tekstem na moje polecenie.

– I nikt nie wie, o co chodzi.

– Wesprzyjcie go. Doszedł już dość daleko i zamierzam być z nim w kontakcie. Niech to skończy. Zapewniam, że pan na tym skorzysta.

Holm namyślał się chwilę. Potem skinął głową.

Nie uścisnęli sobie dłoni. Erika zostawiła przepustkę na biurku Holma, zjechała do garażu i wsiadła do swojego bmw. Tuż po czwartej zaparkowała w pobliżu redakcji „Millennium".

Część 4

Rebooting System

1 lipca – 7 października

Mimo bogactwa legend o Amazonkach ze starożytnej Grecji, Ameryki Południowej, Afryki i innych miejsc istnieje tylko jeden historycznie udokumentowany przykład kobiet wojowniczek. Jest nim kobieca armia Fonów z zachodnioafrykańskiego Dahomeju, obecnie Beninu.

Owe żołnierki nie występują nigdzie w oficjalnej historii wojskowości, nie robi się o nich uromantycznionych filmów, mogą pojawić się najwyżej w przypisach historycznych. Napisano o nich tylko jedną pracę naukową: *Amazons of Black Sparta*. Autorem jest historyk Stanley B. Alpern (Hurst & Co Ltd, London 1998). A przecież była to armia, która mogła się zmierzyć z każdą ówczesną armią doborowych żołnierzy sił okupacyjnych.

Nie wiadomo dokładnie, kiedy powstała kobieca armia Fonów, choć niektóre źródła datują ją na wiek XVII. Początkowo była to królewska straż przyboczna, która rozrosła się do sześciu tysięcy żołnierek, mających status półboski. Kobiety te nie pełniły bynajmniej funkcji ozdobnika. Przez ponad dwieście lat były główną siłą w walce z europejskimi kolonizatorami. Budziły lęk wśród wojsk francuskich, nad którymi niejednokrotnie zwyciężały. Dopiero w 1892 roku udało się kobiecą armię pokonać, gdy Francuzi przywieźli statkami nowoczesne oddziały artylerii, Legię Cudzoziemską, oddział piechoty morskiej i kawalerię.

Nieznana jest liczba poległych wojowniczek. Te, które przeżyły, przez wiele lat prowadziły wojnę partyzancką, a weteranki dożyły lat czterdziestych XX wieku, kiedy to zostały sfotografowane i przeprowadzono z nimi wywiady.

Rozdział 23
Piątek 1 lipca – niedziela 10 lipca

DWA TYGODNIE PRZED PROCESEM Lisbeth Salander Christer Malm zakończył pracę nad layoutem 364-stronicowej książki o skromnym tytule *Sekcja*. Okładka była utrzymana w odcieniach błękitu. Litery były żółte. Na samym dole Christer Malm umieścił siedem portretów rozmiarów znaczka pocztowego, przedstawiających szwedzkich premierów. Ponad nimi zawisło zdjęcie Zalachenki. Malm wykorzystał jego zdjęcie paszportowe. Zwiększył kontrast tak, że widoczne były tylko ciemniejsze partie, jak cień rzucony na okładkę. Nie był to projekt szczególnie wyrafinowany, ale dość efektowny. Jako autorów podano Mikaela Blomkvista, Henry'ego Corteza i Malin Eriksson.

Zbliżała się piąta trzydzieści. Christer przepracował całą noc. Trochę go mdliło i czuł potrzebę położenia się do łóżka. Malin Eriksson siedziała z nim cały czas i robiła ostateczną korektę każdej strony, którą Christer uznał za gotową i wydrukował. Teraz już spała na redakcyjnej sofie.

Christer Malm zebrał dokumenty ze zdjęciami i czcionkami w jednym folderze. Uruchomił program Toast i wypalił dwie płyty CD. Jedną umieścił w redakcyjnej szafie pancernej. Drugą odebrał zaspany Mikael Blomkvist, który zjawił się krótko przed siódmą.

– Idź do domu i połóż się – powiedział.

– Właśnie idę – odparł Christer.

Pozwolili Malin Eriksson spać dalej i włączyli alarm. Henry Cortez miał przyjść o ósmej, żeby objąć dyżur. Przybili piątkę i rozstali się przed bramą.

MIKAEL BLOMKVIST poszedł pieszo na Lundagatan, gdzie znów samowolnie pożyczył sobie porzuconą hondę Lisbeth Salander. Osobiście zawiózł płytę Janowi Köbinowi, szefowi drukarni Hallvigs Reklamtryckeri. Mieściła się w niepozornym ceglanym budynku przy torach kolejowych w miejscowości Morgongåva pod Salą. Nie chciał powierzyć tej przesyłki poczcie.

Jechał wolno, spokojnie. W drukarni zaczekał, aż sprawdzili, czy płyta działa. Upewnił się, że książka naprawdę będzie gotowa w dniu rozpoczęcia procesu. Problemem nie był druk, ale oprawa, która mogła trwać trochę dłużej. Ale Jan Köbin zapewnił, że w umówionym terminie będą w stanie dostarczyć co najmniej pięć tysięcy egzemplarzy z zamówionych dziesięciu tysięcy pierwszego nakładu. Książka miała mieć większy format kieszonkowy.

Mikael upewnił się dodatkowo, czy wszyscy zobowiązują się zachować ścisłą tajemnicę. Choć było to raczej zbyteczne. Przed dwoma laty w podobnych okolicznościach drukarnia Hallvigs wydrukowała książkę Mikaela o finansiście Hansie-Eriku Wennerströmie. Wszyscy wiedzieli, że książki małego wydawnictwa „Millennium" są czymś wyjątkowym.

Potem Mikael bez pośpiechu wrócił do Sztokholmu. Zaparkował przed swoim mieszkaniem na Bellmansgatan, wszedł na górę i szybko spakował trochę ubrań, golarkę i szczoteczkę do zębów. Pojechał na przystań Stavsnäs w Värmdö. Zaparkował i wsiadł na prom do Sandhamn.

Pierwszy raz od Bożego Narodzenia wybrał się do letniego domu. Otworzył okiennice, wpuścił świeże powietrze i napił się wody mineralnej. Jak zwykle, kiedy skończył pracę, tekst poszedł do druku i nic już nie można było zmienić, czuł się pusty.

Przez godzinę zamiatał, ścierał kurze, czyścił prysznic. Uruchomił lodówkę, sprawdził wodociąg i zmienił pościel na antresoli. Poszedł do sklepu spożywczego i kupił wszystko, czego potrzeba na weekend. Potem włączył ekspres do kawy, usiadł na werandzie, palił papierosa i nie myślał o niczym specjalnym.

Tuż przed piątą ruszył do przystani parowców i odebrał Monikę Figuerolę.

– Nie sądziłem, że uda ci się wziąć wolne – powiedział, całując ją w policzek.

– Ja też nie sądziłam. Ale powiedziałam Edklinthowi jak jest. Pracowałam nieustannie przez ostatnie tygodnie i przestaję być efektywna. Potrzebuję dwóch wolnych dni, żeby naładować baterie.

– W Sandhamn?

– Nie powiedziałam, dokąd się wybieram – odpowiedziała z uśmiechem.

Najpierw dokładnie obejrzała dwudziestopięciometrowy domek Mikaela. Krytycznym okiem zlustrowała wnękę kuchenną, łazienkę i antresolę do spania. W końcu z aprobatą pokiwała głową. Umyła się i przebrała w cienką letnią sukienkę, podczas gdy Mikael przygotowywał kotlety jagnięce w sosie z czerwonego wina i nakrywał na tarasie. Jedli w milczeniu, przyglądając się jachtom płynącym do lub z portu w Sandhamn. Wypili na spółkę butelkę wina.

– Cudowna jest ta chata. Czy to tu zabierasz wszystkie swoje dziewczyny? – zapytała nagle Monika Figuerola.

– Nie wszystkie. Tylko te najważniejsze.

– Czy Erika Berger tu była?

– Wiele razy.

– A Lisbeth Salander?

– Mieszkała tu przez kilka tygodni, kiedy pisałem książkę o Wennerströmie. Dwa lata temu spędziliśmy tu razem Boże Narodzenie.

– A więc Berger i Salander są tak ważne w twoim życiu?

– Erika jest moją najlepszą przyjaciółką. Przyjaźnimy się od dwudziestu pięciu lat. Lisbeth to zupełnie inna historia. Jest specyficzną osobą i najbardziej aspołeczną, jaką spotkałem. Można powiedzieć, że zrobiła na mnie duże wrażenie, kiedy się poznaliśmy. Lubię ją. Przyjaźnimy się.

– Żal ci jej?

– Nie. W jakimś sensie sama wybrała to gówno, w którym tkwi. Ale czuję do niej dużą sympatię i przywiązanie.

– Ale nie jesteś zakochany w niej ani w Berger?

Wzruszył ramionami. Monika przyglądała się spóźnionemu amigo 23 z zapalonymi światłami pozycyjnymi, który z warkotem zaburtowego silnika przepłynął przed dziobem, w drodze do portu.

– Jeśli miłość oznacza, że bardzo się kogoś lubi, to chyba jestem zakochany w kilku osobach – odparł.

– A teraz we mnie?

Mikael skinął głową. Monika patrzyła na niego ze zmarszczonymi brwiami.

– Czy to ci przeszkadza? – zapytał.

– Że miałeś przedtem kobiety? Nie. Ale przeszkadza mi, że tak naprawdę nie wiem, co się między nami dzieje. I nie sądzę, żebym mogła pozostawać w związku z facetem, który pieprzy się z kim popadnie...

– Nie zamierzam przepraszać za to, jak żyję.

– A ja myślę, że mam do ciebie słabość właśnie dlatego, że jesteś tym, kim jesteś. Tak łatwo jest iść z tobą do łóżka, bo nie ma żadnego zawracania głowy. Dobrze się z tym czuję. Ale wszystko zaczęło się od tego, że uległam szalonemu impulsowi. Coś takiego nie zdarza mi się zbyt często, wcale tego nie planowałam. A teraz doszliśmy do takiego etapu, że jestem jedną z lasek, które tu zapraszasz.

Mikael siedział chwilę w milczeniu.

– Nie musiałaś przyjeżdżać.

– A właśnie że musiałam. Tak, do jasnej cholery. Mikaelu...

– Wiem.

– Jestem nieszczęśliwa. Nie chcę się w tobie zakochać. To będzie zbyt mocno bolało, gdy się skończy.

– Dostałem tę chatę, kiedy umarł mój ojciec, a matka przeprowadziła się do Norrlandii. Podzieliliśmy się tak, że siostra dostała mieszkanie, a ja domek. Jest mój od prawie dwudziestu pięciu lat.

– Rozumiem.

– Pomijając kilka przypadkowych znajomości z początku lat osiemdziesiątych, dokładnie pięć kobiet było tutaj przed tobą. Erika, Lisbeth i moja była żona. Byliśmy małżeństwem w latach osiemdziesiątych. I jeszcze dziewczyna, z którą spotykałem się dość poważnie pod koniec lat dziewięćdziesiątych, a ostatnio kobieta, która jest trochę starsza ode mnie. Poznałem ją dwa lata temu i widujemy się od czasu do czasu. To trochę wyjątkowe okoliczności...

– Ach tak?

– Mam ten domek po to, żeby czasem uciec z miasta i mieć święty spokój. Prawie zawsze jestem tu sam. Czytam książki, piszę, odpoczywam, siedzę na pomoście i gapię się na łódki. To nie jest kawalerskie gniazdko rozpusty.

Wstał, żeby przynieść butelkę wina, którą postawił w cieniu przy drzwiach.

– Nie mogę ci niczego obiecać – powiedział. – Moje małżeństwo się rozpadło, bo Erika i ja nie mogliśmy bez siebie wytrzymać. *Been there, done that, got the T-shirt.*

Napełnił kieliszki.

– Ale ty jesteś najbardziej interesującą osobą... bardzo dawno takiej nie spotkałem. Nasz związek od pierwszego dnia działa na najwyższych obrotach. Myślę, że zakochałem się w tobie już wtedy, kiedy zabrałaś mnie ze schodów przed moim mieszkaniem. Za każdym razem, kiedy później spałem u siebie w domu, budziłem się w środku nocy i tęskniłem za tobą. Nie wiem, czy chcę być w stałym związku, ale umieram ze strachu, że mogę cię stracić.

Spojrzał na nią.

– Więc jak myślisz, co zrobimy?

– Zastanówmy się nad tym – powiedziała Monika. – Ja też czuję, że coś mnie do ciebie niesłychanie przyciąga.

– To zaczyna być coś poważnego – powiedział Mikael.

Kiwnęła głową i nagle poczuła wielki smutek. Potem przez bardzo długą chwilę nic nie mówili. Kiedy się ściemniło, sprzątnęli ze stołu i zamknęli drzwi.

W PIĄTEK, NA TYDZIEŃ przed procesem, Mikael zatrzymał się przed kioskiem przy Slussen i obejrzał strony tytułowe porannych gazet. Prezes zarządu „Svenska Morgon-Posten" Magnus Borgsjö skapitulował i zapowiedział swoje ustąpienie. Mikael kupił gazety i poszedł do Javy na Hornsgatan, gdzie zjadł późne śniadanie. Jako powód swojego nagłego odejścia Borgsjö podał sprawy rodzinne. Nie chciał komentować sugestii, że jego decyzja miała coś wspólnego z faktem, że Erika Berger była zmuszona zrezygnować ze stanowiska naczelnej, kiedy polecił jej wyciszyć historię o swoim zaangażowaniu w Vitavara AB. W krótkiej notatce poniżej wyjaśniono, że przewodniczący Szwedzkiej Izby Przemysłowej postanowił powołać komisję etyki, która ma się przyjrzeć kontaktom szwedzkich firm z przedsiębiorstwami z Azji Południowo-Wschodniej zatrudniającymi dzieci.

Mikael Blomkvist znienacka głośno się zaśmiał.

Potem złożył gazety, wziął do ręki niebieskiego Ericssona T10 i zadzwonił do Tej z TV4, przerywając jej jedzenie kanapki.

– Cześć, kochanie – powiedział. – Zakładam, że nadal nie chcesz się ze mną umówić.

– Cześć, Mikael – zaśmiała się Ta z TV4. – Sorry, ale jesteś dokładnym przeciwieństwem mojego typu. Ale i tak bywasz dość zabawny.

– Więc może przynajmniej mogłabyś dziś zjeść ze mną kolację i pogadać o sprawach zawodowych?

– A co masz?

– Dwa lata temu Erika Berger zawarła z tobą umowę w sprawie afery Wennerströma. Dobrze to wyszło. Chciałbym umówić się z tobą podobnie.

– Opowiadaj.

– Dopiero jak ustalimy warunki. Tak samo jak przy Wennerströmie, zamierzamy opublikować książkę i rozprowadzać ją razem z numerem tematycznym. To będzie wielka sprawa. Oferuję ci wyłączność na cały materiał przed publikacją, jeśli dochowasz tajemnicy do czasu ukazania się. A publikacja w tym przypadku jest skomplikowana, bo wszystko musi się ukazać konkretnego dnia.

– Jak wielka jest ta sprawa?

– Większa niż Wennerströma – powiedział Mikael Blomkvist. – Czy jesteś zainteresowana?

– Żartujesz? Jasne! Gdzie się spotykamy?

– Co powiesz na Samirs Gryta? Erika Berger też przyjdzie.

– A co to za historia z Berger? Czy wróciła do „Millennium" po tym, jak ją wyrzucili z SMP?

– Nie wyrzucili. Sama się zwolniła w trybie natychmiastowym. Różnica zdań z Borgsjö.

– Ten to mi wygląda na prawdziwego palanta.

– Mnie też – zgodził się Mikael Blomkvist.

FREDRIK CLINTON słuchał Verdiego przez słuchawki. Muzyka pozostała jedyną rzeczą w jego życiu, która pozwalała mu oderwać się od aparatów do dializy i nasilającego się bólu kręgosłupa. Nie nucił. Zamknął oczy i naśladował linię melodii prawą ręką. Fruwała w powietrzu i zdawała się żyć własnym życiem przy jego rozkładającym się ciele.

Tak to wygląda. Rodzimy się. Żyjemy. Starzejemy się. Umieramy. Zrobił swoje. Jedyne, co pozostało, to rozkład.

Czuł się dziwnie zadowolony z życia.

Puszczał muzykę, by uczcić swojego przyjaciela Everta Gullberga.

Była sobota, dziewiątego lipca. Za niecały tydzień zaczynał się proces, po którym Sekcja będzie mogła odłożyć tę przykrą sprawę ad acta. Rano otrzymał wiadomość. Gullberg był twardy jak mało kto. Kiedy człowiek strzela sobie w skroń dziewięciomilimetrowym pociskiem płaszczowym, liczy na to, że umrze. A mimo to minęły trzy miesiące, zanim ciało Gullberga wreszcie się poddało. Zresztą zadecydował o tym raczej przypadek, a nie upór, z jakim doktor Anders Jonasson usiłował walczyć o jego życie. To rak, a nie kula, był ostateczną przyczyną śmierci.

Ale umieranie wiązało się z bólem, co napawało Clintona przygnębieniem. Gullberg nie był w stanie komunikować się z otoczeniem, ale miewał okresy przebłysków świadomości. Odbierał bodźce. Personel zauważył, że pacjent się uśmiecha, kiedy ktoś gładzi go po policzku, i postękuje, kiedy odczuwa ból. Czasami próbował się z kimś porozumieć, artykułując jakieś niezrozumiałe słowa.

Nie miał rodziny, żaden przyjaciel nie odwiedzał go w szpitalu. Ostatnim doznaniem w jego życiu był widok pochodzącej z Erytrei nocnej pielęgniarki nazwiskiem Sara Kitama, która czuwała przy jego łóżku i trzymała go za rękę, gdy umierał.

Fredrik Clinton zdawał sobie sprawę, że wkrótce podąży za towarzyszem broni. Nie było co do tego wątpliwości. Prawdopodobieństwo, że uda mu się doczekać transplantacji nerki, której tak dramatycznie potrzebował, zmniejszało się z każdym dniem, a rozkład jego ciała postępował nieuchronnie. Wątroba i nerki pracowały gorzej przy każdym badaniu.

Miał nadzieję, że uda mu się dożyć do Bożego Narodzenia.

Był mimo wszystko zadowolony. Odczuwał niesamowitą, radosną satysfakcję, że schyłek jego życia niespodziewanie okazał się powrotem na służbę.

Nigdy nie liczył na taki przywilej.

Ostatnie dźwięki Verdiego przebrzmiały akurat w momencie, gdy Wadensjöö otworzył drzwi do małego pokoju wypoczynkowego Clintona w kwaterze głównej Sekcji na Artillerigatan.

Clinton otworzył oczy.

Doszedł do wniosku, że Wadensjöö stanowi obciążenie. Po prostu nie nadawał się na szefa najważniejszej szpicy szwedzkiej obronności. Nie pojmował, jak mógł kiedyś razem z von Rottingerem dokonać tak niewłaściwego wyboru. Uważali Wadensjöö za naturalnego następcę.

Wadensjöö był wojownikiem, który potrzebował korzystnych wiatrów. W czasach kryzysu był słaby i niezdolny do podejmowania decyzji. Żeglarz spokojnego morza. Strachliwy, pozbawiony stalowego, niezłomnego kręgosłupa. Gdyby losy Sekcji zależały od niego, siedziałby sparaliżowany i pozwolił, by wszystko się rozpadło.

To proste.

Jedni to mają. Inni zawsze będą zawodzić w chwili próby.

– Chciałeś ze mną rozmawiać? – zapytał Wadensjöö.

– Siadaj – powiedział Clinton.

Wadensjöö usiadł.

– Jestem już w takim wieku, że nie mam czasu odkładać spraw na później. Powiem prosto z mostu. Chcę, żebyś przestał kierować Sekcją, kiedy ta sprawa się skończy.

– Co?

Clinton mówił dalej łagodniejszym tonem.

– Jesteś porządnym człowiekiem, Wadensjöö. Ale niestety nie nadajesz się do tego, żeby przejąć odpowiedzialność po Gullbergu. Nigdy nie powinieneś był otrzymać tej funkcji. To był błąd von Rottingera i mój, że nie zajęliśmy się bliżej sprawą sukcesji, kiedy zacząłem chorować.

– Nigdy mnie nie lubiłeś.

– Mylisz się. Byłeś wspaniałym administratorem, kiedy razem z Rottingerem kierowaliśmy Sekcją. Nie poradzilibyśmy sobie bez twojej pomocy, w najwyższym stopniu polegam też na twoim patriotyzmie. Ale nie wierzę w twoje zdolności do podejmowania decyzji.

Wadensjöö uśmiechnął się gorzko.

– Po tym wszystkim sam nie wiem, czy chcę jeszcze zostać w Sekcji.

– Kiedy zabrakło Gullberga i Rottingera, sam musiałem podejmować zasadnicze decyzje. Ty w ciągu ostatnich kilku miesięcy konsekwentnie podważałeś wszelkie moje postanowienia.

– I mogę powtórzyć, że te twoje postanowienia były szalone. To się skończy katastrofą.

– Możliwe. Ale brak decyzji gwarantował upadek. Teraz mamy przynajmniej szansę i wszystko jest na dobrej drodze. „Millennium" jest sparaliżowane. Może podejrzewają, że gdzieś tam jesteśmy, ale nie mają dowodów i nie będą w stanie ich znaleźć ani też znaleźć nas. Mam kontrolę nad wszystkimi ich poczynaniami.

Wadensjöö popatrzył przez okno. Widział szczyty dachów kilku sąsiednich domów.

– Jedyne, co nam pozostało, to córka Zalachenki. Jeśli ktoś zacznie grzebać w jej historii i posłucha tego, co może powiedzieć, mogą się zdarzyć różne rzeczy. Ale proces zaczyna się za kilka dni, a potem sprawa będzie załatwiona. Tym razem musimy zakopać ją tak głęboko, żeby już nigdy nie mogła się wydostać i nas straszyć.

Wadensjöö potrząsnął głową.

– Nie pojmuję twojej postawy – powiedział Clinton.

– Tak. Rozumiem, że nie pojmujesz. Niedawno skończyłeś sześćdziesiąt osiem lat. Jesteś umierający. Twoje decyzje są irracjonalne, ale mimo to zaczarowałeś w jakiś sposób Georga Nyströma i Jonasa Sandberga. Słuchają cię, jakbyś był Bogiem Ojcem.

– Bo jestem Bogiem Ojcem we wszystkich sprawach związanych z Sekcją. Pracujemy według planu. Nasze zdecydowanie daje Sekcji szansę. I z takim samym zdecydowaniem mówię, że Sekcja nigdy więcej nie znajdzie się w takim położeniu. Kiedy ta sprawa się skończy, przeprowadzimy dokładny przegląd naszej działalności.

– Rozumiem.

– Nowym szefem zostanie Georg Nyström. Właściwie jest za stary, ale jest jedyną osobą, która wchodzi w grę, obiecał też, że zostanie w Sekcji co najmniej sześć lat. Sandberg jest za młody i z powodu twojego stylu zarządzania ma za mało doświadczenia. Właściwie powinien już być w pełni wyszkolony.

– Clinton, czy ty nie rozumiesz? Zamordowałeś człowieka. Björck pracował dla Sekcji przez trzydzieści pięć lat, a ty kazałeś go zabić. Czy nie rozumiesz...

– Wiesz dobrze, że to było konieczne. Zdradził nas i nigdy nie wytrzymałby presji, gdyby policja go przyszpiliła.

Wadensjöö wstał.

– Jeszcze nie skończyłem.

– W takim razie dokończymy kiedy indziej. Mam robotę, a ty tu sobie leżysz i oddajesz się fantazjom, że jesteś Bogiem Wszechmogącym.

Wadensjöö ruszył do drzwi.

– Jeśli jesteś aż tak oburzony, dlaczego nie pójdziesz do Jana Bublanskiego i nie wyznasz grzechów?

Wadensjöö odwrócił się do chorego.

– Przeszło mi to przez głowę. Ale niezależnie od tego, co ty o tym myślisz, będę ze wszystkich sił bronił Sekcji.

Kiedy otworzył drzwi, natknął się na Georga Nyströma i Jonasa Sandberga.

– Cześć, Clinton – powiedział Nyström. – Musimy porozmawiać o kilku sprawach.

– Wchodźcie. Wadensjöö właśnie wychodzi.

Nyström zaczekał, aż drzwi się zamkną.

– Fredriku, jestem poważnie zaniepokojony – powiedział.

– Dlaczego?

– Zastanawialiśmy się nad tym z Sandbergiem. Dzieją się rzeczy, których nie umiemy wyjaśnić. Dzisiaj rano adwokat Salander przekazała prokuratorowi jej autobiografię.

– Co?

INSPEKTOR HANS FASTE przyglądał się Annice Giannini. Prokurator Richard Ekström nalewał kawy z termosu stojącego na stole. Ekström był zaskoczony dokumentem, który dostał do rąk, kiedy rano zjawił się w pracy. Razem z Fastem przeczytali czterdzieści stron relacji Lisbeth Salander. Długo dyskutowali o tym dziwnym dokumencie. W końcu Ekström poczuł się zmuszony wezwać Annikę Giannini na nieformalną rozmowę.

Usiedli przy niewielkim stole konferencyjnym w gabinecie Ekströma.

– Dziękuję, że zechciała pani przyjść – zaczął Ekström. – Przeczytałem to... hm... sprawozdanie, które pani zostawiła mi dziś rano, i chciałbym wyjaśnić kilka spraw...

– Tak, słucham? – powiedziała Annika Giannini życzliwie.

– Właściwie sam nie wiem, od czego zacząć. Może od tego, że zarówno ja, jak i inspektor Faste jesteśmy ogromnie zaskoczeni.

– Ach tak?

– Próbuję zrozumieć pani intencje.

– O co panu chodzi?

– Ta autobiografia czy jak to określić. Czemu ma służyć?

– To chyba oczywiste. Moja klientka chce przedstawić swoją wersję wydarzeń.

Ekström zaśmiał się dobrodusznie. Pogładził się po brodzie charakterystycznym dla siebie gestem, który z jakiegoś powodu zaczął drażnić Annikę.

– Tak, ale pani klientka miała kilka miesięcy na to, żeby się wytłumaczyć. Nie odezwała się ani słowem podczas wszystkich przesłuchań, jakie usiłował przeprowadzić inspektor Faste.

– O ile wiem, nie ma zapisu prawnego, który zmuszałby do mówienia wtedy, kiedy to pasuje inspektorowi Fastemu.

– Nie, ale chciałbym powiedzieć, że za dwa dni zaczyna się proces, a pani Salander podrzuca nam to za pięć dwunasta. Czuję tu odpowiedzialność wykraczającą nieco poza moje obowiązki prokuratora.

– Doprawdy?

– Nie chciałbym w żadnym wypadku wyrażać się w sposób, który mogłaby pani odebrać jako obraźliwy. Nie jest to moim zamiarem. Ale mamy w naszym kraju prawo procesowe. A pani, pani Giannini, jest obrończynią praw kobiet i nigdy nie reprezentowała pani osoby oskarżonej o przestępstwo kryminalne. Nie wnoszę oskarżenia przeciwko Lisbeth Salander dlatego, że jest kobietą, ale dlatego że dopuściła się brutalnych przestępstw. Wydaje mi się, że nawet pani powinna rozumieć, że Salander cierpi na poważne zaburzenia psychiczne i społeczeństwo powinno zapewnić jej pomoc i opiekę.

– Może pomogę panu – powiedziała uprzejmie Annika Giannini. – Obawia się pan, że nie będę w stanie zapewnić Lisbeth Salander wystarczającej obrony w sądzie.

– Nie ma w tym nic deprecjonującego – tłumaczył się Ekström. – Ja nie podważam pani kompetencji. Zauważam tylko, że brakuje pani doświadczenia.

– Rozumiem. I przyznam panu rację. Nie mam doświadczenia w sprawach kryminalnych.

– A mimo to konsekwentnie odmawiała pani przyjęcia pomocy, którą oferowali bardziej doświadczeni adwokaci...

– Zgodnie z życzeniem mojej klientki. Lisbeth Salander chce, żebym była jej adwokatem, Będę ją reprezentować w sądzie za dwa dni.

Uśmiechnęła się uprzejmie.

– Okej. Ale ciekaw jestem, czy rzeczywiście zamierza pani z całą powagą przedstawić ten tekst przed sądem?

– Oczywiście. To jest historia Lisbeth Salander.

Ekström i Faste spojrzeli po sobie. Faste uniósł brwi. Nie rozumiał, o czym Ekström właściwie gada. Jeśli Giannini nie rozumie, że jest na najlepszej drodze, żeby pogrążyć swoją klientkę, to raczej, do diabła, nie jest to problem prokuratora. Trzeba skorzystać z okazji, podziękować i odłożyć sprawę ad acta.

Nie miał wątpliwości, że Salander ma nie po kolei w głowie. Używając wszystkich swoich umiejętności, próbował ją skłonić, żeby powiedziała chociaż, gdzie mieszka. Ale na każdym przesłuchaniu ta pieprzona idiotka siedziała z gębą na kłódkę i wpatrywała się w ścianę za jego plecami. Nie drgnęła nawet o milimetr. Nie przyjmowała papierosów, którymi ją częstował, kawy ani napojów chłodzących. Nie reagowała, kiedy do niej apelował ani kiedy wyprowadzony z równowagi podnosił głos.

To były chyba najbardziej frustrujące przesłuchania, jakie kiedykolwiek prowadził.

Westchnął.

– Pani Giannini – powiedział w końcu Ekström. – Jestem zdania, że pani klientka nie powinna stawać przed sądem. Jest chora. Mam specjalistyczną diagnozę sądowo-lekarską, na której opieram swoją opinię. Powinna otrzymać opiekę psychiatryczną, jakiej od wielu lat potrzebuje.

– W takim razie uważam, że powinien pan powiedzieć to przed sądem.

– Tak też zrobię. Nie jest moim zadaniem podpowiadanie pani, jak ma pani jej bronić. Ale jeśli to jest linia obrony, jaką pani poważnie zamierza zaprezentować, to znaczy, że sytuacja jest całkowicie absurdalna. Ta autobiografia zawiera niedorzeczne i niepotwierdzone oskarżenia wobec szeregu osób... między innymi wobec jej byłego kuratora, adwokata Bjurmana, i doktora Petera Teleboriana. Mam nadzieję, że pani nie wierzy w to, że sąd przyjmie stwierdzenia, które bez cienia dowodu obciążają Teleboriana. Ten dokument będzie gwoździem do trumny pani klientki, proszę wybaczyć to wyrażenie.

– Rozumiem.

– Może pani w trakcie procesu negować jej chorobę i zażądać uzupełniającej ekspertyzy sądowo-lekarskiej. Sprawa może zostać przekazana do rozstrzygnięcia biegłym. Ale, szczerze mówiąc, po tym tekście Salander nie ma wątpliwości, że wszyscy psychiatrzy dojdą do tych samych wniosków co Peter Teleborian. Jej własna opowieść potwierdza wszystkie dokumenty stwierdzające, że jest paranoidalną schizofreniczką.

Annika Giannini uśmiechnęła się miło.

– Istnieje jeszcze jedna alternatywa – powiedziała.

– Jaka? – zapytał Ekström.

– No cóż. Możliwe, że jej opowieść jest prawdziwa i sąd zechce w nią uwierzyć.

Prokurator Ekström nie potrafił ukryć zaskoczenia. Uśmiechnął się uprzejmie i pogładził brodę.

FREDRIK CLINTON siedział w swoim pokoju przy niewielkim bocznym stoliku koło okna. Słuchał uważnie relacji Georga Nyströma i Jonasa Sandberga. Jego twarz pokryła się fałdami, ale oczy były skupione i ostre jak ziarenka pieprzu.

– Sprawdzaliśmy telefony i pocztę elektroniczną najważniejszych pracowników „Millennium" od kwietnia – powiedział Clinton. – Stwierdziliśmy, że Blomkvist, Malin Eriksson i ten Cortez są bliscy załamania. Przeczytaliśmy w layoucie najbliższy numer „Millennium". Wygląda na to, że Blomkvist sam się wycofał i twierdzi, że Salander mimo wszystko jest wariatką. Napisał społecznie zaangażowaną obronę Lisbeth Salander, w której dowodzi, że nie dostała od społeczeństwa pomocy, jakiej potrzebowała, i dlatego w pewnym sensie to nie jej wina, że próbowała zabić swojego ojca... ale to opinia, która nic nie znaczy. Nie ma ani słowa o włamaniu do jego mieszkania ani o napadzie na jego siostrę w Göteborgu i zaginionych dokumentach. Wie, że nie jest w stanie niczego udowodnić.

– Właśnie na tym polega problem – powiedział Jonas Sandberg. – Blomkvist musiał wiedzieć, że coś jest nie tak. Ale po prostu wszystko ignorował. Przepraszam, ale to mi wcale nie wygląda na styl działania „Millennium". Poza tym Erika Berger wróciła do redakcji. Cały ten numer jest tak jałowy i pozbawiony treści, że sprawia wrażenie kawału.

– Czyli co... sądzisz, że to może być fałszywka?

Jonas Sandberg skinął głową.

– Letni podwójny numer „Millennium" powinien się ukazać w ostatnim tygodniu czerwca. Z tego, co wyczytaliśmy z korespondencji Malin Eriksson i Mikaela Blomkvista, pismo zostanie wydrukowane przez pewną firmę z Södertälje. Ale kiedy dzisiaj rano dzwoniłem do tej firmy, dowiedziałem się, że nie dostali nawet oryginału do druku. Mieli tylko zapytanie ofertowe z „Millennium", sprzed miesiąca.

– Hmm... – mruknął Fredrik Clinton.

– A gdzie wcześniej drukowali?

– W firmie Hallvigs Reklamtryckeri w Morgongåva. Zadzwoniłem tam i zapytałem, na jakim etapie są – podawałem się za pracownika „Millennium". Szef Hallvigs nie chciał powiedzieć ani słowa. Zamierzam przejechać się tam dziś wieczorem i trochę się rozejrzeć.

– Rozumiem. Georg?

– Przyjrzałem się wszystkim zarejestrowanym rozmowom telefonicznym z ostatniego tygodnia – powiedział Georg Nyström. – To dziwne, ale żaden z pracowników „Millennium" nie mówi o sprawach związanych z procesem czy sprawą Zalachenki.

– Nic nie mówią?

– Nie. Ten temat pojawia się tylko wtedy, kiedy ktoś z „Millennium" rozmawia z kimś z zewnątrz. Posłuchajcie tego na przykład. Do Mikaela Blomkvista dzwoni dziennikarz z „Aftonbladet" i prosi o skomentowanie zbliżającego się procesu.

Wyciągnął magnetofon.

– *Sorry, ale nie wypowiadam się na ten temat.*

– *Ale był pan w to zaangażowany od samego początku. To przecież pan odnalazł Salander w Gosseberdze. I nie napisał pan jeszcze o tym ani słowa. Kiedy zamierza pan coś opublikować?*

– *Kiedy nadejdzie pora. Jeśli oczywiście będę miał co opublikować.*

– *A ma pan?*

– *Cóż, najlepiej będzie, jak pan kupi „Millennium" i sam się przekona.*

– Właściwie nie zastanawialiśmy się nad tym wcześniej, ale cofnąłem się trochę i słuchałem na wyrywki. Cały czas to samo. Prawie nigdy nie mówi o sprawie Zalachenki, a jeśli już, to wypowiada się jak najogólniej. Nie dyskutuje nawet ze swoją siostrą, która przecież jest adwokatem Salander.

– Może naprawdę nie ma nic do powiedzenia?

– Konsekwentnie odmawia spekulowania na jakikolwiek temat. Wygląda, jakby na okrągło siedział w redakcji, prawie nigdy nie bywa w domu na Bellmansgatan. Jeśli pracuje dwadzieścia cztery godziny na dobę, powinien stworzyć coś lepszego niż to, co ma się znaleźć w następnym numerze „Millennium".

– I nadal nie możemy podsłuchiwać redakcji?

– Nie – odpowiedział zamiast Nyströma Jonas Sandberg. – Cały czas ktoś tam jest. To też jest zastanawiające.

– Hmm?

– Od chwili kiedy włamaliśmy się do mieszkania Blomkvista, zawsze ktoś jest w redakcji. Blomkvist tam znika i w jego pokoju bez przerwy pali się światło. Jeśli nie on, to siedzi tam ten Cortez, Malin Eriksson albo tamten pedał... Christer Malm.

Clinton pogładził się po podbródku. Namyślał się chwilę.

– Okej. Wnioski?

Georg Nyström powiedział z wahaniem:

– Jakby tu... gdybym nie wiedział, o co chodzi, powiedziałbym, że odgrywają przed nami przedstawienie.

Clinton poczuł zimny dreszcz na karku.

– Dlaczego wcześniej tego nie zauważyliśmy?

– Słuchaliśmy tego, co mówią, a nie tego, czego nie mówią. Cieszyliśmy się, kiedy słyszeliśmy albo czytaliśmy w mailach, jacy są zagubieni. Blomkvist wie, że ktoś ukradł raport Björcka w sprawie Salander, zarówno jemu, jak i jego siostrze. Ale co może z tym zrobić?

– Nie zgłosili tego na policję?

Nyström potrząsnął głową.

– Giannini siedziała przy przesłuchaniach Salander. Jest uprzejma, ale nie mówi nic istotnego. A Salander w ogóle nic nie mówi.

– Ależ to jest nam na rękę. Im dłużej trzyma gębę na kłódkę, tym lepiej. Co na to Ekström?

– Spotkałem go dwie godziny temu. Zaraz po tym jak dostał tę autobiografię Salander.

Wskazał na kopię leżącą na kolanach Clintona.

– Ekström jest zdezorientowany. To dobrze, że Salander pisze tak nieporadnie. Dla niezorientowanego czytelnika to sprawozdanie będzie wyglądać na kompletnie wariacką teorię spiskową z elementami pornografii. Ale strzela blisko bramki. Opowiada dokładnie, jak to było, kiedy została zamknięta w Klinice św. Stefana. Twierdzi, że Zalachenko pracował dla Säpo i tak dalej. Mówi, że jej zdaniem chodzi o małą sektę wewnątrz Säpo, co świadczy o tym, że podejrzewa istnienie Sekcji. W gruncie rzeczy to dokładny opis naszej działalności. Ale, jak mówiłem, nie jest wiarygodny. Ekström jest zdezorientowany, bo to jest też linia obrony Giannini przed sądem.

– Kurwa – wyrwało się Clintonowi.

Opuścił głowę i myślał intensywnie kilka minut. W końcu podniósł na nich wzrok.

– Jonas, pojedź wieczorem do Morgongåvy i zbadaj, czy coś tam się dzieje. Jeśli drukują „Millennium", chcę mieć jeden egzemplarz.

– Wezmę ze sobą Faluna.

– Dobrze. Georg, chcę, żebyś po południu poszedł do Ekströma i wybadał go trochę. Dotychczas wszystko szło jak po maśle, ale nie mogę zlekceważyć tego, co mówicie.

– Okej.

Clinton siedział jeszcze chwilę w milczeniu.

– Najlepiej by było, gdyby nie doszło do procesu... – powiedział wreszcie.

Podniósł wzrok i spojrzał Nyströmowi prosto w oczy. Nyström skinął głową. Sandberg też. Cicha zgoda.

– Nyström, możesz sprawdzić, jakie są możliwości.

JONAS SANDBERG i ślusarz Lars Faulsson, bardziej znany jako Falun, zaparkowali kawałek od torów i przespacerowali się przez Morgongåvę. Był wieczór, wpół do dziewiątej. Nadal było widno. Właściwie było za wcześnie, żeby poczynić jakiekolwiek kroki, ale chcieli się rozejrzeć i zorientować w sytuacji.

– Nie wchodzę w to, jeśli tam będzie alarm – uprzedził Falun.

Sandberg skinął głową.

– Lepiej najpierw zajrzeć przez okna. Jeśli coś leży na wierzchu, wybijemy szybę kamieniem, chwycimy, co nam trzeba, i spierdalamy.

– Dobrze – zgodził się Sandberg.

– Jeśli potrzebuje pan tylko jednego egzemplarza gazety, możemy sprawdzić, czy na tyłach są pojemniki na śmieci. Muszą być wybrakowane egzemplarze, wydruki próbne i takie tam.

Firma Hallvigs Reklamtryckeri mieściła się w niskim ceglanym budynku. Zbliżali się od południa, drugą stroną ulicy. Sandberg właśnie zamierzał przejść przez jezdnię, kiedy Falun chwycił go za łokieć.

– Niech pan idzie dalej przed siebie – powiedział.

– Co?

– Niech pan idzie dalej, jakbyśmy szli na wieczorny spacer.

Minęli drukarnię i obeszli okoliczne domy.

– Ale o co chodzi? – zapytał Sandberg.

– Niech pan lepiej nauczy się patrzeć. Ta buda jest zabezpieczona nie tylko alarmem. Obok stał samochód.

– Myśli pan, że ktoś tam był?

– To był samochód Milton Security. Drukarnia jest ostro strzeżona, do kurwy nędzy!

– MILTON SECURITY! – wykrzyknął Fredrik Clinton. Poczuł wstrząs aż w przeponie.

– Gdyby Falun mnie nie powstrzymał, wszedłbym prosto w ich łapy – przyznał Jonas Sandberg.

– Tu się kroi jakieś draństwo – powiedział Georg Nyström. – Nie ma żadnego sensownego powodu, żeby jakaś mała prowincjonalna drukarnia wynajmowała na stałe Milton Security.

Clinton kiwnął głową. Jego usta wyglądały jak wąska kreska. Była jedenasta wieczorem, potrzebował odpoczynku.

– To znaczy, że „Millennium" coś przygotowuje – powiedział Sandberg.

– Domyśliłem się – stwierdził Clinton. – Okej. Przeanalizujmy sytuację. Jaki jest najgorszy możliwy scenariusz? Co oni mogą wiedzieć?

Spojrzał wyczekująco na Nyströma.

– To musi być raport w sprawie Salander z 1991 roku – powiedział Nyström. – Zrobili się ostrożniejsi po kradzieży kopii raportu. Musieli się domyślić, że są obserwowani. W najgorszym razie mogą mieć jeszcze jedną kopię.

– Ale Blomkvist był przecież taki załamany, że go stracili.

– Wiem. Ale mógł nas robić w balona. Powinniśmy brać pod uwagę i taką możliwość.

Clinton skinął głową.

– Dobrze, a więc załóżmy, że tak było. Sandberg?

– Wiemy, jak będzie wyglądała obrona Salander. Opowiada, co się wydarzyło, tak jak to widzi. Przeczytałem jeszcze raz tę jej tak zwaną autobiografię. Jest dla nas nawet korzystna. Zawiera tak poważne oskarżenia o gwałt i nadużycia prawa, że wygląda jak jakieś brednie mitomanki.

Nyström skinął głową.

– Poza tym nie jest w stanie niczego udowodnić. Ekström użyje tego przeciwko niej. Totalnie podważy jej wiarygodność.

– Okej. Nowa ekspertyza Teleboriana jest znakomita. Istnieje oczywiście możliwość, że Giannini powoła własnego eksperta, który stwierdzi, że Salander wcale nie jest wariatką, a wtedy trzeba będzie powołać kolejnych biegłych. Ale tu znów mamy to samo: jeśli Salander nie zmieni taktyki, to nie będzie chciała z nimi rozmawiać i oni też dojdą do wniosku, że Teleborian ma rację, że jest wariatką. Ona sama jest swoim najgorszym wrogiem.

– Ale i tak najlepiej by było, gdyby proces nie doszedł do skutku – powiedział Clinton.

Nyström potrząsnął głową.

– To prawie niemożliwe. Siedzi w Kronobergu i nie ma kontaktu z innymi aresztantami. Codziennie godzinę ćwiczy na wydzielonym kawałku dachu, ale nie możemy się tam dostać. Nie mamy żadnych kontaktów wśród personelu.

– Rozumiem.

– Gdybyśmy chcieli poczynić jakieś kroki przeciwko niej, powinniśmy to zrobić, kiedy leżała w Sahlgrenska. Teraz musielibyśmy to zrobić otwarcie. Prawdopodobieństwo, że morderca zostanie ujęty, jest niemal stuprocentowe. A gdzie znajdziemy *shootera*, który się na to zgodzi? Z tak małym wyprzedzeniem nie da się zaaranżować samobójstwa ani nieszczęśliwego wypadku.

– Tego się obawiałem. A niespodziewane śmierci mają tendencję do mnożenia pytań. Okej, w takim razie zobaczymy, jak pójdzie w sądzie. W samej sprawie nic się nie zmieniło. Cały czas czekaliśmy na jakiś ruch z ich strony i najwidoczniej jest nim ta tak zwana autobiografia.

– Problemem jest „Millennium" – powiedział Jonas Sandberg.

Wszyscy pokiwali głowami.

– „Millennium" i Milton Security – powiedział Clinton z namysłem. – Salander pracowała dla Armanskiego, a Blomkvist z nią sypiał. Czy mamy wyciągnąć wniosek, że połączyli siły?

– To wcale nie jest takie niedorzeczne, jeśli Milton Security pilnuje drukarni, w której drukowane jest „Millennium". To nie może być przypadek.

– Okej. Kiedy numer ma się ukazać? Sandberg mówił, że się spóźniają już dwa tygodnie. Jeśli przyjmiemy, że Milton Security pilnuje drukarni, żeby nikt nie zdobył „Millennium" przed czasem, to może to z jednej strony oznaczać, że chcą opublikować coś, czego nie zamierzają ujawniać przedwcześnie, a z drugiej strony że pismo jest już wydrukowane.

– I ukaże się równocześnie z rozpoczęciem procesu – powiedział Jonas Sandberg. – To jedyny sensowny termin.

Clinton skinął głową.

– A co może być w tym numerze? Jaki jest najgorszy scenariusz?

Wszyscy pogrążyli się w myślach. Ciszę przerwał w końcu Nyström:

– W najgorszym razie, jak mówiłem, mogą mieć kopię raportu z 1991 roku.

Clinton i Sandberg kiwnęli głowami. Doszli do tych samych wniosków.

– Pytanie brzmi, ile mogą z nim zrobić – powiedział Sandberg. – W raporcie występują Björck i Teleborian. Björck nie żyje. Zabiorą się ostro za Teleboriana, ale on

może mówić, że przeprowadził zwyczajne badanie sądowo-
-lekarskie. Będzie więc słowo przeciwko słowu, a on oczywiście nie będzie miał pojęcia, o co chodzi w tych wszystkich
oskarżeniach.

– Co zrobimy, jeśli opublikują raport? – zapytał Nyström.

– Wydaje mi się, że mamy jeszcze asa w rękawie – powiedział Clinton. – Jeśli zacznie się gadać o raporcie, wszyscy
zwrócą uwagę na Säpo, a nie na Sekcję. A kiedy dziennikarze
zaczną zadawać pytania, Säpo wyciągnie raport z archiwum...

– I oczywiście to nie będzie ten sam raport – dokończył
Sandberg.

– Shenke podłożył do archiwum zmodyfikowaną wersję, tę, którą przeczytał prokurator Ekström. Dostała numer
dziennika podawczego. Szybko możemy zalać media fałszywymi informacjami... Mamy oryginał, który dostał się
w ręce Bjurmana, a „Millennium" ma tylko kopię. Możemy
nawet zasugerować, że to sam Blomkvist sfałszował raport.

– Dobrze. Co jeszcze mogą wiedzieć w „Millennium"?

– Nie mogą nic wiedzieć o Sekcji. To niemożliwe. Czyli
będą się koncentrować na Säpo, przez co Blomkvist wyjdzie
na fanatyka teorii konspiracji, a wtedy Säpo powie, że jest
stuknięty.

– Jest dosyć znany – powiedział z namysłem Clinton.
– Po aferze Wennerströma cieszy się dużym zaufaniem.

Nyström skinął głową.

– Czy dałoby się jakoś podważyć to zaufanie? – zapytał
Jonas Sandberg.

Nyström i Clinton wymienili spojrzenia. Potem obaj
kiwnęli głowami. Clinton spojrzał na Nyströma.

– Myślisz, że mógłbyś skombinować... powiedzmy, pięćdziesiąt gramów kokainy?

– Może od Jugoli.

– Okej. Spróbuj. Ale to pilne. Proces zaczyna się za dwa
dni.

– Nie rozumiem... – powiedział Jonas Sandberg.

– To trik stary jak nasz zawód. Ale nadal bardzo skuteczny.

– MORGONGÅVA? – zdziwił się Torsten Edklinth i zmarszczył brwi. Siedział w domu na sofie, ubrany w szlafrok, i po raz trzeci czytał autobiografię Lisbeth Salander, kiedy zadzwoniła Monika Figuerola. Ponieważ było już dobrze po północy, domyślił się, że musiało się stać coś wyjątkowego.

– Morgongåva – powtórzyła Monika Figuerola. – Sandberg i Lars Faulsson pojechali tam dziś koło siódmej wieczorem. Curt Svensson z zespołu Bublanskiego obserwował ich przez całą drogę, co było tym łatwiejsze, że w aucie Sandberga umieściliśmy nadajnik. Zaparkowali przy starej stacji kolejowej i przeszli się przez kilka ulic, a potem wrócili do samochodu i odjechali do Sztokholmu.

– Rozumiem. Spotkali się z kimś czy...?

– Nie. To właśnie jest najdziwniejsze. Wysiedli, zrobili rundę, wrócili i pojechali z powrotem.

– Aha. W takim razie dlaczego dzwonisz w środku nocy, żeby mi o tym powiedzieć?

– Zrozumienie, o co chodzi, zajęło nam trochę czasu. Przeszli obok budynku Hallvigs Reklamtryckeri. Rozmawiałam o tym z Mikaelem Blomkvistem. To tam drukuje się „Millennium”.

– O kurwa – powiedział Edklinth.

Natychmiast skojarzył powiązania.

– Ponieważ był tam Falun, domyślam się, że chcieli złożyć późną wizytę w drukarni, ale zmienili zamiar – powiedziała Monika.

– A dlaczego?

– Dlatego, że Blomkvist poprosił Armanskiego o pilnowanie drukarni aż do rozpoczęcia dystrybucji numeru. Przypuszczalnie zobaczyli auto Milton Security. Pomyślałam, że chciałbyś o tym wiedzieć od razu.

– Masz rację. To znaczy, że zaczynają coś podejrzewać...

– Musiał im zadzwonić dzwonek alarmowy. Jeśli nie wcześniej, to na pewno kiedy zobaczyli samochód. Sandberg wysadził Faulssona w mieście i wrócił na Artillerigatan. Wiemy, że Fredrik Clinton tam jest. Georg Nyström przyszedł mniej więcej równocześnie. Pozostaje pytanie, co teraz zrobią.

– Proces zaczyna się we wtorek... Czy mogłabyś zadzwonić do Blomkvista i poprosić go, żeby wzmocnił środki ostrożności w „Millennium"? Na wszelki wypadek.

– Oni już zachowują ostrożność. A sposób, w jaki wykorzystali swoje podsłuchiwane telefony, żeby stworzyć zasłonę dymną, to czyste zawodowstwo. Faktem jest, że Blomkvist jest paranoikiem do tego stopnia, że zastosował manewry maskujące, które nam też mogłyby się przydać.

– Okej. Ale zadzwoń do niego mimo to.

MONIKA FIGUEROLA wyłączyła komórkę i odłożyła na nocny stolik. Podniosła wzrok i spojrzała na Mikaela Blomkvista, który nagi ułożył się w nogach łóżka.

– Mam do ciebie zadzwonić i powiedzieć, żebyś zwiększył środki ostrożności w „Millennium" – powiedziała.

– Dzięki za radę – rzucił zwięźle.

– Mówię poważnie. Jeśli oni zaczną się czegoś domyślać, istnieje ryzyko, że zrobią coś nieprzemyślanego. Wtedy może dojść do włamania.

– Henry Cortez tam śpi. Poza tym mamy alarm antynapadowy podłączony bezpośrednio do Milton Security, trzy minuty od redakcji.

Umilkł na krótką chwilę.

– Paranoik – mruknął.

Rozdział 24
Poniedziałek 11 lipca

W PONIEDZIAŁEK O SZÓSTEJ RANO Susanne Linder z Milton Security zadzwoniła do Mikaela Blomkvista na niebieskiego Ericssona T10.

– Czy pani w ogóle nie sypia? – zapytał Mikael zaspany.

Spojrzał na Monikę Figuerolę, która właśnie wstała i przebrała się w spodnie do biegania, ale nie zdążyła jeszcze założyć koszulki.

– Ależ tak. Ale zbudził mnie nasz nocny dyżurny. Cichy alarm, który zainstalowaliśmy w pańskim mieszkaniu włączył się o trzeciej w nocy.

– Ach tak?

– Więc musiałam tam pojechać i zobaczyć, co się stało. To bardzo sprytne. Czy mógłby pan przyjechać do Milton Security teraz? Jak najszybciej?

– TO POWAŻNA SPRAWA – powiedział Dragan Armanski.

Krótko po ósmej spotkali się przed monitorem telewizyjnym w sali konferencyjnej Milton Security. Obecni byli Armanski, Mikael Blomkvist i Susanne Linder. Armanski wezwał także Johana Fräklunda, sześćdziesiąt dwa lata, byłego inspektora policji w Solnej, obecnie szefa służb operacyjnych Milton Security, oraz czterdziestoośmioletniego Sonny'ego Bohmana, też byłego inspektora policji, który od początku śledził sprawę Salander. Wszyscy w skupieniu oglądali film z ukrytej kamery, który pokazywała im Susanne Linder.

– Widzimy tutaj, że Jonas Sandberg otwiera drzwi do mieszkania Mikaela Blomkvista o trzeciej siedemnaście. Ma swoje klucze... Pamiętacie, że tamten ślusarz Faulsson zrobił odciski zapasowych kluczy Blomkvista, kiedy kilka tygodni temu razem z Nyströmem włamali się do mieszkania.

Armanski ponuro skinął głową.

– Sandberg przebywał w mieszkaniu nieco ponad osiem minut. W tym czasie zrobił następujące rzeczy: wziął z kuchni małą plastikową torebkę, do której coś wsypał, potem odkręcił tylną pokrywę kolumny głośnika w salonie i tam umieścił woreczek.

– Hmm... – mruknął Blomkvist.

– To, że wziął torebkę z pańskiej kuchni, jest ważne.

– To torebka po bułkach z Konsumu – wyjaśnił Mikael. – Nie wyrzucam ich od razu, trzymam w nich ser i takie tam.

– Robię tak samo. To ważne, dlatego że na torebce są pańskie odciski palców. Potem z worka ze śmieciami w przedpokoju wyjął starą SMP. Oderwał jedną kartkę i zawinął w nią jakiś przedmiot, który później umieścił w pańskiej szafie.

– Hmm... – mruknął znów Mikael Blomkvist.

– To samo tutaj. Na gazecie są pańskie odciski palców.

– Rozumiem – powiedział Mikael.

– Pojechałam do pańskiego mieszkania koło piątej. I znalazłam w kolumnie około stu osiemdziesięciu gramów kokainy. Wzięłam jeden gram na próbę, proszę bardzo.

Położyła na stole małą torebkę.

– A co jest w szafie? – zapytał Mikael.

– Około sto dwadzieścia tysięcy koron w gotówce.

Armanski poprosił Susanne Linder, żeby wyłączyła telewizor. Spojrzał na Fräklunda.

– A więc Mikael Blomkvist jest zamieszany w handel kokainą – powiedział dobrodusznie Fräklund. – Najwyraźniej zaczynają się niepokoić, bo nie wiedzą, jakie ma zamiary.

– To ich kontra – powiedział Mikael.

– Kontra?

– Wczoraj wieczorem widzieli strażników Milton Security w Morgongåva.

Opowiedział o wycieczce Sandberga do Morgongåvy, o której mówiła mu Monika Figuerola.

– Pracowity mały łotrzyk – powiedział Sonny Bohman.

– Ale dlaczego akurat teraz?

– Najwyraźniej boją się tego, co „Millennium" może zrobić przed rozpoczęciem procesu – powiedział Fräklund. – Jeśli Blomkvist zostanie aresztowany za handel kokainą, jego wiarygodność będzie podważona.

Susanne Linder skinęła głową. Blomkvist wyglądał na niezdecydowanego.

– I co z tym zrobimy? – zapytał Armanski.

– Na razie nie zrobimy nic – zaproponował Fräklund. – Mamy asa w rękawie. Mamy wspaniałą dokumentację, pokazującą, jak Sandberg umieszcza materiał dowodowy w mieszkaniu Blomkvista. Poczekajmy, aż pułapka się zatrzaśnie. Od razu udowodnimy niewinność Mikaela i będzie to kolejny dowód na przestępczą działalność Sekcji. Chętnie objąłbym rolę prokuratora, kiedy tych drani postawimy przed sądem.

– Nie wiem – zaczął powoli Mikael Blomkvist. – Proces zaczyna się już pojutrze. „Millennium" ukaże się w piątek, w trzecim dniu procesu. Jeśli chcą mnie wsadzić do paki za handel kokainą, to powinno to nastąpić wcześniej... nie będę mógł wytłumaczyć, jak do tego doszło, zanim numer się nie ukaże. Ryzykuję, że będę siedział w areszcie i przegapię cały początek procesu.

– Innymi słowy, istnieją ważne powody, żebyś na ten tydzień się ukrył – zaproponował Armanski.

– Sam nie wiem... muszę zrobić materiał dla TV4 i zająć się innymi przygotowaniami. To jest mi nie na rękę...

– Ale dlaczego akurat teraz – powiedziała nagle Susanne Linder.

– Co masz na myśli? – zapytał Armanski.

– Mieli trzy miesiące na to, żeby skompromitować Blomkvista. Dlaczego wzięli się do roboty właśnie teraz? Obojętne, co zrobią, i tak nie powstrzymają publikacji.

Przez chwilę siedzieli w milczeniu.

– To może oznaczać, że domyślają się, co chcesz opublikować, Mikaelu – powiedział powoli Armanski. – Wiedzą, że coś masz... ale może myślą, że chodzi tylko o raport Björcka z 1991 roku.

Mikael niezdecydowanie pokiwał głową.

– Nie dotarło do nich, że zamierzasz ujawnić całą Sekcję. Gdyby chodziło tylko o raport Björcka, wystarczyłoby podważyć twoją wiarygodność. Twoje ewentualne rewelacje utoną w informacjach o twoim aresztowaniu. Wielki skandal. Znany reporter Mikael Blomkvist ujęty przez policję za przestępstwo narkotykowe. Sześć do ośmiu lat więzienia.

– Czy mógłbym dostać dwie kopie tego nagrania? – poprosił Mikael.

– Co zamierzasz zrobić?

– Jedna kopia dla Edklintha. A zaraz, za dwie godziny, jestem umówiony z TV4. Może dobrze będzie przygotować coś do pokazania w telewizji, kiedy to wszystko gruchnie.

MONIKA FIGUEROLA wyłączyła odtwarzacz DVD i odłożyła pilota na stół. Spotkali się w tymczasowym biurze na Fridhemsplan.

– Kokaina – powiedział Edklinth. – Ostro grają.

Monika zamyśliła się. Zerknęła na Mikaela.

– Pomyślałem, że powinniście o tym wiedzieć – powiedział Blomkvist, wzruszając ramionami.

– Nie podoba mi się to – zaczęła Monika. – Widzę w tym desperację i brak przemyślanego planu. Muszą chyba rozumieć, że nie pozwolisz tak po prostu wsadzić się do lochów Kumli, jeśli złapią cię za handel narkotykami.

– Właśnie – przyznał Mikael.

– Nawet gdybyś został skazany, nadal istnieje ryzyko, że ludzie będą ci wierzyć. A twoi koledzy z „Millennium" przecież też nie będą siedzieli cicho.

– Poza tym to kosztuje masę pieniędzy – dodał Edklinth.

– To znaczy, że mają budżet, który pozwala im bez mrugnięcia okiem wyłożyć sto dwadzieścia tysięcy koron. Plus wartość samej kokainy.

– Wiem – przyznał Mikael. – Ale plan wcale nie jest taki zły. Liczą na to, że Lisbeth Salander wyląduje w psychiatryku, a ja zniknę w obłoku podejrzeń. Poza tym spodziewają się, że ewentualna uwaga skupi się na Säpo, a nie na Sekcji. Mają niezłą sytuację wyjściową.

– Ale jak im się uda namówić wydział narkotykowy do przeszukania twojego mieszkania? Chyba nie wystarczy anonimowy telefon, żeby od razu poszli wyważać drzwi u znanego dziennikarza. Jeśli to ma się udać, podejrzenia muszą się pojawić już w ciągu następnej doby.

– No tak, ale my nie znamy ich rozkładu jazdy – powiedział Mikael.

Czuł się zmęczony i marzył tylko o tym, żeby już było po wszystkim. Wstał.

– Dokąd się wybierasz? – zapytała Monika. – Chciałabym wiedzieć, gdzie będziesz przebywał w najbliższym czasie.

– Po południu mam się spotkać z TV4. A potem o szóstej umówiłem się z Eriką Berger w Samirs Gryta. Musimy doprecyzować komunikat prasowy. Potem będę w redakcji, tak mi się wydaje.

Oczy Moniki lekko się zwęziły, kiedy usłyszała nazwisko Eriki Berger.

– Chciałabym, żebyśmy przez cały dzień byli w kontakcie. Najlepiej by było, gdybyś utrzymywał z nami bliski kontakt aż do rozpoczęcia procesu.

– Okej. To może wprowadzę się do ciebie na te kilka dni? – zapytał Mikael i uśmiechnął się tak, jakby to był żart.

Monika spochmurniała. Rzuciła szybkie spojrzenie na Edklintha.

– Monika ma rację – przyznał Edklinth. – Sądzę, że najlepiej będzie, jeśli do czasu zakończenia tej sprawy będzie się pan trzymał w ukryciu. Jeśli dopadnie pana policja narkotykowa, nie może pan mówić, póki proces się nie rozpocznie.

– Spokojnie – powiedział Mikael. – Nie zamierzam wpadać w panikę i puszczać farby na tym etapie. Zajmijcie się swoją robotą, a ja zajmę się swoją.

TA Z TV4 NIE BYŁA w stanie ukryć podekscytowania nowym materiałem filmowym, który dostała od Mikaela Blomkvista. Mikael uśmiechnął się na widok jej łapczywości. Od tygodnia ciężko pracowali nad przejrzystym reportażem o Sekcji dla telewizji. Zarówno producent, jak i szef wiadomości TV4 mieli świadomość, że to będzie sensacja. Materiał produkowano w największej tajemnicy, tylko kilka osób brało w tym udział. Zgodzili się na żądanie Mikaela, żeby wyemitować go dopiero wieczorem trzeciego dnia procesu. Postanowili zrobić godzinne wydanie specjalne wiadomości.

Mikael dostarczył dużo zdjęć, ale w telewizji nic nie przebije ruchomych obrazków. Kiedy Ta z TV4 obejrzała nagranie wideo znakomitej jakości, które pokazuje, jak znany z nazwiska policjant podrzuca kokainę w mieszkaniu Mikaela Blomkvista, ogarnął ją szał radości.

– To jest dopiero telewizja! – zawołała. – Do tego damy wielkimi literami: tak Säpo podrzuca kokainę do mieszkania reportera.

– Nie Säpo... Sekcja – poprawił ją Mikael. – Nie myl tych dwóch rzeczy.

– Ale przecież Sandberg pracuje w Säpo, do cholery – zaprotestowała.

– No tak, ale w praktyce można to traktować jako infiltrację. Trzymaj się tego wyraźnego rozgraniczenia.

– Okej. To Sekcja jest tematem, nie Säpo. Mikaelu, czy możesz mi wytłumaczyć, jak to się dzieje, że zawsze jesteś zamieszany w takie sensacyjne afery? Masz rację. To będzie większa sprawa niż afera Wennerströma.

– Po prostu talent, jak sądzę. Ale zrządzeniem losu ta historia też zaczyna się od afery Wennerströma. Tamtej afery szpiegowskiej z lat sześćdziesiątych.

O czwartej po południu zadzwoniła Erika Berger. Była na spotkaniu w Związku Wydawców Prasy, gdzie miała przedstawić swoją opinię na temat cięć personalnych w SMP. Po jej odejściu w gazecie wybuchł ostry konflikt ze związkami zawodowymi. Uprzedziła, że się spóźni na umówioną kolację, będzie mogła przyjść do Samirs Gryta dopiero o wpół do siódmej.

JONAS SANDBERG asystował Fredrikowi Clintonowi przy przenoszeniu się z wózka inwalidzkiego na pryczę w pokoju wypoczynkowym, stanowiącym centrum dowodzenia Sekcji w kwaterze głównej na Artillerigatan. Clinton właśnie wrócił z dializy. Zajęła mu całe przedpołudnie. Czuł się bardzo stary i nieziemsko zmęczony. W ciągu ostatnich dwóch nocy prawie wcale nie spał i marzył o tym, żeby cała sprawa już się skończyła. Ledwie zdążył usadowić się wygodnie na łóżku, kiedy wszedł Georg Nyström.

Clinton zebrał wszystkie siły.

– Czy wszystko przygotowane? – zapytał.

Nyström skinął głową.

– Właśnie rozmawiałem z braćmi Nikolic – powiedział.
– To będzie kosztowało pięćdziesiąt patyków.

– Stać nas – stwierdził Clinton.

Kurwa, gdyby tylko człowiek znów był młody.

Odwrócił głowę i po kolei przyjrzał się Sandbergowi i Nyströmowi.

– Żadnych konfliktów sumienia? – zapytał.

Obaj potrząsnęli głowami.

– Kiedy? – zapytał Clinton.

– W ciągu najbliższych dwudziestu czterech godzin – powiedział Nyström. Cholernie trudno namierzyć, gdzie Blomkvist akurat przebywa, ale w najgorszym razie zrobią to przed redakcją.

Clinton skinął głową.

– Już dzisiaj mamy pierwszą szansę, za dwie godziny – powiedział Sandberg.

– Ach tak?

– Erika Berger dzwoniła do niego przed chwilą. Chcą iść na kolację do Samirs Gryta. To knajpa w pobliżu Bellmansgatan.

– Berger... – powiedział Clinton przeciągle.

– Na Boga, mam tylko nadzieję, że ona nie... – zaczął Georg Nyström.

– To nie byłoby takie złe – przerwał mu Sandberg.

Clinton i Nyström spojrzeli na niego.

– Jesteśmy zgodni co do tego, że Blomkvist stanowi dla nas największe zagrożenie i prawdopodobnie opublikuje coś w najbliższym numerze „Millennium". Nie możemy go powstrzymać. Więc musimy podważyć jego wiarygodność. Jeśli zostanie zamordowany w sytuacji wyglądającej na porachunki półświatka, a policja znajdzie w jego mieszkaniu narkotyki i pieniądze, śledztwo doprowadzi do odpowiednich wniosków. W każdym razie nie będą od razu szukać konspiracji powiązanej ze służbą bezpieczeństwa.

Clinton skinął głową.

– Erika Berger jest przecież kochanką Blomkvista – mówił dalej Sandberg z naciskiem. – Ma męża i zdradza go. Jeśli nagle zginie, może się pojawić wiele spekulacji.

Clinton i Nyström wymienili spojrzenia. Sandberg miał naturalny talent do tworzenia zasłon dymnych. Szybko się uczył. Ale zarówno Clinton, jak i Nyström mieli pewne wątpliwości. Sandberg zbyt beztrosko podchodził do życia i śmierci. To nie było dobre. Morderstwo było środkiem ostatecznym, a nie czymś, co można było zrobić, bo akurat nadarzyła się okazja. To nie był patent na wszelkie problemy, ale środek, po który można było sięgnąć, kiedy nie było innego wyjścia.

Clinton potrząsnął głową.

Collateral damage, pomyślał. Nagle poczuł niesmak na myśl o tym wszystkim.

Po tylu latach w służbie królestwa siedzimy tu teraz jak zwykli skrytobójcy. Zalachenko był niezbędny. Björck był... przykrą koniecznością, ale Gullberg miał rację. Björckowi niewiele było trzeba, żeby zdradził. Blomkvist jest... przypuszczalnie konieczny. Ale Erika Berger jest tylko niewinnym widzem.

Zerknął ukradkiem na Jonasa Sandberga. Miał nadzieję, że ten młody mężczyzna nie stanie się psychopatą.

– Ile wiedzą bracia Nikolic?

– Nic. To znaczy o nas. Tylko ja się z nimi spotykałem. Posługiwałem się innym nazwiskiem, więc nie mogą mnie wyśledzić. Myślą, że to zlecenie wiąże się z *traffickingiem*.

– A co się z nimi stanie po morderstwie?

– Natychmiast opuszczą Szwecję – powiedział Nyström. – Tak samo jak po sprawie Björcka. Jeśli potem policja do niczego nie dojdzie, mogą ostrożnie wrócić za kilka tygodni.

– A jaki jest plan?

– Model sycylijski. Po prostu podchodzą do Blomkvista, opróżniają magazynek i wychodzą.

– Broń?

– Mają broń automatyczną. Nie wiem, jakiego typu.

– Mam nadzieję, że nie zmasakrują całej restauracji...

– Nie ma obawy. Są opanowani i wiedzą, co mają robić. Ale jeśli Berger będzie siedziała przy tym samym stoliku co Blomkvist...

Collateral damage.

– Posłuchajcie – zaczął Clinton. – To ważne, żeby Wadensjöö się nie dowiedział, że jesteśmy w to zamieszani. Zwłaszcza jeśli jedną z ofiar będzie Erika Berger. Już teraz jest spięty do granic możliwości. Boję się, że będziemy musieli wysłać go na emeryturę, jak to wszystko się skończy.

Nyström skinął głową.

– To znaczy, że kiedy dostaniemy wiadomość, że Blomkvist został zamordowany, musimy odegrać przedstawienie. Zwołamy naradę kryzysową i będziemy całkowicie zaskoczeni rozwojem wydarzeń. Będziemy spekulować, kto może stać za tym morderstwem, ale nie wolno nam powiedzieć ani słowa o narkotykach i tym podobnych sprawach, póki policja nie znajdzie dowodów.

MIKAEL BLOMKVIST rozstał się z Tą z TV4 krótko przed piątą. Poświęcili całe popołudnie na omówienie niejasnych punktów w materiale, a potem Mikael został upudrowany i udzielił długiego wywiadu. Nagrano go na taśmę.

Zadano mu pytanie, na które nie był w stanie odpowiedzieć w sposób zrozumiały, więc musieli nagrywać je kilka razy. *Jak to możliwe, żeby urzędnicy szwedzkiego aparatu państwowego posunęli się aż do popełnienia morderstwa?*

Mikael zastanawiał się nad tą kwestią, na długo zanim Ta z TV4 je zadała. Sekcja musiała postrzegać Zalachenkę jako wyjątkowe zagrożenie, ale to nie była zadowalająca odpowiedź. Odpowiedź, która w końcu została zarejestrowana, też nie była całkowicie zadowalająca.

– Jedyne sensowne wyjaśnienie, jakie się nasuwa, jest takie, że Sekcja przez lata przekształcała się w sektę w dosłownym znaczeniu tego słowa. Stali się jak ci z Knutby czy pastor Jim Jones albo coś podobnego. Tworzą własne prawo, w którym pojęcia takie jak dobro i zło nic nie znaczą. Działają w całkowitym oderwaniu od normalnego społeczeństwa.

– To brzmi jak opis choroby psychicznej.

– Nie jest to całkiem chybione określenie.

Pojechał metrem do Slussen i zauważył, że jest jeszcze za wcześnie, żeby iść do Samirs Gryta. Stał przez chwilę na placu Södermalnstorg. Był trochę przygnębiony, ale równocześnie nagle wszystko znów było w porządku. Dopiero po powrocie Eriki Berger do „Millennium" uświadomił sobie, jak ogromnie mu jej brakowało. Poza tym ponowne objęcie steru przez Erikę nie wywołało żadnych wewnętrznych konfliktów. Malin Eriksson powróciła na stanowisko sekretarza redakcji. Była wręcz uszczęśliwiona, że życie (jak to określiła) znów wróciło do normy.

Powrót Eriki sprawił także, że wszyscy nagle odkryli, jak bardzo przez ostatnie trzy miesiące brakowało im rąk do pracy. Erika w biegu objęła szefostwo „Millennium" i razem z Malin Eriksson udało jej się opanować chaos organizacyjny. Zwołali także posiedzenie redakcji, na którym postanowili, że „Millennium" musi zatrudnić co najmniej jednego, a najlepiej dwóch nowych pracowników. Ale nie mieli pojęcia, jak znaleźć na to środki.

W końcu Mikael kupił popołudniówkę i poszedł na kawę do Javy na Hornsgatan, żeby zabić czas przed spotkaniem z Eriką.

PROKURATOR RAGNHILD GUSTAVSSON z prokuratury generalnej odłożyła okulary do czytania na stół konferencyjny i spojrzała na zebranych. Miała pięćdziesiąt osiem lat, pomarszczoną, lecz rumianą jak jabłko twarz i siwe, krótko przycięte włosy. Od dwudziestu pięciu lat była prokuratorem, a w prokuraturze generalnej pracowała od początku lat dziewięćdziesiątych.

Minęły trzy tygodnie, odkąd nagle została wezwana do gabinetu prokuratora generalnego na spotkanie z Torstenem Edklinthem. Tamtego dnia kończyła właśnie kilka rutynowych spraw, przygotowując się do sześciotygodniowego urlopu w domku letnim na wyspie Husarö. Tymczasem dostała polecenie objęcia dochodzenia przeciwko grupie urzędników państwowych określanych mianem Sekcji. Nagle okazało się, że plany urlopowe musi odłożyć na później.

Poinformowano ją, że w najbliższym czasie będzie to jej najważniejsze zadanie. Dano jej niemal wolną rękę przy wyborze metod pracy i podejmowaniu decyzji.

– To będzie jedno z najbardziej sensacyjnych śledztw w historii Szwecji – powiedział prokurator generalny.

Ragnhild Gustavsson była skłonna się z tym zgodzić. Z rosnącym zdumieniem słuchała Torstena Edklintha. Streścił sprawę i podsumował wyniki swojego śledztwa, przeprowadzonego na zlecenie premiera. Śledztwo nie zostało jeszcze zakończone, ale Edklinth uznał, że dotarł już tak daleko, że powinien przedstawić rezultaty prokuraturze.

Najpierw prokurator Gustavsson zapoznała się z materiałami dostarczonymi przez Edklintha. Kiedy uświadomiła sobie zakres przestępczej działalności, zrozumiała, że wszystko, co zrobi, wszelkie decyzje, jakie podejmie, zostaną w przyszłości wzięte pod lupę i będą bez końca analizowane w książkach historycznych. Od tej chwili cały swój czas poświęciła na ogarnięcie niemal niewyobrażalnego rejestru przestępstw, którymi miała się zająć. Sprawa była czymś wyjątkowym w historii szwedzkiego sądownictwa, a ponieważ trzeba było ujawnić przestępstwa popełniane od co najmniej trzydziestu lat, zdawała sobie sprawę, że trzeba zastosować specjalne metody. Przypomniała sobie o rządowym śledczym do spraw mafii we Włoszech w latach siedemdziesiątych i osiemdziesiątych, który był zmuszony pracować niemal w podziemiu. Rozumiała, dlaczego Edklinth musiał działać w ukryciu. Nie wiedział, komu może zaufać.

Pierwszym krokiem, jaki zrobiła, było wezwanie trzech pracowników prokuratury generalnej. Wybrała ludzi, których znała od lat. Potem zwróciła się do znanego historyka, pracującego w Radzie Zapobiegania Przestępczości, żeby przedstawił, jak rosło znaczenie służb przez dziesięciolecia. Na koniec formalnie wyznaczyła Monikę Figuerolę na szefa śledztwa.

W ten sposób dochodzenie w sprawie Sekcji stało się zgodne z zasadami konstytucji. Teraz można było je traktować jak każde śledztwo policyjne, nawet jeśli było obłożone zakazem udzielania informacji.

Przez ostatnie dwa tygodnie prokurator Gustavsson wzywała wiele osób na formalne, lecz bardzo dyskretne przesłuchania. Wzywani byli, oprócz Edklintha i Figueroli, między innymi inspektorzy Bublanski, Sonja Modig, Curt Svensson i Jerker Holmberg. Potem przesłuchania objęły Mikaela Blomkvista, Malin Eriksson, Henry'ego Corteza, Christera Malma, Annikę Giannini, Dragana Armanskiego, Susanne Linder i Holgera Palmgrena. Oprócz przedstawicieli „Millennium", którzy z zasady nie odpowiadali na pytania dotyczące źródeł informacji, wszyscy pozostali chętnie udzielali wyczerpujących informacji i przedstawiali dokumenty.

Ragnhild Gustavsson nie była w najmniejszym stopniu zachwycona tym, że musiała brać pod uwagę plan „Millennium", z którego wynikało, że będzie zmuszona przeprowadzić aresztowania wyznaczonych osób w wyznaczonym dniu. Uważała, że potrzeba kilkumiesięcznych przygotowań, zanim dochodzenie dojdzie do tego etapu, lecz w tej sytuacji nie miała wyboru. Mikael Blomkvist z „Millennium" był nieubłagany. Nie obowiązywały go ustawy i regulacje prawne wiążące urzędników państwowych. Zamierzał opublikować swój materiał w trzecim dniu procesu Lisbeth Salander. Dlatego Ragnhild Gustavsson musiała się dostosować i uderzyć w tym samym momencie, zanim podejrzani znikną, a ewentualny materiał dowodowy zostanie zniszczony. Blomkvist miał poza tym zaskakujące poparcie Edklintha i Figueroli. Prokurator w końcu doszła do wniosku, że proponowany przez niego model ma wiele zalet. Dzięki temu będzie miała zapewnione medialne wsparcie, które przyda się przy formułowaniu oskarżenia. Ponadto wszystko odbędzie się tak szybko, że dochodzenie nie zdąży wkroczyć na korytarze różnych urzędów i instytucji, czyli nie ma obawy, że dotrze do Sekcji.

– Blomkvistowi chodzi przede wszystkim o zadośćuczynienie dla Lisbeth Salander. Załatwienie Sekcji jest tylko konsekwencją – stwierdziła Monika Figuerola.

Proces przeciwko Lisbeth Salander miał się zacząć w środę, za dwa dni, a poniedziałkowe spotkanie poświęcono na przegląd dostępnego materiału i rozdzielenie zadań.

Uczestniczyło w nim trzynaście osób. Z prokuratury generalnej Ragnhild Gustavsson zaprosiła dwóch najbliższych współpracowników. Z ochrony konstytucji obecni byli kierująca śledztwem Monika Figuerola i jej dwóch podwładnych, Stefan Bladh i Anders Berglund. Szef ochrony konstytucji Torsten Edklinth był obserwatorem.

Ragnhild Gustavsson zdecydowała, że sprawa takiej wagi nie może zostać bezstronnie rozpracowana przez samo RPS/Säk. Wezwała więc także inspektora Jana Bublanskiego i jego zespół, składający się z Sonji Modig, Jerkera Holmberga i Curta Svenssona. Pracowali nad sprawą Salander od Wielkanocy i byli zorientowani we wszystkim. Ponadto zaproszeni zostali prokurator Agneta Jervas i inspektor Marcus Erlander z Göteborga. Dochodzenie w sprawie Sekcji było bezpośrednio związane z dochodzeniem w sprawie zabójstwa Aleksandra Zalachenki.

Kiedy Monika Figuerola wspomniała, że były premier Thorbjörn Fälldin powinien ewentualnie zostać przesłuchany w charakterze świadka, policjanci Jerker Holmberg i Sonja Modig zaczęli się niespokojnie kręcić na krzesłach.

Przez pięć godzin brano po kolei na warsztat osoby zidentyfikowane jako pracownicy Sekcji. Nazwisko za nazwiskiem. Stwierdzano popełnienie przestępstwa i zapadała decyzja o aresztowaniu. Udało się zidentyfikować i powiązać z mieszkaniem na Artillerigatan siedem osób. Zidentyfikowano też dziewięć osób, którym można było przypisać powiązania z Sekcją, choć nigdy nie bywały w jej siedzibie.

Większość pracowała w RPS/Säk na Kungsholmen i czasem spotykała się z członkami Sekcji.

– Nadal nie jesteśmy w stanie powiedzieć, jak daleko sięga ten spisek. Nie wiemy, na jakich zasadach osoby te spotykają się z Wadensjöö czy innymi członkami Sekcji. Mogą być informatorami, mogą mieć wrażenie, że pracują nad jakimś śledztwem wewnętrznym lub czymś w tym rodzaju. Te niejasności co do ich roli można wyjaśnić, tylko przesłuchując je. Są to osoby, które zidentyfikowaliśmy w ciągu kilku tygodni śledztwa. Może ich być więcej.

– Ale szef kancelarii i dyrektor finansowy...

– O nich z całą pewnością możemy powiedzieć, że pracują dla Sekcji.

O szóstej po południu Ragnhild Gustavsson zarządziła godzinną przerwę na kolację.

Wszyscy podnosili się właśnie z miejsc, kiedy Jesper Thoms, współpracownik Moniki Figueroli z jednostki operacyjnej ochrony konstytucji poprosił ją o chwilę rozmowy. Chciał przedstawić rezultaty ostatnich godzin obserwacji.

– Clinton długo był na dializie i wrócił na Artillerigatan około piętnastej. Jedyną osobą, która robiła coś ciekawego, był Georg Nyström, choć tak do końca nie wiemy, co takiego robił.

– Aha.

– O trzynastej trzydzieści pojechał na Centralny i spotkał się z dwiema osobami. Potem poszli do Sheratona i w barze pili kawę. Spotkanie trwało nieco ponad dwadzieścia minut. Potem od razu wrócił na Artillerigatan.

– Tak. A z kim się spotkał?

– Tego nie wiemy. To nowe twarze. Dwóch mężczyzn w wieku około trzydziestu pięciu lat. Wyglądają, jakby pochodzili z Europy Wschodniej. Niestety, nasz człowiek ich zgubił, kiedy weszli do metra.

– Rozumiem – powiedziała Monika Figuerola zmęczonym głosem.

– Tu są ich zdjęcia – Jesper Thoms wręczył jej kilka fotografii.

Figuerola spojrzała na powiększenia twarzy, których nigdy przedtem nie widziała.

– Okej. Dziękuję – powiedziała i położyła zdjęcia na stole konferencyjnym. Potem wstała, żeby pójść coś zjeść.

Curt Svensson, który stał w pobliżu, spojrzał na zdjęcia.

– O cholera – rzucił. – Czyżby bracia Nikolic też byli w to zamieszani?

Monika Figuerola zatrzymała się.

– Kto?

– To dwa naprawdę groźne typy – powiedział Curt Svensson. – Tomi i Miro Nikolic.

– Pan ich zna?

– Tak. To bracia z Huddinge. Serbowie. Obserwowaliśmy ich przy różnych okazjach, kiedy mieli po jakieś dwadzieścia lat. Zajmowałem się wtedy przestępczością zorganizowaną. Miro Nikolic jest bardziej niebezpieczny. Zresztą od jakiegoś czasu jest poszukiwany za brutalne pobicie. Ale myślałem, że wyjechali do Serbii i zostali politykami albo kimś takim.

– Politykami?

– Tak jest. Pojechali do Serbii w pierwszej połowie lat dziewięćdziesiątych i pomagali w czystkach etnicznych. Pracowali dla szefa mafii Arkana, który miał coś w rodzaju prywatnej faszystowskiej milicji. Mówiono o nich, że są *shooters*.

– *Shooters*?

– Tak, płatnymi mordercami. Rozbijali się trochę tam i z powrotem między Belgradem i Sztokholmem. Ich wuj prowadzi knajpę na Norrmalmie, w której oficjalnie pracują od czasu do czasu. Mieliśmy kilka doniesień o ich udziale w co najmniej dwóch morderstwach związanych z tak zwaną wojną papierosową między Jugolami, ale nigdy nie udało się nam niczego im udowodnić.

Monika Figuerola w milczeniu wpatrywała się w fotografie. Nagle zrobiła się blada jak ściana. Spojrzała na Torstena Edklintha.

– Blomkvist! – wykrzyknęła w panice. – Im nie wystarczy skandal. Chcą go zabić, żeby potem policja znalazła kokainę i wyciągnęła wnioski.

Edklinth odwzajemnił jej spojrzenie.

– Miał się spotkać z Eriką Berger w Samirs Gryta – rzuciła Monika. Chwyciła Curta Svenssona za ramię.

– Ma pan broń?

– Tak...

– Proszę ze mną.

Pędem wybiegła z sali konferencyjnej. Jej pokój znajdował się na tym samym korytarzu, troje drzwi dalej. Otworzyła drzwi, z szuflady biurka wzięła służbowy pistolet i pognała do wind, nie zamykając, wbrew regulaminowi, drzwi do swojego pokoju. Zostawiła je otwarte na oścież. Curt Svensson stał chwilę niezdecydowany.

– Idź – polecił mu Bublanski. – Sonju... pójdziesz z nimi.

MIKAEL BLOMKVIST przyszedł do Samirs Gryta dwadzieścia po szóstej. Erika Berger właśnie się zjawiła i zajęła wolny stolik przy barze, niedaleko drzwi wejściowych. Mikael cmoknął ją w policzek. Zamówili po dużym piwie i porcji duszonej jagnięciny. Dostali piwo od razu.

– Co u Tej z TV4? – zapytała Erika Berger.

– Tak samo chłodna jak zawsze.

Erika zaśmiała się.

– Jeśli nie będziesz się pilnował, nabawisz się obsesji na jej punkcie. Pogódź się, że są też dziewczyny, na które nie działa urok Blomkvista.

– Przez lata kilka się ich uzbierało – odparł Mikael. – A co u ciebie?

– Do niczego. Ale zgodziłam się na udział w debacie o SMP w Klubie Publicystów. To będzie mój ostatni wkład w tę sprawę.

– Wspaniale.

– To takie niewiarygodnie cudowne uczucie być z powrotem w „Millennium" – powiedziała Erika.

– Nie masz nawet pojęcia, jak ja się cieszę, że wróciłaś. Wciąż nie mogę w to uwierzyć.

– Fajnie jest znów chodzić do pracy.

– Mmm...

– Jestem szczęśliwa.

– A ja muszę do kibla – powiedział Mikael i wstał.

Przeszedł kilka kroków i niemal zderzył się z mężczyzną w wieku około trzydziestu pięciu lat, który właśnie wszedł do lokalu. Zauważył, że tamten ma południowoeuropejski wygląd i dziwnie mu się przygląda. Potem zauważył pistolet automatyczny.

KIEDY PRZEJEŻDŻALI Riddarholmen, zadzwonił Torsten Edklinth, żeby powiedzieć, że ani Mikael Blomkvist, ani Erika Berger nie odbierają telefonów. Pewnie na czas kolacji wyłączyli komórki.

Monika Figuerola zaklęła, przejeżdżając Södermalmstorg z prędkością blisko osiemdziesięciu kilometrów na godzinę. Na sygnale wykonała ostry zakręt i wjechała w Hornsgatan. Curt Svensson musiał się trzymać drzwi. Wyjął broń i sprawdzał, czy jest naładowana. Na tylnym siedzeniu Sonja Modig robiła to samo.

– Musimy wezwać posiłki – powiedział Curt Svensson. – Z braćmi Nikolic nie ma żartów.

Monika skinęła głową.

– Zrobimy tak – powiedziała. – Sonja i ja wchodzimy prosto do lokalu. Miejmy nadzieję, że Blomkvist i Berger są w środku. Pan, Svensson, zna braci Nikolic, więc zostanie pan na ulicy i będzie się rozglądał.

– Okej.

– Jeśli będzie spokojnie, od razu wyprowadzamy Blomkvista i Berger do samochodu i jedziemy na Kungsholmen.

Jeśli tylko zauważymy coś podejrzanego, zostajemy w środku i wzywamy posiłki.

– Okej – powiedziała Sonja.

Monika była wciąż na Hornsgatan, kiedy policyjne radio pod deską rozdzielczą zatrzeszczało. Komunikat o alarmie w związku ze strzałami na Tavastgatan na Södermalmie. W restauracji Samirs Gryta.

Nagle poczuła skurcz w żołądku.

ERIKA BERGER zobaczyła, jak Mikael w drodze do toalety wpada na mężczyznę w wieku około trzydziestu pięciu lat. Zmarszczyła brwi, nie wiedząc właściwie dlaczego. Wydawało jej się, że tamten patrzy na Mikaela i jest zaskoczony. Była ciekawa, czy to jakiś jego znajomy.

Potem mężczyzna szybko cofnął się o krok i upuścił na podłogę torbę. Erika nie wierzyła własnym oczom. Siedziała jak sparaliżowana, kiedy tamten wycelował broń w Mikaela Blomkvista.

MIKAEL BLOMKVIST zareagował odruchowo. Wyciągnął lewą rękę, chwycił za lufę pistoletu i skierował ją w sufit. Przez ułamek sekundy wylot znajdował się na wprost jego twarzy.

Huk pistoletu automatycznego w niewielkim pomieszczeniu był ogłuszający. Tynk i szkło z lamp posypały się na Mikaela, kiedy Miro Nikolic oddał jedenaście strzałów w sufit. Przez krótki moment patrzył prosto w oczy zamachowca.

Potem Nikolic cofnął się i wyszarpnął broń. Mikael był na to zupełnie nieprzygotowany i wypuścił lufę. Nagle dotarło do niego, że jest w śmiertelnym niebezpieczeństwie. Bez zastanowienia rzucił się w stronę napastnika, zamiast próbować uciekać lub się schować. Później zrozumiał, że gdyby zachował się inaczej, gdyby się skulił lub cofnął, zginąłby na miejscu. Znów złapał lufę pistoletu. Całym ciężarem ciała przycisnął tamtego do ściany. Usłyszał kolejne sześć czy siedem strzałów i zaczął w desperacji szarpać lufę, by skierować ją w podłogę.

KIEDY PADŁA druga seria, Erika Berger instynktownie się skuliła. Spadła z krzesła i uderzyła w nie głową. Potem zwinięta na podłodze podniosła wzrok i zobaczyła, że w miejscu, gdzie przed chwilą siedziała, pojawiły się w ścianie trzy dziury.

Zszokowana odwróciła głowę i zobaczyła, że Mikael Blomkvist siłuje się z kimś przy wejściu. Upadł na kolana, oburącz trzymał mocno pistolet i próbował wyszarpnąć go napastnikowi. Tamten tłukł go pięściami w twarz i skroń.

MONIKA FIGUEROLA gwałtownie zahamowała naprzeciwko Samirs Gryta, wyskoczyła z samochodu i popędziła w stronę restauracji. W rękach trzymała sig sauera i właśnie go odbezpieczała, kiedy zauważyła samochód parkujący tuż przy wejściu.

Zobaczyła Tomiego Nikolica za kierownicą i skierowała broń w jego twarz za szybą samochodu.

– Policja! Pokaż ręce! – krzyknęła.

Tomi Nikolic podniósł ręce do góry.

– Wyłaź z samochodu i kładź się na ulicy! – krzyczała z wściekłością. Odwróciła głowę i wzrokiem dała znak Curtowi Svenssonowi. – Restauracja – rzuciła krótko.

Curt i Sonja przebiegli na drugą stronę ulicy.

Sonja pomyślała o swoich dzieciach. To było wbrew wszelkim policyjnym instrukcjom wpadać do budynku z wyciągniętą bronią bez posiłków na miejscu, bez kamizelek kuloodpornych i bez rozpoznania sytuacji...

Potem usłyszała huk wystrzału z restauracji.

KIEDY MIRO NIKOLIC znów zaczął strzelać, Mikael Blomkvist wcisnął środkowy palec między spust i kabłąk. Usłyszał za sobą brzęk tłuczonego szkła. Poczuł przejmujący ból w palcu. Zamachowiec, raz za razem próbując nacisnąć spust, miażdżył mu go, ale dopóki palec Mikaela tam tkwił, broń nie mogła wystrzelić. Ciosy pięścią nieustannie spadały na bok jego głowy. Nagle poczuł, że ma czterdzieści pięć lat i dramatycznie kiepską kondycję.

Nie wytrzymam tak długo. Trzeba to skończyć.

To była jego pierwsza racjonalna myśl od chwili, kiedy zauważył mężczyznę z pistoletem.

Zacisnął zęby i jeszcze głębiej wsunął palec za spust.

Potem zaparł się nogami, przycisnął ramię do ciała przeciwnika i z wysiłkiem znów podniósł się na nogi. Prawą ręką puścił pistolet i zgiętym łokciem zasłonił twarz przed uderzeniami. Miro Nikolic zaczął go okładać po żebrach i pod pachą. Przez moment znów stali oko w oko.

W następnej chwili Mikael Blomkvist poczuł, że zamachowiec odrywa się od niego. Piekielny ból szarpnął jego palcem. Potem zobaczył potężną postać Curta Svenssona. Svensson dosłownie podniósł Mira Nikolica, trzymając go mocno za kark, i walnął jego głową w ścianę przy drzwiach. Miro Nikolic opadł na podłogę jak rozsypany domek z kart.

– Leżeć! – usłyszał krzyk Sonji Modig. – Policja. Leż spokojnie.

Odwrócił głowę i zobaczył ją, jak stoi na szeroko rozstawionych nogach, oburącz trzyma broń i próbuje zorientować się w zamieszaniu. W końcu skierowała broń w sufit i spojrzała na Blomkvista.

– Jest pan ranny? – zapytała.

Mikael patrzył na nią oszołomiony. Z łuku brwiowego i nosa płynęła mu krew.

– Chyba złamałem palec – powiedział i usiadł na podłodze.

MONIKA FIGUEROLA otrzymała pomoc od jednostki interwencyjnej z Södermalmu niecałą minutę po tym, jak zmusiła Tomiego Nikolica, by położył się na ziemi.

Wylegitymowała się i przekazała więźnia umundurowanym policjantom, a sama pobiegła do restauracji. Zatrzymała się w drzwiach, żeby się rozejrzeć.

Mikael i Erika siedzieli na podłodze. On miał zakrwawioną twarz i wyglądał, jakby był w szoku. Monika odetchnęła. A więc żyje. Zaraz potem zmarszczyła brwi, kiedy Erika go objęła.

Sonja Modig przykucnęła i oglądała dłoń Blomkvista. Curt Svensson zakuwał w kajdanki Mira Nikolica, który wyglądał, jakby zderzył się z pociągiem ekspresowym. Zobaczyła na podłodze pistolet automatyczny używany przez szwedzką armię.

Podniosła wzrok i zobaczyła zszokowanych pracowników restauracji i przerażonych gości. Zauważyła potłuczone naczynia, poprzewracane krzesła i stoliki i zniszczenia spowodowane strzałami. Czuła zapach prochu. Ale nie widziała zabitych ani rannych. Policjanci z oddziału interwencyjnego zaczęli wchodzić do lokalu z odbezpieczoną bronią. Wyciągnęła rękę i dotknęła ramienia Curta Svenssona. Wstał.

– Mówił pan, że Miro Nikolic jest poszukiwany?

– Zgadza się. Brutalne pobicie, mniej więcej rok temu. Jakaś awantura w Hallundzie.

– Okej. Zrobimy tak: zabieram Blomkvista i Berger i spadamy stąd jak najszybciej. Pan zostaje. Sprawa wygląda tak: poszedł pan z Sonją Modig na kolację, kiedy nagle pojawił się Nikolic, którego pamięta pan z czasów pracy w wydziale przestępczości zorganizowanej. Próbował pan go zatrzymać, a on wyciągnął broń i zaczął strzelać. Wtedy pan go skuł.

Svensson sprawiał wrażenie zaskoczonego.

– Ale to nie przejdzie... są świadkowie.

– Świadkowie powiedzą, że ktoś się szarpał i strzelał. To nie musi się trzymać kupy dłużej niż do jutrzejszego wydania popołudniówek. Wersja oficjalna jest taka, że bracia Nikolic zostali schwytani dzięki przypadkowi, bo pan ich rozpoznał.

Svensson przyjrzał się chaosowi po zajściu. Potem krótko skinął głową.

MONIKA FIGUEROLA przebiła się przez grupę policjantów stojących na ulicy i usadowiła Mikaela Blomkvista z Eriką Berger na tylnym siedzeniu samochodu. Chwilę porozmawiała przyciszonym głosem z dowódcą oddziału interwencyjnego. Ruchem głowy wskazała samochód, w którym siedzieli Mikael i Erika. Dowódca wyglądał na zdezorientowanego, ale w końcu skinął na zgodę. Potem Monika pojechała z nimi na Zinkensdamm, zatrzymała się i odwróciła do niego.

– Jak mocno dostałeś?

– Piąchą kilka razy. Zęby są na swoim miejscu. Mam uszkodzony palec.

– Pojedziemy na pogotowie do szpitala S:t Görans.

– Co się dzieje? – zapytała Erika Berger. – I kim pani jest?

– Przepraszam – powiedział Mikael. – Eriko, to jest Monika Figuerola. Pracuje w Säpo. Moniko, to jest Erika Berger.

– Domyśliłam się – odparła Monika obojętnym tonem. Nie patrzyła na Erikę.

– Monika i ja poznaliśmy się podczas śledztwa. Jest moim kontaktem w Säk.

– Rozumiem – powiedziała Erika i nagle zaczęła dygotać. Spóźniony objaw szoku.

Monika spokojnie się jej przyglądała.

– Co to było? – zapytał Mikael.

– Nie zrozumieliśmy o co chodzi z tą kokainą – wyjaśniła Monika. – Myśleliśmy, że chcą cię po prostu uwikłać w skandal. Tymczasem planowali morderstwo. Policja sama miała znaleźć kokainę podczas przeszukania twojego mieszkania.

– Jaką kokainę? – zapytała Erika.

Mikael na chwilę zamknął oczy.

– Zawieź mnie do S:t Görans – powiedział.

– ARESZTOWANI?! – wykrzyknął Fredrik Clinton. Poczuł lekki ucisk w okolicy serca.

– Sądzimy, że nie ma niebezpieczeństwa – powiedział Georg Nyström. – To wygląda na czysty przypadek.

– Przypadek?

– Miro Nikolic był poszukiwany za jakieś dawne pobicie. Gliniarz od przestępczości zorganizowanej przypadkiem go rozpoznał i złapał, kiedy wszedł do Samirs Gryta. Nikolic wpadł w panikę i zaczął strzelać, żeby się uwolnić.

– Blomkvist?

– Nie uczestniczył w tym. Nie wiemy nawet, czy był w lokalu, kiedy ujęto Nikolica.

– To się, kurwa, nie mieści w głowie – wybuchnął Clinton. – Co wiedzą bracia Nikolic?

– O nas? Nic. Myślą, że zarówno Björck, jak i Blomkvist to zlecenia związane z *traffickingiem*.

– Ale wiedzą, że celem był Blomkvist?

– Pewnie, ale raczej nie będą się chwalili, że podjęli się zabójstwa na zlecenie. Będą trzymać gębę na kłódkę przez cały czas, aż do sądu. Pójdą siedzieć za nielegalne posiadanie broni i stawianie oporu policjantowi.

– Cholerne patałachy – powiedział Clinton.

– To prawda, zbłaźnili się. Na razie musimy zostawić Blomkvista w spokoju, ale właściwie nic się nie stało.

BYŁA JEDENASTA WIECZOREM, kiedy Susanne Linder w towarzystwie dwóch postawnych byczków z ochrony osobistej Milton Security przyjechała odebrać Mikaela Blomkvista i Erikę Berger z Kungsholmen.

– Trzeba przyznać, że nieźle się bawisz na mieście – powiedziała Susanne do Eriki.

– Sorry – odparła ponuro Erika.

Erika nadal była w szoku. Dopadł ją w samochodzie po drodze do szpitala. Nagle uświadomiła sobie, że właśnie o mało z Blomkvistem nie zginęli.

Mikael spędził godzinę na pogotowiu, gdzie opatrzono mu twarz, zrobiono prześwietlenie i usztywniono środkowy palec. Miał zmiażdżony czubek palca i przypuszczalnie miał stracić paznokieć. Lecz do najpoważniejszego uszkodzenia doszło paradoksalnie wtedy, kiedy Curt Svensson, ratując mu życie, odciągnął od niego Mira Nikolica. Środkowy palec był zablokowany w spuście pistoletu i po prostu się złamał. Było to potwornie bolesne, ale raczej nie zagrażało życiu.

Mikael odczuł szok dopiero po dwóch godzinach, kiedy znalazł się w siedzibie ochrony konstytucji w RPS/Säk i zdał relację inspektorowi Bublanskiemu oraz prokurator Ragnhild Gustavsson. Nagle dostał dreszczy i poczuł się tak zmęczony, że prawie zasypiał między pytaniami. Potem zaczęli rozmawiać.

– Nie wiemy, co oni planują – powiedziała Monika Figuerola. – Nie wiemy, czy tylko Blomkvist miał być ofiarą, czy Berger też. Nie wiemy, czy zamierzają spróbować jeszcze raz, czy ktoś inny z „Millennium" też jest zagrożony... I właściwie dlaczego nie zabić Salander, która stanowi dla Sekcji naprawdę poważne zagrożenie?

– Już obdzwoniłam pracowników „Millennium" i poinformowałam o wszystkim, kiedy Mikael był opatrywany – powiedziała Erika Berger. – Wszyscy będą się trzymali w ukryciu, póki numer się nie ukaże. W redakcji nie będzie nikogo.

Pierwszą reakcją Torstena Edklintha była chęć przydzielenia ochrony osobistej Blomkvistowi i Berger. Po chwili jednak wspólnie z Figuerolą doszli do wniosku, że nie byłoby to mądre posunięcie. Kontaktując się z wydziałem ochrony osobistej służby bezpieczeństwa, zwróciliby na siebie uwagę.

Problem rozwiązała Erika, po prostu nie godząc się na policyjną ochronę. Zadzwoniła do Dragana Armanskiego i opowiedziała, co się stało. Skutek był taki, że późnym wieczorem Susanne Linder została niespodziewanie wezwana na służbę.

MIKAEL BLOMKVIST i Erika Berger zostali zakwaterowani na piętrze tak zwanego *safe house*, położonego tuż za Drottnigholmem, przy drodze do centrum Ekerö. Była to okazała willa z lat trzydziestych ubiegłego wieku, z widokiem na jezioro, imponującym ogrodem i przybudówkami dużej posiadłości. Należała do Milton Security, a mieszkała w niej Martina Sjögren, lat sześćdziesiąt osiem, wdowa po długoletnim pracowniku firmy Hansie Sjögrenie, który piętnaście lat wcześniej zginął na służbie, kiedy zapadła się pod nim podłoga w opuszczonym domu pod Salą. Po pogrzebie Armanski porozmawiał z Martiną Sjögren i zatrudnił ją w charakterze gospodyni i dozorczyni posiadłości. Mieszkała za darmo w przybudówce na parterze i dbała o to, żeby piętro zawsze było przygotowane na zdarzające się zwykle kilka razy w roku sytuacje, kiedy Milton Security nagle musiało ukryć gdzieś kogoś, kto z rzeczywistych lub zmyślonych powodów lękał się o swoje bezpieczeństwo.

Monika Figuerola pojechała z nimi. Osunęła się na krzesło w kuchni i chętnie poczęstowała się kawą podaną przez Martinę Sjögren. Erika Berger i Mikael Blomkvist instalowali się na górze, a Susanne Linder sprawdzała alarm i elektroniczną aparaturę obserwacyjną wokół posesji.

– W szafce koło łazienki są szczoteczki do zębów i inne przybory toaletowe! – zawołała Martina Sjögren na górę.

Susanne Linder i dwóch ochroniarzy z Milton Security ulokowali się na parterze.

– Jestem na nogach, odkąd mnie zbudzili o czwartej rano – powiedziała Susanne. – Możecie zrobić listę dyżurów, ale pozwólcie mi pospać chociaż do piątej.

– Możesz spać całą noc, my się wszystkim zajmiemy – oświadczył jeden z ochroniarzy.

– Dzięki – powiedziała Susanne i poszła się położyć.

Monika przysłuchiwała się od niechcenia, jak ochroniarze podłączają detektory ruchu w ogrodzie i ciągną losy, kto obejmie pierwszą zmianę. Przegrany przygotował sobie kanapkę i usiadł przed telewizorem w pokoju sąsiadującym z kuchnią. Monika przyglądała się filiżankom w kwiatki. Też była na nogach od wczesnych godzin rannych i czuła się bardzo wyczerpana. Zastanawiała się, czy nie pojechać do domu, kiedy Erika zeszła na dół, nalała sobie kawy i usiadła naprzeciwko.

– Mikael zasnął jak kamień, gdy tylko się położył.

– Reakcja na adrenalinę.

– Co teraz będzie?

– Pozostaniecie w ukryciu przez kilka dni. W ciągu najbliższego tygodnia to się skończy, wszystko jedno jak. Jak się czujesz?

– Tak sobie. Jestem jeszcze trochę roztrzęsiona. Nie co dzień zdarza się coś takiego. Właśnie dzwoniłam do męża i wyjaśniłam mu, dlaczego nie wróciłam na noc do domu.

– Hmm…

– Mój mąż to…

– Wiem, czyją jesteś żoną.

Milczenie. Monika potarła oczy i ziewnęła.

– Muszę jechać do domu wyspać się – powiedziała.

– Na miłość boską, przestań się wreszcie wygłupiać i idź się położyć z Mikaelem – powiedziała Erika.

Monika spojrzała na nią.

– Czy to tak bardzo widać? – zapytała.

Erika skinęła głową.

– Czy Mikael coś mówił…

– Ani słowa. Jest zawsze raczej dyskretny, jeśli chodzi o przyjaciółki. Ale czasem jest jak otwarta książka. A ty jesteś wyraźnie wrogo nastawiona, kiedy na mnie patrzysz. Próbujecie coś ukryć.

– To przez mojego szefa – wyjaśniła Monika.

– Twojego szefa?

– Tak. Edklinth na pewno by się wściekł, gdyby się dowiedział, że ja i Mikael…

– Rozumiem.

Milczenie.

– Nie wiem, co tam między wami jest, ale nie jestem twoją rywalką – odezwała się Erika.

– Nie?

– Mikael bywa moim kochankiem od czasu do czasu. Ale nie jestem jego żoną.

– Zauważyłam, że łączy was szczególna więź. Opowiadał mi o tym, kiedy byliśmy w Sandhamn.

– Byłaś z nim w Sandhamn? A więc to coś poważnego.

– Nie kpij ze mnie.

– Moniko... mam nadzieję, że wy z Mikaelem... Spróbuję trzymać się z boku.

– A jeśli ci się nie uda?

Erika wzruszyła ramionami.

– Jego była żona dostała szału, kiedy Mikael zdradził ją ze mną. Wyrzuciła go z domu. To był mój błąd. Póki Mikael jest singlem i jest dostępny, nie zamierzam mieć wyrzutów sumienia. Ale obiecałam sobie, że jeśli zwiąże się z kimś na poważnie, odsunę się.

– Nie wiem, czy się odważę na niego postawić.

– Mikael jest wyjątkowy. Czy jesteś w nim zakochana?

– Tak mi się wydaje.

– W takim razie nie skreślaj go za wcześnie. A teraz idź się położyć.

Monika jeszcze przez chwilę się zastanawiała. Potem poszła na piętro, rozebrała się i wsunęła się do łóżka obok Mikaela. Mruknął coś przez sen i otoczył ramieniem jej talię.

Erika została sama w kuchni i długo rozmyślała. Nagle poczuła się bardzo nieszczęśliwa.

Rozdział 25
Środa 13 lipca – czwartek 14 lipca

MIKAEL BLOMKVIST zawsze się zastanawiał, dlaczego głośniki w sądzie są takie ciche i dyskretne. Z trudem dosłyszał komunikat o tym, że rozprawa przeciwko Lisbeth Salander rozpocznie się w sali numer pięć o dziesiątej. Ale był na miejscu przed czasem i ustawił się przy wejściu. Był jedną z pierwszych wpuszczonych osób. Usiadł na widowni po lewej stronie, skąd miał najlepszy widok na oskarżoną i obronę. Miejsca szybko się zapełniły. Zainteresowanie mediów stopniowo narastało, a w ostatnim tygodniu przed procesem prokurator Richard Ekström niemal codziennie udzielał wywiadów.

Przyłożył się do pracy.

Lisbeth Salander została oskarżona o uszkodzenie ciała, a w przypadku Carla-Magnusa Lundina o ciężkie uszkodzenie ciała, o groźby karalne, usiłowanie zabójstwa i ciężkie uszkodzenie ciała nieżyjącego Karla Axela Bodina alias Aleksandra Zalachenki, o dwa włamania – do domu letniego nieżyjącego mecenasa Nilsa Bjurmana w Stallarholmen oraz do jego mieszkania przy Odenplan, o kradzież pojazdu – harleya davidsona będącego własnością niejakiego Sonny-'ego Nieminena, członka Svavelsjö MC, o trzy przypadki nielegalnego posiadania broni – pojemnika z gazem łzawiącym, paralizatora i polskiego P-83 wanada, znalezionego w Gosseberdze, o kradzież lub zatajenie materiału dowodowego – tu sformułowanie było niejasne, ale odnosiło się do dokumentów, które znalazła w letnim domu Bjurmana, oraz o szereg mniejszych wykroczeń. Oskarżenie obejmowało w sumie szesnaście punktów.

Ekström ujawnił nawet informację, że stan psychiczny Lisbeth Salander pozostawia wiele do życzenia. Powoływał się na ekspertyzę sądowo-lekarską przeprowadzoną przez doktora Jespera H. Lödermana z okazji jej osiemnastych urodzin, częściowo także na raport sporządzony na wniosek sądu przez Petera Teleboriana w ramach postępowania przygotowawczego. Ponieważ psychicznie chora dziewczyna zgodnie ze zwyczajem kategorycznie odmawiała rozmów z psychiatrami, analiza została przeprowadzona na podstawie „obserwacji", które odbywały się w sztokholmskim areszcie Kronoberg miesiąc przed rozprawą. Teleborian, który ma wieloletnie doświadczenie w pracy z pacjentką, stwierdził, że Lisbeth Salander cierpi na poważne zaburzenia psychiczne. Używał słów takich, jak psychopatia, patologiczny narcyzm i schizofrenia paranoidalna.

Media donosiły także, że przeprowadzono siedem przesłuchań policyjnych. Oskarżona za każdym razem nie chciała nawet powiedzieć śledczym dzień dobry. Pierwsze przesłuchania prowadziła policja göteborska, pozostałe odbywały się na komendzie policji w Sztokholmie. Nagrania utrwaliły prośby i groźby, uprzejme zachęty, namowy i uporczywie powtarzane pytania, ale ani jednej odpowiedzi.

Ani jednego chrząknięcia.

Kilka razy na taśmie było słychać głos Anniki Giannini, stwierdzającej, że jej klientka najwyraźniej nie zamierza udzielić odpowiedzi. Dlatego oskarżenie wobec Lisbeth Salander opierało się wyłącznie na dowodach i faktach, które udało się zebrać w toku śledztwa.

Milczenie Lisbeth stawiało jej adwokat w niewygodnej sytuacji. Musiała być prawie tak samo małomówna jak jej klientka. Wszystko, co Annika Giannini i Lisbeth Salander omawiały na osobności, było poufne.

Ekström nie ukrywał także, że zamierza zażądać przede wszystkim umieszczenia oskarżonej w zakładzie zamkniętym, a w ostateczności dotkliwej kary więzienia. Normalnie kolejność byłaby inna, ale uważał, że w jej przypadku występowały tak wyraźne zaburzenia psychiczne, a ekspertyza sądowo-lekarska była tak jednoznaczna, że nie było innego wyjścia. Niesłychanie rzadko zdarzało się, żeby sąd podejmował decyzję wbrew opinii psychiatrów.

Uważał także, że należy utrzymać w mocy ubezwłasnowolnienie Salander. W wywiadzie opowiadał z zatroskaną miną, że w Szwecji jest wielu socjopatów z tak silnymi zaburzeniami psychicznymi, że stanowią zagrożenie dla siebie samych i dla otoczenia, a nauka jeszcze nie znalazła na to innej metody niż trzymanie takich osób w zamknięciu. Przywołał przypadek agresywnej dziewczynki imieniem Anette, o której media rozpisywały się w latach siedemdziesiątych i która do dziś, choć minęło trzydzieści lat, przebywa w zakładzie zamkniętym. Każda próba złagodzenia restrykcji kończyła się agresywnymi atakami na rodzinę i personel albo próbą samookaleczenia. Ekström był zdania, że Lisbeth Salander cierpi na podobne zaburzenia.

Zainteresowanie mediów podsycało także to, że obrońca Lisbeth Salander, mecenas Annika Giannini, nie wypowiadała się publicznie. Konsekwentnie odmawiała udzielania wywiadów, nie korzystała z możliwości przedstawienia opinii drugiej strony. Dlatego media znalazły się w kłopotliwej sytuacji: oskarżyciel wręcz zalewał je informacjami, podczas gdy obrona nie przekazała ani jednej informacji o stanowisku Salander w sprawie zarzutów czy o planowanej strategii obrony.

Sytuację skomentował ekspert zaangażowany przez jedną z popołudniówek do obserwowania procesu. Napisał, że Annika Giannini jest uznaną specjalistką od praw kobiet, ale nie ma doświadczenia w sprawach kryminalnych, więc nie nadaje się do reprezentowania Lisbeth Salander. Mikael słyszał także od samej Anniki, że wielu znanych adwokatów kontaktowało się z nią i oferowało swoje usługi. Annika Giannini w imieniu swojej klientki uprzejmie odrzucała wszelkie propozycje.

W OCZEKIWANIU na rozpoczęcie procesu Mikael przyglądał się publiczności. Nagle zauważył Dragana Armanskiego, który siedział przy wyjściu.

Ich spojrzenia spotkały się na krótką chwilę.

Przed Ekströmem leżała ogromna sterta papierów. Skinieniami pozdrowił kilku dziennikarzy.

Annika Giannini siedziała naprzeciwko Ekströma. Porządkowała swoje dokumenty i nie rozglądała się na boki. Mikael odniósł wrażenie, że jest nieco zdenerwowana. *Może lekka trema*, pomyślał.

Potem wszedł przewodniczący składu sędziowskiego, sędzia pomocniczy oraz przysięgli. Przewodniczącym był sędzia Jörgen Iversen, pięćdziesięciosiedmioletni siwowłosy mężczyzna o wychudzonej twarzy i sprężystym kroku. Mikael zrobił wywiad na temat Iversena i dowiedział się, że jest znany jako doświadczony i sumienny sędzia i że prowadził wiele głośnych spraw.

Wreszcie do sali sądu okręgowego wprowadzono Lisbeth Salander.

Choć Mikael wiedział o skłonnościach Lisbeth do szokowania strojem, był zdumiony, że Annika Giannini pozwoliła jej pokazać się w sądzie w krótkiej skórzanej spódniczce wystrzępionej u dołu i czarnym podkoszulku na ramiączkach, ozdobionym napisem *I am irritated*. Nie był w stanie zakryć jej tatuaży. Do tego glany, pasek nabijany ćwiekami i pasiaste czarno-fioletowe podkolanówki. Miała kilkanaście kolczyków w uszach i poprzekłuwane wargi i brwi. W ciągu trzech miesięcy, które upłynęły od operacji głowy, odrosła jej czarna, stercząca na wszystkie strony szczecina. Poza tym była bardzo mocno umalowana. Miała szarą szminkę na ustach, podkreślone brwi i więcej czarnego tuszu do rzęs, niż Mikael kiedykolwiek u niej widział. W czasach kiedy się spotykali, raczej nie była zainteresowana makijażem.

Wyglądała dość wulgarnie, mówiąc oględnie. Niemal gotycko. Przypominała wampira z jakiegoś artystycznego filmu pop-art z lat sześćdziesiątych. Mikael zauważył, że kilku reporterów najpierw zatkało z wrażenia, kiedy się pojawiła, a potem uśmiechali się ubawieni. Kiedy wreszcie mogli zobaczyć skandalizującą bohaterkę, o której tyle pisali, z nawiązką spełniła wszystkie ich oczekiwania.

Potem zrozumiał, że jest przebrana. Normalnie ubierała się niedbale i pozornie bez gustu. Zawsze czuł, że nie ubiera się tak z powodu mody, ale żeby zamanifestować swoją odrębność. Zaznaczała swój prywatny rewir jako wrogie terytorium. Zawsze wiedział, że ćwieki na jej skórzanej kurtce to taki sam mechanizm obronny jak kolce u jeża. Sygnał dla otoczenia. *Nie próbuj mnie głaskać. Może zaboleć.*

Lecz jej strój na sali sądowej był tak przesadzony, że sprawiał wrażenie parodii.

Mikael uświadomił sobie nagle, że to nie przypadek, ale część strategii Anniki.

Gdyby Lisbeth przyszła do sądu grzecznie ulizana, w bluzce z żabotem i eleganckich pantofelkach, wyglądałaby jak oszustka, która próbuje sprzedać sądowi jakąś bujdę. Chodziło o wiarygodność. Przyszła jako ona sama i nikt inny. W nieco przesadzonej formie, dla jasności przekazu. Nie udawała kogoś, kim nie jest. Komunikowała, że nie ma powodu się wstydzić ani niczego udawać. Jeśli sąd ma problem z jej wyglądem, to nie jest to jej problem. Społeczeństwo oskarżyło ją o różne rzeczy, a prokurator zaciągnął ją przed sąd. Ona zaś samym swoim pojawieniem się zasygnalizowała, że zamierza odrzucić wywody prokuratora jako brednie.

Szła pewnie i usiadła na wskazanym miejscu obok swojej adwokat. Omiotła wzrokiem publiczność. W jej oczach nie było ciekawości. Wyglądało raczej, jakby przekornie rejestrowała osoby, które już osądziły ją w mediach.

Mikael zobaczył ją pierwszy raz od chwili, kiedy jak zakrwawiona szmaciana lalka leżała na kuchennej sofie w Gosseberdze. A od czasu, kiedy się spotkali w normalnych warunkach, minęło ponad półtora roku. O ile w przypadku Lisbeth Salander można mówić o normalnych warunkach. Ich spojrzenia skrzyżowały się na kilka sekund. Zatrzymała się przy nim na chwilę, ale w żaden sposób nie okazała, że go poznaje. Przyglądała się ciemnym siniakom pokrywającym jego podbródek i skroń i taśmie chirurgicznej na prawym łuku brwiowym. Na mgnienie oka Mikaelowi wydało się, że dostrzegł w jej oczach cień uśmiechu. Nie był pewien, czy sobie tego nie wymyślił. Potem sędzia Iversen zastukał w stół i rozpoczął proces.

WIDZOWIE BYLI OBECNI na sali przez trzydzieści minut. Wysłuchali wstępnego przedstawienia sprawy prokuratora Ekströma, w którym omówił punkty oskarżenia.

Wszyscy reporterzy poza Mikaelem gorliwie notowali, choć znali już zarzuty Ekströma. Mikael już napisał swój tekst i poszedł do sądu tylko po to, żeby zaznaczyć swoją obecność i spojrzeć w oczy Lisbeth Salander.

Wprowadzenie Ekströma zajęło ponad dwadzieścia dwie minuty. Potem przyszła kolej na Annikę Giannini. Jej wypowiedź trwała trzydzieści sekund. Była opanowana.

– Jako obrona odrzucamy wszystkie punkty oskarżenia poza jednym. Moja klientka przyznaje się do nielegalnego posiadania broni, konkretnie gazu łzawiącego. We wszystkich kolejnych moja klientka odrzuca odpowiedzialność czy też działanie z premedytacją. Wykażemy, że stwierdzenia oskarżyciela są fałszywe, zaś moja klientka padła ofiarą brutalnego bezprawia. Występuję o uznanie mojej klientki za niewinną, cofnięcie jej ubezwłasnowolnienia oraz zwolnienie.

Słychać było szelest reporterskich notatników. Wreszcie Annika Giannini ujawniła swoją strategię. Nie było to to, czego spodziewali się reporterzy. Najpowszechniejsze było przypuszczenie, że Annika Giannini powoła się na chorobę psychiczną swojej klientki i będzie chciała ją wykorzystać jako okoliczność łagodzącą. Mikael uśmiechnął się znienacka.

– Ach tak – powiedział sędzia Iversen i zanotował coś. Spojrzał na Annikę. – Czy pani już skończyła?

– To jest moje stanowisko.

– Czy oskarżyciel ma coś do dodania?

W tej właśnie chwili prokurator Ekström zażądał, żeby proces odbywał się za zamkniętymi drzwiami. Powołał się na to, że chodzi o stan psychiczny i samopoczucie osoby oskarżonej oraz sprawy, które mogą stanowić zagrożenie dla bezpieczeństwu państwa.

– Domyślam się, że ma pan na myśli tak zwaną sprawę Zalachenki – powiedział sędzia Iversen.

– To prawda. Aleksander Zalachenko przybył do Szwecji jako uchodźca polityczny, szukając ochrony przed straszliwą dyktaturą. Część jego sprawy jest objęta klauzulą tajności, choć pan Zalachenko dziś już nie żyje. Dlatego wnoszę, by proces odbywał się za zamkniętymi drzwiami, a szczególnie delikatne części procesu zostały objęte obowiązkiem dochowania tajemnicy.

– Rozumiem – oznajmił sędzia Iversen i zmarszczył czoło.

– Ponadto znaczna część procesu dotyczyć będzie kurateli nad oskarżoną. Chodzi tu o sprawy, które automatycznie traktowane są jako poufne, więc ze względu na dobro oskarżonej chcę wyłączenia jawności procesu.

– Jak mecenas Giannini ustosunkowuje się do wniosku oskarżenia?

– Dla nas nie ma to żadnego znaczenia.

Sędzia Iversen zastanawiał się chwilę. Naradził się z sędzią pomocniczym, po czym ku irytacji zebranych reporterów oznajmił, że przychyla się do wniosku prokuratora. Mikael Blomkvist opuścił salę.

DRAGAN ARMANSKI czekał na Mikaela przy schodach przed budynkiem sądu. W lipcowym upale Mikael poczuł, jak pod pachami tworzą mu się plamy potu. Jego dwóch ochroniarzy podeszło do niego, kiedy wyszedł z sądu. Skinieniem pozdrowili Dragana Armanskiego, a potem zajęli się obserwowaniem otoczenia.

– To dziwne uczucie chodzić z ochroną – powiedział Mikael. – Ile to będzie kosztowało?

– Firma bierze to na siebie – powiedział Armanski. – Jestem osobiście zainteresowany utrzymaniem cię przy życiu. Ale w ciągu ostatnich miesięcy wydaliśmy *pro publico bono* mniej więcej dwieście pięćdziesiąt tysięcy koron.

Mikael pokiwał głową.

– Kawa? – zapytał, wskazując włoski bar na Bergsgatan.

Armanski zgodził się. Mikael zamówił caffe latte, a Armanski podwójne espresso z łyżeczką mleka. Usiedli w cieniu na chodniku przed kawiarnią. Ochroniarze siedzieli przy stoliku obok. Pili colę.

– Za zamkniętymi drzwiami – powiedział Armanski.

– To było do przewidzenia. I dobrze, bo dzięki temu łatwiej nam będzie kontrolować przepływ informacji.

– Tak, to nie ma znaczenia, ale prokurator Ekström zaczyna mi się coraz mniej podobać.

Mikael zgodził się z nim. Pili kawę, spoglądając na budynek sądu, w którym miała się rozstrzygnąć przyszłość Lisbeth Salander.

– *Custer's last stand*, ostatnia bitwa – powiedział Mikael.

– Twoja siostra jest dobrze przygotowana – odparł pocieszająco Armanski. – I muszę przyznać, że mi zaimponowała. Kiedy zaczęła przedstawiać strategię, myślałem, że żartuje, ale im dłużej się nad tym zastanawiam, tym rozsądniejsza mi się wydaje.

– Ten proces nie rozstrzygnie się na sali sądowej – stwierdził Mikael.

Powtarzał to jak mantrę od kilku miesięcy.

– Zostaniesz wezwany jako świadek.

– Wiem. Jestem przygotowany. Ale to dopiero pojutrze. Przynajmniej na to się nastawiamy.

PROKURATOR RICHARD EKSTRÖM zostawił dwuogniskowe okulary w domu, więc musiał przesunąć okulary na czoło, żeby zmrużonymi oczami odczytać drobne literki w notatkach. Pogładził przelotnie swoją jasną bródkę, potem znów założył na nos szkła i rozejrzał się po sali.

Lisbeth Salander siedziała wyprostowana i przyglądała mu się nieprzeniknionym wzrokiem. Jej twarz i oczy były nieruchome. Nie wyglądała na obecną duchem. Przyszedł czas, żeby prokurator zaczął jej zadawać pytania.

– Chcę pani przypomnieć, pani Salander, że zeznaje pani pod przysięgą – powiedział Ekström.

Wyraz twarzy Lisbeth nie zmienił się. Prokurator Ekström czekał najwidoczniej na odpowiedź i zwlekał jeszcze kilka sekund. Uniósł brwi.

– A więc zeznaje pani pod przysięgą – powtórzył wreszcie.

Lisbeth Salander lekko przychyliła głowę. Annika Giannini była zajęta czytaniem sprawozdania z postępowania przygotowawczego i nie zwracała uwagi na to, co robi prokurator Ekström. Ekström zebrał swoje papiery i przez chwilę panowała uciążliwa cisza. Potem odchrząknął.

– A więc – zaczął rzeczowym tonem – przejdźmy bezpośrednio do wydarzeń, które miały miejsce w letnim domu nieżyjącego mecenasa Bjurmana pod Stallarholmen szóstego kwietnia bieżącego roku. Stanowiły one punkt wyjścia mojej porannej relacji. Spróbujemy wyjaśnić, jak doszło do tego, że pojechała pani do Stallarholmen i strzelała do Carla-Magnusa Lundina.

Ekström spojrzał wyczekująco na Lisbeth. Jej twarz nadal miała ten sam wyraz. Prokurator sprawiał wrażenie zrezygnowanego. Rozłożył ręce i przeniósł wzrok na przewodniczącego. Sędzia Iversen był zamyślony. Zerknął na Annikę Giannini, nadal zagłębioną w dokumentach, całkowicie nieświadomą tego, co się dzieje.

Sędzia Iversen odchrząknął. Popatrzył na Lisbeth.

– Czy pani milczenie mamy rozumieć jako odmowę udzielenia odpowiedzi na pytania? – zapytał.

Lisbeth odwróciła głowę i spojrzała sędziemu Iversenowi w oczy.

– Chętnie udzielę odpowiedzi na pytania – odparła.

Sędzia skinął głową.

– W takim razie może pani odpowie – wtrącił prokurator Ekström.

Lisbeth Salander znów przeniosła wzrok na prokuratora. Nadal milczała.

– Czy zechce pani udzielić odpowiedzi na pytanie? – powiedział sędzia Iversen.

Lisbeth jeszcze raz odwróciła głowę w stronę sędziego i uniosła brwi. Jej głos był jasny i zdecydowany.

– Jakie pytanie? Na razie on – kiwnęła głową w stronę Ekströma – przedstawił wiele niepotwierdzonych opinii. Nie usłyszałam żadnego pytania.

Annika Giannini podniosła wzrok. Oparła łokieć na blacie stołu i dłonią podparła podbródek. W jej oczach nagle pojawiło się zainteresowanie.

Prokurator Ekström na chwilę zgubił wątek.

– Czy byłby pan uprzejmy powtórzyć pytanie? – poprosił sędzia Iversen.

– Pytałem, czy pojechała pani do letniego domu mecenasa Bjurmana z zamiarem postrzelenia Carla-Magnusa Lundina.

– Nie, powiedział pan, że próbuje wyjaśnić, jak doszło do tego, że pojechałam do Stallarholmen i strzelałam do Carla-

654

-Magnusa Lundina. To nie było pytanie. To było kategoryczne stwierdzenie, w którym uprzedza pan moją odpowiedź. Nie ponoszę odpowiedzialności za pańskie stwierdzenia.

– Proszę nie czepiać się sformułowań, tylko odpowiadać na pytania.

– Nie.

Cisza.

– Nie? Ale co nie?

– Tak brzmi odpowiedź na pytanie.

Prokurator Richard Ekström westchnął. Zapowiadał się długi dzień. Lisbeth Salander przyglądała mu się wyczekująco.

– Może lepiej będzie, jeśli zaczniemy od początku – powiedział. – Czy była pani w domku nieżyjącego mecenasa Bjurmana w Stallarholmen po południu szóstego kwietnia tego roku?

– Tak.

– Jak się pani tam dostała?

– Pojechałam kolejką podmiejską do Södertälje, potem przesiadłam się w autobus do Strängnäs.

– Z jakiego powodu pojechała pani do Stallarholmen? Czy umówiła się tam pani na spotkanie z Carlem-Magnusem Lundinem i jego kolegą Sonnym Nieminenem?

– Nie.

– Więc dlaczego się tam zjawili?

– O to musi pan zapytać ich.

– Pytam panią.

Lisbeth Salander nie odpowiedziała.

Sędzia Iversen odchrząknął.

– Przypuszczam, że pani Salander nie odpowiada dlatego, że nie jest to pytanie do niej – podpowiedział.

Annika Giannini zachichotała w tej samej chwili, gdy sędzia to powiedział. Szybko umilkła i znów spojrzała w swoje papiery. Ekström z irytacją popatrzył w jej stronę.

– Jak pani sądzi, dlaczego Lundin i Nieminen przyjechali do domku Bjurmana?

– Tego nie wiem. Domyślam się, że pojechali tam, żeby go podpalić. Lundin miał litr benzyny w plastikowej butelce w torbie przy siodle swojego harleya.

Ekström wydął wargi.

– Dlaczego pani pojechała do domu letniego mecenasa Bjurmana?

– Szukałam informacji.

– Jakich informacji?

– Tych informacji, które, jak podejrzewam, Lundin i Nieminen mieli zniszczyć, czyli tych, które pomogłyby wyjaśnić, kto zabił tego bydlaka.

– Uważa pani, że mecenas Bjurman był bydlakiem? Czy dobrze zrozumiałem?

– Tak.

– A dlaczego pani tak uważa?

– Bo był sadystyczną świnią, dupkiem i gwałcicielem, czyli bydlakiem.

Zacytowała słowa wytatuowane na brzuchu Bjurmana, pośrednio przyznała się więc, że to ona za to odpowiada. Lecz nie o to była oskarżona. Bjurman nigdy nie doniósł na policję, że doznał uszkodzenia ciała, a udowodnienie, że doszło do tego pod przymusem, a nie wytatuował się z własnej woli, było niemożliwe.

– Innymi słowy, twierdzi pani, że pani opiekun prawny panią zgwałcił. Czy może pani powiedzieć, kiedy miałoby do tego dojść?

– To było we wtorek, osiemnastego lutego 2003 roku, i ponownie w piątek siódmego marca tego samego roku.

– Nie udzieliła pani odpowiedzi na żadne pytania śledczych, którzy próbowali z panią rozmawiać. Dlaczego?

– Nie miałam im nic do powiedzenia.

– Przeczytałem pani tak zwaną autobiografię, którą pani adwokat dostarczyła nieoczekiwanie kilka dni przed procesem. Muszę powiedzieć, że jest to zdumiewający dokument. Jeszcze do niego powrócimy. Twierdzi w nim pani, że za pierwszym razem mecenas Bjurman zmusił panią do seksu oralnego, a za drugim przez całą noc wielokrotnie panią gwałcił i brutalnie torturował.

Lisbeth nie odpowiedziała.

– Czy to prawda?

– Tak.

– Czy zgłosiła pani gwałty na policji?

– Nie.

– Dlaczego?

– Policja nigdy nie słuchała, kiedy próbowałam im coś wyjaśniać. Dlatego uznałam, że zgłaszanie im czegokolwiek nie ma sensu.

– Czy rozmawiała pani o gwałtach z kimś znajomym? Przyjaciółką?

– Nie.

– Dlaczego?

– Bo to nie powinno nikogo obchodzić.

– Okej. Czy próbowała się pani skontaktować z adwokatem?

– Nie.

– Czy zwróciła się pani do lekarza w celu opatrzenia obrażeń, których pani, jak twierdzi, doznała?

– Nie.

– Nie zwróciła się też pani do żadnej organizacji wspierającej kobiety.

– Znów pan wygłosił stwierdzenie.

– Przepraszam. Czy zwróciła się pani do organizacji wspomagającej kobiety?

– Nie.

Ekström zwrócił się do przewodniczącego.

– Chciałbym zwrócić uwagę wysokiego sądu, że oskarżona podaje, że dwa razy padła ofiarą czynów nierządnych, z czego drugi należy uznać za wyjątkowo brutalny. Twierdzi, że czynów tych dopuścił się jej opiekun prawny, nieżyjący mecenas Nils Bjurman. Równocześnie należy wziąć pod uwagę, że...

Ekström wertował swoje papiery.

– W materiałach ze śledztwa, które wydział zabójstw przeprowadził w związku z morderstwem, nie ma żadnych informacji o przeszłości Bjurmana, które potwierdzałyby wypowiedzi Lisbeth Salander. Bjurman nigdy nie został skazany za żadne przestępstwo. Nie było doniesień policyjnych na niego, nigdy też nie toczyło się przeciwko niemu dochodzenie. Przedtem był opiekunem prawnym lub mężem zaufania wielu młodych ludzi i żadna z tych osób nigdy nie zgłaszała żadnych form wykorzystywania seksualnego. Wręcz przeciwnie, wszyscy twierdzą zdecydowanie, że Bjurman zawsze zachowywał się wobec nich poprawnie i życzliwie.

Ekström odwrócił kartkę.

– Moim zadaniem jest także przypomnienie, że u Lisbeth Salander zdiagnozowano schizofrenię paranoidalną. Jest to młoda kobieta o udokumentowanych agresywnych skłonnościach, która od najmłodszych lat miała poważne problemy w kontaktach ze społeczeństwem. Spędziła kilka lat w dziecięcej klinice psychiatrycznej i od osiemnastego roku życia znajduje się pod kuratelą. Są to smutne fakty, lecz wszystko to nie działo się bez powodu. Lisbeth Salander stanowi zagrożenie dla siebie samej i dla otoczenia. Jestem głęboko przekonany, że nie powinna trafić do więzienia. Potrzebuje opieki lekarskiej.

Zrobił efektowną pauzę.

– Roztrząsanie stanu psychicznego młodej osoby jest przykrym zadaniem. Jest to naruszenie jej integralności, jej psychika staje się przedmiotem interpretacji. W tym przypadku możemy jednak ustosunkować się do chorego obrazu świata tej osoby. Jest on widoczny bardzo wyraźnie w tak zwanej autobiografii Lisbeth Salander. Nic wyraźniej nie dowodzi jej braku kontaktu z rzeczywistością. Nie potrzebujemy świadków ani interpretacji, w których słowo stoi przeciwko słowu. Mamy jej własne słowa. Sami możemy ocenić wiarygodność jej wypowiedzi.

Jego spojrzenie spoczęło na Lisbeth Salander. Ich oczy się spotkały. Nagle Lisbeth uśmiechnęła się. Wyglądała złowrogo. Ekström zmarszczył czoło.

– Czy pani Giannini ma coś do dodania? – zapytał sędzia Iversen.

– Nie – odparła Annika Giannini. – Nic ponad to, że wnioski prokuratora Ekströma są bzdurne.

POPOŁUDNIOWE POSIEDZENIE zaczęło się od zeznań Ulriki von Liebenstaahl z Komisji Nadzoru Kuratorskiego. Wezwał ją Ekström, żeby się dowiedzieć, czy były jakieś skargi na mecenasa Bjurmana. Świadek von Liebenstaahl zaprzeczyła z całą mocą. Uważała, że takie stwierdzenia są krzywdzące.

– Kuratela podlega ścisłej kontroli. Mecenas Bjurman pracował dla Komisji Nadzoru Kuratorskiego prawie dwadzieścia lat, zanim został tak haniebnie zamordowany.

Spojrzała na Lisbeth Salander miażdżącym wzrokiem, mimo że Lisbeth nie była oskarżona o zamordowanie Bjurmana, a nawet udowodniono, że mordercą jest Ronald Niedermann.

– Przez te wszystkie lata nigdy nie było skarg na mecenasa Bjurmana. Był sumiennym człowiekiem, wykazywał duże zaangażowanie w sprawy swoich podopiecznych.

– A więc pani zdaniem nie jest prawdopodobne, żeby mógł dokonać brutalnego gwałtu na Lisbeth Salander?

– Uważam to za absurd. Dostawaliśmy comiesięczne raporty od mecenasa Bjurmana. Spotykałam go też osobiście przy licznych okazjach.

– Mecenas Giannini wnosi o natychmiastowe uchylenie opieki kuratorskiej nad Lisbeth Salander.

– Nikt w Komisji Nadzoru Kuratorskiego nie cieszy się bardziej niż ja, kiedy dochodzi do uchylenia kurateli.

Niestety, ponosimy dużą odpowiedzialność, więc musimy przestrzegać ustalonych reguł. Zanim będziemy mogli uchylić ubezwłasnowolnienie Lisbeth Salander, musi ona w normalnym trybie zostać uznana za zdrową psychicznie przez psychiatrę.

– Rozumiem.

– Oznacza to, że będzie musiała się poddać badaniom psychiatrycznym. Czego, jak wiadomo, odmawia.

Przesłuchanie Ulriki von Liebenstaahl trwało około czterdziestu minut. W tym czasie dokonano także przeglądu comiesięcznych sprawozdań Bjurmana.

Tuż przed zakończeniem przesłuchania Annika Giannini zadała tylko jedno pytanie:

– Czy była pani w sypialni mecenasa Bjurmana w nocy z siódmego na ósmy marca 2003 roku?

– Oczywiście, że nie.

– A więc, innymi słowy, nie może pani mieć pojęcia, czy stwierdzenia mojej klientki są prawdziwe, czy nie?

– Oskarżenia wobec mecenasa Bjurmana są niedorzeczne.

– To pani zdanie. Czy jest pani w stanie zapewnić mu alibi lub w jakikolwiek inny sposób udokumentować stwierdzenie, że nie wykorzystał seksualnie mojej klientki?

– Oczywiście nie jestem. Ale prawdopodobieństwo...

– Dziękuję. To wszystko – powiedziała Annika Giannini.

OKOŁO SIÓDMEJ WIECZOREM Mikael Blomkvist spotkał się z siostrą w biurze Milton Security przy Slussen.

– Było mniej więcej tak, jak się można było spodziewać – stwierdziła Annika. – Ekström kupił autobiografię Salander.

– Świetnie. A jak ona sobie radzi?

Annika nagle się roześmiała.

– Radzi sobie doskonale i wygląda jak prawdziwa psychopatka. Po prostu zachowuje się naturalnie.

– Hmm...

– Dzisiaj była mowa głównie o Stallarholmen. Jutro rano na tapecie będzie Gosseberga, przesłuchania techników kryminalistycznych i tak dalej. Ekström będzie usiłował udowodnić, że Salander pojechała tam, żeby zamordować ojca.

– Okej.

– Ale możemy mieć mały problem techniczny. Po południu Ekström wezwał niejaką Ulrikę von Liebenstaahl z Komisji Nadzoru Kuratorskiego. Zaczęła coś gadać, że nie mam prawa reprezentować Lisbeth.

– Jak to?

– Twierdzi, że Lisbeth jako ubezwłasnowolniona nie ma prawa sama wybierać adwokata.

– Ach tak?

– A więc formalnie nie mogę być jej adwokatem, o ile nie zatwierdzi tego Komisja Nadzoru Kuratorskiego.

– I co?

– Sędzia Iversen ma się do tego odnieść jutro rano. Rozmawiałam z nim chwilę po zakończeniu posiedzenia. Ale wydaje mi się, że jest skłonny zdecydować, żebym dalej jej broniła. Jako argument podałam, że komisja miała trzy miesiące na protesty i zażalenia, dlatego trochę bezczelnie jest przychodzić z czymś takim, kiedy proces już się rozpoczął.

– W piątek będzie zeznawał Teleborian. Musisz go przesłuchać.

W CZWARTEK PO PRZESTUDIOWANIU licznych map i zdjęć, po wysłuchaniu licznych ekspertyz technicznych na temat wydarzeń w gospodarstwie Gosseberga prokurator Ekström stwierdził, że wszystkie dowody świadczą o tym, że Lisbeth Salander odwiedziła swojego ojca z zamiarem pozbawienia go życia. Najbardziej obciążającym dowodem było to, że zabrała ze sobą do Gossebergi broń palną, polskiego wanada P-38.

Fakt, że Aleksander Zalachenko (według relacji Lisbeth Salander) lub poszukiwany za morderstwo policjanta

Ronald Niedermann (według zeznań, które przed śmiercią złożył Zalachenko) także usiłowali zamordować Lisbeth Salander, a następnie pogrzebali ją w leśnym wykopie, w najmniejszym stopniu nie podważały faktu, że pojechała do Gossebergi z zamiarem zamordowania ojca. Ponadto jej zamiar prawie się powiódł, kiedy uderzyła go w twarz siekierą. Ekström wnioskował o uznanie Lisbeth winną usiłowania zabójstwa względnie przygotowania zabójstwa oraz, w dwóch przypadkach, ciężkiego uszkodzenia ciała.

Według samej Lisbeth Salander pojechała do Gossebergi, żeby spotkać się z ojcem, namówić go, żeby przyznał się do zamordowania Daga Svenssona i Mii Bergman. Ten punkt miał zasadnicze znaczenie – działała umyślnie.

Kiedy Ekström zakończył przesłuchiwanie świadka Melkera Hanssona z wydziału technicznego policji w Göteborgu, obrońca Annika Giannini zadała mu jeszcze kilka pytań:

– Panie Hansson, czy w pańskim raporcie i całej dokumentacji technicznej, którą pan sporządził, jest coś, co mogłoby świadczyć o tym, że Lisbeth Salander kłamie, mówiąc o swoich zamiarach związanych z wizytą w Gosseberdze? Czy może pan udowodnić, że pojechała tam z zamiarem zamordowania swojego ojca?

Melker Hansson zastanawiał się chwilę.

– Nie – odparł w końcu.

– A więc nie jest pan w stanie powiedzieć, czy działała umyślnie?

– Nie.

– Czyli wniosek prokuratora Ekströma, choć przedstawiony tak obszernie i z taką swadą, jest spekulacją?

– Tak sądzę.

– Czy wśród dowodów rzeczowych jest coś, co zaprzeczałoby słowom Lisbeth Salander, że wzięła ze sobą pistolet P-83 wanad przypadkiem, po prostu dlatego że znajdował się w jej torbie i nie wiedziała, co ma z tą bronią zrobić, po tym jak odebrała ją Sonny'emu Nieminenowi w Stallarholmen?

– Nie.

– Dziękuję – powiedziała Annika Giannini i usiadła na swoim miejscu. Tylko tyle powiedziała podczas godzinnego przesłuchania Hanssona.

W CZWARTKOWY WIECZÓR około szóstej Birger Wadensjöö wyszedł z siedziby Sekcji na Artillerigatan z poczuciem, że wiszą nad nim groźne ciemne chmury i koniec jest coraz bliższy. Od kilku tygodni zdawał sobie sprawę, że jego dyrektorska funkcja, funkcja szefa Specjalnej Sekcji Analiz, była tylko pustą nazwą. Jego zdanie, jego protesty i apele nic nie znaczyły. Dowodzenie przejął Fredrik Clinton. Gdyby Sekcja była otwartą instytucją publiczną, sprawa wyglądałaby inaczej – mógłby się zwrócić do bezpośredniego przełożonego i złożyć protest.

Lecz w tej sytuacji nie było nikogo, komu mógłby się poskarżyć. Był osamotniony i zdany na łaskę i niełaskę człowieka, którego uważał za opętanego. Najgorsze było to, że Clinton miał niepodważalny autorytet. Szczeniaki takie jak Jonas Sandberg i doświadczeni długoletni pracownicy jak Georg Nyström – wszyscy nagle karnie ustawili się w szeregu, gotowi na każde skinienie śmiertelnie chorego szaleńca.

Musiał przyznać, że Clinton wykorzystywał swój autorytet dyskretnie i nie dbając o własne przywileje. Wadensjöö potrafił nawet zrozumieć, że Clinton działał dla dobra Sekcji, a przynajmniej tego, co uważał za jej dobro. Tak jakby cała organizacja była w stanie niekontrolowanego upadku. W stanie zbiorowych omamów doświadczeni pracownicy nie chcieli dostrzec, że każdy ich ruch, każda decyzja, którą podejmują i realizują, prowadzi coraz bliżej skraju przepaści.

Wadensjöö czuł ucisk w piersiach. Szedł na Linnégatan, gdzie tego dnia znalazł miejsce, żeby zaparkować samochód.

Wyłączył alarm, wyjął kluczyki i właśnie miał otworzyć drzwi, kiedy usłyszał za plecami jakiś ruch i odwrócił się. Patrzył pod światło, więc przymrużył oczy. Dopiero po kilku sekundach rozpoznał postawnego mężczyznę, który stał za nim na chodniku.

– Dobry wieczór, panie Wadensjöö – powiedział Torsten Edklinth, szef wydziału ochrony konstytucji. – Od dziesięciu lat nie brałem udziału w akcji w terenie, ale uznałem, że dziś wieczorem moja obecność może się przydać.

Wadensjöö patrzył zdezorientowany na policjantów w cywilu, którzy stali po bokach Edklintha. Byli to Jan Bublanski i Marcus Erlander.

Nagle uświadomił sobie, co się zaraz stanie.

– Mam przykry obowiązek poinformować pana, że postanowieniem prokuratora generalnego jest pan aresztowany za popełnienie wielu przestępstw. Jest ich tak wiele, że sporządzenie kompletnej listy zarzutów potrwa przypuszczalnie kilka tygodni.

– Co to ma znaczyć? – zapytał Wadensjöö z oburzeniem.

– Ma to znaczyć, że jest pan tymczasowo aresztowany jako podejrzany o udział w morderstwie. Jest pan także podejrzany o szantaż, wręczanie łapówek, instalowanie nielegalnych podsłuchów, kilka przypadków fałszowania dokumentów, ciężkie sprzeniewierzenie, współudział we włamaniu, nadużywanie urzędu, szpiegostwo i wiele innych spraw. Pojedziemy teraz na Kungsholmen i na spokojnie poważnie porozmawiamy.

– Nikogo nie zamordowałem – powiedział Wadensjöö bez tchu.

– O tym przekonamy się podczas śledztwa.

– To Clinton. To wszystko Clinton – wyznał Wadensjöö.

Torsten Edklinth z zadowoleniem skinął głową.

KAŻDY POLICJANT WIE, że istnieją dwa sposoby przesłuchiwania podejrzanego. Na złego policjanta i na dobrego policjanta. Zły policjant grozi, klnie, uderza pięścią w stół i w ogóle zachowuje się bezwzględnie, żeby nastraszyć delikwenta i skłonić go do przyznania się do winy. Dobry policjant – najlepiej typ szpakowatego wujka – częstuje papierosami i kawą, z sympatią kiwa głową i mówi rzeczowym tonem.

Większość policjantów – choć nie wszyscy – wie też, że technika na dobrego policjanta przynosi zdecydowanie lepsze rezultaty. Na zatwardziałym złodzieju recydywiście metody złego policjanta nie robią żadnego wrażenia. A niepewny amator, którego zły policjant może skutecznie postraszyć, przyznałby się prawdopodobnie i tak, niezależnie od techniki przesłuchiwania.

Mikael Blomkvist śledził przysłuchanie Birgera Wadensjöö z sąsiedniego pokoju. Jego obecność stała się przedmiotem wewnętrznych sporów, które Edklinth uciął, stwierdzając, że spostrzeżenia Mikaela mogą okazać się przydatne.

Mikael zauważył, że Torsten Edklinth wybrał trzecią metodę policyjnego przesłuchania, na znudzonego policjanta, która w tym przypadku zdawała się sprawdzać jeszcze lepiej. Wszedł do pokoju przesłuchań, nalał kawy do porcelanowych kubków, włączył magnetofon i odchylił się na oparcie krzesła.

– Sprawa wygląda tak, że mamy już dowody przeciwko panu. Nie jesteśmy zainteresowani pańską opowieścią, może jedynie chcielibyśmy, żeby pan potwierdził to, co już wiemy. A pytanie, na które chcemy ewentualnie otrzymać odpowiedź brzmi: dlaczego? Jak mogliście być takimi szaleńcami, żeby podejmować decyzje o likwidowaniu ludzi w Szwecji, jakbyśmy byli w Chile za dyktatury Pinocheta? Magnetofon jest włączony. Jeśli chce pan coś powiedzieć, teraz ma pan okazję. Jeśli nie chce pan mówić, wyłączę magnetofon, potem zabierzemy panu krawat, sznurowadła, i zakwaterujemy na górze, w areszcie tymczasowym, gdzie poczeka pan na adwokata, proces i wyrok.

Edklinth napił się kawy i zamilkł. Przez dwie minuty nie padło ani jedno słowo, więc wyciągnął rękę i wyłączył magnetofon. Wstał.

– Powiem, żeby ktoś pana zabrał za kilka minut. Do widzenia.

– Nikogo nie zamordowałem – rzucił Wadensjöö, kiedy Edklinth zdążył otworzyć drzwi. Zatrzymał się w progu.

– Nie jestem zainteresowany pana ogólnymi wynurzeniami. Jeśli chce pan złożyć zeznania, usiądę i włączę magnetofon. Cały aparat władzy Szwecji, nie wyłączając premiera, czeka niecierpliwie na to, co ma pan do powiedzenia. Jeśli będzie pan zeznawał, mogę jeszcze dziś wieczorem pojechać do premiera i przedstawić mu pańską wersję wydarzeń. Jeśli nie zechce pan zeznawać, i tak zostanie pan oskarżony i skazany.

– Niech pan siądzie – powiedział Wadensjöö.

Wszyscy zauważyli, że już zrezygnował. Mikael odetchnął z ulgą. Siedział w bocznym pokoju razem z Moniką Figuerolą, prokurator Ragnhild Gustavsson, anonimowym funkcjonariuszem Säpo Stefanem oraz dwiema jeszcze nieznanymi mu osobami. Mikael podejrzewał, że co najmniej jedna z tych osób reprezentuje ministra sprawiedliwości.

– Nie mam nic wspólnego z morderstwami – powiedział Wadensjöö, kiedy Edklinth ponownie włączył magnetofon.

– Morderstwami – powtórzył Mikael Blomkvist, spoglądając na Monikę Figuerolę.

– Ćśś – odpowiedziała.

– To Clinton i Gullberg. Nie miałem pojęcia, co zamierzają zrobić. Przysięgam. Byłem kompletnie zszokowany, kiedy dowiedziałem się, że Gullberg zastrzelił Zalachenkę. Nie mogłem uwierzyć, że to prawda... nie wierzyłem. A kiedy dowiedziałem się o Björcku, omal nie dostałem ataku serca.

– Niech pan opowie o zamordowaniu Björcka – powiedział Edklinth, nie zmieniając tonu. – Jak to się odbyło?

– Clinton kogoś wynajął. Nawet nie wiem, jak to wyglądało, ale to byli dwaj ludzie z byłej Jugosławii. Serbowie, o ile się nie mylę. To Georg Nyström im to zlecił i zapłacił. Kiedy się o tym dowiedziałem, stało się dla mnie jasne, że to wszystko doprowadzi do katastrofy.

– Zacznijmy może od początku – zaproponował Edklinth. – Kiedy zaczął pan pracować dla Sekcji?

Wadensjöö zaczął swą opowieść i nie mógł skończyć. Przesłuchanie trwało prawie pięć godzin.

Rozdział 26
Piątek 15 lipca

DOKTOR PETER TELEBORIAN mówił w sposób budzący zaufanie, kiedy w piątkowe przedpołudnie znalazł się w sądzie na miejscu dla świadków. Prokurator Ekström przesłuchiwał go około dziewięćdziesięciu minut. Doktor odpowiadał na pytania spokojnie, tonem autorytetu. Czasem na jego twarzy pojawiał się wyraz zatroskania, czasem rozbawienia.

– Tytułem podsumowania... – powiedział Ekström, wertując dokumenty. – Więc stwierdza pan, jako długoletni psychiatra Lisbeth Salander, że cierpi ona na schizofrenię paranoidalną.

– Cały czas mówiłem, że niezwykle trudno precyzyjnie określić jej stan. Pacjentka, jak wiadomo, w kontaktach z lekarzami i władzami zachowuje się niemal autystycznie. Oceniam, że cierpi na poważne zaburzenia psychiczne, ale w obecnej sytuacji nie mogę postawić szczegółowej diagnozy. Bez przeprowadzenia bardziej obszernych badań nie mogę też stwierdzić, w którym stadium psychozy się znajduje.

– Tak czy inaczej, uważa pan, że nie jest zdrowa psychicznie.

– Cała jej historia jest ewidentnym dowodem na to, że nie jest.

– Przeczytał pan tak zwaną autobiografię, którą Lisbeth Salander napisała i złożyła w sądzie okręgowym jako swoje oświadczenie. Jak pan mógłby ją skomentować?

Peter Teleborian rozłożył ręce i wzruszył ramionami.

– A jak ocenia pan wiarygodność tej opowieści?

– W ogóle nie jest wiarygodna. Jest w niej wiele opinii o różnych osobach, jedna historia jest bardziej niewiarygodna od drugiej. Biorąc pod uwagę całość, jej pisemne oświadczenie potwierdza tylko podejrzenia, że Lisbeth Salander cierpi na schizofrenię paranoidalną.

– Czy może pan podać jakiś przykład?

– Najlepszym przykładem jest opis tak zwanego gwałtu, którego jej opiekun prawny Bjurman miał się rzekomo na niej dopuścić.

– Czy może pan to rozwinąć?

– Cały opis jest niezwykle szczegółowy. Jest klasycznym przykładem takiego rodzaju groteskowych fantazji, jakie można zaobserwować u dzieci. Istnieje wiele podobnych przypadków z głośnych spraw o kazirodztwo, kiedy to dziecko mówi o czymś, co przez swoją niedorzeczność samo się demaskuje jako nieprawdziwe. Poza tym brakuje jakichkolwiek dowodów na popełnienie tych czynów. Są to więc erotyczne fantazje, które mogą występować nawet u bardzo małych dzieci... To tak jakby oglądały film grozy w telewizji.

– Lisbeth Salander nie jest już dzieckiem, jest dorosłą kobietą – powiedział Ekström.

– Właśnie, ale trzeba by jeszcze ocenić, na jakim dokładnie poziomie mentalnym znajduje się obecnie. W jednym ma pan rację. Jest dorosła i prawdopodobnie wierzy w opowieść, którą przedstawiła sądowi.

– Czyli uważa pan, że to kłamstwo?

– Nie, skoro ona wierzy w to, co mówi, to nie jest to kłamstwo. To pokazuje, że nie potrafi odróżnić fantazji od rzeczywistości.

– A więc nie została zgwałcona przez mecenasa Bjurmana?

– Nie. Prawdopodobieństwo, że tak było, należy uznać za bliskie zera. Ona potrzebuje fachowej opieki.

– Pan także występuje w opowieści Lisbeth Salander...

– Tak, to dość pikantne. Ale to znów są jej fantazje, którym w taki sposób daje wyraz. Jeśli wierzyć tej biednej dziewczynie, to ja jestem niemal pedofilem...

Uśmiechnął się i mówił dalej:

– Ale to jest właśnie wyraz tego, o czym cały czas mówiłem. Z biografii Salander dowiadujemy się, że była dręczona przez przypinanie pasami do łóżka przez większość czasu spędzonego w Klinice św. Stefana, a ja nocami zachodziłem do jej pokoju. Jest to niemal klasyczny przykład jej niezdolności do rozumienia rzeczywistości lub, ściślej mówiąc, tego, jak ona interpretuje rzeczywistość.

– Dziękuję. Oddaję głos obronie, o ile pani Giannini ma jakieś pytania.

Ponieważ w ciągu dwóch pierwszych dni procesu Annika Giannini prawie nie miała żadnych pytań ani uwag, wszyscy spodziewali się, że znów zada jakieś rutynowe pytania i na tym skończy. *Co za kiepski, żenujący wręcz poziom obrony*, myślał Ekström.

– Tak. Mam pytania – powiedziała Annika Giannini. – Mam nawet dość dużo pytań i pewnie potrwa to trochę dłużej. Jest wpół do dwunastej. Proponuję teraz zrobić przerwę na lunch, żebym potem mogła pana przesłuchać bez konieczności przerywania.

Sędzia Iversen zdecydował, że sąd uda się na lunch.

KIEDY RÓWNO O DWUNASTEJ w południe Curt Svensson położył swoją wielką dłoń na ramieniu komisarza Georga Nyströma przed restauracją Mäster Anders na Hantverkergatan, towarzyszyło mu dwóch umundurowanych policjantów. Nyström spojrzał zaskoczony w górę na Svenssona, który podsuwał mu pod nos legitymację policyjną.

– Dzień dobry. Jest pan aresztowany na podstawie podejrzeń o współudział w zabójstwie i usiłowanie zabójstwa. Punkty oskarżenia przedstawi panu prokurator generalny na rozprawie w sprawie tymczasowego aresztowania dzisiaj po południu. Proszę, żeby poszedł pan ze mną – powiedział Curt Svensson.

Georg Nyström sprawiał wrażenie, jakby nie rozumiał języka, w którym przemówił Svensson. Stwierdził jednak, że lepiej iść bez protestów.

PUNKTUALNIE O DWUNASTEJ inspektor Jan Bublanski w towarzystwie Sonji Modig i siedmiu policjantów w mundurach został wpuszczony przez Stefana Bladha, pracownika ochrony konstytucji, do zamkniętego kompleksu w budynku na Kungsholmen, siedziby służby bezpieczeństwa. Kroczyli korytarzami, aż Stefan zatrzymał się i wskazał jakieś drzwi. Sekretarz szefa kancelarii przeraził się, kiedy Bublanski wyciągnął legitymację.

– Proszę się nie ruszać. Policja.

Podszedł do wewnętrznych drzwi i zobaczył szefa kancelarii Alberta Shenkego rozmawiającego przez telefon.

– Co to ma być? – zdziwił się Shenke.

– Inspektor Jan Bublanski. Aresztuję pana za przestępstwo przeciwko szwedzkiej konstytucji. Po południu otrzyma pan długą listę zarzutów.

– To niesłychane! – wykrzyknął Shenke.

– Tak, to prawda – przyznał Bublanski.

Kazał zapieczętować gabinet Shenkego i postawił na straży dwóch policjantów. Zakazał wpuszczać kogokolwiek za próg. Mieli prawo użyć pałek, a nawet broni palnej, gdyby ktoś chciał się siłą wedrzeć do środka.

Następnie ruszyli dalej korytarzem, aż Stefan wskazał kolejne drzwi. To samo powtórzyło się w pokoju dyrektora finansowego Gustava Atterboma.

JERKER HOLMBERG miał ze sobą wsparcie w postaci oddziału interwencyjnego policji Södermalmu. Równo o dwunastej załomotał do drzwi wynajmowanego czasowo biura na trzecim piętrze, naprzeciwko redakcji „Millennium" na Götgatan.

Ponieważ nikt nie otwierał, Jerker Holmberg polecił wyłamać drzwi, ale zanim policjanci zdążyli użyć łomu, drzwi się uchyliły.

– Policja – powiedział Jerker Holmberg. – Proszę wyjść z rękami z przodu.

– Jestem policjantem – powiedział inspektor Göran Mårtensson.

– Wiem. I ma pan licencje na całą masę broni.

– Tak, ale jestem policjantem na służbie.

– Gówno mnie to obchodzi – odparł Jerker Holmberg.

Z pomocą asysty postawił Mårtenssona pod ścianą i odebrał mu broń.

– Jest pan zatrzymany za nielegalny podsłuch, przekroczenie uprawnień, wielokrotne włamania do mieszkania dziennikarza Mikaela Blomkvista na Bellmansgatan i przypuszczalnie kilka innych zarzutów. Skuć go.

Jerker Holmberg przeprowadził szybką inspekcję biura i stwierdził, że jest w nim dość elektroniki, żeby obsłużyć studio nagraniowe. Zostawił jednego policjanta na straży, nakazując mu siedzieć nieruchomo na krześle i niczego nie dotykać, żeby nie zostawić odcisków palców.

Kiedy policjanci wyprowadzali Mårtenssona z bramy, Henry Cortez uniósł swojego cyfrowego nikona i zrobił serię dwudziestu dwóch zdjęć. Nie był profesjonalnym fotografem i jakość zdjęć pozostawiała wiele do życzenia. Ale następnego dnia sprzedał je pewnej popołudniówce za nieprzyzwoitą wręcz sumę.

MONICE FIGUEROLI jako jedynej z policjantów biorących udział w aresztowaniach wydarzyło się coś nieprzewidzianego. Wraz z oddziałem interwencyjnym policji z Norrmalmu i trzema kolegami z RPS/Säk punktualnie o dwunastej weszła w bramę domu na Artillerigatan, a potem schodami do mieszkania na najwyższym piętrze, należącego do firmy Bellona.

Operacja została zaplanowana z niewielkim wyprzedzeniem. Gdy policjanci zebrali się przed drzwiami mieszkania, Figuerola dała im znak. Dwaj postawni funkcjonariusze w mundurach podnieśli czterdziestokilowy stalowy taran i dwoma celnymi uderzeniami otworzyli drzwi. Oddział interwencyjny w kamizelkach kuloodpornych i z bronią w gotowości zajął mieszkanie w ciągu dziesięciu sekund od sforsowania drzwi.

Prowadzone od świtu obserwacje wskazywały na to, że rano do bramy weszło pięć osób zidentyfikowanych jako pracownicy Sekcji. Wszystkie pięć szybko odnaleziono i zakuto w kajdanki.

Monika Figuerola też miała na sobie kamizelkę kuloodporną. Szła przez mieszkanie będące kwaterą główną Sekcji od lat sześćdziesiątych i otwierała po kolei wszystkie drzwi. Pomyślała, że do posortowania papierów wypełniających wszystkie pokoje potrzebny będzie archeolog.

Otworzyła drzwi do mniejszego pomieszczenia na tyłach mieszkania i stwierdziła, że to sypialnia. Nieoczekiwanie stanęła oko w oko z Jonasem Sandbergiem. Podczas porannego rozdzielania zadań Sandberg stanowił znak zapytania. Wczoraj wieczorem zgubił się agentowi, który go obserwował. Jego samochód stał na Kungsholmen. W nocy nie był widziany w okolicy swego mieszkania. Rano nikt nie wiedział, jak go zlokalizować i aresztować.

Mają dyżury nocne ze względów bezpieczeństwa. Oczywiście. A Sandberg właśnie odsypia nockę.

Jonas Sandberg miał na sobie tylko spodenki i wyglądał na zaspanego. Wyciągnął rękę po broń leżącą na nocnym stoliku. Monika Figuerola schyliła się i ręką zmiotła pistolet, jak najdalej od Sandberga.

– Panie Sandberg, jest pan aresztowany na podstawie podejrzeń o udział w zabójstwie Gunnara Björcka i Aleksandra

Zalachenki oraz udział w próbie zabójstwa Mikaela Blomkvista i Eriki Berger. Niech pan włoży spodnie.

Sandberg chciał uderzyć Monikę Figuerolę pięścią. Zasłoniła się odruchowo.

– Pan żartuje? – zapytała. Złapała go za ramię i wykręciła tak mocno, że był zmuszony położyć się na podłodze. Figuerola przewróciła go na brzuch i oparła kolano na jego lędźwiach. Sama założyła mu kajdanki. Po raz pierwszy odkąd zaczęła pracować w RPS/Säk, użyła kajdanek na służbie.

Przekazała Sandberga w ręce policjantów i poszła dalej. Wreszcie otworzyła ostatnie drzwi, na końcu korytarza. Według planów dostarczonych przez miejski wydział budowlany była to klitka wychodząca na podwórze. Stanęła w progu i zobaczyła najbardziej wychudzonego stracha na wróble, jakiego kiedykolwiek widziała. Ani przez sekundę nie wątpiła, że stoi przed człowiekiem śmiertelnie chorym.

– Panie Clinton, jest pan aresztowany za udział w morderstwie, próbie morderstwa i szeregu innych przestępstw – powiedziała. – Niech pan nie wstaje z łóżka. Już wezwaliśmy karetkę, która przetransportuje pana na Kungsholmen.

Christer Malm stanął tuż przy bramie domu na Artillerigatan. W odróżnieniu od Henry'ego Corteza potrafił posługiwać się cyfrowym nikonem. Użył krótkiego teleobiektywu i jego zdjęcia wyszły profesjonalnie.

Przedstawiały członków Sekcji wyprowadzanych jeden za drugim z bramy i wsiadających do policyjnych samochodów. Na koniec sfotografował karetkę, która przyjechała po Fredrika Clintona. Jego wzrok spoczął na obiektywie aparatu akurat w momencie, kiedy Christer naciskał migawkę. Clinton wyglądał na przerażonego i zdezorientowanego.

Zdjęcie to zdobyło później tytuł zdjęcia roku.

Rozdział 27
Piątek 15 lipca

O DWUNASTEJ TRZYDZIEŚCI sędzia Iversen zastukał młotkiem w stół i ogłosił, że posiedzenie sądu okręgowego zostaje wznowione. Od razu zauważył, że przy stole Anniki Giannini pojawiła się trzecia osoba. Holger Palmgren siedział na wózku inwalidzkim.

– Witam pana, panie Palmgren – powiedział sędzia Iversen. – Dawno pana nie widziałem na sali sądowej.

– Dzień dobry, wysoki sądzie. Niektóre sprawy są tak skomplikowane, że młodzież potrzebuje trochę wsparcia.

– Myślałem, że nie pracuje pan już jako adwokat.

– Byłem chory. Ale mecenas Giannini poprosiła mnie, bym był obrońcą pomocniczym w tej sprawie.

– Rozumiem.

Annika Giannini odchrząknęła.

– Trzeba dodać, że Holger Palmgren przez wiele lat reprezentował Lisbeth Salander.

– Nie mam żadnych obiekcji – powiedział sędzia Iversen.

Skinieniem głowy dał obronie znak, że może zaczynać. Annika Giannini wstała. Nigdy nie lubiła szwedzkiego zwyczaju prowadzenia rozpraw w nieformalnym stylu, przy niewielkim stole, niemal jakby chodziło o popołudniową herbatkę. O wiele pewniej się czuła, kiedy mogła mówić na stojąco.

– Wydaje mi się, że powinniśmy zacząć od komentarzy kończących przedpołudniowe przesłuchanie. Panie Teleborian, dlaczego tak konsekwentnie neguje pan wszystkie wypowiedzi Lisbeth Salander?

– Ponieważ są w oczywisty sposób nieprawdziwe – odparł lekarz.

Był spokojny i zrelaksowany. Annika Giannini skinęła głową i zwróciła się do sędziego Iversena.

– Wysoki sądzie, Peter Teleborian twierdzi, że Lisbeth Salander kłamie i zmyśla. Obrona zamierza wykazać, że każde słowo napisane przez Lisbeth Salander w jej autobiografii jest prawdziwe. Przedstawimy dowody, które to potwierdzają. Wizualne, pisemne oraz wynikające z zeznań świadków. Oskarżyciel przedstawił już swoją interpretację. Przysłuchiwaliśmy się temu i wiemy, o co dokładnie jest oskarżona Lisbeth Salander.

Annice nagle zaschło w ustach. Poczuła, że drżą jej dłonie. Wzięła głęboki oddech i napiła się wody mineralnej. Potem mocno oparła dłonie na oparciu krzesła, żeby nie zdradzały jej zdenerwowania.

– Z mowy oskarżyciela wywnioskowaliśmy, że ma on wiele do powiedzenia, ale bardzo mało dowodów. Uważa, że Lisbeth Salander postrzeliła Carla-Magnusa Lundina w Stallarholmen. Twierdzi, że pojechała do Gossebergi z zamiarem pozbawienia życia swojego ojca. Przypuszcza, że moja klientka cierpi na schizofrenię paranoidalną i wszelkie inne zaburzenia psychiczne. A przypuszczenie to opiera na informacjach z jednego tylko źródła, mianowicie doktora Petera Teleboriana.

Zrobiła przerwę, żeby zaczerpnąć powietrza. Pilnowała się, żeby mówić powoli.

– Sytuacja wygląda tak, że ze strony oskarżenia sprawa opiera się całkowicie na Peterze Teleborianie. Jeśli ma rację, wszystko jest w najlepszym porządku. Wtedy mojej klientce rzeczywiście najlepiej posłużyłaby fachowa opieka psychiatryczna, o którą wnoszą zarówno doktor, jak i oskarżyciel.

Pauza.

– Ale jeśli doktor Teleborian się myli, sprawa zaczyna wyglądać zupełnie inaczej. A gdyby ponadto świadomie mówił nieprawdę, okaże się, że moja klientka została poddana działaniom będącym naruszeniem prawa i że bezprawie to trwało wiele lat.

Zwróciła się do Ekströma.

– Dzisiaj zajmiemy się wykazaniem, że pański świadek się myli, a pan jako prokurator został wprowadzony w błąd i przyjął jego fałszywe wnioski.

Peter Teleborian uśmiechnął się z rozbawieniem. Rozłożył bezradnie ręce i zachęcająco skinął głową do Anniki Giannini. Annika znów zwróciła się do Iversena.

– Wysoki sądzie. Zamierzam wykazać, że tak zwana ekspertyza sądowo-lekarska Petera Teleboriana jest od początku do końca oszustwem. Wykażę, że z pełną świadomością kłamie on w sprawie Lisbeth Salander. Zamierzam wykazać, że moja klientka padła ofiarą brutalnego bezprawia. Zamierzam wykazać, że jest tak samo normalna i rozumna, jak każda inna osoba na tej sali.

– Przepraszam, ale... – zaczął Ekström.

– Chwileczkę. – Podniosła palec. – Pozwoliłam panu mówić, nie przerywając, przez dwa dni. Teraz kolej na mnie.

Ponownie zwróciła się do sędziego Iversena:

– Nie formułowałabym przed sądem takich oskarżeń, gdybym nie miała mocnych dowodów.

– Proszę kontynuować – powiedział sędzia. – Ale nie chcę wysłuchiwać jakichś wziętych z powietrza teorii spiskowych. Niech pani pamięta, że może pani zostać oskarżona o zniesławienie także za stwierdzenia przedstawione przed sądem.

– Dziękuję. Będę pamiętała.

Potem zwróciła się do Teleboriana, który nadal zdawał się dobrze bawić.

– Obrona wielokrotnie zwracała się o udostępnienie karty choroby Lisbeth Salander z okresu, kiedy jako dwunastolatka znalazła się pod pańską opieką w Klinice św. Stefana. Dlaczego jej nie otrzymaliśmy?

– Dlatego że postanowieniem sądu okręgowego została utajniona. Postanowienie to zostało podjęte ze względu na dobro Lisbeth Salander, lecz jeśli wyższa instancja je uchyli, wtedy oczywiście dostarczę państwu ten dokument.

– Dziękuję. Ile nocy w ciągu owych dwóch lat, które Lisbeth Salander spędziła w Klinice św. Stefana, leżała przypięta do łóżka pasami?

– Tego nie mogę powiedzieć z głowy.

– Ona twierdzi, że było to trzysta osiemdziesiąt z siedmiuset osiemdziesięciu sześciu nocy, jakie w sumie przebywała w klinice.

– Nie jestem w stanie podać dokładnej liczby, ale to jest ogromna przesada. Skąd ma pani te dane?

– Z jej autobiografii.

– I uważa pani, że dzisiaj jest w stanie pamiętać o każdej nocy spędzonej w pasach? To niedorzeczność.

– Doprawdy? A ile nocy pan pamięta?

– Lisbeth Salander była bardzo agresywną pacjentką, bardzo brutalną, co w sposób oczywisty wymagało zamknięcia jej kilka razy w pomieszczeniu zapewniającym brak bodźców. Może wytłumaczę, jaki jest cel pobytu w takim pomieszczeniu...

– Dziękuję, to zbyteczne. W teorii jest to pomieszczenie, w którym pacjent jest odcięty od wszelkich wrażeń zmysłowych mogących wywołać niepokój. Ile dni i nocy młodziutka Lisbeth Salander leżała skrępowana w tym pomieszczeniu?

– To mogło być... tak na oko może trzydzieści razy przez ten czas, kiedy była w klinice.

– Trzydzieści. To ułamek liczby trzysta osiemdziesiąt, którą ona sama podaje.

– Bez wątpienia.

– Mniej niż dziesięć procent podanej przez nią liczby.

– Tak.

– Czy jej karta choroby mogłaby dostarczyć dokładniejszych danych?

– To możliwe.

– Doskonale – powiedziała Annika Giannini i wyjęła z aktówki pokaźny plik papierów. – A więc proszę o możliwość przedłożenia sądowi kopii karty choroby Lisbeth Salander z Kliniki św. Stefana. Policzyłam zapisy o przypadkach użycia pasów i uzyskałam liczbę trzysta osiemdziesiąt jeden, czyli nawet więcej, niż twierdzi moja klientka.

Oczy Petera Teleboriana rozszerzyły się.

– Chwileczkę... to są tajne informacje. Skąd pani je ma?

– Dostałam je od reportera pisma „Millennium”. Nie są więc aż tak tajne, skoro poniewierają się po redakcjach prasowych. Może powinnam dodać, że fragmenty karty choroby Lisbeth Salander zostaną dzisiaj opublikowane w „Millennium”. Uważam więc, że wysoki sąd także powinien mieć prawo obejrzenia tych dokumentów.

– To naruszenie prawa...

– Nie. Lisbeth Salander zgodziła się na publikację fragmentów. Moja klientka nie ma nic do ukrycia.

– Pani klientka jest ubezwłasnowolniona i nie ma prawa podejmować takich decyzji na własną rękę.

– Do jej ubezwłasnowolnienia jeszcze wrócimy. Ale najpierw przyjrzyjmy się temu, co się z nią działo u św. Stefana.

Sędzia Iversen zmarszczył brwi i wziął dokumenty, które podała mu Annika Giannini.

– Nie zrobiłam kopii dla oskarżenia. Prokurator otrzymał te naruszające prywatność pacjentki dokumenty już miesiąc temu.

– Jak to? – zdziwił się Iversen.

– Prokurator Ekström otrzymał kopię tych tajnych dokumentów od pana Teleboriana podczas spotkania, które odbyło się w jego gabinecie w sobotę czwartego lipca tego roku o godzinie siedemnastej.

– Czy to prawda? – zapytał Iversen.

W pierwszym odruchu prokurator Ekström chciał zaprzeczyć. Potem pomyślał, że Annika Giannini może mieć dowód, że takie spotkanie się odbyło.

– Poprosiłem o możliwość zapoznania się z kartą choroby, zobowiązując się do zachowania tajemnicy – tłumaczył się. – Musiałem się przekonać, czy Salander rzeczywiście ma za sobą takie doświadczenia, jak twierdzi.

– Dziękuję – powiedziała Annika Giannini. – Mamy więc potwierdzenie, że doktor Teleborian nie tylko mówi nieprawdę, ale także popełnił przestępstwo, wydając dokumenty, które, jak sam twierdzi, są tajne.

– Sąd przyjął to do wiadomości – powiedział Iversen.

SĘDZIA IVERSEN nagle stał się czujny. Annika Giannini w niezwykły sposób przypuściła atak na świadka i udało jej się roznieść w pył ważną część jego zeznań. I twierdzi, że na wszystko ma dowody. Iversen poprawił okulary.

– Doktorze Teleborian, czy teraz, mając przed sobą kartę choroby, którą sam pan prowadził, może pan powiedzieć, ile nocy Lisbeth Salander spędziła skrępowana pasami?

– Nie przypominam sobie, żeby tego było tak dużo, ale jeśli z karty choroby tak wynika, muszę w to wierzyć.

– Trzysta osiemdziesiąt jeden nocy. Czy to nie jest wyjątkowo dużo?

– To wyjątkowo dużo, tak.

– Jak pan by się czuł, gdyby jako trzynastoletnie dziecko przez ponad rok był pan przez kogoś przywiązywany skórzaną uprzężą do łóżka o stalowych ramach? Jak na torturach?

– Musi pani pamiętać, że pacjentka stanowiła zagrożenie dla siebie samej i dla otoczenia...

– Okej. Zagrożenie dla siebie. Czy Lisbeth Salander kiedykolwiek się zraniła?

– Istniały takie obawy...

– Powtarzam pytanie: Czy Lisbeth Salander kiedykolwiek się zraniła? Tak czy nie?

– Jako psychiatra muszę brać pod uwagę obraz całościowy. Jeśli chodzi o Lisbeth Salander, to może pani na przykład zobaczyć na jej ciele masę tatuaży i kolczyków, co także jest objawem skłonności autodestrukcyjnych i sposobem zadawania bólu swojemu ciału. Możemy to interpretować jako wyraz nienawiści do siebie.

Annika Giannini zwróciła się do Lisbeth Salander.

– Czy twoje tatuaże są wyrazem nienawiści do siebie? – zapytała.

– Nie – odparła Lisbeth.

Annika Giannini znów odwróciła się do Teleboriana:

– A więc sądzi pan, że skoro noszę kolczyki, a nawet mam tatuaż w dość intymnym miejscu, stanowię zagrożenie dla siebie samej?

Holger Palmgren zachichotał, ale zaraz zamaskował to chrząknięciem.

– Nie, to nie tak... tatuaż może także być formą rytuału socjalnego.

– A więc uważa pan, że w przypadku Lisbeth Salander nie może być mowy o rytuale socjalnym?

– Sama może pani zauważyć, że jej tatuaże są przesadne i pokrywają znaczne obszary ciała. To nie jest zwykły objaw kultu ciała ani też ozdoba.

– Ile procent?

– Słucham?

– Przy ilu procentach powierzchni ciała tatuaż przestaje być objawem kultu ciała czy ozdobą, a staje się objawem choroby psychicznej?

– Pani przekręca moje słowa.

– Doprawdy? A więc jak pan wytłumaczy, że pana zdaniem jest to całkowicie akceptowalny społecznie rytuał, kiedy chodzi o mnie lub innych młodych ludzi, ale staje się objawem obciążającym, kiedy chodzi o ocenę stanu psychicznego mojej klientki?

– Jako psychiatra muszę na wszystko patrzeć całościowo. Tatuaże to tylko oznaka, jedna z wielu oznak, które muszę brać pod uwagę przy ocenie jej stanu.

Annika Giannini milczała kilka sekund, wpatrując się w Petera Teleboriana. Potem powiedziała powoli:

– Ależ doktorze Teleborian, przecież zaczął pan krępować moją klientkę pasami, kiedy miała dwanaście lat, prawie trzynaście. Wtedy nie miała jeszcze ani jednego tatuażu, prawda?

Peter Teleborian chwilę zwlekał z odpowiedzią. Więc Annika mówiła dalej:

– Zakładam, że nie przywiązywał jej pan do łóżka dlatego, że przewidywał pan, że zacznie się tatuować kiedyś, w przyszłości.

– Nie, oczywiście, że nie. Jej tatuaże nie miały nic wspólnego z sytuacją w roku 1991.

– A więc wróciliśmy do wyjściowego pytania. Czy Lisbeth Salander kiedykolwiek zrobiła sobie krzywdę w sposób, który uzasadniałby trzymanie jej przywiązanej do łóżka przez ponad rok? Czy na przykład pocięła się nożem albo brzytwą, albo czymś podobnym?

Peter Teleborian przez moment miał niepewną minę.

– Nie, ale mieliśmy powody sądzić, że stanowi dla siebie zagrożenie.

– Powody sądzić. A więc twierdzi pan, że przetrzymywał ją skrępowaną na podstawie przypuszczeń...

– Dokonujemy oceny.

– Mniej więcej od pięciu minut zadaję to samo pytanie. Twierdzi pan, że to z powodu autodestrukcyjnych zachowań mojej klientki krępowano ją pasami przez ponad rok z dwóch lat, które spędziła pod pańską opieką. Czy zechce pan wreszcie podać przykłady autodestrukcyjnych zachowań, jakie wykazywała w wieku dwunastu lat?

– Była na przykład skrajnie niedożywiona. Między innymi dlatego że odmawiała przyjmowania pokarmów.

Podejrzewaliśmy anoreksję. Wiele razy byliśmy zmuszeni karmić ją na siłę.

– Z czego to wynikało?

– Wynikało to oczywiście z tego, że nie chciała jeść.

Annika Giannini zwróciła się do swojej klientki:

– Lisbeth, czy to prawda, że odmawiałaś przyjmowana pokarmów w Klinice św. Stefana?

– Tak.

– Dlaczego?

– Bo ten bydlak dodawał mi do jedzenia psychotropy.

– Ach tak. A więc doktor Teleborian chciał ci dawać lekarstwa. Dlaczego nie chciałaś ich przyjmować?

– Nie podobały mi się. Czułam się po nich otępiała. Nie mogłam myśleć i najczęściej nic nie czułam, kiedy nie spałam. To było nieprzyjemne. A ten bydlak nie chciał powiedzieć, co to za leki.

– A więc odmawiałaś przyjmowania leków?

– Tak. Wtedy zaczął dodawać to gówno do jedzenia. No to przestałam jeść. Za każdym razem kiedy coś mi dodali do jedzenia, nie brałam nic do ust przez pięć dni.

– Czyli głodowałaś?

– Nie zawsze. Pielęgniarze czasami przemycali mi kanapki. Zwłaszcza jeden dawał mi jeść późno w nocy. Kilka razy tak było.

– Czyli twierdzisz, że pracownicy Kliniki św. Stefana mieli wrażenie, że jesteś głodna, i dawali ci jeść, żebyś nie musiała głodować?

– To było wtedy, kiedy prowadziłam wojnę z bydlakiem o psychotropy.

– A więc istniały całkowicie racjonalne powody, dla których odmawiałaś przyjmowania jedzenia?

– Tak.

– Czyli nie chodziło o to, że nie chciałaś jeść?

– Nie. Często byłam głodna.

– Czy można więc powiedzieć, że między tobą a doktorem Teleborianem powstał konflikt?

– Można powiedzieć.

– Znalazłaś się w Klinice św. Stefana, bo oblałaś ojca benzyną i podpaliłaś.

– Tak.

– Dlaczego to zrobiłaś?

– Bo maltretował moją matkę.

– Czy kiedykolwiek wyjaśniałaś to komuś?

– Tak.

– Komu?

– Opowiadałam o tym policjantom, którzy mnie przesłuchiwali, opiece społecznej, wydziałowi do spraw nieletnich, lekarzom, księdzu i bydlakowi.

– Mówiąc bydlak, masz na myśli...?

– Tego tam.

Wskazała Petera Teleboriana.

– Dlaczego go tak nazywasz?

– Kiedy przywieźli mnie do św. Stefana, próbowałam mu wytłumaczyć, co się stało.

– I co powiedział doktor Teleborian?

– Nie chciał mnie słuchać. Twierdził, że zmyślam. I za karę miałam być przywiązana do łóżka, aż przestanę zmyślać. A potem próbował mi wcisnąć psychotropy.

– To bzdury – wtrącił Peter Teleborian.

– Czy to dlatego się do niego nie odzywasz?

– Nie odezwałam się do niego ani słowem od tamtej nocy, kiedy skończyłam trzynaście lat. Wtedy też leżałam w pasach. To był mój prezent urodzinowy dla siebie samej.

Annika Giannini zwróciła się do Teleboriana:

– Doktorze Teleborian, wygląda na to, że moja klientka nie przyjmowała pokarmów, gdyż nie chciała przyjmować leków psychotropowych, które pan jej dawał.

– Możliwe, że ona tak to odbiera.

– A jak pan to odbiera?

– Miałem pacjentkę, która była wyjątkowo trudna. Twierdzę, że jej zachowanie wskazywało na to, że stanowi zagrożenie dla siebie, ale może to być kwestia interpretacji. Za to na pewno miała skłonności do przemocy i zachowań psychotycznych. Nie ma wątpliwości, że była groźna dla otoczenia. Trafiła przecież do św. Stefana po tym, jak próbowała zabić swojego ojca.

– Dojdziemy do tego. Był pan za nią odpowiedzialny przez dwa lata. W tym czasie przez trzysta osiemdziesiąt jeden dni i nocy kazał ją pan przywiązywać do łóżka. Czy mogło być tak, że stosował pan tę metodę, żeby ukarać moją klientkę, kiedy nie robiła tego, co pan chciał?

– To czysty nonsens.

– Naprawdę? Zwróciłam uwagę, że zgodnie z kartą choroby zdecydowana większość przypadków krępowania pasami miała miejsce w ciągu pierwszego roku... Trzysta dwadzieścia przypadków na trzysta osiemdziesiąt jeden. Dlaczego później przestał pan stosować tę metodę?

– Pacjentka poczyniła postępy i zachowywała się bardziej harmonijnie.

– Czy może było tak, że stosowane przez pana metody zostały ocenione przez innych pracowników jako zbyt brutalne?

– Co pani ma na myśli?

– Czy nie było tak, że personel zgłaszał skargi między innymi w związku z przymusowym karmieniem Lisbeth Salander?

– Naturalnie wszystko można różnie oceniać. To nic niezwykłego. A przymusowe karmienie Lisbeth Salander stało się dużym obciążeniem, gdyż pacjentka broniła się tak gwałtownie...

– Ponieważ nie chciała przyjmować leków psychotropowych, po których czuła się otępiała i bierna. Nie miała problemów z jedzeniem, kiedy nie dostawała leków. Czy odczekanie z zastosowaniem środków przymusowych nie byłoby lepszą metodą?

– Z całym szacunkiem, pani Giannini. To ja jestem lekarzem. Podejrzewam, że moje kompetencje w dziedzinie medycyny są nieco większe niż pani. Ocena, jakie środki należało zastosować, należy do mnie.

– To prawda, nie jestem lekarką, doktorze Teleborian. A mimo to posiadam pewne kompetencje. Poza studiami prawniczymi mam także ukończone studia psychologiczne na Uniwersytecie Sztokholmskim. W mojej pracy to niezbędna wiedza.

Na sali zapadła przejmująca cisza. Zarówno Ekström, jak i Teleborian patrzyli na Annikę Giannini ze zdumieniem. A ona nieubłaganie mówiła dalej:

– Czy jest prawdą, że metody stosowane przez pana wobec mojej klientki doprowadziły do ostrych spięć między panem i pańskim ówczesnym szefem, ordynatorem Johannesem Caldinem?

– Nie... to nieprawda.

– Johannes Caldin nie żyje od wielu lat i nie może zeznawać. Ale mamy dziś tutaj kogoś, kto kilka razy spotkał się z ordynatorem Caldinem. To mój pomocnik Holger Palmgren.

Zwróciła się do niego:

– Czy może pan opowiedzieć, jak to było?

Holger Palmgren odchrząknął. Skutki wylewu nadal były widoczne i musiał się skupić, żeby wyraźnie mówić.

– Zostałem wyznaczony na kuratora Lisbeth, kiedy jej matka została przez męża tak mocno pobita, że doznała uszczerbku na zdrowiu i nie mogła zajmować się córką. Doznała trwałego uszkodzenia mózgu, kilkakrotnych wylewów krwi do mózgu.

– Mówi pan o Aleksandrze Zalachence?

Prokurator Ekström z zainteresowaniem pochylił się do przodu.

– Zgadza się – przyznał Palmgren.

Ekström odchrząknął.

– Proszę wziąć pod uwagę, że wkraczamy na obszar, na którym obowiązuje klauzula najwyższej tajności.

– Nie jest chyba żadną tajemnicą, że Aleksander Zalachenko przez wiele lat maltretował matkę Lisbeth Salander – powiedziała Annika Giannini.

Peter Teleborian podniósł rękę.

– Sprawa nie jest do końca tak oczywista, jak pani Giannini ją przedstawiła.

– Co pan ma na myśli?

– Niewątpliwie faktem jest, że Lisbeth Salander była świadkiem rodzinnej tragedii, że coś doprowadziło do ciężkiego pobicia w 1991 roku. Lecz nie istnieją żadne dokumenty, które by potwierdzały, że sytuacja taka trwała od wielu lat, jak twierdzi pani Giannini. Mogły to być jednostkowe przypadki albo kłótnia, która poszła nieco za daleko. Szczerze mówiąc, nie istnieje nawet dokumentacja potwierdzająca, że to pan Zalachenko pobił matkę Lisbeth Salander. Mamy informacje, że się prostytuowała, więc sprawców mogło być więcej.

ANNIKA GIANNINI spojrzała na Petera Teleboriana kompletnie zaskoczona. Na chwilę odebrało jej mowę. Potem w jej spojrzeniu znów pojawiło się skupienie.

– Czy może pan to rozwinąć? – poprosiła.

– Chodzi mi o to, że właściwie opieramy się wyłącznie na słowach Lisbeth Salander.

– I?

– Po pierwsze, dzieci było dwoje. Siostra Lisbeth, Camilla Salander, nigdy o niczym takim nie mówiła. Zaprzeczała, że coś takiego miało miejsce. Poza tym gdyby rzeczywiście miało miejsce maltretowanie w takiej skali, jak to przedstawia pani klientka, w oczywisty sposób stałoby się to przedmiotem zainteresowania opieki społecznej.

– Czy jest dostępny jakiś protokół z przesłuchania Camilli Salander, z którym moglibyśmy się zapoznać?

– Z przesłuchania?

– Czy ma pan jakiś dowód na to, że Camilla Salander była w ogóle pytana, co się działo w jej domu?

Kiedy mówiono o jej siostrze, Lisbeth Salander zaczęła się niespokojnie wiercić. Zerkała na Annikę Giannini.

– Zakładam, że opieka społeczna zajęła się dochodzeniem...

– Przed chwilą twierdził pan, że Camilla Salander nigdy nie mówiła, że Aleksander Zalachenko maltretował jej matkę, a nawet, wręcz przeciwnie, zaprzeczała temu. Było to kategoryczne stwierdzenie. Skąd ma pan takie informacje?

Peter Teleborian umilkł na kilka sekund. Annika Giannini zauważyła, że jego oczy zmieniły się, kiedy uświadomił sobie, że zrobił błąd. Zrozumiał, do czego zmierzała, ale już nie potrafił wykręcić się od tego pytania.

– Wydaje mi się, że to wynikało z raportu policyjnego – powiedział w końcu.

– Wydaje się panu... Sama usiłowałam za wszelką cenę znaleźć policyjny raport ze zdarzenia na Lundagatan, kiedy Aleksander Zalachenko doznał ciężkich poparzeń. Dostępne są jedynie skrótowe raporty sporządzone przez policjantów na miejscu.

– To możliwe...

– Chciałabym więc się dowiedzieć, jak to możliwe, że czytał pan policyjny raport, który nie jest dostępny dla obrony.

– Na to pytanie nie mogę odpowiedzieć – powiedział Teleborian. – Miałem możliwość zapoznania się z raportem w związku z tym, że w 1991 roku pisałem opinię sądowo--lekarską na temat Salander, po tym jak dokonała zamachu na ojca.

– Czy prokurator Ekström również zapoznał się z tym raportem?

Ekström kręcił się na krześle i chwytał za brodę. Już wiedział, że nie doceniał Anniki Giannini. Ale nie miał powodu kłamać.

– Tak, zapoznałem się z nim.

– Dlaczego obrona nie miała dostępu do tych dokumentów?

– Uznałem, że nie mają istotnego znaczenia dla procesu.

– Czy może mi pan powiedzieć, jak się panu udało do nich dotrzeć? Kiedy zwróciłam się do policji, dostałam odpowiedź, że taki raport nie istnieje.

– Dochodzenie zostało przeprowadzone przez służbę bezpieczeństwa. Raport został utajniony.

– A więc Säpo prowadziło dochodzenie w sprawie maltretowania kobiety i zdecydowało o utajnieniu raportu?

– To ze względu na sprawcę... Aleksandra Zalachenkę. Był uchodźcą politycznym.

– Kto sporządził ten raport?

Cisza.

– Nie słyszałam. Jakie nazwisko widnieje na pierwszej stronie?

– Został napisany przez Gunnara Björcka z wydziału do spraw obcokrajowców RPS/Säk.

– Czy to ten sam Gunnar Björck, który, jak twierdzi moja klientka, wspólnie z Peterem Teleborianem sporządził sfingowaną ekspertyzę sądowo-lekarską na jej temat w 1991 roku?

– Zakładam, że tak.

ANNIKA GIANNINI znów skupiła się na Peterze Teleborianie.

– W 1991 roku sąd okręgowy zdecydował o zamknięciu Lisbeth Salander w dziecięcej klinice psychiatrycznej. Dlaczego podjął taką decyzję?

– Sąd dokonał gruntownej oceny postępowania pani klientki i jej stanu psychicznego – przecież próbowała zamordować swojego ojca za pomocą bomby zapalającej. To nie jest zajęcie, któremu oddają się normalne nastolatki, niezależnie od tego, czy są wytatuowane, czy nie.

Peter Teleborian uśmiechnął się uprzejmie.

– A na czym sąd oparł swoją ocenę? Jeśli dobrze zrozumiałam, miał do dyspozycji tylko jedną opinię lekarską. Napisaną przez pana do spółki z policjantem nazwiskiem Gunnar Björck.

– To są spiskowe teorie panny Salander, mecenas Giannini. Muszę w tym miejscu...

– Przepraszam, ale nie zadałam jeszcze żadnego pytania – przerwała mu Annika Giannini i znów zwróciła się do Holgera Palmgrena: – Holgerze, mówiliśmy o tym, że spotykał się pan z szefem Teleboriana, ordynatorem Caldinem.

– Tak. Zostałem kuratorem Lisbeth Salander. Zdążyłem się z nią spotkać tylko raz w pośpiechu. Tak jak wszyscy odniosłem wrażenie, że jest chora psychicznie. Ale ponieważ to należało do moich obowiązków, dowiadywałem się o stan jej zdrowia.

– I co powiedział doktor Caldin?

– Lisbeth była pacjentką doktora Teleboriana, więc doktor Caldin nie poświęcał jej zbyt wiele uwagi. Pisał oczywiście zwyczajowe opinie i tym podobne. Dopiero po ponad roku zacząłem z nim rozmawiać o tym, jak umożliwić jej powrót do społeczeństwa. Zaproponowałem rodzinę zastępczą. Nie wiem dokładnie, co się zdarzyło w Klinice św. Stefana, ale kiedy Lisbeth leżała tam już ponad rok, doktor Caldin zaczął się interesować jej sprawą.

– Co mianowicie robił?

– Miałem wrażenie, że jego ocena była inna niż doktora Teleboriana. Przy jakiejś okazji powiedział mi, że podjął decyzję o zmianie procedur w jej leczeniu. Dopiero później dowiedziałem się, że chodziło o przypinanie pasami. Caldin postanowił, że nie należy jej już przypinać do łóżka. Uważał, że nie ma ku temu żadnych powodów.

– Czyli sprzeciwił się doktorowi Teleborianowi?

– Przepraszam, ale to są tylko pogłoski – zaprotestował Ekström.

– Nie – odparł Holger Palmgren. – Nie tylko. Poprosiłem o opinię, jak Lisbeth Salander mogłaby zostać przywrócona społeczeństwu. Napisał ją doktor Caldin. Zachowałem ten dokument.

Podał pismo Annice Giannini.

– Czy może pan powiedzieć, co to za pismo?

– To list doktora Caldina do mnie. Datowany na październik 1992 roku, kiedy Lisbeth przebywała w św. Stefanie od dwudziestu miesięcy. Doktor Caldin pisze wyraźnie, cytuję: „Moja decyzja, żeby nie przypinać pacjentki pasami i nie karmić na siłę, przyniosła widoczny efekt. Pacjentka się uspokoiła. Nie ma potrzeby podawania jej leków psychotropowych. Pacjentka jest jednak nadal skrajnie zamknięta w sobie i skryta, nadal więc potrzebuje wsparcia". Koniec cytatu.

– A więc pisze wyraźnie, że to była jego decyzja.

– To prawda. Także doktor Caldin osobiście zdecydował, że Lisbeth ma trafić do rodziny zastępczej.

Lisbeth skinęła głową. Pamiętała doktora Caldina tak samo, jak pamiętała każdy szczegół pobytu w Klinice św. Stefana. Nie chciała rozmawiać z Caldinem, był doktorem od czubków, jeszcze jednym w szeregu białych fartuchów, który chciał grzebać w jej myślach. Ale on był miły i dobry. Siedziała w jego pokoju i słuchała, jak mówi, co o niej sądzi.

Sprawiał wrażenie zranionego tym, że ona nie chce z nim rozmawiać. W końcu Lisbeth spojrzała mu w oczy i wyjaśniła swoją decyzję: „Nigdy nie będę z panem rozmawiała ani z żadnym innym doktorem od czubków. Nie słuchacie tego, co mówię. Możecie mnie trzymać w zamknięciu, aż umrę. To niczego nie zmieni. Nie będę z wami rozmawiała". Spojrzał na nią zdumiony. Potem skinął głową, jakby coś zrozumiał.

– Doktorze Teleborian... Stwierdziłam, że zamknął pan Lisbeth Salander w dziecięcej klinice psychiatrycznej. To pan dostarczył sądowi raport, na podstawie którego została podjęta ta decyzja. Czy to prawda?

– To prawda, jeśli chodzi o fakty. Ale uważam...

– Będzie pan miał jeszcze dość czasu, żeby wyjaśnić, co pan uważa. Kiedy Lisbeth Salander skończyła osiemnaście lat, znów próbował pan ingerować w jej życie i usiłował na nowo umieścić ją w klinice.

– Tym razem to nie ja sporządziłem opinię sądowo-lekarską...

– Nie, ekspertyzę napisał doktor Jesper H. Löderman. Przypadkiem był wtedy pańskim doktorantem. A pan jego promotorem. Czyli to pańska ocena zdecydowała o przyjęciu ekspertyzy.

– W tych opiniach nie ma nic nieetycznego ani nieprawdziwego. Powstały zgodnie z regułami sztuki.

– Teraz Lisbeth Salander ma dwadzieścia siedem lat i po raz trzeci próbuje pan przekonać sąd, że moja klientka jest chora psychicznie i musi zostać skierowana do zamkniętego zakładu psychiatrycznego.

DOKTOR PETER TELEBORIAN wziął głęboki wdech. Annika Giannini dobrze się przygotowała. Zaskoczyła go kilkoma podstępnymi pytaniami. Udało się jej przekręcić jego odpowiedzi. Nie działał na nią jego urok, ignorowała też jego autorytet. Był przyzwyczajony, że kiedy mówi, ludzie kiwają z aprobatą głowami.

Co ona wie?

Zerknął na prokuratora Ekströma, ale zrozumiał, że od niego nie może się spodziewać pomocy. Tę burzę musiał przetrwać sam.

Przypomniał sobie, że mimo wszystko jest autorytetem. Nie ma znaczenia, co ona mówi. Tylko jego ocena się liczy.

Annika Giannini wzięła ze stołu jego ekspertyzę.

– Przyjrzyjmy się więc bliżej pańskiej ostatniej ekspertyzie. Dużo miejsca poświęca pan na analizowanie życia duchowego Lisbeth Salander. Duża część dokumentu to pańskie interpretacje jej zachowań i zwyczajów seksualnych.

– W tej ekspertyzie usiłowałem oddać całościowy obraz.

– Dobrze. I wychodząc od tego całościowego obrazu, dochodzi pan do wniosku, że Lisbeth Salander cierpi na schizofrenię paranoidalną.

– Nie chcę się ograniczać konkretną diagnozą.

– Lecz do tego wniosku nie doszedł pan w wyniku rozmów z Lisbeth Salander, prawda?

– Wie pani bardzo dobrze, że pani klientka konsekwentnie odmawia udzielania odpowiedzi na pytania moje i policji. Już samo to wiele mówi. Można to interpretować tak, że paranoidalne cechy pacjentki objawiają się tak silnie, że nie jest po prostu w stanie prowadzić rozmowy z jakimkolwiek przedstawicielem władzy. Jest przekonana, że wszyscy chcą ją skrzywdzić, i ma poczucie tak silnego zagrożenia, że zamyka się w nieprzeniknionej skorupie i dosłownie odbiera jej mowę.

– Zauważyłam, że wyraża się pan bardzo ostrożnie. Mówi pan, że można to interpretować tak lub tak...

– Tak, to prawda. Wyrażam się ostrożnie. Psychiatria nie jest ścisłą dziedziną wiedzy, więc muszę przy wyciąganiu wniosków zachować ostrożność. Ale nie jest też tak, że my, psychiatrzy, oddajemy się luźnym przypuszczeniom.

– Bardzo starannie się pan zabezpiecza. W rzeczywistości jest tak, że nie zamienił pan z moją klientką ani słowa od tamtej nocy, kiedy skończyła trzynaście lat, ponieważ konsekwentnie odmawia rozmawiania z panem.

– Nie tylko ze mną. Nie jest w stanie rozmawiać z żadnym innym psychiatrą.

– To znaczy, że wszystko, co pan pisze, pańskie wnioski, opierają się na doświadczeniu i obserwacji mojej klientki.

– To prawda.

– Czego można się dowiedzieć, przyglądając się dziewczynce, która ze skrzyżowanymi ramionami siedzi na krześle i się nie odzywa?

Peter Teleborian westchnął. Miał minę, jakby myślał, że tłumaczenie rzeczy oczywistych jest bardzo męczące. Uśmiechnął się.

– Od pacjenta, który uparcie milczy, można się dowiedzieć, że jest to pacjent, który potrafi uparcie milczeć. Już samo to jest objawem zaburzeń zachowania, ale nie opieram na tym swoich wniosków.

– Po południu powołam na świadka innego psychiatrę. Nazywa się Svante Brandén i jest biegłym specjalistą od psychiatrii sądowej. Czy zna go pan?

Peter Teleborian znów poczuł się pewniej. Uśmiechnął się. Domyślał się, że Giannini ściągnie jeszcze jednego psychiatrę, żeby spróbować podważyć jego wnioski. Był na to przygotowany. Bez problemu mógłby odeprzeć każdy zarzut. Właściwie łatwiej poradzić sobie w potyczce z kolegą po fachu niż z takim adwokatem jak Giannini, pozbawionym zahamowań i bezceremonialnie traktującym to, co on mówi.

– Tak. To uznany, doskonały psychiatra. Ale rozumie pani, pani Giannini, że sporządzenie opinii takiego rodzaju to rzecz z dziedziny nauki. Może pani się nie zgadzać z moimi wnioskami, a inny psychiatra może interpretować jakieś zachowanie czy postępek inaczej, niż ja to robię. Istnieją różne sposoby patrzenia, może po prostu liczy się to, jak dobrze lekarz zna swojego pacjenta. Svante Brandén może dojść do całkiem innych wniosków na temat Lisbeth Salander. To wcale nie jest rzadkie w psychiatrii.

– Nie po to go wzywam. Doktor Brandén nigdy nie spotkał Lisbeth Salander ani jej nie badał, i nie będzie wyciągał wniosków na temat jej stanu psychicznego.

– Ach tak...

– Poprosiłam go, żeby przeczytał pańską ekspertyzę i całą pańską dokumentację w sprawie Lisbeth Salander, a także kartę choroby z jej pobytu w Klinice św. Stefana. Poprosiłam go o ocenę, ale nie stanu zdrowia mojej klientki, tylko tego, czy z czysto naukowego punktu widzenia pańskie wnioski mają pokrycie w przedstawionym materiale.

Peter Teleborian wzruszył ramionami.

– Z całym szacunkiem... sądzę, że mam większą wiedzę o Lisbeth Salander niż jakikolwiek inny psychiatra w kraju. Śledziłem jej rozwój od dwunastego roku życia i niestety fakty są takie, że swoim zachowaniem stale potwierdza moje wnioski.

– Dobrze – powiedziała Annika Giannini. – Przyjrzyjmy się więc pańskim wnioskom. Pisze pan, że terapia została przerwana, kiedy Salander miała piętnaście lat i została umieszczona w rodzinie zastępczej.

– To prawda. To był poważny błąd. Gdybyśmy mogli doprowadzić terapię do końca, może nie siedzielibyśmy tu dzisiaj.

– A więc twierdzi pan, że gdyby pan mógł jeszcze przez rok trzymać ją przywiązaną pasami do łóżka, może byłaby bardziej posłuszna?

– To dość prymitywny komentarz.

– Przepraszam. Cytuje pan obszernie opinię swojego doktoranta Jespera H. Lödermana, która powstała, kiedy Lisbeth Salander kończyła osiemnaście lat. Pisze pan: „Jej autodestrukcyjne i aspołeczne skłonności potwierdziły uzależnienia i rozwiązłość, jakie wykazywała po opuszczeniu Kliniki św. Stefana". Co chce pan przez to powiedzieć?

Peter Teleborian milczał kilka sekund.

– Tak... muszę się trochę cofnąć w czasie. Po wypuszczeniu z Kliniki św. Stefana Lisbeth Salander miała, tak jak przewidywałem, problemy z uzależnieniem od alkoholu i narkotyków. Kilka razy była zatrzymywana przez policję. Dochodzenie opieki społecznej ujawniło też, że miała przypadkowe kontakty seksualne ze starszymi mężczyznami i przypuszczalnie zajmowała się prostytucją.

– Zatrzymajmy się przy tym na chwilę. Mówi pan, że nadużywała alkoholu. Ile razy była pijana?

– Słucham?

– Czy była pijana codziennie od wypuszczenia ze szpitala aż do ukończenia osiemnastego roku życia? Czy może raz w tygodniu?

– Na to pytanie nie umiem odpowiedzieć.

– Ale przecież stwierdził pan, że nadużywała alkoholu?

– Jako nieletnia została kilka razy zatrzymana przez policję za pijaństwo.

– Już drugi raz używa pan wyrażenia kilka razy zatrzymana. Jak często się to zdarzało? Czy to było raz w tygodniu, czy raz na dwa tygodnie?

– Tego nie wiem, ale mogę sobie wyobrazić, że jej zachowanie było...

– Przepraszam, czy dobrze słyszałam? A więc nie wie pan, czy jako nastolatka była pijana więcej niż dwa razy, ale wyobraża pan sobie, że tak było. I mimo to stwierdza pan, że Lisbeth Salander znajduje się w zaklętym kręgu alkoholu i narkotyków?

– To są informacje opieki społecznej. Nie moje. Chodzi o całokształt sytuacji życiowej Lisbeth Salander. Prognozy były ponure, kiedy przerwano terapię i jej życie stało się ciągiem nadużywania alkoholu, interwencji policyjnych i niekontrolowanej rozwiązłości.

– Użył pan określenia niekontrolowana rozwiązłość.

– Tak... to termin, który oznacza, że nie miała kontroli nad swoim życiem. Miewała stosunki seksualne ze starszymi mężczyznami.

– To nie jest przestępstwo.

– Nie, ale to nienormalne zachowanie w przypadku szesnastoletniej dziewczynki. Można zadać sobie pytanie, czy robiła to z własnej woli, czy znajdowała się w sytuacji przymusu.

– Ale twierdził pan, że się prostytuowała.

– Była to chyba naturalna konsekwencja faktu, że nie miała wykształcenia, nie radziła sobie z nauką i nie mogła dalej się kształcić, a w związku z tym nie mogła dostać pracy. Możliwe, że w starszych mężczyznach widziała ojca, a wynagrodzenie za usługi seksualne było tylko dodatkiem. W każdym razie uważam, że jest to zachowanie neurotyczne.

– Chce pan przez to powiedzieć, że szesnastoletnia dziewczyna uprawiająca seks zachowuje się neurotycznie?

– Pani przekręca moje wypowiedzi.

– Ale nie wie pan, czy kiedykolwiek czerpała zyski z usług seksualnych?

– Nigdy nie została aresztowana za prostytucję.

– Nie mogła być za to aresztowana, bo to nie jest przestępstwo.

– Ech, to prawda. W jej przypadku chodzi o to, że jest to obsesyjne zachowanie neurotyczne.

– I z tak wątłego materiału bez najmniejszego wahania wyciąga pan wniosek, że Lisbeth Salander cierpi na chorobę psychiczną. Kiedy ja miałam szesnaście lat, upiłam się do nieprzytomności połową butelki wódki, którą ukradłam ojcu. Czy chce pan powiedzieć, że jestem chora psychicznie?

– Nie, oczywiście, że nie.

– Czy to prawda, że kiedy pan sam miał siedemnaście lat, upił się pan na imprezie tak bardzo, że chodził pan po Uppsali i tłukł szyby przy rynku? Został pan zatrzymany przez policję i zwieziony do izby wytrzeźwień, a potem miał pan kolegium.

Peter Teleborian wyglądał na zaskoczonego.

– Czyż nie?

– Tak... ale człowiek robi tyle głupstw, kiedy ma siedemnaście lat. Ale...

– Ale to nie jest powód, żeby wyciągnąć wniosek, że cierpi pan na poważną osobę psychiczną.

PETER TELEBORIAN był zirytowany. Ta pieprzona... adwokat przez cały czas przeinaczała jego wypowiedzi, przyczepiała się do szczegółów. Nie chciała dostrzec całości.

Sięgała po całkowicie nieistotne argumenty, wyciągała jego własne pijaństwo... *Skąd ona, do jasnej cholery, o tym wie?*

Odchrząknął i powiedział głośniej:

– Raporty opieki społecznej były jednoznaczne i zdecydowanie potwierdzały, że życie Lisbeth Salander kręciło się wokół alkoholu, narkotyków i seksu. Opieka społeczna stwierdziła także, że Lisbeth Salander była prostytutką.

– Nie, opieka społeczna nigdy nie twierdziła, że jest prostytutką.

– Została zatrzymana przy...

– Nie. Nie została zatrzymana. Została przeszukana w Tantolunden, kiedy jako siedemnastolatka przebywała tam w towarzystwie o wiele starszego mężczyzny. W tym samym roku została zatrzymana za pijaństwo. Także wtedy w towarzystwie dużo starszego mężczyzny. Opieka społeczna obawiała się, że być może zajmuje się prostytucją. Ale nigdy nie znaleziono dowodów potwierdzających te podejrzenia.

– Prowadziła bardzo swobodne życie seksualne z dużą liczbą partnerów, zarówno z chłopcami, jak i dziewczętami.

– W swojej ekspertyzie, odnoszę się tu do strony czwartej, zajmuje się pan zwyczajami seksualnymi Lisbeth Salander. Twierdzi pan, że jej związek z przyjaciółką Miriam Wu potwierdza podejrzenia o seksualne zaburzenia psychopatyczne. Jak należy to rozumieć?

Peter Teleborian milczał.

– Mam głęboką nadzieję, że nie zamierza pan twierdzić, że homoseksualizm jest chorobą psychiczną. Takie stwierdzenie bowiem może być karalne.

– Nie, oczywiście, że nie. Odnoszę się tu do elementów sadystycznych pojawiających się w tym związku.

– Czyli chce pan powiedzieć, że Lisbeth jest sadystką?

– Ja...

– Mamy zeznania Miriam Wu, złożone na policji. W ich związku nie było przemocy.

– Ale uprawiały BDSM i...

– Coś mi się wydaje, że naczytał się pan za dużo tabloidów. Lisbeth Salander i Miriam Wu kilka razy zabawiały się w ten sposób, że Miriam Wu przywiązywała moją klientkę i dostarczała jej satysfakcji seksualnej. Nie jest to ani szczególnie niezwykłe, ani zakazane. Czy dlatego chce pan zamknąć moją klientkę w szpitalu?

Peter Teleborian machnął ręką. Był zniecierpliwiony.

– Mam nadzieję, że wolno mi powiedzieć coś osobistego. Kiedy miałam szesnaście lat, upiłam się do nieprzytomności. Byłam pijana jeszcze przy kilku innych okazjach w czasach licealnych. Próbowałam narkotyków. Paliłam marihuanę, a nawet raz spróbowałam kokainy, jakieś dwadzieścia lat temu. Pierwszy raz poszłam do łóżka z kolegą z klasy, kiedy miałam piętnaście lat. Potem byłam z facetem, który przywiązywał mi ręce do oparcia łóżka. W wieku dwudziestu dwóch lat przez kilka miesięcy zadawałam się z mężczyzną, który miał czterdzieści siedem lat. Czy to znaczy, że jestem psychicznie chora?

– Pani Giannini... pani sobie urządza kpiny, a tymczasem pani doświadczenia seksualne nie mają żadnego związku ze sprawą.

– A dlaczego? Kiedy czytałam pańską tak zwaną ekspertyzę psychiatryczną Lisbeth Salander, znalazłam w niej masę punktów, które wyrwane z kontekstu mogłyby się odnosić do mnie. Dlaczego ja jestem zdrowa i normalna, a Lisbeth Salander jest niebezpieczną dla otoczenia sadystką?

– Ale to nie te szczegóły o tym decydują. Pani nie próbowała dwa razy zamordować swojego ojca...

– Doktorze Teleborian, tak naprawdę nie powinno pana obchodzić, z kim Lisbeth Salander uprawia seks. Nie powinno pana obchodzić, jakiej płci partnerów miewa ani jakiego rodzaju stosunki seksualne odbywa. A mimo to wybiera pan takie szczegóły z jej życia i używa ich na poparcie tezy, że moja klientka jest chora.

– Całe życie Lisbeth Salander, odkąd zaczęła chodzić do szkoły podstawowej, to seria uwag i wpisów o nieuzasadnionych agresywnych atakach na nauczycieli i kolegów z klasy.

– Chwileczkę...

Głos Anniki Giannini nagle zabrzmiał jak zgrzyt skrobaczki na oblodzonej szybie samochodu.

– Niech pan spojrzy na moją klientkę.

Wszyscy spojrzeli na Lisbeth Salander.

– Moja klientka wyrosła w wyjątkowo niesprzyjających warunkach, z ojcem, który przez kilka lat nieustannie brutalnie maltretował jej matkę.

– To jest...

– Niech mi pan pozwoli skończyć. Matka Lisbeth Salander śmiertelnie bała się Aleksandra Zalachenki. Nie miała odwagi protestować. Nie miała odwagi pójść do lekarza. Nie miała dość odwagi, żeby się zwrócić do organizacji kobiecych. Została zniszczona i w końcu pobita tak mocno, że doznała trwałego uszkodzenia mózgu. Osobą, która brała odpowiedzialność, jedyną osobą, która próbowała brać odpowiedzialność za rodzinę, była Lisbeth Salander, zanim jeszcze przestała być dzieckiem. I tę odpowiedzialność musiała dźwigać całkiem sama, bo szpieg Zalachenko był ważniejszy niż jej matka.

– Nie mogę...

– Fakty są takie, że społeczeństwo porzuciło matkę Lisbeth i jej dzieci. Dziwi pana, że Lisbeth miała problemy w szkole? Niech pan na nią spojrzy. Jest mała i drobna. Zawsze była najmniejszą dziewczynką w klasie. Była zamknięta w sobie, dziwna i nie miała przyjaciół. Czy wie pan, jak dzieci traktują kolegów, którzy odróżniają się od reszty klasy?

Peter Teleborian westchnął.

– Możemy zajrzeć do jej dawnych dzienników szkolnych i policzyć przypadki, kiedy Lisbeth była agresywna – mówiła dalej Annika Giannini. – Za każdym razem była prowokowana. Bardzo wyraźnie rozpoznaję tu wszelkie oznaki mobbingu. Wie pan co?

– Tak?

– Podziwiam Lisbeth Salander. Jest dzielniejsza ode mnie. Gdybym ja przez rok leżała przypięta pasami, kiedy miałam trzynaście lat, pewnie całkiem bym się załamała. A ona zrewanżowała się jedyną bronią, jaką miała do dyspozycji. Pogardą dla pana. Przestała z panem rozmawiać.

ANNIKA GIANNINI nagle podniosła głos. Cała nerwowość opuściła ją dawno temu. Czuła, że kontroluje sytuację.

– W swoich dzisiejszych zeznaniach mówił pan dużo o fantazjach. Stwierdził pan na przykład, że gwałt dokonany przez mecenasa Bjurmana jest zmyślony.

– Zgadza się.

– Na czym opiera pan ten wniosek?

– Na swojej wiedzy o tym, jak ona potrafi fantazjować.

– Na tym, jak potrafi fantazjować.... Jak pan rozstrzyga, kiedy ona fantazjuje? Kiedy moja klientka mówi, że leżała przypięta pasami trzysta osiemdziesiąt dni, to według pana jest fantazja, chociaż pana własne wpisy do karty choroby dowodzą, że tak właśnie było.

– To coś zupełnie innego. Nie ma nawet cienia dowodu na to, że Bjurman zgwałcił Lisbeth Salander. Chodzi mi o te szpilki wbijane w sutki i przemoc tak brutalną, że bez wątpienia musiałaby zostać zawieziona do szpitala... Samo to świadczy o tym, że nic takiego nigdy nie miało miejsca.

Annika Giannini zwróciła się do sędziego Iversena:

– Prosiłam dzisiaj o projektor, żeby pokazać film nagrany na płytę CD...

– Wszystko jest – powiedział Iversen.

– Możemy zasunąć zasłony?

Annika Giannini otworzyła PowerBooka i podłączyła kable projektora. Zwróciła się do swojej klientki:

– Lisbeth. Teraz pokażemy ten film. Jesteś na to przygotowana?

– Ja go już przeżyłam – odparła sucho Lisbeth Salander.

– I mam twoją zgodę na pokazanie go?

Lisbeth skinęła głową. Cały czas wpatrywała się w Petera Teleboriana.

– Czy możesz powiedzieć, kiedy film został zrobiony?

– Siódmego marca 2003 roku.

– Kto go nagrał?

– Ja. Ukrytą kamerą. To standardowe wyposażenie w Milton Security.

– Chwileczkę! – zawołał prokurator Ekström. – To zaczyna przypominać cyrkowe sztuczki.

– Co będziemy oglądać? – zapytał ostrym tonem sędzia Iversen.

– Peter Teleborian twierdzi, że opowieść Lisbeth Salander jest zmyślona. Pokażę dokumentalne nagranie, które pokazuje, że jest wręcz przeciwnie, że jest prawdziwa w każdym calu. Film trwa dziewięćdziesiąt minut. Pokażę kilka fragmentów. Uprzedzam, że będą to nieprzyjemne sceny.

– Czy to jakiś trik? – zapytał Ekström.

– Jest dobry sposób, żeby się o tym przekonać – powiedziała Annika Giannini i włączyła odtwarzanie.

„Nie znasz się na zegarku?", przywitał ją opryskliwie mecenas Bjurman. Kamera weszła do mieszkania.

Po dziewięciu minutach sędzia Iversen uderzył młotkiem w stół. Akurat w momencie, kiedy mecenas Nils Bjurman przemocą wciskał sztuczny członek do odbytnicy Lisbeth. Annika Giannini zrobiła głośniej. Krzyk Lisbeth, stłumiony przez taśmę, którą zakleił jej usta, rozległ się w całej sali.

– Niech pani wyłączy film – powiedział Iversen głośno i zdecydowanie.

Annika Giannini nacisnęła stop. Zapalono górne światła. Sędzia Iversen był cały czerwony. Prokurator Ekström siedział jak skamieniały. Peter Teleborian był blady jak trup.

– Pani mecenas Giannini, mówiła pani, że jak długi jest ten film? – zapytał sędzia Iversen.

– Dziewięćdziesiąt minut. Sam gwałt trwał z przerwami około pięciu, sześciu godzin, ale moja klientka ma bardzo niejasne wspomnienia z tego, co się działo pod koniec.

– Annika Giannini zwróciła się do Teleboriana: – Nagrana jest za to scena, kiedy Bjurman przebija sutek mojej klientki szpilką. Doktor Teleborian twierdzi, że jest to wytwór jej wybujałej fantazji. Minuta siedemdziesiąta druga, mogę od razu pokazać ten fragment.

– Dziękuję, ale to nie jest potrzebne – powiedział Iversen. – Panno Salander...

Urwał na chwilę, jakby zabrakło mu słów.

– Panno Salander, dlaczego nagrała pani ten film?

– Bjurman już raz mnie zgwałcił i zamierzał to robić dalej. Za pierwszym razem zostałam zmuszona, żeby obciągnąć temu obleśnemu dziadowi. Myślałam, że chce to zrobić jeszcze raz i będę miała doskonały dowód na to, co zrobił, żebym później mogła go szantażować i utrzymać z dala od siebie. Nie doceniłam go.

– Ale dlaczego nie doniosła pani na policję o gwałcie ze szczególnym okrucieństwem, kiedy ma pani... tak przekonujący dowód?

– Nie rozmawiam z policją – odparła Lisbeth Salander beznamiętnie.

NAGLE HOLGER PALMGREN wstał z wózka. Oparł się o krawędź stołu. Mówił bardzo wyraźnie.

– Nasza klientka z zasady nie rozmawia z policjantami i innymi przedstawicielami władz, a zwłaszcza z psychiatrami. Powód jest prosty. Kiedy była dzieckiem, wielokrotnie próbowała rozmawiać z policjantami, opieką społeczną, władzami, i wyjaśniać, że jej matka jest maltretowana przez Aleksandra

Zalachenkę. Za każdym razem była karana, bo państwo zdecydowało, że Zalachenko jest ważniejszy niż Salander.

Odchrząknął i mówił dalej:

– A kiedy wreszcie zrozumiała, że nikt jej nie chce słuchać, uznała, że jedynym sposobem na uratowanie matki jest użycie przemocy wobec Zalachenki. A wtedy ten bydlak, który nazywa siebie doktorem – tu wskazał na Teleboriana – spreparował opinię sądowo-lekarską, w której stwierdzał, że dziewczynka jest chora psychicznie. Dzięki temu mógł trzymać ją w Klinice św. Stefana przypiętą pasami do łóżka. To potworne.

Palmgren usiadł. Iversen wydawał się zaskoczony jego wybuchem. Zwrócił się do Lisbeth Salander:

– Może potrzebuje pani chwili przerwy?

– A po co? – zapytała Lisbeth.

– W takim razie będziemy kontynuować. Pani mecenas Giannini, nagranie zostanie poddane ekspertyzie w celu sprawdzenia jego autentyczności. Idziemy dalej.

– Chętnie. Ja także uważam, że to nieprzyjemne. Ale prawda jest taka, że moja klientka padła ofiarą przemocy fizycznej, psychicznej i prawnej. A osobą, którą najbardziej ze wszystkich można obciążyć odpowiedzialnością za to, jest Peter Teleborian. Sprzeniewierzył się lekarskiej przysiędze, sprzeniewierzył się swojej pacjentce. Razem z Gunnarem Björckiem, współpracownikiem nielegalnej grupy działającej w ramach służby bezpieczeństwa, sfabrykował ekspertyzę sądowo-lekarską, której celem było usunięcie kłopotliwego świadka. Jestem przekonana, że jest to wypadek bez precedensu w szwedzkim sądownictwie.

– To bardzo poważne oskarżenia – powiedział Peter Teleborian. – Usiłowałem pomóc Lisbeth Salander najlepiej, jak mogłem. Próbowała zabić swojego ojca. To przecież oczywiste, że musiała być zaburzona i miała jakiś problem...

Annika Giannini przerwała mu:

– Chciałabym zwrócić uwagę wysokiego sądu na drugą ekspertyzę na temat mojej klientki sporządzoną przez doktora Teleboriana. Opinię, która została dziś zaprezentowana w sądzie. Twierdzę, że ta także jest sfałszowana, tak samo jak dokument z 1991 roku.

– Ależ to przecież jest...

– Wysoki sądzie, proszę upomnieć świadka, żeby mi nie przerywał.

– Panie Teleborian...

– Będę milczał. Ale to bardzo poważne oskarżenia. Nie powinno dziwić, że jestem oburzony...

– Panie Teleborian, proszę milczeć, póki nie usłyszy pan pytania. Proszę kontynuować, pani mecenas.

– To ekspertyza sądowo-lekarska, którą doktor Teleborian przedłożył w sądzie. Opiera się na tak zwanych obserwacjach mojej klientki, które miały się odbywać po przeniesieniu jej do Kronobergu szóstego czerwca. Obserwacje zostały zakończone piątego lipca.

– Tak, tak też zrozumiałem – powiedział sędzia Iversen.

– Doktorze Teleborian, czy to prawda, że nie miał pan możliwości przeprowadzenia tych badań przed szóstym czerwca? Do tego czasu, jak wiadomo, moja klientka leżała w izolatce w szpitalu Sahlgrenska.

– Tak – przyznał Teleborian.

– Dwa razy próbował pan dostać się do mojej klientki w Sahlgrenska. Za każdym razem odmawiano panu dostępu do niej. Czy to prawda?

– Tak.

Annika Giannini znów otworzyła aktówkę i wyjęła jakiś dokument. Wyszła zza stołu i wręczyła papier sędziemu Iversenowi.

– To kopia opinii doktora Teleboriana – stwierdził sędzia. – Czego to dowodzi?

– Chcę wezwać dwóch świadków, którzy czekają za drzwiami.

– Kto to?

– To Mikael Blomkvist z pisma „Millennium" oraz komisarz Torsten Edklinth, szef ochrony konstytucji w służbie bezpieczeństwa.

– Czekają na zewnątrz?

– Tak.

– Proszę ich wprowadzić – powiedział sędzia Iversen.

– To nieregulaminowe – zaprotestował prokurator Ekström. Od dłuższego czasu nic nie mówił.

EKSTRÖM BYŁ ZSZOKOWANY. Zauważył, że Annika Giannini roznosi jego kluczowego świadka w puch. Film był druzgoczącym dowodem. Iversen zignorował uwagę Ekströma i kiwnął na woźnego, żeby otworzył drzwi. Na salę weszli Mikael Blomkvist i Torsten Edklinth.

– Jako pierwszego wzywam Mikaela Blomkvista.

– W takim razie muszę poprosić pana Teleboriana, żeby na chwilę odszedł na bok.

– Czy pani już skończyła mnie przesłuchiwać? – zapytał Teleborian.

– Nie, jeszcze długo nie – odparła Annika Giannini.

Mikael Blomkvist zastąpił Teleboriana na krześle dla świadków. Sędzia Iversen szybko dokonał formalności, po czym Mikael przysiągł, że będzie mówił prawdę.

Annika Giannini podeszła do Iversena i poprosiła o wypożyczenie na chwilę dokumentu, który przed chwilą mu dała. Podała papier Mikaelowi.

– Czy widział pan wcześniej ten dokument?

– Tak, widziałem. Jestem w posiadaniu trzech jego wersji. Pierwszą dostałem około dwunastego maja, drugą dziewiętnastego maja, a trzecią, czyli właśnie tę tutaj, trzeciego czerwca.

– Czy może pan powiedzieć, jak pan wszedł w posiadanie tego dokumentu?

– Dostałem go jako dziennikarz od kogoś, kogo nazwiska nie mogę zdradzić.

Lisbeth nie odrywała wzroku od Petera Teleboriana, który nagle zbladł jak ściana.

– Co pan zrobił z tą ekspertyzą?

– Przekazałem ją Torstenowi Edklinthowi z ochrony konstytucji.

– Dziękuję. Wzywam więc Torstena Edklintha – powiedziała Annika Giannini i wzięła od Mikaela dokument. Dała go z powrotem sędziemu Iversenowi. W zamyśleniu trzymał go w dłoni.

Torsten Edklinth złożył przysięgę.

– Komisarzu Edklinth, czy to prawda, że otrzymał pan ekspertyzę sądowo-lekarską na temat Lisbeth Salander od Mikaela Blomkvista?

– Tak.

– Kiedy?

– Jest wpisana do dziennika podawczego RPS/Säk czwartego czerwca.

– Czy to ten sam dokument, który właśnie oddałam sędziemu Iversenowi?

– Jeśli na odwrocie widnieje mój podpis, to jest to ten sam dokument.

Iversen odwrócił kartki i stwierdził, że na drugiej stronie jest podpis Edklintha.

– Komisarzu Edklinth, czy może mi pan wytłumaczyć, jak doszło do tego, że dostał pan pisemną ekspertyzę sądowo-lekarską na temat osoby, która znajdowała się w odosobnieniu w szpitalu Sahlgrenska?

– Tak, mogę.

– Słucham.

– Ekspertyza Petera Teleboriana jest sfałszowana. Zrobił to do spółki z człowiekiem nazwiskiem Jonas Sandberg, tak samo jak w roku 1991 sporządził podobną fałszywkę razem z Gunnarem Björckiem.

– To kłamstwo – powiedział słabym głosem Teleborian.

– Czy to kłamstwo? – zapytała Annika Giannini.

– Nie, absolutnie nie. Może powinienem dodać, że Jonas Sandberg jest jedną z kilkunastu osób, które na mocy postanowienia prokuratora generalnego zostały dzisiaj aresztowane. Został aresztowany za współudział w zabójstwie Gunnara Björcka. Jest członkiem nielegalnej grupy, która od lat siedemdziesiątych działa w ramach służby bezpieczeństwa, żeby chronić Aleksandra Zalachenkę. Ta sama grupa stoi za decyzją o zamknięciu Lisbeth Salander w klinice w 1991 roku. Zdobyliśmy wiele dowodów, które to potwierdzają. Mamy także zeznania szefa tej grupy.

Na sali zapadła śmiertelna cisza.

– Czy pan, panie Teleborian, chce skomentować to, co zostało powiedziane? – zapytał sędzia Iversen.

Teleborian potrząsnął głową.

– W takim razie chciałbym uprzedzić, że może pan zostać oskarżony o krzywoprzysięstwo oraz kilka innych rzeczy – powiedział Iversen.

– Jeśli mogę się wtrącić... – powiedział Mikael Blomkvist.

– Tak? – zapytał sędzia.

– Peter Teleborian ma w tej chwili większe problemy. Za drzwiami czekają dwie policjantki, które chcą go zabrać na przesłuchanie.

– Mam je wpuścić do środka? To pan chce powiedzieć? – zapytał Iversen.

– To byłby chyba dobry pomysł.

Iversen skinął do woźnego, żeby wpuścił inspektor Sonję Modig oraz kobietę, którą prokurator Ekström od razu rozpoznał. Nazywała się Lisa Collsjö i była inspektorem w wydziale zadań specjalnych. W policji krajowej był to wydział zajmujący się między innymi seksualnym molestowaniem dzieci i pornografią dziecięcą.

– W jakim celu panie tu przyszły? – zapytał Iversen.

– Jesteśmy tu, żeby zatrzymać Petera Teleboriana, gdy tylko to będzie możliwe bez zakłócania posiedzenia sądu.

Sędzia Iversen zerknął na Annikę Giannini.

– Jeszcze z nim nie skończyłam, ale dobrze, niech będzie.

– Proszę – powiedział Iversen.

Lisa Collsjö podeszła do Petera Teleboriana.

– Jest pan aresztowany za posiadanie pornografii dziecięcej.

Peter Teleborian siedział oniemiały. Annika Giannini pomyślała, że wygląda tak, jakby całe światło w jego oczach zgasło.

– A ściślej mówiąc, za posiadanie w komputerze ponad ośmiu tysięcy zdjęć pornograficznych.

Schyliła się i podniosła torbę komputerową, którą doktor miał ze sobą.

– Rekwirujemy to – powiedziała.

Kiedy go wyprowadzano, cały czas czuł na plecach spojrzenie Lisbeth Salander. Paliło żywym ogniem.

Rozdział 28
Piątek 15 lipca – sobota 16 lipca

SĘDZIA IVERSEN zastukał długopisem o krawędź stołu, żeby uciszyć gwar, jaki powstał po wyprowadzeniu Petera Teleboriana. Potem siedział chwilę bez słowa, najwidoczniej nie wiedząc, jak dalej prowadzić rozprawę. Zwrócił się do prokuratora Ekströma:

– Czy chce pan dodać coś na temat tego, co się zdarzyło w ciągu ostatniej godziny?

Richard Ekström nie miał pojęcia, co powiedzieć. Wstał, spojrzał na Iversena, potem na Torstena Edklintha, wreszcie odwrócił głowę i napotkał bezlitosne spojrzenie Lisbeth Salander. Zrozumiał, że przegrał bitwę. Przeniósł wzrok na Mikaela Blomkvista i nagle uświadomił sobie ze zgrozą, że o nim też może być mowa w publikacji „Millennium"... A to oznaczałoby katastrofę.

Nadal jednak nie pojmował, co się stało. Przystąpił do procesu z przekonaniem, że wie, o co w tej historii chodzi.

Po wielu szczerych rozmowach z komisarzem Georgiem Nyströmem rozumiał, jak delikatnego i wyważonego podejścia wymaga bezpieczeństwo państwa. Zapewnieniono go, że raport w sprawie Salander z 1991 roku jest sfałszowany. Otrzymał poufne informacje, jakich potrzebował. Zadawał pytania, setki pytań, na które zawsze dostawał odpowiedzi. A teraz Nyström był aresztowany, jak twierdziła mecenas Giannini. Polegał na Peterze Teleborianie, który sprawiał wrażenie tak... tak kompetentnego. Był taki przekonujący.

Wielki Boże. W co ja się wplątałem?

I potem:

Jak ja się z tego wyplączę?

Pogładził się po brodzie. Odchrząknął. Powoli zdjął okulary.

– Przyznaję to z przykrością, ale mam wrażenie, że zostałem wprowadzony w błąd w kilku istotnych kwestiach.

Zastanawiał się chwilę, czy mógłby obarczyć tym śledczych z policji, i nagle zobaczył przed sobą inspektora Bublanskiego. Bublanski nigdy nie udzieliłby mu wsparcia. Gdyby Ekströmowi powinęła się noga, Bublanski natychmiast zwołałby konferencję prasową. Pogrążyłby go.

Ekström spojrzał w oczy Lisbeth Salander. Siedziała i czekała cierpliwie, a w jej oczach widać było ciekawość i pragnienie zemsty.

Żadnych kompromisów.

Mógłby nadal wnosić o uznanie jej za winną brutalnego pobicia w Stallarholmen. Mógłby uzyskać wyrok skazujący za usiłowanie zabójstwa ojca w Gosseberdze. Musiałby tylko w jednej chwili zmienić strategię i porzucić wszystko, co wiązało się z Peterem Teleborianem. Oznaczało to, że wszystkie wywody na temat jej choroby psychicznej stracą znaczenie, ale też że jej opowieść zyskuje wiarygodność, również jeśli chodzi o rok 1991. Czyli ubezwłasnowolnienie było błędem, a przez to...

No i miała jeszcze ten pieprzony film, który...

Potem nagle doznał olśnienia.

Mój Boże. Ona jest niewinna.

– Wysoki sądzie... nie wiem, co się stało, ale uświadomiłem sobie, że nie mogę już polegać na dokumentach, które mam w ręku.

– Doprawdy? – powiedział Iversen z sarkazmem.

– Wydaje mi się, że muszę wnieść o zawieszenie albo przerwanie procesu do czasu, aż zdążę zbadać, co się właściwie stało.

– Pani Giannini? – zapytał Iversen.

– Wnoszę o uwolnienie mojej klientki od wszystkich zarzutów i uchylenie pozbawienia wolności ze skutkiem natychmiastowym. Wnioskuję także o ustosunkowanie się sądu do kwestii ubezwłasnowolnienia Lisbeth Salander. Uważam, że powinna otrzymać zadośćuczynienie za pogwałcenie jej praw.

Lisbeth przeniosła spojrzenie na sędziego Iversena.

Żadnych kompromisów.

Sędzia Iversen przyglądał się autobiografii Lisbeth Salander. Potem spojrzał na prokuratora Ekströma.

– Jestem zdania, że to dobry pomysł dokładnie zbadać, co się właściwie stało. Ale obawiam się, że raczej nie jest pan właściwą osobą do przeprowadzenia tego dochodzenia.

Zastanawiał się chwilę.

– Przez wszystkie lata pracy jako prawnik i sędzia nigdy nie spotkałem się z czymś, co choćby przypominałoby sytuację prawną w tej sprawie. Muszę przyznać, że jestem bezradny. Nigdy nawet nie słyszałem o czymś takim, żeby główny świadek oskarżenia został aresztowany na oczach sądu, a coś, co wyglądało na mocny materiał dowodowy, okazało się fałszerstwem. Szczerze powiedziawszy, nie wiem, co w tej sytuacji zostaje na liście zarzutów oskarżyciela.

Holger Palmgren odchrząknął.

– Tak? – powiedział Iversen.

– Jako przedstawiciel obrony nie mogę nie podzielać wrażenia wysokiego sądu. Czasem trzeba zrobić krok do tyłu i pozwolić, by mądrość wzięła górę nad biurokracją. Chciałbym przypomnieć, że wysoki sąd widział na razie tylko początek tej afery, która wstrząśnie całą administracją Szwecji. Dzisiaj ujęto kilkunastu funkcjonariuszy Säpo. Zostaną oskarżeni o popełnienie morderstwa i tak wiele innych przestępstw, że śledztwo na pewno potrwa długo.

– Przypuszczam, że powinienem zarządzić przerwę w procesie.

– Jeśli można: uważam, że to nie byłaby najszczęśliwsza decyzja.

– Słucham.

Palmgren miał widoczne trudności z mówieniem. Ale mówił powoli i nie jąkał się.

– Lisbeth Salander jest niewinna. Jej fantastyczna biografia, którą prokurator potraktował z taką pogardą, jest prawdziwa. I można to udowodnić. Ta dziewczyna padła ofiarą skandalicznego bezprawia. Jako sąd możemy albo trzymać się zasad i dalej prowadzić proces, aż zapadnie wyrok uniewinniający, albo wszystkie sprawy związane z Lisbeth Salander objąć nowym śledztwem. To śledztwo właśnie się zaczęło i obejmuje część tego bagna, które prokurator generalny musi prześwietlić.

– Rozumiem, o co panu chodzi.

– Jako sędzia może wysoki sąd dokonać wyboru. Najlepszym wyjściem byłoby odrzucenie całego dochodzenia wstępnego prokuratora i upomnienie go, żeby jeszcze raz odrobił lekcje.

Sędzia Iversen w zamyśleniu spoglądał na Ekströma.

– Sprawiedliwe byłoby natychmiastowe uwolnienie naszej klientki. Ponadto zasługuje ona na zadośćuczynienie, ale na odszkodowanie trzeba będzie trochę poczekać. Będzie zależało od wyniku tego drugiego śledztwa.

– Rozumiem pański punkt widzenia, mecenasie Palmgren. Ale zanim będę mógł ogłosić uniewinnienie pańskiej klientki, muszę zorientować się w całej tej historii. A to chyba trochę potrwa...

Zawahał się i spojrzał na Annikę Giannini.

– Jeśli zdecyduję, że proces zostanie przerwany do poniedziałku i wyjdę państwu naprzeciw tak dalece, że nie będę nalegał na dalszy areszt dla oskarżonej, co oznacza, że można oczekiwać, iż tak czy inaczej, nie zostanie skazana na karę pozbawienia wolności, czy mogą państwo zagwarantować, że zjawi się na kolejnych rozprawach, kiedy zostanie wezwana?

– Oczywiście – powiedział szybko Holger Palmgren.

– Nie – rzuciła ostro Lisbeth Salander.

Wszyscy skierowali spojrzenia na główną bohaterkę dramatu.

– Co pani ma na myśli? – zapytał sędzia Iversen.

– Jak tylko zostanę zwolniona, wyjadę stąd. Nie zamierzam poświęcić już ani jednej minuty na ten proces.

Sędzia Iversen patrzył na nią ze zdumieniem.

– Odmawia pani stawienia się w sądzie?

– Tak jest. Jeśli pan chce, żebym odpowiedziała jeszcze na jakieś pytania, może mnie pan zatrzymać w areszcie. Z chwilą kiedy stąd wyjdę, ta sprawa będzie dla mnie skończona. I nie znaczy to, że w nieokreślonej przyszłości będę do dyspozycji Ekströma czy policji.

Sędzia Iversen westchnął. Holger Palmgren sprawiał wrażenie oszołomionego.

– Zgadzam się z moją klientką – powiedziała Annika Giannini. – To państwo i jego instytucje zawiniły wobec Lisbeth Salander, a nie odwrotnie. Moja klientka zasługuje na to, żeby wyjść tymi drzwiami z wyrokiem uniewinniającym i móc zostawić tę historię za sobą.

Żadnych kompromisów.

Sędzia Iversen spojrzał na zegarek.

– Właśnie minęła trzecia. To znaczy, że zmusza mnie pani do zatrzymania swojej klientki w areszcie.

– Jeśli taka będzie decyzja wysokiego sądu, przyjmiemy ją do wiadomości. Jako pełnomocnik Lisbeth Salander żądam uznania jej za niewinną przestępstw, które zarzuca jej prokurator Ekström. Wnioskuję, aby wysoki sąd zniósł ograniczenie wolności mojej klientki bez żadnych restrykcji i ze skutkiem natychmiastowym. Żądam także uchylenia orzeczenia o ubezwłasnowolnieniu mojej klientki i bezzwłocznego przywrócenia jej pełni praw obywatelskich.

– Kwestia ubezwłasnowolnienia to o wiele bardziej skomplikowana sprawa. Muszę mieć opinię biegłych psychiatrów. Nie mogę o tym zadecydować tak z marszu.

– Nie – zaprotestowała Annika Giannini. – Z tym nie możemy się zgodzić.

– Jak to?

– Lisbeth Salander musi mieć takie same prawa obywatelskie jak wszyscy inni Szwedzi. Padła ofiarą działań przestępczych. Została bezpodstawnie ubezwłasnowolniona. Fałszerstwo można udowodnić. Okazuje się, że decyzja o przyznaniu jej kuratora nie ma podstaw prawnych. Powinna więc zostać uchylona natychmiast i bezwarunkowo. Nie ma żadnego powodu, aby moja klientka poddawała się badaniom psychiatrycznym. Nikt nie musi udowadniać, że nie jest wariatem, kiedy pada ofiarą przestępstwa.

Iversen rozważał przez chwilę słowa Anniki.

– Mecenas Giannini – powiedział wreszcie. – Zgadzam się, że mamy tu do czynienia z sytuacją wyjątkową. Zamierzam ogłosić piętnastominutową przerwę, żebyśmy mogli rozprostować nogi i trochę się pozbierać. Nie chcę zatrzymywać pani klientki w areszcie na kolejną noc, skoro jest niewinna, ale proces musi toczyć się dalej, aż dojdziemy do rozstrzygnięcia.

– To brzmi dobrze – powiedziała Annika Giannini.

W PRZERWIE MIKAEL pocałował siostrę w policzek.

– Jak poszło?

– Mikaelu, poszło mi świetnie z Teleborianem. Rozniosłam go totalnie.

– Mówiłem przecież, że będziesz nie do pokonania. Kiedy się dobrze przyjrzeć, to w całej tej historii nie chodzi o szpiegów i służby państwowe, ale przede wszystkim o zwyczajną przemoc wobec kobiet i o mężczyzn, którzy się jej dopuszczają. W tym małym fragmencie, który widziałem, byłaś wspaniała. A więc zostanie uniewinniona?

– Tak. Co do tego nie ma żadnych wątpliwości.

PO PRZERWIE SĘDZIA IVERSEN zastukał w stół.

– Czy byłaby pani tak uprzejma i opowiedziała tę historię od początku do końca, żebym mógł się zorientować, co się właściwie działo?

– Z chęcią – odparła Annika Giannini. – Czy mam zacząć od zdumiewającej historii grupy funkcjonariuszy służby bezpieczeństwa, którzy nazwali się Sekcją i w połowie lat siedemdziesiątych wzięli pod opiekę zbiegłego radzieckiego szpiega? Całą historię można przeczytać w najnowszym numerze miesięcznika „Millennium", który dzisiaj się ukazał. Przypuszczam, że będzie to główny temat doniesień wszystkich wieczornych serwisów informacyjnych.

OKOŁO SZÓSTEJ WIECZOREM sędzia Iversen zdecydował o uchyleniu aresztu wobec Lisbeth Salander i cofnięciu decyzji o ubezwłasnowolnieniu.

Ale pod jednym warunkiem. Zażądał, żeby Lisbeth poddała się przesłuchaniu i opowiedziała wszystko, co wie o sprawie Zalachenki. Lisbeth najpierw uparcie się sprzeciwiała. Ów sprzeciw doprowadził do małej kłótni. Sędzia Iversen był zmuszony podnieść głos. Nachylił się do przodu i wbił spojrzenie w Lisbeth.

– Panno Salander, jeśli uchylę pani ubezwłasnowolnienie, będzie to oznaczało, że ma pani dokładnie takie same prawa jak wszyscy obywatele. Ale również że ma pani takie same obowiązki. A więc pani podstawowym obowiązkiem jest kontrolowanie własnych finansów, płacenie podatków, posłuszeństwo wobec prawa i wspieranie policji w wyjaśnianiu ciężkich przestępstw. Zostanie więc pani wezwana na przesłuchanie jak każdy inny obywatel, który musi złożyć zeznania.

Logika tego argumentu najwyraźniej przemówiła do Lisbeth Salander. Wydęła dolną wargę i choć nadal wyglądała na niezadowoloną, przestała się wykłócać.

– Kiedy policja będzie miała pani zeznania, nadzorujący postępowanie przygotowawcze – w tym przypadku prokurator generalny – oceni, czy należy panią wezwać jako świadka w ewentualnym przyszłym procesie. Jak każdy inny obywatel Szwecji ma pani prawo nie stawić się na takie wezwanie. Jak pani postąpi, nie moja sprawa, ale nic pani z tego obowiązku nie zwalnia. Jeśli nie stawi się pani w sądzie, może pani tak samo jak każdy pełnoprawny obywatel zostać skazana za lekceważenie sądu lub krzywoprzysięstwo. Wyjątków nie ma.

Lisbeth Salander nachmurzyła się jeszcze bardziej.

– Co pani postanowiła? – zapytał Iversen.

Po trwającym minutę namyśle nieznacznie skinęła głową.

Okej. Mały kompromis.

Podczas wieczornej prezentacji sprawy Zalachenki Annika Giannini ostro zaatakowała prokuratora Ekströma. W końcu Ekström przyznał, że wszystko rozegrało się mniej więcej tak, jak to przedstawiła. Przy postępowaniu wstępnym pomagał mu komisarz Georg Nyström, otrzymywał także informacje od Petera Teleboriana. Nie miał pojęcia o spisku. Działał na rzecz Sekcji w dobrej wierze. Kiedy uświadomił sobie powagę sytuacji i wagę wydarzeń, zdecydował się wycofać oskarżenie wobec Lisbeth Salander. Oznaczało to, że można było pominąć część formalności. Iversen przyjął to z ulgą.

Po pierwszym od wielu lat dniu w sądzie Holger Palmgren był wyczerpany. Musiał wrócić do łóżka w ośrodku rehabilitacyjnym w Ersta. Zawiózł go umundurowany strażnik z Milton Security. Przed wyjściem Palmgren położył dłoń na ramieniu Lisbeth. Popatrzyli na siebie. Po chwili skinęła głową i uśmiechnęła się lekko.

O SIÓDMEJ ANNIKA GIANNINI zadzwoniła do Mikaela Blomkvista i zakomunikowała, że Lisbeth Salander została uwolniona od wszystkich zarzutów, ale miała zostać jeszcze kilka godzin w budynku policji na przesłuchaniu.

Wiadomość przyszła w chwili, gdy wszyscy pracownicy „Millennium" byli w redakcji. Od kiedy około południa posłańcy roznieśli do redakcji prasowych w Sztokholmie pierwsze egzemplarze, telefony dzwoniły nieprzerwanie. Po południu TV4 wypuściła pierwsze zapowiedzi specjalnego programu o Zalachence i Sekcji. To było jak medialne Boże Narodzenie.

Mikael stanął na środku redakcji, włożył palce do ust i gwizdnął.

– Właśnie dostałem wiadomość, że Lisbeth została uwolniona od wszystkich zarzutów.

Rozległy się oklaski. Potem wszyscy dalej rozmawiali przez telefon, jakby nic się nie stało.

Mikael podniósł wzrok na stojący pośrodku redakcji włączony telewizor. Właśnie zaczynały się wiadomości w TV4. Zapowiedź stanowił urywek filmu pokazujący, jak Jonas Sandberg ukrywa kokainę w mieszkaniu na Bellmansgatan.

– Widzimy, jak pracownik Säpo podrzuca kokainę w mieszkaniu dziennikarza „Millennium" Mikaela Blomkvista.

Potem na wizji pojawił się prezenter.

– Kilkunastu pracowników służby bezpieczeństwa zatrzymano dzisiaj na podstawie poważnych zarzutów, obejmujących między innymi morderstwo.

Na ekranie ukazała się Ta z TV4, a potem Mikael zobaczył siebie w telewizyjnym fotelu. Wyłączył dźwięk. Pamiętał, co powiedział. Przeniósł wzrok na biurko Daga Svenssona. Ślady jego reportażu o *traffickingu* zniknęły i na biurku znów lądowały gazety i nieuporządkowane sterty papierów, do których nikt się nie przyznawał.

To przy tym biurku zaczęła się dla Mikaela afera Zalachenki. Nagle zamarzył, żeby Dag Svensson mógł zobaczyć zakończenie tej sprawy. Kilka egzemplarzy jego świeżo wydrukowanej książki stało obok książki o Sekcji.

Na pewno by ci się to podobało.

Słyszał, że w jego pokoju zadzwonił telefon, ale nie miał siły go odebrać. Zamknął drzwi i poszedł do pokoju Eriki Berger. Usiadł w jednym z wygodnych foteli przy małym stoliku przy oknie. Erika rozmawiała przez telefon. Mikael rozejrzał się. Wróciła już miesiąc temu, ale nie zdążyła zagracić pokoju osobistymi przedmiotami, które sprzątnęła w kwietniu, żegnając się z redakcją. Półki nadal były puste, nie powiesiła też nic na ścianach.

– Jak się czujesz? – zapytała, kiedy skończyła rozmowę.

– Wydaje mi się, że jestem szczęśliwy – odparł.

Zaśmiała się.

– *Sekcja* będzie hitem. We wszystkich redakcjach po prostu poszaleli. Masz ochotę wystąpić w Aktualnościach o dziewiątej?

– Nie.

– Tak myślałam.

– Będziemy o tym gadać jeszcze kilka miesięcy. Nie ma pośpiechu.

Skinęła głową.

– A co robisz wieczorem?

– Nie wiem.

Mikael przygryzł wargę.

– Eriko... ja...

– Figuerola – powiedziała Erika z uśmiechem.

Mikael skinął głową.

– Czy to coś poważnego?

– Nie wiem.

– Jest w tobie diabelnie zakochana.

– Ja chyba też jestem w niej zakochany

– Będę się trzymała z daleka, póki nie będziesz pewny.

Kiwnął głową.

– Może – dodała Erika.

O ÓSMEJ DRAGAN ARMANSKI i Susanne Linder zapukali do drzwi redakcji. Uznali, że taka okazja wymaga szampana i przynieśli ze sobą pełną reklamówkę ze sklepu monopolowego. Erika Berger objęła Susanne Linder na powitanie. Potem oprowadziła ją po redakcji, podczas gdy Armanski rozgościł się w pokoju Mikaela.

Pili. Przez dłuższą chwilę nikt się nie odzywał. Wreszcie Armanski zaczął:

– Wiesz co, Blomkvist? Kiedy się poznaliśmy przy okazji tej historii w Hedestad, bardzo mi się nie podobałeś.

– Aha.

– Przyszliście do mnie podpisać kontrakt, kiedy zleciłeś Lisbeth research.

– Pamiętam.

– Myślę, że byłem zazdrosny. Znałeś ją zaledwie od paru godzin. A ona śmiała się razem z tobą. Od kilku lat próbowałem zaprzyjaźnić się z Lisbeth, ale nie udało mi się nawet sprawić, żeby się uśmiechnęła.

– No cóż... mnie też nie poszło za dobrze.

Siedzieli chwilę w milczeniu.

– Dobrze, że to już się skończyło – powiedział Armanski.

– Amen – dodał Mikael.

INSPEKTORZY JAN BUBLANSKI i Sonja Modig przesłuchiwali Lisbeth Salander w charakterze świadka. Oboje wrócili do domu po długim dniu pracy i niemal od razu musieli wracać do siedziby policji.

Salander towarzyszyła Annika Giannini, nie wtrącała się jednak zbyt często. Lisbeth odpowiadała precyzyjnie na wszystkie pytania.

Konsekwentnie kłamała w dwóch zasadniczych sprawach. Opisując zdarzenia w Stallarholmen, twierdziła z uporem, że to Sonny Nieminen niechcący postrzelił Carla-Magnusa Lundina w stopę, w tym samym momencie kiedy ona poraziła go paralizatorem. Skąd miała paralizator? Wyjaśniła, że skonfiskowała go Maggemu Lundinowi.

Zarówno Bublanski, jak i Modig zdawali się mieć wątpliwości. Ale nie było żadnych dowodów ani świadków mogących podważyć jej zeznania. Sonny Nieminen mógłby zaprotestować, ale odmawiał zeznań na temat tego zajścia. Zresztą nie miał pojęcia, co się stało kilka sekund po tym, jak został potraktowany paralizatorem.

Co do swojego wyjazdu do Gossebergi Lisbeth wyjaśniła, że chciała się spotkać z ojcem i namówić go do oddania się w ręce policji.

Sprawiała wrażenie prostodusznej osoby.

Nikt nie potrafił ocenić, czy mówi prawdę, czy nie. Annika Giannini nie wypowiadała się na ten temat.

Jedyną osobą, która z całą pewnością wiedziała, że Lisbeth pojechała do Gossebergi, żeby raz na zawsze rozprawić się z ojcem, był Mikael Blomkvist. Ale on został odesłany na korytarz w chwilę po wznowieniu procesu. Nikt nie wiedział, że kiedy Lisbeth leżała zamknięta w Sahlgrenska, toczyli długie nocne rozmowy przez internet.

MEDIA PRZEGAPIŁY wypuszczenie jej na wolność. Gdyby ogłoszono, o której godzinie to się stanie, siedzibę policji okupowałaby większa reprezentacja reporterów. Ale dziennikarze byli wyczerpani chaosem, jaki rozpętał się po publikacji „Millennium" i aresztowaniu przedstawicieli Säpo.

Ta z TV4 była jedyną dziennikarką, która wiedziała, o co chodzi w tej historii. Jej godzinny materiał stał się klasykiem gatunku i kilka miesięcy później został nagrodzony jako najlepszy telewizyjny program informacyjny.

Sonja Modig wyprowadziła Lisbeth z budynku policji, zabierając ją i Annikę Giannini po prostu windą do garażu, skąd zawiozła je swoim samochodem pod biuro Anniki na Kungsholms Kyrkoplan. Tam przesiadły się do samochodu Giannini. Annika zaczekała, aż Sonja Modig się oddali, a potem włączyła silnik. Ruszyła w stronę Södermalmu.

Kiedy znajdowały się na wysokości parlamentu, Annika zapytała:

– Dokąd?

Lisbeth namyślała się kilka sekund.

– Możesz mnie wysadzić gdzieś na Lundagatan.

– Miriam Wu tam nie ma.

Lisbeth zerknęła na Annikę.

– Wyjechała do Francji zaraz po wyjściu ze szpitala. Mieszka u rodziców, jeśli chcesz się z nią skontaktować.

– Dlaczego mi o tym nie powiedziałaś?

– Bo nigdy nie pytałaś.

– Hmm...

– Chciała nabrać dystansu. Mikael dał mi je dzisiaj rano. Powiedział, że chyba będziesz je chciała z powrotem.

Podała jej pęk kluczy. Lisbeth przyjęła je bez słowa.

– Dzięki. Możesz mnie w takim razie wysadzić gdzieś na Folkungagatan.

– Nie chcesz mi nawet powiedzieć, gdzie mieszkasz?

– Później. Chcę mieć spokój.

– Okej.

Kiedy po przesłuchaniu wychodziły z budynku policji, Annika włączyła komórkę. Kiedy mijały Slussen, rozległ się dzwonek. Spojrzała na wyświetlacz.

– To Mikael. Przez ostatnich kilka godzin dzwonił średnio co dziesięć minut.

– Nie chcę z nim rozmawiać.

– Okej. A mogę ci zadać osobiste pytanie?

– Tak?

– Co takiego Mikael ci zrobił, że tak bardzo go nienawidzisz? Przecież gdyby nie on, pewnie już dziś wieczorem wylądowałabyś w psychiatryku.

– Nie nienawidzę Mikaela. Nic mi nie zrobił. Po prostu nie mam ochoty się z nim teraz spotkać.

Annika Giannini spojrzała na swoją klientkę.

– Nie chcę się wtrącać w twoje sprawy, ale chyba się w nim zadurzyłaś, czyż nie?

Lisbeth wyglądała przez boczne okienko. Nie odpowiedziała.

– Mój brat jest kompletnie nieodpowiedzialny, jeśli chodzi o związki. Bzyka się na prawo i lewo i nie obchodzi go, jak się mogą czuć kobiety, które widzą w nim coś więcej niż tylko jednorazową przygodę.

Lisbeth spojrzała jej w oczy.

– Nie chcę z tobą rozmawiać o Mikaelu.

– Okej – zgodziła się Annika. Zaparkowała przy chodniku tuż przed Erstagatan. – Czy tu będzie dobrze?

– Tak.

Siedziały chwilę w ciszy. Lisbeth nie kwapiła się do otwarcia drzwi. Po jakimś czasie Annika wyłączyła silnik.

– Co teraz będzie? – zapytała wreszcie Lisbeth.

– Będzie to, że od dzisiaj nie masz już kuratora. Możesz robić, co chcesz. Udało nam się wszystko przeforsować w sądzie, ale zostaje jeszcze cała masa biurokracji. Będzie dochodzenie w sprawie odpowiedzialności w Komisji Nadzoru Kuratorskiego, będzie sprawa o odszkodowanie i tym podobne. A śledztwo w sprawie łamania prawa będzie się toczyło dalej.

– Nie chcę żadnego odszkodowania. Chcę, żeby mnie zostawili w spokoju.

– Rozumiem. Ale twoje zdanie nie ma żadnego znaczenia. Ten proces toczy się poza tobą. Proponuję, żebyś znalazła sobie adwokata, który będzie cię reprezentował.

– Nie chcesz dalej być moim adwokatem?

Annika potarła oczy. Po emocjach dzisiejszego dnia czuła się całkowicie pusta. Chciała jechać do domu, wziąć prysznic i poprosić męża, żeby pomasował jej plecy.

– Nie wiem. Nie ufasz mi. A ja nie ufam tobie. Nie mam ochoty dać się wciągnąć w długi proces, podczas którego będę się zderzać z frustrującym milczeniem, ilekroć coś zaproponuję albo będę chciała coś przedyskutować.

Lisbeth nie odzywała się dłuższą chwilę.

– Ja... ja nie jestem dobra w relacjach międzyludzkich. Ale naprawdę ci ufam.

Zabrzmiało to niemal jak przeprosiny.

– Możliwe. Ale to nie mój problem, że nie umiesz utrzymywać relacji z ludźmi. To będzie mój problem, jeśli będę musiała cię reprezentować.

Cisza.

– Chcesz, żebym nadal była twoim adwokatem?

Lisbeth skinęła głową. Annika westchnęła.

– Mieszkam na Fiskargatan 9. Nad Mosebacke torg. Czy możesz mnie tam wysadzić?

Annika zerknęła na swoją klientkę. Wreszcie włączyła silnik. Lisbeth ją poprowadziła. Zatrzymały się kawałek od domu.

– Okej – powiedziała Annika. – Możemy spróbować. Moje warunki są następujące: będę cię reprezentowała, ale chcę, żebyś się odzywała, kiedy chcę się z tobą skontaktować. Kiedy będę chciała wiedzieć, jak zamierzasz postąpić, muszę dostać jasną odpowiedź. Jeśli zadzwonię i powiem, że powinnaś się spotkać z policją, prokuratorem czy kimś innym, to znaczy, że w mojej ocenie jest to konieczne. I wtedy zażądam, żebyś znalazła się w wyznaczonym miejscu o umówionej porze i nie kombinowała. Czy możesz na to przystać?

– Okej.

– A jeśli zaczniesz utrudniać, przestanę cię reprezentować. Zrozumiałaś?

Lisbeth pokiwała głową.

– Jeszcze jedno. Nie chcę uczestniczyć w żadnym dramacie między tobą a moim bratem. Jeśli masz z nim jakiś problem, musisz go rozwiązać. Ale on naprawdę nie jest twoim wrogiem.

– Wiem. Załatwię to. Ale potrzebuję czasu.

– Co zamierzasz teraz zrobić?

– Nie wiem. Możesz się ze mną kontaktować mailem. Obiecuję, że będę odpowiadać, jak tylko będę mogła, ale raczej nie będę sprawdzała skrzynki codziennie...

– Nie staniesz się niewolnicą z tego powodu, że masz adwokata. Na razie to nam wystarczy. A teraz wysiadaj. Padam ze zmęczenia, chcę jechać do domu spać.

Lisbeth otworzyła drzwi i wyszła na chodnik. Kiedy miała je zatrzasnąć, zawahała się na chwilę. Wyglądała, jakby chciała coś powiedzieć, ale zabrakło jej słów. Annika pomyślała, że Lisbeth sprawia wrażenie bezbronnej.

– W porządku – powiedziała Annika. – Idź do domu i się wyśpij. I w najbliższym czasie nie rób żadnych głupstw.

Lisbeth stała na chodniku i patrzyła za samochodem Anniki, aż tylne światła zniknęły za rogiem.

– Dziękuję – powiedziała w końcu.

Rozdział 29
Sobota 16 lipca
– piątek 7 października

ZNALAZŁA SWOJEGO PALMA tungstena T3 na komodzie w przedpokoju. Leżały tam też jej kluczyki do samochodu i torba na ramię, którą zgubiła, gdy Magge Lundin rzucił się na nią przed bramą na Lundagatan. Były też otwarte i nieotwarte listy ze skrytki pocztowej na Hornsgatan. *Mikael Blomkvist*.

Zrobiła powolny obchód umeblowanej części swojego mieszkania. Wszędzie widziała ślady jego obecności. Spał w jej łóżku i pracował przy jej biurku. Używał jej drukarki, a w koszu na papiery znalazła brudnopisy tekstów o Sekcji, niepotrzebne notatki i bazgroły.

Kupił litr mleka, chleb, ser, pastę kawiorową i dziesięć pudełek billys pan pizza i włożył wszystko do lodówki.

Na kuchennym stole znalazła małą białą kopertę ze swoim imieniem. Wiadomość od niego. Bardzo krótka. Numer jego komórki. Nic więcej.

Lisbeth poczuła nagle, że piłka znajduje się na jej połowie. On nie zamierzał szukać z nią kontaktu. Skończył tekst, oddał jej klucze do mieszkania i nie zamierzał się do niej odzywać. Jeśli czegoś chciała, musiała sama zadzwonić. *Pieprzony uparty osioł*.

Zrobiła sobie dzbanek kawy i cztery kanapki. Potem usiadła na parapecie i wyglądała na Djurgården. Zapaliła papierosa i rozmyślała.

Wszystko się skończyło, a mimo to wydawało się, że jest bardziej samotna niż kiedykolwiek.

Miriam Wu wyjechała do Francji. *To moja wina, że prawie zostałaś zabita.* Przedtem z obawą myślała o chwili, kiedy będzie zmuszona spotkać się z Miriam Wu. Właśnie dlatego postanowiła wtedy, że to będzie pierwsza rzecz, którą zrobi po wyjściu na wolność. *A ona pojechała do Francji.*

Nagle okazało się, że ma wobec innych dług.

Holger Palmgren. Dragan Armanski. Powinna się z nimi skontaktować i podziękować. Paolo Roberto. I jeszcze Plague i Trinity. Nawet te cholerne gliny, Bublanski i Modig, całkiem obiektywnie byli po jej stronie. Nie lubiła mieć długów. Czuła się jak pionek w grze, której nie była w stanie kontrolować.

Pieprzony Kalle Blomkvist. I może nawet Pieprzona Erika Berger z dołeczkami w policzkach, pięknymi ciuchami i tą swoją pewnością siebie.

To już się skończyło, powiedziała Annika Giannini, kiedy opuszczały budynek policji. To prawda. Proces się skończył. Skończył się dla Anniki Giannini. I dla Mikaela Blomkvista, który opublikował swój tekst, a teraz będzie ciągle w telewizji i na pewno zainkasuje jakąś cholerną nagrodę.

Ale dla Lisbeth Salander to nie był koniec. To był tylko pierwszy dzień reszty jej życia.

O CZWARTEJ NAD RANEM postanowiła przestać rozmyślać. Zrzuciła punkowy strój na podłogę w sypialni, poszła do łazienki i wzięła prysznic. Zmyła cały makijaż i ubrała się w ciemne luźne spodnie z lnu, biały T-shirt i cienki żakiet. Spakowała torbę na wyjazd – zmianę ubrań, bieliznę i kilka T-shirtów – i włożyła zwykłe buty na płaskim obcasie.

Dołożyła do tego palma i zamówiła taksówkę na Mosebacke torg. Pojechała na Arlandę i krótko przed szóstą była na miejscu. Przyglądała się tablicy wylotów. Potem kupiła bilet na pierwszy lepszy samolot. Posłużyła się własnym paszportem z własnym nazwiskiem. Zdziwiła się, że przy rezerwacji i odprawie nikt jej nie poznał ani nie zareagował na nazwisko.

Porannym lotem wyleciała do Malagi. Wylądowała w samo upalne południe. Kwadrans stała niezdecydowana przy terminalu. W końcu spojrzała na mapę i zastanowiła się, co mogłaby robić w Hiszpanii. Nie miała siły zastanawiać się nad liniami autobusowymi czy innymi środkami transportu. W butiku na lotnisku kupiła okulary słoneczne, poszła na postój taksówek i usiadła na tylnym siedzeniu pierwszego samochodu.

– Gibraltar. Płacę kartą kredytową.

Jechali nową autostradą wzdłuż wybrzeża. Trwało to trzy godziny. Taksówkarz wysadził ją przy punkcie kontroli paszportowej na granicy z terytorium brytyjskim. Potem pieszo poszła do The Rock Hotel przy Europa Road, na zboczu wysokiej na czterysta dwadzieścia pięć metrów skały. Zapytała, czy mają wolny pokój. Mieli dwuosobowy. Wynajęła go na dwa tygodnie i podała kartę kredytową.

Wzięła prysznic, a potem owinięta ręcznikiem kąpielowym siedziała na tarasie i patrzyła na Cieśninę Gibraltarską. Widziała frachtowce i kilka żaglowców. Zauważyła we mgle po drugiej stronie cieśniny niewyraźny zarys Maroka. Wszystko tchnęło spokojem.

Po chwili wróciła do pokoju, położyła się i od razu zasnęła.

NASTĘPNEGO RANKA LISBETH Salander obudziła się o wpół do szóstej. Wstała, wzięła prysznic i w hotelowym barze na parterze napiła się kawy. O siódmej opuściła hotel. Poszła na targ, kupiła torbę owoców mango i jabłek, a potem taksówką pojechała aż do The Peak i pieszo podeszła do małp. O tak wczesnej porze nie było wielu turystów. Była prawie sama z małpami.

Lubiła Gibraltar. To była jej trzecia wizyta na tej dziwnej skale z absurdalnie gęsto zaludnionym brytyjskim miastem nad Morzem Śródziemnym. Gibraltar nie przypominał żadnego innego miejsca. Miasto – niegdyś kolonia, która uparcie opierała się włączeniu do Hiszpanii – było odizolowane przez wiele dziesiątków lat. Hiszpanie oczywiście protestowali przeciwko tej okupacji. (Lisbeth Salander uważała jednak, że Hiszpanie powinni siedzieć cicho, dopóki sami okupowali Ceutę na terytorium Maroka po drugiej stronie cieśniny). Było to miejsce w zabawny sposób odcięte od świata, miasto z ogromną skałą w środku, z ponad dwoma kilometrami kwadratowymi miejskiej zabudowy i lotniskiem, które zaczynało się i kończyło w morzu. Żeby dostać się do miasta, podróżni musieli przechodzić przez pasy startowe.

Gibraltar nadawał nowy sens wyrażeniu *compact living*.

Lisbeth zobaczyła silnego samca wspinającego się na mur przy promenadzie. Patrzył na nią. Magot bezogonowy. Wiedziała, że lepiej nie próbować go głaskać.

– Cześć, kolego – powiedziała. – Wróciłam.

Podczas swojej pierwszej wizyty na Gibraltarze nawet nie słyszała o tych małpach. Wybrała się na szczyt góry, żeby po prostu się rozejrzeć, i była całkowicie zaskoczona, kiedy poszła za grupą turystów i nagle znalazła się w środku stada małp. Wieszały się i wspinały po obu stronach dróżki.

To było niesamowite uczucie iść sobie ścieżką i nagle znaleźć się wśród dwóch tuzinów małp. Lisbeth przyglądała się im z największą nieufnością. Nie były niebezpieczne ani agresywne, ale za to wystarczająco silne, żeby dotkliwie pogryźć, gdyby ktoś je rozdrażnił albo gdyby poczuły się zagrożone.

Odszukała jednego z opiekunów małp i zapytała, czy może im dać owoce. Pozwolił jej.

Wyjęła z torby mango i położyła na murku, kawałek od samca.

– Śniadanie – powiedziała i ugryzła jabłko.

Samiec popatrzył na nią, pokazał zęby i zadowolony zabrał owoc.

PIĘĆ DNI PÓŹNIEJ około czwartej po południu Lisbeth Salander spadła ze stołka w Harry's Bar przy bocznej uliczce Main Street, dwie przecznice od swojego hotelu. Od wycieczki do małp była bez przerwy pijana, a upijała się głównie u Harry'ego O'Connella, właściciela baru, który mówił z wystudiowanym irlandzkim akcentem, choć nigdy w życiu nie był w Irlandii. Obserwował ją z zatroskaną miną.

Kiedy cztery dni temu po południu zamawiała pierwszego drinka, Harry zażądał od niej okazania paszportu. Wyglądała o wiele młodziej, niż z niego wynikało. Wiedział, że ma na imię Lisbeth, więc nazywał ją Liz. Przychodziła zwykle po lunchu, siadała na wysokim stołku przy końcu kontuaru i opierała się o ścianę. Potem pochłaniała ogromne ilości piwa albo whisky.

Kiedy piła piwo, nie zawracała sobie głowy marką. Brała wszystko, co jej nalał. W przypadku whisky zawsze wybierała tullamore dew. Tylko raz zaczęła się przyglądać butelkom stojącym za barem i wybrała lagavulin. Dostała drinka, powąchała, uniosła brwi i upiła Tylko Mały Łyczek. Odstawiła szklankę i gapiła się na nią przez minutę z takim wyrazem twarzy, jakby w środku siedział groźny wróg.

W końcu odsunęła szklankę i poprosiła Harry'ego, żeby zamiast tego nalał jej czegoś, czego nie używa się do smołowania łodzi. Nalał tullamore dew i Lisbeth wróciła do swoich przyzwyczajeń. W ciągu czterech dni sama wypiła ponad butelkę whisky. A jeśli chodzi o piwo, Harry stracił rachubę. Był co najmniej zdziwiony, że dziewczyna o tak skromnych gabarytach może wlać w siebie tak dużo alkoholu, ale uważał, że skoro chce się upijać, to będzie to robić, w jego barze albo gdzieś indziej.

Piła powoli, nie rozmawiając z nikim, i nie wywoływała burd. Jej jedynym zajęciem, pomijając konsumpcję alkoholu, było klepanie w komputer, który od czasu do czasu podłączała do komórki. Kilka razy próbował nawiązać z nią rozmowę, ale napotykał pełne niechęci milczenie. Wyglądało na to, że nie chce towarzystwa. Kiedy w barze było dużo ludzi, przenosiła się do ogródka na ulicę albo szła na kolację do włoskiej restauracji dwoje drzwi dalej, a potem wracała do Harry'ego i zamawiała tullamore dew. Zwykle wychodziła około dziesiątej wieczorem i chwiejnym krokiem szła na północ.

Tego dnia piła więcej i szybciej niż zwykle, więc Harry zaczął ją czujnie obserwować. Kiedy w ciągu nieco ponad dwóch godzin opróżniła siedem szklaneczek tullamore dew, zdecydował, że nie poda jej więcej alkoholu. Ale zanim zdążył zrealizować swoje postanowienie, usłyszał łoskot, Lisbeth spadła ze stołka.

Odstawił szklankę, którą właśnie wycierał, wyszedł zza baru i podniósł ją. Wyglądała na urażoną.

– Wydaje mi się, że masz już dość – powiedział Harry.

Patrzyła na niego lekko błędnym wzrokiem.

– Chyba masz rację – powiedziała zaskakująco wyraźnie.

Jedną ręką trzymała się kontuaru, drugą wyciągnęła kilka banknotów z kieszonki na piersiach i niepewnie ruszyła do wyjścia. Harry złapał ją za ramię.

– Zaczekaj. Co powiesz na wizytę w łazience, żeby zwymiotować resztkę alkoholu? Potem możesz jeszcze chwilę posiedzieć w barze. Wolałbym cię nie wypuszczać w takim stanie.

Nie protestowała, kiedy zaprowadził ją do łazienki. Włożyła palce do gardła i zrobiła to, co proponował. Kiedy wróciła do baru, podał jej dużą szklankę wody sodowej. Wypiła ją do dna i czknęła. Nalał jej jeszcze jedną kolejkę.

– Jutro będziesz się podle czuła – powiedział Harry.

Kiwnęła głową.

– To nie moja sprawa, ale gdybym był na twoim miejscu, przez kilka dni byłbym trzeźwy.

Znów kiwnęła głową. Potem jeszcze raz poszła do łazienki i zwymiotowała.

Została w barze Harry'ego jeszcze godzinę, aż jej spojrzenie rozjaśniło się do tego stopnia, że Harry nie bał się puścić jej w drogę. Wyszła na chwiejnych nogach, poszła w dół do lotniska, potem promenadą wzdłuż wybrzeża. Spacerowała, aż zrobiło się wpół do dziewiątej i ziemia przestała jej się kołysać pod stopami. Dopiero wtedy wróciła do hotelu. Poszła do swojego pokoju, wyszorowała zęby i opłukała twarz, przebrała się i zeszła do hotelowego baru w foyer, gdzie zamówiła filiżankę kawy i wodę mineralną.

Siedziała niezauważona przy filarze i przyglądała się ludziom w barze. Widziała parę trzydziestolatków pogrążonych w cichej rozmowie. Kobieta miała na sobie jasną letnią sukienkę. Mężczyzna trzymał ją pod stołem za rękę. Dwa stoliki dalej siedziała czarnoskóra rodzina: on z siwiejącymi skroniami, ona w pięknej wielobarwnej sukience, żółto--czarno-czerwonej, plus dwójka prawie nastoletnich dzieci. Przyglądała się grupie biznesmenów w białych koszulach i krawatach, z marynarkami na oparciach krzeseł. Pili piwo. Widziała grupę emerytów, niewątpliwie amerykańskich turystów. Mężczyźni mieli bejsbolówki, nosili koszulki polo i luźne spodnie. Kobiety były ubrane w markowe dżinsy i czerwone T-shirty, do tego okulary słoneczne na sznurku. Zobaczyła mężczyznę w jasnej lnianej marynarce, szarej koszuli i ciemnym krawacie. Wszedł z ulicy, wziął z recepcji klucze, a potem podszedł do baru i zamówił piwo. Siedziała trzy metry od niego i skupiła na nim spojrzenie. Mężczyzna sięgnął po komórkę i zaczął mówić po niemiecku.

– Cześć, to ja... wszystko dobrze?... Świetnie idzie, następne spotkanie mamy jutro po południu... Nie, nie sądzę, żeby to się udało... Zostanę tu jeszcze pięć czy sześć dni, a potem pojadę do Madrytu... Nie, nie wrócę do domu wcześniej niż pod koniec przyszłego tygodnia... Ja też... Kocham cię... Oczywiście... Zadzwonię w tygodniu... całuję.

Miał około stu osiemdziesięciu pięciu centymetrów wzrostu, nieco ponad pięćdziesiąt, może pięćdziesiąt pięć lat, jasne nieco dłuższe włosy poprzetykane siwizną, miękki podbródek i trochę za dużo w talii. Mimo to dobrze się trzymał jak na swój wiek. Czytał „Financial Times". Kiedy skończył pić piwo i ruszył do windy, Lisbeth też wstała i poszła za nim.

Nacisnął szóstkę. Lisbeth stanęła obok niego i oparła głowę o ścianę.

– Jestem pijana – powiedziała.

Spojrzał na nią.

– Ach tak?

– Tak. To był taki tydzień... Niech zgadnę. Jesteś biznesmenem, pochodzisz z Hanoweru albo gdzieś z północnych Niemiec. Jesteś żonaty. Kochasz swoją żonę. I musisz zostać tu, w Gibraltarze, jeszcze kilka dni. Tyle zrozumiałam z twojej rozmowy w barze.

Patrzył na nią zdumiony.

– Ja jestem ze Szwecji. I mam nieodpartą potrzebę seksu. Nie obchodzi mnie, że jesteś żonaty, nie chcę znać twojego telefonu.

Mężczyzna uniósł brwi.

– Mieszkam w pokoju 711, piętro nad tobą. Zamierzam iść do swojego pokoju, rozebrać się, wziąć kąpiel i położyć się do łóżka. Jeśli chcesz mi dotrzymać towarzystwa, możesz do mnie zastukać za pół godziny. Bo inaczej zasnę.

– Czy to jakiś żart? – zapytał mężczyzna, kiedy winda się zatrzymała.

– Nie. Nie mam siły na te głupoty, iść do knajpy i bawić się w podryw. Albo do mnie zapukasz, albo nic z tego.

Dwadzieścia pięć minut później rozległo się pukanie. Otworzyła owinięta w ręcznik.

– Wejdź – powiedziała.

Wszedł i zaczął podejrzliwie rozglądać się po pokoju.

– Jestem sama – wyjaśniła.

– Ile właściwie masz lat?

Wyciągnęła rękę i podała mu paszport, który leżał na komodzie.

– Wyglądasz na młodszą.

– Wiem – odparła. Odchyliła ręcznik i rzuciła go na krzesło. Podeszła do łóżka i odsunęła narzutę.

Mężczyzna przyglądał się jej tatuażom. Lisbeth zerknęła na niego znad ramienia.

– To nie jest pułapka. Jestem dziewczyną, singielką, i przyjechałam tu na kilka dni. Nie uprawiałam seksu od wielu miesięcy.

– A dlaczego wybrałaś akurat mnie?

– Bo byłeś jedynym mężczyzną w barze, który nie miał towarzystwa.

– Jestem żonaty...

– A ja nie chcę wiedzieć, kim ona jest ani nawet kim ty jesteś. I nie chcę rozmawiać o socjologii. Chcę się pieprzyć. Rozbierz się albo wracaj do swojego pokoju.

– Tak po prostu?

– Dlaczego nie? Jesteś dorosły i wiesz, czego się od ciebie oczekuje.

Zastanawiał się pół minuty. Wyglądało, jakby chciał wyjść. Lisbeth usiadła na krawędzi łóżka i czekała. Mężczyzna przygryzł wargę. Potem zdjął spodnie i koszulę i stał dalej niepewnie w samych slipach.

– Wszystko – powiedziała Lisbeth. – Nie zamierzam się pieprzyć z facetem w slipach. I masz używać prezerwatywy. Wiem, gdzie ja byłam, ale nie wiem, gdzie ty byłeś.

Zdjął slipy, podszedł do niej i położył jej rękę na ramieniu. Lisbeth zamknęła oczy, a on pochylił się i ją pocałował. Smakował przyjemnie. Pozwoliła położyć się na łóżko. Jego ciało było ciężkie.

JEREMY STUART MACMILLAN, adwokat, otworzył drzwi swojego biura w Buchanan House na Queensway Quay nad promenadą i poczuł, jak włosy jeżą mu się na karku. Poczuł zapach tytoniu i usłyszał skrzypienie fotela. Było tuż przed siódmą rano i w pierwszej chwili pomyślał, że przyłapał włamywacza.

Potem z aneksu kuchennego doleciał go zapach świeżo zaparzonej kawy. Po kilku sekundach nieufnie przestąpił próg, minął przedpokój i zajrzał do swojego obszernego i elegancko umeblowanego gabinetu. Lisbeth Salander siedziała w jego fotelu, plecami odwrócona do drzwi. Stopy trzymała na parapecie. Jego komputer był włączony, najwyraźniej nie miała problemów z hasłem. Nie miała też problemu z otwarciem jego sejfu. Na kolanach trzymała teczkę z jego absolutnie prywatną korespondencją i księgowością.

– Dzień dobry, panno Salander – powiedział w końcu.

– Mmm... – odpowiedziała. – W kuchni jest świeża kawa i rogaliki.

– Dziękuję – odparł i westchnął z rezygnacją.

Wprawdzie kupił biuro za jej pieniądze i na jej polecenie, ale nie spodziewał się, że ona nagle zmaterializuje się w nim bez ostrzeżenia. Poza tym najwyraźniej znalazła i przeczytała gejowskie pisemko pornograficzne, które chował w jednej z szuflad.

Co za wstyd.

A może nie.

Miał wrażenie, że Lisbeth Salander jest najbardziej bezwzględną osobą, jaką spotkał, w stosunku do ludzi, którzy ją irytowali, ale nigdy nawet nie uniosła brwi wobec ludzkiej słabości. Wiedziała, że oficjalnie jest hetero, ale jego mroczną tajemnicą jest to, że pociągają go mężczyźni i po rozwodzie, piętnaście lat temu, postanowił zacząć realizować swoje najintymniejsze fantazje.

To zabawne. Czuję się z nią bezpiecznie.

PONIEWAŻ I TAK BYŁA w Gibraltarze, zdecydowała się odwiedzić adwokata Jeremy'ego MacMillana, który zajmował się jej finansami. Nie kontaktowała się z nim od początku roku i chciała wiedzieć, czy przez ten czas udało mu się ją zrujnować.

Ale to nie było pilne i nie dlatego po zwolnieniu z aresztu pojechała akurat do Gibraltaru. Przyjechała tu, bo miała ogromną potrzebę oderwania się od tamtych spraw, a do tego celu Gibraltar znakomicie się nadawał. Spędziła prawie tydzień na upijaniu się, potem kolejne kilka dni na uprawianiu seksu z niemieckim biznesmenem, który w końcu przedstawił się jako Dieter. Lisbeth wątpiła, czy to jego prawdziwe imię, ale nie próbowała badać tej sprawy. Dieter spędzał dnie na jakichś zebraniach, a wieczorami jadł z nią kolację, a potem szli do jej lub jego pokoju.

Stwierdziła, że w łóżku jest całkiem niezły. Może trochę niezdarny i czasem niepotrzebnie brutalny.

Dieter nie mógł wyjść ze zdziwienia, że pod wpływem impulsu poderwała pulchnego niemieckiego biznesmena, który nie szukał nikogo do łóżka. Był jak najbardziej żonaty i nie miał w zwyczaju zdradzać żony ani szukać damskiego towarzystwa podczas wyjazdów służbowych. Ale skoro szansa w postaci drobnej wytatuowanej dziewczyny została mu podana na tacy, nie mógł się oprzeć. Tak mówił.

Lisbeth nie przejmowała się szczególnie tym, co mówił. Nie oczekiwała niczego więcej niż rekreacyjnego seksu i była zaskoczona, że naprawdę się starał ją zadowolić. Dopiero czwartej nocy, ostatniej, nagle dopadły go lęki i zaczął się zastanawiać, co powiedziałaby jego żona. Lisbeth była zdania, że powinien trzymać buzię na kłódkę i nic nie mówić.

Ale nie powiedziała, co myśli.

Był dorosły i mógł jej odmówić. To nie był jej problem, jeśli miał wyrzuty sumienia albo chciał się przyznać żonie. Leżała plecami do niego i przez piętnaście minut go słuchała. W końcu zirytowana przewróciła oczami i usiadła na nim okrakiem.

– Czy mógłbyś zrobić sobie przerwę w swoich biadoleniach i jeszcze raz zrobić mi dobrze? – zapytała.

Jeremy MacMillan to zupełnie inna historia. Zupełnie jej nie pociągał. Był łotrem. To zabawne, ale z wyglądu przypominał Dietera. Miał czterdzieści osiem lat, dużo uroku, lekką nadwagę i siwiejące kręcone ciemnoblond włosy, które zaczesywał go góry. Nosił okulary w cienkich złotych oprawkach.

Kiedyś był londyńskim prawnikiem biznesowym i doradcą inwestycyjnym po studiach w Oxbrigde. Miał przed sobą obiecującą przyszłość i był udziałowcem w kancelarii adwokackiej obsługującej wielkie firmy i dzianych nowobogackich japiszonów, którzy zajmowali się kupowaniem nieruchomości lub uciekaniem od podatków. Wesołe lata osiemdziesiąte spędził na imprezach z bogatymi celebrytami. Ostro pił i wciągał kokainę w towarzystwie ludzi, z którymi wolałby się nie obudzić następnego ranka. Nigdy nie został o nic oskarżony, ale stracił żonę i dwoje dzieci, został wyrzucony z firmy, kiedy zaczął zaniedbywać obowiązki, a w końcu pijany pojawił się na rozprawie pojednawczej.

Nie namyślając się długo, gdy tylko wytrzeźwiał, wyniósł się cichaczem z Londynu. Sam nie wiedział, dlaczego wybrał akurat Gibraltar, ale w 1991 roku połączył siły z miejscowym prawnikiem i razem otworzyli skromne biuro gdzieś w podwórku. Oficjalnie specjalizowało się w mało efektownych sprawach spadków i testamentów. Nieco mniej oficjalnie MacMillan & Marks zajmowali się zakładaniem lewych firm posiadających tylko skrytkę pocztową i załatwiali interesy różnych ciemnych typów z Europy. Jakoś sobie radzili, aż Lisbeth Salander wybrała Jeremy'ego MacMillana, żeby zarządzał jej pieniędzmi, sumą dwóch miliardów czterystu milionów dolarów, którą ukradła rozsypującemu się imperium finansisty Hansa-Erika Wennerströma.

MacMillan bez wątpienia był łotrem. Ale ona traktowała go jako swojego łotra, on zaś zaskoczył samego siebie absolutną uczciwością wobec Lisbeth. Najpierw zleciła mu proste zadanie. Za niewielką opłatą założył kilka fikcyjnych firm, z których mogła korzystać i umieściła w nich po milionie dolarów w każdej. Skontaktowała się z nim przez telefon, była tylko głosem z oddali. Nigdy nie pytał, skąd pochodzą pieniądze. Zrobił to, co mu zleciła, i wystawił rachunek na pięć procent. Wkrótce potem podesłała większą sumę na utworzenie firmy Wasp Enterprises, która kupiła mieszkanie w Sztokholmie. Kontakt z Lisbeth Salander stał się opłacalny, choć dla niego nadal były to drobne kwoty.

Dwa miesiące później nagle zjawiła się w Gibraltarze. Zadzwoniła i zaprosiła go na kolację, do swojego pokoju w hotelu The Rock, może nie największym, ale najstarszym na Skale. Nie był pewien, czego się spodziewał, ale na pewno nigdy by nie pomyślał, że jego klientka jest dziewczynką o wyglądzie lalki, na oko ze szkoły średniej. Wydawało mu się, że ktoś sobie z niego żartuje.

Szybko jednak zmienił zdanie. Ta dziwna dziewczyna rozmawiała z nim swobodnie, ani razu się nie uśmiechając, ani nie okazując choćby odrobiny ludzkiego ciepła. Zresztą chłodu też nie. Siedział jak sparaliżowany, a ona w ciągu kilku minut zburzyła jego profesjonalną fasadę światowego człowieka interesów, którą tak usilnie starał się zachować.

– Czego pani chce? – zapytał.

– Ukradłam pewną sumę pieniędzy – odpowiedziała z powagą. – Potrzebuję łotra, który będzie nimi zarządzał.

Zastanawiał się, czy ma po kolei w głowie, ale grzecznie przystąpił do gry. Była potencjalną ofiarą, która dzięki kilku zręcznym sztuczkom mogła dawać niezły dodatkowy dochód. Potem wyjaśniła, komu ukradła pieniądze i ile ich jest. Poczuł, jakby raził go piorun. Afera Wennerströma była najgorętszym tematem w świecie międzynarodowej finansjery.

– Rozumiem.

Różne możliwości przelatywały mu przez głowę.

– Jest pan sprawnym prawnikiem biznesowym i doradcą inwestycyjnym. Gdyby pan był idiotą, nigdy nie dostałby pan tych zleceń, które miał w latach osiemdziesiątych. Za to zachowywał się pan jak idiota i za to wyleciał z roboty.

Uniósł brwi.

– W przyszłości będę pańską jedyną klientką.

Spojrzała na niego najbardziej prostodusznym wzrokiem, jaki kiedykolwiek widział.

– Mam dwa żądania. Po pierwsze, nie może pan nigdy popełnić przestępstwa ani wplątać się w sprawy, które mogą nam przysporzyć problemów i zwrócić uwagę władz na moją firmę i konta. Po drugie, nie może mnie pan okłamywać. Nigdy. Ani razu. I z żadnego powodu. Jeśli pan skłamie, natychmiast zerwę kontakty z panem, a jeśli rozdrażni mnie pan mocno, będę w stanie pana zrujnować.

Nalała mu kieliszek wina.

– Nie ma powodu, żeby pan mnie okłamywał. I tak wiem wszystko, co warto wiedzieć o pańskim życiu. Wiem, ile pan zarabia w dobrym miesiącu, a ile w kiepskim. Wiem, ile pan wydaje. Wiem, że nigdy tak naprawdę nie starcza panu pieniędzy. Wiem, że ma pan sto dwadzieścia tysięcy długów, długo- i krótkoterminowych, i że ciągle musi pan podejmować ryzyko i kombinować, żeby spłacać odsetki. Ubiera się pan elegancko i próbuje zachowywać pozory, ale jest pan na dnie i nie kupił pan nowej marynarki od kilku miesięcy. Za to dwa tygodnie temu oddał pan starą marynarkę do krawca, żeby załatał podszewkę. Kolekcjonował pan białe kruki, ale teraz stopniowo wyprzedaje pan zbiory. W zeszłym miesiącu sprzedał pan wczesne wydanie *Olivera Twista* za siedemset sześćdziesiąt funtów.

Zamilkła, nie spuszczając z niego wzroku. Przełknął ślinę.

– W zeszłym tygodniu zrobił pan świetny interes. Całkiem sprytnie naciągnął pan tę wdowę, swoją klientkę. Zgarnął pan sześć tysięcy funtów, a ona na pewno nie odczuje ich braku.

– Skąd, do cholery, pani o tym wie?

– Wiem, że był pan żonaty i ma w Anglii dwoje dzieci, które nie chcą się z panem spotykać, a po rozwodzie przestał się pan ukrywać i był głównie w homoseksualnych związkach. Pewnie trochę się pan tego wstydzi, bo nie chadza pan do gejowskich klubów i nie chce być widywany na mieście z żadnym ze swoich kochanków. Często jeździ pan za granicę, do Hiszpanii, żeby spotykać się z facetami.

Jeremy MacMillan siedział zszokowany i oniemiały. Nagle poczuł przerażenie. Nie miał pojęcia, skąd to wszystko wiedziała, ale wiedziała wystarczająco dużo, żeby go zniszczyć.

– I powiem to wszystko tylko raz. Jest mi absolutnie obojętne, z kim pan sypia. Nie obchodzi mnie to. Chcę wiedzieć, kim pan jest, ale nie zamierzam nigdy wykorzystać tej wiedzy. Nie zamierzam panu grozić ani pana szantażować.

MacMillan nie był idiotą. Rozumiał oczywiście, że to, że ta dziewczyna tyle o nim wie, oznacza zagrożenie. Miała nad nim kontrolę. Przez chwilę rozważał, czy nie podnieść jej i nie zrzucić z tarasu, ale się opanował. Nigdy przedtem tak się nie bał.

– Czego pani chce? – wydusił.

– Chcę, żeby pan został moim wspólnikiem. Ma pan zostawić wszystkie sprawy, którymi się pan zajmuje, i pracować wyłącznie dla mnie. Zarobi pan więcej, niż kiedykolwiek mógł pan zamarzyć.

Wyjaśniła, czego chce i jak sobie wyobraża współpracę.

– Chcę pozostać niewidzialna – wyjaśniła. – Pan zajmie się moimi interesami. Wszystko ma być legalne. Jeśli nabroję na własną rękę, nigdy się to nie odbije na panu ani na naszych interesach.

– Rozumiem.

– A więc będę pańską jedyną klientką. Ma pan tydzień, żeby pozbyć się innych klientów i zaprzestać drobnych krętactw.

Pojął, że oto dostał ofertę, jaka nigdy się nie powtórzy. Zastanawiał się sześćdziesiąt sekund, a potem wyraził zgodę. Miał tylko jedno pytanie:

– Skąd pani wie, że nie wystawię pani do wiatru?

– Niech pan tego nie robi. Bo będzie pan tego żałował do końca swojego nędznego życia.

Nie było powodu, żeby kręcić. Lisbeth Salander zaproponowała mu zlecenie, które mogło przynosić takie zyski, że niedorzecznością byłoby ryzykować dla kilku groszy. Dopóki będzie w miarę skromny i nie zacznie kombinować na własną rękę, jego przyszłość jest zapewniona.

Nie zamierzał wystawiać Lisbeth Salander do wiatru.

Czyli pozostał uczciwy albo przynajmniej na tyle uczciwy, na ile uczciwy może być skompromitowany adwokat zarządzający astronomicznym majątkiem pochodzącym z kradzieży.

Lisbeth nie była w najmniejszym stopniu zainteresowana gospodarowaniem swoimi pieniędzmi. Zadaniem MacMillana było inwestowanie i pilnowanie, żeby karty kredytowe, z których korzystała, miały pokrycie. Dyskutowali kilka godzin. Wytłumaczyła, jak sobie wyobraża swoją sytuację finansową w przyszłości. On miał sprawić, żeby to było możliwe.

Znaczna część ukradzionych pieniędzy została ulokowana w stabilnych funduszach, które zapewniły jej niezależność finansową aż do śmierci, nawet gdyby chciała prowadzić skrajnie hulaszczy i rozrzutny tryb życia. To z tych funduszy szły pieniądze na pokrycie kart kredytowych.

Resztą pieniędzy mógł się bawić wedle uznania i inwestować, w co chciał, oczywiście o ile nie było to coś, co mogłoby ściągnąć na nich problemy. Zabroniła mu zajmowania się małymi oszustwami i tuzinkowymi przekrętami, które – gdyby mieli pecha – mogły doprowadzić do śledztwa i w rezultacie do dokładniejszego zbadania jej interesów.

Pozostało tylko umówić się, ile on na tym zarobi.

– Płacę pięćset tysięcy funtów wstępnego honorarium. Dzięki temu może pan się pozbyć długów i jeszcze zostanie trochę grosza na początek. Potem sam będzie pan zarabiał. Uruchomi pan firmę, w której oboje będziemy udziałowcami. Dostanie pan dwadzieścia procent od zysku, jaki firma będzie przynosić. Chcę, żeby pan miał dość pieniędzy, żeby nie kusiły pana jakieś lewe interesy, ale nie tak dużo, żeby pan stracił motywację.

Zaczął pierwszego lutego. Pod koniec marca spłacił długi i ustabilizował swoje prywatne finanse. Lisbeth upierała się, żeby zaczął od uporządkowania własnych spraw, żeby miał płynność finansową. W maju zerwał współpracę ze swoim partnerem, alkoholikiem George'em Marksem, współudziałowcem spółki MacMillan & Marks. Miał wobec niego wyrzuty sumienia, ale zaangażowanie Marksa w interesy Lisbeth Salander było wykluczone.

Rozmawiał o tym z Lisbeth, kiedy pojawiła się na Gibraltarze na początku lipca i odkryła, że MacMillan pracuje w swoim mieszkaniu zamiast w dawnym biurze.

– Mój partner jest alkoholikiem i nie będzie sobie umiał z tym poradzić. A nawet byłoby to ryzykowne. Ale przed piętnastu laty uratował mi życie, kiedy przyjechałem na Gibraltar, a on przyjął mnie do swojej firmy.

Namyślała się dwie minuty, wpatrując się w twarz MacMillana.

– Rozumiem. Jest pan łotrem, ale lojalnym. To chyba bardzo chwalebna cecha. Proponuję, żeby pan otworzył niewielkie konto, którym będzie mógł się bawić. Niech pan dopilnuje, żeby zarabiał kilka tysięcy na miesiąc, żeby sobie jakoś radził.

Pokiwała głową i rozejrzała się po jego kawalerskim mieszkaniu. Miał jeden pokój z wnęką kuchenną w jednej z małych uliczek koło szpitala. Jedyną jego zaletą był widok z okna. Choć z drugiej strony tego widoku trudno było w Gibraltarze uniknąć.

– Potrzebuje pan biura i lepszego mieszkania – stwierdziła.

– Nie miałem czasu – odparł.

– Okej.

Potem kupiła mu biuro. Wybrała stutrzydziestometrowy lokal z niewielkim tarasem od strony morza w Buchanan House na Queensway Quay. Zdecydowanie *upmarket* w Gibraltarze. Zatrudniła architekta wnętrz, który zajął się remontem i urządzeniem.

MACMILLAN PRZYPOMNIAŁ sobie, że kiedy on był zajęty papierkową robotą, Lisbeth osobiście czuwała nad instalacją alarmu, sprzętu komputerowego i szafy pancernej, w której właśnie szperała, kiedy przyszedł rano do biura.

– Czyżbym popadł w niełaskę? – zapytał.

– Nie, Jeremy. Nie jesteś w niełasce.

– To dobrze – powiedział i poszedł sobie nalać kawy. – Masz skłonność do zjawiania się w najmniej oczekiwanych momentach.

– Ostatnio byłam bardzo zajęta. Chciałam tylko być na bieżąco ze wszystkim, co się przez ten czas wydarzyło.

– O ile dobrze zrozumiałem, byłaś ścigana za potrójne morderstwo, zostałaś postrzelona w głowę i oskarżona o kilka przestępstw. Przez chwilę bardzo się o ciebie niepokoiłem. Myślałem, że wciąż siedzisz. Uciekłaś?

– Nie. Zostałam uwolniona od wszystkich zarzutów i wypuszczona na wolność. A co słyszałeś?

Zawahał się.

– Okej. Nie będę ściemniał. Kiedy zrozumiałem, że siedzisz w gównie, zaangażowałem biuro tłumaczeń, które przeczesywało szwedzkie gazety i informowało mnie na bieżąco. Jestem dość dobrze zorientowany.

– Jeśli opierasz swoją wiedzę na tym, co pisały gazety, to wcale nie jesteś zorientowany. Ale domyślam się, że poznałeś niejedną moją tajemnicę.

Skinął głową.

– Co teraz będzie?

Spojrzała na niego ze zdziwieniem.

– Nic. Działamy jak przedtem. Nasza współpraca nie ma nic wspólnego z moimi problemami w Szwecji. Opowiedz, co się działo, kiedy mnie nie było. Dobrze się sprawowałeś?

– Nie piję – powiedział. – Jeśli o to ci chodzi.

– Nie. Twoje prywatne sprawy mnie nie obchodzą, dopóki nie zakłócają interesów. Chodzi mi o to, czy jestem bogatsza, czy biedniejsza niż rok temu.

Przysunął sobie krzesło dla gości. Właściwie to nie miało znaczenia, że ona zajęła jego miejsce. Nie było powodu wszczynać walki o prestiż.

– Przekazałaś mi dwa miliardy czterysta milionów dolarów. Zainwestowaliśmy dwieście milionów w fundusze. Resztę dałaś mi do zabawy.

– Tak.

– Na twoich prywatnych funduszach nie ma szczególnych zmian, doszły tylko odsetki. Mogę zwiększyć zyski, jeśli...

– Nie jestem zainteresowana zwiększaniem zysków.

– Okej. Wydałaś śmieszną sumę. Największym pojedynczym wydatkiem był zakup mieszkania i fundacja na rzecz tego adwokata Palmgrena, którą powołałaś do życia. Poza tym masz normalne wydatki na konsumpcję, zresztą nie nazbyt wybujałą. Stopy procentowe były korzystne. Wyszłaś mniej więcej na zero.

– Dobrze.

– Pozostałą część zainwestowałem. W zeszłym roku nie zarobiliśmy większych kwot. Trochę wyszedłem z wprawy i musiałem od nowa uczyć się rynku. Mieliśmy wydatki. Dopiero w tym roku zaczęliśmy notować zyski. Kiedy siedziałaś w pace, zarobiliśmy ponad siedem milionów. Dolarów.

– Z czego dwadzieścia procent przypadło tobie.

– Z czego dwadzieścia procent przypadło mnie.

– Czy jesteś zadowolony?

– Zarobiłem ponad milion dolarów w pół roku. Tak, jestem zadowolony.

– Wiesz... kto za dużo chce... Możesz się wycofać, jeśli poczujesz, że masz dość. Ale od czasu do czasu dalej zajmuj się moimi interesami.

– Dziesięć milionów dolarów – powiedział.

– Słucham?

– Kiedy uzbieram dziesięć milionów, wycofam się. Dobrze, że się zjawiłaś. Mamy kilka spraw do omówienia.

– Słucham.

– To taka kupa pieniędzy, że robię w gacie ze strachu. Nie mam pojęcia, jak się z nimi obchodzić. Wiem, że chodzi nie tylko o zarabianie pieniędzy. Na co te pieniądze są przeznaczone?

– Nie wiem.

– Ja też nie. Ale pieniądze mogą się stać celem samym w sobie. To chore. Dlatego postanowiłem, że dam sobie spokój, kiedy będę miał dziesięć milionów. Nie chcę dłużej dźwigać takiej odpowiedzialności.

– Okej.

– Ale zanim odejdę, chciałbym, żebyś zdecydowała, co ma się dziać z tymi pieniędzmi w przyszłości. Musi być jakiś cel, jakieś wytyczne i jakaś organizacja, która się nimi zajmie.

– Mmm...

– To niemożliwe, żeby jedna osoba była w stanie zajmować się interesami o takim zasięgu. Podzieliłem tę sumę na inwestycje długoterminowe: nieruchomości, papiery wartościowe i tym podobne. W komputerze masz kompletną listę.

– Czytałam ją.

– Drugą połowę przeznaczyłem na spekulacje, ale to tak dużo pieniędzy, że nie dam rady sam się tym zająć. Dlatego założyłem spółkę inwestycyjną w Jersey. Masz w tej chwili sześciu pracowników w Londynie. Dwóch zdolnych młodych doradców inwestycyjnych i personel biurowy.

– Yellow Ballroom Ltd? Właśnie się zastanawiałam, co to jest.

– Nasza firma. Tutaj, w Gibraltarze, zatrudniłem sekretarkę i obiecującego młodego prawnika... zjawią się tu za jakieś pół godziny.

– Aha. Molly Flint, lat czterdzieści jeden, i Brian Delaney, dwadzieścia sześć.

– Chcesz ich poznać?

– Nie. Czy Brian jest twoim kochankiem?

– Co? Nie.

Wyglądał na zszokowanego.

– Nie mieszam...

– To dobrze.

– A zresztą... nie jestem zainteresowany młodymi chłopcami... to znaczy niedoświadczonymi.

– Nie, pociągają cię faceci twardsi, z doświadczeniem, jakiego gówniarz nie może mieć. To mnie nadal nie obchodzi, ale, Jeremy...

– Tak?

– Bądź ostrożny.

WŁAŚCIWIE NIE ZAMIERZAŁA zostać w Gibraltarze dłużej niż kilka tygodni. Chciała tylko odnaleźć właściwy kierunek na swoim kompasie. Nagle stwierdziła, że nie ma pojęcia, co robić i dokąd pojechać. Została dwanaście tygodni. Raz dziennie sprawdzała pocztę elektroniczną i posłusznie odpisywała na nieliczne maile Anniki Giannini. Nie przyznawała się, gdzie jest. Na inne maile nie odpisywała.

Nadal odwiedzała Harry's Bar, ale teraz przychodziła tylko na jedno piwo, wieczorami. Większość czasu spędzała w The Rock, albo na tarasie, albo w łóżku. Zaliczyła przelotny romans z trzydziestoletnim oficerem brytyjskiej marynarki, ale to był tylko *one night stand* i w gruncie rzeczy przeżycie raczej nieciekawe.

Uświadomiła sobie, że się nudzi.

Na początku października jadła obiad z Jeremym Mac-Millanem. Podczas jej pobytu w Gibraltarze spotkali się zaledwie kilka razy. Ściemniało się. Pili białe wino o owocowym aromacie i rozważali, na co można by przeznaczyć miliardy Lisbeth. Nagle Jeremy zaskoczył ją, pytając, co ją gnębi.

Spojrzała na niego i zastanowiła się. Potem tak samo zaskakująco opowiedziała o swoim związku z Miriam Wu, o tym jak została pobita i niemal zamordowana przez Ronalda Niedermanna. To była jej wina. Oprócz pozdrowień przekazanych przez Annikę Giannini Lisbeth nie słyszała od niej ani słowa. A teraz jej przyjaciółka mieszka we Francji.

Jeremy MacMillan dłuższą chwilę siedział bez słowa.

– Jesteś w niej zakochana? – zapytał nagle.

Lisbeth Salander zamyśliła się. W końcu potrząsnęła głową.

– Nie. Nie sądzę, żebym była typem, który się zakochuje. Była przyjaciółką. I była świetna w łóżku.

– Nikt nie może uniknąć zakochania – odparł. – Może chcieć się tego wyprzeć, ale przyjaźń to chyba najpowszechniejsza forma miłości.

Popatrzyła na niego ze zdumieniem.

– Czy będziesz zła, jeśli dam ci osobistą radę?

– Nie.

– Jedźże do Paryża, na miłość boską – powiedział.

WYLĄDOWAŁA NA LOTNISKU de Gaulle'a o wpół do trzeciej po południu. Pojechała autobusem pod Łuk Triumfalny i dwie godziny chodziła po ulicach w poszukiwaniu wolnego pokoju. Poszła na południe, w stronę Sekwany, i wreszcie znalazła pokój w małym hoteliku Victor Hugo przy rue Copernic.

Wykąpała się, a potem zadzwoniła do Miriam Wu. Spotkały się około dziewiątej w barze przy katedrze Notre Dame. Miriam Wu miała na sobie białą bluzkę i żakiet. Wyglądała olśniewająco. Lisbeth natychmiast poczuła się zawstydzona. Ucałowały się w policzki.

– Tak mi przykro, że się nie odzywałam ani nie przyjechałam na proces – powiedziała Miriam Wu.

– W porządku. Proces i tak odbywał się za zamkniętymi drzwiami.

– Byłam trzy tygodnie w szpitalu, a potem, kiedy wróciłam do domu na Lundagatan, rozpętało się piekło. Nie mogłam spać. Miałam koszmarne sny o tym cholernym Niedermannie. Zadzwoniłam do mamy i powiedziałam, że chcę do niej przyjechać.

Lisbeth skinęła głową.

– Przepraszam cię.

– Nie bądź cholerną idiotką. To ja przyjechałam tutaj, żeby cię przeprosić.

– Za co?

– Zachowałam się bezmyślnie. Nigdy nie przyszło mi do głowy, że narażam cię na niebezpieczeństwo, kiedy przekazałam ci mieszkanie, a sama dalej byłam w nim zameldowana. To przeze mnie omal cię nie zamordował. Rozumiem, jeśli mnie za to nienawidzisz.

Miriam Wu wyglądała na zaskoczoną.

– Nigdy mi to nie przyszło do głowy. To Ronald Niedermann próbował mnie zabić, nie ty.

Chwilę siedziały w milczeniu.

– Aha – powiedziała wreszcie Lisbeth Salander.

– No właśnie – przytaknęła Miriam Wu.

– Nie przyjechałam tu za tobą dlatego, że jestem w tobie zakochana – powiedziała Lisbeth.

Miriam skinęła głową.

– Świetnie mi z tobą w łóżku, ale nie jestem w tobie zakochana – powtórzyła Lisbeth.

– Lisbeth... myślę, że...

– Chciałam powiedzieć, że mam nadzieję... kurwa.

– Co?

– Nie mam wielu przyjaciół...

Miriam Wu pokiwała głową.

– Zostanę w Paryżu jeszcze jakiś czas. Z moich studiów w Szwecji nic nie wyszło, więc zapisałam się na uniwersytet tutaj. Będę tu jeszcze co najmniej rok.

Lisbeth skinęła głową.

– A co potem, nie wiem. Ale wrócę do Sztokholmu. Będę płaciła czynsz za Lundagatan i chciałabym zachować to mieszkanie. Jeśli się zgadzasz.

– To twoje mieszkanie. Zrób z nim, co chcesz.

– Lisbeth, jesteś kimś wyjątkowym – powiedziała Miriam. – Chciałabym dalej się z tobą przyjaźnić.

Rozmawiały dwie godziny. Lisbeth nie miała powodu ukrywać przed nią swojej przeszłości. Sprawa Zalachenki była znana wszystkim, którzy mieli dostęp do szwedzkiej prasy, a Miriam Wu śledziła aferę z dużym zainteresowaniem. Opowiedziała szczegółowo, co się zdarzyło w Nykvarn tamtej nocy, kiedy Paolo Roberto uratował jej życie.

Potem pojechały do studenckiego mieszkania Miriam w pobliżu uniwersytetu.

Epilog

Spadek
Piątek 2 grudnia – niedziela 18 grudnia

OKOŁO DZIEWIĄTEJ WIECZOREM Annika Giannini spotkała się z Lisbeth Salander w barze w Södra Teatern. Lisbeth piła mocne piwo, właśnie kończyła drugi kufel.

– Przepraszam za spóźnienie – powiedziała Annika, zerkając na zegarek. – Miałam trochę zawracania głowy z jednym klientem.

– Aha.

– Co opijasz?

– Nic. Po prostu miałam ochotę się upić.

Annika spojrzała na nią sceptycznie i usiadła.

– Często miewasz na to ochotę?

– Urżnęłam się do nieprzytomności, kiedy mnie wypuścili, ale nie mam skłonności do alkoholizmu, jeśli to masz na myśli. Po prostu uderzyło mnie, że po raz pierwszy w życiu nie jestem ubezwłasnowolniona i mam prawo się upić tu, w Szwecji.

Annika zamówiła campari.

– Okej – powiedziała. – Wolisz pić sama czy chcesz mieć towarzystwo?

– Sama. Ale jeśli nie będziesz za dużo gadać, możesz tu siedzieć. Domyślam się, że nie chcesz iść do mnie, żeby uprawiać seks.

– Słucham?

– Nie, tak myślałam. Jesteś jedną z tych strasznie heteroseksualnych osób.

Annika wyglądała na ubawioną.

– Pierwszy raz mi się zdarza, żeby ktoś z moich klientów proponował mi seks.

– A jesteś zainteresowana?

– Sorry. Ani trochę. Ale dziękuję za propozycję.

– A więc czego chcesz, pani mecenas?

– Dwóch rzeczy. Albo zaczniesz odbierać telefon, kiedy dzwonię, albo zrezygnuję z pełnienia obowiązków twojego adwokata. Rozmawiałyśmy już o tym, kiedy cię wypuścili.

Lisbeth patrzyła na Annikę.

– Próbowałam cię złapać od tygodnia. Dzwoniłam, pisałam i mailowałam.

– Nie było mnie w domu.

– Nie można było się z tobą skontaktować przez większą część jesieni. Tak się nie da. Zgodziłam się być twoim przedstawicielem prawnym we wszystkich sprawach dotyczących twoich relacji z państwem. To oznacza wiele formalności do załatwienia i masę dokumentów. Trzeba podpisywać różne papiery. Udzielać odpowiedzi na pytania. Muszę mieć kontakt z tobą, nie mam ochoty siedzieć jak idiotka, nie mając pojęcia, gdzie akurat przebywasz.

– Rozumiem. Dwa tygodnie byłam za granicą. Wczoraj wróciłam do domu i od razu do ciebie zadzwoniłam, kiedy usłyszałam, że mnie szukasz.

– To nie wystarczy. Musisz mnie informować, gdzie jesteś, i odzywać się co najmniej raz w tygodniu, póki wszystkie sprawy z odszkodowaniem i inne nie zostaną załatwione.

– Pieprzę odszkodowanie. Chcę, żeby państwo dało mi spokój.

– Ale państwo nie da ci spokoju, choćbyś nie wiem jak chciała. Uniewinnienie w sądzie okręgowym ma wiele konsekwencji. Tu nie tylko chodzi o ciebie. Peter Teleborian usłyszy zarzuty w związku z tym, co ci zrobił. To znaczy, że musisz zeznawać. Przeciwko prokuratorowi Ekströmowi toczy się dochodzenie w sprawie wykroczenia służbowego. Poza tym może stanąć przed sądem, jeśli okaże się, że niedopełnienia obowiązków służbowych dopuścił się świadomie, na polecenie Sekcji.

Lisbeth uniosła brwi. Na chwilę niemal okazała zainteresowanie.

– Nie sądzę, żeby go oskarżono. Został wpuszczony w maliny i właściwie nie ma nic wspólnego z Sekcją. Ale nie dalej jak w zeszłym tygodniu prokurator wszczął postępowanie przygotowawcze przeciwko Komisji Nadzoru Kuratorskiego. Jest kilka doniesień do rzecznika sprawiedliwości i wniosek do kanclerza sprawiedliwości.

– Na nikogo nie donosiłam.

– Nie. Ale najwyraźniej doszło tam do poważnych nadużyć i trzeba to zbadać. Nie jesteś jedyną osobą, za którą odpowiadała komisja.

Lisbeth wzruszyła ramionami.

– Nie obchodzi mnie to. Ale obiecuję, że będę się z tobą kontaktować częściej niż dotychczas. Te dwa ostatnie tygodnie to był wyjątek. Pracowałam.

Annika spojrzała na nią podejrzliwie.

– A co takiego robiłaś?

– Działalność konsultingowa.

– Okej – powiedziała Annika. – A druga sprawa to to, że wreszcie skończyła się sprawa o spadek.

– Jaki spadek?

– Po twoim ojcu. Przedstawiciel sądu skontaktował się ze mną, bo nie wiedział, jak dotrzeć do ciebie. Ty i twoja siostra jesteście jedynymi spadkobierczyniami.

Lisbeth patrzyła na Annikę z nieruchomą twarzą. Potem poszukała wzroku kelnerki i wskazała swoją szklankę.

– Nie chcę żadnego spadku po ojcu. Zrób z nim, co chcesz.

– Błąd. To ty możesz z nim zrobić, co chcesz. Moim zadaniem jest dopilnować, żebyś mogła to zrobić.

– Nie chcę ani grosza po tej świni.

– Okej. To przekaż pieniądze Greenpeace albo komuś innemu.

757

– Mam w dupie walenie.

Głos Anniki nagle spoważniał:

– Lisbeth, jeśli chcesz być pełnoprawnym obywatelem, musisz zacząć zgodnie z tym się teraz zachowywać. Nie obchodzi mnie, co zrobisz ze swoimi pieniędzmi. Podpisz tu, że odebrałaś dokumenty, a potem możesz wszystko w spokoju przepić.

Lisbeth zerknęła spod grzywki na Annikę, potem wbiła wzrok w stół. Annika potraktowała to jako coś w rodzaju przeprosin. W ograniczonej palecie mimiki Lisbeth Salander to coś chyba najbardziej je przypominało.

– Okej. Ile tego?

– Całkiem sporo. Twój ojciec miał ponad trzysta tysięcy w papierach wartościowych. Sprzedaż Gossebergi może przynieść tak na oko półtora miliona. Jest tam też kawałek lasu. Miał jeszcze trzy inne nieruchomości.

– Nieruchomości?

– Tak. Wygląda na to, że lokował kapitał. To nie są jakieś wybitnie wartościowe obiekty. Posiadał niewielki dom czynszowy w Uddevalli, sześć mieszkań. Z czynszu jest niezły dochód. Ale jest w kiepskim stanie, nie dbał o remonty. Dom był nawet zgłoszony do wydziału ochrony lokatorów. To nie jakiś wielki majątek, ale ze sprzedaży mogą być solidne pieniądze. Posiadał jeszcze dom letni w Smalandii, którego wartość oszacowano na ponad dwieście pięćdziesiąt tysięcy koron.

– Aha.

– Poza tym miał jeszcze zrujnowany obiekt przemysłowy pod Norrtälje.

– Po co, do wszystkich diabłów, kupił to gówno?

– Nie mam pojęcia. Szacunkowo sprzedaż tych obiektów może dać coś ponad cztery miliony koron. Do tego jeszcze podatek i takie tam, ale...

– Tak?

– Potem trzeba spadek równo podzielić między ciebie i twoją siostrę. Jest tylko jeden problem: nikt nie wie, gdzie ona jest.

Lisbeth obojętnie patrzyła na Annikę. Milczała.

– No?

– Co no?

– Gdzie jest twoja siostra?

– Nie mam pojęcia. Nie widziałam jej od dziesięciu lat.

– Jej dane są utajnione, ale dowiedziałam się, że jest zarejestrowana jako przebywająca poza krajem.

– Ach tak? – powiedziała Lisbeth z umiarkowanym zainteresowaniem.

Annika westchnęła bezradnie.

– Okej. W takim razie proponuję, żebyśmy spieniężyły całe mienie spadkowe i złożyły połowę kwoty w banku, póki twoja siostra się nie odnajdzie. Mogę się tym zająć, jeśli wyrazisz zgodę.

Lisbeth wzruszyła ramionami.

– Nie chcę mieć nic wspólnego z jego forsą.

– Rozumiem. Ale i tak musimy zakończyć tę sprawę. To twój obowiązek jako pełnoprawnej obywatelki.

– No to sprzedaj to gówno. Wpłać połowę do banku, a resztę przekaż, na co chcesz.

Annika Giannini uniosła jedną brew. Domyśliła się, że Lisbeth Salander musi mieć zachomikowane pieniądze, ale nie sądziła, że jej klientce powodzi się aż tak dobrze, że może zlekceważyć spadek w wysokości około miliona koron, jeśli nie więcej. Nie miała pojęcia, skąd Lisbeth ma pieniądze ani ile ich może być. Ale chciała mieć za sobą całą biurokrację.

– Lisbeth, proszę cię... Czy możesz przeczytać spis inwentarza i dać mi zielone światło, żebyśmy mogły doprowadzić to do końca?

Lisbeth pomrukiwała przez chwilę niezadowolona, ale w końcu poddała się i włożyła teczkę do torby. Obiecała, że wszystko przejrzy i da Annice instrukcje, jak ma postąpić. Potem zajęła się swoim piwem. Annika Giannini dotrzymywała jej towarzystwa jeszcze godzinę. Piła głównie wodę mineralną.

DOPIERO PO KILKU DNIACH, kiedy Annika zadzwoniła, żeby przypomnieć o spadku, Lisbeth wyciągnęła teczkę i wygładziła pomięte papiery. Usiadła przy kuchennym stole w domu przy Mosebacke i przeczytała całą dokumentację.

Spis inwentarza liczył wiele stron i obejmował najróżniejsze graty – porcelanę w szafkach kuchennych w Gosseberdzie, pozostawioną odzież, aparaty fotograficzne i inne osobiste przedmioty. Aleksander Zalachenko nie zostawił po sobie wielu cennych rzeczy, a żadna z nich nie miała dla Lisbeth Salander wartości emocjonalnej. Zastanawiała się przez chwilę, a potem doszła do wniosku, że od rozmowy z Anniką w barze jej nastawienie się nie zmieniło. *Sprzedaj to gówno i spal pieniądze. Albo zrób coś innego.* Była absolutnie pewna, że nie chce ani grosza po swoim ojcu. Miała zresztą podstawy, żeby podejrzewać, że jego prawdziwy majątek leżał zakopany gdzieś, gdzie żaden adwokat by nie szukał.

Potem otworzyła wyciąg z księgi wieczystej nieruchomości przemysłowej w Norrtälje.

Był to obiekt przemysłowy składający się z trzech budynków o łącznej powierzchni dwudziestu tysięcy metrów kwadratowych, położony w pobliżu Skederid między Norrtälje i Rimbo.

Pracownik urzędu skarbowego odbył tam krótką wizytę i stwierdził, że to nieczynna cegielnia, zlikwidowana w latach sześćdziesiątych. W siedemdziesiątych wykorzystywano ją jako magazyn wyrobów drewnianych. Stwierdził, że budynki są *w skrajnie złym stanie* i nie nadają się do remontu ani do niczego innego. Zły stan budynków oznaczał między innymi to, że jeden z nich, określany jako „budynek północny", spalił się i zawalił. Wykonano natomiast pewne prace remontowe w „głównym budynku".

Tym, co zwróciło uwagę Lisbeth Salander, była historia tego obiektu. Aleksander Zalachenko kupił go za śmieszną sumę dwunastego marca 1984 roku, ale w dokumentach zakupu widniało nazwisko Agnety Sofii Salander.

A więc to matka Lisbeth Salander była właścicielką tego obiektu. Ale już w 1987 roku Zalachenko odkupił od niej budynki za sumę dwóch tysięcy koron. Potem wszystko wskazywało na to, że nieruchomość stała pusta przez piętnaście lat. Z dokumentów wynikało, że siedemnastego września 2003 roku firma KAB zleciła przedsiębiorstwu budowlanemu Norr-Bygg AB wykonanie prac remontowych, obejmujących między innymi naprawę podłóg i dachów oraz instalacji wodnej i elektrycznej. Roboty trwały ponad dwa miesiące, do końca listopada 2004 roku, a potem je przerwano. NorrBygg przysłała rachunek, który został uregulowany.

Ze wszystkich części spadku po jej ojcu ta jedna była zastanawiająca. Lisbeth zmarszczyła brwi. Posiadanie lokalu przemysłowego byłoby zrozumiałe, gdyby jej ojciec chciał udawać, że jego firma KAB prowadzi jakiś rodzaj działalności czy posiada jakiś majątek. Zrozumiałe było także, że wykorzystał matkę Lisbeth jako figuranta przy kupnie, a potem przejął budynki.

Ale dlaczego, na litość boską, w roku 2003 zapłacił prawie czterysta czterdzieści tysięcy koron za remont rozsypującej się rudery, która według pełnomocnika sądu w roku 2005 nadal nie była do niczego wykorzystywana?

Lisbeth była skonfundowana, ale nie interesowała się tym nadmiernie. Zamknęła teczkę i zadzwoniła do Anniki Giannini.

– Przeczytałam. Moja decyzja się nie zmieniła. Sprzedaj to całe gówno i zrób z forsą, co chcesz. Nie chcę po nim niczego.

– Okej. W takim razie dopilnuję, żeby połowa sumy została zdeponowana w banku dla twojej siostry. Potem prześlę ci kilka propozycji, na jakie cele możesz przeznaczyć swoją część.

– Aha – powiedziała Lisbeth i odłożyła słuchawkę.

Usiadła w niszy okiennej, zapaliła papierosa i wyglądała na Saltsjön.

PRZEZ NASTĘPNY TYDZIEŃ Lisbeth Salander pracowała dla Dragana Armanskiego. Potrzebował jej pomocy w pilnej sprawie. Miała wyśledzić i zidentyfikować kogoś, kogo podejrzewano, że został wynajęty w celu porwania dziecka. Chodziło o spór o prawa opiekuńcze między Szwedką i jej rozwiedzionym libańskim mężem. Udział Lisbeth Salander ograniczył się do sprawdzania poczty elektronicznej osoby, która miała być zleceniodawcą. Zlecenie zostało cofnięte, kiedy strony doszły do porozumienia w sądzie i nastąpiło pojednanie.

W przedświąteczną niedzielę osiemnastego grudnia Lisbeth obudziła się o siódmej rano i stwierdziła, że musi kupić upominek gwiazdkowy dla Holgera Palmgrena. Zastanawiała się przez chwilę, czy nie powinna kupić prezentu komuś innemu – może Annice Giannini? Nie śpieszyła się ze wstawaniem z łóżka. Wzięła prysznic i zjadła śniadanie składające się z kawy i tostów z serem i dżemem pomarańczowym.

Nie zaplanowała na ten dzień nic specjalnego i chwilę poświęciła na sprzątanie papierów i gazet z biurka. Jej wzrok spoczął na teczce z dokumentami spadkowymi. Otworzyła ją i jeszcze raz przeczytała o budynkach w Norrtälje. W końcu westchnęła. *Okej. Muszę się dowiedzieć, co on tam u diabła wyprawiał.*

Włożyła ciepłe ubranie i buty. O wpół do dziewiątej wyjechała swoją bordową hondą z garażu pod budynkiem przy Fiskargatan 9. Było mroźno, ale pięknie. Dużo słońca i pastelowobłękitne niebo. Pojechała przez Slussen i Klarabergsleden, potem, klucząc, wydostała się na E19 w kierunku Norrtälje. Nie śpieszyła się. Około dziesiątej zjechała na stację benzynową OK, kilka kilometrów za Skederid, żeby zapytać o drogę do starej cegielni. Gdy tylko zaparkowała, zauważyła, że już nie musi pytać.

Znajdowała się na niewielkim wzniesieniu, skąd miała dobry widok na dolinę po drugiej stronie drogi. Po lewej stronie, w kierunku na Norrtälje, zauważyła hurtownię farb i coś, co wyglądało na skład materiałów budowlanych, oraz parking koparek. Na prawo, na skraju terenu przemysłowego, około czterysta metrów od głównej drogi, stał ponury ceglany budynek z rozwalonym kominem. Nieco na uboczu, przy wąskiej drodze i jeszcze węższej rzeczce. Przyglądała mu się w zamyśleniu, zastanawiając się, co ją skłoniło, żeby poświęcić dzień na przyjazd tutaj.

Odwróciła głowę i spojrzała na stację. Właśnie zatrzymał się tir. Nagle uświadomiła sobie, że znajduje się na głównym szlaku z portu promowego Kapellskär, przez który przechodziła znaczna część ruchu towarowego między Szwecją i krajami bałtyckimi.

Włączyła silnik, wyjechała z powrotem na drogę i skręciła w stronę opuszczonej cegielni. Zaparkowała na środku placu i wysiadła. Powietrze było mroźne, więc założyła czarną wełnianą czapkę i czarne skórzane rękawiczki.

Główny budynek miał dwa piętra. Na parterze wszystkie okna były zasłonięte dyktą. Na piętrze zauważyła dużo powybijanych okien. Cegielnia była o wiele większa, niż sobie wyobrażała. Sprawiała wrażenie całkowicie zrujnowanej. Nie dostrzegła żadnych śladów remontu. Nie widziała żywego ducha, ale na środku parkingu ktoś wyrzucił zużyty kondom, a część fasady padła ofiarą grafficiarzy.

Do czego, u diabła, był Zalachence potrzebny ten budynek?

Obeszła cegielnię i z tyłu znalazła zawalone skrzydło. Stwierdziła, że wszystkie wejścia do głównego budynku są zamknięte na kłódki i łańcuchy. W końcu zniechęcona przyjrzała się drzwiom w ścianie szczytowej. We wszystkich drzwiach kłódki były przymocowane stalowymi okuciami. Zamek na ścianie szczytowej wyglądał na słabszy. Przytrzymywał go jedynie wielki gwóźdź. *Ech, przecież jestem, kurwa, właścicielką tej budy.* Rozejrzała się dokoła, w stercie rupieci znalazła cienką stalową rurkę i użyła jej jako dźwigni do podważenia zamka.

763

Znalazła się na klatce schodowej z przejściem do pomieszczenia na parterze. Zabite dyktą okna sprawiały, że w środku panowały ciemności. Tylko kilka pojedynczych smug światła przeciskało się przy brzegach. Stała w bezruchu kilka minut, żeby przyzwyczaić oczy do mroku. Potem zobaczyła morze śmieci, porzuconych drewnianych palet, starych części maszyn i drewna, wypełniające halę o wymiarach czterdzieści pięć metrów na około dwadzieścia, podpartą kilkoma solidnymi filarami. Cegielniane piece zostały najwidoczniej rozebrane. Ich fundamenty stały się wielkimi basenami z wodą. Na podłodze też były kałuże wody i błota. Wszystko cuchnęło stęchlizną i pleśnią. Zmarszczyła nos.

Odwróciła się i poszła schodami na górę. Piętro było suche. Były tam dwie hale w amfiladzie, o rozmiarach około dwadzieścia na dwadzieścia metrów, wysokie na osiem. Wysokie okna były umieszczone tuż pod sufitem i niedostępne. Nie można było przez nie wyglądać, ale dawały przyjemne światło. Tak samo jak parter, piętro zawalały rupiecie. Mijała tuziny metrowych skrzyń poustawianych jedna na drugiej. Próbowała ruszyć jedną z nich. Ani drgnęła. Przeczytała napis: *Machine parts 0-A77*. Niżej to samo po rosyjsku. Zauważyła otwartą windę towarową w dłuższej ścianie zewnętrznej hali.

Skład maszyn, które raczej nie mogły przynosić zysków, póki stały i rdzewiały w starej cegielni.

Przeszła do drugiej hali i odkryła, że znajduje się w miejscu, gdzie prowadzono prace remontowe. Tu też było pełno gratów, skrzyń i starych mebli biurowych. Tworzyły labirynt. Fragment podłogi był odsłonięty, położono tam nowe deski. Lisbeth stwierdziła, że prace najprawdopodobniej zostały przerwane nagle. Narzędzia, piła poprzeczna, piła stołowa, pistolet do gwoździ, łom, lewary i skrzynki z narzędziami nadal były porozkładane na podłodze. Zmarszczyła brwi. *Nawet jeśli prace zostały przerwane nagle, firma chyba powinna pozabierać swój sprzęt.* Ale i na to pytanie wkrótce znalazła odpowiedź. Podniosła śrubokręt i odkryła na uchwycie rosyjskie litery. Zalachenko importował narzędzia, a pewnie i siłę roboczą.

Podeszła do piły poprzecznej i przekręciła wyłącznik. Zapaliła się zielona lampka. Był prąd. Znów przekręciła kontakt.

Na końcu hali znajdowało się troje drzwi do mniejszych pomieszczeń, być może dawnych biur. Nacisnęła klamkę w drzwiach od północy. Zamknięte. Rozejrzała się dokoła, potem wróciła do porzuconych narzędzi i wzięła łom. Po chwili udało się jej wyłamać drzwi.

W pomieszczeniu było całkiem ciemno i zalatywało stęchlizną. Po omacku znalazła kontakt i włączyła gołą żarówkę pod sufitem. Rozejrzała się zaskoczona.

Umeblowanie składało się z trzech łóżek z brudnymi materacami, kolejne trzy materace leżały bezpośrednio na podłodze. Wszędzie była porozrzucana brudna pościel. Po prawej stronie stała mała kuchenka elektryczna i kilka garnków, obok w ścianie tkwił zardzewiały kran. W kącie było blaszane wiadro i rolka papieru toaletowego.

Ktoś tu mieszkał. Kilka osób.

Nagle zauważyła, że od środka w drzwiach brakuje klamki. Poczuła lodowaty dreszcz wzdłuż kręgosłupa.

W najdalszym kącie pokoju znajdowała się duża szafa. Podeszła, otworzyła drzwi i znalazła dwie walizki. Wyjęła tę z wierzchu. Były w niej ubrania. Wyciągnęła spódnicę z metką i napisem po rosyjsku. Znalazła torebkę i wysypała jej zawartość na podłogę. Wśród szminek i innych śmieci odkryła paszport należący do około dwudziestoletniej ciemnowłosej dziewczyny. Rosyjski paszport. Odcyfrowała jej imię: Valentina.

Powoli wyszła z pokoju. Miała déjà vu. Już kiedyś przeprowadziła podobne oględziny miejsca zbrodni. W piwnicy w Hedeby, dwa i pół roku temu. Kobieca odzież. Więzienie.

Stała w bezruchu i zastanawiała się chwilę. Niepokoiło ją, że ubrania i paszport zostały porzucone. To nie wróżyło nic dobrego.

Potem wróciła do sterty narzędzi i przetrząsała ją tak długo, aż znalazła solidną latarkę. Sprawdziła, czy są baterie, i zeszła na parter do wielkiej hali. Woda przemoczyła jej buty.

Im dalej szła, tym silniejszy stawał się odór rozkładu. Najbardziej cuchnęło w środku hali. Lisbeth zatrzymała się przy fundamencie jednego z pieców. Był napełniony wodą niemal po brzegi. Skierowała światło latarki na czarną powierzchnię wody, ale niczego nie mogła dostrzec. Lustro wody było częściowo pokryte glonami, tworzącymi zieloną maź. Rozejrzała się i znalazła długi na trzy metry pręt zbrojeniowy. Włożyła jego koniec do basenu i zamieszała. Woda miała zaledwie pół metra głębokości. Niemal natychmiast napotkała opór. Po kilku sekundach wydobyła na powierzchnię ciało. Najpierw zobaczyła twarz, wyszczerzoną maskę śmierci i rozkładu. Oddychając ustami, przyglądała się twarzy w świetle latarki i stwierdziła, że to musiała być kobieta, być może kobieta z paszportu. Nie miała pojęcia, jak szybko postępuje rozkład w stojącej zimnej wodzie, ale wyglądało na to, że ciało leży w basenie od dawna.

Nagle zobaczyła, że na wodzie coś się porusza. Jakieś robaki.

Pozwoliła ciału opaść na dno i jeszcze chwilę grzebała w wodzie stalowym prętem. W rogu basenu trafiła na coś, co mogło być drugim ciałem. Nie ruszała go. Wyciągnęła pręt i zamyślona stała chwilę przy basenie.

LISBETH SALANDER znów poszła na piętro. Otworzyła łomem środkowe drzwi. Pokój był pusty i wyglądał na nieużywany.

Podeszła do ostatnich drzwi i przyłożyła łom, ale zanim zdążyła nacisnąć, drzwi same się uchyliły. Nie były zamknięte. Otworzyła je i rozejrzała się.

Pokój miał około trzydziestu metrów kwadratowych. Okna były na normalnej wysokości, z widokiem na plac przed cegielnią. Na wzniesieniu nad drogą majaczyła stacja benzynowa. W pokoju było łóżko, stół i zlew z porcelanowymi naczyniami. Potem zobaczyła na podłodze otwartą sportową torbę. Była pełna pieniędzy. Zdumiona zrobiła dwa kroki i poczuła, że w pokoju jest ciepło. Jej wzrok spoczął na elektrycznym grzejniku. Zobaczyła ekspres do kawy. Paliła się czerwona lampka.

Ktoś tu mieszka. Nie jestem sama.

Odwróciła się na pięcie i szybko przebiegła przez halę. Minęła drzwi, przecięła drugą halę w stronę wyjścia i zatrzymała się nagle, pięć kroków przed klatką schodową. Zauważyła, że drzwi wyjściowe zostały zamknięte na kłódkę. Była uwięziona. Odwróciła się powoli i rozejrzała na wszystkie strony. Nie widziała nikogo.

– Cześć, siostra – usłyszała jasny głos dochodzący z boku.

Odwróciła głowę i ujrzała zwalistą postać Ronalda Niedermanna wyłaniającą się zza stosu pak z częściami maszyn.

W dłoni miał bagnet.

– Miałem nadzieję, że się jeszcze kiedyś zobaczymy – powiedział. – Nasze ostatnie spotkanie było takie krótkie.

Lisbeth rozglądała się dokoła.

– To nic nie da – powiedział Niedermann. – Jesteśmy tu tylko ty i ja i nie ma żadnego wyjścia oprócz tych zamkniętych drzwi za tobą.

Lisbeth przeniosła wzrok na przyrodniego brata.

– Jak tam ręka? – zapytała.

Niedermann dalej się do niej uśmiechał. Podniósł i pokazał prawą dłoń. Brakowało małego palca.

– Wdało się zakażenie. Musiałem go obciąć.

Ronald Niedermann cierpiał na analgezję wrodzoną i nie odczuwał bólu. Lisbeth rozpłatała mu dłoń łopatą w Gosseberdze, a kilka sekund później Zalachenko postrzelił ją w głowę.

– Powinnam celować w łeb – powiedziała Lisbeth obojętnym tonem. – Co ty tu, kurwa, robisz? Myślałam, że dawno temu zniknąłeś za granicą.

RONALD NIEDERMANN nie potrafił odpowiedzieć na pytanie Lisbeth Salander, co robi w zrujnowanej cegielni. Nawet nie próbował. Nawet sobie nie umiał tego wytłumaczyć.

Zostawił za sobą Gossebergę z poczuciem uwolnienia. Liczył na to, że Zalachenko nie żyje i że teraz on przejmie firmę. Wiedział, że jest świetnym organizatorem.

W Alingsås zmienił samochód i wepchnął przerażoną pomoc dentystyczną Anitę Kaspersson do bagażnika, po czym skierował się w stronę Borås. Nie miał żadnego planu. Improwizował. Nie zastanawiał się nad losem Anity Kaspersson. Nie obchodziło go, czy przeżyje, czy nie. Zakładał, że będzie się musiał pozbyć kłopotliwego świadka. Gdzieś na przedmieściach Borås nagle sobie uświadomił, że może ją wykorzystać w inny sposób. Skierował się na południe i znalazł dziki kawałek lasu pod Seglorą. Przywiązał ją w jakiejś szopie i zostawił. Liczył, że w ciągu kilku godzin będzie się w stanie uwolnić i skieruje uwagę policji na południe. A gdyby jej nie udało się oswobodzić, tylko zamarzłaby albo umarła z głodu, nie byłoby to jego zmartwienie.

Potem zawrócił do Borås i skierował się na wschód, w stronę Sztokholmu. Pojechał prosto do Svavelsjö MC, ale unikał lokalu klubowego. Wkurzało go, że Magge Lundin siedzi w pudle. Odwiedził w domu klubowego *sergeant-at--arms* Hansa-Åkego Waltariego. Poprosił o wsparcie i kryjówkę, a Waltari spełnił jego prośbę, wysyłając go do Viktora Göranssona, kasjera klubu i eksperta od finansów. Ale u niego Niedermann został tylko kilka godzin.

Teoretycznie nie miał żadnych problemów finansowych. Wprawdzie zostawił prawie dwieście tysięcy koron w Gosseberdze, ale miał dostęp do znacznie większych sum umieszczonych w funduszach za granicą. Problem polegał na tym, że bardzo brakowało mu gotówki. Göransson opiekował się pieniędzmi Svavelsjö MC i Niedermann zrozumiał, że to szczęśliwy zbieg okoliczności. Nie było trudno namówić Göranssona, żeby pokazał mu sejf w stodole, i zaopatrzyć się przy okazji w osiemset tysięcy koron w gotówce.

Niedermannowi zdawało się, że gdzieś tam w domu była jeszcze jakaś kobieta, ale nie był pewien, co z nią zrobił.

Göransson dostarczył mu także samochód, nieposzukiwany przez policję. Niedermann ruszył na północ. Miał bardzo ogólny plan, żeby wsiąść na któryś z promów Tallinku, wypływających z Kappelskär.

Pojechał do Kappelskär i z wyłączonym silnikiem stał pół godziny na parkingu i obserwował otoczenie. Wszędzie aż się roiło od policjantów.

Włączył silnik i jeździł bez celu. Potrzebował kryjówki, w której mógłby zniknąć na jakiś czas. Zaraz za Norrtälje przypomniał sobie o starej cegielni. Od ponad roku nie myślał o tych budynkach, ostatni raz w związku z remontem. To bracia Harry i Atho Ranta urządzili sobie w cegielni miejsce przeładunku towarów wywożonych do krajów bałtyckich lub sprowadzanych stamtąd, ale bracia Ranta od kilku tygodni byli za granicą, odkąd dziennikarz Dag Svensson z „Millennium" zaczął węszyć wokół ich interesów z kurwami. Cegielnia była pusta.

Ukrył saaba Göranssona w szopie na tyłach budynku i wszedł do środka. Musiał wyłamać drzwi na parterze, ale jednym z jego pierwszych kroków było zrobienie wyjścia awaryjnego przez luźno wiszącą dyktę w szczytowej ścianie. Potem założył nową kłódkę. Urządził się wygodnie w przytulnym pokoju na piętrze.

Zdążyło upłynąć całe popołudnie, zanim usłyszał odgłosy zza ściany. Najpierw pomyślał, że to zwykłe duchy. Siedział w napięciu i wsłuchiwał się w nie przez jakąś godzinę.

Potem nagle wstał, wyszedł do hali i nastawił uszu. Nic nie słyszał, ale stał cierpliwie, aż doleciał go odgłos skrobania. Klucz znalazł na zlewie.

Dawno nie był tak zaskoczony jak wtedy, gdy po otwarciu drzwi zobaczył ruskie kurwy. Były wychudzone. Kilka tygodni wcześniej skończyła im się paczka ryżu i od tej pory nic nie jadły. Żyły o wodzie i herbacie.

Jedna z nich była tak wyczerpana, że nawet nie miała siły wstać z łóżka. Druga była w lepszej formie. Mówiła tylko po rosyjsku, ale on znał go na tyle, żeby zrozumieć, że dziękuje Bogu za ratunek. Padła na kolana i objęła go za nogi. Zaskoczony odepchnął ją i uciekł, zamykając drzwi.

Nie miał pojęcia, co z nimi zrobić. Ugotował zupę z konserw znalezionych w kuchni i nakarmił je, a sam myślał, co dalej. Bardziej osłabiona kobieta na łóżku odzyskała nieco sił. Przesłuchiwał je przez cały wieczór. Dopiero po jakimś czasie zrozumiał, że nie są kurwami, tylko studentkami, które zapłaciły braciom Ranta, żeby się dostać do Szwecji. Obiecywano im pozwolenie na pracę i legalny pobyt. Przypłynęły do Kappelskär w lutym, z portu zostały zawiezione prosto do cegielni, gdzie od tego czasu siedziały zamknięte.

Niedermann zachmurzył się. Ci cholerni bracia Ranta mieli dodatkowe dochody, do których nie przyznawali się Zalachence. Potem po prostu zapomnieli o tych kobietach albo świadomie zostawili je na pastwę losu, kiedy w pośpiechu opuszczali Szwecję.

Pozostawało pytanie, co ma teraz z nimi zrobić. Nie miał powodu ich krzywdzić. Nie powinien ich wypuszczać, bo istniało duże prawdopodobieństwo, że ściągną na cegielnię uwagę policji. Nie mógł po prostu odesłać ich z powrotem do Rosji, ponieważ musiałby pojechać z nimi do Kappelskär. To było zbyt ryzykowne. Ciemnowłosa dziewczyna o imieniu Valentina zaoferowała mu seks za udzielenie pomocy. Nie był zainteresowany seksem, ale dziewczyna natychmiast zmieniła się w kurwę. Wszystkie kobiety to kurwy. Taka jest prawda.

Po trzech dniach zmęczyły go ich ciągłe błagania, jęki i stukanie w ścianę. Nie widział innego wyjścia. Chciał tylko mieć spokój. Więc otworzył drzwi po raz ostatni i szybko rozwiązał problem. Poprosił Valentinę o wybaczenie, a potem wyciągnął ręce i jednym ruchem skręcił jej kark między drugim i trzecim kręgiem. Potem podszedł do blondynki na łóżku, której imienia nie znał. Leżała nieruchomo i nie stawiała oporu. Zniósł ciała na dół i włożył do basenu. Wreszcie miał trochę spokoju.

NIE ZAMIERZAŁ ZOSTAWAĆ w cegielni długo. Chciał się tylko ukryć, dopóki policja nie zaprzestanie poszukiwań. Zgolił włosy i zapuścił krótką, centymetrową brodę. Jego wygląd się zmienił. Znalazł kombinezon zostawiony przez jakiegoś robotnika z NorrBygg, prawie w jego rozmiarze. Założył kombinezon, na głowę nasunął czapkę z daszkiem firmy Beckers Färg, do bocznej kieszeni włożył metr stolarski i pojechał na stację benzynową OK na wzniesieniu ponad drogą zrobić zakupy. Po okradzeniu Svavelsjö MC miał dość gotówki. Zakupy robił wieczorami. Wyglądał jak zwyczajny robotnik, który zatrzymał się w drodze do domu. Nikt nie zwracał na niego uwagi. Zwykle wyjeżdżał na zakupy dwa albo trzy razy w tygodniu. Na stacji zawsze uprzejmie go witano, wkrótce wszyscy go znali.

Od początku dużo energii poświęcał na obronę przed istotami zaludniającymi cegielnię. Żyły w ścianach i wychodziły nocą. Słyszał, jak się przechadzają po halach.

Barykadował się w swoim pokoju. Po kilku dniach miał tego dość. Uzbroił się w bagnet, który znalazł w kuchennej szufladzie, i wyszedł, żeby wreszcie stanąć twarzą w twarz z potworami. *To się musi skończyć.*

Niespodziewanie zauważył, że się przed nim cofają. Po raz pierwszy w życiu mógł decydować o tym, co robią. Uciekały, kiedy się zbliżał. Widział ich ogony i zdeformowane ciała znikające za skrzyniami i szafami. Wrzeszczał na nie. Uciekały.

Zdumiony wrócił do swojego przytulnego pokoju i całą noc czekał na ich powrót. Przypuściły atak o świcie i jeszcze raz wyszedł im naprzeciw. Uciekły.

Wpadł w panikę i jednocześnie w euforię.

Przez całe życie te istoty dręczyły go w ciemnościach. A teraz po raz pierwszy czuł, że panuje nad sytuacją. Nie robił nic. Jadł. Spał. Myślał. Miał spokój.

Z DNI ZROBIŁY SIĘ tygodnie i nadeszło lato. Dzięki tranzystorowemu radiu i popołudniówkom mógł na bieżąco śledzić, jak polowanie na Ronalda Niedermanna stopniowo się kończy. Z zainteresowaniem czytał doniesienia na temat zabójstwa Zalachenki. *Nieźle. Jakiś świr wykończył Zalachenkę.* W lipcu zaczął się proces Lisbeth Salander i znów zaczął się interesować tą sprawą. Zdziwił się, kiedy znienacka została uniewinniona. To nie było w porządku. Ona była wolna, a on musiał się ukrywać.

Na stacji benzynowej kupił numer tematyczny „Millennium" i przeczytał o Lisbeth Salander, Aleksandrze Zalachence i Ronaldzie Niedermannie. Dziennikarz nazwiskiem Mikael Blomkvist odmalował portret Niedermanna jako patologicznego mordercy i psychopaty. Niedermann zmarszczył brwi.

Nagle zrobiła się jesień, a on jeszcze się nie ruszył. Kiedy się ochłodziło, kupił na stacji elektryczny grzejnik. Nie potrafił wytłumaczyć, dlaczego nie opuścił fabryki.

Kilka razy jacyś młodzi ludzie zajeżdżali na plac przed cegielnią i parkowali, ale poza tym nikt nie zakłócał mu spokoju ani nie włamywał się do budynku. We wrześniu jakiś samochód zatrzymał się przed cegielnią. Facet w granatowej kurtce łaził po placu i węszył. Niedermann obserwował go z okna na piętrze. Mężczyzna co jakiś czas zapisywał coś w notatniku. Po dwudziestu minutach rozejrzał się dokoła po raz ostatni, wsiadł do samochodu i odjechał. Niedermann odetchnął. Nie miał pojęcia, kim mógł być ten mężczyzna i co miał do załatwienia. Nie przyszło mu do głowy, że po śmierci Zalachenki trzeba było spisać jego majątek.

Dużo rozmyślał o Lisbeth Salander. Nie spodziewał się, że jeszcze kiedykolwiek ją spotka, ale fascynowała go i równocześnie przerażała. Ronald Niedermann nie bał się żywych ludzi. Ale jego siostra – przyrodnia siostra – zrobiła na nim niesamowite wrażenie. Nikt inny nie dał mu w kość tak jak ona. Wróciła, chociaż ją pogrzebał. Wróciła i ścigała go. Śnił o niej co noc. Budził się zlany zimnym potem i zrozumiał, że zastąpiła jego dotychczasowe strachy.

W październiku podjął decyzję. Nie wyjedzie ze Szwecji, póki nie odnajdzie siostry i jej nie zabije. Nie opracował żadnego planu, ale jego życie znów miało cel. Nie wiedział, gdzie jest ani jak ją odnaleźć. Siedział w swoim pokoju na piętrze i gapił się przez okno, dzień za dniem, tydzień za tygodniem.

Aż pewnego dnia na placu przez budynkiem zaparkowała bordowa honda i, ku swemu ogromnemu zdziwieniu, zobaczył, że wysiada z niej Lisbeth Salander. *Bóg jest łaskawy*, pomyślał. Lisbeth Salander dołączy do tych dwóch kobiet, których imion nie pamiętał, w basenie na dole. Doczekał się. Wreszcie będzie mógł pójść dalej.

LISBETH SALANDER oceniła swoje położenie i doszła do wniosku, że sytuacja na pewno nie jest pod kontrolą. Jej mózg pracował na wysokich obrotach. *Klik, klik, klik*. Nadal trzymała w dłoni łom, ale miała świadomość, że kiedy się stoi oko w oko z człowiekiem, który nie odczuwa bólu, nie jest to skuteczna broń. Była zamknięta w klatce o powierzchni dwóch tysięcy metrów kwadratowych razem z morderczym robotem z piekła rodem.

Kiedy Niedermann wykonał nagły ruch w jej stronę, rzuciła w niego łomem. Spokojnie się uchylił. Lisbeth Salander błyskawicznie ruszyła z miejsca. Postawiła stopę na stołku i wskoczyła na skrzynię, i dalej jak pająk wspięła się na skrzynie dwa poziomy wyżej. Zatrzymała się i spojrzała na Niedermanna. Stał ponad cztery metry pod nią. Zatrzymał się i czekał.

– Zejdź – powiedział spokojnie. – Nie dasz rady uciec. Koniec jest nieunikniony.

Lisbeth zastanawiała się, czy ma broń palną. To byłby poważny problem.

Niedermann schylił się, podniósł krzesło i rzucił w jej stronę. Uchyliła się.

Sprawiał wrażenie zirytowanego. Postawił stopę na stołku i zaczął się do niej wspinać. Zaczekała, aż znajdzie się prawie na jej wysokości, rozpędziła się dwoma szybkimi susami, wybiła, przeskoczyła nad przejściem między pakami i wylądowała na skrzyniach po drugiej stronie, kilka metrów dalej. Zeszła na podłogę i podniosła łom.

Niedermann właściwie nie był niezdarny. Ale wiedział, że nie może zaryzykować skoku w dół, bo mógłby złamać nogę. Musiał ostrożnie spuścić się w dół i uważnie postawić stopę na podłodze. Po prostu musiał poruszać się wolno, przez całe życie uczył się panowania nad swoim ciałem. Prawie był na podłodze, kiedy usłyszał za sobą kroki. Zdążył się odwrócić, żeby ramieniem odparować cios łomem. Upuścił bagnet.

Lisbeth uderzyła i wypuściła z rąk łom. Nie miała czasu, żeby schylić się po bagnet. Kopnęła go wzdłuż rzędu palet, uchyliła się przed bekhendem potężnej pięści Niedermanna i wycofała się na górę, na skrzynie po drugiej stronie przejścia. Kącikiem oka dostrzegła, że Niedermann próbuje ją złapać. Błyskawicznie podciągnęła nogi. Skrzynie stały w dwóch rzędach, potrójnie przy przejściu i podwójnie na bokach. Opuściła się na skrzynie ustawione po dwie, zaparła się plecami i popchnęła z całej siły. Skrzynia musiała ważyć jakieś dwieście kilo. Poczuła, że się przesuwa i leci w dół, na przejście.

Niedermann zobaczył spadającą skrzynię i zdążył rzucić się w bok. Róg uderzył go w pierś, ale nie odniósł obrażeń. Zatrzymał się. *Ona naprawdę się broni*. Wspiął się za nią na górę. Gdy tylko wystawił głowę znad krawędzi, Lisbeth go kopnęła. Trafiła go w czoło. Jęknął i wciągnął się na samą górę. Lisbeth uciekła, przeskakując z powrotem na skrzynie po drugiej stronie przejścia. Przeturlała się od razu przez krawędź i zniknęła mu z pola widzenia. Słyszał jej kroki. Mignęła mu w drzwiach do sąsiedniej hali.

LISBETH SALANDER rozejrzała się dokoła, rozważając różne możliwości. *Klik*. Wiedziała, że jest bez szans. Ale póki udaje jej się unikać potężnych pięści Niedermanna i trzymać się z dala, przeżyje. Ale gdy tylko zrobi błąd – co pewnie prędzej czy później nastąpi – będzie martwa. Musi uciekać. Wystarczyło, że dostanie ją w łapy i będzie koniec.

Musiała mieć broń.

Pistolet. Karabin maszynowy. Granat przeciwpancerny. Mina przeciwpiechotna.

Kurwa, cokolwiek.

Ale nic takiego nie było pod ręką.

Rozejrzała się.

Żadnej broni.

Tylko narzędzia. *Klik*. Jej spojrzenie padło na piłę poprzeczną, ale trzeba by dużo wysiłku, żeby go skłonić do położenia się na blacie. *Klik*. Zobaczyła pręt, który mógł posłużyć jako oszczep, ale był za ciężki, żeby mogła go użyć. *Klik*. Rzuciła okiem w stronę drzwi i zobaczyła, że Niedermann zlazł ze skrzyń i stoi piętnaście metrów od niej. Znów ruszył w jej stronę. Musiała uciekać. Miała może pięć sekund. Jeszcze raz rzuciła okiem na narzędzia.

Broń... albo kryjówka. Nagle się zatrzymała.

NIEDERMANN NIE MUSIAŁ się śpieszyć. Wiedział, że z hali nie ma wyjścia i że prędzej czy później schwyta siostrę. Ale niewątpliwie była niebezpieczna. Mimo wszystko to córka Zalachenki. A on nie chciał dać się zranić. Lepiej pozwolić jej się zmęczyć, poczekać, aż opadnie z sił.

Zatrzymał się na progu i rozejrzał po stertach rupieci, narzędzi, przyciętych desek podłogowych i mebli. Nigdzie nie było jej widać.

– Wiem, że tu jesteś. Znajdę cię.

Stał nieruchomo i nasłuchiwał. Jedyną rzeczą, jaką słyszał, był jego własny oddech. Schowała się. Uśmiechnął się. Prowokowała go. Jej wizyta nagle przerodziła się w zabawę w brata i siostrę.

Potem usłyszał szelest dobiegający z nieokreślonego miejsca w środku hali. Odwrócił głowę, ale nie potrafił od razu umiejscowić źródła dźwięku. Znów się uśmiechnął. Pośrodku hali, w pewnej odległości od reszty gratów, stał drewniany stół warsztatowy długości około pięciu metrów. Na górze miał szuflady, na dole szafki z przesuwanymi drzwiami.

Podszedł do niego z boku i zajrzał, czy nie ma jej z tyłu. *Pusto.*

Na pewno schowała się w szafce. Ale głupia.

Otworzył pierwszą z brzegu, z lewej strony.

Chwilę potem usłyszał, że w środku coś się przesuwa. Dźwięk dochodził ze środkowych szafek. Zrobił dwa szybkie kroki i z triumfalną miną odsunął drzwi.

Pusto.

Potem usłyszał serię ostrych trzasków. Brzmiały jak wystrzały z pistoletu. Dźwięk rozległ się tak blisko, że nie potrafił go od razu zlokalizować. Odwrócił głowę. Potem poczuł dziwny ucisk w lewej stopie. Nie czuł bólu. Spojrzał w dół i zdążył jeszcze dojrzeć dłoń Lisbeth Salander. Do jego prawej stopy przykładała gwoździarkę.

Była pod szafką.

Przez tych kilka sekund, których potrzebowała, żeby przyłożyć wylot pistoletu do jego prawego buta i wystrzelić pięć siedmiocalowych gwoździ prosto w jego stopę, stał jak sparaliżowany.

Próbował się ruszyć.

Kolejne cenne sekundy zajęło mu zrozumienie, że jego stopy są przybite do nowo ułożonej drewnianej podłogi. Dłoń Lisbeth przystawiła gwoździarkę do jego lewej stopy. Brzmiało to jak pistolet automatyczny oddający szybko pojedyncze wystrzały. Zdążyła wbić jeszcze cztery siedmiocalowe gwoździe, by wzmocnić te, które już tkwiły, zanim zdołał cokolwiek zrobić.

Próbował się schylić, żeby schwycić jej rękę, i natychmiast stracił równowagę. Udało mu się ją odzyskać, kiedy podparł się dłońmi o blat stołu. Cały czas słyszał wystrzały gwoździarki: *bach-bach, bach-bach, bach-bach.* Znów była przy jego prawej stopie. Widział, jak wbija gwoździe przez piętę, ukośnie do podłogi.

Ryknął w przypływie nagłej wściekłości. Znów sięgnął po dłoń Lisbeth.

Leżąc pod szafką, Lisbeth zauważyła, że nogawki jego spodni unoszą się do góry, co oznaczało, że zamierza się schylić. Puściła pistolet. Niedermann zobaczył, jak jej dłoń szybko jak jaszczurka znika pod szafką. Nie zdążył jej schwycić.

Wyciągnął rękę po gwoździarkę, ale kiedy dotykał jej czubkami palców, Lisbeth za kabel wciągnęła ją pod szafkę.

Między podłogą i szafką było około dwudziestu centymetrów prześwitu. Z całej siły pchnął i przewrócił szafkę do tyłu. Lisbeth spojrzała na niego z dołu wielkimi oczami. Wyglądała na urażoną. Obróciła pistolet i odpaliła z odległości pół metra. Gwóźdź trafił go w środek goleni.

W następnym momencie puściła gwoździarkę, przeturlała się błyskawicznie na bok i wstała, kiedy już była poza jego zasięgiem. Cofnęła się dwa metry.

Ronald Niedermann próbował się ruszyć. Znów stracił równowagę i chwiał się, wymachując ramionami. Odzyskał równowagę i wściekły schylił się do podłogi.

Tym razem udało mu się dosięgnąć pistoletu. Podniósł go i wycelował w stronę Lisbeth. Nacisnął spust.

Nic się nie stało. Zdumiony spojrzał na gwoździarkę. Potem znów na Lisbeth. Z obojętnym wyrazem twarzy trzymała w ręce wtyczkę. Rozwścieczony rzucił w nią pistoletem. Szybkim ruchem odchyliła się na bok.

Potem znów włożyła wtyczkę do kontaktu i za kabel przyciągnęła do siebie pistolet.

Spojrzał w pozbawione wyrazu oczy Lisbeth Salander i poczuł nagłe zdumienie. Wiedział już, że go pokonała. *Ona ma nadprzyrodzone zdolności.* Próbował oderwać stopę od podłogi. *Jest potworem.* Udało mu się unieść stopę o kilka milimetrów, póki łebki gwoździ jej nie zatrzymały. Gwoździe poprzebijały jego stopy pod różnymi kątami i żeby się uwolnić, musiałby dosłownie rozszarpać sobie stopy na kawałki. Mimo swojej nadnaturalnej siły nie był w stanie oderwać się od podłogi. Przez chwilę kołysał się w przód i w tył, jakby miał zemdleć. Nie uwolnił się. Widział, jak między jego butami powoli tworzy się kałuża krwi.

Lisbeth usiadła przed nim na krześle bez oparcia i przyglądała się, czy będzie w stanie się uwolnić. Ponieważ nie czuł bólu, było tylko kwestią siły, czy zdoła przeciągnąć łebki gwoździ na wylot przez stopy. Siedziała spokojnie i przez dziesięć minut obserwowała jego walkę.

Potem wstała, obeszła go dokoła i przyłożyła mu gwoździarkę do kręgosłupa, tuż pod karkiem.

LISBETH SALANDER zastanawiała się. Stojący przed nią człowiek przywoził, narkotyzował, maltretował i sprzedawał kobiety, hurtowo i na sztuki. Zamordował co najmniej ośmioro ludzi, w tym policjanta pod Gossebergą oraz członka Svavelsjö MC. Nie miała pojęcia, ile jeszcze istnień ludzkich jej przyrodni brat miał na sumieniu, ale przez niego ścigano ją po całej Szwecji jak wściekłego psa, oskarżając o trzy z jego morderstw.

Jej palec ciężko spoczywał na spuście.

Zamordował Daga Svenssona i Mię Bergman.

Razem z Zalachenką zamordował też ją. Zakopał ją w lesie w Gosseberdze. A teraz wrócił, żeby znów ją zabić.

Nawet mniej wystarczyłoby, żeby ją wkurzyć.

Nie widziała powodu, żeby zostawić go przy życiu. Nie potrafiła zrozumieć, dlaczego tak bardzo jej nienawidzi. Co by się stało, gdyby przekazała go w ręce policji? Proces? Dożywocie? Kiedy dostałby przepustkę? Jak szybko byłby w stanie uciec? Teraz, kiedy jej ojca wreszcie nie było, ile lat musiałaby spoglądać przez ramię w oczekiwaniu na dzień, kiedy jej brat znienacka znów się pojawi? Poczuła ciężar gwoździarki. Mogła zakończyć tę sprawę raz na zawsze.

Analiza konsekwencji.

Przygryzła dolną wargę.

Lisbeth Salander nie bała się ani ludzi, ani niczego innego. Uważała, że brakuje jej potrzebnej do tego wyobraźni – co dowodziło, że z jej mózgiem rzeczywiście coś było nie w porządku.

Ronald Niedermann nienawidził jej, a ona rewanżowała się równie nieprzejednaną nienawiścią. Był jednym z tych wielu mężczyzn, jak Magge Lundin, Martin Vanger i Aleksander Zalachenko oraz tuziny innych bydlaków, którzy jej zdaniem nie mieli prawa żyć. Gdyby mogła zebrać ich wszystkich na bezludnej wyspie i spuścić na nich bombę atomową, zrobiłaby to z ochotą.

Ale morderstwo? Czy warto? Co się z nią stanie, jeśli go zabije? Jakie ma szanse, że jej nie znajdą? Ile jest gotowa poświęcić za chwilową satysfakcję, za naciśnięcie spustu po raz ostatni?

Mogłaby powołać się na obronę własną i obronę konieczną... nie, raczej nie, skoro Niedermann ma nogi przybite do podłogi.

Nagle pomyślała o Harriet Vanger, którą molestowali ojciec i brat. Pamiętała wymianę zdań z Mikaelem Blomkvistem, kiedy bardzo surowo osądziła Harriet. To była jej wina, że jej brat Martin mógł mordować przez tyle lat.

„A co ty byś zrobiła?", zapytał Mikael.

„Zabiłabym gnoja", odpowiedziała z przekonaniem płynącym z głębi duszy.

A teraz była dokładnie w takiej samej sytuacji jak Harriet Vanger. Ile kobiet zabije jeszcze Ronald Niedermann, jeśli puści go wolno? Czuła się dojrzała, czuła się odpowiedzialna za swoje czyny. Ile lat życia jest gotowa poświęcić? Ile lat chciała poświęcić Harriet Vanger?

POTEM PISTOLET DO GWOŹDZI zrobił się za ciężki, żeby mogła go utrzymać obiema rękami przy plecach Niedermanna.

Opuściła broń i poczuła się tak, jakby wracała do rzeczywistości. Usłyszała, że Ronald Niedermann bełkocze coś niezrozumiale. Mówił po niemiecku. Mówił coś o diable, który po niego przyszedł.

Uświadomiła sobie, że nie mówi do niej. Zdawał się widzieć kogoś w drugim końcu hali. Odwróciła głowę i powiodła wzrokiem za jego spojrzeniem. Niczego tam nie było. Poczuła, jak włosy jeżą się jej na karku.

Odwróciła się na pięcie, podniosła łom, poszła do zewnętrznej hali i odszukała swoją torbę. Kiedy się po nią schylała, zauważyła na podłodze bagnet. Wciąż była w rękawiczkach, więc go podniosła.

Zastanowiła się chwilę. Potem położyła go w widocznym miejscu w przejściu między spiętrzonymi skrzyniami. W trzy minuty rozwaliła łomem kłódkę.

DŁUGO SIEDZIAŁA w samochodzie, pogrążona w myślach. W końcu wyjęła komórkę. Dwie minuty zajęło jej znalezienie numeru klubu Svavelsjö MC.

– Tak? – usłyszała.

– Z Nieminenem – powiedziała.

– Chwileczkę.

Czekała trzy minuty. W końcu odezwał się Sonny Nieminen, *acting president* Svavelsjö MC.

– Kto mówi?

– To cię nie powinno obchodzić – powiedziała Lisbeth tak cicho, że z trudem rozróżniał słowa. Nie mógł nawet stwierdzić, czy rozmawia z mężczyzną, czy z kobietą.

– Aha. Czego chcesz?

– Chcesz się czegoś dowiedzieć o Ronaldzie Niedermannie?

– A chcę?

– Nie pieprz głupot. Chcesz wiedzieć, gdzie on jest, czy nie?

– Słucham.

Lisbeth opisała, jak dojechać do opuszczonej cegielni pod Norrtälje. Powiedziała, że Niedermann będzie tam jeszcze na tyle długo, że Nieminen zdąży go złapać, jeśli się pośpieszy.

Wyłączyła komórkę, włączyła silnik i podjechała na stację benzynową po drugiej stronie drogi. Zaparkowała tak, żeby mieć widok na cegielnię.

Czekała ponad dwie godziny. Krótko przed wpół do drugiej na drodze w dole zobaczyła furgonetkę. Samochód zatrzymał się w zatoczce, stał pięć minut, zawrócił i wjechał na podjazd cegielni. Z wolna zaczynało się zmierzchać.

Lisbeth otworzyła schowek, wyjęła lornetkę Minolta 2x8 i zobaczyła, że furgonetka parkuje. Wysiedli Sonny Nieminen, Hans-Åke Waltari i trzech ludzi, których nie znała. *Nowy narybek. Muszą znów rozkręcić działalność.*

Kiedy Sonny Nieminen i jego kompani znaleźli otwarte drzwi i weszli do środka, Lisbeth znów sięgnęła po komórkę. Napisała wiadomość i przesłała ją mailem do centrali policji w Norrtälje.

[ZABÓJCA POLICJANTA R. NIEDERMANN JEST W STAREJ CEGIELNI PRZY STACJI OK ZA SKEDERID. WŁAŚNIE MORDUJĄ

GO S. NIEMINEN & INNI ZE SVAVELSJÖ MC. ZWŁOKI KOBIE-
TY W BASENIE NA PARTERZE.]

Nie widziała, co się dzieje w fabryce.

Miała czas.

Wyjęła z telefonu kartę SIM i pocięła ją nożyczkami do paznokci. Opuściła boczną szybę i wyrzuciła kawałki. Potem z portfela wyjęła nową kartę i włożyła ją do komórki. Używała kart firmy Comviq, których nie można było zlokalizować. Zadzwoniła do Comviq i naładowała nową kartę za pięćset koron.

Po jedenastu minutach od wysłania wiadomości od strony Norrtälje nadjechał bus z oddziałem interwencyjnym policji. Jechali na światłach, ale bez syreny. Zaparkowali na podjeździe. Jakąś minutę później zjawiły się dwa radiowozy. Naradzili się, potem całą grupą wjechali na teren cegielni i zaparkowali przy furgonetce Nieminena. Podniosła lornetkę. Zobaczyła, że jeden z policjantów przez krótkofalówkę przekazuje numer rejestracyjny furgonetki. Rozglądali się na wszystkie strony, ale jeszcze czekali. Dwie minuty później z dużą szybkością nadjechał jeszcze jeden policyjny bus.

Nagle uświadomiła sobie, że wreszcie wszystko się skończyło.

Historia, która zaczęła się w dniu jej narodzin, kończyła się w cegielni.

Była wolna.

Kiedy policjanci wzięli z samochodów broń, nałożyli kevlarowe kamizelki i zaczęli się rozbiegać po całym terenie, Lisbeth poszła na stację, kupiła kawę na wynos i zafoliowaną kanapkę. Jadła na stojąco przy barowym stoliku.

Kiedy wróciła do samochodu, było już ciemno. Gdy otwierała drzwi, usłyszała dwa odległe wystrzały z ręcznej broni palnej. Tak przypuszczała. Widziała kilka czarnych postaci przyciśniętych do muru w pobliżu wejścia w ścianie

szczytowej. Usłyszała syreny. Jeszcze jeden policyjny bus nad-
jeżdżał od strony Uppsali. Kilka samochodów zatrzymało się
na skraju drogi. Pasażerowie chcieli oglądać widowisko.

Wsiadła do bordowej hondy i skręciła na E18, a potem,
w stronę Sztokholmu, do domu.

BYŁA SIÓDMA WIECZOREM, kiedy Lisbeth, ku swej
ogromnej irytacji, usłyszała dzwonek do drzwi. Leżała w wannie, woda jeszcze parowała. Właściwie tylko jedna osoba mogła mieć powód, żeby do niej pukać.

Najpierw zamierzała to zignorować, ale po trzecim
dzwonku westchnęła i owinęła się ręcznikiem. Wydęła dolną wargę, a woda kapała na podłogę.

– Cześć – powiedział Mikael, kiedy otworzyła drzwi.

Nie odpowiedziała.

– Słuchałaś wiadomości?

Potrząsnęła głową.

– Pomyślałem, że może chciałabyś wiedzieć, że Ronald
Niedermann nie żyje. Został dzisiaj zabity przez bandę ze
Svavelsjö MC, gdzieś pod Norrtälje.

– Naprawdę? – powiedziała Lisbeth Salander spokojnie.

– Rozmawiałem z dyżurnym z Norrtälje. Wszystko
wskazuje na to, że to wewnętrzne porachunki. Niedermanna najwyraźniej torturowano, w końcu został rozpłatany
bagnetem. Na miejscu była torba z dużą sumą pieniędzy.

– Aha.

– Bandziorów ze Svavelsjö policja zatrzymała na miejscu. Stawiali opór. Wywiązała się strzelanina i policja musiała ściągnąć specjalną jednostkę ze Sztokholmu. Svavelsjö
skapitulowało około szóstej wieczorem.

– Aha.

– Twój stary kumpel ze Stallarholmen, Sonny Nieminen,
wyciągnął kopyta. Odbiło mu kompletnie. Próbował utoro-
wać sobie drogę ogniem.

– To dobrze.

Mikael Blomkvist umilkł na chwilę. Spoglądali na siebie przez szparę w drzwiach.

– Przeszkadzam? – zapytał.

Wzruszyła ramionami.

– Siedziałam w wannie.

– Widzę. Masz ochotę na towarzystwo?

Spojrzała na niego surowo.

– Nie chodziło mi o wannę. Przyniosłem bajgle – wyjaśnił i pokazał torbę. – Poza tym kupiłem kawę do ekspresu. Jeśli już masz w kuchni jurę impressę X7, to powinnaś nauczyć się ją obsługiwać.

Uniosła brwi. Nie wiedziała, czy powinna czuć rozczarowanie, czy ulgę.

– Tylko towarzystwo? – zapytała.

– Tylko towarzystwo – potwierdził. – Jestem przyjacielem, który odwiedza przyjaciela. O ile jestem mile widziany, rzecz jasna.

Wahała się kilka sekund. Przez dwa lata trzymała się od niego na dystans. A mimo to cały czas tkwił w jej życiu jak guma przyklejona do podeszwy buta, albo w sieci, albo w prawdziwym życiu. W sieci szło dobrze. Tam był tylko elektronami i literami. W prawdziwym życiu stał przed jej drzwiami i nadal był tym samym cholernie atrakcyjnym facetem. I znał wszystkie jej tajemnice, tak samo jak ona znała jego.

Przyjrzała mu się i stwierdziła, że nie darzy go już uczuciem. Przynajmniej nie takim uczuciem.

Przez ostatni rok naprawdę był jej przyjacielem.

Polegała na nim. Chyba. Irytowało ją, że jednym z niewielu ludzi, którym ufa, jest człowiek, którego ciągle unika.

Nagle zdecydowała. To głupie udawać, że on nie istnieje. Widziała go i to już nie bolało.

Otworzyła drzwi i znów wpuściła go do swojego życia.